Vos ressources numériques en ligne !

Un ensemble d'outils numériques spécialement conçus pour vous aider dans l'acquisition des connaissances liées à

LA PLANIFICATION FINANCIÈRE PERSONNELLE

6e édition

- Médiagraphie : hyperliens Internet pour les 19 chapitres
- 12 tables financières
- Questionnaires pour établir un profil de situation financière
- Capsules d'information : mises à jour pour refléter l'actualité de la planification financière personnelle

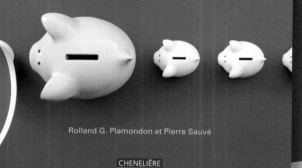

LA PLANIFICATION FINANCIÈRE PERSONNELLE
6e édition

UNE APPROCHE GLOBALE ET INTÉGRÉE

Rolland G. Plamondon et Pierre Sauvé

CHENELIÈRE
ÉDUCATION

Achetez en ligne ou en librairie
En tout temps, simple et rapide !
www.cheneliere.ca

Accédez à ces outils en un clic !

www.cheneliere.ca/plamo

CHENELIÈRE
ÉDUCATION

LA PLANIFICATION FINANCIÈRE PERSONNELLE

6e édition

UNE APPROCHE GLOBALE ET INTÉGRÉE

Rolland G. Plamondon, B. Sc. A., M.B.A., D. B. A.,
Université du Québec à Montréal et HEC Montréal

Pierre Sauvé, B. A., M. Sc. Com, C. A., HEC Montréal

Révision scientifique : Jean-François Larocque, CA, Pl. Fin., Université Laval

La planification financière personnelle
Une approche globale et intégrée, 6e édition

Rolland G. Plamondon et Pierre Sauvé

© 2012 Chenelière Éducation inc.
© 2008 Les Éditions de la Chenelière
© 2002, 1998, 1995, 1993 gaëtan morin éditeur ltée

Conception éditoriale: Sylvain Ménard
Édition: Julie Dagenais
Coordination: Marie-Michèle Martel
Révision linguistique: Marie Auclair
Correction d'épreuves: Catherine Baron
Conception graphique: Interscript
Conception de la couverture: Karina Dupuis

**Catalogage avant publication
de Bibliothèque et Archives nationales du Québec
et Bibliothèque et Archives Canada**

Plamondon, Rolland G.

La planification financière personnelle: une approche globale et intégrée
6e éd.

Comprend des réf. bibliogr. et un index.

ISBN 978-2-7650-3324-0

1. Planification financière personnelle. 2. Finances personnelles.
3. Retraite – Planification. 4. Successions et héritages. 5. Planification
financière personnelle – Problèmes et exercices. ᴵ. Sauvé, Pierre,
1946-   . ᴵᴵ. Titre.

HG179.P54 2012   332.024   C2012-940407-1

CHENELIÈRE ÉDUCATION

5800, rue Saint-Denis, bureau 900
Montréal (Québec) H2S 3L5 Canada
Téléphone: 514 273-1066
Télécopieur: 514 276-0324 ou 1 800 814-0324
info@cheneliere.ca

ISBN 978-2-7650-3324-0

Dépôt légal: 1er trimestre 2012
Bibliothèque et Archives nationales du Québec
Bibliothèque et Archives Canada

Imprimé au Canada

2   3   4   5   6   M   17   16   15   14   13

Nous reconnaissons l'aide financière du gouvernement du Canada par
l'entremise du Fonds du livre du Canada (FLC) pour nos activités d'édition.

Gouvernement du Québec – Programme de crédit d'impôt pour l'édition de
livres – Gestion SODEC.

Sources iconographiques

Couverture: Sodafish bvba/Istockphoto;
**Ouvertures de parties, de modules et de
chapitres:** Arpad Nagy-Bagoly/Istockphoto.

Dans cet ouvrage, le masculin est utilisé comme
représentant des deux sexes, sans discrimination à
l'égard des hommes et des femmes, et dans le seul
but d'alléger le texte.

Des marques de commerce sont mentionnées ou illustrées dans cet ouvrage. L'Éditeur tient à préciser qu'il
n'a reçu aucun revenu ni avantage conséquemment
à la présence de ces marques. Celles-ci sont repro-
duites à la demande de l'auteur en vue d'appuyer le
propos pédagogique ou scientifique de l'ouvrage.

Le matériel complémentaire mis en ligne dans notre
site Web est réservé aux résidants du Canada, et ce,
à des fins d'enseignement uniquement.

L'achat en ligne est réservé aux résidants du Canada.

AVANT-PROPOS

Le présent ouvrage vise essentiellement à familiariser le lecteur avec la planification financière personnelle et le rôle du planificateur financier. Dans un monde où l'économie est de plus en plus complexe, où sévissent l'inflation, le surendettement, la très grande volatilité des marchés boursiers et, malheureusement, de nombreuses crises et fraudes financières, la planification financière personnelle s'impose. Elle est maintenant nécessaire pour toute personne ou toute famille qui se préoccupe de son avenir financier. La planification financière permet en effet d'adopter les moyens les plus efficaces pour atteindre ses objectifs et, par conséquent, l'indépendance financière ainsi qu'une certaine tranquillité d'esprit.

Tout comme les précédentes, cette sixième édition s'inscrit dans l'optique d'une approche modulaire et intégrée.

Modulaire parce que cette approche interpelle les six grands modules de la finance personnelle : la gestion budgétaire, la planification fiscale, la planification de la retraite, incluant les stratégies pouvant être employées au moment de la prise de la retraite elle-même (la gestion des risques au moyen des assurances, la gestion du portefeuille de placements) et, finalement, la planification successorale.

Intégrée parce que tous les modules, sans exception, sont coordonnés les uns avec les autres pour permettre au client d'atteindre le meilleur équilibre possible entre la qualité de vie et la santé financière, que l'on qualifie d'indépendance financière.

Bien sûr, dans la pratique, cette approche relève d'un mode de gestion privée qui vise à satisfaire les besoins du client même si, dans certains cas, cela implique, de la part du planificateur financier, la vente de produits financiers.

Le présent ouvrage fait une large place à la famille québécoise. Il aborde également le cas du travailleur autonome, dont la situation particulière est de plus en plus répandue.

En rédigeant cette sixième édition, nous avons tenu compte des avancées récentes dans le domaine de la planification financière. En effet, nous avons vécu au moins deux crises financières majeures depuis le début des années 2000. De plus, des fraudes financières, d'une ampleur jusqu'ici inégalée, ont fait les manchettes, ce qui a amené le milieu institutionnel de la planification financière, et ce, partout dans le monde, à effectuer une réorganisation majeure de ses activités et à se munir de meilleurs outils de contrôle dans le but de provoquer de profonds changements. Au Québec, par exemple, le titre de planificateur financier est un titre professionnel ; de nombreux intervenants, incluant l'Institut québécois de planification financière (IQPF), militent actuellement en faveur de la création d'un réel ordre professionnel.

Pour cette sixième édition, les six modules de la planification financière personnelle ont été approfondis, restructurés et réorganisés pour mieux refléter la pratique professionnelle actuelle. Puisque le présent ouvrage s'adresse aux clientèles universitaire et professionnelle, il peut donc être employé dans de nombreux cours et séminaires.

Nous proposons de plus au lecteur de nombreuses sources Internet qui permettent aujourd'hui d'accéder à une immense bibliothèque virtuelle, sur les finances personnelles en particulier et sur le milieu financier en général.

Sur le site Web de l'éditeur (www.cheneliere.ca/plamondon), nous tiendrons le lecteur informé des nombreux changements survenant dans ce domaine en constante évolution, et ce, à l'aide de la rubrique « Capsules d'information ».

Finalement, nous désirons remercier l'équipe d'édition qui a rendu possible la parution du présent ouvrage, en particulier l'éditrice déléguée, Julie Dagenais, la chargée de projet, Marie-Michèle Martel, la réviseure linguistique, Marie Auclair, le réviseur scientifique, Jean-François Larocque, et la correctrice d'épreuves, Catherine Baron, pour leur collaboration efficace.

Rolland G. Plamondon

Pierre Sauvé

CARACTÉRISTIQUES DU MANUEL

PICTOGRAMME WEB

Lorsqu'un paragraphe contient un ou plusieurs renvois à un site Web, celui-ci est précédé d'un pictogramme Web. Ce pictogramme signifie que l'adresse Web se trouve en fin de chapitre dans la section Médiagraphie.

PICTOGRAMME TABLES FINANCIÈRES

Le pictogramme Tables financières signifie qu'un exemple peut être résolu en utilisant les tables de l'annexe A du manuel.

PICTOGRAMME CALCULATRICE

Le pictogramme Calculatrice signifie qu'un exemple peut être résolu en utilisant la calculatrice.

Cette rubrique propose de l'information additionnelle sur le sujet abordé dans le texte.

Les calculs financiers qui concernent les tables IX, X, XI et XII (annuités à progression géométrique ou en croissance), ne sont pas pré-programmées sur les calculatrices en général et nécessitent une calculatrice financière programmable, non nécessaire pour l'objectif poursuivi dans ce volume. Les quatre tables IX, X, XI et XII sont offertes avec une inflation de 3 % et une inflation de 4 % donc huit tables financières se réfèrent aux annuités en croissance.

FIGURES ET TABLEAUX

Les figures et tableaux apportent un complément d'information ou illustrent les concepts et notions abordés dans le manuel.

EXEMPLE

La rubrique Exemple propose des démonstrations pratiques des notions abordées dans texte.

MÉDIAGRAPHIE

Les sites Web et les documents mentionnés dans le chapitre sont classés dans cette section.

QUESTIONS DE RÉVISION

Chaque chapitre comporte des questions de révision. Ces questions permettent de vérifier la compréhension des notions importantes qui ont été abordées dans le chapitre.

DOSSIERS

Les Dossiers permettent d'approfondir certains concepts abordés dans le chapitre. Ils sont placés à la fin des chapitres correspondants.

EXERCICES ET SOLUTIONS

Des exercices sont proposés dans certains chapitres. L'étudiant peut donc se familiariser avec différentes situations et résoudre des problèmes variés.

Les solutions de ces exercices sont présentées à la fin du chapitre.

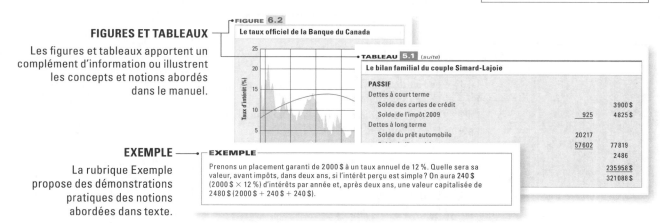

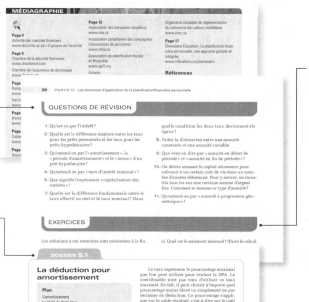

TABLE DES MATIÈRES

PARTIE III
Les domaines d'application de la planification financière personnelle 123

Module 1 **LA GESTION BUDGÉTAIRE**

CHAPITRE 7
Les documents financiers essentiels 125

Module 2   **LA PLANIFICATION FISCALE**

Module 3   **LA RETRAITE**

Module 4 **LES PLACEMENTS**

CHAPITRE 14
Les produits et les marchés financiers 347

CHAPITRE 15
La gestion de portefeuille 381

| Module 5 | LES ASSURANCES |

CHAPITRE 18

Les aspects financiers et fiscaux de la transmission de biens 488

PARTIE I

LA PRATIQUE DE LA PLANIFICATION FINANCIÈRE

Cette première partie de l'ouvrage comporte deux chapitres. Le premier chapitre met l'accent sur le planificateur financier et le milieu financier, c'est-à-dire qu'il présente une vue d'ensemble des institutions et des intermédiaires qui permettent de maintenir une synergie positive entre la théorie (abordée dans cet ouvrage) et la pratique de la planification financière personnelle, principalement au Québec et, dans une certaine mesure, au Canada. Cette discipline a connu, depuis le début des années 2000, une croissance marquée ; le Québec et le Canada se situent à l'avant-garde de ce développement. Nous désirons dans le premier chapitre témoigner de cette évolution dynamique.

Le second chapitre, «La communication relationnelle : un processus stratégique», aborde un sujet d'une importance majeure : la communication avec le client. De nombreuses années d'expérience nous ont permis de constater que cet aspect est souvent soit négligé, soit complètement ignoré de nombreux professionnels du milieu financier. En général, les planificateurs financiers reçoivent une excellente formation financière. Toutefois, plusieurs d'entre eux se lancent dans la profession sans trop réaliser que la clef du succès réside tant dans la communication relationnelle lors des diverses négociations avec les clients que dans l'expertise financière.

Pour réussir dans la profession, le planificateur financier, qu'il soit salarié ou travailleur autonome, doit non seulement être qualifié dans le domaine des finances personnelles, mais également être un excellent communicateur, c'est-à-dire être aimable, ouvert, dynamique et motivé, discipliné et capable de bien organiser son emploi du temps. De plus, il doit avoir pris conscience du rôle que tient la communication dans ses relations avec les clients, en plus d'être capable de créer et de maintenir un climat de confiance entre eux et lui.

LE PLANIFICATEUR FINANCIER ET LE MILIEU FINANCIER

Le Québec et le Canada bénéficient d'un milieu financier dont l'infrastructure d'encadrement est solide. De nombreuses institutions financières et associations offrent une large gamme de produits et de services à l'investisseur et aux entreprises du milieu financier. Parmi elles, on trouve entre autres :

- la Banque du Canada, qui est une institution gouvernementale ;

- les institutions commerciales, telles que les banques, les caisses, les compagnies d'assurance et les maisons de courtage en valeurs mobilières ;

- les organismes mandatés par les gouvernements, tels que l'Autorité des marchés financiers (AMF) et l'Institut québécois de planification financière (IQPF) ;

- les associations privées, telle que l'Association de planification fiscale et financière (APFF) ;

- de nombreux groupes conseils, cabinets privés en planification financière, consultants en gestion privée et autres.

Cette liste est loin d'être exhaustive, elle est tout de même représentative du contexte financier moderne.

Le milieu financier englobe également des personnes qui exécutent différentes tâches, comme les planificateurs financiers, les avocats fiscalistes, les courtiers en valeurs mobilières, les courtiers et agents d'assurance. Le dossier 1.1 présente un bref historique du nouveau milieu financier québécois.

1.1 Le planificateur financier en tant que professionnel du milieu financier

Les intermédiaires du marché sont des professionnels que les épargnants peuvent consulter directement pour atteindre ou maintenir une saine situation financière. Depuis le début des années 1900, il a toujours existé une panoplie de spécialistes qui se sont occupés des finances personnelles de leurs clients : les agents et courtiers d'assurance, les courtiers en valeurs mobilières, les conseillers bancaires, les notaires, etc. Le concept de planification financière personnelle globale et intégrée remonte aux années 1980. Il coïncide avec l'arrivée du professionnel qu'est le planificateur financier moderne. Celui-ci est reconnu comme un généraliste, bien qu'il existe des spécialistes en planification financière dans tous les domaines du milieu financier.

1.1.1 Le profil du planificateur financier moderne

Le planificateur financier moderne est un conseiller généraliste qui analyse la situation financière du client, l'aide à définir ses objectifs (à court, à moyen et à long terme), lui fait des recommandations quant aux diverses stratégies à adopter (pour les placements, les assurances, la planification budgétaire et fiscale, la planification de la retraite et de la succession, etc.) et, finalement, lui suggère une structure de contrôle permettant d'effectuer un suivi efficace des actions. Le planificateur financier est aussi un coordonnateur efficace qui facilite l'intégration de tous les autres services professionnels connexes (notaire, courtiers, conseiller bancaire, etc.).

Une part importante de son travail réside dans la préparation d'un document de planification financière personnalisée, qu'il remet à son client. Cette approche professionnelle est centrée sur la santé financière du client et non nécessairement sur la vente de produits financiers, même si cet aspect fait parfois partie intégrante des stratégies recommandées.

Le Québec compte environ 5 000 planificateurs financiers, membres de l'IQPF, seul organisme de la province autorisé à diplômer les planificateurs financiers. Nous y reviendrons un peu plus loin.

Certains planificateurs financiers (la très grande majorité) sont des représentants (conseillers en placement, en assurance ou en services bancaires). D'autres sont membres d'un ordre professionnel reconnu au Québec (avocats, notaires, comptables ou administrateurs agréés). D'autres encore sont actuaires et font partie de l'Institut canadien des actuaires (ICA).

Depuis quelques années, les planificateurs financiers mènent une campagne active pour former un ordre professionnel. La professionnalisation de l'acte de planification financière serait un atout pour une meilleure protection du public. Au moment d'écrire ces lignes, la situation du planificateur financier est confuse, et ce, même pour plusieurs spécialistes du milieu financier. Tentons d'imaginer ce que peut être la compréhension du public en général du rôle du planificateur financier moderne !

En effet, il n'est pas certain que le consommateur comprenne bien les divers rôles que jouent les planificateurs financiers et qu'il sache distinguer ces spécialistes. Il serait important de lui offrir un cadre plus rigoureux et plus informatif pour lui permettre de bien évaluer le rôle des intermédiaires financiers (incluant les planificateurs financiers) et, ultimement, de le motiver à mieux préparer son avenir financier.

Comme nous venons de le mentionner, aucun ordre professionnel ne regroupe les planificateurs financiers. Un tel regroupement permettrait justement d'implanter un vaste programme d'«éducation» du public au sujet du rôle du planificateur financier moderne, c'est-à-dire une mission axée sur la «littératie financière», programme d'ailleurs déjà mis sur pied au fédéral. Il en sera question dans le module «La gestion budgétaire» de la partie III.

Cependant, quelle que soit la situation des planificateurs financiers au Québec, il faut bien comprendre que la décision finale du choix d'un conseiller financier appartiendra toujours au client, selon le processus qu'il veut entreprendre, la somme d'argent qu'il veut y consacrer et les objectifs qu'il poursuit. A-t-on besoin de rappeler ce précieux conseil: *caveat emptor*, expression latine qui signifie «Que l'acheteur soit vigilant»? S'il existait un ordre professionnel, tous ces aspects pourraient être efficacement communiqués au public, comme l'a très bien fait la Chambre des notaires du Québec.

1.1.2 La rémunération du planificateur financier

Mentionnons en tout premier lieu que l'encadrement législatif de la planification financière ne fait aucunement référence à la nature de la rémunération des planificateurs financiers, outre le fait qu'il doit y avoir transparence. Quoi qu'il en soit, la réalité du milieu financier, et particulièrement celle de la planification financière, permet de distinguer différents types de rémunération. Comme il peut être à son compte ou travailler pour une entreprise, le planificateur financier est rémunéré sur différentes bases:

- La base d'honoraires professionnels, soit à taux forfaitaire (montants fixes) ou à taux horaire. Les planificateurs rémunérés de cette façon sont très souvent indépendants de tout produit financier et appartiennent à un ordre professionnel;
- La base d'honoraires (à forfait ou selon un taux horaire). Les planificateurs reçoivent aussi une commission sur la vente de produits financiers, par exemple une police d'assurance ou un placement;
- Strictement à commission sur la vente de produits financiers (parfois avec un salaire de base).

On peut donc conclure que les scénarios de rémunération peuvent être très diversifiés. Toutefois, le planificateur financier est tenu de divulguer son mode de rémunération et tout lien qu'il entretient avec un établissement financier. Ainsi, cette transparence permet au consommateur d'obtenir les renseignements pertinents relativement aux services offerts par le planificateur financier.

1.2 Les organismes qui régissent le travail des planificateurs financiers au Québec

Au Québec, le travail des planificateurs financiers est actuellement régi par deux organismes:

- L'IQPF;
- L'AMF.

1.2.1 L'Institut québécois de planification financière (IQPF)

 La *Loi sur les intermédiaires de marché,* adoptée par le gouvernement du Québec en 1989, a permis, entre autres, la création de l'IQPF.

D'ailleurs, l'IQPF est le seul organisme autorisé au Québec à diplômer les planificateurs financiers (Pl. Fin.) et à établir les règles relatives à la formation continue de ses diplômés. Seuls les professionnels diplômés de l'IQPF sont autorisés à porter le titre de « planificateur financier ».

> ➕ Il est important de noter qu'une formation continue peut être suivie auprès de certaines associations privées comme l'APFF (*voir la section 1.6*) et le CQFF (*voir la section 1.7*), lesquelles offrent des sessions de formation de grande qualité.

L'IQPF accueille maintenant tous les planificateurs financiers. En effet, l'organisme a pris en 2010 la décision de suspendre les frais de cotisation et d'accorder le statut d'affilié à tous les planificateurs financiers accrédités du Québec. En d'autres mots, tous les planificateurs diplômés qui détiennent un permis délivré par l'AMF deviennent automatiquement membres affiliés de l'IQPF. Auparavant, de nombreux planificateurs financiers diplômés n'en étaient pas membres, donc ne faisaient pas partie de son répertoire. Ces professionnels détenaient un permis, mais ne voyaient pas la nécessité de devenir membre de l'IQPF, ce qui les aurait obligés à acquitter d'autres frais de cotisation. Cette politique de « portes ouvertes » a permis de résoudre cet épineux dilemme et le nombre de membres de l'IQPF a augmenté considérablement, étant aujourd'hui d'environ 5 000.

1.2.2 L'Autorité des marchés financiers (AMF)

 Comme nous l'avons précisé au début du chapitre, l'AMF a été créée le 1er février 2004.

L'AMF est l'organisme mandaté par le gouvernement du Québec pour encadrer les marchés financiers québécois et prêter assistance aux consommateurs de produits et services financiers. L'Autorité se distingue par un encadrement intégré du secteur financier québécois, notamment dans les domaines de l'assurance, des valeurs mobilières, des institutions de dépôt – sauf les banques – et de la distribution de produits et services financiers.

Outre les pouvoirs et responsabilités qui lui incombent en vertu de sa loi constitutive, l'Autorité veille à l'application des lois propres à chacun des domaines qu'elle encadre. Elle peut aussi faire appel à des organismes d'autoréglementation (OAR, *voir la page suivante*), auxquels sont délégués certains pouvoirs d'encadrement (AMF, 2011a).

Vous remarquerez les deux premiers points de la mission de l'AMF : « [...] prêter assistance aux consommateurs de produits et aux utilisateurs de services financiers [et] veiller à ce que les institutions financières et les autres intervenants du secteur financier respectent les normes de solvabilité prescrites et se conforment aux obligations que la Loi leur impose (AMF, 2011b) ».

Plusieurs secteurs d'activité sont aussi sous la gouverne de l'AMF. Comme nous l'avons mentionné plus haut, l'un d'entre eux est la distribution de produits et de services financiers. Il regroupe plusieurs disciplines, dont celle de la planification financière. Dans le but d'assister le consommateur, l'AMF met à sa disposition un nombre impressionnant de dépliants et de brochures de qualité.

L'Autorité est donc le seul organisme de réglementation et de surveillance des marchés financiers québécois. Elle englobe les anciens organismes suivants, lesquels ont à toutes fins utiles disparu :

- Le Bureau des services financiers (BSF) ;
- La Commission des valeurs mobilières du Québec (CVMQ) ;
- Le Fonds d'indemnisation des services financiers (FISF) ;
- L'Inspecteur général des institutions financières (IGIF) ;
- La Régie de l'assurance-dépôts du Québec (RADQ).

Également, comme nous l'avons mentionné plus haut, l'Autorité reconnaît d'autres organismes à titre d'OAR. En voici quelques-uns :

- La CSF ;
- La ChAD ;
- L'OCRCVM.

La Chambre de la sécurité financière (CSF)

La Chambre de la sécurité financière a pour mission d'assurer la protection du public en maintenant la discipline et en veillant à la formation et à la déontologie de près de 32 000 membres qui œuvrent dans cinq disciplines et catégories d'inscription, soit le courtage en épargne collective, la planification financière, l'assurance de personnes, l'assurance collective de personnes et le courtage en plans de bourses d'études. [...] Pour la discipline de la planification financière, la Chambre ne veille qu'à la déontologie. (CSF, 2011)

La Chambre de l'assurance de dommages (ChAD)

La Chambre de l'assurance de dommages a pour mission d'assurer la protection du public en matière d'assurance de dommages et d'expertise en règlement de sinistres. Elle veille à la formation continue obligatoire de plus de 14 000 agents et courtiers en assurance de dommages ainsi que d'experts en sinistre. Elle encadre de façon préventive et discipline la pratique professionnelle des individus travaillant dans ces domaines (ChAD, 2011).

Un membre de la Chambre peut exercer sa profession en tant :

- qu'agent en assurance de dommages ;
- que courtier en assurance de dommages ;
- qu'expert en sinistre indépendant ;
- qu'expert en sinistre à l'emploi d'un assureur.

L'Organisme canadien de réglementation du commerce des valeurs mobilières (OCRCVM)

Il existe un protocole d'entente entre l'OCRVM (en anglais, IIROC, pour Investment Industry Regulatory Organization of Canada) et l'AMF reconnaissant ce dernier en tant qu'organisme d'autoréglementation national qui surveille l'ensemble des sociétés de courtage et des opérations effectuées sur les marchés boursiers et les marchés de titres d'emprunt au Canada. Créé en 2008 par le regroupement de l'Association canadienne des courtiers en valeurs mobilières (ACCOVAM) et des Services de réglementation du marché inc. (SRM), l'OCRCVM établit des normes élevées en matière de réglementation du commerce des valeurs mobilières, assure la protection des investisseurs et renforce l'intégrité des marchés financiers tout en en assurant l'efficacité et la compétitivité. L'OCRCVM s'acquitte de ses responsabilités de réglementation en édictant les règles régissant la compétence, les activités et la conduite financière des sociétés membres et de leurs employés inscrits, et en assurant la mise en application de ces règles (OCRCVM, 2011).

De plus, l'OCRCVM réglemente la négociation des titres et les activités connexes de ses membres sur les marchés boursiers canadiens. Les principales Bourses touchées sont la Bourse de Toronto (TSX) et la Bourse de croissance TSX (Vancouver), marché public canadien des actions à capital de risque.

1.3 La Banque du Canada

La Banque du Canada, ou Banque centrale du Canada, a été fondée en 1934 et a commencé ses activités en 1935 en tant que société privée. Devenue société d'État relevant du gouvernement fédéral en 1938, elle est la banque des banques. Ce n'est donc pas une banque normale, car elle n'est pas directement accessible aux particuliers et aux entreprises.

Les activités de la Banque du Canada sont indépendantes de l'autorité des organismes fédéraux (Banque du Canada, 2011). La Banque assume plusieurs fonctions importantes, notamment :

- la gestion de la politique monétaire. La politique budgétaire relève pour sa part du gouvernement, plus particulièrement du ministre des Finances ;
- l'approvisionnement des institutions financières s'occupant de services bancaires, telles les avances de fonds ;
- l'émission des billets de banque et la supervision du système monétaire ;
- la mise à la disposition du gouvernement de conseillers pour une meilleure gestion de la dette publique.

Dans une certaine mesure, la Banque du Canada est indépendante du processus politique. Toutefois, le ministre des Finances a le pouvoir de lui communiquer, au besoin, des directives sur la politique à suivre.

1.4 Les institutions financières commerciales

Il n'existe pas de classification officielle des institutions financières commerciales au Québec ou au Canada. Nous aborderons ce sujet en nous attardant aux institutions financières présentes au Québec, soit :

- les banques ;
- les caisses d'épargne ;
- la bannière gouvernementale Épargne Placements Québec ;
- les sociétés de fiducie ;
- les compagnies d'assurance ;
- les sociétés de valeurs mobilières.

Avant d'étudier ces piliers du milieu financier, il est important d'évoquer la déréglementation de ces entreprises, qui a débuté il y a plusieurs années. Elle permet à une entreprise financière de s'adonner à diverses activités (donc à les décloisonner), et ce, grâce à la création de filiales si cela s'avère nécessaire. Les banques peuvent ainsi s'occuper de la vente d'actions à leurs clients et les sociétés de fiducie ont la possibilité d'élargir leurs activités au secteur du crédit à la consommation. Les caisses populaires, grâce aux filiales du Mouvement Desjardins, peuvent ainsi offrir des services fiduciaires et de l'assurance. En ce sens, le Québec se situe à l'avant-garde.

Les premiers éléments de cette déréglementation remontent au rapport de la commission Porter en 1964. La *Loi sur les intermédiaires de marché* a été adoptée le 21 juin 1989 et est entrée en vigueur le 1er septembre 1991. Elle a entraîné le décloisonnement des activités de nombreux intermédiaires tels que les planificateurs financiers, les agents et courtiers d'assurance, les experts en sinistre, les courtiers ou conseillers en valeurs mobilières et leurs représentants. Par la suite, le processus de décloisonnement s'est poursuivi.

Ces institutions financières sont des institutions commerciales à but lucratif. Parmi les services qu'elles offrent, on trouve les suivants :

- La protection et la gestion des actifs de leurs clients ;
- Le règlement d'emprunts et le service d'intermédiaire entre les épargnants et les emprunteurs ;
- L'exécution des demandes de leurs clients en tant que courtiers en valeurs mobilières (actions, etc.) ;
- La satisfaction des besoins de leurs clients dans le domaine de l'assurance de personnes (assurance vie, assurance maladie, assurance invalidité, etc.) ;
- Les conseils au sujet de leur planification financière personnelle, incluant, dans le cas de nombreuses institutions, les services fiduciaires (testament, etc.).

Par conséquent, ces grandes institutions financières peuvent aujourd'hui offrir une gamme très variée et plus complète de produits et de services financiers. Leurs clients bénéficient ainsi de leur savoir-faire diversifié.

1.4.1 **Les banques**

Avant de discuter des banques, attardons-nous à l'Association des banquiers canadiens (ABC, ou CBA en anglais).

L'ABC et ses membres, soit plus de 50 banques canadiennes ou étrangères exerçant leurs activités au Canada, souhaitent la mise en place de politiques publiques efficaces permettant le maintien d'un système bancaire solide et stable (ABC, 2011a).

Abordons maintenant le vaste sujet des banques au Québec et au Canada.

Il n'existe pas vraiment de définition légale de la banque. Conséquemment, on peut trouver des organismes qui portent le nom de « banque », mais qui n'en sont pas au sens usuel du terme, par exemple la Banque d'yeux du Québec. Par ailleurs, les caisses populaires, bien qu'elles n'en portent pas le nom, sont en pratique des banques.

Les banques sont des institutions financières engagées dans les activités suivantes : la réception des dépôts des particuliers et des entreprises, le financement de projets personnels et commerciaux et l'investissement en général. Depuis le décloisonnement des activités des institutions financières, les grandes banques, par l'intermédiaire de leurs filiales, se sont lancées dans plusieurs autres domaines financiers, en particulier les valeurs mobilières et les services fiduciaires. Bien sûr, cela a nécessité la prise de contrôle de plusieurs grandes maisons de courtage et de certaines sociétés de fiducie.

L'ABC explique le système bancaire ainsi : « Le secteur bancaire comprend 22 banques canadiennes, 26 filiales de banques étrangères et 22 succursales de banques étrangères offrant des services complets, ainsi que sept succursales de prêts de banques étrangères exerçant des activités au Canada. Au total, ces institutions gèrent un actif de près de 3,1 billions de dollars (ABC, 2011b). »

Du fait qu'elles exercent de multiples activités commerciales (services fiduciaires, services de courtage, services d'assurance, etc.), plusieurs banques emploient maintenant le vocable de « groupe financier », par exemple Groupe financier Banque TD (Toronto Dominion) ou RBC Groupe financier (Banque Royale).

L'ABC regroupe les banques selon trois annexes pour les distinguer les unes des autres :

- Banques de l'annexe I (Banque CIBC, Banque Canadian Tire, Banque Manuvie du Canada, etc.) ;
- Banques de l'annexe II (Banque Amex du Canada, Banque HSBC Canada, Banque ING du Canada, etc.) ;
- Banques de l'annexe III (Bank of America, Citibank, JPMorgan Chase Bank, etc.).

1.4.2 Les caisses d'épargne

Nous limiterons notre analyse au Mouvement Desjardins (Caisses Desjardins du Québec).

En 1900, Alphonse Desjardins a fondé les Caisses populaires Desjardins à Lévis. Celles-ci existent donc depuis plus de 110 ans. À l'origine, le Mouvement Desjardins était constitué de coopératives d'épargne et de crédit. Au fil des ans, il s'est doté de filiales actives dans des domaines complémentaires comme l'assurance, le courtage mobilier et les services fiduciaires.

Le mouvement Desjardins se décrit comme suit :

Nous sommes plus qu'une banque. Nous sommes le plus important groupe financier coopératif au Canada. Nous offrons des services bancaires complets à près de 6 millions de membres et clients. Nous utilisons la force de la coopération non seulement pour procurer à nos membres une gamme étendue de services bancaires, mais aussi pour contribuer au développement économique et social de leur communauté (Desjardins, 2011a).

Le Mouvement des caisses Desjardins rassemble plusieurs coopératives de services financiers, c'est-à-dire les caisses et les *credit unions*, ainsi qu'une vingtaine de filiales, notamment dans les domaines de l'assurance de personnes et de l'assurance de dommages (Desjardins, 2011b).

1.4.3 La bannière gouvernementale Épargne Placements Québec

Le gouvernement du Québec a créé, au printemps 1996, la bannière Épargne Placements Québec, laquelle est ainsi devenue responsable de la gestion des opérations relatives aux produits d'épargne émis et garantis par le gouvernement du Québec. D'ailleurs, la mission d'ÉPQ est définie ainsi :

> Épargne Placements Québec vise à favoriser la sécurité financière des Québécoises et des Québécois en leur offrant une gamme de produits d'épargne et de retraite avantageux et pleinement garantis par le gouvernement du Québec.

> Épargne Placements Québec leur permet ainsi de contribuer, par leur épargne, au développement de la collectivité québécoise (EPQ, 2011).

Il s'agit donc de produits pleinement garantis par le gouvernement du Québec. Certains diront : « Garantis, oui, mais avec quel rendement ? » D'autres diront plutôt : « Quel beau moyen pour planifier son indépendance financière ». Il y aura toujours deux côtés à tout produit financier : le rendement (l'appât du gain) et la sécurité.

1.4.4 Les sociétés de fiducie

En général, les sociétés de fiducie (en anglais, *trust company*) sont des quasi-banques qui offrent aux particuliers tous les services financiers qu'une banque ou une caisse populaire peut fournir. Traditionnellement, l'une des grandes forces des sociétés de fiducie est d'offrir des services fiduciaires tels que la rédaction de testaments et le règlement de successions. Elles sont très actives dans le domaine des prêts hypothécaires et de plus en plus présentes dans celui des prêts à la consommation. Il faut noter que, depuis quelques années, les grandes sociétés de fiducie telles que le Trust Royal et le Trust Général appartiennent respectivement à la Banque Royale et à la Banque Nationale. La Fiducie Desjardins, quant à elle, fait partie du réseau coopératif Desjardins, comme nous l'avons expliqué dans la section précédente.

Les sociétés de fiducie ont une histoire tumultueuse. En effet, comme l'explique l'Encyclopédie canadienne : « De 1983 à 1985, six sociétés de fiducie font faillite en raison d'une réglementation inadéquate, de mauvaises pratiques de prêt et, dans trois cas, à cause d'actes criminels. La faillite de six autres sociétés de fiducie et le renflouement d'autres sociétés de 1991 à 1995 sont en grande partie attribuables à une piètre gestion et à d'importantes pertes sur prêts. » (Encyclopédie canadienne, 2011) C'est ce qui explique que ces sociétés ont en grande partie été absorbées par de grands groupes financiers et que peu de sociétés indépendantes subsistent.

1.4.5 Les compagnies d'assurance

Au Québec, la vaste majorité des compagnies d'assurance sont des compagnies à fonds social, c'est-à-dire que leur avoir propre est constitué d'un capital-actions et, bien sûr, de bénéfices non répartis. On distingue deux grandes catégories d'assureurs : les entreprises qui se spécialisent dans l'assurance de personnes (assurance vie, maladie et invalidité) et celles qui commercialisent l'assurance générale ou l'assurance de dommages (IARD [incendies, accidents et risques divers]). Les sociétés d'assurance vie administrent des contrats individuels et des contrats collectifs.

Pour plus d'information sur l'industrie de l'assurance, vous pouvez consulter le site de l'Association canadienne des compagnies d'assurances de personnes (ACCAP).

 Enfin, il existe une société à but non lucratif, nommée Assuris, dont la mission est de protéger les Canadiens qui font face à la faillite de leur compagnie d'assurance vie (Assuris, 2011). Vous pouvez consulter le site d'Assuris pour plus d'information.

1.4.6 Les sociétés de valeurs mobilières

Les sociétés de valeurs mobilières relèvent de l'AMF, dont le rôle est d'assurer le bon fonctionnement des marchés des valeurs mobilières et de veiller à la protection des investisseurs.

Les sociétés de valeurs mobilières sont des maisons de courtage engagées dans des opérations relatives à l'achat et à la vente de valeurs mobilières telles les actions. Au Québec, ces entreprises sont souvent appelées « courtiers en valeurs mobilières ».

On distingue deux grands types de courtiers en valeurs mobilières :

- Le courtier traditionnel, ou courtier de plein exercice, qui fournit des services de conseil en valeurs mobilières et de gestion de portefeuille en plus d'exécuter des opérations de courtage. Ce courtier offre aux consommateurs pratiquement tous les types de valeurs mobilières. Il les renseigne et les conseille sur l'investissement à effectuer et les aide à choisir le type de valeurs qui leur convient. Pour ce faire, il doit bien cerner les besoins financiers des consommateurs avant de leur faire des recommandations (Service public d'éducation et d'informations juridiques du Nouveau-Brunswick, 2009).

- Le courtier exécutant, ou courtier d'exercice restreint, n'est pas autorisé à offrir des conseils aux consommateurs. Sa commission sur l'achat ou la vente de valeurs mobilières est par conséquent d'environ 50 % moins élevée que celle des courtiers traditionnels. Ce type de courtage a débuté vers 1983, au moment de la déréglementation des institutions financières. En général, les firmes de courtage d'exercice restreint n'offrent guère d'autres services. Certaines appartiennent à des firmes de courtage traditionnel et d'autres, à des banques.

1.5 Les Bourses

1.5.1 La Bourse de Toronto (Groupe TMX)

Le groupe boursier intégré Groupe TMX évolue dans des marchés offrant plusieurs catégories d'actifs, dont les actions, les titres à revenu fixe et les produits de l'énergie. Il offre aussi des services de compensation et de données de même que des services à la communauté financière internationale (Groupe TMX, 2010).

Le Groupe TMX, lequel a son siège social à Toronto et des bureaux à Montréal et à Calgary, possède et exploite, entre autres, la Bourse de Toronto et la Bourse de croissance TSX à Vancouver.

 La Bourse de Toronto (indice composé S&P/TSX) a été créée en 1852. Elle permet aux émetteurs à grande capitalisation d'obtenir un accès efficace au marché des capitaux publics. Elle donne de plus l'occasion aux investisseurs actuels et nouveaux d'obtenir des liquidités. Leur inscription à cette Bourse de classe mondiale les amène également à profiter de son prestige et de sa visibilité sur le marché (Groupe TMX, 2010).

Au service du marché du capital de risque public, la Bourse de croissance TSX permet aux sociétés en démarrage d'avoir accès au capital. Elle offre de plus aux investisseurs un marché où ils peuvent investir dans des sociétés en phase de croissance (Groupe TMX, 2010).

Le Groupe TMX est aussi présent sur le marché des produits dérivés grâce à la Bourse de Montréal, laquelle fait aujourd'hui partie du Groupe.

La Bourse de Montréal et le Groupe TSX (Bourse de Toronto) ont annoncé le 10 décembre 2007 qu'elles regroupaient leurs activités pour créer le Groupe TMX.

Cette fusion constituait la suite logique du transfert des actions à Toronto de la Bourse de Montréal en 1999. Dans un marché financier aussi petit que celui du Canada, il devenait de plus en plus difficile de ne pas consolider ces deux importantes institutions lorsque, partout dans le monde, un important mouvement de consolidation dans le marché des transactions boursières était justement en train de se produire. La convention prévoyait que 25 % des administrateurs du Groupe TMX devaient être résidents du Québec. De plus, le siège de la Bourse de Montréal et les activités liées à la négociation de dérivés et aux produits connexes demeuraient à Montréal.

L'AMF est responsable des activités de la Bourse de Montréal.

En 2011, les bourses canadiennes en ont vu de toutes les couleurs en se faisant courtiser par les acheteurs.

C'est le London Stock Exchange qui a fait les premiers pas en posant, à l'hiver 2011, une offre d'achat pour le groupe TMX.

La consortium Maple, composé de plusieurs regroupements tels que des caisses de retraite canadiennes et de grandes institutions financières a, par la suite, fait une contre-offre d'acquisition. Dès lors, le LSE s'est retiré de la course.

L'offre de Maple, évaluée à 3,8 milliards de dollars, a, le 31 octobre 2011, été appuyée par le conseil d'administration du groupe TMX, celui-ci ayant jugé qu'elle rencontrait les intérêts et les orientations stratégiques du groupe.

1.5.2 Les Bourses américaines

L'une des plus prestigieuses Bourses du monde est le New York Stock Exchange. Le Groupe NYSE gère notamment son indice réputé, le Dow Jones Industrial 30, ainsi que le S&P 500.

Il existe d'autres grandes Bourses américaines, comme le NASDAQ Stock Market, Bourse électronique sans parquet. La crise technologique du début des années 2000 en a accentué la popularité. En chiffres approximatifs, l'indice NASDAQ, lequel avait atteint environ 5 000 points à la fin de 1999, n'était que de 2 500 points en 2001. En octobre 2011, il avait atteint environ 2 600 points.

1.5.3 Les Bourses européennes et asiatiques

Toutes les grandes villes européennes et asiatiques ont leur propre Bourse. La Banque Nationale du Canada rassemble les données techniques sur les différents indices de ces Bourses, mais offre également une excellente revue des marchés mondiaux.

1.6 L'Association de planification fiscale et financière (APFF)

L'APFF est un organisme à but non lucratif, indépendant et non gouvernemental, fondé en 1976. Elle travaille à « l'avancement et à la diffusion des connaissances et à l'amélioration des compétences de ses membres en matière de fiscalité, de finances personnelles et corporatives et de planification financière en général ». Ses membres sont tous issus du domaine économique.

La vie associative de l'APFF lui a permis de mettre en place un réseau de consultation solide ainsi qu'un programme d'information et de formation continue à l'affût des développements économiques (APFF, 2011).

1.7 Le Centre québécois de formation en fiscalité (CQFF)

La mission du CQFF, fondé en 1992, est structurée autour de deux grands axes. Dans un premier temps, cette société privée veille à la formation des divers professionnels, les planificateurs financiers et les comptables, entre autres. Dans un deuxième temps, le CQFF commente et explique l'actualité fiscale en fournissant outils et ressources pour mieux comprendre les pratiques en vigueur (CQFF, 2011).

1.8 Les sources d'information en finances personnelles

Il existe maintenant au Québec d'excellentes sources d'information en finances personnelles telles que les journaux, les magazines, la télévision, Internet, etc. Tous les ordres professionnels possèdent leur propre organe d'information en matière de finances et, bien sûr, leur site Web. De plus, toutes les grandes institutions financières ont mis en ligne des sites haut de gamme. Nous nous attarderons à quelques-uns de ces sites et outils qui, soulignons-le, font partie intégrante de l'apprentissage de la planification financière personnelle.

Toute personne intéressée par le milieu financier verra à créer sa propre bibliothèque en se procurant des ouvrages portant sur des sujets aussi variés que l'économie, les placements, la fiscalité, etc. Les sites Web conseillés permettront quant à eux d'accéder à une bibliothèque virtuelle de grande envergure. Il a été démontré que les professionnels qui réussissent le mieux consultent des sources variées: ouvrages pédagogiques, journaux, magazines et, bien sûr, Internet.

Il ne nous est pas possible ici de faire l'inventaire complet de toutes les ressources existantes, trop nombreuses et variées. Cependant, chacun des chapitres de cet ouvrage fournit des ressources sur le Web pertinentes au regard des sujets traités.

Le complément Web du présent manuel offre aussi du matériel supplémentaire. Il faut aussi préciser que les bibliothèques universitaires permettent aujourd'hui de consulter des bases de données et des articles de périodiques ou de journaux à partir de chez soi.

MÉDIAGRAPHIE

Page 5
Institut québécois de planification financière, www.iqpf.org via L'IQPF

Autorité des marchés financiers, www.lautorite. qc.ca via À propos de l'Autorité

Autorité des marchés financiers, www.lautorite. qc.ca via À propos de l'Autorité > Mission

Autorité des marchés financiers, www. lautorite.qc.ca via À propos de l'Autorité > Secteurs d'activité

Page 6
Chambre de l'assurance de dommages, www.chad.ca

Organisme canadien de réglementation du commerce des valeurs mobilières, www.iiroc.ca

Page 7
Banque du Canada, www.banqueducanada.ca

Banque du Canada, www.banqueducanada.ca via Au sujet de la Banque

Page 8
Association des banquiers canadiens, www. cba.ca

Association des banquiers canadiens, www. cba.ca via Les banques du Canada

Page 9
Desjardins, www.desjardins.com

Page 10
Épargne Placements Québec, www.epq.gouv. qc.ca

Page 11
Association canadienne des compagnies d'assurances de personnes inc., www.clhia.ca

Assuris, www.assuris.ca

Groupe TMX, www.tmx.com

Page 12
Bourse de Montréal, www.m-x.ca

New York Stock Exchange, www.nyse.com

NASDAQ Stock Market, www.nasdaq.com

Page 13
Association de planification fiscale et financière, www.apff.org

Centre québécois de formation en fiscalité, www.cqff.com

Page 14
Chenelière Éducation, *La planification financière personnelle*, www.cheneliere.ca/plamondon

Références

Association de planification financière et fiscale (2011). *L'APFF, c'est quoi?* Récupéré de www.apff.org/fr/a-propos.aspx

Association des banquiers canadiens (2011a). *Nos activités*. Récupéré de www.cba.ca/fr/ component/content/category/57-what-we-do

Association des banquiers canadiens (2011b). *Les banques du Canada*. Récupéré de www.cba.ca/fr/component/content/ category/61-banks-operating-in-canada

Assuris (2011). *Protection de votre assurance vie*. Récupéré de www.assuris.ca/Client/ Assuris/Assuris_LP4W_LND_WebStation. nsf/welcome_fr.html?ReadForm

Autorité des marchés financiers (2011a). *À propos de l'Autorité*. Récupéré de www. lautorite.qc.ca/fr/a-propos-autorite-corpo.html

Autorité des marchés financiers (2011b). *Mission*. Récupéré de www.lautorite.qc.ca/ fr/mission-fr-corpo.html

Banque du Canada (2011). *Qui nous sommes*. Récupéré de www.banqueducanada.ca/ sujet-banque/qui-nous-sommes/

Centre québécois de formation en fiscalité (2011). *Qu'est-ce que le CQFF?* Récupéré de www.cqff.com/accueil_le_cqff.htm

Chambre de l'assurance de dommages (2011). *Chambre de l'assurance de dommages – Bienvenue*. Récupéré de www.chad.ca/fr

Chambre de la sécurité financière (2011). *Mission*. Récupéré de www.chambresf.com/ fr/chambre/mission/

Desjardins (2011a). *À propos de Desjardins*. Récupéré de www.desjardins.com/fr/ a_propos

Desjardins (2011b). *Qui nous sommes*. Récupéré de www.desjardins.com/fr/ a_propos/qui-nous-sommes/

Encyclopédie canadienne (2011). *Société de fiducie*. Récupéré de www.thecanadien cyclopedia.com/index.cfm?PgNm=TCE&Para ms=f1ARTf0008147

Épargne Placements Québec (2011). *Épargne Placements Québec*. Récupéré de www.epq. gouv.qc.ca

Groupe TMX (2010). *À propos de Groupe TMX*. Récupéré de www.tmx.com/fr/ about_tsx

Organisme canadien de réglementation du commerce des valeurs mobilières (2011). *Notre rôle*. Récupéré de www. iiroc.ca/French/About/OurRole/Pages/ default.aspx

Service public d'éducation et d'informations juridiques du Nouveau-Brunswick (2009). *Publications: Guide de placement en valeurs mobilières*. Récupéré de www.legal-info-legale.nb.ca/fr/index.php?page=guide_to_ securities_investment

QUESTIONS DE RÉVISION

1. Au Canada, les institutions financières commerciales sont classées en plusieurs groupes distincts qui sont reconnus comme les piliers du système financier. Quels sont ces groupes ?

2. Nommez au moins deux rôles importants de la Banque du Canada.

3. Quels services une grande société de fiducie peut-elle offrir ?

4. Quels sont les trois organismes qui régissent et encadrent le travail des planificateurs financiers ?

5. Quelle est la mission principale de l'AMF ? Quels OAR y sont directement liés ?

6. Quel est le mandat principal de l'IQPF ?

7. De quelle façon un planificateur financier peut-il être rémunéré ?

8. Quel est le rôle du planificateur financier moderne ?

9. Quels autres professionnels peuvent également agir en tant que planificateurs financiers ?

10. Quel organisme attribue le titre de planificateur financier (Pl. Fin.) ?

Un bref historique du nouveau milieu financier québécois

Plan

Introduction
La déréglementation et le décloisonnement
des activités de planification financière
Conclusion

Introduction

En 1989, la *Loi sur les intermédiaires de marché* a permis, entre autres, la création de l'IQPF, l'organisme qui, au Québec, accorde le titre de planificateur financier (Pl. Fin.). Cette loi a été en vigueur du 1er septembre 1991 au 30 septembre 1999. Par la suite, la *Loi sur la distribution de produits et services financiers* a été appliquée à partir du 1er octobre 1999. Elle a permis d'assurer la continuité des mécanismes de protection du consommateur mise de l'avant en 1989 par la *Loi sur les intermédiaires de marché*.

À l'occasion du discours sur le budget de 2001-2002, la vice-première ministre et ministre d'État à l'Économie et aux Finances, Pauline Marois, a annoncé la création d'un groupe de travail dont le mandat consistait à analyser la structure du secteur financier québécois et à proposer des mesures permettant de l'améliorer. Finalement, la *Loi sur l'Agence nationale d'encadrement du secteur financier* a été adoptée le 11 décembre 2002.

Enfin, le 1er février 2004, l'Agence nationale a officiellement pris son envol, mais sous une nouvelle dénomination, celle d'Autorité des marchés financiers.

La déréglementation et le décloisonnement des activités de planification financière

Depuis plusieurs années, la déréglementation des institutions financières a une incidence sur le rôle que jouent les spécialistes du milieu financier. Les premiers éléments de cette déréglementation remontent au rapport de la commission Porter, en 1964.

La déréglementation entraînée par la *Loi sur les intermédiaires de marché* permet à une entreprise financière de s'adonner à diverses activités (donc à les décloisonner), et ce, grâce à la création de filiales si cela s'avère nécessaire. Les banques peuvent ainsi s'occuper de la vente d'actions à leurs clients et les fiducies (p. ex. : la Fiducie Desjardins) et les sociétés de fiducie (p. ex. : en septembre 1993, le Trust Royal s'est joint à la Banque Royale) peuvent étendre leurs activités au secteur du crédit à la consommation. Les caisses populaires, grâce aux filiales du Mouvement Desjardins, peuvent quant à elles offrir des services fiduciaires et de l'assurance. En ce sens, le Québec est à l'avant-garde.

Le décloisonnement touche les activités des planificateurs financiers et celles de certains intermédiaires tels que les agents et courtiers d'assurance, les experts en sinistres, les courtiers ou conseillers en valeurs mobilières et leurs représentants. Ce processus se poursuit toujours aujourd'hui.

Retenons surtout que les intermédiaires peuvent, dans certaines conditions, cumuler différents permis d'intermédiaire de marché. Ils peuvent également travailler au sein de cabinets multidisciplinaires et de grandes institutions financières.

Conclusion

L'expression « institutions financières » fait référence à une panoplie d'organismes à but lucratif (banques ou caisses populaires), d'organismes de formation, de surveillance et d'autoréglementation (OAR) sans but lucratif et d'ordres professionnels. De plus, il existe des Bourses où certains titres financiers sont échangés. Enfin, de nombreux médias se spécialisent dans le domaine des finances personnelles.

CHAPITRE 2

LA COMMUNICATION RELATIONNELLE : UN PROCESSUS STRATÉGIQUE

Dans ce chapitre, notre intérêt portera sur les étapes stratégiques du processus de vente professionnelle. Pourquoi parler ici de vente professionnelle ? Pour deux raisons principales : nous y faisons d'abord référence dans son sens le plus noble, à savoir l'art d'exceller dans les relations interpersonnelles, de persuader, donc d'influencer avec intégrité. La grande majorité des professionnels de ce monde et des dirigeants de grandes et moyennes entreprises doivent pratiquer l'art de la vente professionnelle, par exemple au moment de la présentation de projets. Ils doivent souvent convaincre leurs clients que tel nouveau produit ou service est bien adapté à leurs besoins. Il en est de même pour le professionnel qu'est le planificateur financier.

La seconde raison est directement liée à la communication relationnelle ou interpersonnelle. En effet, la vente professionnelle est l'exemple idéal du processus de communication relationnelle, s'inscrivant justement dans un processus stratégique appelé « processus de vente professionnelle ». Ce processus donne à la communication un « contenant » concret, pratique. Aussi est-il important de mettre de côté la connotation péjorative souvent accolée au processus de vente. Il ne faut pas oublier que le planificateur financier effectue son travail dans un cadre professionnel où il est constamment en contact avec les clients.

Avant d'aborder le processus de vente professionnelle, il est nécessaire de bien comprendre la nature même de la communication relationnelle.

2.1 La communication relationnelle

Dans le monde des affaires en général, une bonne communication relationnelle est essentielle pour bien réussir. Le milieu financier ne fait pas exception à cette règle. Le planificateur financier moderne doit, d'une part, savoir comment traiter une clientèle de plus en plus variée, renseignée et exigeante et, d'autre part, être passé maître dans l'art de persuader. Pour ce faire, il doit bien connaître ses clients, leurs motivations et leur attitude.

C'est dans cet esprit que les quatre points suivants seront étudiés :

- Les relations avec la clientèle : une question de confiance et de partenariat ;
- Le processus de communication interpersonnelle ;
- La communication non verbale ;
- La nature du comportement des clients.

2.1.1 Les relations avec la clientèle : une question de confiance et de partenariat

La notion de confiance est une caractéristique importante de la relation conseiller-client. Le respect de cette caractéristique est essentiel, particulièrement dans les services financiers, et ce, pour deux raisons majeures :

- Un service n'est pas un produit tangible comme l'est une voiture ou un vêtement : c'est une entité non palpable ;
- Les finances personnelles sont avant tout associées à l'argent, sujet qui soulève les passions et la méfiance chez plusieurs clients.

Ce n'est qu'en établissant des liens de confiance avec son client que le conseiller financier pourra mettre en place une relation de partenariat. En effet, le client avisé cherche aujourd'hui un partenaire en qui il a confiance et non simplement un vendeur de produits financiers. Pour gagner et conserver cette confiance, et pour maintenir ce partenariat, le conseiller financier moderne est aujourd'hui devenu :

- un professionnel des relations humaines ;
- un négociateur engagé ;
- un conseiller respecté ;
- un spécialiste ou un généraliste qui connaît à fond les cinq « C » dès le début de sa vie professionnelle :
  - Sa compagnie (notamment ses produits financiers et ses services) ;
  - Ses clients (leurs besoins et attitudes, entre autres) ;
  - La communication interpersonnelle (verbale et non verbale) ;
  - Son propre caractère (par exemple, le tact, le savoir-vivre et la confiance en soi) ;
  - La concurrence (ses produits, ses services, etc.).

Terminons en soulevant un point d'une importance majeure qui, dans le domaine de la vente de produits ou de services financiers, tend parfois à être oublié : la négociation est l'art de persuader sans manipuler. Lorsqu'un planificateur financier professionnel cherche uniquement à atteindre certains objectifs liés à l'entreprise ou certains buts personnels sans tenir compte de ceux du client, il négocie dans l'intention de le manipuler. Malheureusement, cela survient trop souvent.

Pour éviter que de telles situations se produisent, voici une stratégie efficace qu'il est primordial d'appliquer chaque jour de sa vie professionnelle :

- Poser des questions et écouter au lieu de discourir ;
- Considérer les intérêts du client comme prioritaires ;
- Inspirer confiance et se montrer compréhensif ;
- Satisfaire les besoins réels du client au lieu d'en créer de nouveaux ;
- Être orienté vers le client plutôt que vers les produits ;
- Demeurer souple et se départir de toute attitude rigide ou préconçue.

C'est ainsi que le conseiller financier moderne est aujourd'hui un professionnel qui influence son client, mais avec intégrité.

2.1.2 Le processus de communication interpersonnelle

La communication interpersonnelle, ou relationnelle, est une interaction entre deux ou plusieurs personnes qui échangent des messages. Cette définition permet de constater qu'il y a un émetteur, un ou plusieurs récepteurs et, bien sûr, un message.

Il est à remarquer que dans n'importe quelle négociation[1], le processus de communication relationnelle prend toute son importance. En général, les meilleurs négociateurs[2] considèrent les réponses aux quatre questions suivantes comme essentielles pour entamer une négociation :

- À qui s'adresse-t-on ? Connaît-on le profil de son interlocuteur de façon à bien formuler ses propositions ?
- Pourquoi cette négociation a-t-elle lieu ? Quels sont les objectifs poursuivis par l'interlocuteur ?
- Que dit vraiment l'interlocuteur ? Est-on en position de comprendre ce qu'il est en train de dire ?
- Comment se déroule la négociation ? L'ambiance est-elle propice à l'entente ? La conversation s'engage-t-elle dans les deux sens ? Chacun peut-il poser des questions et répondre à celles qui lui sont posées ?

En général, une telle communication relationnelle implique la communication verbale et la communication non verbale. Si la communication verbale représente les mots, donc le contenu de la discussion, la communication non verbale représente en quelque sorte la forme du message.

2.1.3 La communication non verbale

Le comportement non verbal est parfois plus révélateur que les paroles et peut même compter jusqu'à 90 % dans l'interprétation de certains messages (Mehrabian, 1967). Il existe de nombreuses voies qui véhiculent la communication non verbale, en particulier :

- l'expression du visage, y compris le maquillage ;
- le regard (le mouvement des yeux) ;
- les mouvements du corps (kinesthésie), lesquels forment le langage corporel (symbolique des signes, des gestes et des postures) ;

---

1. Le terme « négociation » signifie ici tout échange avec un client potentiel ou un client.

2. Le terme « négociateur » signifie ici toute personne engagée dans une transaction professionnelle avec un client.

- l'utilisation de l'espace (proxémique), y compris la distance par rapport à l'autre ;
- la qualité de la voix (paralinguistique), y compris les formes du langage autres que les paroles : le débit du discours, le ton, le timbre de la voix, les interjections (euh!, hum! hum!), les bâillements, les rires, etc. ;
- la tenue vestimentaire et la coiffure (sujet qui semble reprendre de l'importance dans certaines entreprises).

Plusieurs de ces voies sont liées à la culture, à l'éducation et à une certaine dimension sociale (comme le sens du civisme). Les grandes entreprises sont de plus en plus conscientes de cette dimension et exigent que leurs cadres connaissent les bonnes manières et les règles de la bienséance. Les planificateurs financiers qui cherchent un emploi aujourd'hui savent que les entreprises utilisent des critères précis comme de bons résultats scolaires, des diplômes, un titre professionnel, etc. Cependant, d'autres critères associés à la communication non verbale sont également importants. En voici quelques-uns : une apparence soignée, une tenue vestimentaire sobre, une démarche assurée, une voix expressive plutôt qu'une voix qui cherche à impressionner et un savoir-vivre irréprochable.

2.1.4 La nature du comportement des clients

L'étude du comportement du consommateur (client) est un très vaste domaine qui englobe l'analyse des variables qui incitent une personne à choisir un service financier plutôt qu'un autre, à entreprendre une planification financière, à ne rien faire ou encore à régler ses dettes plutôt que de continuer à s'endetter. Il est impossible de rendre justice à cette discipline dans une section comme celle-ci, sachant que ce type de cours s'étale sur une session entière à l'université.

La figure 2.1 ci-contre présente un modèle élémentaire du comportement du consommateur. Il s'agit du modèle RGP, du nom de son auteur, Rolland G. Plamondon.

Ce modèle propose deux niveaux de variables, soit les variables personnelles (ou micro), incluant l'attitude, les motivations, les besoins, etc., et les variables du macro-environnement, telles que le milieu commercial (banques, etc.), l'économie (inflation, taux d'intérêt, etc.), le milieu socioculturel, etc. Deux processus ont également une influence sur le client : 1) son processus décisionnel (les étapes d'une décision, soit l'éveil du besoin, la recherche d'information, l'évaluation des options et, finalement, la décision d'achat suivie de la réévaluation) ; 2) le processus situationnel (les influences situationnelles), tel que la nature de la situation financière, familiale et professionnelle dans laquelle se trouve le client.

L'ensemble de ces éléments forge la personnalité sociale (l'ensemble des caractéristiques psychologiques qui conduisent le client à adopter un comportement cohérent et logique). Il est certain que les variables personnelles subissent à leur tour l'influence des variables de l'environnement (ou macro).

Toutes les variables personnelles du client sont importantes : ses besoins, ses motivations, sa perception, son attitude, etc. Il faut donc prêter une attention particulière à cette dernière, soit la prédisposition à réagir d'une façon favorable ou défavorable à une offre de service. Le conseiller professionnel se doit de bien distinguer l'attitude cognitive du client de son attitude affective. L'attitude cognitive fait référence à la croyance et l'attitude affective, à l'émotion, par exemple « j'aime ou je n'aime pas ». Il est plus difficile d'avoir une influence sur cette dernière attitude, mais cela requiert un certain tact. Quant à l'attitude cognitive, c'est assurément celle qui permet au conseiller de justifier sa position. Par exemple, si votre client croit qu'il peut perdre son capital lorsque vous lui offrez un produit avec capital garanti, il est important de bien lui expliquer la situation. Combien de personnes âgées ont investi dans des fonds communs de placement parce qu'elles croyaient que ces derniers étaient garantis ? Leur avait-on bien expliqué le profil financier de ces produits ? Combien de retraités ont opté pour la valeur de transfert de leur régime de retraite croyant qu'il ferait beaucoup mieux que la rente viagère indexée qui leur était proposée ? Plusieurs de ces personnes ont pris une décision finale guidées par l'appât du gain. D'autres ont tout simplement été mal conseillées, ce qui, dans les deux cas, a donné des résultats catastrophiques. Malheureusement, on ne peut se reprendre facilement à la retraite après avoir perdu une bonne partie de son capital.

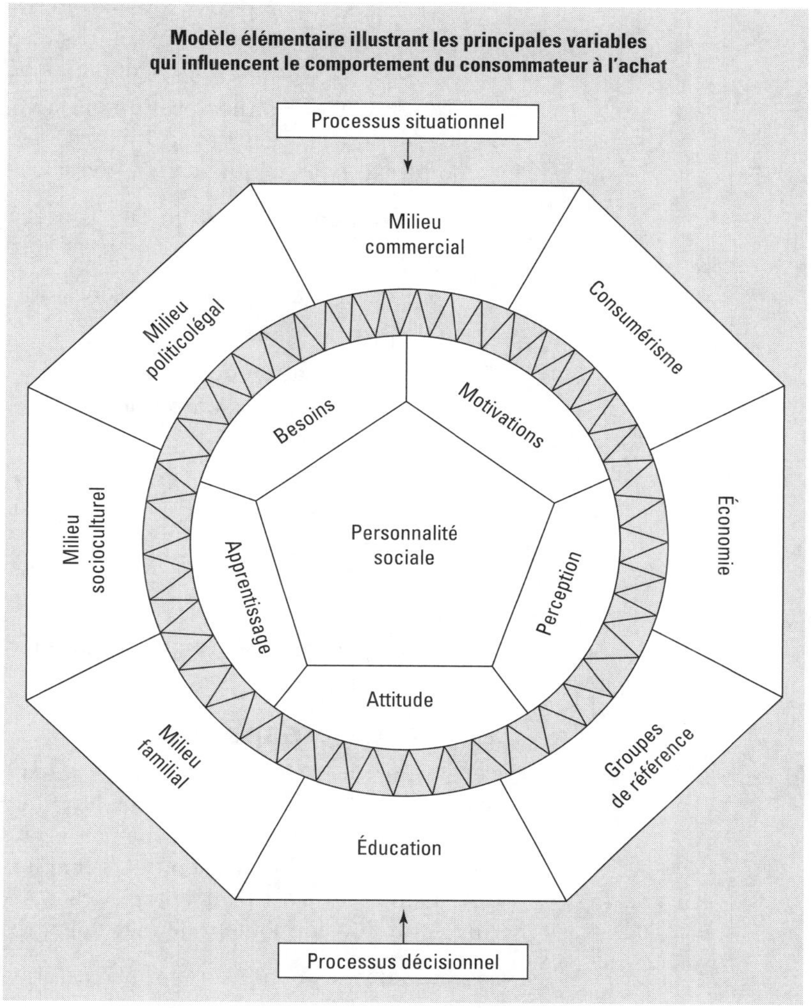

Pour conclure ce bref exposé sur la notion de communication relationnelle, rappelons que le conseiller financier professionnel doit être bien informé sur ses produits financiers et le monde de la finance dans lequel il évolue. Toutefois, cela ne suffit plus pour établir de bonnes relations avec les clients et pour les conserver. Le conseiller doit en outre comprendre les principes de la communication interpersonnelle et être capable de les appliquer. En bref, il doit être versé dans l'art de communiquer.

FIGURE 2.1 **Le modèle systématique RGP**

Modèle élémentaire illustrant les principales variables qui influencent le comportement du consommateur à l'achat

2.2 Le processus de vente professionnelle

Quelle que soit la situation dans laquelle on se trouve, chacun endosse, à certains moments, les rôles de négociateur et de communicateur. Voici quelques exemples :

- Le président d'une entreprise désire convaincre son conseil d'administration d'entreprendre un projet majeur. Il lui faudra donc « vendre » ce projet aux administrateurs ;
- Un jeune comptable postule un emploi dans une firme réputée. Il aura une tâche ardue : se vendre ;

- Un planificateur financier spécialisé en régimes de retraite vient de s'établir à son compte. Il révise une présentation qu'il doit effectuer devant la direction d'une entreprise. Il sait que s'il réussit à obtenir ce contrat, son nouveau cabinet pourra démarrer. Il devra donc vendre son projet.

Toutes ces personnes pratiquent la vente professionnelle. Celle-ci est l'art de persuader, d'influencer avec intégrité et de se servir de son imagination pour accomplir une tâche qui se veut noble.

Dans ce sens, comme on l'a vu précédemment, nous sommes tous des vendeurs professionnels à un moment ou à un autre.

Le processus de vente professionnelle comporte plusieurs étapes, dont :

- la prospection ;
- la planification de l'entrevue ;
  - le processus d'entrevue ;
  - le contact initial ;
  - la présentation ;
  - les habiletés relationnelles du conseiller financier, ou l'art de réfuter les objections ;
  - la conclusion ;
- le suivi.

Ces étapes seront expliquées plus en détail dans les pages qui suivent.

2.2.1 La prospection

Cette première étape concerne la recherche de clients éventuels et l'analyse de leur profil financier. C'est sans nul doute une étape cruciale ; sans client, la meilleure présentation ne vaut pas grand-chose. Les conseillers qui travaillent pour de grands établissements financiers sont parfois peu conscients de cette dimension, car c'est l'entreprise, grâce à sa publicité et à ses services du marketing et du développement de marché, qui se préoccupe de cette importante étape.

Par contre, si vous en parlez à un travailleur autonome, vous comprendrez la grande importance que revêt cette étape et constaterez le nombre considérable d'heures qu'il y consacre. Cependant, plusieurs travailleurs autonomes ont énormément de succès auprès d'une clientèle établie et négligent la prospection. En général, ils le regrettent un jour ou l'autre. Plusieurs techniques existent, qui vont des relations personnelles (recommandations, réseaux de connaissances et autres) à la publicité, aux salons et aux expositions industrielles. Le télémarketing est aussi parfois utilisé. Cette approche n'est pas la préférée de tous, mais peut s'avérer utile à certains.

2.2.2 La planification de l'entrevue

Le professionnel des services financiers prépare toujours son entrevue. Sans entrer dans les détails, voici les étapes qui caractérisent une bonne planification d'entrevue :

- La fixation des objectifs ;
- Le choix de la forme de l'entrevue (présentation formelle ou entretien informel) ;

- La préparation du contenu de l'entrevue ;
- La préparation du matériel requis (matériel audiovisuel, dépliants et autres) ;
- La prise du rendez-vous.

2.2.3 Le processus d'entrevue

Les sous-étapes de ce processus ont déjà été mentionnées plus haut, à savoir :

- le contact initial ;
- la présentation ;
- les habiletés relationnelles du conseiller financier, ou l'art de réfuter les objections ;
- la conclusion.

Examinons maintenant brièvement chacune de ces sous-étapes.

Le contact initial

Même lorsque le planificateur financier connaît assez bien son interlocuteur, il est important qu'il réalise que chaque entrevue formelle est une interaction qui engendre :

- des premières impressions ;
- l'établissement d'un bon (ou moins bon) rapport ;
- la diminution des incertitudes du client ;
- la négociation de certaines règles (échange de menus propos, importance pour le conseiller de conserver le contrôle de l'entretien, règles de bienséance et autres).

La présentation

Le conseiller doit décider du style de présentation qu'il veut faire à son client – ou à ses clients, selon le cas –, c'est-à-dire une présentation formelle (présentation structurée) ou informelle (présentation moins structurée impliquant un style beaucoup plus spontané et un ton plus amical).

Les meilleurs professionnels de la communication donnent trois conseils pour préparer une excellente présentation structurée : 1) s'exercer ; 2) s'exercer ; et 3) s'exercer. Le nombre de piètres présentations auxquelles vous pourrez assister, souvent faites par des professionnels chevronnés, est surprenant. Quelles en sont les causes principales ? Pour n'en nommer que quelques-unes, il peut s'agir des suivantes : le professionnel fait preuve d'une trop grande confiance en lui ; il manque de préparation, ce qui ne lui permet pas de faire face aux imprévus de tous genres, en particulier les problèmes de nature technique (audiovisuels ou informatiques, entre autres) ; la présentation est trop rapide ou trop lente ; les idées présentées sont trop peu structurées ; la langue française est écorchée ; le comportement non verbal laisse à désirer ; la tenue vestimentaire est négligée.

La présentation non formelle (ou non structurée) est beaucoup plus justifiée dans le cadre d'une entrevue amicale qui permet d'effectuer une recherche d'information visant à mieux connaître le client. La présentation formelle, quant à elle, revêt un caractère plus officiel et nécessite généralement une plus grande préparation. Elle s'adresse souvent à plusieurs clients à la fois.

Les habiletés relationnelles

Les professionnels considèrent les objections comme des obstacles à surmonter, des occasions à saisir et des fondations sur lesquelles construire une bonne argumentation. Les objections permettent au conseiller professionnel d'entreprendre un processus interactif, lui fournissent de la rétroaction et lui donnent l'occasion de réagir. Le secret est de bien comprendre et de bien maîtriser le processus dynamique de la communication. Toutefois, si l'on constate que l'on a des faiblesses dans ce domaine, il est recommandé de suivre des cours.

Les meilleurs conseillers financiers peuvent établir des rapports presque instantanément, alors que d'autres ont beaucoup de mal à le faire. Pourquoi en est-il ainsi? Parmi les réponses possibles, on peut citer leur crédibilité, forgée au fil du temps, une écoute plus active, une plus grande sensibilité aux besoins des clients et non uniquement à ses propres objectifs. Mais ce n'est pas tout: ces professionnels possèdent deux grandes qualités essentielles, dont on parle peu dans notre monde envahi par le bruit et le stress. Il s'agit de l'acuité sensorielle et de la synchronisation.

L'acuité sensorielle consiste à percevoir le comportement verbal et non verbal du client. C'est un art que le conseiller financier doit cultiver tout au long de sa carrière et qui lui procure la capacité de « lire » les réactions conscientes ou inconscientes de ses clients. L'acuité sensorielle est la pierre angulaire de la communication relationnelle et l'on peut s'y exercer en famille, en entreprise et, bien sûr, en suivant les cours appropriés dans le domaine de la communication interpersonnelle. Les jeux de rôles sont excellents pour améliorer l'acuité sensorielle.

La synchronisation est cette qualité qui permet d'adapter son comportement verbal et non verbal à celui de son interlocuteur. Le conseiller professionnel devient, en quelque sorte, le miroir de son client. Au fur et à mesure que l'acuité sensorielle du professionnel se développe, les efforts fournis pour synchroniser son comportement avec celui du client deviennent moins grands et l'approche, plus naturelle. La spécialité qui s'intéresse le plus à cette dynamique est la programmation neurolinguistique (PNL), laquelle se fonde sur les liens existant entre le cerveau (système nerveux) et le langage parlé.

La synchronisation fait référence à la technique du reflet (en anglais, *mirroring*). L'élément clé de cette approche réside dans le fait que lorsque deux interlocuteurs adoptent sensiblement la même posture, le même ton de voix ou le même rythme de discours, ils ont l'impression de se comprendre et de trouver un certain degré de bien-être et d'harmonie. Ils peuvent alors établir une relation et se faire confiance.

La PNL est une science relativement récente. Elle a donné naissance au modèle de la « synthonie », c'est-à-dire l'art d'être en harmonie avec les autres[3]. La science de la PNL a vu le jour grâce aux travaux de deux chercheurs américains, Richard Bandler et John Grinder[4].

---

3. L'un des meilleurs ouvrages pratiques sur le sujet dans le domaine de la communication relationnelle a été écrit par une consultante américaine de renommée mondiale, Génie Laborde. L'ouvrage s'intitule *Influencer avec intégrité: la programmation neurolinguistique dans l'entreprise* (1987). C'est un volume que tout cadre d'entreprise devrait lire pour mieux comprendre les deux qualités dont il est question plus haut.

4. L'un de leurs volumes s'intitule *Les secrets de la communication: les techniques de la PNL* (2005).

La conclusion

Il est important de comprendre que la conclusion de tout entretien formel (structuré) ou informel (non structuré) est le dénouement normal de toute interaction, surtout l'interaction commerciale. Il existe des conclusions plus formelles, donc plus structurées, qui exigent du conseiller professionnel qu'il effectue un résumé des points importants (ou un bilan des avantages et de certains désavantages). Il existe aussi des conclusions moins structurées, et donc plus directes, qui sont tout aussi efficaces.

Toutefois, certaines règles doivent être suivies, dont celles-ci :

- La conclusion incombe au conseiller professionnel et non au client ;
- Elle doit être adaptée au contexte dans lequel se trouvent les interlocuteurs. Un contexte amical (au restaurant, par exemple) peut inviter à formuler une conclusion directe, donc plus spontanée et amicale. Un contexte plus formel (dans le bureau d'un président) dicte davantage une conclusion qui respecte une certaine structure (un résumé ou un bilan) ;
- La conclusion de toute entrevue doit être intégrée de façon cohérente dans la conversation ;
- Elle doit être cohérente par rapport au type de présentation. Une demande directe et amicale suivra rarement une présentation formelle ;
- Le signal de la conclusion est donné par le client et capté par le conseiller, qui fait preuve d'acuité sensorielle pour saisir le comportement verbal et non verbal de son client.

2.2.4 Le suivi

Nous voici à la dernière étape du processus de vente professionnelle, soit le suivi.

Dans le domaine des services financiers, il est d'une grande importance d'effectuer un suivi rigoureux. Par exemple, le planificateur financier qui a présenté un rapport de planification financière globale et intégrée à un client se doit de le contacter à certains moments opportuns pour s'assurer que tout le processus d'implantation des recommandations se déroule de la bonne façon. Il n'est pas toujours facile pour un client de mettre en pratique un plan de remboursement des dettes. La meilleure façon de permettre à la relation conseiller-client de s'épanouir est d'assurer un bon suivi. Il ne s'agit pas ici de vendre continuellement un produit financier au client, mais plutôt de prendre l'habitude de noter ce qu'il aime et n'aime pas et de conserver cette information dans le dossier approprié. De cette façon, lorsque le client fait de nouveau affaire avec le conseiller, ce dernier peut rapidement déterminer ses besoins. Grâce à un suivi efficace, le client a non seulement l'impression qu'on le comprend, mais qu'on l'estime.

Conclusion

La communication relationnelle est un art qui s'insère dans le processus de vente professionnelle. C'est surtout le cas dans une interaction de nature « commerciale », quelle qu'elle soit. De nombreux ouvrages ont été publiés sur ce sujet[5].

---

5. Nous vous suggérons un ouvrage qui contient une bibliographie complète, c'est-à-dire Soldow et Thomas (1993). *La vente professionnelle.* Cet ouvrage a été utilisé tant dans les universités québécoises qu'au sein des grandes entreprises qui cherchent à mieux former leur personnel.

Bien sûr, vous pouvez également vous renseigner sur la PNL et améliorer votre acuité sensorielle ainsi que votre capacité d'harmonisation.

Terminons en soulignant la grande importance de bien communiquer verbalement, non verbalement et par écrit. Ainsi, le professionnel de la finance doit savoir maîtriser non seulement sa langue, mais aussi son caractère, sa confiance en lui-même et l'art du savoir-vivre.

MÉDIAGRAPHIE

Références

Bandler, R. et J. Grinder (2005). *Les secrets de la communication : les techniques de la PNL*. Montréal, Québec : Éditions de l'Homme.

Engleberg, I. N. et D. R. Wynn (2010). *Working in Groups*, 5e éd. Boston, MA : Pearson/Allyn & Bacon.

Laborde, G. (1987). *Influencer avec intégrité : la programmation neurolinguistique dans l'entreprise*. Paris, France : Interéditions.

Mehrabian, A. et M. Weiner (1967). Decoding of inconsistent communications. *Journal of Personality and Social Psychology, 6* (1), 109-114.

Soldow, G. F. et G. P. Thomas (1993). *La vente professionnelle*. Saint-Laurent, Québec : Éditions du Renouveau Pédagogique inc.

QUESTIONS DE RÉVISION

1. Comment faut-il interpréter la notion de partenariat dans le domaine des finances personnelles ?

2. Comment définiriez-vous la notion de vente sans intention de manipuler ?

3. Pensez-vous qu'il suffit de comprendre le contenu verbal d'une conversation pour en découvrir le sens ? Expliquez votre réponse.

4. Que veut-on dire par communication non verbale ?

5. Nommez les principales voies de l'expression non verbale.

6. Pourquoi la tenue vestimentaire et la coiffure sont-elles des indices importants de la communication non verbale ?

7. Expliquez comment le comportement non verbal peut influer sur l'image d'un conseiller financier à l'occasion d'événements sociaux.

8. Quels sont les principaux éléments micro, ou personnels, qui caractérisent la personnalité d'un client ?

9. Pourquoi la prospection est-elle une activité stratégique qui fait partie du processus de vente professionnelle ?

10. Pourquoi faut-il se préoccuper de la forme de l'entrevue au moment de la planification ?

11. Pourquoi le contact initial est-il si important ?

12. Décrivez les deux principales formes de présentation.

13. Quel rôle principal jouent les objections durant une interaction commerciale ?

14. Certaines règles gouvernent la conclusion. Quelles sont-elles ?

15. Pourquoi la responsabilité de la conclusion incombe-t-elle au conseiller financier et non au client ?

16. Pourquoi le suivi est-il important dans le domaine des finances personnelles ?

PARTIE II

LES FONDEMENTS CONCEPTUELS DE LA PLANIFICATION FINANCIÈRE PERSONNELLE

La planification financière personnelle (PFP) n'est pas une science exacte. Comme toutes les sciences appliquées, telles que le génie et la médecine, elle résulte de l'interaction entre la théorie et la pratique. En effet, le conseiller financier utilise les concepts et les technologies appropriés, mais il le fait selon son jugement personnel. Qui dit jugement dit art de bien juger, de bien analyser, de bien recommander. Par conséquent, on peut parler de la planification financière personnelle à la fois comme d'un art et d'une science appliquée. Les décisions prises dans ce domaine font bien sûr appel aux connaissances scientifiques, aux schémas théoriques, aux leçons tirées de l'expérience et au bon jugement. La planification financière personnelle s'appuie largement sur les mathématiques financières, lesquelles constituent une science exacte, et sur certaines sciences sociales comme l'économie et la comptabilité.

La planification financière est une démarche administrative qui permet d'atteindre des objectifs très variés. Ceux-ci sont généralement liés à la qualité de vie et à l'indépendance financière. Le plus grand défi du conseiller financier réside souvent dans la possibilité de permettre au client d'atteindre le meilleur équilibre qui soit entre le qualitatif et le quantitatif. En ce sens, le conseiller utilise certaines notions propres à l'étude du comportement humain pour faire son travail.

Ce sont souvent des universitaires et des conseillers financiers qui suggèrent les techniques utilisées en planification financière. Bien que celles-ci s'appuient sur diverses théories économiques ou mathématiques, elles découlent la plupart du temps de pratiques confirmées par l'expérience. Ainsi, la méthode modulaire et systémique proposée dans cet ouvrage est le fruit de plusieurs années d'expérience en planification financière personnelle assistée.

LA DÉMARCHE PROFESSIONNELLE EN PLANIFICATION FINANCIÈRE PERSONNELLE : UNE ACTIVITÉ STRATÉGIQUE D'INTÉGRATION

Dans ce troisième chapitre, nous étudierons la planification financière personnelle ainsi que les principaux concepts qui s'y rattachent. Ensuite, nous traiterons des facteurs dont il faut tenir compte dans toute planification financière personnelle.

Nous aborderons d'abord les variables contrôlables, sur lesquelles une personne peut exercer un certain pouvoir. Ces variables sont la qualité de vie, l'indépendance financière qui la soutient et l'enrichissement. Les variables incontrôlables, soit l'inflation, les taux d'intérêt et les impôts, seront expliquées dans les chapitres subséquents. Enfin, nous décrirons le processus de planification financière personnelle et son environnement.

3.1 Qu'est-ce que la planification financière ?

La planification financière personnelle ne se limite pas à l'étude d'états financiers, à l'application de notions fiscales ou à l'analyse de placements. Elle se fait en fonction d'objectifs personnels concernant tout autant la qualité de vie que les finances personnelles.

Il existe plusieurs définitions de la planification financière personnelle. L'IQPF propose (*voir aussi la sous-section 1.2.1*) la suivante :

> La planification financière personnelle est un processus qui consiste à optimiser votre situation financière et votre patrimoine. En général, la planification financière couvre les sept domaines suivants : aspects légaux et succession, assurance et gestion des risques, finance, fiscalité, placement et retraite. Le rôle du planificateur financier est de vous aider dans l'élaboration de votre planification financière en vous traçant un plan d'action stratégique entièrement adapté à vos besoins et tenant compte de vos contraintes et de vos objectifs personnels. Il vous propose ensuite des stratégies et des mesures cohérentes et réalistes pour atteindre les objectifs que vous vous êtes fixés. Ce sont des atouts précieux pour suivre de près l'évolution de votre patrimoine et prendre la bonne décision au bon moment.

> Une saine gestion de vos finances personnelles est la clé pour atteindre l'autonomie financière, réaliser vos rêves et concrétiser vos projets. (IQPF, 2008)

Cette définition inclut les éléments essentiels de la planification financière. Cependant, nous en proposons une autre, plus en accord avec notre approche globale et intégrée, laquelle vise tant la santé financière (l'indépendance financière) que la qualité de vie.

La planification financière personnelle est la gestion des revenus, des dépenses, des éléments d'actif et des dettes selon un plan établi en vue de réaliser des objectifs précis. Un tel processus permet d'atteindre et de maintenir le meilleur équilibre possible entre la qualité de vie et l'indépendance financière d'un individu ou d'une famille.

3.2 La qualité de vie

La qualité de vie est un concept dont la définition va bien au-delà des seules émotions. Dans une large mesure, il s'agit d'une variable contrôlable sur laquelle une personne peut agir. Elle est la résultante des événements quotidiens que vit une personne ou une famille. Elle représente aussi l'ensemble des satisfactions ressenties du point de vue des besoins physiologiques, sociologiques et psychologiques.

3.2.1 La hiérarchie des besoins

Le psychologue Abraham Maslow a proposé l'une des théories du comportement humain les plus populaires, la théorie de la hiérarchie des besoins. La figure 3.1 à la page suivante illustre la pyramide de Maslow.

 Maslow soulignait que la satisfaction des besoins suit une séquence ascendante : l'être humain chercherait d'abord à satisfaire ses besoins physiologiques

FIGURE 3.1 **La pyramide des besoins de Maslow**

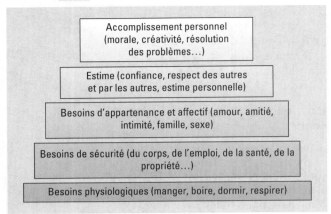

Source : Wikipédia (2011).

(la nourriture, l'habillement, le logement, etc.), puis ses besoins sociologiques (l'amitié, le respect, l'interaction au sein de groupes sociaux, etc.) et enfin ses besoins psychologiques (l'accomplissement personnel, la réalisation de soi, etc.).

Nous savons que les motivations sont intimement liées aux besoins tout comme les besoins identifiés par Maslow. Nous pouvons identifier trois types de motivations :

- Les motivations physiologiques (p. ex. : se nourrir, se protéger du froid) ;
- Les motivations sociologiques (p. ex. : le respect des autres) ;
- Les motivations psychologiques (p. ex. : étudier, voyager).

En d'autres mots, les motivations représentent les « énergies » déployées pour justement maintenir les comportements humains qui nous permettront de satisfaire nos besoins.

3.2.2 Les composantes de la qualité de vie

Si la qualité de vie est fonction de la satisfaction des trois grandes catégories de besoins (physiologiques, sociologiques et psychologiques), on peut aussi la concevoir comme le rapport existant entre deux composantes : le style de vie et le coût de la vie.

Le style de vie reflète la façon dont un individu ou une famille satisfait ses différents besoins. Certains auteurs emploient les expressions « mode de vie » ou « niveau de vie » plutôt que « style de vie ».

Le coût de la vie « alimente » financièrement le style de vie. Il consiste en l'ensemble des dépenses, calculées sur une base mensuelle ou annuelle, engagées pour maintenir la qualité de vie. Dans cet ouvrage, nous avons exclu les impôts sur le revenu du coût de la vie ; en effet, cette dépense n'est nullement liée au style de vie. Par contre, les taxes à la consommation (impôts indirects) sont toujours incluses dans les dépenses liées au coût de la vie.

Le coût de la vie

On ne peut traduire parfaitement le coût de la vie en qualité de vie, et inversement. Ainsi, il est possible d'améliorer sa qualité de vie en satisfaisant ses besoins d'ordre psychologique (réalisation de soi) sans pour autant augmenter son coût de la vie. Une promenade dans la nature, la lecture d'un bon livre, la contemplation d'une œuvre d'art, par exemple, font appel à des facteurs de satisfaction intrinsèques à l'individu, liés à sa personnalité, à ses valeurs et à sa culture.

En revanche, la satisfaction des besoins sociologiques, et surtout celle des besoins physiologiques, passe le plus souvent par l'acquisition de biens de consommation et de services. On parle alors de facteurs de satisfaction extrinsèques à l'individu. Le fait d'acheter des vêtements ou des meubles, d'adhérer à un club de conditionnement physique ou de manger dans un restaurant chic se répercute directement sur le coût de la vie.

Il existe donc un lien étroit, mais pas automatique, entre le coût de la vie et la qualité de vie. Pour le planificateur financier, le «coût de la vie» et la «qualité de vie» sont souvent synonymes. Bien sûr, il doit respecter les valeurs, la culture et le style de vie de ses clients.

Le coût de la vie sera abordé plus en détail au chapitre 7.

EXEMPLE

Deux familles ont exactement le même revenu annuel après impôts, soit 50 000 $. Le coût de la vie de la famille A s'élève à 40 000 $ et celui de la famille B, à 20 000 $. La qualité de vie de la famille A est-elle deux fois supérieure à celle de la famille B? Peut-être que non! Il est très possible que la famille B planifie bien son coût de la vie familial, gère correctement ses dépenses et soit très satisfaite de sa qualité de vie.

Il faut garder à l'esprit que la qualité de vie est non seulement fonction du coût de la vie, mais aussi du style de vie, reflet de la personnalité et de la culture de l'individu. Une personne qui affectionne le luxe aura probablement un style de vie flamboyant et un coût de la vie élevé. Par contre, une personne assez prudente aura vraisemblablement un coût de la vie moindre. Le style de vie subit aussi l'influence de l'environnement, c'est-à-dire le milieu socioculturel, le milieu familial, le milieu de travail, les groupes de référence[1], etc.

Instrument privilégié pour gérer correctement le coût de la vie, le budget familial est l'élément régulateur du comportement. Il représente les prévisions du coût de la vie, c'est-à-dire les dépenses liées au logement, à l'alimentation, à l'habillement, au transport, à la santé, aux loisirs, aux vacances, etc. La personne elle-même ou le planificateur financier professionnel peut établir le budget familial.

3.3 L'indépendance financière

L'indépendance financière est le deuxième concept de notre définition de la planification financière personnelle. Dans l'esprit de plusieurs, ce concept évoque probablement des scènes de richesse incroyable et la possibilité d'acheter la maison et la voiture de ses rêves. Très concrètement, c'est la santé financière qui est accessible au plus grand nombre; tout comme la santé physique, elle n'est pas réservée uniquement aux millionnaires!

L'indépendance financière, ou santé financière, est donc simplement la capacité de maintenir sa qualité de vie (coût de la vie) à court, à moyen et à long terme, et ce, en ayant la meilleure performance financière possible.

3.3.1 Les composantes de l'indépendance financière

À ce stade, nous examinerons brièvement les éléments qui composent l'indépendance financière (concept qui revient souvent dans cet ouvrage), soit la capacité financière et la performance financière.

La capacité financière est la somme d'argent qui provient des revenus annuels de l'individu ou de la famille. Ces revenus doivent être assez stables pour qu'on

---

1. Les groupes de référence servent de base de comparaison, ou de référence, dans l'élaboration de valeurs, de croyances, d'attitudes ou de comportements.

puisse les projeter sur une période d'au moins trois ans. Les revenus annuels proviennent surtout de l'exercice d'une profession, d'un métier, d'un travail, mais également des investissements. Ils serviront en partie à assumer le coût de la vie, donc à maintenir la qualité de vie, à payer les impôts et les dettes, à réaliser certains projets et à investir.

La performance financière comporte deux dimensions : dépenser intelligemment et investir sagement. Dépenser intelligemment ne signifie pas suivre un budget d'une façon rigoureuse ou encore être radin. Cela veut tout simplement dire savoir gérer son argent, donc savoir dépenser. C'est George Bernard Shaw, récipiendaire du prix Nobel de littérature en 1965, qui disait : «La façon la plus sûre de ruiner un homme qui ne sait pas gérer son argent est de lui en donner encore davantage. » Par ailleurs, investir sagement permet de viser un rendement global raisonnable sur ses placements.

3.3.2 Les étapes de l'indépendance financière

Une personne atteint l'indépendance financière lorsqu'elle a franchi chacune des deux grandes étapes suivantes :

- S'être libérée de ses dettes personnelles et maintenir sa qualité de vie sans s'endetter pour autant. Par contre, certaines dettes sont très acceptables. On vise cette indépendance financière à moyen terme (en général de deux à cinq ans);
- Être en mesure de prendre sa préretraite ou sa pleine retraite tout en maintenant sa qualité de vie. Il s'agit d'un travail à long terme (en général de 15 à 30 ans), qu'il faut entreprendre le plus tôt possible.

Le planificateur financier détermine la situation financière de son client pour l'année en cours, mais il se penche également sur le moyen terme, période pouvant aller jusqu'à cinq ans, parfois davantage. À ce moment, il établit le plan de la première étape de l'indépendance financière.

Le long terme concerne souvent des périodes de 15, 20, 30 ans et même davantage. Le planificateur établit alors un plan qui conduit à la retraite, soit la deuxième étape de l'indépendance financière. Le mot «retraite» n'a pas de connotation péjorative; il représente surtout la capacité de prendre sa retraite et non une date fatidique à laquelle on devrait le faire. À cet égard, le rôle du planificateur consiste à donner à son client la possibilité de prendre sa retraite après avoir atteint les objectifs clairement établis au départ. Dès lors, ce sera au client de décider de la nature de sa retraite. Rappelons que celle-ci se prépare longtemps à l'avance et que certains clients, financièrement à l'aise, trouvent un grand plaisir à travailler même à un âge avancé.

3.4 La qualité de vie et l'indépendance financière

Nous avons défini la planification financière personnelle comme un processus qui permet d'atteindre le meilleur équilibre qui soit entre la qualité de vie et la santé financière, à savoir l'indépendance financière. Il s'agit d'un véritable défi pour le planificateur financier ou pour la personne qui prend ses affaires en main car, pour la plupart des gens, cet équilibre est précaire.

Il est facile d'améliorer sa qualité de vie en accumulant des dettes et de mettre ainsi en péril sa santé financière! Par exemple, les jeunes couples sont souvent portés à s'endetter lourdement pour avoir le style de vie qu'ils désirent. Leurs objectifs à long terme peuvent en souffrir, malgré des revenus suffisants pour équilibrer le budget familial. Même les gens qui ont atteint un certain équilibre financier doivent rester prudents. La réalisation de nouveaux projets peut rompre temporairement cet équilibre et nuire à la bonne performance financière, car des emprunts sont souvent nécessaires. Il faut s'assurer que ces projets ne modifient pas les objectifs à long terme et, en général, la planification doit être revue le plus rapidement possible pour rétablir un meilleur équilibre.

Le déséquilibre inverse existe aussi, mais il est plus rare. Certaines personnes cherchent à atteindre l'indépendance financière le plus rapidement possible au détriment de leur qualité de vie. Amasser une fortune au prix d'une vie de privations n'est pas l'objectif que vise la planification financière. Enfin, soulignons que les personnes à revenus élevés ne sont pas forcément à l'abri de la faillite personnelle. Quelquefois, lorsque le conseiller financier intervient, il est malheureusement trop tard, et la faillite devient la seule issue.

3.5 Le processus d'enrichissement

Pour certaines personnes, la richesse est un état d'esprit; pour d'autres, elle correspond à l'éducation ou à la santé; pour d'autres encore, elle prend racine dans les enfants. Il y en a aussi pour qui la richesse est plutôt synonyme d'abondance de biens matériels. Toutefois, le planificateur financier considère surtout que la richesse est l'atteinte d'un niveau acceptable d'indépendance financière grâce auquel on peut profiter de la qualité de vie désirée.

En planification financière, l'enrichissement se mesure en fonction de l'accroissement de la valeur nette, laquelle correspond à l'ensemble des biens moins la dette totale (l'actif moins le passif). Il s'agit en fait du concept de patrimoine.

Le processus d'enrichissement comporte trois étapes:
- L'épargne;
- Le remboursement des dettes;
- L'investissement.

Dans ce processus nous n'avons pas inclus les héritages et les gains de loterie, sur lesquels nous n'exerçons en général aucun pouvoir. Le processus d'enrichissement est complexe. Il subit, dans une certaine mesure, l'influence de certains facteurs contrôlables et d'autres, incontrôlables, par exemple l'inflation, les taux d'intérêt et les impôts sur le revenu.

3.6 Le schéma intégrateur

La figure 3.2 à la page suivante présente un modèle qui englobe les principales variables de l'environnement du client. Ce schéma intégrateur donne une vue d'ensemble des variables qui composent l'environnement immédiat et l'environnement externe d'une personne en ce qui concerne la planification financière. Au cœur de ce schéma se trouvent, bien sûr, l'individu et sa personnalité. Par personnalité, nous entendons l'ensemble des éléments qui forment le caractère propre à un individu.

FIGURE **3.2** Le schéma intégrateur

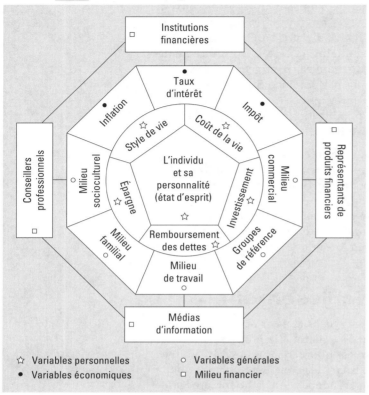

Certaines personnes sont plus portées que d'autres à structurer leur avenir financier; en ce sens, la planification financière est un état d'esprit.

Ce schéma intégrateur présente donc les éléments qui interviennent dans le processus de planification financière. Le planificateur financier doit composer avec l'ensemble de ces éléments, et ce, dans le respect de la personnalité du client. Ainsi, il agit comme un guide qui aide son client à structurer les variables contrôlables de sa vie financière; il lui suggère une stratégie qui tient compte des variables économiques incontrôlables et de celles du milieu financier.

Du point de vue de la planification financière, l'environnement se divise en trois zones :

- Les variables contrôlables (personnelles);
- Les variables incontrôlables (économiques et générales);
- Les institutions financières et les intermédiaires (le milieu financier).

3.6.1 **Les variables contrôlables**

Les variables contrôlables concernent l'environnement immédiat d'une personne. Ces variables sont présentées dans la figure 3.3.

On peut constater ici que la qualité de vie (style de vie et coût de la vie) ne sera soutenue que par un processus d'enrichissement raisonnable et stable au fil des années. Ce processus dérive, bien sûr, de la santé financière (de l'indépendance financière) du client, donc de son intelligence émotionnelle (état d'esprit) qui l'amène à bien dépenser et à investir sagement en fonction de ses revenus annuels.

3.6.2 **Les variables incontrôlables**

Les variables incontrôlables touchent l'environnement général d'une personne. Elles constituent l'ensemble des éléments externes non maîtrisables qui influent sur son attitude à l'égard de la planification financière. Ces variables sont de deux types : les variables sociétales et les variables économiques.

FIGURE **3.3** Les variables contrôlables

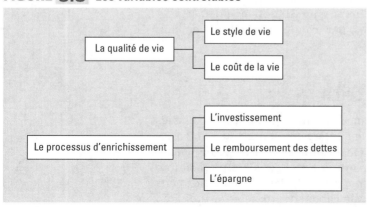

- Les variables sociétales :
  - Le milieu commercial ;
  - Les groupes de référence ;
  - Le milieu de travail ;
  - Le milieu familial ;
  - Le milieu socioculturel (religion, origine ethnique, etc.) ;
- Les variables économiques :
  - L'inflation ;
  - Les taux d'intérêt (l'économie en général) ;
  - L'impôt sur le revenu.

Nous traiterons de l'inflation et des taux d'intérêt au chapitre 4, car ces notions sont fondamentales en matière de planification financière personnelle. Le chapitre 5 portera sur les principales notions liées à la déclaration de revenus des particuliers. Les impôts à payer sont des éléments que l'on peut en partie contrôler au moyen de différentes stratégies fiscales. La loi et les règlements de l'impôt, quant à eux, sont tout à fait incontrôlables.

3.6.3 Le milieu financier

Par milieu financier, nous entendons les différentes institutions financières et les divers intermédiaires que le client consulte, ainsi que les médias spécialisés. Le conseiller en planification financière peut venir de n'importe lequel de ces secteurs (*voir le chapitre 1*).

3.7 Le processus de planification financière personnelle

Nous savons que l'objectif de la planification financière personnelle est l'atteinte du meilleur équilibre possible entre la qualité de vie et l'indépendance financière.

Ce processus, ou cette démarche, comporte quatre grandes étapes :

- L'analyse de la situation (Où en est-on ?) ;
- La détermination des objectifs (Où veut-on aller ?) ;
- Le choix des moyens d'action (Comment y arriver ?) ;
- Le contrôle de la gestion (Qu'a-t-on fait ?).

Comme le montre la figure 3.4, ces quatre étapes forment un processus dynamique et continu. Une fois enclenché, un tel processus réduit l'incertitude du client face à son avenir financier et lui permet de mieux coordonner le travail des professionnels qui l'entourent. Il est préférable de connaître la situation du client, en tout premier lieu, afin de bien évaluer le réalisme de ses objectifs. En fait, ces deux étapes se font concurrence et s'influencent mutuellement. Toutefois, nous recommandons de toujours établir un bon profil de la situation du client avant d'amorcer une discussion sur ses objectifs.

Le lecteur est invité à consulter les dossiers 3.1 et 3.2, annexés à ce chapitre. Le premier dossier, « Le processus de

FIGURE 3.4 Les étapes du processus de planification financière personnelle

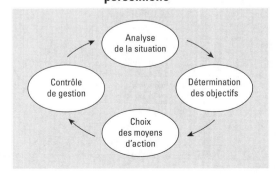

planification financière personnelle », explique en détail la figure 3.4 et ses composantes (*voir la page précédente*). Cette approche est utilisée en planification financière globale et intégrée. Le dossier 3.2, « Les questionnaires non remplis », présente un exemple de deux questionnaires ; le planificateur financier utilise de tels outils pour procéder à la collecte des données.

3.8 Une approche modulaire et intégrée

La figure 3.5 présente les quatre grandes étapes de la démarche de planification financière personnelle en fonction des six modules (*voir la partie III*) qui caractérisent cette nouvelle approche modulaire et intégrée. Ces modules sont la gestion budgétaire, la planification fiscale, la retraite, les placements, les assurances et la planification successorale.

Les aspects légaux sont omniprésents dans chacun des six modules de la planification financière personnelle. Nous avons donc choisi d'inclure ces aspects dans les passages pertinents de chacun des modules.

L'approche modulaire que nous proposons met en évidence les relations d'interdépendance entre les modules. Bien sûr, une fois cette structure globale en place, le client a toujours la possibilité de consulter d'autres professionnels pour examiner un certain aspect financier, fiscal ou légal.

Le rapport final, ou le document de planification financière personnalisée, est le résultat de l'analyse systémique qu'effectue le planificateur. Il contient les principales recommandations du conseiller à son client. Le planificateur doit s'assurer que celui-ci saisit bien la nature de ses recommandations. Ainsi, sa démarche professionnelle doit respecter les grandes règles de la communication interpersonnelle. L'IQPF consacre d'ailleurs une partie de son cours de synthèse à l'importance de la communication interpersonnelle dans la profession de planificateur financier (IQPF, 2004). Le chapitre 2 traite également de ce sujet.

FIGURE 3.5 **Une approche modulaire et intégrée**

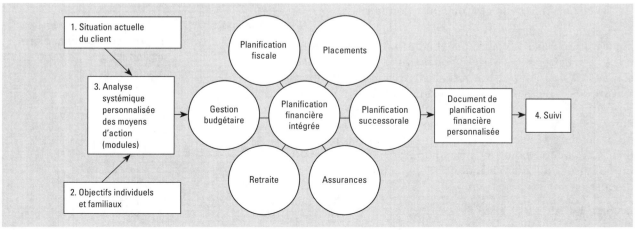

3.9 Les caractéristiques de la démarche professionnelle

L'approche globale et intégrée illustrée dans la figure 3.5 inclut, comme vous avez pu le remarquer, les quatre grandes étapes de la démarche présentée dans la figure 3.4 (*voir la page 35*). Cette approche (démarche professionnelle) possède les caractéristiques suivantes :

- Une approche administrative – Ses domaines d'application sont multiples : les finances, la retraite, les assurances, la fiscalité, les placements et la succession (*voir les différents modules à la partie III*);

- La continuité, le document de planification financière devant être révisé périodiquement – Plus les objectifs sont fixés à court terme, plus les révisions sont rapprochées; pour les objectifs à long terme, on procède à une révision tous les trois ans, par exemple;

- L'objectivité, tant de la part du client que de celle du conseiller financier – Que ce dernier vende ou non un produit financier particulier, il doit faire montre de la plus grande objectivité, laquelle se traduit par son intégrité professionnelle et la transparence dont il fait preuve.

3.10 Le recours à un planificateur financier

Avant d'aborder le recours à un planificateur financier, précisons qu'une personne peut, pour diverses raisons, ne pas vouloir planifier son avenir financier. C'est le cas d'un bon nombre de Québécois qui arrivent à la retraite en ayant des revenus sous le seuil de la pauvreté.

Par contre, d'autres personnes, de nature plus autodidacte, désirent s'occuper seules, en grande partie, de leur planification financière, et ce, d'une façon plus ou moins structurée. Pour ce faire, elles doivent disposer du temps nécessaire, posséder les connaissances requises et avoir un goût marqué pour l'administration des finances personnelles. Disons-le très clairement, la planification financière n'a rien à voir avec la spéculation boursière qui vise à satisfaire l'appât du gain et qui provoque le plus souvent un désastre financier.

Le recours à un planificateur financier est fortement recommandé lorsque la situation financière de la personne est le moindrement complexe. On peut consulter un grand nombre de professionnels dans le but d'élucider un problème précis ou de discuter d'une stratégie financière particulière. Ces spécialistes peuvent être des comptables, des notaires, des avocats, des fiscalistes, des agents ou courtiers d'assurance, des courtiers en valeurs mobilières ou encore des employés de banque, de société de fiducie ou de caisse populaire. Il arrive également que le client désire faire le grand ménage et entreprenne une planification globale et intégrée (les six modules y sont alors analysés). Dans ce cas, il doit consulter un professionnel qui met son expérience et son temps à profit pour ce type de consultation, tel un planificateur financier qui travaille en cabinet, qui facture des honoraires et qui produit un rapport final.

> ➕ La personne qui s'intéresse au sujet peut consulter une foule d'ouvrages bien documentés. Elle pourra ainsi se sensibiliser à la planification des finances personnelles. Il existe aussi une gamme de cours sous forme d'atelier d'une journée ou deux. Il convient de bien s'informer auprès des intervenants de la région où l'on habite.

Certains cabinets professionnels en planification financière (et certaines grandes institutions financières qui ont des services de gestion professionnelle) offrent leurs conseils sur la base d'honoraires et sont parfois indépendants de tout produit financier. Les cabinets, bien sûr, attirent une clientèle plus forte économiquement. Le recours à un cabinet de planificateurs financiers permet d'obtenir des recommandations professionnelles et, surtout, de remédier au manque de coordination entre les divers conseillers des domaines légal, financier et fiscal. À la suite d'une ou de plusieurs entrevues avec le client, le planificateur financier pourra constituer son dossier et soumettre son rapport de planification financière. En général, ce rapport vaut son pesant d'or, car c'est un pilier de l'avenir financier du client.

Les trois sous-sections qui suivent traitent justement du travail d'un cabinet professionnel en planification financière.

3.10.1 Les entrevues

Dès la première entrevue, le conseiller sensibilise le client potentiel aux différents aspects de la planification financière personnelle globale et intégrée. Il l'informe des coûts approximatifs de ses services et lui remet le questionnaire n° 1 à remplir (*voir le dossier 3.2 à la page 44*). Si le client potentiel est marié et que sa situation familiale s'y prête, il invite les conjoints à remplir le premier questionnaire. Ainsi, ceux-ci sont invités à s'engager le plus possible dans la préparation et, par la suite, dans la mise en œuvre de la planification financière.

Une ou deux semaines plus tard, une deuxième entrevue permet de réviser les données recueillies dans le questionnaire n° 1 et d'aborder le questionnaire n° 2, lequel permet de déterminer le profil financier du client. Celui-ci met à la disposition du conseiller ses documents financiers et légaux. Bien sûr, avant de remplir le questionnaire n° 2, le conseiller s'assure que le client potentiel (et, s'il y a lieu, les conjoints) a bien l'intention de signer le contrat. Une fois les questionnaires remplis, il est en mesure d'évaluer les éléments importants à analyser et peut dès lors confirmer le coût approximatif proposé ou le corriger, à la hausse ou à la baisse. Le contrat comprend une description du mandat, une évaluation des coûts et les signatures appropriées. Les documents personnels du client y sont annexés. Une fois le contrat signé, le planificateur financier se met à l'œuvre et prépare son dossier. Soulignons qu'à cette étape, le cabinet professionnel peut exiger 50 % du coût total, lequel peut aller de 4 000 $ à 12 000 $ et plus dans le cas de personnes fortunées.

3.10.2 Le dossier du planificateur financier

Le dossier du planificateur financier est constitué de feuilles de travail (formulaires papier et virtuels) qui servent à la rédaction du rapport final soumis au client. Ces feuilles de travail sont en quelque sorte le brouillon du planificateur. Cependant, le dossier doit être rédigé de telle sorte que celui-ci puisse s'y reporter aisément. Les renseignements de base que comportent les feuilles de travail proviennent de différentes sources :

- Les questionnaires ;
- Les déclarations de revenus ;
- Les états financiers (s'il y a lieu) ;

- Le résumé des discussions avec le client ;
- Le contrat, incluant le mandat qui fait état de l'entente conclue.

Les décisions du planificateur sont en grande partie basées sur ces documents, lesquels sont souvent informatisés.

3.10.3 Le rapport final

Le conseiller remet à son client un rapport final, c'est-à-dire un document de planification financière personnalisée. Ensuite, il lui explique le document et lui fait part de ses recommandations. La remise du rapport final est pour le conseiller un moment privilégié pour discuter avec son client du type de suivi qui sera effectué.

La principale utilité du document de planification financière personnelle est de faire ressortir les éléments importants de l'analyse financière. Il ne faut pas croire qu'une présentation verbale est suffisante. Le client a besoin de comprendre les notions parfois complexes qui y sont abordées. Un document final bien structuré pourra lui servir de guide et de référence à l'occasion de ses discussions avec d'autres professionnels.

Il est impératif de donner une orientation pédagogique aux annexes, les thèses en planification financière personnelle étant futiles pour la majorité des clients. Le rapport devient en soi un aide-mémoire à la suite d'une présentation habile du conseiller. En pratique, il ne faut pas hésiter à investir le temps nécessaire à la préparation de cette présentation, aussi savante soit-elle. Le processus de communication ne se limite pas à la simple rédaction du rapport ; bien souvent, le client arrive véritablement à comprendre le rapport du conseiller au cours de cette séance, et les résultats du travail en sont d'autant plus appréciés par la suite.

Un rapport final bien structuré comporte sept parties :

- La lettre d'accompagnement, signée par le planificateur financier ;
- La page de titre, identifiant le destinataire et le conseiller ;
- La table des matières, présentant en détail tous les aspects du mandat ;
- L'introduction, servant à présenter le document de planification financière personnelle et faisant ressortir les grandes orientations modulaires ;
- La présentation des modules (objet principal du rapport), structurée de la façon suivante :
  - Le titre du module ;
  - Les objectifs poursuivis ;
  - L'analyse ;
  - Les recommandations ;
  - Les annexes, tableaux et graphiques ;
- Le plan d'action, résumant sous forme de tableau les actions à entreprendre, accompagné d'un échéancier relativement précis. Ce plan d'action précise en outre les responsabilités, quant aux actions et au suivi, qu'assumeront le client, le planificateur et les autres professionnels ;
- La conclusion, indiquant les solutions les plus importantes pour chaque module.

MÉDIAGRAPHIE

Page 29
Le sémioscope, http://semioscope.free.fr via Théorie > Modèles > La pyramide de Maslow

Références
Institut québécois de la planification financière (2004). *Les normes professionnelles.* Verdun, Québec : Institut québécois de la planification financière. Récupéré de www.iqpf.org/userfiles/File/outils/normes-iqpf2006.pdf

Institut québécois de la planification financière (2008). *Services au public.* Récupéré de www.iqpf.org/public.fr.html

Wikipédia (2011). *Pyramide des besoins de Maslow.* Récupéré de fr.wikipedia.org/wiki/Pyramide_des_besoins_de_Maslow

QUESTIONS DE RÉVISION

Note: Ces questions englobent les notions abordées dans les dossiers 3.1 et 3.2.

1. Qu'entend-on par planification financière personnelle ?

2. Qu'est-ce que la qualité de vie ? Quelles en sont les deux composantes ?

3. Qu'entend-on par coût de la vie ?

4. Pourquoi le coût de la vie est-il lié aux besoins physiologiques, sociologiques et psychologiques ?

5. Définissez l'expression « indépendance financière ». Expliquez clairement chacune des composantes de la définition proposée.

6. Que signifie l'expression « performance financière » ? De quels facteurs dépend-elle ?

7. Comment peut-on s'enrichir si l'on exclut le fait d'hériter ou de gagner à la loterie ?

8. Expliquez le sens des variables contrôlables du schéma intégrateur.

9. Décrivez une situation dans laquelle une ou plusieurs variables sociétales incontrôlables influent positivement ou négativement sur le client dans le contexte de la planification personnelle.

10. Quelles sont les quatre grandes étapes de la planification financière ? Quelle est la question principale à se poser à chaque étape ? Quel est le sens de chaque étape ?

11. Quelles sont les caractéristiques du processus professionnel de planification financière ?

12. Donnez trois exemples d'objectifs que vous pourriez poursuivre à court, à moyen et à long terme.

13. À quoi sert le questionnaire n° 1 ? Et le questionnaire n° 2 ?

14. Que signifie l'expression « approche modulaire et intégrée » ?

Le processus de planification financière personnelle

Plan

Introduction
L'analyse de la situation
La détermination des objectifs
Le choix des moyens d'action
Le contrôle de la gestion
Conclusion

Introduction

La démarche professionnelle, globale et intégrée consiste à suivre les quatre grandes étapes suivantes :

- L'analyse de la situation : Où en est-on ? ;
- La détermination des objectifs : Où veut-on aller ? ;
- Le choix des moyens d'action : Comment y arriver ? ;
- Le contrôle de la gestion : Qu'a-t-on fait ?.

L'analyse de la situation

La question sous-jacente à cette première étape de la démarche personnelle, globale et intégrée est celle-ci : Où en est-on ? Pour y répondre, il est nécessaire d'analyser la situation du client afin de bien comprendre tous les éléments qui en font partie. L'outil dont se sert le planificateur financier pour procéder à la collecte des données de base est le questionnaire. Le dossier 3.2 présente les questionnaires n°s 1 et 2 (non remplis).

Étant donné l'importance et la complexité des renseignements à fournir, il est préférable que le planificateur aide le client à remplir ces questionnaires.

L'analyse de la situation consiste à recueillir et à évaluer les renseignements qui serviront à prendre des décisions au moment d'établir la stratégie. À cette fin, les questionnaires mettent en évidence les forces et les faiblesses de la situation financière du client. L'analyse de la situation est un moyen privilégié pour sensibiliser le client à ses objectifs à court, à moyen et à long terme.

La détermination des objectifs

La question liée à cette deuxième étape est celle-ci : Où veut-on aller ? La planification financière personnelle permet à la personne qui exerce un métier ou une profession libérale, au cadre d'entreprise ou à l'entrepreneur, de s'adapter à des contraintes légales, économiques et fiscales qui sont constamment en évolution. Ainsi, si cette personne confie sa planification financière à un spécialiste, elle pourra consacrer plus de temps à son travail, à son entreprise et à sa famille.

Déterminer les objectifs personnels, familiaux et souvent professionnels du client représente la deuxième grande étape du processus de planification. Fixer les objectifs consiste également à répondre à la question suivante : Pourquoi planifier ? Planifier consiste à établir des priorités et à préparer l'avenir, mais cela signifie aussi se préparer pour l'avenir. En outre, planifier signifie établir de la façon la plus précise possible des objectifs à court, à moyen et à long terme, ce qui est parfois difficile à faire pour le profane. Un bon planificateur doit donc être un peu psychologue : il doit savoir écouter son client et lire entre les lignes pour l'aider à fixer correctement ses objectifs.

Les objectifs à court terme

Les objectifs à court terme concernent généralement la première année de la planification financière. Entre autres objectifs, le client peut vouloir :

- équilibrer son budget familial ;
- structurer son cadre fiscal de façon à réduire ses impôts ;
- équilibrer son portefeuille d'assurances ;

- optimiser son portefeuille de placements;
- rédiger son testament en fonction d'objectifs précis.

Les objectifs à moyen terme

Les objectifs à moyen terme concernent les années suivantes (habituellement jusqu'à cinq ans); ils englobent les projets du client que le conseiller financier doit prendre en compte.

Les objectifs à moyen terme consistent surtout à:

- atteindre la première étape de l'indépendance financière;
- réaliser divers projets personnels (voyage, piscine, rénovations, année sabbatique, etc.);
- jouir de la tranquillité d'esprit que procure une situation redressée.

En général, c'est à la fin de cette période que la première étape de l'indépendance financière est atteinte: le budget est bien équilibré, les grands projets sont en préparation ou ont été réalisés et, finalement, les dettes de consommation ont été remboursées.

Les objectifs à long terme

Les objectifs à long terme s'étendent habituellement sur des périodes de 20 ans, de 25 ans et parfois davantage, selon l'âge du client. Ces objectifs permettent généralement:

- d'atteindre la deuxième étape de l'indépendance financière, laquelle conduit à la préretraite ou à la retraite;
- d'offrir une bonne éducation aux enfants;
- d'assurer la stabilité financière de la famille en cas de décès.

Les objectifs à long terme doivent être révisés tous les trois ou cinq ans, par exemple, car ils peuvent varier avec le temps.

L'objectif commun à tous, et de ce fait le plus important sur lequel doit se pencher sérieusement le planificateur, est l'atteinte de la préretraite ou de la retraite dans les meilleures conditions.

Le plus souvent, les gens ne se préoccupent pas assez de leur retraite. Le jeune professionnel qui débute est loin de s'en inquiéter, et on le comprend. Certains professionnels dont les revenus sont élevés ne pensent à leur retraite que vers l'âge de 50 ans. S'il n'est jamais trop tard pour bien faire, il faut comprendre que la retraite se prépare très à l'avance. S'il ne reste que quelques années pour le faire, les mises de fonds seront lourdes à assumer. Quelquefois, on pourra y arriver en reportant sa retraite de plusieurs années et en se serrant la ceinture…

Le choix des moyens d'action

Cette troisième étape doit répondre à la question suivante: Comment y arriver? Elle renvoie aux modules présentés plus loin. C'est ici qu'intervient, d'une façon particulière, le conseiller financier. Une fois l'analyse de la situation effectuée et les objectifs bien établis, celui-ci doit recommander à son client différents moyens d'action. Ces derniers correspondent aux six modules qui forment la partie III de cet ouvrage:

- Équilibrer le budget familial (module « La gestion budgétaire »);
- Évaluer les stratégies fiscales qui permettront d'économiser de l'impôt (module « La planification fiscale »);
- Déterminer les sommes à investir annuellement afin de rassembler le capital nécessaire à la retraite (module « La retraite: la planification »);
- Déterminer les sommes à recevoir durant la retraite ainsi que les véhicules financiers à utiliser (module « La retraite: l'après-REER »);
- Constituer un portefeuille de placements qui respecte la personnalité et les objectifs du client et déterminer les produits financiers que celui-ci utilisera pour

effectuer ses mises de fonds en vue de la retraite (module « Les placements ») ;

- Déterminer les montants d'assurance vie requis pour garantir une qualité de vie acceptable à la famille survivante (module « Les assurances ») ;

- Planifier dès aujourd'hui les moyens d'action à prendre pour réduire au minimum l'impact fiscal lors du décès et transmettre le patrimoine familial à la succession (module « La planification successorale »).

Le contrôle de la gestion

Évaluer sa gestion équivaut à répondre à la question suivante : Qu'a-t-on fait ? La planification constitue déjà une forme de contrôle proactif ou préventif. Cependant, nous faisons ici référence à deux autres types de contrôle : le contrôle continu et le contrôle rétroactif. Le contrôle continu permet au client d'évaluer, sur une base régulière (mensuelle, par exemple), l'efficacité de ses actions et de déterminer ainsi s'il suit fidèlement les recommandations de son conseiller financier. Ce dernier propose, mais le client dispose. La mise en place et le suivi des décisions peuvent être effectués par le client ou le conseiller financier, idéalement par les deux.

De son côté, le contrôle rétroactif permet d'évaluer à certains moments précis (après un an, deux ans ou cinq ans) si les objectifs ont été atteints. Associé aux objectifs à court, à moyen et à long terme, ce type de contrôle s'effectue préférablement avec l'assistance du planificateur financier. Certains conseillers recommandent à leurs clients de faire un suivi sur une base régulière.

Conclusion

La planification financière ne fait pas exception aux grands principes de gestion qu'énonce Henri Fayol[1]. Il faut planifier et contrôler ses finances, mais également organiser ses affaires, diriger sa vie et coordonner ses activités de façon à atteindre ses objectifs. En ce sens, l'administration des affaires personnelles ressemble à celle d'une entreprise : dans les deux cas, il faut établir une structure et effectuer un suivi. Ce grand principe, qui s'applique à chacun des modules de la partie III, convient aussi au propos de ce chapitre et de cet ouvrage.

---

1. Fayol, H. (1979). *Administration industrielle et générale*. Paris, France : Dunod (première édition en 1916).

DOSSIER 3.2

Planification financière personnalisée pour :

_____

Questionnaire n° 1

Profil de la situation financière personnelle et familiale

Date : _____ **Lieu :** _____

Questionnaire n° 1
Profil de la situation personnelle et familiale

1. Renseignements généraux

Nom(s) et prénom(s)	État civil	Date de naissance (âge)	Profession
_____	_____	_____	_____
_____	_____	_____	_____

Adresse de correspondance :   Résidence ☐   Bureau ☐

	Résidence	Bureau
Nom du client	_____	_____
Entreprise	_____	_____
Rue	_____	_____
Ville	_____	_____
Code postal	_____	_____
Téléphone	_____	_____

Professionnels consultés : comptable, avocat, notaire, courtier en valeurs mobilières, courtier d'assurance, conseiller personnel, etc. (La liste des professionnels consultés n'est pas obligatoire, mais pourrait s'avérer très utile.)

Profession	Bureau	Nom	Téléphone
_____	_____	_____	_____
_____	_____	_____	_____

(Joindre la liste, s'il y a lieu.)

2. Renseignements familiaux

Cette planification financière concerne :   le couple ☐   une personne ☐

Enfants à charge		Autres (s) personne(s) à charge (expliquez)
Prénom	Âge	
_____	_____	_____
_____	_____	_____

Prévoyez-vous avoir d'autres enfants ?   Oui ☐   Non ☐   Si oui, combien ? _____

Vos enfants possèdent-ils un compte bancaire individuel ?   Oui ☐   Non ☐

Enfant	Montant
_____	_____
_____	_____

Recevez-vous du fédéral la PUGE, ou Prestation universelle pour garde d'enfants?   Oui ☐   Non ☐

Si oui, combien recevez-vous par mois?   _____ $

Nom des enfants bénéficiaires   Âge

_____   _____

_____   _____

_____   _____

Avez-vous un REEE pour vos enfants?   Oui ☐   Non ☐

Sinon, prévoyez-vous en établir un?   Oui ☐   Non ☐

Si vous possédez un REEE, précisez le nom des enfants, leur âge et le type de REEE.

Enfant	Âge	Type de REEE
_____	_____	_____
_____	_____	_____
_____	_____	_____

3. Coût de la vie mensuel pour l'année qui vient, soit à partir du _____

A) Maison

Loyer   _____

Hypothèque   _____

Téléphone   _____

Câble   _____

Chauffage   _____

Électricité   _____

Taxes (total)   _____

Entretien   _____

Assurances (feu, vol, etc.)   _____

Ameublement   _____

Autres frais   _____

TOTAL MENSUEL (A)   _____

C) Famille

Alimentation   _____

Habillement   _____

Frais de scolarité   _____

B) Transport

Essence et huile (auto)   _____

Entretien (auto)   _____

Assurance auto   _____

Automobile   _____

Immatriculation et permis   _____

Stationnement   _____

Location d'un garage   _____

Taxis   _____

Métro ou autobus   _____

Autres frais   _____

TOTAL MENSUEL (B)   _____

D) Divers

Vacances et voyages   _____

Assurance vie   _____

Autres assurances   _____

Sports et loisirs	_____	Dons ou cadeaux	_____
Sorties au restaurant	_____	Aide ménagère	_____
Pharmacie et cosmétiques	_____	Pension alimentaire	_____
Journaux et magazines	_____	**TOTAL MENSUEL (D)**	_____
Tabac et alcool	_____		
Frais de garderie	_____		
Dentiste et optométriste	_____		
Allocation aux enfants	_____		
Loterie	_____		
Argent de poche	_____		
Autres frais	_____		
TOTAL MENSUEL (C)	_____		
TOTAL GÉNÉRAL MENSUEL (A) + (B) + (C) + (D)	_____		
TOTAL ANNUEL	_____		
Ajouter 5 % pour les imprévus	_____		
Coût de la vie annuel	_____		
COÛT DE LA VIE ANNUEL	_____	(total arrondi à 100 $ près)	

Quel est le montant des dépenses totales annuelles relatives aux enfants ? Le montant total est approximatif, mais est représentatif des frais engagés. Ce montant est inclus dans le total du coût de la vie annuel.

	Année	Montant
Dépenses totales annuelles relatives aux enfants :	_____	_____ $

4. Projets spéciaux

Il faut évaluer ici les dépenses que vous désirez effectuer d'ici environ cinq ans et qui n'ont pas déjà été incluses dans votre coût de la vie.

	Année	Coût	Commentaires
Voyage	_____	_____	_____
Scolarité (extraordinaire)	_____	_____	_____
Maison (rénovations)	_____	_____	_____
Maison (achat)	_____	_____	_____

DOSSIER 3.2-*SUITE*

Piscine _____ _____ _____

Chalet _____ _____ _____

Copropriété _____ _____ _____

Automobile _____ _____ _____

Ordinateur _____ _____ _____

Ameublement _____ _____ _____

Autres (divers) _____ _____ _____

5. Retraite

	Conjoint	Conjointe
Âge actuel	_____	_____
Âge de la retraite (1er choix)	_____	_____
(2e choix)	_____	_____

Ajustement au coût de la vie à la retraite : augmentation pour imprévus à la retraite _____ $

Prévoyez-vous un changement majeur dans votre vie familiale ou professionnelle?

D'ici cinq ans _____ À plus long terme _____

6. Revenu de travail

Profil des salaires annuels   Année _____

	Conjoint	Conjointe
Salaire brut	_____	_____
Retenues à la source :		
Admissibles pour impôt (déduction ou CNR)	_____	_____
Non admissibles	_____	_____
Salaire net	_____	_____

Total des acomptes provisionnels effectués depuis le début de l'année _____

Montant _____ Date(s) _____

Brève description de la profession dont vous tirez votre revenu salarial :

_____

_____

Quelle augmentation annuelle prévoyez-vous pour les deux prochaines années?

Année _____ Augmentation en pourcentage _____

Année _____ Augmentation en pourcentage _____

7. Revenu de location

Immeuble habité ☐   ou non ☐   par le propriétaire ☐   sans objet ☐

Commentaires

Type d'immeuble _____ _____

Date d'achat _____ _____

Coût de l'immeuble _____ _____

Coût du terrain _____ _____

Valeur marchande actuelle – immeuble _____ _____

Valeur marchande actuelle – terrain _____ _____

Solde hypothécaire actuel _____ _____

Assurance hypothèque _____ _____

Taux d'intérêt _____ _____

Échéance de l'hypothèque _____ _____

Amortissement restant _____ _____

Taux d'intérêt _____ _____

Revenu mensuel (actuel) _____ _____

Revenu mensuel (au renouvellement des baux) _____ _____

Mensualités de l'hypothèque (capital et intérêt) _____ _____

Intérêt (base annuelle) _____ _____

Pour les quatre prochaines années (valeur arrondie) _____ _____

Débours directs moyens mensuels (actuels) _____ _____

Débours directs moyens mensuels (au renouvellement des baux) _____ _____

Superficie occupée par vous en pourcentage _____ _____

Total de l'amortissement fiscal réclamé _____ _____

Si vous n'habitez pas l'immeuble de location, celui-ci sera-t-il conservé par le conjoint survivant dans l'éventualité d'un décès?   Conservé ☐   Vendu ☐

8. Objectifs personnels et familiaux

Que signifie pour vous l'indépendance financière?

_____

_____

_____

_____

Jusqu'à quel âge prévoyez-vous être le soutien financier de vos enfants ? (Cette question peut avoir une incidence sur le montant de l'assurance vie.)

Enfant	Âge actuel	Âge limite

Prévoyez-vous inclure dans vos besoins financiers en assurance vie, d'ici quelques années, un certain montant d'argent pour un fonds spécial d'études universitaires pour vos enfants ?

Oui ☐ Non ☐ Si oui, indiquez l'année _____

Enfant (prénom)	Âge actuel	Montant ($)

9. Placements

Selon vous, quel est votre profil d'investisseur ?

Prudent ☐   Équilibré (modéré) ☐   Audacieux (spéculatif) ☐

En fonction de votre tolérance au risque, quelle répartition (en pourcentage) de vos placements préférez-vous ? (Le total doit représenter 100 %.)

Placements totalement sécuritaires (sans risque)   _____

Placements partiellement sécuritaires (risque faible à moyen)   _____

Placements spéculatifs (risque élevé)   _____

Outre la rentabilité, quelle caractéristique majeure recherchez-vous pour vos placements ?

_____

_____

_____

_____

Profil d'investisseur :

Veuillez consulter l'annexe 1 à la fin de ce premier questionnaire et remplir le test « Profil d'investisseur » suggéré. Les résultats de votre test seront analysés au module « Les placements » de votre rapport final.

DOSSIER 3.2-*SUITE*

10. Succession

Date du mariage _____

Régime matrimonial _____

Contrat de mariage   Oui ☐   Non ☐

Avez-vous un testament? _____   Votre conjoint? _____

Testament avec clause de décès simultané   Oui ☐   Non ☐

Quels sont vos objectifs majeurs concernant votre succession?

_____

Y a-t-il des aspects précis qui vous préoccupent au sujet d'un testament?

_____

_____

Est-il probable que vous ou votre conjoint héritiez?   Oui ☐   Non ☐

   Si oui, de combien? _____   Quand? _____

Avez-vous pensé à créer une fiducie testamentaire?   Oui ☐   Non ☐

11. Assurances

Polices d'assurance vie: Dressez la liste des polices d'assurance vie de chaque membre de la famille.

Titulaire	Bénéficiaire	Compagnie	Genre de police	Prime annuelle	Valeur de rachat	Montant de la protection
_____	_____	_____	_____	_____	_____	_____
_____	_____	_____	_____	_____	_____	_____

Fumez-vous?   Conjoint Oui ☐   Non ☐   Conjointe Oui ☐   Non ☐

Si oui, combien de cigarettes par jour?   Conjoint _____   Conjointe _____

Commentaire(s)

_____

_____

_____

Quel montant minimal d'assurance vie désirez-vous maintenir? _____

Croyez-vous avoir besoin d'une assurance vie au-delà de 65 ans? _____

Assurance hypothècaire   Résidence principale   Oui ☐   Non ☐

                             Autre immeuble (précisez)   Oui ☐   Non ☐   Sans objet ☐

                             _____

DOSSIER 3.2-_SUITE_

Vos polices d'assurance vie présentent-elles (dans l'incertitude, fournir les polices d'assurance) :

1) une clause d'assurance salaire ? _____

2) une clause de protection pour conjoint et enfants ? _____

3) autres ? _____

Donnez les détails.

_____

_____

Police d'assurance salaire (invalidité)   Oui ☐   Non ☐

Provisions annuelles pour projets spéciaux pour le conjoint survivant : _____ $

12. Commentaires

Commentaires additionnels pouvant nous aider à mieux connaître vos objectifs personnels et familiaux :

_____

_____

_____

_____

_____

_____

_____

_____

_____

_____

Date _____   Lieu _____

Documents requis (s'ils sont disponibles) :

- ☐ Déclarations de revenus (trois ans)
- ☐ _Idem_ pour le conjoint
- ☐ Bilans personnels (trois ans)
- ☐ _Idem_ pour le conjoint
- ☐ États financiers d'entreprise
- ☐ Polices d'assurance
- ☐ Testaments
- ☐ Dernier relevé de paie

- ☐ Contrat de mariage
- ☐ Conventions entre associés
- ☐ Fiducies
- ☐ Acte de divorce
- ☐ Documents financiers (relevés de placements, comptes bancaires, créances ou comptes débiteurs, liste des dettes, avoir net, etc.)
- ☐ Autres _____

DOSSIER 3.2-*SUITE*

Annexe 1

«Votre profil d'investisseur»

1. Selon vous, votre profil d'investisseur est le suivant

Prudent ☐   Équilibré (modéré) ☐   Spéculatif (audacieux) ☐

2. Votre répartition des titres

- Risque nul à faible : _____ %
- Risque moyen : _____ %
- Risque élevé : _____ %

    Total :   100   %

3. Le test

Note aux étudiants :

En général, le test «Profil d'investisseur» est inclus dans le questionnaire n° 1 pour que le client le remplisse. Cependant, dans l'optique pédagogique de ce manuel, nous vous recommandons de consulter.

Test n° 1 – Un total de 15 questions qui conduisent à un graphique illustrant le profil du client.

 www.desjardins.com (REER/épargne-retraite)

Test n° 2 – Un total de six questions qui conduisent à un graphique illustrant le profil du client.

 www.bcn.ca (Placements)

Test n° 3 – Un total de six questions qui cernent votre profil d'investisseur selon un système de pointage.

 www.lautorite.qc.ca (Publications/Investissement/Maîtrisez vos placements)

4. Les résultats du test

Ces résultats seront révélés et interprétés au chapitre 15, au module «Les placements».

Planification financière
personnalisée pour :

_____

Questionnaire n° 2

Profil de la situation
financière

Date : _____ **Lieu :** _____

Questionnaire n° 2
Profil de la situation financière

1. Encaisse : solde de vos comptes bancaires _____ $

2. Comptes clients : total des sommes à recevoir (RRQ, clients, etc.) _____ $

3. Assurances vie : valeur de rachat _____ $

4. Obligations d'épargne : _____ $

Nom	Date d'achat	Échéance	Taux d'intérêt	Montant
_____	_____	_____	_____	_____ $
_____	_____	_____	_____	_____ $
_____	_____	_____	_____	_____ $

Commentaires : _____ _____ $

_____

5. Dépôts à terme ou certificats de placement garanti

Établissement financier	Type	Date d'achat	Échéance	Taux d'intérêt	Montant
_____	_____	_____	_____	_____	_____
_____	_____	_____	_____	_____	_____
_____	_____	_____	_____	_____	_____

Commentaires : _____ _____ $

_____

6. Autres produits financiers : obligations, actions, etc.

Fournir la liste détaillée. _____ $

7. REER traditionnel et autogéré

Nom de l'établissement financier	Type de REER	Date d'achat	Valeur à l'achat	Valeur totale actuelle
_____	_____	_____	_____	_____
_____	_____	_____	_____	_____
				_____ $

8. REEE individuel ou familial

Nom de l'établissement	Type de REEE	Cotisations	Valeur totale actuelle
_____	_____	_____	_____
_____	_____	_____	_____
			_____ $

9. Régime de pension agréé (RPA) – employeur

C'est le cas si vous êtes salarié et que vous participez au régime de pension agréé de votre employeur.

Nom du régime   _____

Type de régime   _____

Cotisations annuelles   _____   Employé :   _____

                                 Employeur :   _____

Les cotisations augmentent de   _____   % par année.

Détails du régime   _____

                        _____

                        _____

                        _____

                        _____

                        _____

                        _____

                        _____

                        _____

                        _____

Valeur actuelle du régime (valeur de transfert si elle est connue)   _____ $

10. Solde des prêts que vous avez consentis à d'autres personnes   _____ $

11. Autres éléments d'actif

Collections (précisez)   _____

Œuvres d'art (peintures, sculptures, etc.)   _____

Meubles de collection _____

Chaîne stéréo spéciale _____

Bijoux _____

Investissements (or, argent, diamants, etc.) _____

Fourrures _____

Autres _____

Valeur actuelle totale : _____ $

12. Immobilisations

	Coût	Valeur actuelle
Résidence principale	_____	_____
Ameublement général	_____	_____
Automobile(s)	_____	_____
Chalet	_____	_____
Autres (bateau, avion, terrain, etc.)	_____	_____

Valeur actuelle totale : _____ $

13. Hypothèque sur votre résidence principale et votre résidence secondaire

	Résidence principale	Résidence secondaire
Date d'achat	_____	_____
Prêteur	_____	_____
Date du prêt	_____	_____
Terme	_____	_____
Période d'amortissement en années à la date du prêt	_____	_____
Montant du prêt	_____	_____
Solde du prêt* (Date : _____)	_____	_____
Taux d'intérêt	_____	_____
Remboursement mensuel (capital et intérêt)	_____	_____
Autre mode de remboursement	_____	_____

DOSSIER 3.2-*SUITE*

Commentaires : _____

_____

*Ce solde est-il assuré ?   Oui ☐   Non ☐

14. Autres dettes

Ne pas inclure ici la marge de crédit, mais mentionner toutes les dettes telles que les emprunts bancaires, les emprunts personnels, les billets à ordre, etc.

	Emprunt n° 1	Emprunt n° 2	Emprunt n° 3	Autre
Nom du prêteur				
Raison du prêt				
Date du prêt				
Montant du prêt				
Échéance				
Solde actuel				
Ce solde est-il assuré ?				
Taux d'intérêt				
Montant mensuel (capital et intérêt)				
ou				
Intérêt				
Autre mode de remboursement				
Commentaires				

15. Solde des cartes de crédit

_____ $

16. Marge de crédit

Solde _____ $

Montant autorisé _____ $

Versement mensuel minimal exigé _____ $

Taux _____ %

17. Impôt à payer

Si vous n'avez pas effectué votre dernier versement au fédéral ou au provincial, indiquez le montant en cause. Si l'impôt a été réglé, n'indiquez rien.

Année   _____

Montant   _____ $

18. Dette éventuelle

Si vous prévoyez une dette future, indiquez-en le montant et la date.

Date	Montant
_____	_____ $

LES NOTIONS FONDAMENTALES D'ÉCONOMIE POUR LE PLANIFICATEUR FINANCIER

Le planificateur financier moderne doit bien connaître certaines notions d'économie telles que le taux d'inflation et le taux directeur. La Banque du Canada publie ces taux qui sont des variables incontrôlables pour le planificateur financier. Ce dernier se doit de les considérer sérieusement lorsqu'il effectue une planification financière globale et intégrée. Quant à la notion d'impôts sur le revenu, autre variable incontrôlable dans une certaine mesure, elle sera étudiée au chapitre 5.

Les questions de taux d'intérêt et d'inflation nous amèneront à deux autres notions d'importance : le rendement espéré et le rendement réel. Débutons par les taux d'intérêt.

4.1 Les taux d'intérêt

L'intérêt est le loyer à payer pour l'utilisation d'une somme d'argent empruntée à un établissement financier (créancier). C'est aussi le loyer à percevoir lorsqu'on est soi-même prêteur. Dans ce cas, le certificat de placement et le compte d'épargne représentent l'argent que l'on « prête » à un établissement financier. Il existe différents taux d'intérêt dans le milieu financier. Parmi eux, il importe de distinguer le taux directeur et le taux officiel d'escompte, le taux préférentiel et le taux d'intérêt que le consommateur paie en général sur un prêt hypothécaire ou un prêt automobile ou celui qu'il perçoit, par exemple, sur certains placements.

4.1.1 Le taux directeur et le taux officiel d'escompte

Depuis 2001 le taux directeur est appelé « taux cible du financement à un jour » : « C'est le taux d'intérêt moyen auquel la Banque du Canada souhaite que les institutions financières se prêtent des fonds pour une durée d'un jour. » (Banque du Canada, 2011b) Notez qu'avant 2001, le taux directeur était le taux officiel d'escompte.

« Le taux officiel d'escompte est le taux d'intérêt auquel la Banque du Canada consent des prêts aux institutions financières. » (Banque du Canada, 2011b) Il se situe (depuis 2001) à un quart de point de pourcentage (25 points, car 100 points = 1 %) au-dessus du taux cible du financement à un jour, lequel est, comme nous l'avons mentionné plus haut, le taux directeur de la Banque du Canada.

Donc, en résumé, le taux officiel d'escompte représente la limite supérieure de la fourchette opérationnelle de 50 points de la Banque du Canada. Il se situe toujours un quart de point de pourcentage (25 points) au-dessus du taux cible du financement à un jour, lequel correspond au point médian de la fourchette. Le taux officiel d'escompte est aussi le taux auquel la Banque du Canada prête des fonds pour une durée de un jour aux institutions financières. La limite inférieure de la fourchette opérationnelle (25 points sous le taux directeur) est le taux d'intérêt exigé par la Banque sur les sommes que les institutions financières déposent chez elle (Banque du Canada, 2011b).

> **EXEMPLE**
>
> Si, par exemple, le taux cible du financement à un jour (ou taux directeur) est de 2,00 %, le taux officiel d'escompte (ou taux des fonds à un jour) sera de 2,25 % et la limite inférieure de la fourchette (ou taux versé sur les sommes en dépôt à la Banque du Canada) sera de 1,75 %.

Bien sûr, toute variation du taux directeur a des répercussions sur les autres taux d'intérêt, comme ceux des prêts personnels et hypothécaires, ainsi que sur le rendement des certificats de placement garanti et des bons du Trésor.

> L'outil de consultation des taux directeurs de la Banque du Canada permet de visualiser l'évolution du taux directeur au cours d'une période donnée. Par exemple, du 1er janvier 1980 au 31 décembre 2010, ce taux dépassait les 20 % au début de la période, et le taux cible de financement à un jour n'existe que depuis 2001.

4.1.2 Le taux préférentiel

Le taux préférentiel, ou taux privilégié (en anglais, *prime rate*) des banques, des sociétés de fiducie et des caisses, est celui que celles-ci offrent à leurs meilleurs clients. Ce taux est généralement supérieur d'au moins 1,5 % (ou

150 points[1]) au taux directeur. Par exemple, le 8 février 2011, la Banque Royale et la Banque Nationale annonçaient sur leurs sites Web respectifs un taux préférentiel de 3,00 % au moment où le taux directeur était de 1 %.

4.1.3 Les taux d'intérêt à la consommation

Les différents taux d'intérêt que demandent les établissements financiers sur les prêts hypothécaires et les prêts à la consommation sont généralement plus élevés que le taux préférentiel. Par exemple, toujours le 8 février 2011, le taux hypothécaire fixe d'une durée de 5 ans de la Banque Royale et de la Banque Nationale était de 5,19 %. Certaines offres spéciales sont parfois en vigueur pendant un certain temps.

4.2 Le rendement espéré

Le rendement espéré fait référence au gain réalisé à partir du capital investi. Ce gain peut provenir des intérêts gagnés, des dividendes reçus ou des gains en capital. Dans la section précédente, nous avons examiné la notion d'intérêt ; dans un chapitre ultérieur, nous approfondirons les notions de gain en capital et de dividende. Lorsque le capital investi est de nature enregistrée (tel un REER ou un CELI), ce rendement se mesure uniquement au moyen de l'augmentation de la valeur du portefeuille. En effet, dans un tel cas, le capital s'accumule en franchise d'impôt, ce qui signifie que les intérêts, les dividendes et les gains en capital ne sont ni déterminés, ni imposés. Lorsque le capital investi est non enregistré, ces trois sources de revenus sont imposées. Au chapitre 5, nous aborderons le fonctionnement des impôts sur le revenu des particuliers.

La détermination du rendement espéré est d'une grande importance au moment de la planification financière. Par exemple, le planificateur financier peut vouloir informer un client du montant de la mise de fonds annuelle à effectuer pendant 15 ans, 20 ans, 25 ans ou davantage pour atteindre un certain capital de retraite. Il est donc fondamental d'utiliser un rendement espéré qui soit raisonnable et modéré lors du calcul des prévisions.

Le rendement espéré est un facteur contrôlable dans une certaine mesure. En effet, le planificateur financier décide (préférablement avec le client) du taux le plus approprié à utiliser dans le calcul des prévisions. L'inflation est un élément incontrôlable, mais le planificateur financier doit le prendre en considération. Nous reviendrons sur l'inflation un peu plus loin.

En ce qui concerne le rendement espéré sur les placements, nous prévoyons obtenir un rendement à long terme de 8 % avant impôt et avant inflation. Les exemples présentés dans les chapitres de cet ouvrage utilisent donc ce rendement de 8 %. Nous reviendrons, au moment opportun, sur les exercices proposés à la fin de certains chapitres, exercices qui pourront être basés sur des rendements bruts différents.

---

1. L'expression « 100 points » signifie des intérêts de 1 % ; par conséquent, 150 points représentent des intérêts de 1,5 %.

✚ Ce rendement espéré de 8 % n'est aucunement une prédiction ou une recommandation de notre part, encore moins un énoncé des conditions économiques ou des taux en vigueur au moment où vous lisez ces lignes. Ce choix reflète tout simplement notre approche pédagogique, que nous considérons comme réaliste pour un portefeuille bien diversifié et bien géré qui vise le long terme. Nous utilisons, par expérience, un rendement que nous considérons comme raisonnable dans le cas d'une planification financière effectuée par un cabinet de planificateurs financiers professionnels. Notre objectif est avant tout de favoriser l'apprentissage des concepts concrets et pratiques expliqués dans ce manuel. Nous verrons par contre que ce rendement à long terme de 8 % sera associé à un taux d'inflation de 3 % et offrira un rendement réel de l'ordre de 5 %.

De nombreuses associations professionnelles, se basant sur plusieurs ouvrages reconnus, ont présenté des modèles plus complexes concernant le rendement espéré. Certains de ces modèles se basent sur des notions telles que l'équilibre des actifs financiers et l'efficacité des marchés, d'autres sur des moyennes économiques. Soyons clairs : aucune de ces théories n'est parfaite. D'ailleurs, ces modèles ou théories servent surtout aux gestionnaires professionnels de grands portefeuilles.

Durant tout le processus de planification, un mot d'ordre doit guider le conseiller financier : la prudence. La nature du service professionnel, combinée au profil financier du client et aux conditions économiques existantes, dicte souvent le rendement espéré à utiliser dans le calcul des prévisions. Le planificateur financier moderne doit sensibiliser son client aux nombreux risques auxquels il aura à faire face. Nous reviendrons sur certaines de ces notions liées au risque dans le module « Les placements ».

4.3 L'inflation

Répondons d'abord à la question suivante : qu'est-ce que l'inflation ?

Depuis bon nombre d'années, l'inflation est considérée comme un ennemi économique redoutable au Canada. Il serait téméraire de penser que cet ennemi est vaincu ! On peut définir l'inflation comme la hausse soutenue du niveau général des prix. Depuis plusieurs années, la Banque du Canada se sert de sa politique monétaire pour combattre, entre autres, les pressions inflationnistes et soutenir le dollar canadien. L'indicateur le plus populaire de l'inflation est l'indice des prix à la consommation (IPC), car il mesure directement l'évolution du coût de la vie. Nous verrons plus loin que l'IPC est publié par Statistique Canada.

Trois autres phénomènes économiques sont liés à l'inflation : la déflation, la désinflation et la stagnation. Même si ces mouvements sont davantage liés à l'étude des sciences économiques, nous dirons tout de même quelques mots sur chacun, ne serait-ce que pour éviter toute confusion avec l'inflation proprement dite. On peut définir la déflation comme une baisse soutenue du niveau général des prix (faites attention de ne pas confondre déflation et désinflation, laquelle signifie tout simplement que l'inflation est omniprésente mais amoindrie, comme c'est par exemple le cas d'une inflation qui diminue de 3 % à 2 %). Selon un mythe populaire, la déflation serait bonne pour l'économie et les consommateurs. Au contraire, elle favorise l'endettement des particuliers et peut provoquer l'effondrement de certains pays du fait que le système économique est affaibli à cause des bénéfices trop faibles ou inexistants des entreprises. Quant à la stagflation, elle représente une combinaison de deux maux (et mots), soit la stagnation économique (fort taux de chômage et économie faible) et l'inflation (fort taux d'inflation).

4.3.1 La Banque du Canada et l'inflation

 La Banque du Canada met à la disposition des consommateurs une page Web expliquant la notion d'inflation. Vous pourrez notamment comprendre le concept de fourchette cible de 1 % à 3 % et l'objectif qui consiste à maintenir le taux d'inflation à 2 %, c'est-à-dire au centre de cette fourchette.

Le tableau 4.1, construit à partir de « La feuille de calcul de l'inflation », révèle quelques chiffres intéressants.

La tendance présentée dans le tableau 4.1 indique que, dans une large mesure, l'inflation est un phénomène économique de plus en plus contrôlé par la Banque du Canada. Mais, tout comme pour le rendement espéré, la prudence est de mise. La moyenne de l'inflation des périodes présentées au tableau 4.1 (1970-2010) est d'environ 3%.

TABLEAU 4.1 Le taux annuel moyen d'inflation (%)

Période	Taux annuel moyen d'inflation (%)
1970-2010	4,45 %
1980-2010	3,37 %
1985-2010	2,50 %
2000-2010	2,07 %

Source : Banque du Canada (2011a).

4.3.2 Statistique Canada et l'inflation

 Statistique Canada rassemble les données sur l'inflation. La figure 4.1 reproduit la variation de l'IPC durant la période 2008-2011.

Notez que nous avons inclus la figure 4.1 qui offre un aperçu de l'inflation dans les récentes années.

FIGURE 4.1 Le taux de variation de l'inflation 2008-2011

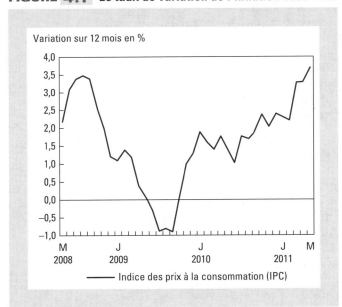

Source : Statistique Canada (2011).

4.3.3 Les composantes de l'IPC

 L'indice des prix à la consommation est divisé en plusieurs composantes (Statistique Canada, 2011). On y trouve les éléments suivants :

- Les aliments ;
- Le logement ;
- Les dépenses courantes, l'ameublement et l'équipement du ménage ;
- Les vêtements et les chaussures ;
- Le transport ;
- Les soins de santé et les soins personnels ;
- Les loisirs, la formation et la lecture ;
- Les boissons alcoolisées et les produits du tabac.

Nous verrons dans le module « La gestion budgétaire » que le coût de la vie provient essentiellement de ces dépenses. Vous remarquerez que l'inflation se situe à 3,3 % en 2010-2011 (avril 2010-avril 2011).

➕ Le taux d'inflation que nous utiliserons pour extrapoler à court, à moyen et à long terme.

Comme vous avez pu le constater, l'inflation est un indice important pour le conseiller financier. Elle était de l'ordre de 3,3 % en 2010-2011, d'environ 3,4 % de 1980 à 2010 et d'environ 4,5 % de 1970 à 2010. L'utilisation d'un taux de 2 % pour faire des prévisions à court et à moyen terme, c'est-à-dire de 1 an à 5 ans au plus, est, selon nous, raisonnable pour l'approche utilisée dans ce manuel. Cependant, dans le cas de prévisions à plus long terme, c'est-à-dire de 10 ans et plus, le planificateur financier doit se montrer modéré et prudent. Il doit utiliser un pourcentage qui ne risque pas de pénaliser le client. Par exemple, s'il projette le coût de la vie du client sur 20 ans en utilisant un taux de 2 % et que l'inflation atteint 3 %, il en résultera une importante sous-estimation du capital de retraite qui, justement, sert à alimenter le coût de la vie.

La Banque du Canada fait un excellent travail pour contrôler l'inflation. C'est pourquoi, dans le cas du long terme (10, 15, 20 ans et plus), nous utiliserons 3 % comme taux d'inflation, soit le haut de la fourchette cible de la Banque. Tout comme pour le rendement espéré, ces taux de 2 % et de 3 % ne sont pas des prévisions ou des recommandations de notre part. Nous croyons qu'ils sont raisonnables et permettent de faire preuve de prudence, mais la décision finale appartient toujours au conseiller et à son client.

4.4 Le rendement réel

Lorsque le rendement espéré est soustrait de la valeur associée à l'inflation, on obtient le rendement réel, que l'on peut définir comme le rendement d'un titre ou d'un portefeuille moins le taux d'inflation. Deux approches peuvent être employées pour établir le rendement réel : l'approche pratique et l'approche théorique.

4.4.1 L'approche pratique

L'approche pratique est approximative, mais rapide et utile. Elle sert surtout à expliquer le concept de rendement réel au client. En voici un exemple :

Rendement espéré à long terme = 8 %

Inflation = 3 %

Donc, avec un rendement de 8 % à long terme et un taux d'inflation de 3 %, on obtient un rendement réel de 5 % (8 % − 3 %).

Si l'on veut obtenir un rendement réel après impôts, ou rendement réel net, il faut alors déduire du rendement de 8 % le taux d'imposition marginal (*voir le chapitre 5*), par exemple 40 %. Le rendement après impôts ainsi obtenu est de 4,8 % (8 % − 40 % de 8 % = 8 % − 3,2 %). Ensuite, il suffit de déduire l'inflation, soit 4,8 % − 3 %, ce qui donne un rendement réel net de 1,8 %.

4.4.2 L'approche théorique

Cette approche donne des résultats mathématiquement exacts. Les actuaires s'en servent lorsqu'ils font leurs calculs. Comme le montre l'exemple qui suit, cette approche comporte deux étapes : établir le rendement réel avant impôts, puis établir le rendement réel après impôts, ou rendement réel net.

- Le rendement réel avant impôts se calcule ainsi :

$$= \left[\frac{1 + \text{Taux de rendement}}{1 + \text{Taux d'inflation}} \right] - 1$$

$$= \left[\frac{1 + 0,08}{1 + 0,03} \right] - 1 = 0,0485\,\%$$

Selon ces calculs exacts, le taux de rendement réel atteint 4,85 % et non plus 5 %. Dans le cas d'une longue période et de montants substantiels, cette différence peut s'avérer assez importante.

- Le rendement réel après impôts, ou rendement réel net, se calcule ainsi :

Rendement après impôts = 8 % − impôts de 40 % = 4,8 %

$$\text{Rendement reél net} = \left[\frac{1 + 0,048}{1 + 0,03}\right] - 1 = 0,01747 = 1,75\,\%$$

Comme dans le cas du calcul réel avant impôts, on observe que la méthode théorique donne un résultat exact de 1,75 % et non de 1,8 %, résultat obtenu avec l'approche pratique.

4.5 L'indexation des revenus

Les revenus de salaires et de pensions sont souvent partiellement protégés de l'inflation par l'indexation. Celle-ci est le processus par lequel les revenus sont augmentés d'un taux semblable au taux d'inflation. En d'autres mots, si le salaire augmente de 3 % cette année et que l'inflation est de 3 %, ce salaire est économiquement le même qu'auparavant. Il a été indexé du même pourcentage que celui de l'inflation.

4.6 Le pouvoir d'achat

Le pouvoir d'achat est la capacité financière d'acheter des biens ou des services. Lorsque le salaire ou le revenu annuel augmente, la capacité financière augmente ; lorsque l'inflation augmente, la capacité financière diminue. Il est par ailleurs difficile d'établir un lien entre le pouvoir d'achat et la qualité de vie, et ce, à cause des impôts et des taxes de toutes sortes, lesquels jouent un rôle important. En outre, ces impôts servent à payer de nombreux services publics tels que l'éducation, les soins de santé et les services sociaux, qui influent positivement sur la qualité de vie.

4.7 Les impôts directs et indirects

Il convient de distinguer les impôts directs des impôts indirects. Les impôts directs se résument aux impôts sur le revenu. Par contre, les impôts indirects incluent les taxes de toutes sortes, telles que la taxe sur les produits et services (TPS), la taxe de vente du Québec (TVQ) ainsi que, dans une certaine mesure, l'impôt foncier (taxe municipale) et la taxe scolaire.

Nous verrons plus loin que les impôts indirects font partie intégrante du coût de la vie, contrairement aux impôts sur le revenu, qui n'en font pas partie. Les impôts sur le revenu des particuliers feront l'objet du prochain chapitre.

MÉDIAGRAPHIE

Page 61

Banque du Canada, www.banqueducanada.ca via Politique monétaire > Taux directeur > Pour en savoir plus : documents d'information

Banque du Canada, www.banqueducanada.ca via Politique monétaire > Taux directeur

Page 64

Statistique Canada, www.statcan.gc.ca via Inflation annuelle de l'IPC

Banque du Canada, www.banqueducanada.ca via Politique monétaire > Inflation > La feuille de calcul de l'inflation

Statistique Canada, www.statcan.gc.ca via Inflation annuelle de l'IPC > Tableau 1

Références

Banque du Canada (2011a). *Feuille de calcul de l'inflation*. Récupéré de www. banqueducanada.ca/taux/renseigne ments-complementaires/feuille-de-calcul-de-linflation

Banque du Canada (2011b). *Foire aux questions*. Récupéré de www.banqueducanada. ca/sujet-banque/foire-aux-questions

Statistique Canada (2011). *Dernier communiqué de l'Indice de prix à la consommation*. Récupéré de www.statcan.gc.ca/subjects-sujets/cpi-ipc/cpi-ipc-fra.htm

QUESTIONS DE RÉVISION

1. Que signifie le terme « inflation » ?

2. Quel est l'indicateur de l'inflation le plus utilisé ? Que signifie-t-il ?

3. Que signifie l'expression « pouvoir d'achat » ? Quels sont les éléments qui influent sur le pouvoir d'achat ?

4. Quelle est l'approche du conseiller financier en ce qui concerne le rendement espéré et l'inflation ?

5. Définissez le terme « déflation ».

6. Que signifie la notion de rendement espéré ?

7. Définissez le concept de rendement réel sur un titre financier avant et après impôts. Décrivez les deux approches qui permettent de calculer le rendement réel.

8. Quelle signification la Banque du Canada donne-t-elle aux expressions suivantes : « taux officiel d'escompte » et « taux directeur » ?

9. Quelle approche le conseiller financier doit-il adopter au regard de l'inflation et du rendement espéré ?

10. Quelles sont les principales composantes de l'IPC ?

LES IMPÔTS SUR LE REVENU DES PARTICULIERS

Tout résident du Québec est assujetti à la fois à l'impôt fédéral et à l'impôt provincial sur les revenus, que celui-ci soit d'origine québécoise, canadienne ou étrangère. Chaque année, les résidents du Québec doivent remplir deux formulaires de déclaration de revenus, l'un fédéral et l'autre, provincial. Les résidents des autres provinces ne produisent qu'une déclaration au fédéral, l'impôt fédéral incluant les impôts provinciaux. Pour un particulier, la déclaration de revenus couvre l'année civile, soit la période allant du 1er janvier au 31 décembre de chaque année. Le contribuable a jusqu'au 30 avril de l'année suivante pour remettre sa déclaration de revenus et payer le solde de son impôt.

Le but de ce chapitre est de comprendre la déclaration de revenus des particuliers. Les stratégies fiscales qui consistent à réduire l'effet des impôts sur les revenus seront analysées dans le module « La planification fiscale » de la troisième partie.

5.1 La structure de la déclaration de revenus

À partir du revenu total, la déclaration de revenus permet d'évaluer le solde à payer ou le remboursement à recevoir. Il faut souligner que malgré une certaine harmonisation entre le fédéral et le provincial, les deux façons de calculer les impôts à payer diffèrent quelque peu. Par exemple, au fédéral, les frais de garde d'enfants sont une déduction, tandis qu'au Québec, la déduction de ces frais est transformée en crédit d'impôt remboursable. Les cotisations syndicales et professionnelles sont une déduction au fédéral, alors qu'elles sont transformées en crédits non remboursables au Québec. Cependant, les deux structures se ressemblent (*voir les tableaux 5.1A et 5.1B des pages 70 et 71*). Afin d'approfondir vos connaissances à ce sujet, vous pouvez consulter le site de Revenu Québec et celui de l'Agence du revenu du Canada.

5.1.1 Le revenu total

L'ensemble des revenus présentés dans une déclaration de revenus compose le revenu total. Les sources de revenus les plus fréquentes sont les revenus d'emploi, les divers revenus de pension, les prestations d'assurance-emploi, les revenus de biens ou de placements (intérêts et dividendes), les gains en capital et les revenus de location. Plus rarement, on trouve les revenus nets d'entreprises non incorporées. Pour avoir une liste complète des sources de revenus, vous pouvez consulter les formulaires de déclaration de revenus disponibles sur les sites Web de l'Agence du revenu du Canada et de Revenu Québec mentionnés précédemment.

Pour certaines sources de revenus, par exemple les revenus de location et les revenus d'entreprises non incorporées, les autorités fiscales demandent de produire un état qui présente les revenus moins les dépenses afin de dégager le bénéfice net en vue de la déclaration fiscale. Ce dernier montant est inscrit à la ligne appropriée dans la section « Revenu total » de la déclaration de revenus.

5.1.2 Le revenu net

Les déductions du revenu total sont les montants à soustraire ou à déduire du revenu total. Il peut s'agir des cotisations à un régime de pension agréé (RPA) ou à un régime enregistré d'épargne-retraite (REER), etc. Le revenu net est la différence entre le revenu total et les déductions du revenu total.

5.1.3 Le revenu imposable

Les déductions du revenu net sont les montants à soustraire du revenu net, par exemple les pertes en capital nettes des années passées ou les pertes d'exploitation des années passées pour les entreprises non incorporées. Puisque ces déductions sont peu fréquentes, elles ne seront pas étudiées dans cet ouvrage. Au Québec, la PUGE est présentée dans cette section (ligne 278 du rapport d'impôt) en addition au revenu net. Le revenu imposable est la différence entre le revenu net et les déductions du revenu net.

TABLEAU 5.1A La structure d'une déclaration de revenus au Québec (TP-1 2010)

Revenu total	Emploi
	Intérêts
	Dividendes
	Location
	Gain en capital
	Entreprise non incorporée
	Etc.
Revenu net	Revenu total
	Moins :
	Cotisations REER
	Cotisations RPA
	Pension alimentaire versée au conjoint
	Frais financiers
	Etc.
Revenu imposable	Revenu net
	Plus :
	Prestation universelle pour la garde d'enfants
	Etc.
	Moins :
	Pertes d'autres années, autres que pertes en capital
	Pertes nettes en capital d'autres années
	Etc.
Crédits non remboursables	Montant personnel de base
	Cotisations professionnelles et syndicales
	Frais médicaux
	Frais de scolarité
	Etc.
	TOTAL des montants × 20 %
Impôt et cotisations	Impôt sur le revenu imposable (selon une grille de calcul)
	Moins :
	Crédits d'impôt non remboursables
	Crédits d'impôt pour dividendes
	Crédit d'impôt relatif à un fonds de travailleurs
	Etc.
	Plus :
	Cotisations au Régime de rentes du Québec (RRQ) pour travailleur autonome
	Cotisations au Régime public d'assurance médicaments
	Etc.
Remboursement ou solde à payer	Impôt et cotisations
	Moins :
	Impôt retenu à la source
	Impôt payé par acomptes provisionnels
	Cotisations payées en trop au RRQ
	Etc.

TABLEAU 5.1B La structure d'une déclaration de revenus au fédéral (T1 générale 2010)

Revenu total	Emploi
	Intérêts
	Dividendes
	Location
	Gain en capital
	Entreprise non incorporée
	Prestation universelle pour la garde d'enfants
	Etc.
Revenu net	Revenu total
	Moins :
	Cotisations REER
	Cotisations RPA
	Pension alimentaire versée au conjoint
	Frais financiers
	Cotisations professionnelles et syndicales
	Etc.
Revenu imposable	Revenu net
	Moins :
	Pertes d'autres années, autres que pertes en capital
	Pertes nettes en capital d'autres années
	Etc.
Crédits d'impôt non remboursables	Montant personnel de base
	Cotisations au RRQ et au Régime de pensions du Canada (RPC)
	Cotisations à l'assurance-emploi
	Cotisations au Régime québécois d'assurance parentale (RQAP)
	Frais médicaux
	Frais de scolarité
	Etc.
	TOTAL des montants × 15 %
Impôt fédéral net	Impôt sur le revenu imposable (selon une grille de calcul)
	Moins :
	Crédits d'impôt non remboursables
	Crédits d'impôt pour dividendes
	Crédit d'impôt relatifs à un fonds de travailleurs
	Etc.
Remboursement ou solde	Impôt fédéral net
	Moins :
	Impôt retenu à la source
	Impôt payé par acomptes provisionnels
	Paiement en trop de l'assurance-emploi
	Abattement du Québec remboursable
	Etc.

5.1.4 L'impôt selon le revenu imposable

À partir du revenu imposable, une grille de calcul détaillée permet de déterminer le montant de l'impôt à payer en fonction du revenu imposable. Les grilles de calcul (fédérale et provinciale) sont conçues à partir de la table du taux d'imposition marginal. Le tableau 5.2 reflète la situation au fédéral pour l'année 2010.

De la même façon, le tableau 5.3 reflète la situation au Québec. On peut donc définir le taux d'imposition marginal comme le pourcentage du revenu imposable qui doit être versé au fisc pour chaque tranche de revenus imposables. C'est le taux d'imposition qui s'applique à chaque dollar de revenu supplémentaire.

Dans cet ouvrage, nous utilisons la fiscalité (les taux marginaux) de l'année 2010. Pour les autres années (précédentes ou subséquentes), vous pouvez consulter le site du Centre québécois de formation en fiscalité (CQFF), qui fournit une liste d'organismes qui publient les budgets (fédéral et provincial), notamment l'APFF.

TABLEAU 5.2 Le taux d'imposition marginal (fédéral, 2010)

Revenu imposable	Taux marginal[1]
De 0$ à moins de 40 970$	12,5 %
De 40 970$ à moins de 81 941$	18,4 %
De 81 941$ à moins de 127 021$	21,7 %
127 021$ et plus	24,2 %

(1) Les taux marginaux tiennent compte de l'abattement de 16,5 % de l'impôt fédéral de base, et ce, pour les résidents du Québec (*voir la sous-section 5.1.5*).

Source : Adapté de l'Agence du revenu du Canada (2010).

TABLEAU 5.3 Le taux d'imposition marginal (2010)

Revenu imposable	Taux marginal
De 0$ à moins de 38 570$	16 %
De 38 570$ à moins de 77 140$	20 %
77 140$ et plus	24 %

Source : Revenu Québec (2011).

5.1.5 Les crédits d'impôt

Déterminés par les autorités fiscales, les crédits d'impôt font diminuer le montant d'impôt évalué à partir du revenu imposable. Les crédits d'impôt sont divisés en deux catégories :

- Les crédits non remboursables ;
- Les crédits remboursables.

Les crédits non remboursables

Une fois l'impôt sur le revenu imposable déterminé, on peut déduire les crédits non remboursables. Pour ce faire, on multiplie un montant total par un taux de transformation. Ce taux est de 20 % au provincial et de 15 % au fédéral. Plusieurs crédits non remboursables sont semblables au Québec et au Canada. Notre objectif se limite à comprendre la nature de ces crédits non remboursables, sans entrer dans les détails.

Les montants qui découlent de ces crédits ne peuvent être reportés aux années subséquentes s'ils ne sont pas utilisés durant l'année où l'on y a droit. (Certaines exceptions s'appliquent à cette règle, par exemple les dons de bienfaisance, les frais de scolarité et les frais médicaux.) Les tableaux 5.1A et 5.1B des pages 70 et 71 présentent plusieurs de ces montants personnels, qui proviennent des crédits non remboursables et qui se classent essentiellement dans plusieurs catégories. Le CQFF publie les tableaux récapitulatifs des montants personnels de 2010. Nous vous présentons dans le tableau 5.4 quelques exemples de montants personnels.

Le total des crédits non remboursables est déduit du montant d'impôt établi en utilisant une grille de calcul qui permet d'évaluer l'impôt sur le revenu imposable. Si le total des crédits excède ce montant d'impôt, le contribuable ne peut récupérer le solde et le fisc n'a aucun remboursement à effectuer à cet effet ; c'est pourquoi ils sont qualifiés de non remboursables.

TABLEAU 5.4 Certains montants personnels au fédéral pour l'année 2010

	Montant de base	Crédit de 15,0 %
Montant personnel de base	10 382 $	1 557 $
Conjoint à charge	10 382 $	1 557 $
Crédit pour enfants de moins de 18 ans à la fin de l'année	2 101 $	315 $

Source : Adapté de CQFF (2010b).

Les crédits remboursables

Ces crédits sont essentiellement considérés comme des acomptes sur l'impôt de l'année, c'est-à-dire des montants qui ont été payés durant l'année.

Si le total des crédits remboursables excède le montant de l'impôt à payer, le contribuable a droit à un remboursement ; ces crédits viennent donc diminuer l'impôt à payer. Les crédits sont remboursables au plein montant, c'est-à-dire qu'ils ne sont pas établis à partir d'un pourcentage comme le sont les crédits non remboursables. Les tableaux 5.1A et 5.1B (*voir les pages 70 et 71*) présentent certains de ces crédits, dont les plus courants sont les suivants :

Les retenues d'impôt Les montants d'impôt prélevés sur les salaires ou autres sources sont en fait de l'impôt payé d'avance.

Les acomptes provisionnels Il s'agit de versements trimestriels représentant les montants d'impôt payés d'avance dans le cas des revenus de profession, d'entreprise non incorporée, de placement, etc.

Les paiements en trop à l'assurance-emploi Si les cotisations du contribuable dépassent le maximum prévu pour l'assurance-emploi, le fédéral en rembourse l'excédent, ce programme relevant de sa compétence. Cette situation s'applique souvent aux personnes qui ont occupé plus d'un emploi au cours d'une année fiscale.

Les paiements en trop au RRQ Si les cotisations du contribuable dépassent le maximum annuel exigé pour le RRQ, le gouvernement du Québec en rembourse l'excédent, ce régime étant de compétence provinciale.

L'abattement du Québec remboursable Le gouvernement fédéral accorde un remboursement automatique et sans condition de 16,5 % de l'impôt évalué, avant considération des crédits remboursables, à tous les résidents du Québec. Il accorde cet abattement en guise de compensation plutôt que de participer à certains programmes dont il partage les frais avec le Québec.

5.2 Les taux d'imposition marginal et combiné

Dans le présent ouvrage, l'expression « taux d'imposition marginal » désigne le taux d'imposition marginal combiné, c'est-à-dire la somme des taux du fédéral et du provincial pour le Québec (*voir le tableau 5.5 à la page suivante*). En 2010, le taux marginal combiné le plus bas était de 28,5 %, et ce, pour un revenu imposable de moins de 38 570 $. Le taux marginal combiné le plus élevé était de 48,2 %,

> ✚ Claude Laferrière, professeur de fiscalité au Département des sciences comptables de l'Université du Québec à Montréal (UQAM), a mesuré le coût réel de l'augmentation ou de la réduction du revenu de 1$. Bien sûr, les taux d'imposition présentés dans le tableau 5.5 permettent, par exemple, de déterminer l'impact fiscal de gagner 1$ de plus.
>
> Cependant, les calculs de Claude Laferrière sont basés non seulement sur les règles fiscales, mais également sur de nombreuses mesures sociales. L'important est qu'en tenant compte de différents éléments (par exemple, l'impôt fédéral et celui du Québec, les contributions au RRQ et à l'assurance-emploi, les prestations fiscales pour enfants, le crédit pour frais de garde et l'aide à la famille, pour ne nommer que quelques mesures prises en considération), il arrive à la conclusion que des taux d'imposition marginaux de 60% et plus sont fréquents pour certaines personnes dont les revenus vont de 25 000$ à 40 000$.
>
> Ainsi, un ménage monoparental avec trois enfants pourrait voir ses taux marginaux totaux dépasser les 100% (CQFF, 2010c).

pour un revenu imposable de 127 021$ ou plus, et ce, pour les contribuables du Québec.

5.3 Le taux d'imposition moyen combiné

Le taux d'imposition moyen, ou effectif, est le taux auquel est imposé l'ensemble des revenus d'un particulier. Une fois les impôts à payer correctement calculés, on peut obtenir ce taux en divisant le coût des impôts à payer par le revenu imposable. Par exemple, si une personne célibataire doit payer des impôts de 11 846$ sur un revenu imposable de 50 000$, on dit que son taux moyen d'imposition est de 23,7% (11 846$ ÷ 50 000$).

Pour évaluer le coût des impôts à payer, on additionne les éléments suivants : le solde d'impôt à payer, les retenues d'impôt à la source, les versements trimestriels, les montants payés en trop au RRQ et à l'assurance-emploi.

TABLEAU 5.5 Le taux d'imposition marginal combiné (Québec, 2010)

Paliers d'imposition	Taux marginal[1]		
	Fédéral (%)	Provincial (%)	Combiné (%)
De 0$ à 38 570$	12,5	16	28,5
De 38 570$ à 40 970$	12,5	20	32,5
De 40 970$ à 77 140$	18,4	20	38,4
De 77 140$ à 81 941$	18,4	24	42,4
De 81 941$ à 127 021$	21,7	24	45,7
127 021$ et plus	24,2	24	48,2

(1) Les taux fédéraux et les taux combinés tiennent compte de l'abattement du Québec de 16,5% (*voir la sous-section 5.1.5*).

Source : Adapté de CQFF (2010a).

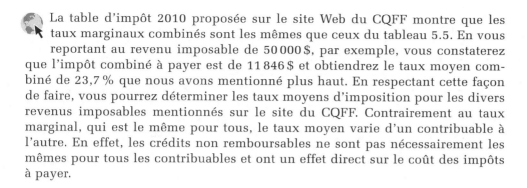

La table d'impôt 2010 proposée sur le site Web du CQFF montre que les taux marginaux combinés sont les mêmes que ceux du tableau 5.5. En vous reportant au revenu imposable de 50 000 $, par exemple, vous constaterez que l'impôt combiné à payer est de 11 846 $ et obtiendrez le taux moyen combiné de 23,7 % que nous avons mentionné plus haut. En respectant cette façon de faire, vous pourrez déterminer les taux moyens d'imposition pour les divers revenus imposables mentionnés sur le site du CQFF. Contrairement au taux marginal, qui est le même pour tous, le taux moyen varie d'un contribuable à l'autre. En effet, les crédits non remboursables ne sont pas nécessairement les mêmes pour tous les contribuables et ont un effet direct sur le coût des impôts à payer.

5.4 Les principales sources de revenus

Dans cette section, nous présentons les principales sources de revenus des particuliers :

- Le revenu d'emploi ;
- Le revenu d'intérêts ;
- Le revenu de dividendes ;
- Le gain en capital ;
- La prestation universelle pour la garde d'enfants ;
- Le revenu de location ;
- Le revenu d'entreprise.

Cette liste n'est pas exhaustive, mais elle vous permet de vous familiariser avec les sources de revenus les plus courantes.

5.4.1 Le revenu d'emploi

Le revenu d'emploi est simplement celui qui est lié à une charge ou à un emploi. Il représente la forme de revenu la plus fréquente.

L'employeur évalue, à partir de ses livres comptables (journal des salaires), tous les montants relatifs au salaire. Il calcule le salaire brut, les commissions et les avantages imposables ainsi que les retenues à la source nécessaires à la déclaration de revenus. Tous ces renseignements doivent figurer sur le Formulaire T4 pour le fédéral et sur le Relevé 1 pour le provincial. Ces formulaires sont indispensables au salarié lorsqu'il remplit sa déclaration de revenus. À la page suivante, en guise d'exemple, sont présentés le Formulaire T4 et le Relevé 1 de Jean Lassocié.

EXEMPLE	
Salaire brut	69 736,16 $
Moins : Retenues à la source	23 330,09 $
SALAIRE NET	46 406,07 $

Le salaire brut et le salaire net

Le salaire brut est le salaire convenu entre l'employeur et le salarié. De ce montant, l'employeur prélève une portion à chaque paie : ce sont les retenues à la source. Le salaire net est celui que reçoit le salarié après que les retenues à la source ont été effectuées. Selon le Formulaire T4 et le Relevé 1 de Jean Lassocié, le calcul effectué pour obtenir son salaire net est présenté dans l'exemple ci-contre.

EXEMPLE

Canada Revenue Agency	Agence des douanes et du revenu du Canada	**T4**
		STATEMENT OF REMUNERATION PAID
	Year / Année: 2010	**ÉTAT DE LA RÉMUNÉRATION PAYÉE**

Employer's name – Nom de l'employeur
ABC inc.

Box	Field	Amount
	Employment income – line 101 / Revenus d'emploi – ligne 101	
14		69 736,16
	Income tax deducted – line 437 / Impôt sur le revenu retenu – ligne 437	
22		8 148,33

Payroll Account Number (15 characters) / Numéro de compte de retenues (15 caractères)
54 — 123456789000111

Province of employment / Province d'emploi
10 — QC

16	Employee's CPP contributions – line 308 / Cotisations de l'employé au RPC – ligne 308	
	EI insurable earnings / Gains assurables d'AE	
24		

Social insurance number / Numéro d'assurance sociale
12 — 999 876 543

Exempt – Exemption
28 — CPP/QPP EI PPIP / RPC/RRQ AE RPAP

Employment code / Code d'emploi
29 —

17	Employee's QPP contributions – line 308 / Cotisations de l'employé au RRQ – ligne 308	2 163,15
26	CPP/QPP pensionable earnings / Gains ouvrant droit à pension – RPC/RRQ	
18	Employee's EI premiums – line 312 / Cotisations de l'employé à l'AE – ligne 312	587,52
44	Union dues – line 212 / Cotisations syndicales – ligne 212	1 115,84
20	RPP contributions – line 207 / Cotisations à un RPA – ligne 207	2 498,50
46	Charitable donations – see over / Dons de bienfaisance – voir au verso	
52	Pension adjustment – line 206 / Facteur d'équivalence – ligne 206	3 937,00
50	RPP or DPSP registration number / N° d'agrément d'un RPA ou d'un RPDB	
55	Employee's PPIP premiums – see over / Cotisations de l'employé au RPAP – voir au verso	316,25
56	PPIP insurable earnings / Gains assurables du RPAP	

Employee's name and address – Nom et adresse de l'employé

Last name (in capital letters) – Nom de famille (en lettres moulées) / First name – Prénom / Initials – Initiales

LASSOCIÉ — JEAN — JL

1, rue Principale
Montréal (Québec)
H0H 0H0

Other information (see over) / Autres renseignements (voir au verso)

Box – Case / Amount – Montant

Privacy Act, Personal Information Bank number CRA PPU 005, 150 and 125 / *Loi sur la protection des renseignements personnels*, Fichier de renseignements personnels numéro ARC PPU 005, 150 et 125

EXEMPLE

RL-1 (2010-10)

Revenu Québec — **Revenus d'emploi et revenus divers** — année **2010** — 149000040

A- Revenus d'emploi	B- Cotisation au RRQ	C- Cot. à l'assurance emploi	D- Cotisation à un RPA	E- Impôt du Québec retenu	F- Cotisation syndicale
69 736,16	2 163,15	578,52	2 498,50	8 500,50	1 115,84
G- Salaire admissible au RRQ	H- Cotisation au RQAP	I- Salaire admissible au RQAP	J- Régime privé d'ass. maladie	K- Voyages (région éloignée)	L- Autres avantages
43 700,00	316,25	62 500,00			
M- Commissions	N- Dons de bienfaisance	O- Autres revenus	P- Régime d'ass. interentreprises	Q- Salaires différés	R- Revenu « situé » dans une réserve
S- Pourboires reçus	T- Pourboires attribués	U- Retraite progressive	V- Nourriture et logement	W- Véhicule à moteur	Code (case O)

Mention

Nom de famille, prénom et adresse
LASSOCIÉ JEAN
1, rue Principale
Montréal (Québec)
H0H 0H0

Numéro d'assurance sociale du particulier: 999 876 543
Numéro de référence (facultatif)

Nom et adresse de l'employeur ou du payeur
ABC inc.
5 , rue Principale,
Montréal (Québec)
H0H 0H0

Relevé 1
Ministère du Revenu

2 – Copie à joindre à la déclaration de revenus

Relevé officiel – **Ministère du Revenu**
Formulaire prescrit – Sous-ministre du Revenu

Les retenues à la source

Les principaux éléments à retenir en ce qui concerne le salaire sont les suivants :

- La contribution au RRQ, dont l'objectif premier est de financer les rentes payables au contribuable au moment de sa retraite ;
- La contribution à l'assurance-emploi, qui permet de financer en partie le programme fédéral d'assurance-emploi ;
- La contribution au RQAP, dont l'objectif est d'aider les parents à s'occuper de leur nouveau-né durant une certaine période ;
- Les impôts fédéral et provincial, qui représentent l'impôt payé d'avance et qui sont établis par l'employeur à partir de tables fournies à cet effet. Ils constituent un crédit remboursable.

Il existe d'autres retenues à la source qui ne sont pas exigées par la loi. Toutefois, ces retenues se font plutôt à la suite d'une entente entre l'employeur et les salariés, souvent par l'entremise d'un syndicat. Il s'agit, entre autres, des contributions à un RPA et des cotisations syndicales. Les retenues à la source admissibles pour déduction fiscale sont présentées dans le Formulaire T4 et le Relevé 1. Certaines ne sont pas admissibles et ne figurent donc pas sur ces formulaires.

Les avantages imposables

Les avantages imposables sont des bénéfices dont jouit un salarié dans le cadre de son emploi, mais qui ne sont pas versés sous forme de salaire. C'est l'employeur qui doit évaluer et présenter ces avantages imposables dans les cases appropriées du Formulaire T4 et du Relevé 1. Ces montants doivent s'ajouter au salaire brut ; ils sont donc inscrits à la case 14 du Formulaire T4 et à la case A du Relevé 1.

Les avantages imposables les plus fréquents sont les suivants :

- L'usage personnel de l'automobile fournie et payée par l'employeur ; c'est la *Loi de l'impôt sur le revenu* qui en fixe le mode d'évaluation. Les vendeurs à commission et les représentants de commerce bénéficient souvent de ce genre d'avantage ;
- Le prêt accordé par un employeur à un salarié, sans intérêt ou à un taux inférieur au taux prescrit (taux reconnu par l'impôt) ;
- Tout bien donné par l'employeur au salarié. La juste valeur marchande de ce bien constitue l'avantage imposable.

En pratique, c'est le comptable de l'employeur qui évalue les avantages imposables et les inclut au Formulaire T4 et au Relevé 1.

5.4.2 Le revenu d'intérêts

Si le contribuable encaisse ses intérêts tous les ans, les montants ainsi gagnés deviennent imposables l'année de l'encaissement. Le payeur doit présenter un Formulaire T5 ou T600 (pour le fédéral) et un Relevé 3 (pour le provincial), où sont indiqués les montants effectivement payés au contribuable.

Pour une période d'encaissement qui excède une année, comme dans le cas d'obligations d'épargne à intérêt composé (*voir le chapitre 14*), le législateur a instauré certaines règles afin de récupérer l'impôt avant l'année d'encaissement. Ainsi, pour les placements acquis depuis le 1er janvier 1990, la loi oblige le contribuable à déclarer le revenu couru annuellement au jour anniversaire du placement ou au jour de liquidation du placement s'il est plus rapproché. Cela signifie que les intérêts gagnés sur un placement fait depuis 1990 sont imposés une année plus tard, qu'ils soient encaissés ou non. Il incombe au payeur d'envoyer au contribuable investisseur un Formulaire T5 ou T600 (pour le fédéral) et un Relevé 3 (pour le provincial) où est indiqué le revenu annuel ainsi gagné.

EXEMPLE

Date d'acquisition du titre : 1er juillet 2008

Obligation à intérêt composé : 10 000 $

Taux d'intérêt offert : 7 %

Liquidation du titre : 31 mars 2010

Année d'imposition	Montant d'intérêts imposable
2008	0 $
2009 (Du 1er juillet 2008 au 30 juin 2009)	700 $ (7 % × 10 000 $)
2010 (Du 1er juillet 2009 au 31 mars 2010)	562 (7 % × 10 700 $ × [9 mois ÷ 12 mois])

5.4.3 Le revenu de dividendes

Un autre type de revenu de placement, le revenu de dividendes, doit aussi être ajouté au revenu total. Depuis 2006, il est nécessaire de différencier les dividendes déterminés des dividendes ordinaires. En général, les dividendes déterminés sont ceux, entre autres, qui sont versés par les entreprises publiques qui résident au Canada et d'autres sociétés qui ne sont pas des sociétés privées sous contrôle canadien, et ce, après le 23 mars 2006.

- Au fédéral :
  - Un dividende déterminé – Un actionnaire qui reçoit un tel dividende doit inclure, dans son revenu de l'année 2010, 144 % du dividende reçu. Cet actionnaire a droit à un crédit pour dividendes de 17,97 % du montant du dividende majoré.
  - Un dividende ordinaire – Ici, la situation est la même qu'avant le 24 mars 2006, à savoir une majoration de 25 % et un crédit de 13,33 %.

- Au provincial :
  - Un dividende déterminé – Un actionnaire qui reçoit un tel dividende doit inclure dans son revenu 144 % du dividende reçu. Cet actionnaire a droit à un crédit de 11,9 % du montant du dividende majoré.
  - Un dividende ordinaire – Une majoration de 25 % s'applique pour le calcul du revenu, mais le crédit est de 8 % du montant du dividende majoré.

Les dividendes reçus d'entreprises étrangères doivent être imposés au montant effectivement reçu plus l'impôt prélevé à la source par le pays étranger (s'il y a lieu). Ces dividendes en monnaie étrangère doivent être convertis en monnaie canadienne selon le taux de change approprié et donnent droit à un crédit pour impôt payé à l'étranger (s'il y a lieu).

Le tableau 5.6 ci-contre présente le revenu net après impôts pour diverses sources de revenus de 100 $ (dividende déterminé, dividende ordinaire, gain en capital et intérêts). Nous aborderons le gain en capital à la sous-section suivante.

TABLEAU 5.6 Le revenu net après impôts des résidents du Québec (2010) pour diverses sources de revenus de 100$

Tranche d'imposition	Dividende déterminé	Dividende ordinaire	Gain en capital	Intérêt
De 0$ à 38570$	97,67$	88,26$	85,74$	71,48$
De 38570$ à 40970$	91,91	83,26	83,74	67,48
De 40970$ à 77140$	83,49	75,95	80,82	61,63
De 77140$ à 81941$	77,73	70,95	78,82	57,63
De 81941$ à 127021$	72,92	66,78	77,15	54,29
127021$ et plus	69,31	63,65	75,89	51,79

Source: Royer et Drew (2010).

5.4.4 Le gain en capital

Contrairement à la majorité des revenus, qui sont totalement imposables, seuls 50 % des gains en capital sont assujettis à l'impôt fédéral et à l'impôt provincial.

Jusqu'au 27 février 2000, le taux d'inclusion sur gains en capital était de 75 %, et ce, depuis bon nombre d'années. Du 28 février au 17 octobre 2000, il était de 66,66 %. Depuis le 18 octobre 2000, il est passé à 50 %.

Lorsqu'il y a disposition (ou aliénation) d'un bien en immobilisation, il peut y avoir gain ou perte en capital. Les biens en immobilisation comprennent les actions, les obligations, les hypothèques (pour le créancier), les terrains et les immeubles à revenus, que l'on présente habituellement sous les rubriques Placements et Immobilisations du bilan. Les biens personnels d'un individu peuvent aussi engendrer un gain en capital. Le calcul du gain ou de la perte en capital ne s'effectue que lorsqu'il y a disposition d'éléments d'actif. La disposition peut être réelle ou présumée. Elle est réelle lorsqu'il y a vente, par exemple, donc disposition volontaire; celle-ci est présumée lorsque le contribuable décède, lorsqu'il ne réside plus au Canada ou lorsqu'un changement survient dans l'usage d'un bien. Dans la présente sous-section, nous nous attarderons aux situations relatives à la vente d'immeubles et d'actions d'entreprises.

Les immobilisations

Soulignons d'abord que la résidence principale (et qui a toujours été considérée comme telle) ne peut engendrer ni gain ni perte en capital au moment de sa cession; s'il existe une deuxième résidence, celle-ci est assujettie à l'impôt sur le gain en capital.

L'exemple qui suit illustre la situation relative à deux immeubles de location, le premier n'étant pas habité par le propriétaire, le second l'étant en partie. Dans ce dernier cas, le pourcentage de la superficie louée s'applique pour évaluer le gain en capital, car la portion résidentielle n'est pas imposable.

┌─ **EXEMPLE** ──┐

Détermination du gain en capital
(vente d'immobilisations)

Immeuble de location non habité par le propriétaire

Produit de disposition (vente)	400 000 $
Moins : Prix de base rajusté (coût en capital)	308 000
Charges lors de la disposition (frais de courtage)	24 000
Gain en capital	68 000 $
Portion imposable : 50 %	
GAIN EN CAPITAL IMPOSABLE	34 000 $

Immeuble de location habité en partie par le propriétaire
(superficie louée de 50 %)

Produit de disposition (vente)	200 000 $
Prix de base rajusté (coût en capital)	120 000
Charges lors de la disposition (frais de courtage)	12 000
Total partiel	68 000 $
Superficie locative : 50 %	
Gain en capital	34 000
Portion imposable : 50 %	
GAIN EN CAPITAL IMPOSABLE	17 000 $

└──┘

Les actions de compagnie

Quand plusieurs transactions concernent l'achat d'actions d'une même compagnie, il est possible que le prix de ces actions soit différent. Il faut alors utiliser la méthode du coût moyen pour évaluer leur prix de base.

┌─ **EXEMPLE** ──┐

Détermination du prix de base d'une action de compagnie
(évaluation selon le coût moyen)

Actions d'ABC inc.

2001-05-25 : achat de 1 000 actions à 10 $ l'action	10 000 $
2002-01-22 : achat de 1 000 actions à 12 $ l'action	12 000
2004-06-15 : achat de 2 000 actions à 15 $ l'action	30 000
2006-01-22 : vente de 500 actions à 16 $ l'action	8 000

COÛT MOYEN au 22 janvier 2006 : 13 $ l'action

(10 000 $ + 12 000 $ + 30 000 $ = 52 000 $; 52 000 $ ÷ 4 000 actions)

└──┘

L'exemple suivant illustre l'étape subséquente, c'est-à-dire la détermination du gain (ou de la perte) en capital imposable. On utilise le prix de base de 13 $ l'action déjà calculé.

EXEMPLE

Détermination du gain (de la perte) en capital imposable
(actions de compagnie)

Actions d'ABC inc.

Produit de la disposition (vente)	8 000 $
Prix de base ajusté (500 actions à 13 $)	6 500 $
Charges lors de la disposition (frais de courtage)	50
Gain (perte) en capital	1 450 $
Portion imposable : 50 %	
GAIN (PERTE) EN CAPITAL IMPOSABLE	725 $

La perte en capital

Le traitement de la perte en capital est fonction de la nature de l'actif qui engendre cette perte.

Une perte en capital subie sur un bien à usage personnel (p. ex. : une automobile, un meuble, un bateau, un chalet ou une résidence privée) n'est pas admissible. La perte liée à ce genre d'actif est due à l'usure, la consommation d'un tel bien constituant une dépense d'intérêt personnel.

Une perte sur un bien meuble déterminé (p. ex. : des biens précieux, des biens de collections de toutes sortes, des bijoux ou des œuvres d'art) doit être diminuée du gain en capital réalisé sur un autre bien meuble déterminé. Toutefois, le solde de la perte peut être reporté trois ans en arrière et sept ans en avant, toujours en diminution d'un gain sur un autre bien meuble déterminé.

La perte en capital subie sur un bien tel qu'une action, une obligation, un terrain ou un autre actif semblable vient diminuer le gain en capital sur un bien quelconque réalisé la même année. Le solde de la perte peut être reporté trois ans en arrière et un nombre indéterminé d'années en avant (jusqu'au décès), peu importe sa nature.

Un bien amortissable ne peut engendrer une perte en capital. La disposition d'un actif amortissable influe sur le calcul de l'amortissement et, le cas échéant, peut résulter en une perte finale entièrement déductible (*voir le dossier 5.1*).

5.4.5 La prestation universelle pour la garde d'enfants

La prestation universelle pour la garde d'enfants (PUGE) est imposable au fédéral et au provincial. Essentiellement, cette prestation est conçue pour venir en aide aux familles canadiennes qui cherchent à établir un équilibre entre le travail et la vie familiale. Elle leur permet d'effectuer des choix en matière de garde d'enfants par l'entremise d'un soutien financier direct. Les versements de la PUGE sont effectués pour les enfants âgés de moins de 6 ans à raison de 100 $ par mois par enfant, et ce, depuis le mois de juillet 2006.

Les versements de la PUGE sont imposables pour l'époux ou conjoint de fait ayant le revenu net le moins élevé, peu importe l'époux ou le conjoint de fait qui a reçu les versements.

Au fédéral, la PUGE est déclarée à la ligne 117 et fait donc partie du calcul du revenu total. Au Québec, elle l'est à la ligne 278 et fait partie du calcul du revenu imposable après la détermination du revenu total et du revenu net.

5.4.6 Le revenu de location

De plus en plus de gens s'intéressent aux placements immobiliers. Le revenu qui découle de la possession d'un ou de plusieurs immeubles s'appelle « revenu de location ». Nous présentons ici deux situations différentes :

- Le revenu d'un immeuble de location non habité par le propriétaire ;
- Le revenu d'un immeuble de location habité en partie par le propriétaire.

Dans les deux cas, le contribuable doit fournir un état qui présente le revenu moins les dépenses admissibles, ce qui permet de dégager le revenu de location. Nous avons également inclus dans ces deux cas la déduction pour amortissement. Le concept d'amortissement, qui comprend les notions de déduction, de perte finale et de récupération, est complexe. C'est pourquoi nous l'examinerons plus en détail dans le dossier 5.1, intitulé « La déduction pour amortissement ». Le lecteur intéressé pourra le consulter.

Le revenu d'un immeuble de location non habité par le propriétaire

Si une personne possède un immeuble de location qu'elle n'habite pas, le revenu de la location se calcule de la façon suivante :

Loyers bruts
Moins : Dépenses engagées pour l'immeuble
Moins : Déduction pour amortissement (DPA)
Égale : Revenu de location

Les loyers bruts sont les sommes versées par les locataires pour la période allant du 1er janvier au 31 décembre de l'année. Les dépenses engagées pour l'immeuble sont les dépenses d'entretien, les intérêts sur le paiement hypothécaire et les autres dépenses relatives à l'immeuble. On peut réclamer la dépense pour

---

EXEMPLE

Immeuble de location
État des résultats
Période du 1er janvier au 31 décembre 2010

Loyers bruts		23 200$
Frais d'exploitation		
Impôt foncier (taxes municipales et scolaires)	7 200$	
Peinture	2 200	
Plomberie	1 200	
Assurances	600	
Intérêts sur hypothèque	4 400	15 600
Loyers nets avant amortissement		7 600$
Moins : DPA au taux de 5 % sur la fraction non amortie		
du coût en capital (FNACC) de 100 000$		5 000
REVENU DE LOCATION		2 600$

amortissement. Cette notion particulière sera expliquée dans le dossier 5.1. Le remboursement des dettes (portion du capital) liées à l'immeuble n'est pas déductible.

Le revenu d'un immeuble de location habité en partie par le propriétaire

Supposons qu'un contribuable possède un immeuble dont une partie sert à la location, par exemple un duplex ou un triplex. Dans ce cas, ce contribuable doit jumeler le revenu et les dépenses relatives à la location. Il présente un état des résultats afin d'établir clairement le revenu de location. Ce revenu est calculé de la manière suivante :

Loyers bruts
Moins : Dépenses engagées pour les logements destinés à la location
Moins : Dépenses communes pour l'immeuble (au prorata de la superficie louée)
Moins : DPA (au prorata de la superficie louée)
Égale : Revenu de location

Les dépenses engagées pour les logements destinés à la location sont la peinture, la plomberie, l'électricité, le chauffage (s'il y a lieu), l'entretien, les réparations, etc. Les dépenses communes qui touchent l'ensemble de l'immeuble sont en général l'impôt foncier (taxes municipales et scolaires), les intérêts sur l'hypothèque, les assurances, la DPA (*voir le dossier 5.1*) et le chauffage, s'il s'agit d'un chauffage central. Ces dépenses sont déductibles au prorata de la superficie louée de l'immeuble.

EXEMPLE

Immeuble de location
État des résultats
Période du 1er janvier au 31 décembre 2010

Loyers bruts		10 000 $
Frais d'exploitation		
Dépenses engagées pour les logements destinés à la location		
Peinture	600 $	
Plomberie	800	1 400
Dépenses communes pour l'immeuble		
Impôt foncier (taxes municipales et scolaires)	4 200	
Assurances	800	
Intérêts sur hypothèque	8 000	13 000 $
Pourcentage de la superficie louée : 50 %		
Dépenses communes admissibles		6 500
Loyers nets avant amortissement		2 100 $
Moins : DPA au taux de 5 % sur la FNACC		
ou fraction non amortie du coût en capital,		
soit 50 000 $, évalué en fonction de la portion louée de l'immeuble		
Maximum admissible		2 100[(1)]
REVENU DE LOCATION		0 $

(1) Dans le cas d'un immeuble de location, la DPA ne peut ni provoquer une perte, ni augmenter une perte existante. Le maximum admissible pour ramener le revenu à 0 est de 2 100 $. Pour l'année suivante, le solde de la fraction non amortie du coût en capital égale 47 900 $, soit 50 000 $ − 2 100 $.

5.4.7 Le revenu d'entreprise

Le revenu d'entreprise est le bénéfice qui découle de l'exploitation commerciale ou professionnelle d'une entreprise par un individu ou un groupe de personnes. Un cabinet professionnel, composé d'un ou de plusieurs membres, engendre un revenu d'entreprise. Il n'est pas nécessaire d'exercer sa profession dans un établissement commercial ; un comptable, par exemple, peut le faire dans le sous-sol de sa résidence privée. En fait, à partir du moment où un contribuable prend un risque financier, fait de la vente au sens large ou fournit des services, il doit se considérer comme exploitant une entreprise. Ainsi, même le travailleur autonome entre dans cette catégorie. La personne qui a un revenu d'entreprise doit effectuer à l'avance, en guise de paiement d'impôt, des versements trimestriels (acomptes provisionnels) quatre fois l'an (aux mois de mars, de juin, de septembre et de décembre), sauf la première année d'exploitation.

Il existe trois formes juridiques d'entreprises : l'entreprise à propriétaire unique, la société de personnes et la société par actions. Du point de vue fiscal, le propriétaire unique doit inclure le bénéfice qui découle de son entreprise dans sa déclaration de revenus. Les propriétaires d'une société de personnes doivent inclure, dans leur déclaration de revenus personnelle, le bénéfice qui leur revient en fonction de leur participation dans la société. Ainsi, l'entreprise à propriétaire unique et la société commerciale ne paient pas d'impôt à titre d'entreprise ; ce sont les propriétaires qui en paient selon leur part du bénéfice provenant de l'entreprise. Par ailleurs, la société par actions, dont les propriétaires sont les actionnaires, doit payer ses propres impôts en utilisant les Formulaires T2 (au fédéral) et C-17 (au provincial). Les actionnaires d'une société par actions ne paient de l'impôt que sur le dividende reçu. Si un actionnaire travaille pour sa société, il recevra un salaire, donc un revenu d'emploi, comme tout autre employé qui n'est pas actionnaire. Ainsi, du point de vue légal, la société par actions est une entité distincte de ses propriétaires.

Les retraits ou prélèvements

Le contribuable (seul ou avec un associé) qui possède une entreprise non incorporée ne peut prélever un salaire duquel il soustrairait les retenues à la source, comme c'est le cas pour un salarié. En fait, le propriétaire fait des retraits ou des prélèvements. En comptabilité, ces montants sont considérés comme des diminutions de capital, ce qui ne constitue pas une charge pour l'entreprise. De même, du point de vue fiscal, les retraits ne sont pas déductibles pour l'entreprise et ne constituent pas des revenus pour le contribuable qui les reçoit, car ils sont considérés comme des prélèvements sur le capital acquis.

Le Régime de rentes du Québec (RRQ)

Pour un salarié, la contribution au Régime de rentes du Québec (RRQ) est retenue à la source. Un contribuable à son compte doit aussi cotiser à ce régime. Comme nous l'avons mentionné précédemment, ce contribuable ne reçoit pas de salaire, mais il doit effectuer un retrait sans retenues à la source. La contribution au RRQ doit être précisée dans la déclaration de revenus provinciale et payée à ce moment. Pour un salarié, cette contribution est payée à parts égales par le contribuable et l'entreprise. Il y a donc une double contribution. Le contribuable autonome qui possède une entreprise non incorporée est considéré comme patron et employé à la fois, et doit donc payer cette double contribution. Le montant ainsi payable est admissible sous forme de crédit d'impôt non remboursable et de déduction.

Si un contribuable est à la fois travailleur à son compte et salarié ayant contribué au RRQ au moyen de son salaire, sa contribution additionnelle de travailleur autonome doit être évaluée selon la forme que prescrivent les autorités fiscales.

L'état des résultats

En guise de preuve de revenu d'entreprise, les autorités fiscales exigent la présentation d'états financiers. Le point de départ est le bénéfice comptable, déterminé à l'état des résultats, plus ou moins certains ajustements pour en arriver au revenu fiscal d'entreprise.

EXEMPLE

Jean et Paul enr.

État des résultats

Période du 1er juin 2010 au 31 mai 2011

Chiffre d'affaires net		100 000$
Coût des marchandises vendues		35 000
Marge bénéficiaire brute		65 000$
Frais d'exploitation		
Salaires	23 800$	
Avantages sociaux	1 800	
Amortissement	2 000	
Frais de représentation	1 200	
Électricité	2 400	
Entretien et réparations	1 800	
Loyer	15 000	
Téléphone	1 700	
Intérêts et frais bancaires	300	50 000
Bénéfice d'exploitation		15 000$
Autre revenu		
Gain de Loto-Québec		5 000
BÉNÉFICE NET		20 000$

S'il y a perte d'exploitation, c'est-à-dire que les charges admises par l'impôt excèdent le revenu imposable, la perte est présentée entre parenthèses dans la déclaration de revenus du contribuable et est soustraite des autres revenus. Si la perte est importante au point d'annuler tous les autres revenus de l'année en question, le solde de la perte d'exploitation est reporté à l'impôt des 3 années précédentes et des 20 années subséquentes.

La comptabilité d'exercice et la comptabilité de caisse

La comptabilité d'exercice consiste à enregistrer les revenus lorsqu'ils sont gagnés et les dépenses lorsqu'elles sont engagées, sans considérer le moment de la rentrée ou de la sortie des fonds. Il peut s'agir, par exemple, d'une vente ou d'un achat à crédit.

Les revenus et les dépenses s'inscriront au bilan sous les rubriques Comptes clients et Comptes fournisseurs. Par opposition, la comptabilité de caisse consiste à enregistrer les revenus et les dépenses au moment de la rentrée ou de la sortie des fonds.

EXEMPLE

Jean et Paul enr.
Détermination du revenu fiscal d'entreprise

Bénéfice comptable (selon l'état des résultats)		20 000$
Plus : Charges non déductibles incluses à l'état des résultats[1]		
• Amortissement	2 000$	
• Frais de représentation (50 % × 1 200$)	600	
Produits imposables non inclus à l'état des résultats[2]		
• Montant reçu d'avance (aucune provision de ce montant ne sera imputée)	800	3 400
Moins : Charges déductibles non incluses à l'état des résultats[3]		
• Déduction pour amortissement	1 800	
Produits non imposables inclus à l'état des résultats[4]		
• Gain de Loto-Québec	5 000	6 800
REVENU FISCAL D'ENTREPRISE		16 600$
Répartition entre les associés :		
Jean Lassocié (60 % × 16 600$)		9 960$
Paul Partenaire (40 % × 16 600$)		6 640$

---

(1) Les charges d'exploitation non déductibles sont rares. À titre d'exemples, mentionnons deux charges non déductibles à ajouter au bénéfice comptable :

• L'amortissement comptable : Cette charge, inscrite à l'état des résultats, n'est pas déductible ; elle est remplacée par la déduction pour amortissement ;

• Les frais de représentation : Ces frais sont déductibles à 50 % ; ces 50 % doivent donc s'ajouter au bénéfice comptable.

(2) Les montants reçus d'avance pour des ventes à effectuer ou des services à rendre ultérieurement figurent au bilan et sont considérés comme une dette en comptabilité, puisqu'ils seront virés à un compte de produits. En fiscalité, ces montants sont imposables, du moins en partie, car une provision pour montants reçus d'avance peut être réclamée en déduction.

(3) La déduction pour amortissement n'est pas incluse à l'état des résultats. Cependant, elle constitue une charge déductible d'impôt.

(4) Un gain de loterie est non imposable. Il doit donc être soustrait du bénéfice comptable s'il est présenté sous la rubrique Autre revenu à l'état des résultats.

La *Loi de l'impôt sur le revenu* prévoit que les entreprises doivent utiliser la comptabilité d'exercice. Cependant, les agriculteurs et les pêcheurs ont le choix entre la comptabilité de caisse et la comptabilité d'exercice.

5.4.8 Les revenus non imposables et les dépenses non déductibles

Comme son nom l'indique, le revenu non imposable est un revenu sur lequel il n'y a aucun impôt à payer. Les autorités fiscales ne demandent ni de produire, ni de déclarer, ni de présenter les revenus non imposables. En voici quelques exemples :

- Le produit d'une assurance vie (capital de protection remis à l'héritier) ;
- Les gains de hasard (gain de loterie, de casino, de courses, etc.) ;
- L'encaissement provenant d'un emprunt contracté auprès d'un établissement financier ou d'un individu ;
- Les dons et les héritages reçus ;
- Le gain réalisé au moment de la vente de la résidence principale.

Une dépense est qualifiée de non déductible lorsqu'elle ne peut être réclamée à titre de déduction ou de crédit. Voici quelques exemples de dépenses non déductibles :

- Les frais personnels et les frais de subsistance (logement, nourriture, sorties, achat de meubles, d'une automobile à des fins personnelles, etc.) ;
- En règle générale, les dépenses dont le but n'est pas d'engendrer un revenu imposable ; par exemple, tout emprunt, quelle qu'en soit la source, qui sert à rembourser une dette personnelle non déductible, telle une hypothèque résidentielle.

5.5 L'impôt minimum de remplacement

L'impôt minimum de remplacement (IMR) existe depuis 1986. Malgré les nombreux changements qui y ont été apportés, son principal objectif demeure de rendre le système fiscal plus équitable pour tous les contribuables et d'éviter ainsi que certains contribuables bien nantis utilisent des abris fiscaux à outrance et ne paient pas leur juste part d'impôt. Grâce à l'IMR, les contribuables qui peuvent s'offrir de nombreux abris fiscaux sont assujettis à un impôt minimum.

5.6 Les acomptes provisionnels

Les acomptes provisionnels (ou versements trimestriels) d'impôt sur le revenu sont avant tout des paiements partiels d'impôt pour l'année courante versés périodiquement par les contribuables. Les travailleurs autonomes et les professionnels à leur compte ont l'obligation de verser ces acomptes quatre fois l'an, soit les 15 mars, 15 juin, 15 septembre et 15 décembre de l'année courante. Le contribuable salarié et résident du Québec doit aussi verser des acomptes provisionnels dans les situations suivantes :

- S'il estime devoir payer plus de 1 800 $ d'impôt pour l'année courante en plus de l'impôt retenu à la source, et ce, tant au fédéral qu'au provincial ;
- Si le montant d'impôt qu'il avait à payer pour l'une ou l'autre des 2 années précédant l'année courante était supérieur à 1 800 $, en plus de l'impôt qui était retenu à la source, tant au fédéral qu'au provincial.

Notez que ce montant s'élève à 3 000 $ pour les contribuables canadiens non résidents du Québec.

Le contribuable peut effectuer lui-même le calcul relatif à ses acomptes provisionnels mais, en général, les deux ministères responsables s'en chargent.

MÉDIAGRAPHIE

Page 69

Agence du revenu du Canada, www.cra-arc.gc.ca

Revenu Québec, www.revenu.gouv.qc.ca

Page 72

Centre québécois de formation en fiscalité, www.cqff.com via Résumé des budgets

Association de planification fiscale et financière, www.apff.org

Centre québécois de formation en fiscalité, www.cqff.com via Tableaux utiles > Tableaux des montants personnels 2010 (au fédéral et au provincial)

Page 75

Centre québécois de formation en fiscalité, www.cqff.com via Tableaux utiles > Table d'impôts 2010

Page 82

Agence du revenu du Canada, www.cra-arc.gc.ca via Formulaires et publications > Formulaires classés par numéro de formulaire > Déclaration T1 générale, formulaires et annexes pour 2010

Revenu Québec, www.revenu.gouv.qc.ca via Services en ligne, formulaires et publications > Formulaires > Impôts > Impôts Formulaires et guides

Références

Agence du revenu du Canada (2010). *5100-s1-10f[1].pdf*. Récupéré de www.cra-arc.gc.ca/F/pbg/tf/5000-s1/LISEZ-MOI.html

Centre québécois de formation en fiscalité (2010a). *Table d'impôts particuliers (Résidents du Québec) 2010*. Récupéré de www.cqff.com/tapis_de_souris/tapis2010.htm

Centre québécois de formation en fiscalité (2010b). *Tableau des montants personnels au Fédéral pour l'année 2010*. Récupéré de www.cqff.com/tableaux_utiles/accueil_tableaux.htm

Centre québécois de formation en fiscalité (2010c). *Les courbes de Claude Laferrière en exclusivité sur le site Web du CQFF*. Récupéré de www.cqff.com/claude_laferriere/accueil_courbe_2010.htm

Revenu Québec (2011) *Revenu Québec – Taux d'imposition – Impôt – Citoyens*. Récupéré de www.revenuquebec.ca/fr/citoyen/impots/rens_comp/taux.aspx

Royer, P. et Drew, J. (2010). *Impôts et planification 2010*. Longueuil, Québec : Béliveau éditeur.

QUESTIONS DE RÉVISION

1. Faites la distinction entre « revenu imposable » et « revenu total ».

2. Faites la distinction entre « dépenses déductibles » et « dépenses non déductibles ».

3. Faites la distinction entre « crédit d'impôt remboursable » et « crédit d'impôt non remboursable ».

4. Définissez les expressions « remboursement à recevoir » et « solde à payer ».

5. Que signifie l'expression « taux d'imposition marginal » ?

6. Pourquoi est-il important de connaître son taux d'imposition marginal ?

7. Quels sont le plus bas taux et le plus haut taux marginaux combinés en 2006 ?

8. Quelle tranche de revenus imposables correspond au plus haut taux marginal combiné ?

9. Que signifie l'expression « déduction pour amortissement » ? Est-il toujours avantageux d'utiliser cette déduction ?

10. Nommez les principaux revenus imposables.

11. Qu'est-ce qu'un Formulaire T4 ?

12. Faites la distinction entre « salaire brut » et « salaire net ».

13. Quelles sont les principales retenues à la source ?

14. Que signifie l'expression « gain en capital » ?

15. Que signifie l'acronyme « PUGE » ?

EXERCICES

1. M. Nguyen vous présente son T4 de la dernière année :

Salaire brut	69 600
Cotisations au RRQ	2 163
Cotisations à l'assurance-emploi	587
Cotisations au RQAP	316
Cotisations à un RPA	4 212
Impôt fédéral retenu à la source	8 920
Facteur d'équivalence	4 440

   On vous demande de présenter le revenu total, le revenu net et le revenu imposable à payer au fédéral.

2. Voici les informations produites par M. Charron pour la dernière année :

Salaire brut	71 400
Cotisations RRQ	2 163
Cotisations à l'assurance-emploi	587
Cotisations au RQAP	316
Cotisations à un RPA	5 214
Cotisations syndicales	900
Impôt fédéral retenu à la source	9 212
Facteur d'équivalence	5 400
Intérêts	900
Gain en capital imposable (sur vente d'actions)	5 200
Pertes en capital d'autres années déductibles (sur vente d'actions)	8 000
Prestations universelles pour la garde d'enfants (PUGE)	1 200
Contributions à son REER	1 000

   On vous demande de présenter le revenu total, le revenu net et le revenu imposable au fédéral.

3. Déterminez l'impôt à payer ou le remboursement à recevoir dans chacun des cas suivants :

	Cas 1	Cas 2	Cas 3	Cas 4
Impôt sur le revenu imposable	7000	5000	6000	8000
Crédits d'impôt non remboursables	4000	6000	2000	9000
Crédits d'impôt remboursables	5000	2000	1000	1000

4. Déterminez l'impôt à payer ou le remboursement à recevoir dans chacun des cas suivants :

	Cas 1	Cas 2	Cas 3	Cas 4
Impôt sur le revenu imposable	5000	4000	4000	6000
Crédits d'impôt non remboursables	7000	3000	5000	1000
Crédits d'impôt remboursables	4000	2000	2000	4000

5. Dans chacun des cas présentés ci-haut, déterminez s'il s'agit d'un revenu imposable (RI), d'un revenu non imposable (RNI), d'une déduction (D), d'un crédit non remboursable (CNR) ou d'un crédit remboursable (CR).

   a) Les intérêts reçus

   b) Le crédit de base

   c) Les cotisations au RRQ

   d) Les prestations d'assurance vie

   e) Les versements d'impôt trimestriels

   f) Le salaire brut

   g) Les cotisations syndicales

   h) Un gain de loterie

   i) Un gain en capital

   j) Les cotisations à un RPA

   k) Les PUGE

6. Dans chacun des cas présentés plus haut, déterminez s'il s'agit d'un revenu imposable (RI), d'un revenu non imposable (RNI), d'une déduction (D), d'un crédit non remboursable (CNR) ou d'un crédit remboursable (CR).

   a) Les prestations de rentes du Québec

   b) Le crédit pour frais médicaux

   c) Les cotisations à l'assurance-emploi

   d) L'impôt retenu à la source

   e) Les dividendes d'entreprises étrangères

   f) Les cotisations professionnelles

   g) Le crédit pour conjoint

   h) Un gain au Casino de Montréal

EXERCICES *(suite)*

i) Le profit sur la vente de la résidence principale

j) Un revenu de location

7. M. Duplan habite un duplex dont il occupe la moitié de la superficie. Cet immeuble a été construit en 1968 et il est classé dans la catégorie 3[1].

Revenu de location	2 000 $
Dépenses liées à l'immeuble	
Impôt foncier (taxes municipales et scolaires)	1 400
Assurances	600
Chauffage central	800
Peinture pour le logement loué	140
Installation d'un foyer dans le logement du propriétaire	1 500
Entretien et réparations – logement loué	600
Entretien et réparations – logement du propriétaire	400
Déduction pour amortissement, relative à la partie locative	2 000

Présentez un état des résultats qui précise le revenu imposable de location.

8. M. Lafortune possède un immeuble de six logements et vous présente ses résultats financiers pour l'année terminée.

Loyers bruts	36 000 $
Impôt foncier (taxes municipales et scolaires)	6 000
Assurances	1 200
Entretien et réparations	3 600
Remboursement hypothécaire	20 400

En ce qui concerne le remboursement hypothécaire, la remise de capital a été de 4 000 $ et le coût de l'immeuble, de 255 000 $. La fraction non amortie du coût en capital (FNACC) est de 167 000 $. Le taux d'amortissement est de 4 %.

a) Présentez l'état des résultats en réclamant le maximum en amortissement.

b) Si la fraction non amortie du coût en capital était de 244 000 $, quels seraient le revenu de location et le solde de la FNACC à amortir pour l'année prochaine ?

9. M. Beaupré vous soumet son Relevé 1 :

Salaire brut	24 000 $
Cotisations au RRQ	650
Cotisations à l'assurance-emploi	920
Cotisations à RPA	3 200
Impôt du Québec retenu à la source	3 400
Salaire net	15 830

Au cours de l'année, M. Beaupré a reçu 900 $ en intérêts et 600 $ en dividendes d'une entreprise publique canadienne imposable. Il a également touché un héritage de 3 000 $. Enfin, la même année, il a vendu 60 000 $ un chalet qu'il avait payé 50 000 $.

M. Beaupré est marié et a un enfant de sept ans à sa charge. Son épouse a gagné 20 000 $ au cours de l'année.

Présentez la liste de ses revenus et déductions afin de calculer son revenu imposable.

---

1. Voir le dossier 5.1 annexé à ce chapitre pour obtenir une explication des catégories.

SOLUTIONS AUX EXERCICES

1. Salaire brut   69 600

REVENU TOTAL   **69 600**

Moins :

Cotisations à un RPA   4 212

REVENU NET   **65 388**

REVENU IMPOSABLE   **65 388**

2. Salaire brut   71 400

Plus :

Intérêts   900

Gain en capital imposable (sur   5 200
vente d'actions)

PUGE   1 200

REVENU TOTAL   **78 700**

Moins :

Cotisations à un RPA   5 214

Cotisations syndicales   900

Contributions à son REER   1 000

REVENU NET   **71 586**

Moins :

Pertes en capital d'autres années   5 200
déductibles (sur vente d'actions)

(ne peut excéder le gain en capital
de l'année)

REVENU IMPOSABLE   **66 386**

3.

Détermination de l'impôt à payer ou du remboursement à recevoir				
	Cas 1	Cas 2	Cas 3	Cas 4
Impôt sur le revenu imposable	7000	5000	6000	8000
Crédits d'impôt non remboursables	4000	6000	2000	9000
	3000	–	4000	–
Crédits d'impôt remboursables	5000	2000	1000	1000
IMPÔT À PAYER			**3000**	
REMBOURSEMENT	**2000**	**2000**		**1000**

4.

Détermination de l'impôt à payer ou du remboursement à recevoir				
	Cas 1	Cas 2	Cas 3	Cas 4
Impôt sur le revenu imposable	5000	4000	4000	6000
Crédits d'impôt non remboursables	7000	3000	5000	1000
	–	1000	–	5000
Crédits d'impôt remboursables	4000	2000	2000	4000
IMPÔT À PAYER				**1000**
REMBOURSEMENT	**4000**	**1000**	**2000**	

5. a) RI   f) RI

b) CNR   g) D ou CNR

c) CNR et CR pour les   h) RNI
montants payés en trop

d) RNI   i) RI

e) CR   j) D

k) RI

6. a) RI   f) D ou CNR

b) CNR   g) CNR

c) CNR et CR pour les   h) RNI
montants payés en trop

d) CR   i) RNI

e) RI   j) RI

SOLUTIONS AUX EXERCICES *(suite)*

7.

M. Duplan
États des résultats

Revenus de location		2000$
Dépenses déductibles		
Impôt foncier (taxes municipales et scolaires)	1400$	
Assurances	600	
Chauffage central	800	
	2800$	
Portion déductible (50%)		1400
Peinture pour le logement loué		140
Entretien et réparations – logement loué	600	740
BÉNÉFICE (OU PERTE) NET POUR IMPÔT		(140)$

Note: La déduction pour amortissement ne peut être utilisée, car il y a perte locative.

8. a)

M. Lafortune Immeuble de location
États des résultats
Du 1er janvier au 31 décembre

Loyers bruts		36000$
Frais d'exploitation		
Impôt foncier (taxes municipales et scolaires)	6000$	
Assurances	1200	
Entretien et réparations	3600	
Intérêts sur hypothèque	16400	27200
Bénéfice avant amortissement		8800$
Amortissement fiscal[1]		6680
REVENU DE LOCATION		2 120$

(1) FNACC: 167 000 $; Taux d'amortissement: 4 %; DPA (4 %): 6 680

8. b)

M. Lafortune Immeuble de location
État des résultats
Du 1er janvier au 31 décembre

Bénéfice avant amortissement	8800$
Amortissement fiscal[1]	8800
REVENU DE LOCATION	0$
SOLDE DE LA FNACC L'AN PROCHAIN (244000$ − 8800$)	235200$

(1) FNACC: 244 000 $; DPA (4 %): 9 760 $; DPA admissible: 8 800 $

9.

M. Beaupré
Revenu imposable

Revenus		
Salaire brut	24000$	
Intérêts	900	
Dividendes (600$ × 144 %)	864	
Gains en capital ([60000$ − 50000$] 50 %)	5000	30764$
Déductions		
Cotisations à un RPA		3200
REVENU IMPOSABLE		27564$

La déduction pour amortissement

Plan

L'amortissement
La règle du demi-taux
La perte finale et la récupération de l'amortissement
Les particularités de l'immeuble de location

L'amortissement

La *Loi de l'impôt sur le revenu* permet de déduire une dépense appelée « déduction pour amortissement » (DPA). Celle-ci se base sur le principe de l'amortissement utilisé en comptabilité. L'amortissement est la répartition sur plusieurs périodes du coût des éléments d'actif qui se détériorent avec le temps tels qu'un immeuble, une automobile et une pièce d'équipement. Les terrains et placements ne peuvent être amortis.

Il existe plusieurs méthodes de calcul de l'amortissement en comptabilité. En fiscalité, la loi impose un mode de calcul précis, que nous expliquerons dans les pages qui suivent. Le montant de cette déduction se calcule à partir d'un pourcentage établi par les autorités fiscales en fonction de la nature de l'actif. Les biens amortissables de même nature sont regroupés et forment une catégorie, comme on peut le voir ci-dessous.

Nature de l'actif	Catégorie	Taux
Bâtiment à structure solide acquis après 1987	1	4 %
Bâtiment à structure solide acquis avant 1988	3	5 %
Bâtiment de bois (ou stuc sur pans de bois)	6	10 %

Le taux représente le pourcentage maximal que l'on peut utiliser pour évaluer la DPA. Le contribuable n'est pas tenu d'utiliser ce taux maximal. En fait, il peut choisir n'importe quel pourcentage moins élevé ou simplement ne pas réclamer de déduction. Ce pourcentage s'applique sur le solde résiduel, c'est-à-dire sur le coût moins la DPA déjà réclamée en déduction. Ce solde résiduel s'appelle « fraction non amortie du coût en capital » (FNACC) ou « coût en capital non amorti » (CCNA).

Pour l'année d'acquisition, le calcul de l'amortissement ne se fait pas au prorata du nombre de jours d'acquisition du bien amortissable.

EXEMPLE

Coût à l'acquisition, année 1 (immeuble de catégorie 3)	200 000 $
Déduction pour amortissement, année 1 (5 %)	10 000
Fraction non amortie du coût en capital (début de l'année 2)	190 000
Déduction pour amortissement, année 2 (5 %)	9 500
Fraction non amortie du coût en capital (début de l'année 3)	180 500
Déduction pour amortissement, année 3	4 000[1]
Fraction non amortie du coût en capital (début de l'année 4)	176 500

(1) Il faut noter que pour l'année 3, le contribuable choisit de réclamer en guise de DPA un montant inférieur au taux maximal de 5 %.

La règle du demi-taux

Selon la règle du demi-taux, on doit présenter la DPA d'un actif acquis après le 13 novembre 1981 durant son année d'acquisition, et ce, à 50 % du montant autrement admissible.

DOSSIER 5.1-SUITE

---EXEMPLE---

Achat d'un immeuble en 2006	200 000 $
Déduction pour amortissement: 5 % (5 % × 200 000 $ = 10 000 $) (1/2 [demi-taux] 10 000 $)	5 000
FRACTION NON AMORTIE DU COÛT EN CAPITAL	195 000 $

La perte finale et la récupération de l'amortissement

La perte sur un actif est l'excédent du coût en capital sur le produit de la disposition d'éléments d'actif. Il existe plusieurs formes de disposition d'actif: la vente, l'expropriation, le don, le produit d'assurance (dans le cas d'un

---EXEMPLE---

	Cas 1	Cas 2	Cas 3
Coût en capital	100 000 $	100 000 $	100 000 $
Déduction pour amortissement, année 1, 5 %, demi-taux : 2,5 %	2 500	2 500	2 500
Fraction non amortie du coût en capital	97 500	97 500	97 500
Déduction pour amortissement, année 2 : 5 %	4 875	4 875	4 875
Fraction non amortie du coût en capital	92 625	92 625	92 625
Produit de disposition, année 3	75 000	95 000	110 000
Moindre du coût ou du produit de disposition	75 000	95 000	100 000[1]
PERTE FINALE DÉDUCTIBLE, année 4	17 625 $[2]		
RÉCUPÉRATION DE L'AMORTISSEMENT IMPOSABLE, année 4		2 375 $[3]	7 375 $[4]

---

(1) La déduction pour amortissement a été effectuée à partir du coût en capital de 100 000 $. L'excédent, qui représente la vente à profit, soit 10 000 $, est exclu de la présente analyse et sera traité comme gain en capital (*voir la sous-section 5.4.4*).

(2) 92 625 $ − 75 000 $ = 17 625 $

Ou	
Perte (100 000 $ − 75 000 $)	25 000 $
Amortissement (2 500 $ + 4 875 $)	(7 375)
PERTE FINALE (à réclamer)	17 625 $

(3) 92 625 $ − 95 000 $ = − 2 375 $

Ou	
Perte (100 000 $ − 95 000 $)	5 000 $
Amortissement (2 500 $ + 4 875 $)	(7 375)
RÉCUPÉRATION DE L'AMORTISSEMENT EN TROP	(2 375 $)

(4) 92 625 $ − 100 000 $ = −7 375 $

Ou	
Perte (100 000 $ − 100 000 $)	0 $
Amortissement (2 500 $ + 4 875 $)	(7 375)
RÉCUPÉRATION DE L'AMORTISSEMENT EN TROP	(7 375 $)

incendie, par exemple), le legs au décès, etc. Nous étudierons la situation la plus fréquente, soit la vente.

EXEMPLE

Produit de la disposition (prix de vente)	100 000 $
Coût en capital (coût de l'actif)	135 000
PERTE À LA DISPOSITION	(35 000 $)

L'impôt accepte que l'ensemble des montants d'amortissement dont un contribuable a bénéficié d'année en année atteigne 35 000 $. Si l'amortissement utilisé au fil des ans n'est pas suffisant, le solde qu'il reste à prendre s'appelle « perte finale » et est déductible d'impôt. La perte finale est le solde (fraction non amortie du coût en capital) à la fin d'une année où il n'y a plus d'actif pour justifier l'existence de la catégorie. Il ne peut y avoir de perte en capital sur un bien amortissable. Si l'on a utilisé trop d'amortissement, l'excédent s'appelle « récupération de l'amortissement » et est imposable en totalité. La récupération de l'amortissement peut exister même s'il reste un ou plusieurs éléments d'actif dans une catégorie. Au moment de la disposition d'un élément d'actif, on doit soustraire de la FNACC (ou solde résiduel) le moindre du produit de la disposition ou du coût en capital afin d'exclure le profit sur la vente de cet actif (gain en capital) de la présente analyse.

Cet exemple constitue la règle générale, mais il y a des exceptions. Toutefois, ce sujet ne sera pas abordé dans le présent ouvrage.

L'amortissement est avantageux, car il permet, quand on possède un actif amortissable, de déduire annuellement un certain montant et donc de payer moins d'impôt. Par ailleurs, ce montant peut éventuellement être récupéré par l'impôt, comme nous venons de le voir. On peut donc décider de ne pas réclamer cette déduction et ainsi éviter la récupération future de l'amortissement.

Les particularités de l'immeuble de location

Les éléments d'actif de 50 000 $ et plus destinés à la location sont traités individuellement. Ils ne sont pas regroupés à des fins de détermination d'amortissement, de récupération ou de perte finale, le cas échéant.

La déduction pour amortissement sur les immeubles de location ne peut ni engendrer une perte, ni augmenter une perte déjà existante. En d'autres termes, si l'immeuble présente une perte ou un bénéfice net égal à zéro, on ne peut déduire la dépense d'amortissement pour l'année en question. Dans ce cas, le solde de la fraction non amortie du coût en capital à utiliser l'année suivante sera le même que celui de l'année précédente.

CHAPITRE
6

LES FONDEMENTS MATHÉMATIQUES DE LA PLANIFICATION FINANCIÈRE PERSONNELLE

Les mathématiques financières sont fondamentales pour comprendre plusieurs aspects de la planification financière personnelle tels que la retraite, les assurances et les placements. Deux concepts majeurs sont abordés dans ce chapitre: le calcul de l'intérêt et l'utilisation de l'annuité. Les exemples que nous présentons sont concrets et pertinents; ils contribuent à montrer que la planification financière personnelle est constituée d'éléments qui sont tous interreliés.

Le chapitre 6 et l'ouvrage en général n'ont aucunement la prétention de remplacer les cours universitaires de gestion financière (mathématiques financières), d'une durée de 45 heures, en général. Notre seul objectif est de faciliter, pour les étudiants, la compréhension et l'apprentissage d'un certain nombre de notions financières plus intimement liées à la planification financière personnelle.

Par ailleurs, les chiffres utilisés (taux d'intérêt, etc.) ne reflètent aucunement les conditions économiques qui existent sur les marchés financiers. Ils ne servent qu'à illustrer les processus et les concepts relatifs aux mathématiques financières.

6.1 La nature des calculs financiers

En planification financière, les calculs financiers sont nombreux et variés. Ils concernent, par exemple, les versements mensuels à payer sur un prêt personnel, les sommes d'argent à investir annuellement pour avoir une retraite agréable ou encore la détermination du capital nécessaire pour maintenir un coût de la vie jusqu'à, par exemple, l'âge de 100 ans. Ces calculs financiers peuvent s'effectuer à l'aide de tables financières, de formules mathématiques, d'une calculatrice financière ou de logiciels spécialisés.

6.1.1 Les tables financières

De nos jours, les conseillers financiers n'utilisent plus les tables financières, car la calculatrice financière et l'ordinateur ont pris la relève. Cependant, certains cours universitaires de base en planification financière personnelle n'exigent pas de connaissances préalables en mathématiques financières (cours de gestion financière), nécessaires pour suivre les cours spécialisés. Ainsi, une majorité d'étudiants des cours de base ne sont pas familiers avec les notions financières et avec la calculatrice. Par conséquent, nous ferons un usage pédagogique modéré des tables financières, précisément pour tous les professeurs et étudiants universitaires qui les considèrent comme un excellent outil d'apprentissage et de travail. Ces tables ont l'avantage d'être à la portée de tous et faciles à utiliser. Elles peuvent servir, souvent mieux qu'une calculatrice financière, à illustrer le processus de calcul utilisé. Si les facteurs qui figurent dans ces diverses tables sont reproduits sur du papier quadrillé, on peut facilement transmettre visuellement aux étudiants le fait que la résultante est une courbe exponentielle, d'où la difficulté d'interpoler. Par conséquent, l'utilisation des tables est très limitée.

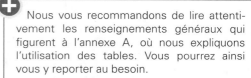

Nous vous recommandons de lire attentivement les renseignements généraux qui figurent à l'annexe A, où nous expliquons l'utilisation des tables. Vous pourrez ainsi vous y reporter au besoin.

Dans ce chapitre, tous les calculs sont d'abord effectués au moyen des tables financières, puis vérifiés à l'aide de la calculatrice financière.

6.1.2 Les formules mathématiques

Cet ouvrage n'a pas la prétention d'être un traité de mathématiques financières. Nous savons que de nombreux spécialistes du milieu financier utilisent diverses formules pour mieux faire comprendre les méthodes de calcul à leurs clients. Les cours universitaires, notamment ceux qui portent sur la gestion des mathématiques financières, permettent aux étudiants de se familiariser avec ces formules.

6.1.3 La calculatrice financière

La calculatrice utilisée dans ce chapitre est la TEXAS BA II *Plus*.

Plusieurs raisons motivent cette décision.

D'abord, l'AMF recommande d'utiliser cette calculatrice. Un comité de l'Autorité a fait une analyse des diverses calculatrices offertes sur le marché et a constaté que de nombreux professionnels (actuaires, professeurs, etc.) s'en servaient. Cette étude a donc amené les membres du comité à recommander la TEXAS BA II *Plus* et à publier un guide d'utilisation bien structuré. L'essentiel des calculs financiers y est présenté ainsi que des exercices et un corrigé. Soulignons que ce guide se concentre uniquement sur les opérations financières de la calculatrice, un avantage énorme par rapport au guide fourni avec la calculatrice, lequel aborde tous les aspects, tant la finance que la trigonométrie.

De plus, Hautes Études Commerciales (HEC) Montréal a publié une liste des nombreuses calculatrices qu'elle considère comme homologuées. Seules deux sont recommandées ; la TEXAS BA II *Plus* est la toute première d'entre elles. Le Centre d'aide en mathématiques (CAM) d'HEC Montréal publie également un guide d'utilisation de cette calculatrice.

> Les calculs financiers qui concernent les tables IX, X, XI et XII (annuités à progression géométrique ou en croissance), ne sont généralement pas préprogrammées sur les calculatrices et nécessitent l'emploi d'une calculatrice financière programmable, non nécessaire pour atteindre l'objectif poursuivi par cet ouvrage. Pour ces calculs, nous nous en tenons donc aux quatre tables financières, notre objectif n'étant que de souligner l'utilité des annuités en croissance. Les tables IX, X, XI et XII sont élaborées à partir d'une inflation de 3 % et d'une inflation de 4 %, donc 8 tables financières sont liées aux annuités en croissance.

Nous vous recommandons de vous familiariser avec la calculatrice financière, car plusieurs problèmes ne peuvent être résolus de manière efficace qu'à l'aide de cet outil.

6.1.4 Les logiciels

En planification financière, deux types de logiciels sont utilisés. Les logiciels spécialisés en finances personnelles sont destinés tant au professionnel qu'à l'utilisateur averti. Il s'agit de logiciels de traitement de données qui permettent d'effectuer des opérations très précises concernant la tenue d'un budget, la facturation, les décisions boursières, la déclaration de revenus, les transactions bancaires, etc.

> Tous ces logiciels sont utiles, mais ils ne remplacent ni l'expérience, ni le jugement du planificateur ; ils constituent des outils intéressants, sans plus.

Les logiciels intégrés de planification financière permettent, quant à eux, de présenter une série de tableaux, de figures ou de graphiques relatifs à tous les modules de la planification financière d'un client (gestion budgétaire, fiscalité, retraite, assurances, placements et succession). La très grande majorité des établissements financiers utilisent des logiciels maison, conçus pour les conseillers financiers de ces entreprises.

6.2 Le concept d'intérêt

L'intérêt est le loyer à payer pour l'utilisation d'une somme d'argent empruntée à quelqu'un d'autre (créancier) ; c'est aussi l'argent à percevoir lorsqu'on est soi-même la personne qui prête (créancier).

En plus des notions explicites de capital emprunté, de solde de capital et de versement mensuel, vous devez comprendre les cinq concepts décrits ci-après concernant l'emprunt (prêt personnel ou hypothécaire) :

- La capitalisation des intérêts consiste en l'addition des intérêts au capital, ce qui peut se faire tous les mois, tous les six mois ou tous les ans ;
- La période de capitalisation correspond à l'intervalle de temps entre deux capitalisations consécutives. Par exemple, pour les prêts personnels, il

s'agit de périodes mensuelles et pour les prêts hypothécaires, de périodes semestrielles (tous les six mois ou deux fois par année);

- L'amortissement financier est tout simplement la diminution progressive du capital emprunté;

- La période d'amortissement correspond au nombre d'années nécessaires pour rembourser le capital et les intérêts;

- Le terme est la durée du contrat conclu entre le créancier et l'emprunteur, durée qui va en général de un an à cinq ans selon la nature de l'emprunt (*voir les tables financières présentées à l'annexe A*).

6.2.1 L'intérêt simple et l'intérêt composé

L'intérêt simple est calculé en fonction du capital, sans tenir compte des intérêts accumulés.

EXEMPLE

Prenons un placement garanti de 2 000 $ au taux annuel de 12 %. Quelle sera sa valeur, avant impôts, dans deux ans, si l'intérêt perçu est simple? Les intérêts annuels seront de 240 $ (2 000 $ × 12 %); après deux ans, la valeur capitalisée sera de 2 480 $ (2 000 $ + 240 $ + 240 $).

L'intérêt est composé lorsqu'on le calcule non seulement sur le capital, mais sur les intérêts accumulés au cours des périodes précédentes. En d'autres mots, il s'agit de l'intérêt perçu sur les intérêts accumulés et ajoutés au capital.

EXEMPLE

Reprenons le placement garanti de 2 000 $, en supposant cette fois que l'intérêt est composé. La deuxième année, le taux de 12 % s'applique sur le capital et sur les intérêts de l'année précédente (2 000 $ + 240 $ = 2 240 $). On obtient donc des intérêts de 268,80 $ (2 240 $ × 12 %), pour un total de 2 508,80 $ (2 240 $ + 268,80 $) après 2 ans.

6.2.2 Le taux d'intérêt nominal et le taux d'intérêt effectif

Le taux d'intérêt nominal est un taux annuel qui se capitalise plusieurs fois par année. Un prêt de 1 000 $ à 8 %, amortissable sur 5 ans, n'entraîne pas les mêmes paiements mensuels si on les calcule à l'aide de la table I (20,28 $) ou de la table II (20,21 $), car les périodes de capitalisation diffèrent.

Les tables I et II présentent donc des taux nominaux. Dans le cas d'un prêt personnel (table I), le taux se capitalise tous les mois, ou 12 fois par année; dans le cas d'un prêt hypothécaire (table II), le taux se capitalise tous les 6 mois ou 2 fois par année.

Le taux d'intérêt effectif est le taux réel, soit le taux qui ne se capitalise qu'une fois par année. En d'autres termes, le taux d'intérêt effectif produit une valeur identique à celle qui est obtenue lorsqu'il n'y a qu'une seule capitalisation par année. Si vous achetez une obligation d'épargne de 500 $ au taux d'intérêt de 5 %, il s'agit du taux effectif, ou réel. À la fin de l'année, vous obtiendrez un capital équivalant à 525 $,

Avant de commencer à utiliser la calculatrice, nous vous suggérons fortement de vous familiariser avec la signification des touches en lisant les cinq premières pages du *Guide d'utilisation* de l'AMF.

Ce guide contient également des exercices d'autoévaluation. Il est bon de les consulter au fur et à mesure que nous abordons les divers concepts de ce chapitre. Leur ordre de présentation est différent, mais ce sera facile de vous y retrouver.

soit 500 $ + (5 % × 500 $). La capitalisation de l'intérêt sera donc annuelle. Il en va de même de l'achat de certificats de placement garanti. Toutes les tables de l'annexe A, à l'exception des tables I et II, sont basées sur des taux effectifs ou réels.

6.3 Les calculs relatifs aux taux d'intérêt sur les emprunts

Nous examinerons les calculs relatifs au prêt personnel et au prêt hypothécaire. Ces prêts comportent en général des intérêts composés et des taux d'intérêt nominal, lesquels se capitalisent plusieurs fois par année.

6.3.1 Le prêt personnel

EXEMPLE

Vous désirez acheter une automobile coûtant 15 000 $. Le concessionnaire vous offre une remise de 3 000 $ pour votre ancienne voiture et un financement à 12 % pendant 4 ans pour le solde de 12 000 $.

a) Selon la table I, « Les versements mensuels pour un prêt personnel de 1 000 $ (capitalisation mensuelle) », le paiement mensuel serait de 315,96 $, soit 26,33 $[1] × 12 pour 12 000 $. La plupart des établissements financiers calculent les intérêts à partir de la date du prêt, mais le versement n'est généralement exigé qu'à la fin de la période mensuelle.

b) Selon la calculatrice, il faut entrer la séquence suivante :

CE/C > 2ND > CLR TVM		
2ND > P/Y > 12 > ENTER	12	Versements mensuels
CE/C > CE/C	0	
4 > 2ND > xP/Y > N	48	Nombre de mensualités sur 4 ans
12 > I/Y	12	Taux d'intérêt nominal
12 000 > +/− > PV	−12 000	Montant du prêt
CPT[2] > PMT	316,01	Montant des mensualités

Source : Pour cette séquence d'entrées, consultez le *Guide d'utilisation de la calculatrice* de l'AMF (2007), p. 8.

Les mensualités nécessaires pour rembourser ce prêt en 4 ans sont donc de 316,01 $.

---

(1) Les versements mensuels sont toujours exprimés en dollars et en cents.

(2) CPT signifie « Compute », ou « Calculer ».

6.3.2 La période de capitalisation

Nous avons déjà abordé la période de capitalisation à la section 6.2. Elle correspondait à l'intervalle de temps entre deux capitalisations consécutives. Dans l'exemple du prêt automobile présenté plus haut, les versements mensuels (P/Y, pour *Payments per year*) correspondaient exactement aux périodes de capitalisation (C/Y, pour *Compounding periods per year*). Ce n'est pas le cas dans l'exemple qui suit, portant sur les prêts hypothécaires, où l'on trouve 12 (PY) versements par année, mais seulement 2 (C/Y) périodes de capitalisation par année. Par conséquent, avant d'aborder la sous-section 6.3.3, nous vous recommandons de consulter le *Guide d'utilisation* de l'AMF (2007, p. 3) pour vous familiariser avec les fonctions P/Y et C/Y. L'exemple qui y est présenté vous permettra de mieux comprendre celui qui suit, portant sur le prêt hypothécaire.

6.3.3 Le prêt hypothécaire

EXEMPLE

Vous désirez acheter une maison coûtant 150 000 $. Vous versez 50 000 $ comptant et négociez une hypothèque de 100 000 $ au taux de 7 %, amortissable sur 20 ans.

a) Selon la table II, « Les versements mensuels pour un prêt hypothécaire de 1 000 $ (capitalisation semestrielle) », le paiement mensuel sera de 769 $, soit 7,69 $ × 100 pour 100 000 $.

b) Selon la calculatrice, il faut entrer la séquence suivante :

CE/C > 2ND > CLR TVM		
2ND > P/Y > 12 > ENTER	12	
↓ > 2 > ENTER	2	Pour C/Y
CE/C > CE/C		
20 > 2ND > xP/Y > N	240[1]	
7 > I/Y	7	
100 000 > +/− > PV	−100 000	(Montant du prêt)
CPT > PMT	769.31 $	

Source : Pour cette séquence d'entrées, consultez le *Guide d'utilisation de la calculatrice* de l'AMF (2007), p. 9.

Pour connaître le solde du capital restant après avoir effectué un certain nombre de versements, par exemple pour le solde après 5 ans, ou 60 versements.

Après avoir obtenu le PMT précédent de 769,31 $:

5 > 2ND > xP/Y > N	60	ou Entrer directement 60 > N
CPT FV	86 124.95 $	Solde après 5 ans

Source : Pour cette séquence d'entrées, consultez le *Guide d'utilisation de la calculatrice* de l'AMF (2007), p. 10. (Notez que le *Guide* de l'AMF indique deux façons de déterminer ce solde.)

---

(1) On pourrait aussi entrer directement 240 > N.

Vous aurez sûrement remarqué dans l'exemple ci-dessus que l'hypothèque de 100 000 $ affiche un solde de 86 124,95 $ après 5 ans ou 60 versements de 769,31 $. En d'autres mots, vous avez remboursé 769,31 $ × 60, donc 46 158,60 $, mais le solde de votre capital n'a diminué que de 13 875,05 $ (100 000 $ − 86 124,95 $), et ce, malgré l'uniformité des remboursements. Pourquoi cette différence ? La réponse réside dans le fait que les premiers versements hypothécaires comprennent un gros montant d'intérêts, alors que les derniers versements ne représentent que le capital. Cette relation est illustrée dans la figure 6.1. Le message est clair : il est important, dans la plupart des cas, de rembourser l'hypothèque dans un délai raisonnable, par exemple 20 ans (ou moins) au lieu de 25 ans ou 30 ans. La section qui suit aborde ce dilemme.

FIGURE 6.1 **La relation entre le remboursement du capital et les intérêts payés sur un prêt hypothécaire**

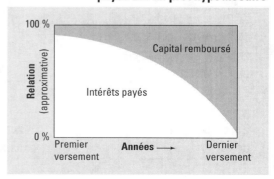

6.3.4 **Le nombre d'années d'amortissement**

Nous avons défini le concept d'amortissement à la section 6.2, mais il faut aussi savoir que la période d'amortissement correspond au nombre d'années nécessaires au remboursement total du capital et des intérêts.

Une question importante se pose au sujet du remboursement de l'hypothèque. Est-il avantageux de réduire la période d'amortissement de 25 ans à 20 ans ?

EXEMPLE

Une hypothèque de 50 000 $ à 7 % sur 25 ans représente des paiements mensuels (en 300 versements) de 350 $ (*voir la table II*) ou de 350,21 $ (si l'on se sert de la calculatrice). Nous n'utilisons 350 $ (à 1 $ près) que pour simplifier la démonstration, car les dollars et les cents doivent toujours être employés.

Les intérêts payés en 25 ans seraient de : 350 $ × 300 = 105 000 $ − 50 000 $ = 55 000 $.

Si l'on réduisait la période d'amortissement de 25 à 20 ans, on aurait :

a) selon la table II : 7,69 $ × 50 = 384,50 $;

b) avec la calculatrice : 384.66 $.

Utilisons encore ici 385,00 $ (à 1 $ près) pour simplifier les calculs.

Les intérêts payés en 20 ans seraient de : 385 $ × 240 = 92 400 $ − 50 000 $ = 42 400 $, pour une économie de 55 000 $ − 42 400 $ = 12 600 $. Cette économie est énorme. Donc, pour un versement mensuel correspondant à un peu plus de 1 $ par jour (385 $ − 350 $ = 35 $), vous économisez 12 600 $ en 20 ans. Cette stratégie est très intéressante. Dès lors, s'il faut prêter attention aux versements mensuels que l'on peut financièrement se permettre, il faut aussi s'attarder au nombre d'années d'amortissement du prêt hypothécaire, dans le but d'atteindre l'indépendance financière le plus rapidement possible.

6.4 **La valeur finale d'un placement**

La table III, « La valeur finale d'un capital de 1 000 $ placé à intérêt composé annuellement », présente le facteur de multiplication.

EXEMPLE

Prenons le cas d'un placement garanti de 2 000 $ à 4 % sur 2 ans :

a) Selon la table III : Pour 1 000 $ de capital investi, la table III donne un facteur de 1 081,60 $. Il suffit de multiplier la mise de fonds en dollars, donc 2 pour 2 000 $, par ce facteur afin de trouver la valeur finale de 2 163,20 $;

b) Avec la calculatrice, il faut entrer la séquence suivante :

CE/C > 2ND > CLR TVM	
2ND > P/Y > 1 > ENTER	1
CE/C > CE/C	
2 > N	2
4 > I/Y	4
2 000 > +/− > PV	−2 000
CPT > FV	2 163.20

L'intérêt composé, de 4 % dans l'exemple précédent, peut être calculé selon la séquence suivante :

CE/C > 2ND > CLR TVM	
2ND > P/Y > 1 > ENTER	1
CE/C > CE/C	
2 > N	2
2000 > +/− > PV	−2000
2 163.20 > FV	2 163.20
CPT > I/Y	4

Source : Pour cette séquence d'entrées, consultez le *Guide d'utilisation de la calculatrice* de l'AMF (2007), p. 6.

EXEMPLE

Prenons le cas d'un placement garanti de 2 000 $ à 4 % sur 2 ans, comme dans l'exemple précédent mais cette fois avec un taux de 4 % composé semi-annuellement.

a) ▦ Selon la table III, il faut convertir le taux annuel de 4 % en taux périodique (semestriel) de 2 %. Le nombre de périodes passe donc de deux (2 ans) à quatre (4 semestres). Le facteur de multiplication devient 1 082,43, donc 1 082,43 $ × 2 (pour 2 000 $) = 2 164,86 $;

b) ▦ Avec la calculatrice, il faut entrer la séquence suivante :

CE/C > 2ND > CLR TVM	
2ND > P/Y > 2 > ENTER	2
CE/C > CE/C	
2 > 2ND > xP/Y > N	4
4 > I/Y	4
2 000 > +/− > PV	−2 000
CPT > FV	2 164.86

Source : Pour cette séquence d'entrées, consultez le *Guide d'utilisation de la calculatrice* de l'AMF (2007), p. 6.

Vous remarquerez par ailleurs que si le taux d'intérêt était de 5 % composé semi-annuellement, le taux périodique serait de 2,5 %. Vous constaterez les difficultés présentées par la table III ; l'interpolation entre 2 % et 3 % est imprécise parce que les facteurs suivent une courbe exponentielle, d'où l'utilité de la calculatrice.

La table III est axée sur la valeur finale du capital, mais elle permet aussi d'évaluer les revenus et le coût de la vie future tout en tenant compte de l'inflation. Le taux d'inflation devient l'équivalent du taux d'intérêt de la table.

EXEMPLE

Si les revenus d'un cadre d'entreprise étaient de 100 000 $ en 2005, 5 ans plus tard (en 2010), si le taux d'inflation est de 2 % et si l'on présume que ses revenus suivent l'inflation, ces derniers seraient de 110 408 $ (1 104,08 $ × 100).

6.4.1 La règle du 72

Très approximative, la règle du 72 permet de calculer la durée permettant de doubler la mise de fonds initiale au taux d'intérêt composé. Il suffit de diviser 72 par ce taux d'intérêt. Ainsi, au taux de 6 %, on met approximativement 12 ans à doubler le capital (72 divisé par 6). On peut vérifier cette règle en se reportant à la table III ou encore en utilisant une calculatrice financière.

6.5 La valeur actualisée d'un capital futur

Quelle somme doit-on investir aujourd'hui pour obtenir un capital déterminé dans un certain nombre d'années ? Pour trouver la réponse, il faut faire le processus inverse de celui qui est décrit à la table III.

EXEMPLE

Vous désirez obtenir exactement 5 000 $ dans 5 ans. On vous offre un placement garanti de 5 %. Quelle mise de fonds devez-vous investir aujourd'hui ?

a) ▦ Selon la table IV, « La valeur actualisée d'un capital de 1 000 $ placé à intérêt composé annuellement », le facteur d'actualisation est de 783,53, ce qui signifie que vous devez investir 783,53 $ aujourd'hui au taux annuel de 5 % pour obtenir 1 000 $ dans 5 ans. Pour obtenir 5 000 $, vous devrez investir 783,53 $ × 5 (pour 5 000 $) pour obtenir 3 917,65 $ par année ;

b) ▦ Avec la calculatrice, il faut entrer la séquence suivante :

CE/C > 2ND > CLR TVM	
2ND > P/Y > 1 > ENTER	1
CE/C > CE/C	
5 > N	5
5 > I/Y	5
5 000 > FV	5 000
CPT > PV	−3 917.63

6.6 L'annuité

L'annuité (en anglais, *annuity*) est un ensemble de versements effectués à intervalles réguliers (par exemple, tous les mois ou tous les ans). Ces versements sont effectués soit pour payer une dette, soit pour faire un placement. La périodicité des versements caractérise l'annuité. Le versement lui-même, c'est-à-dire le montant du paiement mensuel effectué pour rembourser le prêt, est appelé « terme » (à ne pas confondre avec le terme d'un prêt personnel, qui correspond à la durée du contrat conclu entre le créancier et l'emprunteur).

L'annuité est dite simple si la période de paiement coïncide avec la période de capitalisation. La majorité des prêts personnels sont des annuités simples, car ils sont remboursés et capitalisés mensuellement. L'annuité est dite générale si la période de paiement n'est pas égale à la période de capitalisation. Par exemple, les prêts hypothécaires sont habituellement des annuités générales, car ils sont remboursés mensuellement, mais capitalisés semestriellement.

L'annuité est qualifiée de constante (ou fixe) quand tous les termes sont égaux entre eux ; dans le cas où ils ne le sont pas, l'annuité est qualifiée de variable.

Le remboursement d'un prêt personnel ou d'une hypothèque est une annuité constante. En effet, le paiement mensuel est le même durant tout le terme hypothécaire. Par ailleurs, les annuités à progression géométrique, que nous aborderons plus loin dans ce chapitre (*voir la section 6.7*), sont essentiellement des annuités variables.

Les sous-sections qui suivent (*voir les sous-sections 6.6.1 à 6.6.4*) traitent des annuités constantes, donc fixes.

6.6.1 La valeur finale d'une somme investie tous les ans (capitalisation annuelle)

Deux approches caractérisent l'investissement annuel, soit l'investissement en fin de période (fin d'année) ou l'investissement en début de période (début d'année).

EXEMPLE

Investissement de fin de période

Vous investissez tous les ans, en fin d'année, 1 500 $ dans un portefeuille à capitalisation annuelle. Quelle sera la valeur finale de votre portefeuille[1] dans 10 ans si vous prévoyez un rendement de 8 % ?

a) Selon la table V, « La valeur finale d'une annuité annuelle de 1 000 $ (en fin de période) », le facteur d'accumulation est de 14 486,56. Il suffit donc de multiplier la mise de fonds annuelle par ce facteur pour déterminer la valeur finale, soit 21 729,84 $ (14 486,56 × 1,5 pour 1 500 $).

b) Avec la calculatrice, il faut entrer la séquence suivante :

CE/C > 2ND > CLR TVM	
2ND > P/Y > 1 > ENTER	1
CE/C > CE/C	
1 500 > +/− > PMT	−1 500
10 > N	10
8 > I/Y	8
CPT > FV	21 729.84 $ ou 21 700 $ (valeur arrondie à 100 $ près)

Source : Pour cette séquence d'entrées, consultez le *Guide d'utilisation de la calculatrice* de l'AMF (2007), p. 7.

Donc, si une personne investit 1 500 $ par année (en fin d'année) pendant 10 ans au taux de 8 %, elle obtiendra la rondelette somme de 21 729,84 $ (sans tenir compte de l'impôt à payer). D'un point de vue pratique (en discutant avec le client), le planificateur financier peut parfois utiliser le montant de 21 700 $ (arrondi à 100 $ près), selon l'objectif qu'il poursuit. Nous verrons dans le module « Retraite » que l'on vise parfois des capitaux assez élevés pour la retraite ; ces capitaux seront donc arrondis à 100 $ près. Pour arrondir à 100 $ près, la règle est la suivante : à 50 $ et plus, on arrondit aux 100 $ supérieurs, et à moins de 50 $, on arrondit aux 100 $ inférieurs. Les exercices proposés à la fin de ce chapitre donnent des directives précises à cet égard.

---

(1) L'impôt à payer n'est pas pris en compte dans cet exemple.

EXEMPLE

Reprenons l'exemple précédent, mais dans le cas d'un investissement effectué en début de période.

a) Nous n'avons pas inclus de table pour les placements effectués en début de période, car il est très facile de trouver la valeur finale de tels placements : il suffit de multiplier la valeur finale d'une annuité en fin de période par (1 + taux de rendement exprimé en fractions décimales).

Par exemple, la réponse précédente, 21 729,84 $, correspondait à un investissement effectué en fin de période. Pour un investissement effectué en début de période, le capital de 21 729,84 $ est multiplié par 1,08 (1 + 0,08 %), ce qui donne 23 468,23 $. Ce montant est la valeur finale du placement effectué en début de période ; il est donc capitalisé annuellement.

b) ▦ Avec la calculatrice, il faut entrer la séquence suivante:

CE/C > 2ND > CLR > TVM	
2ND > BGN > 2ND > SET	
2ND > P/Y > 1 > ENTER	1
CE/C > CE/C	
1 500 > +/− > PMT	−1 500
10 > N	10
8 > I/Y	8
CPT > FV	23 468.23

Source: Pour cette séquence d'entrées, consultez le *Guide d'utilisation de la calculatrice* de l'AMF (2007), p. 7.

Ces deux approches produisent donc le même résultat, soit 23 468,23$ ou 23 500$ (à 100$ près).

6.6.2 Le montant à investir annuellement pour obtenir un capital déterminé

Si l'on veut calculer le montant de l'annuité, en d'autres mots la somme à investir régulièrement pour obtenir le capital désiré, on doit employer la démarche de l'exemple précédent, mais en l'inversant.

EXEMPLE

Si l'on veut obtenir dans 10 ans la somme de 21 729,84$[1], combien doit-on investir tous les ans si le taux d'intérêt est de 8%? Vous connaissez déjà la réponse: 1 500$.

a) ▦ Selon la table VI, «La valeur d'une annuité annuelle pour accumuler un capital de 1 000$ (en fin de période)», le facteur d'actualisation est de 69,03. Donc, 21 729,84 × 69,03 = 1 500$ (à 100$ près).

Pour les sommes investies en début de période, il suffit de diviser par (1 + taux d'intérêt exprimé en fraction décimale), soit 1,08 pour obtenir 1 400$ (à 100$ près) au lieu de 1 500$.

b) ▦ Avec la calculatrice, il faut entrer la séquence suivante:

CE/C > 2ND > CLR	
2ND > P/Y > 1 > ENTER	1
CE/C > CE/C	
10 > N	10
8 > I/Y	8
21 700 > FV	21 700
CPT > PMT	1 500$ (à 100$ près)

Nous utilisons 21 700 $ pour faire ce calcul en arrondissant à 100 $ près.

Il est possible de refaire l'opération en BGN pour trouver 1 400$ (à 100$ près).

---
(1) L'impôt à payer n'est pas pris en compte ici non plus.

6.6.3 Le capital nécessaire pour produire un revenu déterminé à la retraite

Pour produire des revenus annuels égaux pendant un certain nombre d'années, il faut déterminer le capital nécessaire. Par exemple, quel capital investi à 10 % est nécessaire pour maintenir un coût de la vie annuel de 25 000 $ pendant 5 ans ? Il est important de souligner que le capital s'annule en cinq ans et que les revenus ne sont pas protégés de l'inflation, c'est-à-dire qu'ils ne sont pas indexés à l'inflation.

On alimente le coût de la vie annuel avec un revenu après impôts. Par conséquent, on utilisera ici un taux d'intérêt après impôts. Si le taux d'imposition est de 30 %, il est nécessaire d'ajuster le taux de rendement pour obtenir un taux après impôts de 7 % :

- Intérêt avant impôts : 10 % ;
- Moins impôts (30 % × 10 %) : 3 % ;
- Intérêt net (ou après impôts) : 7 %.

EXEMPLE

a) 🔲 Selon la table VII, « La valeur du capital produisant un revenu[1] de 1 000 $ à la fin de chaque année (capitalisation annuelle) », le facteur d'actualisation serait de 4 100,20 (7 %, 5 ans) et la capitalisation nécessaire, de 102 505 $ (25 × 4 100,20 $) ou 102 500 $ (à 100 $ près) La capitalisation serait de 109 680,35 $ (102 505 $ × 1,07) pour des revenus versés en début d'année. Encore ici, on peut utiliser 109 700 $ (à 100 $ près), selon l'objectif poursuivi ;

b) 🔲 Avec la calculatrice, il faut entrer la séquence suivante :

CE/C > 2ND > CLR TVM	
2ND > P/Y > 1 > ENTER	1
CE/C > CE/C	
25 000 > +/− > PMT	−25 000
5 > N	5
7 > I/Y	7
CPT > PV	102 504.94 ou 102 500 $ (à 100 $ près)

Il suffirait d'entrer BGN en guise de début de période pour déterminer le capital PV = 109 680,28 $ ou 109 700 $ (à 100 $ près).

---

(1) Par revenu, nous entendons l'encaissement annuel composé d'une portion du capital et du rendement sur ce capital. Il s'agit donc s'une annuité annuelle.

EXEMPLE

Une personne veut prendre sa retraite et évaluer la capitalisation nécessaire pour vivre de 60 à 80 ans en ayant un revenu de 50 000 $ par année, et ce, à partir de l'âge de 61 ans (il faut noter que le coût de la vie de 50 000 $ par année est assuré par un revenu après impôts). Quel est le montant de capital nécessaire, investi au taux de 10 %, pour arriver à maintenir un coût de la vie de 5 000 $ par année pendant 20 ans ?

Pour un coût de la vie annuel de 50 000 $, on estime que le taux d'imposition serait approximativement de 40 %. Le rendement après impôts serait alors de 6 % (10 % − [40 % × 10 %]).

▶ Notez que le terme « revenu » utilisé dans les tables VII, VIII et XI représente l'encaissement annuel composé d'une portion de capital et du rendement sur ce capital. Il s'agit donc d'une annuité annuelle.

a) 🪟 Selon la table VII, le capital nécessaire pour obtenir un revenu de 1 000 $ par année est de 11 469,92 $. Pour un revenu de 50 000 $, il faut multiplier par 50 ; un montant de 573 496 $ ou 573 500 $ (à 100 $ près) est donc requis pour atteindre l'objectif de départ. Si la personne possède cette somme, elle peut effectivement prendre sa retraite à 60 ans. Cependant, il faut noter qu'aucun revenu n'est prévu au-delà de 80 ans, car le capital sera alors épuisé.

b) 🖩 Avec la calculatrice, il faut entrer la séquence suivante :

CE/C > 2ND > CLR TVM	
2ND > P/Y > 1 > ENTER	1
CE/C > CE/C	
50 000 > +/− > PMT	−50 000
20 > N	20
6 > I/Y	6
CPT > PV	573 496.06 $ ou 573 500 $ (à 100 $ près)

Il suffirait d'entrer BGN en guise de début de période pour déterminer le capital PV = 607 905,82 $ ou 607 900 $ (à 100 $ près). Remarquez que le montant de 573 500 $ en a) devient aussi 607 900 $ (à 100 $ près) si on le multiplie par 1,06.

6.6.4 Le revenu annuel nécessaire pour amortir un capital

Si vous possédez un capital de 102 500 $, investi au taux de 10 % avant impôts ou à celui de 7 % après impôts, quel revenu (arrondi à 100 $ près) pourrez-vous recevoir durant 5 ans ? Bien sûr, vous connaissez déjà la réponse : 25 000 $ (*voir la sous-section 6.6.3*).

EXEMPLE

a) 🪟 Selon la table VIII, « La valeur du revenu annuel pour amortir un capital de 1 000 $ (en fin de période) », pour 7 % et $n = 5$ ans, on trouve le facteur de recouvrement du capital 243,89. Donc, 102,500 (pour 102 500) × 243,89 = 25 000 $ (valeur arrondie à 100 $ près).

On constate ici aussi que la table VII est la réciproque de la table VIII, et inversement.

b) 🖩 Avec la calculatrice, il faut entrer la séquence suivante :

CE/C > 2ND > CLR TVM	
2ND > P/Y > 1 > ENTER	1
CE/C > CE/C	
102 500 +/− > PV	−102 500
5 > N	5
7 > I/Y	7
CPT > PMT	25 000 $ (à 100 $ près)

6.7 L'annuité à progression géométrique

L'annuité à progression géométrique (aussi appelée « annuité en progression géométrique » ou encore « annuité en croissance ») est une annuité dont un terme quelconque est égal au précédent multiplié par un nombre constant appelé « raison » de la progression. Pour le planificateur financier, la raison correspond à l'inflation. Les annuités à progression géométrique sont en quelque sorte des annuités constantes indexées annuellement sur le taux d'inflation. Ce type d'annuité offre au planificateur financier et au client une approche plus réaliste de certains calculs et de certaines situations.

Les tables IX, X, XI et XII concernent les annuités à progression géométrique. Il y a 8 tables en tout, car chaque table est offerte avec une inflation de 3 % et une autre de 4 %.

6.7.1 La valeur finale d'une somme investie tous les ans et majorée annuellement du taux d'inflation

À partir de l'investissement effectué en fin de période, il est possible de connaître la valeur finale d'une série de versements majorée annuellement du taux d'inflation en utilisant les tables IX.A et IX.B « La valeur finale d'une annuité de 1 000 $ en versement initial, effectué en fin de période, majoré annuellement de l'inflation ».

EXEMPLE

Prenons un investissement, effectué pendant 3 ans, de 1 000 $ par année au taux d'intérêt de 10 %, majoré annuellement du taux d'inflation de 4 %. Selon la table IX.B (4 % d'inflation), la valeur finale de l'argent investi est de 3 436 $. Revoyons le calcul pour bien comprendre le mécanisme :

Capital	1re année (fin)		1 000 $
Capital	2e année (fin)	(1 000 $ × 1,04)	1 040 $
Intérêt	2e année (fin)	(1 000 $ × 0,10)	100 $
Capital	3e année (fin)	(1 040 $ × 1,04)	1 082 $[1]
Intérêt	3e année (fin)	(2 140 $ × 0,10)	214 $
TOTAL			3 436 $

---

(1) Valeur arrondie à 1 $ près.

Dans le cas d'une annuité à progression géométrique, il est nécessaire de déterminer la raison, c'est-à-dire l'inflation qui majore continuellement (tous les ans) la mise de fonds initiale.

Pour des versements effectués en début de période, il suffit de multiplier le facteur « 3 436 » de la table IX.B (4 % d'inflation) par l'ajustement du taux d'intérêt, soit 1,10 (1 + taux d'intérêt exprimé en fractions décimales), ce qui donne 3 780 $ (valeur arrondie à 1 $ près).

6.7.2 La valeur du versement initial d'une annuité à progression géométrique (en fin de période)

L'objectif est d'évaluer le premier versement à partir duquel les versements suivants seront continuellement (tous les ans) majorés de l'inflation afin d'atteindre le capital déjà déterminé. Dans ce cas, il faut utiliser les tables X.A et X.B « La valeur du versement initial, effectué en fin de période, majorée annuellement de l'inflation permettant d'atteindre un capital de 10 000 $ ».

> **EXEMPLE**
>
> Pour obtenir un capital de 34 360 $ en 3 ans quand l'inflation est de 4 % et le taux de rendement, de 10 %, il faut commencer par une mise de fonds initiale de 10 000 $ par année, soit 2911 (facteur à la table X.B (4 % d'inflation)) × 3,436 (pour 34 360 $) = 10 000 $ (valeur arrondie à 100 $ près). Par la suite, les mises de fonds seront majorées annuellement du taux d'inflation.

6.7.3 Le capital nécessaire à la retraite

Les tables XI.A et XI.B, « Le capital nécessaire pour produire un revenu annuel de 10 000 $ par année, encaissé en fin de période majoré annuellement de l'inflation (en fin de période) » présentent le capital de retraite permettant de toucher des prestations qui augmenteront annuellement selon le taux d'inflation, et ce, jusqu'à ce que le solde du capital devienne nul.

> **EXEMPLE**
>
> Reprenons l'exemple des pages 107-108. Cette personne veut maintenant prendre sa retraite et désire connaître la capitalisation nécessaire pour vivre de 60 à 80 ans en ayant un revenu de 50 000 $ par année, cette fois majoré de l'inflation à partir de l'âge de 61 ans (il faut noter que le coût de la vie de 50 000 $ par année est soutenu par un revenu après impôts). Quel capital doit-elle investir au taux de 10 % pour arriver à maintenir un coût de la vie de 50 000 $ par année pendant 20 ans si le taux d'inflation est de 4 % ?
>
> Pour un coût de vie annuel de 50 000 $, on estime que le taux d'imposition est approximativement de 40 %. Le rendement après impôts est alors de 6 % (10 % − [40 % × 10 %]).
>
> La table XI.B (4 % d'inflation), précise le capital nécessaire pour obtenir un revenu de 10 000 $ par année : 158 398 $. Pour un revenu de 50 000 $, il faut multiplier par 5 ; un montant de 791 995 $ ou 792 000 $ (à 100 $ près) est donc requis pour atteindre l'objectif de départ. Soulignons cependant qu'aucun revenu n'est prévu au-delà de 80 ans, car le capital sera dès lors épuisé.
>
> Comparez cette somme avec les 573 500 $ obtenus avec les annuités constantes (*voir l'exemple des pages 107-108*).

6.7.4 La valeur du premier encaissement en revenu annuel

La table XII.B (4 % d'inflation), « La valeur du premier encaissement, effectué en fin de période, majoré annuellement de l'inflation, pour amortir un capital de 10 000 $ », permet de trouver le montant de 50 000 $ de l'exemple précédent. En utilisant un taux de rendement de 6 %, 20 ans et un capital de 792 000 $, on obtient un facteur de 631 ; 631 × 79,2 (pour 792 000 $) donne 50 000 $ (à 100 $ près).

6.8 L'annuité à progression géométrique selon l'approche du taux corrigé

L'approche du taux corrigé décrite ci-dessous donne des résultats très semblables à ceux que l'on obtient quand on utilise les annuités en croissance. C'est un compromis intéressant qui permet au planificateur financier d'utiliser la calculatrice financière.

EXEMPLE

Reprenons l'exemple des pages 107-108.

Cette personne avait besoin d'un capital de 573 500 $ pour maintenir un coût de la vie de 50 000 $ pendant 20 ans, soit de 60 à 80 ans. Dans la sous-section 6.7.3, nous avons repris cet exemple, mais utilisé des annuités en croissance et une inflation de 4 %. La capitalisation requise était alors de 792 000 $.

Cette personne veut toujours prendre sa retraite et évaluer la capitalisation nécessaire pour vivre de 60 à 80 ans en ayant un revenu de 50 000 $ par année, majoré de l'inflation de 4 %, et ce, à partir de l'âge de 61 ans (il faut noter que le coût de la vie de 50 000 $ par année est soutenu par un revenu après impôts). Quel capital doit-elle investir, au taux de 6 % après impôts, pour arriver à maintenir un coût de la vie de 50 000 $ par année pendant 20 ans si le taux d'inflation est de 4 % ? Cette fois, utilisons l'approche du taux corrigé.

L'approche du taux corrigé est mathématiquement semblable à celle du rendement réel expliquée à la section 4.4. En utilisant un rendement après impôts de 6 % et 4 % d'inflation (*voir la sous-section 6.7.3*), on obtient les résultats suivants :

- Méthode pratique : 6 % − 4 % = 2 %

Selon la table VII, pour un rendement de 2 % sur 20 ans, le facteur est de 16 351,43 ou de 16 351,43 × 50 = 817 571,50 $ ou 817 600 $ (à 100 $ près).

Avec la calculatrice, on obtient 817 571,67 $ (PV) ou 817 600 $ (à 100 $ près).

Les capitalisations obtenues diffèrent donc. Avec les annuités constantes, la capitalisation est de 573 500 $ (*voir la table VII et la sous-section 6.6.3*) et atteint 792 000 $ avec les annuités en croissance (*voir la table XI et la sous-section 6.7.3*). Avec l'approche du taux corrigé (ou la méthode pratique), la capitalisation nécessaire est de 817 600 $.

Il nous reste à regarder l'approche du taux corrigé, mais selon la méthode théorique.

- Méthode théorique : $\dfrac{1 + 0,06}{1 + 0,04} - 1 = 1,923\ldots\%$

La capitalisation obtenue est cette fois de 823 673,36 $ ou 823 700 $ (à 100 $ près).

Cette approche du taux corrigé diffère des annuités à progression géométrique, mais représente un compromis valable même si le résultat est approximatif. Elle fait partie des logiciels qu'emploient certains grands établissements financiers pour les clients plus fortunés. Elle offre également aux conseillers financiers la possibilité de se servir de leur calculatrice financière.

Conclusion

Aujourd'hui, les grands établissements financiers utilisent des logiciels sophistiqués pour la planification financière. En général, les conseillers savent également comment manipuler la calculatrice financière. Il demeure que pour les cours d'introduction à la planification financière personnelle et d'un point de vue strictement pédagogique, les tables financières permettent de bien visualiser la situation financière du client et, en ce sens, demeurent un précieux outil d'apprentissage pour l'étudiant qui s'oriente vers la profession de planificateur financier.

Les problèmes du dossier 6.1, « Le cas des Belledent », vous permettent d'utiliser certaines tables financières et de vous initier au monde de la planification financière. Les solutions à ces problèmes se trouvent à la fin du dossier. Ce dossier n'aborde que la gestion budgétaire, car les chapitres de la partie III vous permettront de vous familiariser avec les concepts de retraite et d'assurance, notamment.

MÉDIAGRAPHIE

Page 97
Autorité des marchés financiers, www. lautorite.qc.ca/ via Section pour les professionnels et les futurs professionnels de l'industrie > Publications > Futurs professionnels > Guides > Guide d'utilisation de la calculatrice

Page 98
Hautes Études Commerciales (HEC), www.hec.ca via le moteur de recherche « Calculatrice financière » > HEC – CAM : Sites Internet intéressants > HEC Centre d'aide en mathématiques > Guide de la calculatrice TI BA II Plus (calculatrice financière recommandée)

Références
Autorité des marchés financiers (2007). *Guide d'utilisation : Calculatrice Texas BA II Plus*. Montréal, Québec : Autorité des marchés financiers.

QUESTIONS DE RÉVISION

1. Qu'est-ce que l'intérêt ?

2. Quelle est la différence majeure entre les taux pour les prêts personnels et les taux pour les prêts hypothécaires ?

3. Qu'entend-on par l'« amortissement », la « période d'amortissement » et le « terme » d'un prêt hypothécaire ?

4. Qu'entend-on par « taux d'intérêt nominal » ?

5. Que signifie l'expression « capitalisation des intérêts » ?

6. Quelle est la différence fondamentale entre le taux effectif, ou réel, et le taux nominal ? Dans quelles conditions ces deux taux sont-ils égaux ?

7. Faites la distinction entre une annuité constante et une annuité variable.

8. Que veut-on dire par « annuité en début de période » et « annuité en fin de période » ?

9. On désire amasser le capital nécessaire pour arriver à maintenir un certain coût de la vie durant un nombre d'années déterminé. Pour y arriver, on investira tous les ans une certaine somme d'argent fixe. Comment se nomme ce type d'annuité ?

10. Qu'entend-on par « annuité à progression géométrique » ?

EXERCICES

Note: Les solutions à ces exercices sont présentées à la fin du chapitre. Toutefois, nous vous encourageons à résoudre les problèmes avant de consulter les solutions. Dans les exercices qui suivent, les taux d'inflation, d'intérêt et d'imposition ne sont pas nécessairement représentatifs de la réalité économique actuelle. Ils ne sont utilisés que dans un but pédagogique. Par exemple, lorsque l'on utilise un taux d'inflation de 6 % dans une question, l'objectif est de faire réaliser à l'étudiant l'effet dévastateur que peut avoir cette notion économique sur les salaires ou sur les denrées alimentaires, par exemple.

1. Quel est le rendement réel, en pourcentage et en dollars, d'un certificat de dépôt de 2 000 $ au taux d'intérêt composé de 10 % sur 2 ans si l'inflation est chaque année de 5 % ? Pour faire cet exercice, n'utilisez que les tables financières.

2. Vous empruntez 2 000 $ au taux de 10 % pour 2 ans. Quelle est la différence entre l'intérêt simple et l'intérêt composé à payer ? Pour faire cet exercice, n'utilisez que les tables financières.

3. Vous contractez un emprunt personnel de 2 000 $ au taux de 10 % pour 3 ans.

   a) Quel est le paiement mensuel ? Faites le calcul en vous servant de la table I, puis de la calculatrice.

   b) Quel est le solde du capital après deux ans ? (Utilisez la calculatrice.)

4. Une maison coûte 100 000 $. L'hypothèque, amortissable sur 25 ans, s'élève à 70 000 $ et porte intérêt au taux de 9 %.

   a) Quel sera le paiement mensuel ? (Faire le calcul en vous servant de la table II, puis de la calculatrice.)

   b) Quel sera le solde du capital après 60 paiements, ou 5 ans ? Utilisez la calculatrice.

   c) Si la période d'amortissement était réduite à 10 ans, quelle serait l'économie d'intérêts ? Utilisez la table II.

5. Vous avez gagné 25 000 $ cette année. Si l'inflation est constante à 6 % par année, combien devrez-vous gagner dans 25 ans simplement pour contrer l'inflation ? Pour faire cet exercice, utilisez les tables financières et la calculatrice. Arrondissez à 100 $ près.

6. Vous désirez investir 10 000 $ par année pendant 3 ans. On vous offre un taux d'intérêt de 5 %. Quel montant recevrez-vous après trois ans ? Utilisez les tables et la calculatrice. Arrondissez à 100 $ près.

7. Vous obtenez un prêt de 10 000 $ au taux de 12 % pour 5 ans. Il s'agit d'un prêt personnel remboursé et capitalisé mensuellement. Utilisez les tables et la calculatrice.

   a) Quel est le montant du versement mensuel ?

   b) Quel sera le montant total payé en intérêts ?

8. Vous désirez investir 2 000 $ et doubler votre mise de fonds en 12 ans. Quel taux d'intérêt devrait-on vous offrir ? Utilisez la règle du 72, la table, puis la calculatrice financière. Ne tenez pas compte de l'impôt.

9. Vous désirez acquérir une maison dans 5 ans et vous estimez que la somme de 12 900 $ suffira pour la mise de fonds. Vous possédez actuellement 8 000 $, que vous croyez pouvoir investir au taux de 8 %. Utilisez les tables financières et la calculatrice.

   a) Votre capital de 8 000 $ est-il suffisant ?

   b) À quel taux annuel devrez-vous l'investir pour obtenir les 12 900 $ nécessaires ? Ne tenez pas compte de l'impôt et arrondissez à 100 $ près.

10. Vous investissez tous les ans (annuités constantes) la somme de 2 000 $ au taux d'intérêt de 10 %. Vous prévoyez le faire pendant 15 ans. Utilisez les tables financières ainsi que la calculatrice et arrondissez toutes les réponses à 100 $ près.

    a) Quelle sera la valeur du capital accumulé dans 15 ans si l'investissement annuel est fait en fin de période ?

    b) Quelle sera la valeur du même capital si l'investissement annuel est fait en début de période ?

EXERCICES *(suite)*

11. Vous désirez acquérir une maison dans 5 ans, mais vous ne possédez pas de capital. Vous estimez avoir besoin de 15 000 $ et prévoyez un rendement après impôts de 7 %. Utilisez les tables financières ainsi que la calculatrice et arrondissez toutes vos réponses à 1 $ près. Effectuez les calculs en utilisant les tables et la calculatrice.

a) Quel montant devrez-vous investir chaque année pour effectuer un investissement en fin de période (annuités constantes)?

b) Quel montant devrez-vous investir chaque année pour effectuer un investissement en début de période?

12. Pour maintenir votre coût de la vie à la retraite, vous estimez qu'il vous faudra, dans 30 ans, 775 000 $ en capital. Répondez aux questions suivantes selon un rendement après impôts de 7 %. Arrondissez à 100 $ près.

N'utilisez que les tables financières pour faire ces calculs. Vous pouvez confirmer vos calculs en utilisant la calculatrice.

a) Quel devrait être le montant du versement annuel effectué en fin de période pour atteindre le capital désiré? Faites le calcul en vous servant d'annuités constantes.

b) Quel serait le montant du premier versement si vous utilisiez des annuités à progression géométrique et si l'inflation était de 4 %?

13. Un client âgé de 60 ans veut prendre sa retraite immédiatement et vous consulte en tant que conseiller financier. Il possède un capital de 500 000 $ qu'il peut investir au taux de 7 % après impôts. Il vous pose alors les questions qui suivent. Arrondissez à 100 $ près. Utilisez les tables et la calculatrice.

a) Quel serait son revenu annuel fixe (fin de période) s'il amortissait ce capital sur 20 ans?

b) Il vous fait savoir qu'il désire maintenir un coût de la vie fixe de 40 000 $ par année (fin de période) et vous demande quelle serait la capitalisation nécessaire. Il aimerait qu'elle soit moindre que son capital de 500 000 $ afin de pouvoir réaliser certains projets grâce au capital restant. Il vous suggère de considérer l'annulation du capital à l'âge de 80 ans.

14. L'un de vos clients âgé de 65 ans prend sa retraite et estime son coût de la vie à 40 000 $ par année (fin de période). Il souligne qu'il peut investir sans problème au taux de 10 % avant impôts. Arrondissez à 100 $ près.

a) Quel taux d'intérêt après impôts obtiendrait-il sur ses placements si l'on considère un taux d'imposition de 40 %? (Annuités constantes)

b) Quel serait le capital nécessaire pour qu'il arrive à maintenir son coût de la vie pendant 25 ans, si l'on considère un taux d'imposition de 40 %? (Annuités constantes)

c) Quel serait le capital nécessaire pour qu'il arrive à maintenir son coût de la vie? Ce client vous suggère les données suivantes: une inflation de 4 % et un revenu protégé pendant 25 ans. Il suggère aussi un taux de rendement après impôts de 6 %. (Annuités à progression géométrique)

SOLUTIONS AUX EXERCICES

Note: L'approche selon laquelle on utilise les tables financières est expliquée en détail. Seules les réponses pour la calculatrice sont offertes.

1. En ce sens, le rendement réel signifie « intérêt moins inflation ».

Donc, 10 % − 5 % = rendement réel de 5 %.

Par conséquent, 2 000 $ à 5 % sur 2 ans.

⊞ Selon la table III, 5 %, $n = 2$; facteur: 1 102,50.

1 102,50 × 2 (pour 2 000 $).

La valeur finale: 2 205 $.

Le rendement réel en pourcentage: 5 %.

Le rendement réel en dollars: 2 205 $ − 2 000 $ = 205 $.

2. L'intérêt simple de 200 $ par année × 2 = 400 $.

⊞ L'intérêt composé de 200 $ + (200 $ × 1,10) = 420 $; ou, selon la table III, 10 %, $n = 2$; 1 210 × 2 (pour 2 000 $) = 2 420 $.

Donc, différence entre l'intérêt composé et l'intérêt simple: 420 $ − 400 $ = 20 $. Avec l'intérêt composé, l'intérêt de 200 $ la première année produit un intérêt de 20 $ (10 % × 200 $).

3. a) 2 000 $ à 10 % pour 3 ans;

⊞ Selon la table I, le facteur: 32,27;

32,27 × 2 (pour 2 000 $) = 64,53 $.

Le paiement mensuel: 64,53 $.

▦ La séquence des entrées pour la calculatrice est présentée à la sous-section 6.3.1.

CPT > PMT → 64.53 $

Note: La différence de 1 ¢ provient de l'arrondissement effectué dans les tables.

b) Il faut conserver le résultat précédent, soit 69,33 $, puis employer $n = 2$ ans ou 24 mois.

▦ La séquence des entrées est présentée à la sous-section 6.3.3.

CPT > FV à 734.05

La séquence est la même que celle qui concerne les prêts personnels ou hypothécaires.

4. a) L'hypothèque de 70 000 $, 25 ans, à 9 %;

⊞ Selon la table II, facteur: 8,28;

8,28 × 70 (pour 70 000 $) = 579,60 $.

Le paiement mensuel: 579,60 $.

▦ Avec la calculatrice, on obtient 579,58 $.

b) Après le calcul du PMT, il faut conserver le résultat précédent, soit 579,60 $, puis

▦ employer $n = 5$ ans ou 60 mois. La séquence des entrées est présentée à la sous-section 6.3.3.

CPT > FV → 65 181.18

La séquence est la même que celle qui concerne les prêts personnels ou hypothécaires.

Donc, le solde du capital après 60 versements, ou 5 ans: 65 181,18 $.

c) La période de 25 ans

Le paiement total (579,60 × 12 × 25)	173 880 $
Moins: Le capital	70 000 $
L'intérêt payé	103 880 $

La période de 10 ans

Le paiement total (12,58 × 70 [pour 70 000 $] × 12 × 10)	105 672 $
Moins: Le capital	70 000 $
L'intérêt payé	35 672 $
L'économie d'intérêts	
L'intérêt – la période de 25 ans	103 880 $
L'intérêt – la période de 10 ans	35 672 $
L'intérêt payé en moins	68 208 $

5. Selon la table III, inflation: 6 %, $n = 25$ ans;

⊞ Le facteur: 4 291,87;

4 291,87 × 25 (pour 25 000 $) = 107 296,75 $.

Le montant à gagner pour contrer l'inflation: 107 296,75 $ par année ou 107 300 $ (valeur arrondie à 100 $ près).

▦ Pour la calculatrice, la séquence des entrées est présentée à la section 6.4:

CPT > FV → 107 296.77 ou 107 300 $ (valeur arrondie à 100 $ près).

SOLUTIONS AUX EXERCICES *(suite)*

6. Selon la table V, le facteur : 3152,50

3 152,50 × 10 = 31 525 $ ou 31 500 $ (valeur arrondie à 100 $)

Pour la calculatrice, la séquence des entrées est présentée à la sous-section 6.6.1 :

CPT > FV → 31 525 $ ou 31 500 $ (valeur arrondie à 100 $)

7. a) Selon la table I, le facteur : 22,25 ;

22,25 × 10 (pour 10 000 $) = 222,50 $ par mois.

(222,44 $ avec la calculatrice)

b) 222,50 $ × 60 = 13 350 $.

Donc, 13 350 $ − 10 000 $ = 3 350 $. (Avec la calculatrice, 3 346,40 $)

8. La règle du 72 : 72 divisé par 12 ans = 6 %.

Selon la table III : à $n = 12$, il suffit de trouver le facteur le plus près de 2 000 pour 2 × 1 000. Avec le facteur 2 012,20 pour 6 %, on peut « confirmer » le résultat obtenu grâce à la règle du 72, laquelle est, rappelons-le, approximative.

Avec la calculatrice, on trouve le taux exact de 5,95 %.

9. a) Selon la table III, 8 000 $, 8 %, 5 ans ; facteur : 1469,33.

1 469,33 × 8 (pour 8 000 $) = Capital = 11 754,64 $ ou 11 800 $ (valeur arrondie à 100 $ près).

Avec la calculatrice, on obtient 11 754,62 $ ou 11 800 $ (à 100 $ près).

Conclusion : Le capital de 8 000 $ est insuffisant.

b) Selon la table IV, 12 900 $, $n = 5$.

On cherche le taux d'intérêt.

On sait que « facteur, table IV » × 12,9 = 8 000 $.

Donc, facteur : 8 000 divisé par 12,9 (pour 12 900 $) = 620,16.

On localise le facteur 620 sur la ligne $n = 5$. Donc, 10 % environ (facteur : 620,92).

La calculatrice nous donne exactement 10,03 % en guise de taux annuel de l'investissement : il faudra investir au taux minimal de 10 %.

10. Le montant annuel investi : 2 000 $; L'intérêt : 10 % ; $n = 15$ ans.

a) Selon la table V, 10 %, 15 ans ; facteur : 31 772,48. Donc, 31 772,48 × 2 (pour 2 000 $) = 63 544,96 $ ou 63 500 $ (à 100 $ près).

Pour la calculatrice, la séquence des entrées est présentée à la sous-section 6.6.1.

Le capital accumulé dans 15 ans, investissement annuel en fin de période : 63 544,96 $ de capital ou 63 500 $ (valeur arrondie à 100 $ près).

b) Pour les placements en début de période, il suffit de multiplier par (1 + taux d'intérêt). Donc, 63 544,96 $ × 1,10 = 69 899,46 $[1] ou 69 900 $ (valeur arrondie à 100 $ près).

[1] On peut multiplier le facteur 31 772,48 par 1,10 pour déterminer un facteur en début de période (34 949,73) et obtenir exactement le même montant, soit 69 900 $.

Avec la calculatrice, il suffit d'utiliser la fonction BGN et de faire les mêmes calculs que ceux qui ont été effectués en a) pour obtenir 69 899,46 ou 69 900 $ (valeur arrondie à 100 $ près).

11. Pour 15 000 $, $n = 5$, rendement de 7 % après impôts ;

Selon la table VI, facteur : 173,89.

a) Donc, 15 (pour 15 000 $) × 173,89 = 2 608,35 $ ou 2 608 $ (à 1 $ près).

L'investissement en fin de période : 2 608 $ par année ou 2 608 $ (valeur arrondie à 1 $ près).

Avec la calculatrice, la séquence des entrées est présentée à la sous-section 6.6.2.

CPT > PMT → 2 608.36 $ ou 2 608 $ (à 1 $ près)

b) En début de période, le montant annuel sera moindre.

Donc, 2 608 divisé par (1 + 0,07) = 2 437,38 $ ou 2 437 $ (à 1 $ près).

L'investissement en début de période : 2 437 $ par année (valeur arrondie à 1 $ près).

Avec la calculatrice en mode BGN et PMT = 2 437,72 $ ou 2 437 $ (à 1 $ près).

SOLUTIONS AUX EXERCICES *(suite)*

12. Le capital nécessaire : 775 000 $; n = 30 ans ; le rendement après impôts : 7 %.

a) Les annuités constantes

▦ Selon la table VI, facteur : 10,59.

Donc, 10,59 × 775 (pour 775 000 $) = 8 207,25 $ ou 8 200 $ (valeur arrondie à 100 $ près).

b) Les annuités à progression géométrique

▦ Selon la table X, inflation : 4 % ; rendement : 7 % ; n = 30 ans ; facteur : 69.

Donc, (69 × 775 000) divisé par 10 000 = 5 347,50 $ ou 5 300 $ (valeur arrondie à 100 $ près).

Le montant du premier versement – Les annuités à progression géométrique : le premier versement est de 5 300 $; il devra être augmenté chaque année du taux d'inflation, par exemple :

- 2ᵉ année : 5 300 $ × 1,04 = 5 512 $ ou 5 500 $ (valeur arrondie à 100 $ près).

- 3ᵉ année : 5 500 $ × 1,04 = 5 720 $ ou 5 700 $ (valeur arrondie à 100 $ près).

  Note : Quand on compare ce versement de 5 300 $ au précédent, de 8 200 $, on constate la puissance et l'utilité des annuités à progression géométrique.

13. a) Selon la table VIII, l'amortissement sur 20 ans ; facteur : 94,39.

▦ Donc, 94,39 = 500 (pour 500 000 $) = 47 195 $ ou 47 200 $ de revenu annuel (à 100 $ près).

▦ Avec la calculatrice : la séquence des entrées est présentée à la sous-section 6.6.4.

CPT > PMT → 47 196.46 ou 47 200 $ de revenu annuel (à 100 $ près)

b) Selon la table VII, 7 % ; 80 − 60 = 20 ans ; facteur : 10 594,01.

▦ 10 594,01 × 40 (pour 40 000 $) = 423 760,40 $ ou 423 800 $ (à 100 $ près)

Donc, un capital de 423 800 $ est nécessaire.

▦ Avec la calculatrice : la séquence des entrées est présentée à la sous-section 6.6.3.

CPT > PV → 423 760.57 $ ou 423 800 $ (à 100 $ près)

Donc, la capitalisation de 500 000 $ est suffisante. De plus, le client possède un capital supplémentaire de 76 200 $ pour réaliser des projets spéciaux au début de sa retraite.

Note : Le revenu annuel en a) et en b) ne tient pas compte de l'inflation. Par conséquent, ce revenu s'amenuise au fil des ans en raison du taux de l'inflation.

Par ailleurs, il s'agit d'un revenu annuel « en fin de période » (*voir la table VIII*).

14. a) Les annuités constantes : le taux d'imposition : 40 %.

Donc, 10 % − (40 % × 10 %) = 6 %.

Le taux d'intérêt après impôts : 6 %.

b) Selon la table VII, les revenus pendant 25 ans, rendement : 6 % après impôts.

▦ Facteur : 12 783,36 × 40 (pour 40 000 $). On obtient 511 334,40 $ ou 511 300 $ (valeur arrondie à 100 $ près).

c) Selon la table XI, 25 ans, inflation : 4 % ; rendement : 6 % après impôts.

▦ Le facteur : 189 432 pour 10 000 $. Donc, (189 432 × 4 pour 40 000 $) = 757 724 $ ou 757 700 $ (valeur arrondie à 100 $ près).

Le capital de retraite nécessaire : le capital nécessaire à 65 ans sera de 757 700 $ pour maintenir un coût de la vie de 40 000 $ par année pendant 25 ans tout en contrant l'inflation de 4 %. À 90 ans, le capital sera complètement épuisé.

Le cas des Belledent

Plan

Introduction
Mise en situation
Situations problématiques
Solutions aux situations problématiques
Résumé

Introduction

L'exemple de la famille Belledent est purement fictif, mais les problèmes qu'il soulève sont très concrets. Précisons qu'il peut y avoir plusieurs solutions à un problème donné. Les stratégies financières proposées n'excluent pas d'autres excellents choix.

Pour résoudre les problèmes, vous devez utiliser une calculatrice ou encore les tables financières. Dans les solutions qui sont données plus loin, seules les tables financières sont utilisées. L'étudiant habitué à la calculatrice peut, par contre, vérifier ses calculs à l'aide de celle-ci. Le cas de la famille Belledent est intemporel, puisqu'il n'est pas situé dans le temps. Il débute en l'an 20X1, même si certains projets touchent l'an 20X2. Son objectif principal consiste à appliquer les notions de mathématiques financières concernant la gestion budgétaire.

Mise en situation

Le docteur Molaire Belledent, de la clinique Denkiri, est dentiste depuis six ans ; il s'est marié immédiatement après être devenu membre de l'Ordre des dentistes du Québec. Il y a quelques semaines, au début de mai 20X1, il a célébré son trentième anniversaire de naissance.

Depuis un certain temps, Molaire Belledent réfléchit à sa situation familiale et financière. Ses dettes, qui se chiffrent à quelque

20 000 $ (valeur arrondie à 100 $ près), le tracassent un peu plus qu'il ne l'avoue à Canine, sa conjointe. De plus, cette dernière lui a récemment glissé un mot au sujet d'une nouvelle acquisition dont toute la famille pourrait bénéficier, à savoir une piscine creusée en fibre de verre. Leurs deux enfants pourraient ainsi apprendre à nager ; Émail est âgé de quatre ans et sa petite sœur, Sagesse, a presque trois ans. Par conséquent, le couple Belledent envisage sérieusement d'acheter une piscine à l'été 20X2.

Molaire Belledent a récemment reçu une lettre de son institution financière l'avisant que son hypothèque doit être renouvelée le 1er juillet 20X1. Les taux d'intérêt sont relativement élevés, autour de 12 %. La maison, un très joli bungalow, a été achetée il y a deux ans au coût de 150 000 $.

Canine, âgée de 27 ans, est physiothérapeute, et ses économies ont contribué à l'achat de la maison. Depuis la naissance d'Émail, il y a quatre ans, Canine ne travaille plus. Elle veut retourner sur le marché du travail quand Sagesse ira à la maternelle. Toutefois, Molaire et Canine parlent depuis peu d'avoir un troisième enfant… De toute façon, Canine envisage de reprendre son travail de physiothérapeute vers l'âge de 34 ans.

Le docteur Belledent sait que vous êtes conseiller financier et que vous vous intéressez à la planification financière personnelle. Il désire connaître votre opinion sur certains aspects précis de sa situation financière. Nous vous recommandons d'essayer d'analyser les situations problématiques du cas Belledent, puis de proposer des solutions.

Situations problématiques
Les disponibilités financières (20X1-20X2)

Au début de juin 20X1, le docteur Belledent vous explique brièvement sa situation financière pour l'année qui vient, soit du 1er juillet 20X1 au 30 juin 20X2 :

Les revenus professionnels prévus	165 000 $
Les frais d'exploitation	80 000 $
L'impôt à payer (approximativement)	28 000 $
Le coût de la vie	35 000 $

Le coût de la vie comprend toutes les dépenses du couple, à savoir :

- les dépenses relatives à la maison, y compris les paiements hypothécaires ;
- l'automobile en location ;
- les dépenses familiales (la nourriture, les vêtements, etc.) ;
- les dépenses générales (les vacances, etc.).

Cependant, le coût de la vie n'inclut pas les paiements pour le remboursement des dettes. D'ailleurs, les dettes ne sont pas techniquement des dépenses. L'hypothèque est comprise dans le coût de la vie, car elle représente généralement un engagement à long terme et devient en quelque sorte l'équivalent du coût d'un loyer.

Dans un premier temps, le docteur Belledent voudrait savoir quelles sont ses disponibilités financières. Pourriez-vous déterminer ces disponibilités pour l'année qui vient, soit du 1er juillet 20X1 au 30 juin 20X2 ?

Les dettes

Les dettes du docteur Belledent s'élèvent à quelque 20 000 $; elles proviennent de 3 emprunts tout récemment refinancés à 13 % pour une période de 5 ans, et sont remboursables en tout temps. Molaire Belledent songe à demander une marge de crédit personnelle.

Molaire envisage également de commencer à contribuer à son plan de retraite et d'investir 5 000 $ en REER au cours de l'année qui vient, soit 20X1-20X2. L'investissement en début ou en fin de période n'est pas considéré ici.

a) Quels sont les paiements annuels et mensuels à faire pour rembourser les dettes ?

b) Quel est le montant du surplus de liquidités pour la période 20X1-20X2, après le remboursement des dettes et l'investissement en REER ?

c) Croyez-vous qu'une marge de crédit personnelle aiderait Molaire Belledent à équilibrer son budget ? Expliquez votre réponse.

L'hypothèque

Le docteur Belledent doit renouveler son hypothèque résidentielle le 1er juillet 20X1. Lorsqu'il a rencontré un conseiller financier de sa banque à la mi-mai, les taux d'intérêt sur les prêts hypothécaires oscillaient autour de 12 %. Malgré une relative incertitude, le conseiller prévoyait un taux semblable au mois de juillet, qui venait à grands pas.

Quant à l'hypothèque actuelle, le conseiller financier a expliqué à Molaire que le solde du capital au 30 juin 20X1 serait de 100 000 $ exactement. Il a alors semblé incroyable à Molaire que le solde de son hypothèque soit si élevé car, depuis un certain nombre d'années, il payait tout de même 13 000 $ par année pour son hypothèque.

Réflexion faite, Molaire a envisagé de renouveler son hypothèque pour un terme de 2 ans au taux de 12 % ; il pensait même essayer de l'amortir sur 10 ans plutôt que sur 20 ans.

a) Quels seraient les coûts mensuel et annuel de la nouvelle hypothèque amortie sur 20 ans ? (Arrondissez à 100 $ près.)

b) Quels seraient les coûts mensuel et annuel si la période d'amortissement passait de 20 ans à 10 ans ? (Arrondissez à 100 $ près.)

c) Quel serait le montant des intérêts payés en moins si l'amortissement était de 10 ans ?

La piscine

À l'occasion de son mariage, il y a environ 6 ans, Canine a reçu en cadeau de son père un

DOSSIER 6.1-*SUITE*

certificat de placement garanti de 2 000 $. Elle se sentait donc à l'aise de soulever la question de la piscine, car son certificat venait à échéance en juillet 20X2.

Au début de juin 20X1, Molaire Belledent et sa femme ont étudié leur projet de piscine en s'informant auprès d'amis et de fabricants. L'un d'eux, de bonne réputation, qui avait installé la piscine du voisin, demandait 8 900 $ pour une piscine creusée en fibre de verre avec trottoir, équipement de filtration et chauffe-eau. De plus, si le client versait 4 400 $ comptant en juillet 20X2, le fabricant finançait le solde de 4 500 $ par un prêt à 10 % d'intérêt, remboursable en 5 ans. Le taux courant était de 15 %. Le projet pouvait débuter au printemps 20X2 et être terminé pour juillet.

Dans toute cette histoire, le couple Belledent était quand même un peu hésitant. D'un côté, le projet plaisait à toute la famille ; de l'autre, il représentait une dette additionnelle. Par ailleurs, c'est à ce moment-là (aux environs de juin 20X1) que Canine a appris que son certificat qui venait à échéance en juillet 20X2 vaudrait exactement 4 421 $. Une belle surprise pour le couple Belledent. Avant de procéder, le couple vous demande votre avis.

Ce capital suffirait-il à fournir l'acompte exigé par le fabricant ?

Que représenterait, en paiements annuels, l'offre du fabricant de financer le solde de 4 500 $ à 10 % pendant 5 ans ? Arrondissez à 1 $ près.

Que devrait faire le couple Belledent au sujet de cette dette additionnelle ?

Solutions aux situations problématiques

Les disponibilités financières (du 1er juillet 20X1 au 30 juin 20X2)

Les revenus professionnels	165 000 $
Moins : Les frais d'exploitation	80 000 $
Les revenus nets avant impôts	85 000 $
Moins : Les impôts à payer	28 000 $

Les revenus après impôts	57 000 $
Moins : Coût de la vie	35 000 $
DISPONIBILITÉS FINANCIÈRES	22 000 $

Si les disponibilités sont insuffisantes pour réaliser les projets, le problème se résout soit par l'augmentation du revenu (ce qui demeure difficile), soit par la diminution du coût de la vie.

Les dettes

a) Les paiements pour rembourser les dettes :
- Selon la table I, 5 ans, 13 %, facteur 22,75 pour 1 000 $;
- 22,75 × 20 = 455 $ par mois 455 $ × 12 = 5 460 $ par année.

b) Les disponibilités financières après le versement annuel des dettes et l'investissement en REER.

Les disponibilités financières	22 000 $
Moins : Le paiement des dettes	5 460 $
Moins : L'achat d'un REER	5 000 $
SURPLUS DE LIQUIDITÉS	11 540 $

On voit immédiatement qu'il est possible d'accélérer le paiement des dettes, mais il faudra établir un équilibre avec les opérations financières subséquentes.

c) La marge de crédit :

Quelquefois, la consolidation des dettes et l'ouverture d'une marge de crédit favorisent un meilleur équilibre budgétaire. Dans ce cas-ci, trois dettes viennent tout juste d'être financées (donc consolidées). L'avantage d'avoir une seule dette est de faire un seul paiement. Si la marge de crédit peut offrir un meilleur taux d'intérêt, alors il y aurait avantage à en négocier une.

L'hypothèque

a) L'hypothèque amortie sur 20 ans :
- Le montant : 100 000 $;
- Le taux d'intérêt présumé : 12 % ;
- La période d'amortissement : 20 ans ;

- Le paiement mensuel : 1 081 $ selon la table II ;

- Le paiement annuel : 1 081 $ × 12 = 12 972 $ ou 13 000 $ (valeur arrondie à 100 $ près).

b) L'hypothèque amortie sur 10 ans :

- Le paiement mensuel : 1 419 $;

- Le paiement annuel : 1 419 $ × 12 = 17 028 $ ou 17 000 $ (valeur arrondie à 100 $ près).

c) Les intérêts payés en moins :

- L'amortissement sur 20 ans

  13 000 $ × 20 ans = 260 000 $ (total des paiements)

  Moins : 100 000 $ (en capital)
  160 000 $ (en intérêts)

- L'amortissement sur 10 ans

  17 000 $ × 10 = 170 000 $ (total des paiements)

  Moins : 100 000 $ (en capital)
  70 000 $ (en intérêts)

Donc, 160 000 $ − 70 000 $ = 90 000 $ d'intérêts payés en moins. Il s'agit donc d'une économie énorme, que le couple considère sérieusement.

La piscine

a) La mise de fonds

Le CPG de Canine arrive à échéance au bon moment et représente 4 421 $. La mise de fonds requise en juillet 20X2 est de 4 400 $. Donc, le couple Belledent posséderait l'argent pour verser ce montant.

b) L'offre du fabricant

L'emprunt de 4 500 $ à 10 % semble être une bonne offre, étant donné la conjoncture et l'intérêt élevé pour les prêts en général. Les remboursements du financement représentent des montants mensuels de 95,63 $, pour un total annuel de 1 148 $ (selon la table I, 5 ans, facteur 21,25 × 4,5 [pour 4 500 $] = 95,63 $).

c) La stratégie

Si l'achat d'une piscine peut se calculer sur le plan financier, le bonheur et la joie d'une qualité de vie améliorée sont un peu plus difficiles à mesurer ! Un conseiller financier très rigoureux suggérerait aux Belledent de payer leurs dettes. Mais peut-être le père de Canine préférerait-il voir le résultat de son cadeau de 2 000 $ sous la forme d'une piscine paysagée que de dettes remboursées ? Tout est question de perspective et de priorité. Les Belledent ont les moyens d'acheter leur piscine s'ils le veulent. Dans ce cas-ci, le planificateur financier devrait tenir compte du désir de ses clients et opter pour la dette additionnelle.

Résumé

L'exemple des Belledent démontre bien que la planification financière comprend toujours deux dimensions :

- Une dimension financière ;

- Une dimension comportementale.

Le conseiller financier doit donc composer avec ces deux dimensions, aussi importantes l'une que l'autre. Il peut toujours effectuer des calculs et suggérer des stratégies à sa convenance, mais sont-elles réalistes pour le client ? Dans notre exemple, Molaire doit prendre conscience de l'importance de ne pas s'endetter. L'endettement n'est pas un problème financier, mais un problème comportemental. Il serait donc, dans ce sens, intéressant de suggérer à Molaire de payer en tout premier lieu ses dettes, et ce, le plus tôt possible. Il pourra continuer à investir pour sa retraite jusqu'au moment où Canine reprendra le travail. À ce moment-là, il lui faudra réévaluer l'ensemble de la situation, car tout changement financier important dans la vie d'un couple justifie une remise à jour de la planification financière.

DOSSIER 6.1- *SUITE*

Voici comment se présente, à court et à moyen termes, la planification financière (axée uniquement sur la gestion budgétaire) des Belledent :

- Payer les dettes le plus tôt possible ;

- Bien maîtriser le coût de la vie ; le réduire si possible ;

- La piscine est un bon projet pour la famille Belledent si l'on considère sa situation globale, mais il faudra payer cette dette aussitôt que possible ;

- L'hypothèque amortissable sur 10 ans représente une excellente stratégie. D'ici quelques années, il faudrait encore réduire cette période de façon à liquider l'hypothèque le plus tôt possible ;

- Finalement, les Belledent se montrent responsables pour ce qui est de leur planification financière et, à cet égard, ils méritent des félicitations.

PARTIE III

LES DOMAINES D'APPLICATION DE LA PLANIFICATION FINANCIÈRE PERSONNELLE

Nous avons mentionné précédemment que la planification financière personnelle consiste à élaborer et à mettre en application des stratégies basées sur des renseignements provenant de sources très variées.

La figure 3.4 (*voir la page 35*), intitulée « Une approche modulaire et intégrée », présente les six modules composant cette troisième partie de l'ouvrage, lesquels correspondent aux domaines d'application de la planification financière personnelle. Ceux-ci sont liés à certains domaines tels le droit, la finance, l'économie et la fiscalité.

Chacun de ces six modules est distinct, mais tous forment un ensemble parfaitement intégré qui englobe toutes les étapes d'une vie sur le plan de la planification financière personnelle. En effet, il faut d'abord budgétiser, puis établir un patrimoine pour pouvoir finalement dépenser ce capital. Ensuite viennent la protection et la transmission du patrimoine. Ces étapes ne sont pas consécutives, mais forment plutôt un cycle continu et dynamique dont certains aspects sont omniprésents.

MODULE

1

LA GESTION BUDGÉTAIRE

L e module 1, portant sur la gestion budgétaire, comporte deux chapitres : le chapitre 7, s'intéressant aux documents financiers essentiels, et le chapitre 8, abordant la gestion du crédit et de l'endettement.

La pratique courante dans tous les modules implique des institutions financières et des professionnels de diverses spécialités telles que les valeurs mobilières, la planification successorale et l'assurance, excepté le module intitulé « La gestion budgétaire », car « vendre la santé financière » n'est pas toujours très payant. La direction d'une grande institution financière a en effet affirmé ceci à l'un des auteurs du présent ouvrage : « Si nous n'accordons pas ce prêt à ce consommateur déjà endetté, notre compétiteur le fera, donc aussi bien le faire. »

Les personnes qui sont aujourd'hui surendettées consolident leurs nombreuses dettes au moyen d'un prêt hypothécaire d'une durée de 15, 20 ans et même plus. Certaines institutions financières ont même des équipes volantes qui peuvent aller rencontrer les clients à leur domicile. C'est dire que l'endettement sert aujourd'hui à alimenter les dépenses courantes !

Dans une allocution (« Vivre en période prolongée de bas taux d'intérêt ») présentée devant l'Economic Club of Canada le 13 décembre 2010, le gouverneur de la Banque du Canada, Mark J. Carney, a rappelé que « dans un monde submergé par les dettes, l'assainissement du bilan des banques, des ménages et des pays exigera des années ». Sans être pessimiste, nous dirions plutôt des générations.

CHAPITRE
7

LES DOCUMENTS FINANCIERS ESSENTIELS

L e point de départ de la planification financière personnelle est la réflexion sur la situation financière du client. Cette réflexion s'amorce avec la phase de la budgétisation, laquelle comporte quatre étapes :

1. L'établissement du bilan personnel ou familial du client ;

2. Le calcul des disponibilités financières et des liquidités ;

3. La programmation des disponibilités financières dans le but de rembourser les dettes ;

4. L'élaboration des budgets.

La phase de la budgétisation a pour principal objectif d'atteindre la première étape de l'indépendance financière, soit la liquidation des dettes personnelles (dettes de consommation). Cette indépendance doit permettre au client de jouir d'une pleine qualité de vie sans devoir s'endetter à des fins personnelles.

Afin d'illustrer les différents états financiers liés à la gestion budgétaire, nous utiliserons l'exemple de la famille de salariés Simard-Lajoie.

Francine Simard et Claude Lajoie ont consulté la firme de planificateurs financiers Les Modules intégrés inc. L'annexe B présente les questionnaires qu'ils ont remplis. Francine et Claude sont mariés et leur famille compte deux enfants, Nathalie, six ans, et Jean-Michel, un an.

Le dossier 7.1, intitulé «Le cas du docteur Bonsoins», décrit les particularités rattachées au travail autonome ou à une profession. Nous y utiliserons l'exemple d'un omnipraticien, le docteur Bonsoins.

7.1 Le bilan personnel

Il est important d'établir de façon précise la situation financière du client. Pour ce faire, le planificateur financier dresse un bilan. S'il s'agit d'une seule personne, ce bilan est dit « personnel ». S'il s'agit d'un couple, il est dit « familial ». Par contre, il peut montrer la situation financière de chaque membre du couple. Il est alors présenté en trois colonnes : une par conjoint et une pour le total. Le bilan familial illustre toujours la situation financière globale du couple. Dans le cas qui nous concerne, le couple Simard-Lajoie, nous présenterons un bilan familial.

Il y a plusieurs façons de définir le bilan personnel. En termes simples, disons que celui-ci est l'image financière d'une personne ou d'un ménage à une date donnée, soit au début de la planification. Ce portrait fait clairement ressortir les trois éléments suivants : l'actif, le passif et la valeur nette. L'actif est la description précise de tous les biens que possède le client : argent, placements, biens personnels, etc. Le passif décrit toutes les dettes : solde des cartes de crédit, emprunts, hypothèque, etc. La valeur nette représente la différence entre l'actif et le passif.

Le tableau 7.1 ci-contre présente le bilan familial du couple Simard-Lajoie. Le mode de présentation simplifié employé ici a pour but de faciliter la compréhension des étudiants et, bien sûr, celle du client. Il vise aussi à donner au client l'aperçu le plus complet possible de sa réalité financière.

Le bilan personnel d'un salarié ou d'une famille de salariés se distingue du bilan d'une entreprise par plusieurs aspects :

- La présentation et l'évaluation des biens personnels et des placements ;
- L'exclusion de l'amortissement ;
- Le solde de l'impôt à payer ;
- L'impôt éventuel.

7.1.1 La présentation et l'évaluation des biens personnels et des placements

Dans le bilan personnel, les biens et les placements doivent être évalués à leur juste valeur marchande, et ce, de façon prudente. La valeur marchande d'un actif est la somme d'argent que l'on obtiendrait si l'on vendait l'actif en question ou sa valeur vraisemblable en cas de liquidation.

- Pour connaître la valeur des actions, il faut consulter les cotes boursières qui paraissent tous les jours dans différents journaux ;
- Pour établir la valeur d'une résidence, il faut recourir à une firme spécialisée ou consulter un courtier en immeubles. Il est possible de se fier à l'évaluation fournie par le client si elle est jugée valable ;
- Pour les biens à usage personnel (meubles, automobile, bateau, etc.), une évaluation approximative suffit généralement.

Si le client possède des titres qui produisent de l'intérêt (obligations diverses, CPG, comptes d'épargne, etc.), il y aura, en date du bilan, un intérêt gagné, mais non encaissé relativement à ces titres. C'est ce qu'on appelle « intérêt couru ». Ces montants, qui doivent être présentés au bilan sous la rubrique Intérêt couru, après impôts, sont calculés de la façon suivante :

$$\text{Valeur nominale du placement} \times \text{Taux d'intérêt} \times \frac{\text{Mois courus}^{[1]}}{12 \text{ mois}} - \text{Impôt}$$

---

[1]. Les mois courus égalent le nombre de mois depuis le dernier encaissement de l'intérêt ou depuis l'acquisition du titre jusqu'à la date du bilan.

TABLEAU 7.1 **Le bilan familial du couple Simard-Lajoie au 1er novembre 2010 (valeurs arrondies à 1$ près)**

Couple Simard-Lajoie
Bilan familial

ACTIF

Liquidités

Encaisse		1800$
Placements (valeur marchande)		
CPG	16000$	
Intérêt couru, après impôts	72	
Fonds accumulés – REER	6216	22288
Biens personnels (valeur marchande)		
Résidence	260000	
Automobile	19000	
Meubles	18000	297000
TOTAL DE L'ACTIF		321088$

PASSIF

Dettes à court terme		
Solde des cartes de crédit	3900$	
Solde de l'impôt 2009	925	4825$
Dettes à long terme		
Solde du prêt automobile	20217	
Solde de l'hypothèque	57602	77819
Impôt éventuel sur REER (40% d'impôt)		2486
VALEUR NETTE		235958$
TOTAL DU PASSIF ET DE LA VALEUR NETTE		321088$

Note: Claude Lajoie cotise à un régime de pension agréé (RPA) conjointement avec son employeur. Certains planificateurs financiers incluent au bilan la valeur d'un tel régime. Dans le cas de Claude Lajoie, cette valeur est inconnue au moment du bilan (*voir le questionnaire n° 2*).

EXEMPLE

Dans le cas des Simard-Lajoie, la situation est la suivante : Claude Lajoie détient 4 CPG pour un total de 16000$ (3 certificats valent 5000$ et l'autre, 1000$). Ils rapportent 3% d'intérêt par année. Leur échéance est le 31 juillet 2011. Le 31 juillet 2010 est la date du dernier encaissement des intérêts.

$$\text{Intérêt couru} = \left(16\,000\$ \times 3\% \frac{3 \text{ mois courus}}{12 \text{ mois}}\right) = 120\$$$

Cette évaluation de l'intérêt couru est faite sans tenir compte des impôts. Les revenus d'intérêts étant imposables, il serait plus approprié de présenter l'intérêt couru après impôts ainsi :

$$\text{Intérêt courus après impôts} = 120\$ \ (-120\$ \times 40\% \text{ taux marginal}$$
$$[\text{de Claude Lajoie}])$$
$$= 72\$$$

7.1.2 L'exclusion de l'amortissement

Dans le bilan personnel, l'amortissement des éléments d'actif immobilisés n'existe pas. Le principe comptable du rapprochement des produits et des charges (des revenus et des dépenses) qui sous-tend le principe de l'amortissement comptable n'y a pas sa place. Bien au contraire, les éléments d'actif immobilisés doivent être présentés à leur valeur marchande vraisemblable.

7.1.3 Le solde de l'impôt à payer

Le solde de l'impôt à payer représente simplement les montants non encore versés au fisc. Il faut noter que des pénalités assez lourdes frappent les personnes qui ne produisent pas leur déclaration de revenus à temps. Les autorités fiscales peuvent également corriger certains calculs, tenir compte d'autres revenus non déclarés ou refuser certaines dépenses à titre de déductions. Elles font alors parvenir au contribuable un avis de cotisation pouvant faire état d'une cotisation supplémentaire. Le contribuable a la possibilité de contester cette décision en remplissant le formulaire approprié (avis d'opposition), auquel il doit joindre toutes les pièces pertinentes. Toute cotisation non encore payée constitue une dette directe à l'égard du fisc.

Chez le couple Simard-Lajoie, l'impôt à payer de l'année précédente consiste en une dette de 925 $ (*voir le questionnaire n° 2*).

7.1.4 L'impôt éventuel

L'impôt éventuel peut être défini comme l'impôt greffé à un actif présenté au bilan, cet actif étant le plus souvent, pour un individu, un REER. Il s'agit d'un véhicule de placement qui permet d'accumuler des fonds en vue de la retraite en franchise d'impôt, c'est-à-dire sans payer d'impôt annuellement. Cependant, les sommes accumulées sont imposables en totalité au moment de leur retrait.

Il y a donc un impôt éventuel à payer sur les fonds placés dans un REER. Cependant, il est habituellement impossible d'en obtenir une évaluation précise. En général, les planificateurs financiers utilisent un taux allant de 30 à 40 %.

Il faut noter que l'impôt éventuel peut également s'appliquer sur le gain en capital et sur la récupération de l'amortissement fiscal. En effet, un contribuable qui possède un immeuble de location (qu'il l'habite ou non) verra cet immeuble présenté à sa juste valeur marchande à l'actif de son bilan. Par contre, le passif peut très bien indiquer un impôt éventuel sur le gain en capital et, si tel est le cas, sur la récupération de l'amortissement fiscal. L'évaluation du gain en capital permet de déterminer l'impôt éventuel sur de tels actifs, tels que des actions ou une résidence secondaire, par exemple.

EXEMPLE

En ce qui concerne la famille Simard-Lajoie, le seul impôt éventuel concerne les fonds investis dans un REER, fonds qui s'élèvent à 6 216 $.

Fonds accumulés dans un REER	6 216 $
Taux d'imposition approximatif : 40 %	
IMPÔT ÉVENTUEL SUR LE REER	2 486 $

7.1.5 Le bilan personnel et la planification financière personnelle

Une fois établi, le bilan devient le point de départ de la planification financière personnelle. Il donne l'occasion au planificateur financier d'amener le client à réfléchir plus particulièrement sur les points suivants :

- Les biens liquides qui figurent au bilan ;
- L'évaluation de la valeur nette.

Les biens liquides qui figurent au bilan doivent être suffisants pour permettre au client de maintenir une réserve de base, montant dont peut disposer le client en cas d'imprévu. Il est suggéré d'avoir en réserve de base un montant égal à trois mois de coût de la vie. Son coût de la vie annuel étant de 40 500 $, la famille Simard-Lajoie devrait avoir une réserve de 10 125 $ (40 500 $ ÷ 4) (*voir le questionnaire n° 1*). Cet argent devrait être investi dans des placements sûrs et liquides tels que des obligations d'épargne, des dépôts à très court terme ou encore des bons du Trésor.

EXEMPLE

Le bilan de la famille Simard-Lajoie indique les biens liquides suivants :

Encaisse	1 800 $
CPG	16 000
Intérêt couru, après impôts	72
TOTAL DES BIENS LIQUIDES	17 872 $

Les biens liquides suffisent à maintenir la réserve de base et, éventuellement, à régler certaines dettes personnelles.

7.2 Les disponibilités financières et les liquidités

En bref, le calcul des disponibilités financières et des liquidités se présente comme suit :

REVENUS (DE TOUTES SOURCES)[2]

Moins : Impôt et autres retenues, s'il y a lieu

REVENU DISPONIBLE

Moins : Coût de la vie

DISPONIBILITÉS FINANCIÈRES

Moins : Versements prévisibles sur emprunts

EXCÉDENT (DÉFICIT) DE LIQUIDITÉS

Le fait d'établir les disponibilités financières et les liquidités permet de déterminer la capacité du client à épargner à court, à moyen et à long terme. Le tableau 7.2 à la page suivante présente le calcul des disponibilités financières et des liquidités de la famille Simard-Lajoie. Les notes se trouvant à la fin de ce tableau expliquent plus en détail certaines composantes et certains calculs.

---

2. Les revenus peuvent provenir de sources autres que les salaires et les placements divers, entre autres de l'immobilier, d'une entreprise sous contrôle, de diverses prestations gouvernementales (programme de Soutien aux enfants du Québec, Prestation fiscale canadienne pour enfants, etc.). Afin de simplifier l'exemple, nous avons choisi de ne pas tenir compte de ces diverses possibilités.

TABLEAU 7.2 Les disponibilités financières et les liquidités – Famille Simard-Lajoie (valeurs arrondies à 1$ près)

Couple Simard-Lajoie
Disponibilités financières et les liquidités (valeurs arrondies à 1$ près)

Du 1er novembre au 31 octobre	2010-2011	2011-2012	2012-2013	2013-2014
Salaire brut – Claude	55 600$			
Retenues salariales – y compris l'impôt[1]	(21 000)			
Salaire net[2]	34 600$	35 292$	35 998$	36 718$
Revenu de placement – Claude[3]	480	150	150	150
Impôt marginal (40 %)[4]	(192)			
Revenu de placement – après impôts	288$	150$	150$	150$
Salaire brut – Francine	16 000$			
Retenues salariales (y compris l'impôt)	(3 300)			
Salaire net	12 700$	12 954$	13 213$	13 477$
PUGE[5]	1 200	1 200	1 200	1 200
Impôt marginal – Francine (29 %)	(348)	(348)	(348)	(348)
Prestations après impôts	852$	852$	852$	852$
REVENU DISPONIBLE	48 440$	49 248$	50 213$	51 197$
Moins : Coût de la vie[6]	40 500	41 310	42 136	42 979
DISPONIBILITÉS FINANCIÈRES	7 940$	7 938$	8 077$	8 218$
Moins : Versements sur emprunts[7]	5 484	5 484	5 484	5 484
EXCÉDENT DE LIQUIDITÉS	2 456$	2 454$	2 593$	2 734$

(1) Les retenues salariales représentent les cotisations à un RPA, les cotisations syndicales, les cotisations au RRQ, etc., y compris les impôts retenus à la source.

(2) Nous présumons que l'inflation sera de 2 % à moyen terme. Les salaires et le coût de la vie seront donc extrapolés à 2 %. Il arrive que certaines augmentations sont différentes. Il faut donc évaluer la situation au cas par cas.

(3) 16 000$ × 3 % = 480$ en 2010-2011. Cependant, les certificats viennent tous à échéance le 31 juillet 2011. Comme nous le verrons plus loin, Claude Lajoie devra liquider 11 000$ de ces fonds et en conserver 5 000$ pour les années qui viennent en guise de réserve de base, d'où 5 000$ × 3 % = 150$ pour les années suivantes.

(4) Comme nous l'avons indiqué à la sous-section 7.1.4, le taux d'imposition marginal est estimé à 40 %. Il y a imposition pour 2010-2011, mais, à partir de 2012, il n'y aura aucune imposition, car l'investissement sera effectué sous forme de CELI.

(5) Depuis juillet 2006, la PFCE a été remplacée par la PUGE. Cette prestation universelle est imposable (au fédéral et au Québec) au nom du conjoint ayant le revenu net le moins élevé. La PUGE représente une nouvelle initiative pour venir en aide aux familles canadiennes qui cherchent à établir un équilibre entre le travail et la vie de famille ainsi que pour soutenir leurs choix en matière de garde d'enfants de moins de 6 ans, à raison de 100$ par mois par enfant. Dans la famille Simard-Lajoie, seul Jean-Michel, âgé d'un an, est admissible à la PUGE. Pour Francine, un taux marginal d'imposition de 29 % a été utilisé.

(6) Comme nous l'avons indiqué dans la note 2, le coût de la vie est aussi extrapolé à 2 %. Nous verrons plus loin que le coût de la vie représente l'ensemble des débours domestiques, y compris l'hypothèque résidentielle (*voir le questionnaire n° 1*). L'extrapolation est donc ici une approximation, car l'hypothèque et la location à long terme d'une automobile peuvent représenter des versements stables durant plusieurs années. Une solution pourrait être de déduire ces montants stables du coût de la vie, d'extrapoler la différence à 2 %, puis d'ajouter ces montants au résultat. Si les versements stables représentent plus de 20 % du coût de la vie, il est préférable d'utiliser cette dernière approche.

(7) Le montant des versements sur emprunts provient du questionnaire n° 2. Le paiement mensuel du prêt automobile est de 457$ (selon la table I, 9 %, 5 ans, facteur 20,76 ; 20,76 × 22 [pour 22 000$] = 5 456,72$, soit 457$ à 1$ près). Par conséquent, 457$ × 12 mois égale 5 484$ par année.

Les disponibilités financières représentent la portion des revenus servant prioritairement à payer les versements sur emprunts. Par conséquent, elles permettent de mesurer la capacité du client à épargner lorsque ses dettes seront définitivement réglées, soit à long terme.

Lorsqu'on déduit de ces disponibilités financières les versements sur emprunts à effectuer dans les années à venir, on obtient l'excédent (ou le déficit) de liquidités, lequel représente en fait la capacité à épargner durant le nombre d'années couvert par l'état, soit à court et à moyen terme.

Les éléments du tableau 7.2 sont expliqués dans les sous-sections qui suivent.

7.2.1 Les revenus familiaux

Les déclarations de revenus des années précédentes peuvent servir à déterminer les revenus familiaux. Il s'agit alors de présenter les montants reçus régulièrement de différentes sources, à savoir les salaires, les prestations d'assurance-emploi, les revenus d'intérêts ou de dividendes sur placements, la PUGE, les pensions alimentaires, etc.

Il est important de présenter ces montants après impôts et, en général, comme dans le cas des Simard-Lajoie, après les déductions effectuées par l'employeur de toutes les retenues à la source. Chaque source de revenu doit donc être examinée en fonction de cette préoccupation. Par exemple, l'employé reçoit son salaire après impôts, les retenues ayant été effectuées par l'employeur. Par contre, les intérêts ne font l'objet d'aucune retenue et doivent donc être assujettis au taux marginal d'imposition.

En ce qui concerne les autres revenus liés aux placements (dividendes, gains en capital et revenus de location), il s'agit pour le planificateur d'appliquer le traitement fiscal approprié à chaque source de revenu.

Le revenu disponible est donc le montant total, après impôts, qui sert à assumer le coût de la vie et à effectuer les versements mensuels sur les emprunts.

7.2.2 L'évaluation du coût de la vie

Le coût de la vie représente l'ensemble des dépenses domestiques engagées de façon régulière pour maintenir la qualité de vie durant l'année qui vient. Lorsque le client et sa conjointe remplissent le questionnaire n°1, ils indiquent le coût de la vie prévu pour l'année qui vient, soit pour les 12 prochains mois. Cette estimation doit être faite avec le plus grand soin, car la sous-évaluation du coût de la vie peut avoir des effets fâcheux sur l'évaluation des disponibilités financières actuelles et futures, le coût de la vie étant majoré du taux d'inflation prévu, soit de 2 % dans le cas de la famille Simard-Lajoie.

Deux caractéristiques principales se rattachent à la notion de coût de la vie : la continuité et la constance. La continuité signifie que les éléments qui composent le coût de la vie reviennent d'année en année. La constance signifie que le coût de la vie augmente annuellement, mais uniquement en fonction de l'inflation et non en fonction de dépenses supplémentaires. Cela ne veut pas dire qu'il ne peut y avoir de modifications importantes au coût de la vie, par exemple, à l'achat d'une maison ou à l'arrivée d'un enfant.

Bien que certaines factures puissent être acquittées annuellement ou deux fois par année (p. ex. : assurances), il est préférable de les présenter mensuellement.

Le tableau 7.3 présente le coût de la vie mensuel de la famille Simard-Lajoie pour l'année à venir, soit du 1er novembre 2010 au 31 octobre 2011. On remarque qu'une proportion de 5 % s'ajoute au total annuel pour parer aux imprévus. Cet ajout est déterminé par le planificateur et son client.

TABLEAU 7.3 Le coût de la vie mensuel pour l'année 2010-2011 – Famille Simard-Lajoie (1er novembre 2010)

A) MAISON		B) TRANSPORT	
Loyer		Essence et huile (auto)	140$
Hypothèque[1]	534$	Entretien (auto)	50
Téléphone	60	Assurance automobile	60
Câble	40	Automobile[1]	–
Chauffage	75	Immatriculation et permis	50
Électricité	75	Stationnement	40
Impôt foncier et taxe scolaire	200	Location d'un garage	40
Entretien[1]	36	Taxis	40
Assurances (feu, vol, etc.)	60	Métro ou autobus	–
Ameublement[1]	30	Autres frais	–
Autres frais	–	TOTAL MENSUEL (B)	420$
TOTAL MENSUEL (A)	1 110$		
		D) DIVERS	
C) FAMILLE		Vacances et voyages[1]	275$
Alimentation[1]	650$	Assurance vie	25
Habillement	80	Autres assurances	–
Frais de scolarité	–	Dons ou cadeaux	30
Sports et loisirs[1]	75	Aide ménagère	–
Sorties au restaurant	140	Pension alimentaire	–
Pharmacie et cosmétiques	65	Autres frais	–
Journaux et magazines	25	TOTAL MENSUEL (D)	330$
Tabac et alcool	60	TOTAL MENSUEL	
Frais de garderie	75	(A) (B) (C) (D)	3 215$
Dentiste et optométriste	50	TOTAL ANNUEL	38 580$
Allocation aux enfants	–	Ajouter 5 % pour les imprévus	1 929
Loterie	10	Coût de la vie annuel	40 509$
Argent de poche	125	COÛT DE LA VIE ANNUEL	
Autres frais	–	(à 100$ près)	40 500$
TOTAL MENSUEL (C)	1 355$		

(1) Ces éléments sont décrits à la sous-section 7.2.4.

Le coût de la vie n'inclut pas les sorties de fonds suivantes :

- Les impôts sur le revenu (les impôts indirects comme les taxes à la consommation sont inclus dans le coût de la vie) ;
- Les versements mensuels sur emprunts, sauf pour l'hypothèque résidentielle. Les disponibilités financières (*voir le tableau 7.2 à la page 130*) serviront à acquitter l'endettement lié à la consommation le plus rapidement possible ;
- Le paiement mensuel des cartes de crédit ;
- Les projets spéciaux éventuels.

7.2.3 **Les projets spéciaux**

Il ne faut pas inclure les projets spéciaux dans l'évaluation du coût de la vie, car celui-ci représente les dépenses répétitives de mois en mois et d'année en année.

Un projet spécial est une dépense importante qui survient à certaines étapes de la vie. Il peut s'agir, par exemple, de la construction d'une piscine creusée, de l'achat d'une résidence secondaire ou encore de la planification d'un voyage. Il est important d'évaluer ces projets spéciaux sur une période allant d'environ trois à cinq ans.

Dans la plupart des cas, il est aisé de différencier le coût de la vie des projets spéciaux. En pratique, beaucoup de clients ont tendance à inclure certains de ces projets dans le calcul du coût de la vie. Si un projet d'envergure présente un caractère répétitif, il faut l'inclure dans l'évaluation du coût de la vie. Par exemple, si l'on décide de dépenser 2 000 $ systématiquement chaque année pour l'aménagement et la rénovation d'une maison, ce montant doit faire partie du coût de la vie. Dans les cas ambigus, le planificateur financier doit trancher, un coût ne pouvant être inclus dans deux sections à la fois.

Les projets spéciaux de la famille Simard-Lajoie sont présentés à la section 4 du questionnaire n° 1.

7.2.4 **Les composantes du coût de la vie**

Nous avons présenté les composantes du coût de la vie dans le tableau 7.3. Elles reflètent la classification établie par Statistique Canada selon l'indice des prix à la consommation (IPC) – (*voir le chapitre 4*). Nous avons regroupé ces composantes en quatre catégories : la maison, le transport, la famille et les frais divers. La majorité des éléments de chaque catégorie sont explicites, mais certains requièrent une brève explication.

La maison

L'hypothèque Le versement hypothécaire pour la maison fait partie du coût de la vie. Comme ce versement est l'équivalent du loyer à payer, son inclusion au coût de la vie est justifiée. De plus, il s'agit souvent d'un emprunt à très long terme pour un actif qui, en général, tendra à prendre de la valeur.

L'entretien Il est question ici de l'achat de produits nettoyants, des frais liés à la peinture, au déneigement, à la plomberie, à l'électricité, à l'entretien de la pelouse ou aux réparations générales.

L'ameublement Il s'agit de la réparation, de la location ou de l'achat de meubles ou d'appareils ménagers.

Le transport

L'automobile Le montant qui figure au coût de la vie pour le véhicule familial doit être un débours mensuel, par exemple le coût de location à long terme, et non le paiement mensuel pour rembourser un emprunt. Ce paiement mensuel figure dans la rubrique Versements sur emprunts du tableau 7.2 (*voir la page 130*). Cependant, certains modes de financement du type prêt-rachat qu'offrent les établissements financiers (et certaines grandes entreprises) s'apparentent à une location à long terme. Plusieurs consommateurs utilisent ces modes de financement sur une base régulière comme s'il s'agissait d'une location. Par conséquent, ces montants mensuels peuvent être inclus au coût de la vie. Pour sa part, l'achat au comptant d'une automobile devient simplement la réalisation d'un projet spécial et la portion du montant emprunté, s'il y a lieu, une dette à rembourser.

La famille

L'alimentation   Il s'agit des dépenses d'épicerie engagées pour nourrir la famille. Il faut noter que ces dépenses ne comprennent pas les sorties au restaurant, lesquelles font l'objet d'un traitement distinct.

Les sports et les loisirs   Il s'agit de l'achat ou de la location d'équipement sportif, des sorties au théâtre, au cinéma ou au centre sportif, des soirées sociales, etc. Les dépenses en restaurant ne sont pas incluses.

Divers

Les vacances et les voyages   Dans cette catégorie se trouvent les vacances annuelles ou semi-annuelles. Les voyages plus onéreux ou effectués plus rarement (tous les cinq ans ou plus) sont considérés comme des projets spéciaux.

7.3 La programmation des disponibilités financières

Le calcul des disponibilités financières étant terminé, il faut maintenant prévoir l'utilisation de ces fonds et des autres qui sont disponibles, comme les placements. L'objectif de cette section du plan financier est d'atteindre la première étape de l'indépendance financière, laquelle consiste à libérer le client de ses dettes personnelles et à lui permettre de ne plus s'endetter pour subvenir au coût de la vie et réaliser des projets spéciaux. Le plan financier du client est conçu dans cette optique. Il n'y a donc pas de place pour l'endettement lié à l'utilisation de cartes ou de marges de crédit. Si le client utilise une carte de crédit, il doit comprendre qu'elle constitue un outil de paiement des éléments du coût de la vie et qu'il doit payer le solde de son compte à la réception afin d'éviter les intérêts. Le tableau 7.4 illustre l'utilisation des disponibilités de la famille Simard-Lajoie. Toutes les valeurs de ce tableau proviennent des tableaux présentés précédemment ou des questionnaires que le client a remplis. Lorsque le planificateur remet son rapport final, il doit insister sur cette étape, en soulignant l'avantage de se libérer des dettes, avec une démonstration claire à l'appui.

Le tableau 7.4 permet de suggérer au client des façons d'utiliser ses disponibilités financières et certains de ses placements pour atteindre l'équilibre entre les différents éléments suivants :

- Le paiement prioritaire des dettes personnelles ;
- L'investissement dans certains régimes enregistrés tels qu'un REER et un REEE ;
- Les débours relatifs aux projets spéciaux ;
- Le maintien de la réserve de base.

De plus, ce tableau illustre bien les rentrées (recettes, ou encaissements) et les sorties (débours, ou décaissements) d'argent prévues pour les prochaines années.

TABLEAU `7.4` **La programmation des disponibilités financières – Famille Simard-Lajoie**

Couple Simard-Lajoie
La programmation des disponibilités financières

Du 1er novembre au 31 octobre	2010-2011	2011-2012	2012-2013	2013-2014
RECETTES				
Encaisse au début[1]	1 800 $	2 851	3 225	3 738
Placements à liquider[2]	11 000			
Disponibilités financières[3]	7 940	7 938	8 077	8 218
Total	20 740 $	10 789	11 302	11 956
DÉBOURS				
Comptes engagés[4]				
Solde des cartes de crédit	3 900 $			
Impôt 2009, non payé	925			
Paiements mensuels – auto	5 484	5 484	5 484	5 484
Total	10 309 $	5 484 $	5 484 $	5 484 $
Paiements suggérés[5]				
REER investi[6]	1 800 $	1 800 $	1 800 $	1 800 $
Économie d'impôt	(720)	(720)	(720)	(720)
REEE investi[7]	1 000	1 000	1 000	1 000
Règlement – auto[8]				2 670
Rénovation – maison[9]	5 500			
Total	7 580 $	2 080 $	2 080 $	4 750 $
SOLDE DE FIN DE PÉRIODE[10]	2 851 $	3 225	3 738	1 722
CPG-CELI	5 000	5 000	5 000	5 000
RÉSERVE DE BASE[11]	7 851 $	8 225 $	8 738 $	6 722 $

(1) L'encaisse au début

On se reporte au bilan s'il est daté du début de la programmation. En pratique, il se peut que le bilan soit daté de quelques jours avant la date du début de la programmation. La façon la plus simple de résoudre ce problème est de s'enquérir auprès du client du solde de l'encaisse au début du mois de la programmation. L'idéal est de produire le bilan en date du début de la programmation des disponibilités financières.

L'encaisse de la famille Simard-Lajoie au début est de 1 800 $ (1 000 $ pour Claude et 800 $ pour Francine) ; pour les années suivantes, l'encaisse correspond au solde de la fin de l'exercice précédent présenté dans le tableau.

(2) Les placements à liquider

On suggère de liquider certains placements afin de régler les dettes au plus tôt. Il n'est pas judicieux de disposer de placements qui comportent un fardeau fiscal, tel un REER. S'il s'agit d'actions, il faut être prudent et suggérer au client de vendre celles qui ne prendront que peu ou pas de valeur à court et à moyen terme. Les placements figurent au bilan.

Dans le cas des Simard-Lajoie, on trouve au bilan (*voir le tableau 7.1 à la page 127*) des CPG d'une valeur totale de 16 000 $ (*voir aussi la sous-section 7.1.1 et le questionnaire no 2*).

Il s'agit de quatre certificats (3 de 5 000 $ et l'autre de 1 000 $) dont l'échéance est le 31 juillet 2011. Trois certificats totalisant 11 000 $ (2 de 5 000 $ et l'autre de 1 000 $) seront liquidés à cette date et le certificat restant, de 5 000 $, sera renouvelé à 3 % sous forme de CELI. Il servira à alimenter la réserve de base.

TABLEAU 7.4 *(suite)*

(3) Les disponibilités financières

Les disponibilités financières sont précisées dans le calcul des disponibilités financières (*voir le tableau 7.2 à la page 130*). Elles sont établies avant le paiement mensuel des dettes, prévu dans le tableau de programmation.

(4) Les comptes engagés

Il s'agit des paiements que le client doit obligatoirement effectuer : emprunts, impôt, etc. Le solde de ces comptes figure au bilan personnel. Par conséquent, il est nécessaire soit d'acquitter le solde de la dette au complet, soit d'effectuer les paiements mensuels obligatoires et d'acquitter le solde plus tard. C'est le cas pour le prêt automobile.

Le questionnaire n° 2 indique que les mensualités relatives au prêt automobile sont de 457 $ par mois (5 484 $ par année).

(5) Les paiements suggérés

Dans cette section du tableau de programmation, on suggère d'effectuer certains débours. C'est donc ici que se trouvent les véritables recommandations que fait le planificateur à son client, qui doit bien comprendre l'intérêt d'effectuer ces paiements.

(6) L'investissement dans un REER

Le montant suggéré pour l'investissement dans un REER tient compte des dettes, des projets spéciaux et de la réserve de base à maintenir. On suggère ici de verser 1 800 $ par année en REER, et ce, au cours des quatre prochaines années. L'investissement dans un REER étant déductible d'impôt, il est important de calculer l'économie d'impôt et de la présenter en diminution du montant investi dans ce REER. Le taux marginal de Claude Lajoie est de 40 % ; l'économie d'impôt effectuée grâce au REER est donc de 1 800 $ × 40 %, soit 720 $.

Afin de profiter au maximum de la déduction fiscale (le taux marginal de Claude Lajoie étant supérieur à celui de sa conjointe) et de conserver des liquidités suffisantes pour subvenir aux autres besoins du couple, le planificateur ne suggère pas à Francine Simard d'investir dans un REER pour le moment. Le montant non investi annuellement dans un REER peut être reporté aux années ultérieures ; cette stratégie ne pénalise donc pas la famille Simard-Lajoie, plus particulièrement Francine. D'ailleurs, Claude pourra toujours investir au nom de Francine.

(7) Le régime enregistré d'épargne-études (REEE)

Bénéficiant de subventions gouvernementales, ce régime est le véhicule par excellence pour investir dans les études des enfants (*voir le chapitre 12*). Le planificateur financier a recommandé au couple Simard-Lajoie de débuter par un régime familial comportant des mises annuelles de 1 000 $. Il sera important, une fois les dettes réglées, de corriger à la hausse ces cotisations annuelles.

(8) Le règlement des dettes personnelles

Il convient de suggérer au client de régler ses dettes en commençant par celles dont le taux d'intérêt est le plus élevé. Avant de lui recommander de rembourser le capital, il faut s'assurer que le client a la possibilité financière et légale de le faire. Par possibilité légale, on entend le fait que le client peut régler sans pénalité ses dettes au cours de l'année ; anticiper le paiement d'une dette hypothécaire, par exemple, peut entraîner des pénalités dans certains cas.

Un aspect très important entre ici en jeu : sur le plan psychologique, le client n'est peut-être pas prêt à rembourser ses dettes. Certains remboursements pourraient en effet lui sembler trop élevés, même s'ils sont financièrement justifiés. Il doit donc exister une certaine complicité entre le planificateur et son client afin que cette question soit éclaircie.

Le solde de la dette sur l'automobile en date du 31 octobre 2014 sera de 2 670 $. La calculatrice permet de déterminer ce solde. Claude et Francine envisagent une location ou un prêt-rachat pour la prochaine automobile.

Quant à l'hypothèque de 60 000 $, contractée le 1er novembre 2008 pour un terme de 5 ans (*voir le questionnaire n° 2*), il n'est pas possible, pour le moment, de la rabattre plus rapidement qu'en faisant les versements mensuels réguliers de 534 $ inclus au coût de la vie. La sous-section 7.3.2 traite de ce dilemme.

(9) Les projets spéciaux

Les deux projets spéciaux du couple sont précisés dans le questionnaire n° 1. Le plus urgent pour 2010-2011 concerne l'ajout d'un garage à la maison, projet estimé à 5 500 $ que nous avons programmé comme il a été prévu. Le second projet concerne une piscine creusée, estimée à 9 500 $. Le tableau 7.4 indique clairement l'impossibilité de réaliser ce projet au cours des quatre années visées. Par contre, Francine et Claude semblent conscients de cette situation, car ils l'indiquent dans le questionnaire n° 1 « si c'est possible ». Cette situation démontre parfaitement le grand dilemme dans lequel est plongée la société d'aujourd'hui, à savoir vivre sans dettes et sans les biens matériels désirés ou s'endetter et posséder ces biens.

TABLEAU 7.4 *(suite)*

(10) Le solde en fin de période

Ce solde correspond à la différence entre les recettes et les débours. Il représente le solde de l'encaisse disponible pour les prochaines années.

(11) La réserve de base

La réserve de base est constituée du solde de l'encaisse et, si nécessaire, de celui des placements à court terme. Elle doit être égale à trois mois de coût de la vie. L'utilité de ce fonds est de se protéger contre les imprévus, les accidents, etc., mais il n'est pas impératif ; il s'agit d'un coussin de sécurité dont on doit se munir dans la mesure du possible. Le CELI est un excellent véhicule pour le maintien de la réserve de base.

Pour la famille Simard-Lajoie, la réserve de base devrait idéalement s'élever à environ 10 125 $ (40 500 $ ÷ 4). On peut constater, dans le tableau 7.4, que les Simard-Lajoie ont une réserve acceptable.

7.3.1 L'étalement du paiement des dettes

La période que couvre la programmation des disponibilités financières dépend prioritairement de l'étalement du paiement des dettes. La date du début de la programmation est le 1er novembre 2010, soit celle du début de la planification. Généralement, la durée d'un tel tableau devrait aller de un à quatre ans au maximum. Le planificateur financier doit donc évaluer la motivation de son client à respecter ce programme et à ne plus s'endetter. Après ce temps, les dettes acceptables sont les suivantes :

- Les dettes relatives à un investissement, lorsque l'intérêt est déductible d'impôt ;
- Les dettes relatives à un investissement dans un REER acquittées en un an grâce, en partie, aux remboursements d'impôt ;
- L'hypothèque de la résidence personnelle, car le montant en est souvent élevé ;
- Une dette contractée dans une situation d'urgence.

7.3.2 Le cas de l'hypothèque résidentielle

Le tableau 7.4 (*voir les pages 135-137*) propose au client un plan de santé financière en vue d'atteindre la première étape de l'indépendance financière au moyen du remboursement des dettes. Bien que l'hypothèque soit une dette, il s'agit d'un cas particulier, puisqu'elle s'appuie sur un actif qui, généralement, s'apprécie.

Le planificateur doit informer son client de l'importance de rembourser cette dette dans les plus brefs délais. Il lui suggérera également d'utiliser les remboursements d'impôt sur les futurs investissements en REER pour rabattre l'hypothèque. Durant la période de programmation, ces remboursements ont servi à maintenir les disponibilités financières mais, à partir du 1er novembre 2014, ils pourront servir à rembourser l'hypothèque le plus rapidement possible. Nous aborderons cette question dans le module « La retraite ».

7.4 Les budgets

La dernière étape de la phase de la budgétisation consiste à élaborer deux budgets : le budget familial et le budget de caisse. L'objectif du budget familial est de faciliter l'atteinte du coût de la vie établi pour l'année qui vient. Le budget de caisse, quant à lui, permet l'application du plan présenté au tableau 7.4 (*voir les pages 135-137*), soit la programmation des disponibilités financières.

7.4.1 Le budget familial

Le budget familial (ou coût de la vie budgétisé) est l'instrument privilégié pour gérer le coût de la vie. Dans la majorité des cas, il est nécessaire de budgétiser annuellement, sinon mensuellement, pour bien maîtriser le coût de la vie. En effet, celui-ci est généralement assujetti aux pressions inflationnistes et au désir d'augmenter la qualité de vie familiale grâce à l'accroissement des diverses dépenses ou des emprunts. Le coût de la vie est un état de fait, tandis que le budget permet de corriger les mauvaises habitudes d'achat et de consommation.

Le budget familial sert donc à établir le coût de la vie. En général, le planificateur financier se limite à suggérer des compressions budgétaires globales (si nécessaire, bien sûr) sans entrer dans les détails. À titre d'exemple, le tableau 7.5 présente le budget familial des Simard-Lajoie. Il comporte deux colonnes: Coût de la vie projeté et Coût de la vie budgétisé. La première colonne reflète le coût de la vie pour l'année à venir, soit du 1er novembre 2010 au 31 octobre 2011. La seconde colonne représente la recommandation du planificateur. Dans le cas de la famille Simard-Lajoie, il n'y a aucune recommandation ferme pour 2010- 2011. Cependant, si le projet spécial de la piscine était réalisé, il faudrait examiner de plus près les budgets futurs.

Il existe aujourd'hui sur le marché de nombreux logiciels de qualité qui permettent d'établir et de suivre rigoureusement le budget familial.

En résumé, le budget familial sert à présenter le coût de la vie budgétisé (qui est, dans notre cas, l'équivalent du coût de la vie projeté) pour l'année qui vient selon les recommandations du planificateur. Dans le cas où les disponibilités financières seraient insuffisantes pour effectuer les versements mensuels sur les emprunts et accumuler l'épargne jugée importante, des réductions au coût de la vie devraient être proposées au client.

7.4.2 Le sommaire des dépenses mensuelles

Pour certaines familles qui désirent mieux suivre leur budget familial, il est possible de suggérer l'utilisation d'un sommaire des dépenses mensuelles. Le tableau 7.6 (*voir la page 140*) illustre ce procédé. Pour le client, il s'agit de noter les dépenses réelles effectuées pendant le mois, puis d'en comparer le montant avec celui du coût de la vie selon le budget, de noter l'écart et, si possible, de l'expliquer afin d'améliorer la situation les mois suivants.

Encore là, le client peut se servir d'un logiciel de qualité qui lui permet de contrôler ses dépenses mensuelles. Dans le sommaire de ces dépenses (*voir le tableau 7.6 à la page 140*), quatre aspects sont importants:

- La prévision budgétaire – Les données proviennent du tableau 7.5, lequel indique le coût de la vie budgétisé. Le client peut établir un budget hebdomadaire si un contrôle plus serré des dépenses est nécessaire;

- Le résultat réel – Il correspond aux dépenses réellement effectuées durant la semaine ou le mois;

- L'écart – Il s'agit de la différence entre la prévision et les dépenses réelles;

- L'explication – Elle porte sur l'écart négatif, ou défavorable, afin que le client réfléchisse sur certains coûts et évite les mêmes pièges les mois suivants.

TABLEAU 7.5 Le budget familial pour l'année 2010-2011 – Famille Simard-Lajoie

	Coût de la vie projeté	Coût de la vie budgétisé		Coût de la vie projeté	Coût de la vie budgétisé
A) MAISON			**B) TRANSPORT**		
Loyer	–		Essence et huile (auto)	140$	
Hypothèque	534$		Entretien (auto)	50	
Téléphone	60		Assurance automobile	60	
Câble	40		Automobile	–	
Chauffage	75		Immatriculation et permis	50	
Électricité	75		Stationnement	40	
Impôt foncier/taxe scolaire	200		Location d'un garage	40	
Entretien	36		Taxis	40	
Assurances (feu, vol, etc.)	60		Métro ou autobus	–	
Ameublement	30		Autres frais	–	
Autres frais	–		**TOTAL MENSUEL (B)**	420$	$
TOTAL MENSUEL (A)	1 110$	$	**D) DIVERS**		
C) FAMILLE			Vacances et voyages	275$	
Alimentation	650$		Assurance vie	25	
Habillement	80		Autres assurances	–	
Frais de scolarité	–		Dons ou cadeaux	30	
Sports et loisirs	75		Aide ménagère	–	
Sorties au restaurant	140		Pension alimentaire	–	
Pharmacie et cosmétiques	65		Autres frais	–	
Journaux et magazines	25		**TOTAL MENSUEL (D)**	330$	
Tabac et alcool	60		**TOTAL MENSUEL**		
Frais de garderie	75		**(A) (B) (C) (D)**	3215$	
Dentiste et optométriste	50		**TOTAL ANNUEL**	38580$	
Allocation aux enfants	–		Ajouter 5 % pour imprévus	1929	
Loterie	10		Coût de la vie annuel	40509$	
Argent de poche	125		**COÛT DE LA VIE**		
Autres frais	–		**ANNUEL (à 100$ près)**	40500$	$
TOTAL MENSUEL (C)	1355$	$			

Pour certaines personnes, le respect du coût de la vie est une tâche difficile à exécuter, ce qui justifie par le fait même une méthode de contrôle adéquate telle le sommaire des dépenses. Afin de faciliter l'atteinte du coût de la vie budgétisé, il importe de contrôler les dépenses réellement engagées de semaine en semaine (ou de mois en mois), de comparer ces coûts réels avec ceux qui ont été budgétisés et de faire ressortir la différence. Ainsi, il devient possible de susciter une réflexion qui permet d'améliorer la situation dans les mois à venir.

TABLEAU 7.6 Le sommaire des dépenses mensuelles

	Prévision budgétaire	Résultat réel	Écart	Explication
A) MAISON				
Loyer				_____
Hypothèque				_____
Téléphone				_____
Câble				_____
Chauffage				_____
Électricité				_____
Impôt foncier et taxe scolaire				_____
Entretien				_____
Assurances (feu, vol, etc.)				_____
Ameublement				_____
Autres frais	_____	_____	_____	_____
TOTAL MENSUEL (A)				
B) TRANSPORT				
Essence et huile (auto)				_____
Entretien (auto)				_____
Assurance automobile				_____
Automobile				_____
Immatriculation et permis				_____
Stationnement				_____
Location d'un garage				_____
Taxis				_____
Transport en commun				_____
Autres frais	_____	_____	_____	_____
TOTAL MENSUEL (B)				
C) FAMILLE				
Alimentation				_____
Habillement				_____
Frais de scolarité				_____
Sports et loisirs				_____
Sorties au restaurant				_____
Pharmacie et cosmétiques				_____
Journaux et magazines				_____
Tabac et alcool				_____
Frais de garderie				_____
Dentiste ou optométriste				_____
Allocation aux enfants				_____
Loterie				_____
Argent de poche				_____
Autres frais	_____	_____	_____	_____
TOTAL MENSUEL (C)				

TABLEAU 7.6 *(suite)*

D) DIVERS

Vacances et voyages	_____
Assurance vie	_____
Autres assurances	_____
Dons ou cadeaux	_____
Aide ménagère	_____
Pension alimentaire	_____
Autres frais	_____

TOTAL MENSUEL (D) _____ _____ _____

TOTAL MENSUEL
(A) (B) (C) (D)

TOTAL ANNUEL

Ajouter 5 %
pour imprévus _____ _____ _____

COÛT DE LA VIE ANNUEL
(à 100 $ près) _____ _____ _____

7.4.3 Le budget de caisse mensuel

Le budget de caisse mensuel tient compte des mouvements prévisibles de l'encaisse. Il constitue un échéancier à respecter, c'est-à-dire qu'il précise les mois où les recettes sont encaissées et ceux où les paiements doivent être effectués. On y trouve le détail des encaissements (recettes) et tous les débours prévisibles relativement au coût de la vie, au paiement des dettes, aux placements (REER) et autres. Parfois, c'est un budget de caisse hebdomadaire qui est requis plutôt qu'un budget de caisse mensuel. Ce procédé permet l'atteinte des objectifs à court et à moyen terme établis dans la programmation des disponibilités financières.

Pour préparer un budget de caisse mensuel, le planificateur se sert de différents montants. Ceux-ci proviennent du tableau des disponibilités financières et des liquidités (*voir le tableau 7.2 à la page 130*) – soit les différents revenus et le coût de la vie –, ainsi que de la programmation des disponibilités financières (*voir le tableau 7.4 aux pages 135-137*) – soit la liquidation des placements, le paiement des dettes, les REER et les projets spéciaux, s'il y a lieu. Par ailleurs, d'autres tableaux peuvent servir de référence pour déterminer certains montants du budget de caisse.

Le rapport final destiné au client comporte en général un budget de caisse mensuel pour l'année à venir. On suggère fortement au client de reproduire annuellement ce budget de caisse, compte tenu des changements importants qui ont pu se produire durant l'année écoulée. Il doit bien comprendre que ce budget est un outil de contrôle important, dans la mesure où il permet de visualiser les mouvements de l'encaisse, ce qui facilite la compréhension des actions à entreprendre.

Le budget de caisse mensuel de la famille Simard-Lajoie est présenté dans le tableau 7.7 aux pages suivantes. Plusieurs bons logiciels aujourd'hui sur le marché offrent ce type de budget.

TABLEAU 7.7 Le budget de caisse mensuel – Famille Simard-Lajoie

2010-2011	Total à répartir	Nov.	Déc.	Janv.	Févr.	Mars	Avril	Mai	Juin	Juil.	Août	Sept.	Oct.
Encaisse au début[1]	1800$	1800$	484$	493$	502$	511$	520$	529$	538$	427$	2216$	2425$	2634$
Recettes													
Salaire – Claude[2]	34600$	2883	2883	2883	2883	2883	2883	2883	2883	2883	2883	2883	2883
Salaire – Francine[2]	12700	1058	1058	1058	1058	1058	1058	1058	1058	1058	1058	1058	1058
Intérêt encaissé[3]	480									480			
PUGE[4]	1200	100	100	100	100	100	100	100	100	100	100	100	100
Placements à liquider[4]	11000									11000			
Remboursement d'impôt[5]	180								180				
Emprunt pour REER[6]	1800				1800								
Débours													
Coût de la vie[7]	40500	3375	3375	3375	3375	3375	3375	3375	3375	3375	3375	3375	3375
Dettes et paiements divers[8]													
Solde des cartes de crédit[9]	3900	600	200	200	200	200	200	200	500	1600			
Impôt de l'année précédente	925	925											
Paiements mensuels du prêt automobile	5484	457	457	457	457	457	457	457	457	457	457	457	457
REER à investir	1800				1800								
REEE à investir	1000									1000			
Rénovations – maison	5500									5500			
Remise du prêt pour REER[9]	1800									1800			
Réserve pour impôt													
Solde à la fin		484$	493$	502$	511$	520$	529$	538$	427$	2216$	2425$	2634$	2843$[10]

(1) L'encaisse au début

Le montant de 1 800 $, présenté dans le tableau 7.4 aux pages 135-137 (encaisse au début, novembre 2010), est reporté au budget de caisse mensuel.

(2) Les salaires nets

Les salaires nets de Claude et Francine proviennent du tableau 7.2 à la page 130. Ils doivent être divisés par 12 pour la présentation mensuelle :

- Claude : 34 600 $ ÷ 12 = 2 883 $
- Francine : 12 700 $ ÷ 12 = 1 058 $

(3) L'intérêt encaissé

L'intérêt doit être indiqué dans le budget de caisse le mois où il est encaissé. Dans notre exemple, il s'agit du 31 juillet 2011. Ainsi, l'intérêt sur les CPG est de 480 $, soit 16 000 $ × 3 % (voir le tableau 7.2 à la page 130).

(4) Les placements à liquider

Le montant des placements à liquider est indiqué dans le tableau 7.4 (voir les pages 135-137). La date d'échéance est le 31 juillet 2011. Le montant de 11 000 $ représente la liquidation des 2 certificats de 5 000 $ et de celui de 1 000 $.

(5) Le remboursement d'impôt

Économie d'impôt pour le REER (1 800 $ × 40 % taux marginal de Claude)	720 $
MOINS : Impôt sur intérêts (480 $ × 40 %)	192 $
Impôt sur PUGE (1 200 $ × 29 % taux marginal de Francine)	348 $
	180 $

(6) L'emprunt pour REER

Il est nécessaire d'emprunter la somme de 1 800 $ afin d'investir dans un REER en février, dernier mois pour profiter de la déduction en 2010.

(7) Le coût de la vie

Le coût de la vie annuel est présenté dans le tableau 7.5 à la page 139, et provient du questionnaire n° 1. Il suffit de diviser ce montant par 12 afin de le présenter sur une base mensuelle :

Coût de la vie annuel : 40 500 $ ÷ 12

Coût de la vie mensuel : 3 375 $

(8) Les dettes et paiements divers

Le reste du budget de caisse est consacré aux dettes et paiements divers ; le tout provient du tableau 7.4 (voir les pages 135-137). On inscrit ces montants aux mois les plus rapprochés en s'assurant que le solde de fin de mois est positif. Les mensualités (pour l'automobile) sont étalées sur 12 mois afin de refléter la réalité. L'investissement dans un REER doit se faire au plus tard en février 2011. La remise du prêt de 1 800 $ pour un REER peut être faite en juillet 2011.

(9) Pour simplifier, nous n'avons pas tenu compte des intérêts qui s'accumulent sur le solde.

(10) Présentement aucune réserve. Cette réserve représenterait l'impôt payable l'année suivante et qui doit être présenté au dernier mois du tableau.

(11) Écart de 8 $ par rapport au tableau 7.4 aux pages 135-137 (2 851 $) en raison de l'arrondissement des valeurs dans ce tableau-ci.

MÉDIAGRAPHIE

Page 128
Revenu Québec, www.revenuquebec.ca via
Citoyens > Services en ligne. Formulaires et
publications > Formulaires > MR-93.1.1

Page 130
Agence du revenu du Canada, www.cra-arc.
gc.ca/ via Prestation universelle pour la garde
des enfants

QUESTIONS DE RÉVISION

1. Quelles différences y a-t-il entre le bilan d'entreprise et le bilan personnel ?

2. Quels éléments peuvent composer l'impôt éventuel ?

3. Pourquoi y a-t-il un impôt éventuel sur le montant global du REER ?

4. Que signifie l'expression « valeur nette » dans un bilan ?

5. Nommez deux documents financiers qui font partie d'une saine gestion budgétaire.

6. Que signifient les expressions « disponibilités financières » et « excédent de liquidités » ?

7. Quelle est l'utilité de la réserve de base ?

8. Quelle est la différence entre le « salaire brut » et le « salaire net » ?

9. L'intérêt provenant d'un REER figure-t-il dans le tableau des disponibilités financières et des liquidités ? Dans le revenu de placement ? Expliquez votre réponse.

10. Quelle différence y a-t-il entre le « coût de la vie » et les « projets spéciaux » ?

11. À quoi sert le tableau de programmation des disponibilités financières ?

12. Quelles sont les dettes acceptables après la période (maximum de quatre ans) précisée dans le tableau de programmation des disponibilités financières ?

13. Expliquez l'importance de régler les dettes dont l'intérêt n'est pas déductible d'impôt. En général, de quelle nature sont ces dettes ?

14. Que signifie l'expression « comptes engagés » ?

15. Quelle est la relation entre la première étape de l'indépendance financière et le tableau de programmation des disponibilités financières ?

16. Quels sont les deux outils financiers qui constituent la base du système de contrôle du coût de la vie proposé et de la programmation des disponibilités financières ?

17. Quelles grandes catégories composent le budget familial ?

18. À quoi sert le budget de caisse ?

19. Puisque aucune dette n'est incluse dans le coût de la vie, pourquoi y inclure l'hypothèque ?

EXERCICES

1. Voici quelques données concernant la famille Bellehumeur (période du 1er septembre 2010 au 31 août 2011) :

- Salaires prévus de Marcel et de Nathalie : 45 400 $ après impôts

- Coût de la vie prévu :

  A) Maison   700 $

  B) Transport   600

  C) Famille   900

  D) Divers   400

  ——

  2 600 $ par mois

- Versements mensuels prévus sur emprunts personnels : 800 $ par mois

  Les Bellehumeur sont locataires et désirent acheter une maison d'ici peu. Ils ne possèdent pas de voiture, mais aimeraient en acquérir une. Le conseiller de l'établissement financier avec lequel ils font affaire les avise qu'ils devraient investir 4 000 $ annuellement en vue de leur retraite, car ils n'ont présentement aucun plan de retraite.

  a) Quel est le coût de la vie annuel des Bellehumeur ?

  b) Quel est leur excédent ou leur déficit de liquidités ?

2. M. Thébert vous demande de préparer son bilan personnel. Le 31 juillet 2010, il vous soumet les renseignements suivants :

- 860 $ dans un compte bancaire ;

- 174 $ en paiement mensuel bancaire pour l'automobile ;

- 560 $ au dernier compte de la carte de crédit ;

- 12 300 $ en montant payé pour les meubles de la maison ;

- 11 714 $ en montant payé pour l'automobile ;

- 6 000 $ en dépôts à terme acquis le 1er février 2010, rendement de 3 % ;

- 18 400 $ sur le dernier relevé relatif au REER (40 % en taux d'imposition moyen pour utiliser le REER) ;

- 6 500 $ pour la valeur marchande de l'automobile ;

- 3 850 $ pour le solde de l'emprunt bancaire pour l'automobile ;

- 5 500 $ pour la valeur marchande des meubles de la maison ;

- Taux d'imposition marginal : 47 %.

Arrondissez les résultats à 1 $ près.

3. Serge et Aline Lebrun vous demandent de préparer leur bilan familial au 31 août 2010. Ils vous fournissent les renseignements suivants :

- Le taux d'imposition marginal de Serge est de 36 % et celui d'Aline, de 38 % ;

- Serge et Aline Lebrun ont chacun un compte bancaire ; ces deux comptes totalisent 3 550 $;

- Serge Lebrun possède une obligation d'épargne depuis le 1er février 2010, à 3 %, 5 000 $;

- Le solde de leurs cartes de crédit est de 400 $;

- La résidence familiale est au nom des deux conjoints ; elle a été achetée au coût de 90 000 $ et sa valeur marchande est de 280 000 $;

- L'hypothèque résidentielle, signée il y a quelques années pour un montant de 84 000 $, présente actuellement un solde de 66 600 $; les paiements mensuels sont de 724 $;

- Les meubles de la résidence ont été payés environ 22 000 $; leur valeur marchande est de 14 000 $;

- L'automobile, au nom d'Aline, vaut 8 000 $ et a été payée 12 500 $;

- Il y a un emprunt bancaire sur l'automobile, à 11 % ; le solde actuel est de 5 400 $;

- Le fonds en REER au nom de Serge présente à cette date un solde accumulé de 14 980 $ (taux d'imposition moyen de 40 % pour utiliser le REER).

Arrondissez les résultats à 1 $ près.

4. M. Lebœuf vous demande de faire le calcul de ses disponibilités financières et de ses liquidités pour les trois années suivantes, et ce, à partir du mois d'avril 2010. Voici les détails

EXERCICES *(suite)*

figurant sur le T4 et le Relevé 1 de M. Lebœuf pour la présente année :

Salaire brut	55 700 $
Contributions au RRQ	1 910
Cotisations à l'assurance-emploi et à l'assurance parentale	834
Cotisations à un RPA	3 123
Cotisations syndicales	890
Impôt du Québec	7 097
Impôt fédéral	7 158

On suppose que les retenues à la source ont été établies correctement.

Le coût de la vie de M. Lebœuf sera de 20 000 $ l'an prochain et ses versements annuels sur emprunts, de 4 700 $, et ce, pour les quatre années suivantes.

Il prévoit gagner 740 $ en intérêts avant impôts l'année prochaine. Après l'encaissement de ces intérêts, il prévoit utiliser son placement pour acheter de nouveaux meubles ; ainsi, il n'aura plus de gains d'intérêt les années suivantes.

Le taux d'inflation prévu des années suivantes est de 3 %. On suppose que le salaire de M. Lebœuf suivra cette progression. Prévoyez que l'augmentation annuelle salariale (salaire net) s'appliquera à partir d'avril. Le taux d'imposition marginal de M. Lebœuf est de 38 %.

Arrondissez les résultats à 1 $ près.

5. Calculez les disponibilités financières et les liquidités du couple Jeanneau pour les trois années suivantes, la date de départ étant le 1er septembre 2010. Voici un résumé des salaires des 12 derniers mois de Paul et Pauline Jeanneau :

	Paul	Pauline
Salaire brut	55 400 $	56 200 $
Retenues salariales	20 600	21 000
SALAIRE NET	34 800 $	35 200 $
Taux d'imposition marginal	38 %	38 %

Paul Jeanneau possède 39 900 $ en obligations d'épargne. Le taux d'intérêt est de 3 % ; il compte conserver ce placement durant au moins 5 ans, et ce, hors CELI.

Pauline Jeanneau possède un CPG de 5 ans lui rapportant 1 795 $ annuellement net d'impôt.

On présume que l'inflation sera de 3 % les trois années suivantes et que les salaires des Jeanneau suivront cette progression.

Le coût de la vie des Jeanneau au cours des 12 derniers mois a été de 36 000 $. Leurs versements mensuels pour les quatre années suivantes sont les suivants :

	Paul	Pauline
Versement mensuel pour l'auto	480 $	412 $
Versement mensuel pour les rénovations	612	

Arrondissez les résultats à 1 $ près.

6. M. Turgeon vous demande de préparer son bilan personnel. Le 30 mai 2010, il vous soumet donc les renseignements suivants :

- Investissement en REER depuis 7 ans : 16 000 $;
- Intérêts accumulés en REER à ce jour : 3 400 $;
- Achat de 6 000 $ de meubles à crédit chez Brault-Parizeau inc. Ce montant est payable six mois après l'achat. Les six premiers mois ne portent pas d'intérêt. Après cette période, l'intérêt est de 18 % par année ;
- Avis de cotisation reçu dernièrement pour la déclaration de revenus du Québec de l'année précédente ; solde : 2 200 $;
- Coût de l'automobile : 16 000 $; valeur actuelle : 8 400 $;
- Coût des meubles de la maison : 20 000 $; valeur actuelle : 8 000 $;
- Coût de la résidence : 125 000 $; valeur actuelle : 265 000 $;
- Achat d'un dépôt à terme de 8 000 $ le 1er février 2010, à 4 % par année, échéance 6 mois plus tard ;
- Taux d'imposition marginal de M. Turgeon : 47 % ; taux d'imposition sur REER : 40 %.

Arrondissez les résultats à 1 $ près.

7. Jean et Jeanne Beaulieu vous demandent de préparer leur bilan familial en date du 31 mai

EXERCICES *(suite)*

2010. Ils vous présentent les renseignements suivants :

- Le taux d'imposition marginal de Jean et de Jeanne s'élève à 40 % ;

- Dernièrement, ils ont acheté des meubles à crédit chez Léon Meublant inc. pour un montant de 4 000 $. Les paiements débutent dans 12 mois ; le taux d'intérêt sera de 14 % (aucun intérêt à payer d'ici là) ;

- Le coût total des meubles de leur maison est d'environ 29 000 $; la valeur marchande est de 18 000 $, y compris les meubles achetés récemment chez Léon Meublant inc. ;

- Le couple a obtenu une marge de crédit de 15 000 $ le 1er février précédent. Jean et Jeanne en ont utilisé 5 000 $ pour différents achats depuis cette date. (La dette relative à une marge de crédit est toujours le montant utilisé et non celui de la marge.) Ils paient les intérêts régulièrement chaque mois ;

- La résidence familiale, au nom de Jean et de Jeanne, a été payée 180 000 $. Elle vaut présentement 310 000 $. L'hypothèque présente actuellement un solde de 72 000 $. L'intérêt est de 6 % ;

- Ils ont un compte bancaire en commun, dont le solde est de 940 $;

- Jeanne Beaulieu a une obligation d'épargne de 4 500 $, acquise le 1er novembre dernier à 3 % ;

- Elle possède aussi un fonds de 12 000 $ accumulé en REER ; le taux utilisé pour évaluer l'impôt éventuel serait de 40 % ;

- Ils ont une automobile en commun, payée 18 000 $ et valant aujourd'hui 12 000 $.

8. M. Benoit vous demande de faire le calcul de ses disponibilités financières et de ses liquidités pour les quatre années à venir, et ce, à partir du 1er mars 2010. Son dernier relevé de salaire (il est payé aux deux semaines, pour un total de 26 paies par année) présente les montants suivants :

Salaire brut	1 630,76 $
RRQ	28,92
Cotisations à l'assurance-emploi et à l'assurance parentale	44,69
Cotisations syndicales	18,84
Impôt du Québec	274,07
Impôt fédéral	226,57

On suppose que les retenues salariales ont été effectuées correctement. On prévoit une augmentation salariale de 3 % à partir du 1er mars 2010.

Le coût de la vie de M. Benoit sera, l'an prochain, de 17 700 $ et ses versements annuels sur emprunts, de 3 600 $, et ce, pour les 4 années à venir. On présume que le taux d'inflation sera de 3 % pour ces 4 années et que le salaire de M. Benoit suivra cette progression.

Il prévoit gagner 1 197 $ en intérêts cette année. Après l'encaissement des intérêts, il compte liquider le placement afin de rénover sa maison. Ainsi, il n'aura pas de revenu d'intérêts les années qui suivent. Le taux d'imposition marginal de M. Benoit est de 38 %.

Arrondissez les résultats à 1 $ près.

9. Présentez le calcul des disponibilités financières et des liquidités du couple Couture à partir du 1er août 2010, et ce, pour les quatre années suivantes. Voici un résumé des salaires des 12 derniers mois de Maurice et de Nicole Couture :

	Nicole	Maurice
Salaire brut	22 000 $	10 000 $
Retenues salariales	5 200	1 100
SALAIRE NET	16 800 $	8 900 $

Nicole possède un dépôt à terme qui lui procurera, en avril prochain, des intérêts de 306 $. Elle compte utiliser ces fonds pour un voyage et ne désire donc pas renouveler ce titre l'année suivante. Le taux d'imposition marginal de Nicole est de 28 %.

Maurice a 800 $ dans un compte bancaire ne rapportant pas d'intérêt.

Voici en détail les paiements mensuels effectués par le couple Couture :

	Nicole	Maurice
Versement mensuel pour l'auto	312 $	284 $
Versement mensuel pour les meubles		320 $

EXERCICES (suite)

Le 1er août 2010, il reste à faire 24 paiements mensuels pour l'auto de Nicole, 32 paiements pour l'auto de Maurice et 7 paiements pour les meubles. Leur coût de la vie mensuel moyen des 12 derniers mois a été de 1 400 $.

L'inflation est présumée égale à 3 % les années suivantes. Les salaires des Couture suivront cette progression.

Arrondissez les résultats à 1 $ près.

10. Vous devez dresser le tableau de programmation des disponibilités financières de M. Bonneau pour les trois années à venir. Vous avez en main son bilan personnel ainsi que le calcul de ses disponibilités financières et de ses liquidités. De plus, il vous donne les renseignements suivants :

- Il est locataire ;
- Il détient 6 000 $ en obligations d'épargne (hors CELI), qu'il compte conserver les années suivantes en guise de réserve de base, ce qui correspond à environ 25 % de son coût de la vie annuel ;
- Au cours des 3 années à venir, il prévoit investir respectivement 3 484 $, 3 920 $ et 4 355 $ dans des REER. Son taux marginal est de 38 %.

M. Bonneau
Bilan personnel au 1er juillet 2010

ACTIF		
Liquidités		
Encaisse		2 200 $
Placements		
Obligations	6 000 $	
Intérêt couru, après impôts	100	
Fonds accumulés		
dans un REER	37 800	43 900
Biens personnels (valeur marchande)		
Meubles	9 000	
Automobile	7 000	16 000
TOTAL DE L'ACTIF		62 100 $

PASSIF	
Dettes à court terme	
Solde des cartes de crédit	2 800 $
Dettes à long terme	
Emprunt bancaire – automobile[1]	10 410
Impôt éventuel sur REER	15 120
VALEUR NETTE	**33 770**
TOTAL DU PASSIF ET DE LA VALEUR NETTE	**62 100 $**

(1) Emprunt contracté le 1er mars 2010 : 11 000 $ à 9 % pour 5 ans. Solde de 10 410 $ au 1er juillet 2010.

M. Bonneau
Disponibilités financières et liquidités
1er juillet

	2010-2011	2011-2012	2012-2013
Salaire brut	42 300 $		
Retenues salariales (y compris l'impôt)	15 400		
Salaire net	26 900 $	27 707 $	28 538 $
Intérêt	312	312	312
Impôt	118	118	118
Intérêt, après impôts	194 $	194 $	194 $
REVENU TOTAL, APRÈS IMPÔTS	27 094 $	27 901 $	28 732 $
Coût de la vie	20 500	21 115	21 748
DISPONIBILITÉS FINANCIÈRES	6 594 $	6 786 $	6 984 $
Moins : Versements annuels sur emprunts	2 740	2 740	2 740
EXCÉDENT DE LIQUIDITÉS	3 854 $	4 046 $	4 244 $

11. M. Huneault désire effectuer sa planification financière. Vous avez son bilan personnel ainsi que le calcul de ses disponibilités financières et de ses liquidités. Il vous demande de préparer le tableau de programmation de ses

EXERCICES *(suite)*

disponibilités financières en tenant compte des renseignements suivants :

- Le paiement hypothécaire est inclus dans le coût de la vie ;
- Il doit faire réparer la toiture de sa maison immédiatement pour la somme de 3 000 $;
- Les montants à investir en REER sont les suivants :

	2010-2011	2011-2012	2011-2012
Montants à investir	4 000 $	4 300 $	4 700 $
Économie d'impôt	1 500	1 600	1 800

- Il désire conserver une réserve de base d'environ 6 000 $ la première année, d'environ 10 000 $ la deuxième année et d'environ 7 000 $ la troisième.

M. Huneault
Disponibilités financières et liquidités
Du 1er septembre au 31 août

	2010-2011	2011-2012	2012-2013
Salaire net	42 000 $	44 100 $	46 300 $
Salaire net du conjoint	8 000	8 400	8 800
REVENU TOTAL, APRÈS IMPÔTS	50 000 $	52 500 $	55 100 $
Coût de la vie	39 000	40 900	43 000
DISPONIBILITÉS FINANCIÈRES	11 000 $	11 600 $	12 100 $
Moins : Versements prévisibles sur emprunts	4 926	4 926	4 926
EXCÉDENT DE LIQUIDITÉS	6 074 $	6 674 $	7 174 $

M. Huneault
Bilan personnel au 1er septembre 2010

ACTIF		
Liquidités		
Encaisse	17 500 $	
Placements (valeur marchande)		
Fonds accumulés dans un REER	21 500	39 000 $
Biens personnels (valeur marchande)		
Maison	230 000 $	
Meubles	18 000	
Automobile	14 000	162 000
TOTAL DE L'ACTIF		301 000 $
PASSIF		
Dettes à court terme		
Solde des cartes de crédit	2 500 $	
Impôt de l'an dernier	3 000	5 500 $
Dettes à long terme		
Emprunt bancaire – automobile (acquise le 1er février 2010, 8 000 $, 12 %, 5 ans)	7 288	
Emprunt bancaire – meubles (acquis le 1er juillet 2010, 7 000 $, 12 %, 3 ans)	6 671	
Hypothèque résidentielle[1]	15 600	29 559
Impôt éventuel sur REER		8 600
VALEUR NETTE		257 341
TOTAL DU PASSIF ET DE LA VALEUR NETTE		201 000 $

(1) Renouvelée le 31 août 2010, taux de 11 %, période d'amortissement de 10 ans.

Note : Pour calculer le solde des emprunts, vous devez utiliser une calculatrice. Le solde de l'hypothèque résidentielle sera de 12 518 $ après 3 ans, celui de la dette sur les meubles sera de 2 202 $ dans 2 ans, celui de la dette sur l'automobile sera de 5 961 $ dans 1 an, et ce, par rapport à la date du bilan, soit le 1er septembre 2010.

EXERCICES *(suite)*

12. M. Samson vous demande d'établir un budget de caisse mensuel d'après les tableaux suivants.

M. Samson Disponibilités financières et liquidités			
Juillet	**2010**	**2011**	**2012**
Salaire net	50 700$	52 900$	55 700$
Intérêts	564		
Impôt marginal (38 %)	(214)		
REVENU TOTAL, APRÈS IMPÔTS	51 050$	52 900$	55 700$
Moins : Coût de la vie	33 400	35 100	36 800
DISPONIBILITÉS FINANCIÈRES	17 650$	17 800$	18 900$
Moins : Versements mensuels sur emprunts	8 641	5 139	5 139
EXCÉDENT DE LIQUIDITÉS	9 009$	12 661$	13 761$

M. Samson Programmation des disponibilités financières			
Juillet	**2010**	**2011**	**2012**
RECETTES			
Encaisse au début	8 000$	13 283$	15 694$
Placements à liquider (1er juillet 2010)	18 000		
Disponibilités financières	17 650	17 800	18 900
	43 650$	31 083$	34 594$
DÉBOURS			
Montants à payer			
Solde des cartes de crédit	2 000$		
Impôt de l'an dernier	3 300		
Paiement de l'automobile	5 139	5 139$	5 139$

Paiement des meubles	3 502		
	13 941$	5 139$	5 139$
PAIEMENTS PROPOSÉS			
REER (juillet 2010)	4 500$	4 500$	4 500$
Économie d'impôt	(1 710)	(1 710)	(1 710)
Règlement de l'automobile (fin juin 2012)			4 374
Règlement des meubles (fin juin 2010)	7 176		
Rénovations de la maison	7 000	8 000	9 000
	16 966$	10 790$	16 164$
SOLDE EN FIN DE PÉRIODE	12 743$	15 154$	13 291$

13. Vous avez en main le calcul des disponibilités financières et des liquidités ainsi que la programmation des disponibilités financières de M. Belhumeur, professeur de mathématique. Présentez un budget de caisse mensuel. Prévoyez un remboursement d'impôt en juin.

M. Belhumeur Disponibilités financières et des liquidités			
Septembre	**2010**	**2011**	**2012**
Salaire net	42 000$	44 100$	46 300$
Salaire net du conjoint	8 000	8 400	8 800
Intérêts	1 452		
Impôt marginal (38 %)	(552)		
TOTAL DES REVENUS, APRÈS IMPÔTS	50 900$	52 500$	55 100$
Coût de la vie	39 000	40 900	43 000
DISPONIBILITÉS FINANCIÈRES	11 900$	11 600$	12 100$
Moins : Versements sur emprunts	4 926	2 790	
EXCÉDENT DE LIQUIDITÉS	6 974$	8 810$	12 100$

MODULE 1

EXERCICES *(suite)*

M. Belhumeur Programmation des disponibilités financières			
Septembre	**2010**	**2011**	**2012**
RECETTES			
Encaisse au début	500$	11 800$	14 100$
Placements à liquider (septembre 2010)	17 000		
Disponibilités financières	11 900	11 600	12 100
	29 400$	23 400$	26 200$
DÉBOURS			
Montants à payer			
Solde des cartes de crédit	2 500$		
Impôt de l'an dernier	3 000		
Paiement de l'automobile	2 136		
Paiement des meubles	2 790	2 790$	
	10 426$	2 790$	

PAIEMENTS SUGGÉRÉS			
REER	2 016$[1]	2 177$	2 339$
Économie d'impôt	(766)	(827)	(889)
Règlement de l'automobile (août 2010)	5 960		
Règlement des meubles (août 2011)		2 198	
Règlement de l'hypothèque résidentielle (août 2012)			12 518
Projet de façade de maison		3 000	
	7 210$	6 548$	13 968$
SOLDE EN FIN DE PÉRIODE	11 764$	14 062$	12 232$

(1) Ce montant sera investi en septembre 2010.

SOLUTIONS AUX EXERCICES

1. a) Coût de la vie annuel :

2 600$ par mois $\times$ 12 = 31 200$

31 200$ $\times$ 1,05 (5 % pour les imprévus)
= 32 800$ (valeurs arrondies à 1 $ près)

b)

Calcul des disponibilités financières et des liquidités (année 2010-2011)	
Revenus nets	45 400$
Coût de la vie	32 800
Disponibilités financières	12 600$
Versements sur emprunts	9 600
EXCÉDENT DE LIQUIDITÉS	3 000$

SOLUTIONS AUX EXERCICES (suite)

2.

M. Thébert
Bilan personnel au 31 juillet 2010

ACTIF

Liquidités

Encaisse		860$

Placements

Dépôts à terme	6000$	
Intérêt couru, après impôts[1]	48	
Fonds accumulés – REER	18400	24448

Biens personnels
(valeur marchande)

Meubles	5500	
Automobile	6500	12000
TOTAL DE L'ACTIF		37308$

PASSIF

Dettes à court terme

Solde des cartes de crédit		560$

Dettes à long terme

Emprunt bancaire – automobile		3850
Impôt éventuel sur REER[2]		7360
VALEUR NETTE		25538
TOTAL DU PASSIF ET DE LA VALEUR NETTE		37308$

(1) 6000$ × 3 % × (6 ÷ 12) = 90$; 90$ × 47 % = 42$ et 90 – 42 = 48$ (à 1 $ près)

(2) 18400$ × 40 % = 7360$

3.

Famille Lebrun
Bilan familial au 31 août 2010

ACTIF

Liquidités

Encaisse		3550$

Placements

Obligations d'épargne	5000$	
Intérêt couru, après impôts[1]	56	
Fonds accumulés dans un REER	14980	20036

Biens personnels (valeur marchande)

Résidence familiale	280000	
Meubles	14000	
Automobile	8000	302000
TOTAL DE L'ACTIF		325586$

PASSIF

Dettes à court terme

Solde des cartes de crédit		400$

Dettes à long terme

Solde du prêt automobile	5400$	
Solde de l'hypothèque	66600	72000
Impôt éventuel sur REER[2]		5992
VALEUR NETTE		247194
TOTAL DU PASSIF ET DE LA VALEUR NETTE		325586$

(1) 5000$ × 3 % = 150$; 150$ × (7 ÷ 12) = 88$; 88$ – (88$ × 36 %) = 56$

(2) 14980$ × 40 % = 5992$

SOLUTIONS AUX EXERCICES *(suite)*

4.

<table>
<tr><td colspan="5" align="center">M. Lebœuf
Disponibilités financières et liquidités</td></tr>
<tr><td>Avril</td><td></td><td>2010-2011</td><td>2011-2012</td><td>2012-2013</td></tr>
<tr><td>Salaire brut</td><td>55 700 $</td><td></td><td></td><td></td></tr>
<tr><td>Impôt et retenues salariales[1]</td><td>21 012</td><td></td><td></td><td></td></tr>
<tr><td>Salaire net</td><td>34 688 $</td><td>35 729 $</td><td>36 801 $</td><td>37 905 $</td></tr>
<tr><td>Revenu de placement</td><td></td><td>740</td><td></td><td></td></tr>
<tr><td>Impôt (38 %)</td><td></td><td>(281)</td><td></td><td></td></tr>
<tr><td>Revenu de placement,
après impôts (à 100 $ près)</td><td></td><td>459 $</td><td></td><td></td></tr>
<tr><td>REVENU TOTAL, APRÈS IMPÔTS</td><td></td><td>36 188</td><td>36 801</td><td>37 905</td></tr>
<tr><td>Moins : Coût de la vie</td><td></td><td>20 000</td><td>20 600</td><td>21 218</td></tr>
<tr><td>DISPONIBILITÉS FINANCIÈRES</td><td></td><td>16 188 $</td><td>16 201 $</td><td>16 687 $</td></tr>
<tr><td>Moins : Versements mensuels sur emprunts</td><td></td><td>4 700</td><td>4 700</td><td>4 700</td></tr>
<tr><td>EXCÉDENT DE LIQUIDITÉS</td><td></td><td>11 488 $</td><td>11 501 $</td><td>11 987 $</td></tr>
</table>

[1] 1 910 $ + 834 $ + 3 123 $ + 890 $ + 7 097 $ + 7 158 $ = 21 012 $

5.

<table>
<tr><td colspan="5" align="center">Couple Jeanneau
Disponibilités financières et liquidités</td></tr>
<tr><td>Septembre</td><td></td><td>2010-2011</td><td>2011-2012</td><td>2012-2013</td></tr>
<tr><td>Salaire brut, Paul Jeanneau</td><td>55 400 $</td><td></td><td></td><td></td></tr>
<tr><td>Impôts et retenues salariales</td><td>20 600</td><td></td><td></td><td></td></tr>
<tr><td>Salaire net</td><td>34 800 $</td><td>35 844 $</td><td>36 919 $</td><td>38 027 $</td></tr>
<tr><td>Revenu de placement, Paul Jeanneau</td><td></td><td>1 197</td><td></td><td></td></tr>
<tr><td>Impôt (38 %)</td><td></td><td>(455)</td><td></td><td></td></tr>
<tr><td>Revenu de placement, après impôts</td><td></td><td>742 $</td><td>742</td><td>742</td></tr>
<tr><td>Salaire brut, Pauline Jeanneau</td><td>56 200 $</td><td></td><td></td><td></td></tr>
<tr><td>Impôt et retenues salariales</td><td>21 000</td><td></td><td></td><td></td></tr>
<tr><td>Salaire net</td><td>35 200 $</td><td>36 256</td><td>37 344</td><td>38 464</td></tr>
<tr><td>Revenu de placement, Pauline Jeanneau</td><td></td><td>1 795</td><td>1 795</td><td>1 795</td></tr>
<tr><td>REVENU TOTAL, APRÈS IMPÔTS</td><td></td><td>74 637</td><td>76 800</td><td>79 028</td></tr>
<tr><td>Moins : Coût de la vie</td><td></td><td>37 080</td><td>38 192</td><td>39 338</td></tr>
<tr><td>DISPONIBILITÉS FINANCIÈRES</td><td></td><td>37 557 $</td><td>38 608 $</td><td>39 690 $</td></tr>
<tr><td>Moins : Versements sur emprunts
(480 $ + 412 $ + 612 $) × 12</td><td></td><td>18 048</td><td>18 048</td><td>18 048</td></tr>
<tr><td>EXCÉDENT DE LIQUIDITÉS</td><td></td><td>19 509 $</td><td>20 560 $</td><td>21 642 $</td></tr>
</table>

SOLUTIONS AUX EXERCICES *(suite)*

6.

M. Turgeon
Bilan personnel au 30 mai 2010

ACTIF

Placements

Dépôts à terme	8 000 $	
Intérêt couru, après impôts[1]	57	
Fonds accumulés – REER	19 400	27 457 $

Biens personnels
(valeur marchande)

Résidence familiale	265 000	
Meubles	8 000	
Automobile	8 400	281 400
TOTAL DE L'ACTIF		308 857 $

PASSIF

Dettes à court terme

Impôt (année précédente)	2 200 $

Dettes à long terme

Emprunt – Brault-Parizeau inc.	6 000
Impôt éventuel sur REER[2]	7 760
VALEUR NETTE	292 897
TOTAL DU PASSIF ET DE LA VALEUR NETTE	308 857 $

(1) 8 000 $ × 4 % × (4 ÷ 12) × 53 % = 57 $
(2) 19 400 $ × 40 % = 7 760 $

7.

Famille Beaulieu
Bilan familial au 31 mai 2010

ACTIF

Liquidités

Encaisse	940 $

Placements

Obligations d'épargne	4 500 $	
Intérêt couru, après impôts[1]	47	
Fonds accumulés – REER	12 000	16 547

Biens personnels
(valeur marchande)

Résidence familiale	310 000	
Meubles	18 000	
Automobile	12 000	340 000
TOTAL DE L'ACTIF		357 487 $

PASSIF

Dettes à court terme

Marge de crédit	5 000 $

Dettes à long terme

Hypothèque	72 000 $	
Emprunt – Léon Meublant inc.	4 000	76 000
Impôt éventuel sur REER[2]		4 800
VALEUR NETTE		271 687
TOTAL DU PASSIF ET DE LA VALEUR NETTE		357 487 $

(1) 4 500 $ × 3 % = 135 $; 135 $ × (7 ÷ 12) = 79 $; 79 $ − (79 $ × 40 %) = 47 $.
(2) 12 000 $ × 40 % = 4 800 $

SOLUTIONS AUX EXERCICES *(suite)*

8.

		M. Benoit Disponibilités financières et liquidités (résultats arrondis à 1$ près)			
Mars		**2010-2011**	**2011-2012**	**2012-2013**	**2013-2014**
Salaire brut[1]	42 400$				
Impôt et retenues salariales[2]	15 420				
Salaire net	26 980$	27 789$	28 623$	29 482$	30 366$
Revenu de placement		1 197			
Impôt (38%)		(455)			
Revenu de placement, après impôts (à 100$ près)		742$			
REVENU TOTAL, APRÈS IMPÔTS		28 531$	28 623$	29 482$	30 366$
Moins: Coût de la vie		17 700	18 231	18 778	19 341
DISPONIBILITÉS FINANCIÈRES		10 831$	10 392$	10 704$	11 025$
Moins: Versements mensuels sur emprunts		3 600	3 600	3 600	3 600
EXCÉDENT DE LIQUIDITÉS		7 231$	6 792$	7 104$	7 425$

(1) 1 630,76$ × 26 = 42 399,76$, valeur arrondie à 42 400$

(2) (28,92$ + 44,69$ + 18,84$ + 274,07$ + 226,57$) × 26 = 15 420$

9.

		Couple Couture Disponibilités financières et liquidités (résultats arrondis à 1$ près)			
Août		**2010-2011**	**2011-2012**	**2012-2013**	**2013-2014**
Salaire brut, Nicole Couture	22 000$				
Impôt et retenues salariales	5 200				
Salaire net	16 800$	17 304$	17 823$	18 358$	18 909$
Salaire brut, Maurice Couture	10 000				
Impôt et retenues salariales	1 100				
Salaire net	8 900$	9 167	9 442	9 725	10 017
Revenu de placement, Nicole Couture		306			
Impôt (28%)		86			
Revenu de placement, après impôts		220$			
REVENU TOTAL, APRÈS IMPÔTS		26 691	27 265	28 083	28 926
Moins: Coût de la vie[1]		17 304	17 823	18 358	18 909
DISPONIBILITÉS FINANCIÈRES		9 387$	9 442$	9 725$	10 017$

SOLUTIONS AUX EXERCICES *(suite)*

Août	2010-2011	2011-2012	2012-2013	2013-2014
Moins: Paiements mensuels prévisibles sur emprunts[2]	9392	7152	2272	
EXCÉDENT (OU DÉFICIT) DE LIQUIDITÉS	(5$)	2290$	7453$	10017$

(1) 1400$ × 12 = 16800$ pour l'année dernière

(2) Auto de Nicole: 312$ × 12 = 3744$ pour les 2 prochaines années;
auto de Maurice: 284$ × 12 = 3408$ pour les deux prochaines années; 284$ × 8 = 2272$ pour la troisième année; meubles:
320$ × 7 paiements = 2240$

	2010-2011	2011-2012	2012-2013	2013-2014
Versements pour auto – Nicole (annuellement)	3744$	3744$		
Versements pour auto – Maurice (annuellement)	3408	3408	2272$	
Versements pour meubles (annuellement)	2240			
PAIEMENTS MENSUELS SUR EMPRUNTS	9392$	7152$	2272$	

10.

	M. Bonneau Programmation des disponibilités financières Du 1er juillet au 30 juin		
	2010-2011	**2011-2012**	**2012-2013**
RECETTES			
Encaisse au début	2200$	1094$	2710$
Disponibilités financières	6594	6786	6984
	8794$	7880$	9694$
DÉBOURS			
Comptes engagés			
Solde des cartes de crédit	2800$		
Paiement de l'automobile[1]	2740	2740$	2740$
	5540$	2740$	2740$
PAIEMENTS SUGGÉRÉS			
REER (montant à investir)	3484$	3920$	4355$
Moins: Économie d'impôt sur REER	(1324)	(1490)	(1655)
Règlement de l'automobile[2]	–	–	4226
	2160$	2430$	6926$
SOLDE EN FIN DE PÉRIODE	1094	2710	28
Plus: Obligations détenues	6000	6000	6000
RÉSERVE DE BASE	7094$	8710$	6028$

(1) Table I, 5 ans, 9 %, 20,76 pour 1000$; d'où 20,76$ × 11 = 228,36$; 228,36$ × 12 = 2740,32$ ou 2740$

(2) Calculatrice = solde de 4226$ après avoir calculé le paiement mensuel de 228,36$ en (1)

SOLUTIONS AUX EXERCICES *(suite)*

11.

	M. Huneault **Programmation des disponibilités financières** **Du 1er septembre au 31 août**		
	2010-2011	**2011-2012**	**2012-2013**
RECETTES			
Encaisse au début	17 500 $	6 613 $	10 521 $
Disponibilités financières	11 000	11 600	12 100
	28 500 $	18 213 $	22 621 $
DÉBOURS			
Comptes engagés			
Solde des cartes de crédit	2 500 $		
Impôt de l'année précédente	3 000		
Versements – automobile[1]	2 136		
Versements – meubles[2]	2 790	2 790	
	10 426 $	2 790 $	
PAIEMENTS SUGGÉRÉS			
REER	4 000 $	4 300 $	4 700 $
Moins : Économie d'impôt sur REER	(1 500)	(1 600)	(1 800)
Règlement – automobile (fin août 2011)[3]	5 961		
Règlement – meubles (fin août 2012)[4]		2 202	
Règlement – hypothèque résidentielle (fin août 2013)[5]			12 518
Projet – réparation du toit	3 000		
SOLDE EN FIN DE PÉRIODE[6]	11 461 $	4 902 $	15 418 $
RÉSERVE DE BASE	6 613 $	10 521 $	7 203 $

(1) Table I, 22,25 (5 ans, 12 %) ; 22,25 × 8 (pour 8 000 $) × 12 = 2 136 $

(2) Table I, 33,22 (3 ans, 12 %) ; 33,22 × 7 (pour 7 000 $) × 12 = 2 790 $

(3) (4) et (5) au moyen de la calculatrice

(6) Dans cet exercice, le solde de fin de période constitue la réserve de base.

SOLUTIONS AUX EXERCICES (suite)

12.

M. Samson
Budget de caisse mensuel

2010-2011	Total à répartir	Juill.	Août	Sept.	Oct.	Nov.	Déc.	Janv.	Févr.	Mars	Avr.	Mai	Juin
Encaisse au début		8000$	10486$	11208$	11930$	12652$	13374$	14096$	14818$	15540$	16262$	16984$	19202$
Recettes													
Salaire net[1]	50700$	4225	4225	4225	4225	4225	4225	4225	4225	4225	4225	4225	4225
Intérêt encaissé	564	564											
Placements à liquider	18000	18000											
Remboursement d'impôt[2]	1496											1496	
Débours													
Coût de la vie[3]	33400	2783	2783	2783	2783	2783	2783	2783	2783	2783	2783	2783	2783
Dettes et paiements divers													
Solde des cartes de crédit	2000	2000											
Impôt de l'an dernier	3300	3300											
Paiement de l'automobile	5139	428	428	428	428	428	428	428	428	428	428	428	428
Paiement des meubles	3502	292	292	292	292	292	292	292	292	292	292	292	292
REER	4500	4500											
Règlement des meubles	7176												7176
Rénovations	7000	7000											
SOLDE À LA FIN		10486$$	11208$	11930$	12652$	13374$	14096$	14818$	15540$	16262$	16984$	19202$	12748$[4]

(1) Salaire net : 50700$ ÷ 12 = 4225$

(2) Économie sur REER   1710$
    Impôt sur intérêts   214
    Remboursement d'impôt   1496

(3) Coût de la vie : 33400$ ÷ 12 mois = 2783$

(4) Écart de 5$ par rapport au montant indiqué dans le tableau de programmation des disponibilités financières (12 743$) en raison de l'arrondissement des valeurs dans ce tableau-ci.

SOLUTIONS AUX EXERCICES (suite)

13.

M. Belhumeur
Budget de caisse mensuel

2010-2011	Total à répartir	Sept.	Oct.	Nov.	Déc.	Janv.	Févr.	Mars	Avr.	Mai	Juin	Juill.	Août
Encaisse au début		500$	11942$	12448$	12954$	13460$	13966$	14472$	14978$	15484$	15990$	16710$	17216$
Recettes													
Revenus[1]	50000$	4167	4167	4167	4167	4167	4167	4167	4167	4167	4167	4167	4167
Intérêts encaissés	1452	1452											
Placements à liquider	17000	17000											
Remboursement d'impôt[2]	214										214		
Débours													
Coût de la vie[3]	39000	3250	3250	3250	3250	3250	3250	3250	3250	3250	3250	3250	3250
Dettes et paiements divers													
Solde des cartes de crédit	2500	2500											
Impôt de l'an dernier	3000	3000											
Mensualités – automobile	2136	178	178	178	178	178	178	178	178	178	178	178	178
Mensualités – meubles	2790	233	233	233	233	233	233	233	233	233	233	233	233
REER	2016	2016											
Règlement – automobile	5960												5960
SOLDE À LA FIN		11942$	12448$	12954$	13460$	13966$	14472$	14978$	15484$	15990$	16710$	17216$	11762$[4]

(1) Total des revenus : 50000$ (sauf intérêt) ; 50000$ ÷ 12 = 4167$

(2) Économie sur REER   766$
    Impôt sur intérêts   (552)
    Remboursement d'impôt   214$

(3) Coût de la vie : 39000$ ÷ 12 mois = 3250$

(4) Écart de 2$ par rapport au montant indiqué dans le tableau de programmation des disponibilités financières (11 764$) en raison de l'arrondissement des valeurs dans ce tableau-ci.

DOSSIER 7.1

Le cas du docteur Bonsoins

Plan

Introduction
Les états financiers
Conclusion

Introduction

Ce document traite de l'indépendance financière du travailleur autonome. Il peut s'agir d'un professionnel qui travaille seul ou au sein d'une société (par exemple, une clinique médicale ou dentaire) ou d'une personne en affaires dont l'entreprise n'est pas constituée légalement.

En gros, le processus permettant d'atteindre la première étape de l'indépendance financière est le même dans le cas du travailleur autonome que dans celui du salarié. Il comprend l'établissement d'un bilan, le calcul des disponibilités financières et des liquidités ainsi que la programmation des disponibilités financières.

Nous étudierons le cas du docteur Bistouri Bonsoins, personnage fictif qui représente un client typique pour ce genre d'analyse.

Le docteur Bonsoins est omnipraticien, membre de la Fédération des médecins omnipraticiens du Québec (FMOQ) et de la Corporation professionnelle des médecins du Québec (CPMQ). Au moment de l'analyse, le 1er avril 2010, le docteur Bonsoins a 36 ans (il est né le 15 février 1974). Sa femme, Iode, 32 ans, est hygiéniste dentaire et

---

Famille Bonsoins
Bilan familial au 1er avril 2010

ACTIF			PASSIF		
Liquidités			Dettes à court terme		
Encaisse	23 800 $		Solde des cartes de crédit	200 $	
Comptes débiteurs (RAMQ)	9 000 $	32 800 $	Impôt impayé de l'année précédente	1 000	
Placements (JVM)			Acomptes provisionnels (retard)[2]	4 725 $	5 925 $
Dépôts à terme	34 000		Dettes à long terme		
Intérêt couru	3 100[1]		Prêt – automobile	13 900 $	
Fonds REER	25 000	62 100	Prêt – meubles	24 150	
Biens personnels (JVM)			Hypothèque résidentielle	55 327	93 377
Résidence familiale	250 000		Impôt éventuel		
Ameublement	60 000		Impôt sur REER (40 %)[3]	10 000 $	10 000 $
Automobile	25 000	335 000	**VALEUR NETTE**		320 598 $
TOTAL DE L'ACTIF		429 900 $	**TOTAL DU PASSIF ET**		
			DE LA VALEUR NETTE		429 900 $

(1) L'impôt sur cet intérêt est inclus dans le montant d'impôt figurant ci-contre dans le calcul des disponibilités financières et des liquidités.

(2) Acomptes provisionnels

Un paiement en retard devient en quelque sorte une dette envers le fisc et figure au bilan sous la rubrique Dettes à court terme.

Malheureusement, le jeune entrepreneur ou le jeune professionnel minimise souvent l'importance de ces acomptes provisionnels et se retrouve avec une lourde dette.

(3) Le taux d'imposition moyen de 40 % est utilisé.

travaille actuellement à temps partiel. Le couple Bonsoins a deux enfants, Cyro, sept ans, et Pilule, six ans. Pour simplifier le document, les questionnaires que le couple Bonsoins a remplis ne sont pas inclus. Toutefois, les différents tableaux rendent compte des renseignements recueillis. De plus, chacun comporte des notes explicatives sur les éléments très importants qui distinguent le travailleur autonome du salarié.

Les états financiers

Comme dans le cas du salarié, les trois états suivants font partie du processus menant à la première étape de l'indépendance financière :

- Le bilan familial ;
- Les disponibilités financières et les liquidités ;
- La programmation des disponibilités financières.

L'objectif étant de présenter la manière d'établir ces états, aucun détail au sujet des emprunts (versements, soldes, etc.) n'est indiqué. Les états eux-mêmes devraient suffire à tracer le profil financier de la famille Bonsoins.

Famille Bonsoins **Disponibilités financières et liquidités**				
Du 1ᵉʳ avril au 31 mars	**2010-2011**	**2011-2012**	**2012-2013**	**2013-2014**
Revenu brut (Bistouri)	112 000 $	117 600 $	123 480 $	129 654 $
Frais d'exploitation (débours)	29 600	31 080	32 634	34 266
Revenu net[1]	82 400	86 520	90 846	95 388
Impôt 35 %[2]	28 840	30 282	31 796	33 386
Revenu, après impôts	53 560 $	56 238 $	59 050 $	62 002 $
À 100 $ près	53 600	56 200	59 100	62 000
Plus : Salaire net (Iode)	4 100	4 700	5 500	20 000
REVENU TOTAL	57 700 $	60 900 $	64 600 $	82 000 $
Plus : Intérêt couru	3 100	—	—	—
Moins : Coût de la vie[3]	46 000	46 900	47 900	48 800
DISPONIBILITÉS FINANCIÈRES	14 800 $	14 000 $	16 700 $	33 200 $
Moins : Versements sur emprunts				
Automobile	5 580	5 580	5 580	—
Meubles	6 600	6 600	6 600	6 600
	12 180 $	12 180 $	12 180 $	6 600 $
EXCÉDENT (DÉFICIT) DE LIQUIDITÉS	2 620 $	1 820 $	4 520 $	26 600 $

(1) Généralement, l'impôt et les autres déductions sont déjà prélevés du revenu de travail d'un salarié. Ce n'est pas le cas pour le travailleur autonome. On doit d'abord déterminer le revenu net en déduisant les débours relatifs aux frais d'exploitation, tels que les salaires payés, les fournitures de bureau, les assurances, etc. De plus, on doit soustraire les impôts à payer pour obtenir le revenu net total après impôts. C'est ce dernier revenu qui sert de base pour calculer le coût de la vie et déterminer les disponibilités financières. Les versements mensuels sur emprunts permettent par la suite d'établir l'excédent (ou le déficit) de liquidités.

(2) La meilleure façon d'évaluer ce taux d'imposition est d'utiliser un logiciel permettant de produire une déclaration de revenus. Le montant de l'impôt servira à établir les acomptes provisionnels des 15 mars, 15 juin, 15 septembre et 15 décembre. Ce taux a été établi en tenant compte de la déduction en REER indiquée dans le tableau de la programmation des disponibilités financières et de l'impôt sur les revenus d'intérêts.

(3) Le coût de la vie inclut les paiements hypothécaires, s'élevant à 10 600 $ annuellement.

DOSSIER 7.1-*SUITE*

Famille Bonsoins
Programmation des disponibilités financières

Du 1er avril au 31 mars	2010-2011	2011-2012	2012-2013	2013-2014
RECETTES				
Encaisse au début	23 800$	11 500$	11 400$	4 500$
Placements à liquider	34 000			
Disponibilités financières	14 800	14 000	16 700	33 200
	72 600$	25 500$	28 100$	37 700$
DÉBOURS (ENGAGÉS)				
Solde des cartes de crédit	200$			
Impôt de l'année précédente	1 000			
Acomptes provisionnels (retard)	4 725			
Versements – auto	5 580			
Versements – meubles	6 600$	6 600$	6 600$	–
	18 105$	6 600$	6 600$	–
PAIEMENTS (SUGGÉRÉS)[1]				
REER	7 500$	7 500$	7 500$	7 500$
Règlement – auto	10 500			
Règlement – meubles			9 500	
Règlement – hypothèque				10 500
Prêt au père	18 000			
Projet (patio)	7 000			
	43 000$	7 500$	17 000$	18 000$
SOLDE EN FIN DE PÉRIODE	11 495$	11 400$	4 500$	19 700$
À 100$ près	11 500$	11 400$	4 500$	19 700$

(1) Le processus est sensiblement le même que pour le salarié. Il existe toutefois une différence importante : l'investissement en REER est pris en considération dans le calcul de l'impôt présenté dans le calcul des disponibilités financières et des liquidités. Le remboursement d'impôt ne figure donc pas dans la programmation des disponibilités financières.

Conclusion

La santé financière de la famille Bonsoins devrait être excellente à partir du 31 mars 2014.

Le coût de la vie étant de 46 000$ par année, la réserve devrait se chiffrer aux environs de 11 500$, soit 3 mois de coût de la vie. La seule année qui pose problème est 2012-2013.

Le docteur Bonsoins pourrait résoudre ce problème en prêtant à son père la somme de 18 000$, répartie d'une façon différente les années suivantes.

CHAPITRE
8

LA GESTION DU CRÉDIT ET DE L'ENDETTEMENT

De nos jours, il est de plus en plus compliqué de gérer son argent. Non seulement le choix des dépenses possibles est-il plus vaste que par le passé, mais les modes de paiement sont également plus nombreux: comptant, chèque, carte de crédit, carte de débit, prélèvement automatique ou paiement par Internet.

Chacun utilise son argent à sa manière, suivant ses valeurs et ses priorités. Quel que soit votre profil, vos choix financiers d'aujourd'hui ne sont pas sans conséquence. Pour vous préparer un avenir sûr, il vous faut prendre en main vos finances dès maintenant, de manière à savoir d'où vient votre argent et où il va. (Association des banquiers canadiens, 2009)

Les institutions financières qui «commercialisent» le crédit jouent un rôle de tout premier plan. Plusieurs d'entre elles, comme le Mouvement Desjardins, se sentent interpellées par le taux élevé d'endettement. La présidente et chef de la direction de Desjardins, Monique Leroux, déclarait en février 2011: «On veut [...] trouver une manière de parler davantage de comment on peut avoir un crédit responsable et une épargne dynamique [...]. On veut vraiment revenir à la base. Les caisses Desjardins, ce sont des caisses d'épargne et ensuite de crédit. Il faut d'abord faire de l'épargne avant de distribuer le crédit.» (Larocque, 2011)

La table est donc mise pour mieux comprendre ce que sont le crédit, l'endettement et le surendettement. Il faut toutefois garder à l'esprit que savoir gérer son argent relève tant de la psychologie que des enjeux sociaux et financiers.

8.1 La gestion du crédit

Le crédit est essentiellement une promesse de rembourser, à une date ultérieure, une certaine somme d'argent, et ce, en échange du droit de bénéficier immédiatement de biens (p. ex.: une maison, une automobile, des meubles, des vêtements ou une somme d'argent comptant) ou de services (p. ex.: un forfait de vacances, un abonnement à un centre sportif ou des soins d'esthétique).

Bien que le crédit permette d'améliorer le mode de vie, il peut devenir un problème s'il n'est pas utilisé judicieusement. Les cartes de crédit, en particulier, sont si pratiques qu'on peut à l'occasion perdre le contrôle de ses dépenses. On n'a peut-être pas l'impression de payer en argent réel les achats réglés avec une « carte de plastique ».

Gérer son crédit n'est pas chose facile. Un élément est essentiel pour y arriver : une bonne dose de discipline. Les budgets présentés au chapitre 7 (programmation des disponibilités financières, budget familial, etc.) reposent sur la logique financière et les objectifs du client. Cependant, comme nous l'avons mentionné dans notre introduction à ce chapitre, le comportement humain face au crédit et à l'endettement ne découle pas uniquement de la logique financière, mais d'une foule de facteurs liés aux aspects psychologiques et sociaux. De plus, il est sans aucun doute influencé par la façon dont les institutions financières « commercialisent » le crédit. Le désir de posséder des biens (attrait du matérialisme), d'améliorer son statut social, de réduire ou d'éliminer certaines frustrations et de satisfaire des besoins souvent superficiels sont autant de raisons d'abuser du crédit. Par conséquent, pour éviter une dangereuse situation de surendettement, il est nécessaire de s'astreindre à un certain régime de vie, autrement dit à un *modus vivendi* (manière de vivre).

La gestion du crédit est de plus en plus complexe pour les familles, car celles-ci s'en servent notamment pour les raisons suivantes :

- Améliorer la qualité de vie – Il s'agit d'une stratégie à court terme très dangereuse, car non seulement le crédit peut-il réduire le pouvoir d'achat, mais, d'une façon plus insidieuse, il peut encourager les achats inutiles et devenir très rapidement une habitude de vie ;

- Financer certains achats plus dispendieux – Cette stratégie permet d'acquérir certains actifs importants (p. ex.: une maison) ou encore d'acquérir certains actifs davantage pour leur dimension symbolique (statut social) que pour leur dimension fonctionnelle ; par exemple l'achat d'une voiture de luxe ou de vêtements signés ;

- Résoudre certaines situations d'urgence ;

- Effectuer certains placements – Cette stratégie fait appel à l'effet de levier, lequel consiste à emprunter pour investir. Une telle méthode peut s'avérer désastreuse pour la personne qui adopte une approche trop spéculative et qui, par exemple, augmente son hypothèque résidentielle pour jouer en Bourse.

8.1.1 La consolidation des dettes

La consolidation des dettes permet de regrouper plusieurs dettes de consommation en une seule. Le processus est relativement simple. Il consiste à obtenir un prêt auprès d'un établissement financier qui autorisera le remboursement de plusieurs dettes durant une plus longue période. Par conséquent, l'objectif est double : dans un premier temps, il s'agit de ramener le total des divers montants à rembourser en un seul montant plus petit, mais échelonné sur une plus longue période, puis, lorsque cela est possible, d'abaisser le taux d'intérêt à payer.

En théorie, cette approche est valable. Toutefois, en pratique, il est souvent difficile pour le consommateur surendetté d'obtenir un tel prêt, surtout si sa cote de crédit n'est pas très bonne. Par conséquent, un endosseur est souvent nécessaire. En outre, si le prêt est accordé, le taux d'intérêt peut être exorbitant, surtout si le prêteur est une société de crédit et non une banque.

Le processus de consolidation des dettes marque souvent le tout début de la spirale de l'endettement et du surendettement. La situation peut devenir encore plus sérieuse si la consolidation des dettes se fait au moyen d'une hypothèque résidentielle, sujet de la section qui suit.

8.1.2 Le prêt hypothécaire pour consolider les dettes

De prime abord, le consommateur qui hypothèque sa maison à 5 % pour consolider diverses dettes de consommation au taux d'intérêt, par exemple, de 15 %, pense qu'il fait une excellente affaire. Examinons la situation d'un peu plus près.

EXEMPLE

Depuis quelques années, Jeanne possède un condo de 125 000 $ entièrement payé, car son père le lui a laissé en héritage. Elle rembourse mensuellement 1 392 $ pour 3 dettes personnelles contractées ces dernières années (ameublement, auto et vacances). La majeure partie de ces dettes provient de cartes de crédit qui ont des taux oscillant entre 21 et 26 %. Jeanne consulte son établissement financier au moment où son endettement total se chiffre à 35 000 $. Son dossier de crédit est excellent. La banque lui fait deux propositions.

Proposition 1 : La consolidation de ses dettes au moyen d'un prêt personnel

Prêt personnel : 35 000 $

Période : 5 ans

Taux : 12 %

PMT ou versement mensuel : 778,56 $

Proposition 2 : La consolidation au moyen d'une hypothèque

Prêt hypothécaire : 35 000 $ (terme de 5 ans)

Période d'amortissement : 25 ans

Taux : 6,3 %

PMT ou versement mensuel : 230,21 $

Quelle proposition Jeanne devrait-elle accepter ?

Examinons ces propositions de plus près :

Proposition 1 : Total payé en 5 ans : 46 714 $ (à 1 $ près), dont 11 714 $ en intérêts.

Proposition 2 : Total payé en 25 ans : 69 063 $ (à 1 $ près), dont 34 063 $ en intérêts (sans tenir compte des frais hypothécaires et de l'évolution des taux sur 25 ans).

La situation idéale ? Un prêt hypothécaire, mais sur 5 ans comme le prêt personnel. Le versement mensuel serait de 680,22 $ et le total des intérêts payés ne seraient que de 5 813 $ (à 1 $ près).

La plupart des gens cherchent à payer le versement mensuel le moins élevé et portent peu attention au total des intérêts payés. Leur horizon se limite à comparer les taux de 12 % et de 6,3 %. Ces dernières années, les taux hypothécaires étant relativement bas, beaucoup de prêts hypothécaires ont été effectués pour consolider des dettes personnelles.

Il faut aussi noter que plusieurs établissements financiers participent énergiquement à la commercialisation de ce type de prêts au moyen d'équipes de conseillers qui se rendent au domicile des clients.

8.1.3 L'admissibilité à un prêt hypothécaire

Devenir propriétaire est une excellente idée pour la majorité des familles. Les avantages sont nombreux: l'amélioration de la qualité de vie, un environnement généralement plus stable, une plus grande liberté d'action, une résidence plus spacieuse qui correspond mieux aux goûts et aux besoins d'une famille grandissante, etc.

L'achat d'une résidence est un projet à long terme. C'est la raison pour laquelle cela doit être fait en toute connaissance de cause. Le sujet de l'achat d'une maison sera repris dans plusieurs modules, en particulier lorsqu'il sera question du REER et du Régime d'accession à la propriété (ou RAP). Pour le moment, notre propos se limite au fait qu'un tel achat requiert un financement hypothécaire. Dans le milieu financier, cette dette est reconnue comme une « bonne » dette, car elle est basée sur un actif qui s'apprécie au fil des ans.

Lorsqu'un client fait une demande de prêt hypothécaire, les établissements financiers utilisent en général certains indices pour évaluer sa capacité à payer le prêt demandé. Il s'agit des indices ABD (amortissement brut de la dette) et ATD (amortissement total de la dette). En fait, ces indices servent surtout à mesurer le risque que l'établissement financier prend lorsqu'il accorde un prêt.

En bref, l'indice ABD tient compte des éléments suivants: les paiements hypothécaires (capital et intérêts), l'impôt foncier et la taxe scolaire ainsi que les coûts de chauffage et d'électricité (plus 50 % des frais de condo, s'il y a lieu). Le total ne devrait pas représenter beaucoup plus que 32 % de votre revenu brut mensuel. Par exemple, si votre revenu annuel s'élève à 60 000 $ (5 000 $ par mois), le total de ces frais devrait représenter au plus 1 600 $. Dès lors, si vos frais divers (autres que l'hypothèque) sont de 600 $ par mois, votre capacité hypothécaire est de 1 000 $ par mois. Vous pouvez rapidement constater qu'une hypothèque de l'ordre de 125 000 $ à 150 000 $ est appropriée selon les taux en vigueur.

L'indice ATD est semblable au précédent, mais il tient aussi compte de toutes vos autres dettes personnelles. Par contre, la norme pour établir l'ATD est de 40 %.

Pour plus d'information au sujet de ces indices, vous pouvez consulter le site de la Société canadienne d'hypothèques et de logement. Un outil de tabulation des calculs y est présenté. En fonction de la valeur marchande de la propriété, vous pouvez déduire la mise de fonds requise. À partir de cette dernière, vous pourrez calculer les primes de l'assurance hypothécaire. De plus, nous vous suggérons de consulter la publication de l'Agence de la consommation en matière financière du Canada (ACFC), *Acheter votre premier logement.* Finalement, Intelligence hypothécaire met à la disposition des consommateurs un logiciel de calcul de l'admissibilité à un prêt hypothécaire sur son site Web.

8.1.4 Le remboursement des dettes personnelles

Tout emprunt dont le capital sert à financer un bien personnel tel qu'une voiture, des meubles ou un chalet est une dette personnelle. Les intérêts sur ce type de dette ne sont pas déductibles d'impôt. Par contre, tout emprunt dont le capital sert à acheter un bien qui produira un revenu imposable dans l'année ou au cours des années à venir est considéré comme un placement ou un investissement. Les intérêts qui y sont liés sont déductibles d'impôt, ce qui réduit considérablement le coût réel du financement.

Une dette personnelle doit donc être réglée au plus vite parce que les intérêts ne sont pas déductibles d'impôt. La situation est différente dans le cas des dettes pour investissement, car celles-ci peuvent durer plus longtemps à cause du caractère déductible des intérêts. Le coût d'une dette personnelle est extrêmement élevé. À titre d'exemple, une personne responsable d'une hypothèque personnelle de 100 000 $ payable en 20 ans et dont le taux d'intérêt annuel est de 6 % paiera en 20 ans 170 925 $ (à 1 $ près), soit 70 925 $ d'intérêts.

Vous pouvez utiliser la « Calculatrice hypothécaire interactive » sur le site de l'ACFC pour élaborer d'autres scénarios. Payer ses dettes constitue un véritable placement ; l'économie d'intérêts rapporte davantage que la plupart des placements. Cependant, il faut admettre que l'hypothèque résidentielle, même si l'intérêt payé n'est pas déductible, représente une forme d'endettement acceptable. En effet, l'actif hypothéqué prend de la valeur au fil des ans, contrairement à la majorité des biens de consommation (voiture, meubles, etc.), qui en perdent.

EXEMPLE

Afin de déterminer le coût réel de l'intérêt payé sur un emprunt personnel, supposons que vous ayez en main 9 000 $ et que vous désiriez acheter du mobilier à ce prix. Deux choix s'offrent à vous :

Choix 1 : Emprunter à 14 % pour faire l'achat du mobilier et investir 9 000 $ à 10 %.

Montant investi	9 000 $
Taux de rendement : 10 %	
Gains, avant impôts	900
Taux d'imposition présumé : 50 %	
Gains, après impôts	450
Montant emprunté	9 000 $
Taux d'intérêt : 14 %	
Coût de l'intérêt	1 260 $
COÛT RÉEL DU FINANCEMENT (1 260 $ – 450 $)	810 $ par année

Choix 2 : Payer le mobilier comptant.

Le coût réel du financement est alors de 0. Cette stratégie fait économiser 810 $ la première année par rapport au choix précédent.

Ce calcul démontre qu'il est toujours plus avantageux de payer comptant les produits de consommation plutôt que de s'endetter pour les acquérir. Le meilleur placement demeure le remboursement d'une dette. Dans notre exemple, éviter d'emprunter un montant dont l'intérêt n'est pas déductible équivaut à faire un placement après impôts de 9 % (810 $/9 000 $), c'est-à-dire un placement dont le rendement est de 18 % avant impôts au taux marginal de 50 %. Sur le plan financier, ce rendement est exceptionnel.

La bonne gestion du crédit repose en partie sur une bonne connaissance de la planification financière. La possession par le consommateur d'une certaine littératie financière, sujet qui suit à l'instant, est donc essentielle.

8.2 La littératie financière

La littératie financière consiste à se doter des connaissances et des outils nécessaires pour bien comprendre l'importance de la gestion des finances personnelles, et ce, le plus tôt possible dans la vie.

Beaucoup de jeunes, âgés de 15 à 24 ans, trouvent normal d'être endettés. Le plus souvent, ils le sont à cause de leur surutilisation des cartes de crédit. Les parents servent de modèle à ces jeunes, car il y a très souvent des perceptions similaires du crédit chez les enfants et leurs parents. Bien sûr, les campagnes de sensibilisation aux dangers de l'endettement sont un pas dans la bonne direction, mais l'objectif ultime est la possession d'une bonne littératie financière.

Dans l'optique de promouvoir la littératie financière, un groupe de travail national a été formé en juin 2009. Ses membres sont issus de différents secteurs, notamment de celui des affaires, mais aussi de ceux de l'enseignement et des organisations communautaires (Groupe de travail sur la littératie financière, 2009).

Le rapport du Groupe, remis au ministre fédéral des Finances, a été rendu public en février 2011. Il recommande de mettre en place une stratégie nationale, où l'éducation tient un rôle de premier plan, destinée à renforcer la littératie financière canadienne (Association des banquiers canadiens, 2011)[1].

L'autre entité qui met en avant la littératie financière est l'Agence de la consommation en matière financière du Canada. Cet organisme mis en place par le gouvernement du Canada en 2001 a pour mission de faire la promotion de l'éducation des Canadiens dans le domaine des finances personnelles (Agence de la consommation en matière financière du Canada, 2011a). L'ACFC a deux grands objectifs.

Elle s'assure dans un premier temps que les mesures de protection des consommateurs présentées dans les lois et règlements fédéraux sont respectées par les institutions financières qui sont sous l'autorité du gouvernement du Canada. Dans un deuxième temps, elle désire que les consommateurs aient les habiletés nécessaires pour comprendre l'information relative aux divers produits et services financiers. Pour ce faire, elle offre un programme d'éducation ainsi qu'un programme de littératie financière (Agence de la consommation en matière financière du Canada, 2011b).

8.3 Le dossier de crédit

La fiche de crédit personnelle permet aux établissements financiers et aux créanciers de bien connaître la cote de crédit d'un client. Elle sert tout simplement à évaluer le risque que représente celui-ci pour eux. Les méthodes de calcul pour en arriver à une évaluation globale du risque peuvent varier. Toutefois, elles tiennent compte, entre autres, des éléments suivants :

- L'ampleur de l'endettement par rapport aux actifs et aux revenus ;
- La ponctualité du remboursement des dettes ;
- La nature de l'endettement (cartes de crédit, achat de meubles, hypothèque, etc.) ;
- La capacité à gérer le crédit, autrement dit l'efficacité à utiliser le crédit.

Il est donc avantageux d'atteindre la meilleure cote de crédit qui soit le plus tôt possible dans sa carrière.

 Dans une publication de l'ACFC intitulée « Comprendre votre dossier de crédit et votre pointage de crédit », vous trouverez des informations complètes et

---

1. Vous pouvez consulter ce rapport, intitulé « Les canadiens et leur argent : Pour bâtir un avenir financier plus prometteur », sur le site du Groupe de travail sur la littératie financière.

très utiles sur votre dossier et votre pointage de crédit. Pour en savoir plus au sujet de votre dossier de crédit et de votre pointage, vous pouvez aussi consulter directement les sites Web d'Equifax Canada et de TransUnion.

8.4 Les cartes de crédit

En général, les quatre méthodes suivantes servent à acquitter les dépenses liées au coût de la vie :

- Le paiement comptant ou avec une carte de débit ;
- L'emprunt (prêt ordinaire à la consommation) ;
- Le recours à une marge de crédit ;
- L'utilisation d'une carte de crédit.

Avant d'aborder la gestion de l'endettement, considérons brièvement l'utilisation de la carte de crédit pour subvenir au coût de la vie. En effet, il est possible de s'en servir comme outil de gestion ou comme source de financement. La carte de crédit peut s'avérer un excellent outil de gestion, certaines personnes l'utilisant aussi comme mode de paiement. Elle évite de garder sur soi des sommes d'argent importantes et constitue une aide précieuse en cas d'imprévu ou d'accident.

En outre, un grand nombre d'utilisateurs aiment recevoir un relevé de compte mensuel présentant de façon détaillée les dépenses du mois. Ainsi, ils peuvent analyser et gérer leurs dépenses à partir de normes budgétaires ou d'objectifs préalablement établis.

D'autres financent une partie de leur coût de la vie à même leur carte de crédit. Ainsi, ces personnes voient parfois le solde de leur carte augmenter constamment de mois en mois et d'année en année. C'est une habitude à proscrire, car les cartes de crédit ont le taux d'intérêt le plus élevé de toutes les sources de financement existantes.

Il faut aussi bien comprendre que si une personne ne règle pas la totalité du solde de sa carte chaque mois, elle doit payer des intérêts sur le montant impayé.

Il est donc fortement recommandé de ne pas utiliser la carte de crédit comme source de financement. Il est préférable de payer le solde à la réception du compte ou quelques jours après. Ainsi, on évite les charges d'intérêt et l'accumulation d'une dette considérable. En somme, la carte de crédit doit plutôt servir de mode de paiement.

Si l'utilisateur a fait preuve d'excès dans sa consommation ou de négligence dans l'accumulation d'une dette depuis très longtemps, il est préférable qu'il remette ses cartes de crédit aux établissements financiers et ne les utilise plus. Il pourra les remplacer par une carte de débit, laquelle prélève automatiquement de son compte bancaire un montant égal à l'achat effectué.

Nous avons mentionné précédemment le site Web de l'ACFC. Vous y trouverez de nombreux renseignements sur les cartes de crédit. Un outil interactif vous permettra aussi de cibler et de choisir la carte qui vous convient le mieux. De plus, il vous sera possible d'obtenir une vue d'ensemble des cartes de crédit, tant celles des établissements financiers que des commerçants.

Il est intéressant de noter qu'en février 2011, le taux directeur de la Banque du Canada était de 1,00 %. Par contre, les cartes de crédit des grands magasins exigeaient des intérêts pouvant atteindre près de 30 % dans certains cas.

Quant aux diverses cartes bancaires, en consultant le site de l'ACFC, vous réaliserez que certaines cartes offrent des taux plus bas, mais entraînent des frais annuels élevés. De plus, il arrive parfois que les taux plus bas soient temporaires : *caveat emptor* (que l'acheteur soit vigilant).

Avant de clore cette section, il convient d'ajouter une précision au sujet des cartes de débit. Pour certaines personnes, celles-ci peuvent représenter un avantage, puisqu'elles sont équivalentes au paiement comptant. Mais attention ! Certaines personnes ont associé leur carte de débit à une marge de crédit. Le tour est joué : leur carte de débit est ainsi devenue, comme la carte de crédit, un outil de financement et non plus un mode de paiement.

8.5 La gestion de l'endettement

Depuis plusieurs années, l'endettement des familles canadiennes s'accroît inexorablement. Le chapitre précédent portait sur la notion de revenu disponible, à savoir le revenu brut moins les retenues à la source, donc le revenu après impôts permettant de subvenir au coût de la vie. Voyons maintenant deux aspects importants de l'endettement, soit le taux d'endettement et le taux d'épargne.

8.5.1 L'évolution du taux d'endettement à la consommation

Au troisième trimestre de 2010, les ménages canadiens étaient endettés à hauteur de 148 % de leur revenu personnel disponible, c'est-à-dire le revenu brut moins les impôts. Un an plus tôt, le taux d'endettement était de 140 %, de 110 % il y a 10 ans et de 87 % au début des années 1990. Selon Statistique Canada, cela représenterait un endettement de 44 000 $ par personne, incluant le prêt hypothécaire, les prêts personnels de tous genres incluant les prêts pour l'achat d'une automobile, les soldes de cartes de crédit et, bien sûr, les comptes payables (Picher, 2010 ; Statistique Canada, 2010). Nous vivons dans un monde « submergé par les dettes », comme le faisait remarquer le gouverneur de la Banque du Canada, Mark Carney (Carney, 2010).

Plusieurs méthodes permettent de calculer cet endettement global lié à la consommation. Le but ici n'est pas d'aborder les diverses nuances de ce calcul, lequel relève beaucoup plus des professionnels tels les économistes que des planificateurs financiers. Le ratio de 148 % mentionné plus haut indique néanmoins un rapport basé sur la dette totale des familles, incluant les dettes de consommation et la dette hypothécaire. Les chiffres pour le Canada et le Québec diffèrent, mais ils demeurent très semblables.

Bien sûr, la mesure de l'endettement ne correspond pas uniquement à l'ampleur de la dette en tant que telle. Il s'agit plutôt de la capacité de la famille à assumer le fardeau de son endettement, et ce, non seulement sur le plan financier, mais aussi sur le plan personnel ou sur celui de la qualité de vie.

Pourquoi cette fulgurante augmentation de l'endettement (110 % en 2000, presque 150 % en 2010) ? Quelles en sont les causes ? En voici quelques-unes :

- L'utilisation accrue des cartes de crédit comme source de financement plutôt que comme outil de gestion ;
- Les bas taux d'intérêt combinés à la facilité d'obtenir du crédit ;
- L'accroissement des échéances des divers prêts. Par exemple, le prêt hypothécaire peut maintenant s'échelonner sur 35 ans et plus. Dans certains

cas, les prêts liés à la consommation ont une échéance de cinq, six ou sept ans, comparativement à trois ans durant les années 1980 ;

- Le fait que les hypothèques servent aujourd'hui à financer la consolidation des dettes de consommation. Le propriétaire d'un condo ou d'une maison unifamiliale croit qu'il fait une excellente affaire en hypothéquant sa résidence, disons à 5 %, pour payer plusieurs dettes de consommation qui tournent, par exemple, autour de 15 %. Nous avons pu constater à la sous-section 8.1.2 que les apparences peuvent être trompeuses. Auparavant, la dette hypothécaire servait à améliorer l'état de la maison familiale (refaire la toiture, ajouter une pièce ou un garage, installer une piscine, etc.). Ces améliorations se reflétaient sur la valeur de la maison d'une façon positive. Mais, depuis un certain nombre d'années, l'hypothèque sert à consolider les dettes de consommation, et ce, avec la collaboration des institutions financières ;

- Enfin, la diminution des exigences concernant le versement initial pour faire l'achat d'une maison n'est pas étrangère à l'endettement de plusieurs familles. Aujourd'hui, on peut devenir propriétaire d'une maison en faisant un versement de 5 %. Il ne faut pas non plus oublier qu'une maison est un actif qui coûte cher à entretenir.

Face à cette augmentation, les règles quant aux prêts hypothécaires ont été resserrées. En effet, le ministre des Finances du Canada, Jim Flaherty, a annoncé en janvier 2010 de nouvelles règles en matière d'emprunts hypothécaires au pays. Cette annonce faisait suite à la publication du taux d'endettement de 148 % en 2010.

Ces nouvelles règles sont entrées en vigueur le 18 mars et le 18 avril 2011. Afin de réduire le total des paiements d'intérêt des propriétaires, l'amortissement des prêts hypothécaires garantis par la SCHL passera de 35 ans à 30 ans. Cette mesure permettra aussi aux propriétaires de rembourser leurs paiements avant leur retraite. Concernant le montant qu'un propriétaire peut emprunter pour refinancer son hypothèque, un nouveau plafond de 85 % de la valeur de la maison remplace l'ancien plafond de 90 %. Étant donné que certains Canadiens utilisaient les marges de crédit hypothécaire pour payer des achats tels que des bateaux, des voitures ou des téléviseurs, le gouvernement n'assurera plus ces marges de crédit. Par ailleurs une règle demeure inchangée : celle qui concerne le versement minimal de 5 % de la valeur du prêt, et ce, pour les nouveaux prêts hypothécaires assurés par la SCHL (La Presse Canadienne, 2011).

8.5.2 L'évolution du taux d'épargne

Le taux d'épargne, tel qu'il est mesuré à l'heure actuelle, nous indique que la masse des épargnes disponibles pour de nouveaux investissements a considérablement baissé depuis quelques années. En effet, en 1982, ce taux se situait aux alentours de 20 % au Canada, alors qu'il était presque nul en 2006 (Radio-Canada, 2006). Il a par contre augmenté au Québec dans les dernières années, passant de 2,6 % en 2006 à 4,6 % en 2010 (Institut de la statistique du Québec, 2011).

On détermine le taux d'épargne en divisant l'épargne personnelle par le revenu disponible. Lorsque toutes les dépenses sont déduites du revenu disponible (après impôts et autres déductions fiscales), on obtient le montant de l'épargne (Radio-Canada, 2006).

L'enrichissement provient des sources suivantes : le remboursement des dettes, l'épargne, puis l'investissement. L'absence d'épargne ne favorise donc pas la formation de capital. Cette situation est très grave, car la planification de la retraite est une tâche qui doit débuter tôt dans la vie de l'individu ou du couple. Nous aborderons cet important sujet dans le module « La retraite ».

L'épargne consiste donc à produire un excédent de liquidités. L'investissement, pour sa part, sert à canaliser cette épargne dans des produits financiers. Ceux-ci doivent répondre à certains besoins : à moyen terme, permettre de réaliser des projets spéciaux et, à long terme, permettre d'atteindre la deuxième étape de l'indépendance financière, soit la prise de la retraite tout en étant financièrement capable de maintenir la qualité de vie désirée.

8.6 Le surendettement

L'endettement conduit parfois au surendettement, donc à un usage abusif du crédit et à un processus graduel d'appauvrissement.

La famille surendettée a trop souvent recours à la consolidation des dettes de consommation au lieu de s'attaquer à la source du problème : la discipline budgétaire. Nous avons abordé plus haut les causes de l'endettement. Les études de consommation confirment ces causes qu'invoquent les familles surendettées pour expliquer leur situation. Par contre, très peu d'entre elles mentionnent les valeurs sociales qui favorisent le matérialisme. Ces valeurs encouragent plus particulièrement l'insouciance et le manque de discipline à l'égard du budget familial, ou encore l'obsession d'atteindre un niveau de vie élevé grâce à l'achat de biens matériels. Jadis, les gens se passaient de biens pour avoir de l'argent ; aujourd'hui, ils se passent d'argent pour avoir des biens. Les familles font plus d'argent aujourd'hui qu'en 1980, mais elles ont beaucoup plus de besoins. Or, satisfaire ces besoins est de plus en plus dispendieux.

En outre, la situation financière des familles endettées pourrait encore se détériorer si les taux d'intérêt subissaient une augmentation appréciable. Il est prévisible que le taux directeur de la Banque du Canada augmentera au cours des prochaines années.

Il est vrai que la plupart des établissements financiers facilitent l'endettement (au moyen des cartes de crédit, des prêts personnels, des marges de crédit, etc.). Les détaillants, qui utilisent des techniques de commercialisation de plus en plus raffinées et efficaces, le font eux aussi.

L'endettement chronique a des conséquences très sérieuses sur la vie actuelle et future des familles. La qualité de vie qu'on voulait justement améliorer grâce à l'achat de biens matériels se trouve le plus souvent menacée par le fait que la famille devient parfois lourdement endettée.

8.6.1 La spirale de l'endettement

La famille qui doit recourir à la consolidation des dettes est étouffée par les remboursements mensuels trop nombreux et trop élevés. Si la stratégie de consolidation réussit, et c'est souvent le cas, elle se retrouve dans une situation financière plus tolérable. Ayant eu recours à une stratégie financière pour résoudre un problème qui est surtout de nature comportementale, la famille risque de s'attaquer à un faux problème.

En général, elle n'aura pas fait son examen de conscience au sujet de la nature comportementale plutôt que financière du problème. Elle n'aura pas non plus modifié ses valeurs sociales axées sur le matérialisme. Elle continuera, très souvent, à dépenser pour acquérir des biens matériels et se trouvera de nouveau rapidement dans la situation de surendettement qui existait avant la consolidation.

La spirale de l'endettement est celle-ci : bien-être – endettement – surendettement – consolidation – bien-être – endettement – surendettement, et ainsi de suite, ce qui fait en sorte que la spirale est amorcée. Norman Vincent Peale écrivait, dans son excellent livre *The Power of Positive Thinking* (*La puissance de la pensée positive*, 2007) : « Changez vos pensées et vous changerez le monde. » Il est donc nécessaire de fournir à ces familles l'information qui leur permettra de contrer leur insouciance et leur ignorance, de changer leurs valeurs face au matérialisme et de viser l'atteinte d'une certaine qualité de vie et d'une paix d'esprit appréciable. C'est ce que font plusieurs organismes que nous avons mentionnés plus haut, dont la mission est l'information et la protection des consommateurs.

Il faut noter que la protection des consommateurs est très utile, mais que l'éducation est encore plus importante, car c'est en éduquant les gens qu'on réussit à mieux les protéger. C'est là que la création du Groupe de travail sur la littératie financière dont nous avons parlé précédemment prend toute sa valeur.

8.6.2 Les solutions au surendettement

Il est essentiel de déterminer et de traiter la cause du problème ; ainsi, on peut éliminer l'étouffement qu'entraîne le surendettement, celui-ci étant un virus qu'il faut éliminer.

On peut prévenir le surendettement au moyen d'une saine gestion financière, grâce à laquelle il est possible de changer ses habitudes de consommation. Malheureusement, il est parfois trop tard ; dans certains cas, il faut recourir à des mesures extrêmes telle la faillite. Il existe toutefois plusieurs solutions concrètes au surendettement. En voici quelques-unes :

- Le réaménagement du budget familial ;
- La liquidation de certains actifs ;
- La négociation avec les créanciers ;
- La consolidation des dettes ;
- La proposition de consommateur ;
- Le dépôt volontaire (« loi Lacombe ») ;
- La faillite.

 Pour en savoir plus sur les solutions au surendettement, nous vous conseillons quelques organisations dont les adresses URL se trouvent en fin de chapitre.

- Jean Fortin & Associés est une firme de syndic dont la mission est d'offrir des stratégies pour se sortir de l'endettement.

- Le Réseau de protection du consommateur du Québec (RPC) regroupe 25 associations qui fournissent des renseignements de qualité sur le crédit et l'endettement excessif.

- L'Association des banquiers canadiens (ABC) offre aussi de l'information sur l'endettement sur son site Web.

- Le Bureau de la consommation du Canada a publié une brochure sur l'endettement intitulée « Prenez vos dettes en main ».

- Option consommateurs est une association sans but lucratif dont la mission est de défendre les droits des consommateurs.

8.7 Le rôle du conseiller financier

Nous faisons ici référence au conseiller financier dans le sens le plus large du terme. Il peut s'agir d'un consultant auprès d'une clientèle haut de gamme ou encore d'un conseiller employé par un grand établissement financier. Cela peut même être une personne qui travaille auprès d'un organisme tel le Réseau de protection du consommateur du Québec et qui est en contact avec des familles surendettées. Chacune de ces personnes doit agir un peu comme un psychologue qui écoute attentivement le consommateur et se permet de lire entre les lignes. Cela signifie que le conseiller financier doit prêter main forte à son client. Celui-ci, en général, se préoccupe de ses investissements, mais certaines personnes prêtent une attention particulière à leur gestion budgétaire.

En général, les familles endettées opposent une certaine résistance au changement. Elles ne sont pas toujours prêtes à accepter une diminution de leurs conditions de vie matérielles. À l'ère du surendettement, le conseiller financier doit mettre en évidence le fait que l'élaboration d'un plan de retraite, par exemple, est directement lié à la gestion de l'endettement. Le plan d'action qu'il propose à ses clients devient donc une démarche essentielle.

Pour les familles très endettées, il faut aborder certains sujets délicats comme les suivants :

- Vivre mieux avec moins (la simplicité volontaire n'est pas une doctrine, mais un mode de vie, un processus individuel) ;
- Bien connaître son coût de la vie et ses besoins ;
- Prendre un certain recul avant de planifier ou d'effectuer les achats importants ;
- Payer comptant le plus souvent possible ;
- Établir un plan d'action par écrit de façon à bien le comprendre et à le suivre avec rigueur.

 Les sites Web mentionnés dans ce chapitre peuvent vous aider, mais vous pouvez également en consulter d'autres sur des sujets tels que l'endettement, le surendettement, etc. Vous trouverez une panoplie de sites intéressants, entre autres celui du Réseau québécois pour la simplicité volontaire.

MÉDIAGRAPHIE

Page 166
Société canadienne d'hypothèques et de logement, www.schl.gc.ca via Consommateurs > Achat d'un logement > Planifier et gérer son prêt hypothécaire > Calculateur de la capacité d'emprunt hypothécaire

Agence de la consommation en matière financière du Canada, www.acfc.gc.ca via Publications > Prêts et hypothèques > Acheter votre premier logement : Trois étapes pour trouver le prêt hypothécaire qui vous convient

Intelligence hypothécaire, www.intelligence hypothecaire.ca/index.cfm via Outils pratiques > Achat > Montant maximum d'hypothèque

Page 167
Agence de la consommation en matière financière du Canada, www.acfc.gc.ca via Outils et calculatrices > Calculatrices hypothécaires > Calculatrice hypothécaire interactive

Page 168
Groupe de travail sur la littératie financière, www.financialliteracyincanada.com via Rapport du Groupe de travail

Agence de la consommation en matière financière du Canada, www.acfc.gc.ca via

Publications > Budget et gestion des finances personnelles > Comprendre votre dossier de crédit et votre pointage de crédit

Equifax Canada, www.econsumer.equifax.ca

TransUnion, www.transunion.ca

Page 169
Agence de la consommation en matière financière du Canada, www.acfc.gc.ca via Outils et calculatrices > Outil pour cartes de crédit

Page 173
Jean Fortin & Associés, www.jeanfortin.com

Réseau de protection du consommateur du Québec (RPC), www.consommateur.qc.ca

Association des banquiers canadiens (ABC), www.cba.ca via Renseignements pour les consommateurs > L'abc bancaire > Comprendre le crédit

Bureau de la consommation du Canada, www.ic.gc.ca via Ressources pour les consommateurs > Prenez vos dettes en main

Option consommateurs, www.option-consommateurs.org

Page 174
Réseau québécois pour la simplicité volontaire, www.simplicitevolontaire.org

Références
Agence de la consommation en matière financière du Canada (2011a). *Au sujet de l'ACFC*. Récupéré de www.fcac-acfc.gc.ca/fra/ausujet/index-fra.asp

Agence de la consommation en matière financière du Canada (2011b). *Aider les Canadiens à prendre des décisions financières éclairées*. Récupéré de www.fcac-acfc.gc.ca/fra/ressources/publications/au SujetACFC/aideconsommateurs/aideconsommateurs-fra.asp#who

Association des banquiers canadiens (2009). *Savoir gérer son argent*. Récupéré de www.

cba.ca/fr/consumer-information/41-saving-investing/57-managing-money

Association des banquiers canadiens (2011). *Le rapport du Groupe de travail sur la littératie financière : un projet visant l'amélioration du niveau de littératie financière des Canadiens*. Récupéré de www.cba.ca/fr/media-room/65-news-releases/557-task-force-on-financial-literacy-report-a-good-blueprint-for-improving-financial-literacy-of-canadians-canadian-bankers-association

Carney, M. (2010). *Vivre en période prolongée de bas taux d'intérêt*. Récupéré de www.banqueducanada.ca/2010/12/discours/vivre-periode-prolongee-bas-taux-interet

Groupe de travail sur la littératie financière (2009). *À propos du Groupe de travail : Mandat*. Récupéré de www.financialliteracyincanada.com/mandate_fr.html

Institut de la statistique du Québec (2011). *Épargne, taux d'épargne (désaisonnalisés au taux annuel), Québec*. Récupéré de www.stat.gouv.qc.ca/princ_indic/tepargn.htm

La Presse canadienne (2011). *Le ministre Flaherty resserre les règles hypothécaires*. Récupéré de lapresseaffaires.cyberpresse.

ca/economie/immobilier/201101/17/01-4360696-le-ministre-flaherty-resserre-les-regles-hypothecaires.php

Larocque, Sylvain (2011). *Haut taux d'endettement : Desjardins veut promouvoir l'épargne*. Récupéré de lapresseaffaires.cyberpresse.ca/economie/services-financiers/201102/08/01-4368287-haut-taux-dendettement-desjardins-veut-promouvoir-lepargne.php

Picher, Claude (2010). *Un endettement sans précédent*. Récupéré de lapresseaffaires.cyberpresse.ca/opinions/chroniques/claude-picher/201012/14/01-4352113-un-endettement-sans-precedent.php

Peale, N. V. (2007). *La puissance de la pensée positive*. Paris, France : Marabout.

Radio-Canada (2006). *Taux d'épargne en chute libre*. Récupéré de www.radio-canada.ca/nouvelles/Economie-Affaires/2006/01/10/007-endettement-taux-epargne.shtml

Statistique Canada (2010). *Graphique 2 : Le ratio de la dette au revenu après impôt a monté à 148 % en 2009*. Récupéré de www.statcan.gc.ca/pub/11-008-x/2011001/c-g/11430/desc/desc002-fra.htm

QUESTIONS DE RÉVISION

1. En quoi consiste le crédit ?

2. Pourquoi la gestion du crédit est-elle de plus en plus complexe ?

3. En quoi consiste le dossier de crédit ?

4. Quelles sont les deux façons d'utiliser une carte de crédit ?

5. Expliquez les principales causes de l'endettement des familles.

6. Que signifie l'expression « taux d'épargne » ? Expliquez son évolution et sa signification au regard du processus d'enrichissement.

7. Quelles sont les solutions au surendettement ? En quoi consiste la consolidation des dettes ?

8. Quels sont les dangers liés à la consolidation des dettes ?

9. Comment calcule-t-on les deux indices de l'admissibilité à un prêt hypothécaire ?

10. Voici deux dictons populaires : « Qui paie ses dettes s'enrichit » et « Le meilleur placement est de payer ses dettes. » Pouvez-vous expliquer ces deux dictons ?

11. Qu'est-ce que la simplicité volontaire ?

12. Croyez-vous que, de façon générale au Québec, l'industrie financière s'attarde suffisamment à la gestion budgétaire des familles ?

LA PLANIFICATION FISCALE

L a planification fiscale vise à atteindre certains objectifs financiers assortis d'une économie maximale d'impôt, dans le respect de la loi et des règlements du fisc. Elle doit faciliter l'atteinte des objectifs personnels établis par et pour le client. Il est donc souhaitable d'intégrer la planification fiscale au processus de planification financière globale.

La planification fiscale diffère totalement de l'évasion fiscale. Celle-ci concerne plutôt certaines activités illégales destinées à réduire l'impôt à payer au moyen de la dissimulation ou de la fausse déclaration de revenus, ou encore de la réclamation de dépenses ou de déductions inexistantes. L'évasion fiscale est sanctionnée par des pénalités, des amendes et même des peines d'emprisonnement. Par contre, l'évitement fiscal est un moyen légal de se soustraire à l'impôt en se prévalant des failles existant dans les lois fiscales. Il faut noter que l'impôt minimum de remplacement (IMR) oblige tous les contribuables à payer un impôt minimal. Ainsi, même le contribuable qui utilise d'une façon substantielle les abris fiscaux est assujetti à un impôt minimal, calculé différemment d'un palier de gouvernement à l'autre.

CHAPITRE
9

LES ASPECTS STRATÉGIQUES DE LA GESTION FISCALE

Ce chapitre décrit quelques stratégies relativement simples qui peuvent être utiles aux particuliers. Toutefois, le planificateur financier doit prendre soin de faire à son client des suggestions qui respectent les mesures législatives et s'intègrent au processus de planification financière globale.

Les stratégies fiscales désignent une série d'actions ou de moyens destinés à réduire le fardeau fiscal des contribuables. Elles comportent cinq volets, qu'abordent chacune des sections de ce chapitre.

9.1 La gestion fiscale

La gestion fiscale consiste à adopter des mesures dans le but d'éviter de payer des intérêts ou de subir des pénalités. De façon plus large, elle vise aussi à faire en sorte qu'aucun problème ne survienne lors des transactions avec le fisc. De ce point de vue, trois mesures doivent être respectées :

- Un dossier fiscal ordonné ;
- Le paiement des impôts à temps ;
- La production de déclarations de revenus conformes à la loi.

9.1.1 Un dossier fiscal ordonné

Les enquêteurs du fisc peuvent vérifier le dossier fiscal de tout contribuable. Ce dossier doit donc être ordonné et contenir tous les renseignements pertinents aux déclarations de revenus. Habituellement, les fonctionnaires de l'impôt font porter leur vérification sur les trois dernières années. Cependant, le travailleur autonome doit conserver tous les reçus de dépenses réclamées pour une période de six ans.

9.1.2 Le paiement des impôts à temps

Un taux d'intérêt s'applique sur les montants d'impôt payés en retard. Le 30 avril est la date limite pour produire la déclaration de revenus de l'année précédente (du 1er janvier au 31 décembre) et pour payer le solde. Si celui-ci n'est pas réglé à cette date, le contribuable doit payer des intérêts. De plus, le fisc peut refuser certaines dépenses présentées à titre de déduction. Ce refus est indiqué dans l'avis de cotisation envoyé au contribuable. Dans ce cas, le fisc exige le paiement d'intérêts, selon le taux prescrit, à partir de la date statutaire de la déclaration. Le Centre québécois de formation en fiscalité (CQFF) recense les taux d'intérêt prescrits.

Le tableau 9.1 présente les taux d'intérêt prescrits pour l'année 2010 (l'année 2009 est également incluse). Ces taux sont capitalisés quotidiennement. Ce tableau montre que les pénalités en intérêts sont très élevées si les versements sont insuffisants ou inexistants. Il faut noter que ce tableau porte sur les acomptes provisionnels d'impôt sur le revenu. Il concerne aussi les taux d'intérêt prescrits sur les avantages imposables et la façon de contourner certaines règles d'attribution (*voir la sous-section 9.2.1*).

Lorsqu'un contribuable produit sa déclaration après la date limite, il est passible d'une pénalité sur le solde d'impôt impayé. Cependant, il peut contester la révision à la hausse de ses impôts en faisant parvenir au fisc un avis d'opposition dans les 90 jours qui suivent la réception de l'avis de cotisation.

Il est clair que les intérêts et les diverses pénalités peuvent rapidement atteindre des sommes considérables. En outre, ils ne peuvent être déduits lors du calcul du revenu imposable. Prendre l'habitude de payer ses impôts à temps s'inscrit donc dans une saine gestion financière.

9.1.3 Les déclarations de revenus conformes à la loi

Un contribuable qui fait volontairement une déclaration erronée dans le but de frauder le fisc est passible d'une pénalité de 50 % de l'impôt sur le revenu non déclaré, en

TABLEAU 9.1 Les taux d'intérêt prescrits – 2009-2010

Année	Trimestre	Sur les montants d'impôts en souffrance et les retenues à la source non versées[1]		Sur les acomptes provisionnels insuffisants[2][3]		Sur les montants d'impôts à recevoir		Sur certains avantages imposables et pour contourner certaines règles d'attribution	
		Fédéral %	Québec %	Fédéral %	Québec %	Fédéral %	Québec %	Fédéral %	Québec %
2010	1er	5	5	5/7,5	15/5	3	1,15	1	1
	2e	5	5	5/7,5	15/5	3	1,15	1	1
	3e	5	5	5/7,5	15/5	3	1,25	1	1
	4e	5	6	5/7,5	15/3	3	1,25	1	1
2009	1er	5	6	6/9	17/7	4	2,75	2	2
	2e	6	5	5/7,5	16/6	3	2,75	1	1
	3e	5	5	5/7,5	15/5	3	1,15	1	1
	4e	5	5	5/7,5	15/5	3	1,15	1	1

Source : Centre québécois de formation en fiscalité, 2011.

(1) Dans le cas des retenues à la source non versées, des pénalités automatiques s'appliquent également.

(2) Si les intérêts sur acomptes provisionnels insuffisants au fédéral dépassent 1 000 $, le taux sur l'excédent est calculé en majorant de 50 % le taux d'intérêt sur les impôts en souffrance. Cependant, si les intérêts sur acomptes provisionnels insuffisants n'excèdent pas 1 000 $ pour l'année, le taux en vigueur pour les acomptes provisionnels est alors le même que celui des impôts en souffrance, soit 5 % en 2010 (6 % ou 5 % en 2009).

(3) Au Québec, le taux de 15 % en 2010 (17 %, 16 % ou 15 % en 2009) s'applique lorsque le contribuable n'a pas effectué 90 % (75 % dans le cas des particuliers) ou plus du versement qu'il devait verser au moment prévu.

Autrement, le taux est de 5 % en 2010 (7 %, 6 % ou 5 % en 2009).

plus de l'intérêt calculé sur les paiements en retard et sur la pénalité. Le fisc peut entamer des poursuites judiciaires contre un tel contribuable. Le planificateur devrait donc suggérer à son client la plus grande vigilance dans la production de sa déclaration de revenus afin d'éviter ces inexactitudes qui peuvent s'avérer très coûteuses.

9.2 Le transfert de biens entre vifs

Le transfert de biens entre vifs, ou personnes vivantes, constitue une autre stratégie permettant de réduire le fardeau fiscal du contribuable.

Le terme « transfert » s'applique à trois actions précises :

- Un prêt sans intérêt ou à un taux inférieur au taux prescrit ;
- Une donation (un don ou un cadeau) ;
- La vente d'un bien à un prix inférieur à sa valeur marchande.

Les deux premières actions seront examinées dans ce chapitre. La vente d'un bien sera expliquée au module 6, « La planification successorale ».

La personne intéressée à effectuer un tel transfert de son vivant poursuit des objectifs tels que :

- le fractionnement de son revenu dans le but de diminuer l'impôt à payer ;
- le report d'impôt à payer de son vivant ;
- la volonté d'avantager certains membres de sa famille de son vivant.

En général, l'objectif le plus important est le dernier de cette liste : avantager un proche parent. Il est très louable de laisser une fortune en héritage à son fils ou à sa fille, mais les besoins de ces derniers peuvent être plus importants au début de leur carrière, alors que l'un des deux parents ou les deux sont encore vivants.

Il faut noter que les règles d'attribution s'appliquent dans le cas de certains transferts. C'est le propos de la prochaine sous-section.

9.2.1 Le fractionnement du revenu et les règles d'attribution

Le fractionnement du revenu consiste à transférer certains biens, normalement au conjoint ou aux enfants, dans le but de réduire le fardeau fiscal de la famille en général et de l'auteur du transfert en particulier. Bien sûr, le fait que l'imposition des particuliers relève de taux d'imposition qui sont progressifs rend le fractionnement du revenu avantageux pour certaines personnes.

Les mécanismes dont le but est de fractionner le revenu sont habituellement assujettis à des règles anti-évitement, aussi appelées « règles d'attribution ». Voici deux exemples de ces mécanismes :

- Une personne transfère un bien à sa conjointe, à son conjoint ou à une autre personne (ayant un lien de dépendance, par exemple son enfant de moins de 18 ans) ; les revenus découlant de ces placements sont imposables pour l'auteur du transfert ;
- Une personne effectue un prêt sans intérêt ou à un taux inférieur au taux prescrit[1] à une personne majeure qui lui est liée ; les règles d'attribution s'appliquent s'il est raisonnable de croire que l'un des principaux motifs du transfert est de réduire l'impôt à payer par l'auteur du prêt.

Comme nous l'avons mentionné plus haut, le législateur a adopté cette mesure afin d'éviter le transfert de fonds à l'un des conjoints ou aux enfants mineurs dans le but de payer moins d'impôt. Les règles d'attribution s'appliquent, que le transfert soit fait directement ou par l'intermédiaire d'une fiducie ou d'une société. De plus, ces règles touchent les biens substitués aux biens initiaux (ou biens de remplacement).

9.2.2 Une vue d'ensemble

Le tableau 9.2 résume la situation exposée précédemment. Toutefois, le cas des biens agricoles n'a pas été pris en considération. Dans ce tableau, le OUI signifie que le revenu du bénéficiaire est imposé chez l'auteur du transfert et le NON, que le revenu est imposable chez le bénéficiaire.

---

1. Dans le tableau 9.1 à la page précédente, les lignes portant sur les avantages imposables du tableau CQFF montrent le taux d'intérêt minimal exigible.

TABLEAU 9.2 Les règles d'attribution et leurs applications

Destinataire du transfert	Transfert: don ou prêt (taux inférieur au taux prescrit)	Règles d'attribution (et normes sur le gain en capital)	
		Revenu gagné par le bénéficiaire	Gain en capital réalisé par le bénéficiaire
Conjointe ou conjoint	Don et prêt	Oui	Oui
Personne apparentée, mineure	Don et prêt	Oui	Non
Personne liée, majeure	Don	Non	Non
	Prêt	Non[1]	Non

(1) Si le prêt a pour but principal une diminution d'impôt, il est assujetti aux règles d'attribution.

9.2.3 Les stratégies légales pour fractionner le revenu

Au fil des ans, les règles d'attribution sont devenues plus restrictives, mais il est toujours possible d'effectuer un fractionnement du revenu en toute légalité en utilisant certaines stratégies. En voici encore quelques-unes, qui respectent les règles d'attribution. Si elles ne s'appliquent pas, les revenus qui découlent de ces stratégies de fractionnement sont imposés au nom du bénéficiaire.

Le prêt entre conjoints

Il s'agit ici d'un prêt de biens ou d'argent qui porte intérêt au taux prescrit ou davantage, pourvu que les intérêts soient effectivement payés dans les 30 jours après la fin de l'année fiscale. Depuis 1993, la définition de conjoint inclut le conjoint de fait.

EXEMPLE

Julie est enseignante; elle est en année sabbatique.

Marc est ingénieur; il lui prête 10 000 $.

Taux de rendement du placement: 8 %

Taux marginal de Marc: 50 %

Taux d'imposition de Julie: 0 %

Taux prescrit: 3 %

Question: Dans cette stratégie, quel est le bénéfice net en pourcentage?

- Sans prêt: Marc réalise un taux de rendement de 4 % net (8 % moins 50 % en impôt).
- Avec le prêt au taux prescrit:
  - Marc: revenu brut de 300 $ (provenant de Julie) et revenu après impôts de 150 $;
  - Julie: revenu brut de 800 $, moins 300 $ à remettre à Marc, soit 500 $ après impôts.

Donc, le revenu net total « familial » de 150 $ (Marc) plus 500 $ (Julie) = 650 $ ou 6,5 % de 10 000 $. L'avantage fiscal de cette stratégie: 6,5 % − 4 % = 2,5 %.

Le financement des études d'un enfant mineur

Le placement qui résulte d'un don à un enfant mineur peut produire un revenu (intérêts ou dividendes) ou encore un gain en capital. S'il s'agit d'intérêts ou de dividendes, la personne qui fait une donation sera imposée sur la première

MODULE 2

génération du revenu, mais non sur la deuxième (revenu produit par le revenu). Par contre, les règles d'attribution ne s'appliquent pas au gain en capital. Le gain en capital réalisé est imposé au nom de l'enfant mineur.

Le prêt pour un revenu d'entreprise

Une personne peut prêter ou donner un certain montant en capital à son conjoint afin que ce dernier puisse investir dans une entreprise non incorporée légalement dont il est partenaire actif. Le revenu d'entreprise ainsi engendré est imposé au nom du conjoint propriétaire de l'entreprise. Étant donné que le revenu provient davantage de l'effort et du travail du conjoint que du capital, le fisc accepte qu'il soit imposé au nom du conjoint actif dans l'entreprise.

Par ailleurs, le gain en capital réalisé au moment de la disposition de l'entreprise est imposé au nom de l'auteur du transfert, c'est-à-dire de la personne qui a prêté ou donné le capital en question. Si le prêt ou le don est fait à un enfant âgé de moins de 18 ans, les mêmes règles s'appliquent. Toutefois, le gain en capital au moment de la disposition de l'entreprise est imposé au nom de l'enfant.

La Prestation universelle pour la garde d'enfants

Il est possible de transférer ou de prêter les sommes relatives à ces prestations à l'enfant ou aux enfants touchés. Dès lors, les revenus qui découlent de ces fonds ne sont pas visés par les règles d'attribution ; en conséquence, ils sont imposables au nom de l'enfant ou des enfants bénéficiaires. Pour effectuer ce type de transfert, il faut verser les prestations dans un compte pour enfant mineur.

Le paiement du coût de la vie

La plupart du temps, dans un couple, lorsque les deux conjoints travaillent, ils participent tous deux au paiement du coût de la vie.

Si la différence entre les taux marginaux des conjoints est importante, il est intéressant d'accumuler un capital au nom de celui qui a le plus faible taux d'imposition. Ce dernier a ainsi la possibilité d'investir l'équivalent de son salaire, le coût de la vie étant soutenu par le conjoint dont le taux marginal est le plus élevé.

Le salaire ou les honoraires de consultation au conjoint et aux enfants

La loi permet à un contribuable en affaires de verser à son conjoint ou à ses enfants un salaire ou des honoraires de consultation. Cependant, le travail doit être effectué dans le cadre d'une entreprise ; le montant doit être « raisonnable » et être versé en fonction de la valeur réelle du travail effectué. L'économie est intéressante si l'écart entre les taux marginaux de la personne qui verse le salaire et de la personne qui le reçoit est grand. De cette économie, il faut soustraire les paiements relatifs aux salaires se rapportant aux divers programmes et régimes gouvernementaux, tout en tenant compte de l'économie d'impôt sur ces montants déductibles. Par ailleurs, précisons que le conjoint (ou les enfants, s'il y a lieu) devient alors bénéficiaire du RRQ, ce qui peut constituer un avantage intéressant.

Le paiement de certains montants dus par le conjoint

Cette stratégie consiste à payer les montants d'argent dus par le conjoint. Par exemple, il peut s'agir de payer directement l'impôt du conjoint au moment de sa déclaration de revenus. Il peut aussi s'agir de payer les acomptes provisionnels ou les intérêts sur emprunt du conjoint (mais non le remboursement du capital) si ce dernier a contracté un prêt pour investir. Dans tous les cas, les fonds que le conjoint utilise pour payer ces montants peuvent être investis au nom du conjoint bénéficiaire sans que les règles d'attribution ne s'appliquent.

Le REER au nom du conjoint

Cette stratégie convient surtout aux couples qui désirent prendre leur retraite avant 65 ans. Le fait d'investir dans un REER au nom du conjoint peut s'avérer une excellente forme de fractionnement de revenu.

L'investissement en REEE

L'investissement dans un REEE au nom des enfants est un autre excellent moyen de fractionner le revenu futur, car les revenus du REEE sont imposés au nom des enfants. La subvention fédérale de 20 % et celle du Québec de 10 % rendent cette stratégie encore plus judicieuse.

9.2.4 La cessation des règles d'attribution

Les règles d'attribution cessent de s'appliquer dans les situations suivantes :

- L'auteur du transfert quitte le Canada (cessation de résidence) ;
- L'une des deux parties décède ;
- Il y a divorce ou séparation de corps des conjoints ;
- Le bénéficiaire atteint l'âge de 18 ans[2].

9.3 Le fractionnement du revenu de pension

Ce troisième volet sera abordé plus en profondeur au module « La retraite », car il s'agit bien ici des revenus générés lors de la retraite dans le but de maintenir une certaine qualité de vie. Par ailleurs, il s'agit aussi de fractionnement, d'où la nécessité de mentionner le sujet, même brièvement.

Le 23 novembre 2006, le gouvernement fédéral publiait un communiqué selon lequel il devenait possible, pour les résidents canadiens qui reçoivent un revenu donnant droit au crédit d'impôt pour le revenu de pension, d'attribuer jusqu'à la moitié de ce revenu à leur conjoint (marié ou conjoint de fait), et ce, à compter de janvier 2007. Le gouvernement du Québec avait déjà annoncé son intention de suivre le fédéral dans cette voie.

Depuis l'année d'imposition 2007, les conjoints peuvent donc répartir certains revenus de retraite pour s'assurer un taux d'imposition plus bas.

L'un des effets importants de cette stratégie est la réduction du revenu net. De plus, la Sécurité de la vieillesse (SV), pour certaines personnes, n'est plus amputée par la récupération fédérale. On sait qu'à partir d'un revenu net personnel dépassant les 67 668 $ (en 2011), une partie de la SV est récupérée par le fédéral.

Les revenus visés sont surtout ceux qui proviennent de prestations de fonds de pension ou encore de prestations de fonds enregistrés de revenu de retraite

---

2. Sauf s'il y a prêt à un taux avantageux (inférieur au taux prescrit), effectué dans le but principal de réduire l'impôt de l'auteur du transfert.

(FERR, FRV, etc.). Les retraits ponctuels provenant d'un REER ne sont, par contre, pas admissibles.

Par ailleurs, les rentes de la RRQ et la PSV ne font pas partie de ce fractionnement du revenu de pension. Nous y reviendrons au module 3, portant sur la retraite.

9.4 Les fonds de travailleurs québécois

Le quatrième volet des stratégies fiscales porte sur les fonds de travailleurs québécois. Il en existe deux: le Fonds de solidarité FTQ et le Fondaction, ou Fonds de développement de la CSN pour la coopération et l'emploi.

Le Fonds de solidarité FTQ, créé en 1983, désire «contribuer à la croissance économique du Québec en créant et en sauvegardant les emplois». Pour y arriver, il propose d'investir dans des entreprises québécoises de tous les secteurs d'activité. De plus, les actionnaires-propriétaires peuvent bénéficier d'un rendement raisonnable, auquel s'ajoutent des avantages fiscaux supérieurs, les encourageant ainsi à épargner pour la retraite (Fonds de la solidarité FTQ, 2011).

En 1996, la Confédération des syndicats nationaux (CSN) a regroupé plusieurs institutions afin de mettre sur pied Fondaction, fonds de développement pour la coopération et l'emploi. Les activités de ce fonds se divisent en deux volets, l'épargne collective et l'investissement. Tout en maintenant les emplois et en travaillant pour stimuler l'économie québécoise, Fondaction invite les travailleurs, tout comme la population en général, à épargner pour la retraite (Fondaction, 2011a).

En consultant les sites Web de ces fonds, vous constaterez qu'ils ont des objectifs communs, à savoir participer à l'essor économique du Québec en favorisant le maintien et la création d'emplois et en fournissant à certaines entreprises les capitaux nécessaires à leur développement. Voyons brièvement leurs caractéristiques:

- Ces organismes émettent des actions directement au public sans passer par une maison de courtage; il n'y a donc pas de marché secondaire (ou grand public) pour ce type d'actions;
- Ces deux fonds sont admissibles au REER et au RAP;
- Le montant maximal admissible au crédit d'impôt que vous pouvez investir dans ces fonds annuellement est de 5 000 $.

Ces fonds permettent une économie d'impôt sur le capital investi. Dans le cas du Fonds de solidarité FTQ, il s'agit d'un crédit d'impôt de 15 % au Québec et de 15 % au fédéral. Dans le cas de Fondaction, les 2 crédits sont de 25 % au Québec et de 15 % au fédéral.

> Les personnes participant à Fondaction peuvent bénéficier de crédits d'impôt allant jusqu'à 40 % au Québec. En effet, depuis 2009, elles bénéficient d'une augmentation de 10 % du crédit d'impôt.
>
> Dans son budget 2009-2010, le gouvernement du Québec annonçait que la hausse du crédit d'impôt demeurerait en vigueur jusqu'à ce que Fondaction «atteigne pour la première fois, à la fin d'un exercice financier, une capitalisation d'au moins 1,25 milliard de dollars. [Par la suite] les crédits d'impôt reviendront à 30 %.» (Fondaction, 2011b)

En général, il y a trois façons simples de souscrire à ce type de fonds :

- La retenue sur le salaire ;
- Les prélèvements bancaires automatiques ;
- Le montant forfaitaire (un seul paiement ou plusieurs paiements) par chèque ou au moyen du paiement direct Interac.

Un investissement dans ces fonds est un placement à long terme servant à bâtir une retraite ou une préretraite. Le retrait de ces fonds, malgré leur objectif à long terme, est aujourd'hui plus facile qu'auparavant. En effet, il est possible de racheter des actions dans certaines circonstances. La politique d'achat de gré à gré a été modifiée au fil des ans et permet, à certaines conditions, un rachat des actions à compter de l'âge de 55 ans, parfois même à compter de 50 ans (dans les cas de retour aux études, de maladie grave, d'accès à la propriété, de problèmes financiers, etc.). Il faut noter que ces fonds n'ont tout de même pas la flexibilité qu'offrent les autres REER quant aux retraits[3].

9.5 Les divers régimes enregistrés dits personnels

Ce cinquième volet n'a pas pour objectif de couvrir en détail la panoplie de régimes enregistrés dits personnels (REER, CELI, etc.) qui existent aujourd'hui sur les marchés financiers, mais tout simplement de mentionner leur existence et de souligner leur importance.

Ces régimes personnels ont assurément une forte connotation fiscale, mais leur rôle principal est davantage lié, directement ou indirectement, à la planification de la retraite ou encore, d'une façon plus générale, à l'atteinte de l'indépendance financière. Pour vous donner une idée des régimes dont nous parlons ici, voici une liste qui concerne les régimes dits personnels par opposition aux régimes d'entreprises qui concernent, eux, les régimes de retraite des employeurs (RPA, etc.), lesquels feront l'objet du chapitre 10 portant sur la pyramide de la retraite, avec bien sûr, les régimes gouvernementaux :

- Le régime enregistré d'épargne-retraite (REER) ;
- Le compte d'épargne libre d'impôt (CELI) ;
- Le régime enregistré d'épargne-études (REEE) ;
- Le régime d'accession à la propriété (RAP) ;
- Le régime d'encouragement à l'éducation permanente (REEP) ;
- Le régime enregistré d'épargne-invalidité (REEI).

Cette liste n'est pas exhaustive, mais elle indique au lecteur la panoplie de régimes enregistrés personnels qui existent aujourd'hui sur le marché.

CONCLUSION

La planification fiscale est un vaste sujet auquel nous avons consacré ce chapitre. Elle est également abordée dans plusieurs autres modules traitant de la planification

---

3. Les fonds de travailleurs québécois seront étudiés plus en détail au chapitre 12, portant sur les REER. Les exercices portant sur ces fonds seront également inclus dans ce même chapitre.

de la retraite ou de la planification successorale. En effet, certains sujets comme le transfert de biens entre vifs ou encore le concept du fractionnement du revenu sont abordés dans plusieurs parties de cet ouvrage.

Par ailleurs, certains sujets fiscaux dont nous avons traité dans les éditions précédentes ont été éliminés de cette sixième édition. C'est le cas, par exemple, des incitatifs fiscaux, souvent qualifiés d'abris fiscaux. Il s'agit maintenant beaucoup plus de « placements » axés sur l'économie d'impôt immédiate et sur le gain en capital à moyen terme.

Les modalités qui caractérisent ces « produits » changent très fréquemment (presque à chaque budget). Le traitement fiscal peut donc varier d'une réforme fiscale à l'autre. Ce sujet relève de cours spécialisés en fiscalité.

Pour vous donner une idée de ce dont il s'agit, nous nous limitons ici à mentionner trois incitatifs fiscaux en vous suggérant de procéder à une recherche simple pour obtenir plus d'information si vous le désirez. Vous pouvez ainsi consulter les sites Web des organisations suivantes :

- Desjardins Capital régional et coopératif – Mouvement Desjardins ;
- Régime d'investissement coopératif – Gouvernement du Québec.

Vous pouvez aussi obtenir plus d'information sur un autre régime en consultant les renseignements additionnels sur les mesures du budget (ministère des Finances, 2009) :

- Régime d'épargne-actions II ou REA II, remplaçant le Régime d'actions-croissance PME du Québec) – Gouvernement du Québec.

MÉDIAGRAPHIE

Page 178
Centre québécois de formation en fiscalité, www.cqff.com via Tableaux utiles > Taux d'intérêts prescrits – 2010

Page 186
Desjardins Capital régional et coopératif, www.capitalregional.com

Régime d'investissement coopératif – Gouvernement du Québec, www.mdeie.

gouv.qc.ca via S'informer > Coopératives > Régime d'investissement coopératif

Références
Centre québécois de formation fiscale (2011). *Tableau d'intérêts prescrits 2010*. Récupéré de www.cqff.com/tableaux_utiles/tab_ tauxprescrit2010.pdf

Fonds de solidarité FTQ (2011). *Qui sommes-nous ?* Récupéré de www.fondsftq. com/fr-CA/Apropos/Quisommes-nous. aspx

Fondaction (2011a). *À propos de Fondaction*. Récupéré de www.fondaction.com/?cat=22

Fondaction (2011b). *À propos du 40 %*. Récupéré de www.fondaction.com/?cat=3

Ministère des Finances (2009). *Améliorations importantes au régime Actions-croissance PME qui devient le régime d'épargne-actions* II dans « Renseignements additionnels sur les mesures du budget ». Récupéré de www.budget.finances.gouv. qc.ca/Budget/2009-2010/fr/documents/ pdf/RenseignementsAdd.pdf

QUESTIONS DE RÉVISION

1. En quoi consiste une saine gestion fiscale ?

2. Que signifie l'expression « taux d'intérêt prescrit » ?

3. Quel est le but principal des règles d'attribution ?

4. Expliquez au moins trois stratégies permettant de fractionner le revenu.

5. Quelles sont les caractéristiques intéressantes des fonds de travailleurs québécois ?

EXERCICES

1. Vous êtes planificateur financier et l'une de vos amies, Nathalie, vous demande votre opinion au sujet du prêt de 25 000 $ qu'elle a récemment accordé à André, son conjoint. Vous examinez le bilan qu'elle a elle-même dressé. Sous la rubrique Actif, vous remarquez un poste qui s'intitule « Prêt au conjoint : 25 000 $ ». Votre amie vous explique qu'il s'agit d'un prêt sans intérêt qu'elle a accordé à André pour qu'il achète des bons du Trésor, car ce dernier est imposé à un taux marginal beaucoup plus bas que le sien. « De cette façon, nous économiserons de l'impôt sur le revenu », vous dit-elle. Nathalie est propriétaire de sa propre entreprise et André a récemment quitté son emploi.

a) Quelles remarques ferez-vous à Nathalie ?

b) Faites une recommandation à Nathalie au sujet des actions à entreprendre pour corriger la situation.

c) Suggérez-lui une stratégie fiscale qu'elle aurait pu utiliser pour éviter le problème.

2. À titre de planificateur financier, l'un de vos clients vous informe qu'il a fait un don de 100 000 $ à sa conjointe pour qu'elle puisse investir dans un dépôt à terme rapportant un taux d'intérêt de 8 %. Par conséquent, dans un an exactement, elle aura, selon lui, accumulé un montant de 8 000 $ en intérêts. De plus, puisqu'elle n'a aucun autre revenu, elle n'aura aucun impôt à payer. Votre client vous demande ce que vous en pensez. Que lui répondez-vous ?

SOLUTIONS AUX EXERCICES

1. a) Nathalie doit savoir qu'elle enfreint les règles d'attribution et qu'elle sera imposée sur les revenus engendrés par ce capital.

b) Nathalie a le choix entre trois actions :

– Demander à André de lui rembourser le prêt dans les plus brefs délais ;

– Acquitter l'impôt sur le revenu engendré par le montant du prêt ;

– S'entendre avec André pour lui accorder un prêt au taux prescrit par le fisc, André devant lui payer les intérêts dans les 30 jours suivant la fin de l'année.

c) Trois stratégies fiscales sont possibles (une seule est requise) :

– Prêter de l'argent à André pour qu'il puisse investir dans une entreprise ;

– Investir dans un REER au nom d'André ;

– Verser un salaire à André (ou des honoraires de consultation), pourvu que le travail soit bel et bien effectué par lui au sein de l'entreprise de Nathalie et que le salaire soit raisonnable.

2. Vous faites remarquer à votre client qu'il enfreint les règles d'attribution et qu'il devra ajouter ce montant de 8 000 $ d'intérêts à ses autres revenus. Par conséquent, c'est lui qui sera imposé et non sa conjointe. Par contre, si cette dernière investissait ce même montant au taux de 8 %, soit 640 $, les revenus découlant de cet investissement seraient imposables à son nom à elle.

LA RETRAITE

L a retraite est une notion qu'il faut repenser. Comme tous les grands concepts qui définissent notre société moderne, la retraite est un concept en évolution. La retraite n'est plus ce phénomène monolithique des années 1940, 1950 et 1960 : à cette époque, lorsque le jour «R» (pour «retraite») arrivait, on quittait le travail pour toujours. En 1965, l'espérance de vie à la naissance était d'environ 68 ans pour les hommes. Aujourd'hui, elle est de 80 ans et plus. Être à la retraite pendant 30 ou 35 ans n'est plus à présent un rêve partagé par tous les travailleurs. Pour de plus en plus de personnes âgées de 65 ans ou plus, travailler est valorisant, désennuyant et payant. Pour d'autres, la retraite est le début d'une autre vie (activités culturelles, bénévolat, voyages, activités sportives, etc.).

L'objectif du module «La retraite» n'est pas de suggérer un âge précis pour prendre sa retraite, ni même de proposer un âge auquel on doit cesser de travailler, quoique ce soit le cas de plusieurs travailleurs qui effectuent un travail physiquement très exigeant. Il s'agit plutôt de souligner l'importance de la deuxième étape de l'indépendance financière, étape où l'on atteint la tranquillité d'esprit, quelles que soient ses activités personnelles ou professionnelles à ce moment. La démarche professionnelle en planification financière personnelle (*voir la section 3.3 du chapitre 3*) concerne avant tout la santé financière et, bien sûr, la capacité de prendre sa retraite, de maintenir sa qualité de vie, et ce, sans devoir travailler ou s'endetter.

Avec le module «La retraite», nous entrons donc dans la phase de capitalisation et d'accumulation du capital.

LA PYRAMIDE DE LA RETRAITE

La pyramide de la retraite (*voir la figure 10.1 à la page suivante*) est un modèle élémentaire, mais efficace, représentant le processus qui mène à l'indépendance financière. Nous verrons dans ce chapitre que la Régie des rentes du Québec utilise l'image d'une maison à trois étages pour illustrer ce même concept. Cette pyramide doit être convenablement meublée et bien planifiée. Pour de très nombreuses personnes, elle le sera uniquement au moyen de régimes gouvernementaux (RRQ, SV, etc.). Pour d'autres, la pyramide de la retraite contiendra des véhicules financiers du genre régimes complémentaires de retraite (RCR). Enfin, d'autres encore, plus solides économiquement et ayant à cœur d'atteindre une meilleure qualité de vie une fois arrivées au troisième âge (65 ans et plus) voudront planifier leur qualité de vie en utilisant les régimes de retraite individuels comme le REER. Pour ces personnes, la planification de la retraite peut prendre jusqu'à 35 ans (de l'âge de 30 à 65 ans, par exemple), mais elles réalisent que la retraite peut aujourd'hui durer plus de 30 ans.

FIGURE 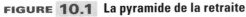 **10.1** **La pyramide de la retraite**

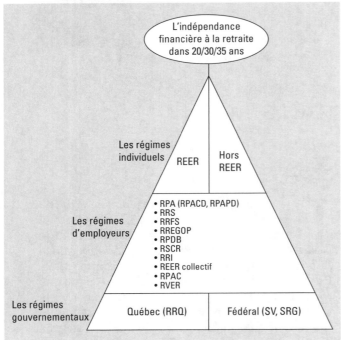

FIGURE **10.1** La pyramide de la retraite

10.1 La pyramide de la retraite

La figure 10.1 illustre la pyramide de la retraite, laquelle vise l'atteinte de l'indépendance financière au moment de la retraite. Les principaux types de véhicules financiers qui permettent d'accumuler le capital nécessaire pour conserver le style de vie désiré à la retraite y sont présentés. Certains sont des régimes enregistrés, par exemple le RRQ et le REER. D'autres (hors REER) sont des produits financiers non enregistrés, comme les comptes d'investissement, l'immobilier et, bien sûr, le CELI.

Trois paliers de véhicules financiers permettent d'accumuler des fonds pour la retraite : les régimes publics ou gouvernementaux, les régimes d'employeurs – soit les régimes privés ou ceux des entreprises (l'expression « régime corporatif » est aussi fréquemment utilisée, mais le terme « corporatif » est ici un anglicisme) – et les régimes individuels, dits personnels.

Le premier palier, soit la base de la pyramide de la retraite, se compose des régimes publics ou gouvernementaux comme :

- le RRQ ;
- le programme de Sécurité de la vieillesse (SV), apparié au supplément de revenu garanti (SRG), en plus du programme d'allocation au conjoint (ALC ; l'allocation au conjoint survivant n'est pas abordée dans ce chapitre).

Le deuxième palier, c'est-à-dire les régimes d'employeurs, les régimes privés ou les régimes d'entreprises, peut se subdiviser en deux catégories, soit les régimes de base et les régimes spécifiques.

Les régimes de retraite de base comprennent :

- le régime complémentaire de retraite (RCR), et le régime de pension agréé (RPA), lesquels comprennent à leur tour les régimes de pension agréés à prestations déterminées (RPAPD), les régimes de pension agréés à cotisations déterminées (RPACD) et les régimes à double volets ;
- les RPAPD flexibles.

Les régimes de retraite spécifiques comprennent :

- le REER collectif ;
- le régime de retraite simplifié (RRS) ;
- le régime de retraite par financement salarial (RRFS) ;
- le régime de retraite des employés du gouvernement et des organismes publics (RREGOP) ;
- le régime de participation différée aux bénéfices (RPDB) ;
- le régime surcomplémentaire de retraite (RSCR) ;
- le régime de retraite individuel (RRI) ;

- le régime de pension agréé collectif (RPAC);
- le régime volontaire d'épargne-retraite (RVÉR).

Le troisième palier comprend les régimes individuels, dits personnels[1], soit:

- les REER;
- les régimes hors REER;
  - le compte d'épargne libre d'impôt (CELI):
  - les produits financiers non enregistrés (immobilier, portefeuille d'actions, commerce, etc.).

Cette liste n'est pas exhaustive, mais elle est représentative des régimes les plus importants. Nous reviendrons sur le fait que le REER collectif et le RPDB ne sont pas de véritables régimes de retraite selon les lois en vigueur.

La conclusion est claire: la personne qui prépare sa retraite doit considérer ces régimes comme une pyramide à escalader. Nous verrons que chaque palier possède son propre processus décisionnel.

> Il s'avère que cette démarche de planification de la retraite n'est pas suivie de la même façon par les femmes que par les hommes. Nous vous suggérons un article de Sophie Stival, publié sur le site Conseiller.ca et intitulé «Les femmes et la retraite: un défi de taille» (Stival, 2011).

En effet, planifier sa retraite, donc son indépendance financière et sa tranquillité d'esprit, appartient à chacun. La majorité des personnes arrivent à la retraite avec une pyramide «tronquée». Elles ne possèdent aucun REER, aucune épargne hors REER, ou sinon très peu, et aucun RCR. De plus, tout porte à croire aujourd'hui que des milliers d'individus ne recevront aucune prestation de la Régie, sinon une très petite prestation, puisqu'ils n'ont pas (ou presque pas) participé au RRQ pour une raison ou pour une autre. Ces personnes dépendront presque entièrement du fédéral, donc de la SV et du SRG.

Tel que nous l'avons mentionné dans l'introduction, le concept de retraite comprend tout un éventail de réalités. Par conséquent, nous vous recommandons de lire le dossier 10.1 pour bien le comprendre.

Le but de ce chapitre est de bien définir les véhicules financiers qui «meublent» chaque palier, sauf le troisième (régimes dits personnels), que nous aborderons au chapitre 12. Mais il y a plus: si la pyramide et son «ameublement» sont une chose, les aspects administratifs et financiers des régimes de retraite d'employeurs, par exemple, en sont une autre, que nous abordons dans ce chapitre.

10.2 **Les régimes publics ou gouvernementaux**

Les régimes gouvernementaux se situent à la base de la pyramide de la retraite.

Il existe pour les Québécois deux régimes publics: le RRQ et le PSV. Nous verrons que plusieurs régimes secondaires se rattachent à ces deux régimes fondamentaux. Plusieurs personnes à faible revenu comptent littéralement sur ces régimes pour vivre. Celles qui appartiennent à la classe moyenne et qui possèdent des RPA ou des REER les considèrent comme des revenus d'appoint.

---

1. Ce troisième palier sera abordé au chapitre 12, après le chapitre 11 exposant l'importance d'établir un plan efficace pour la retraite.

Nous décrirons ci-dessous chaque régime, mais, auparavant, il faut comprendre que les régimes gouvernementaux et publics sont à la base même du système social de sécurité partout au Canada. Le Québec est la seule province qui administre un régime obligatoire tel le RRQ. Toutes les autres provinces adhèrent au régime de pension du Canada (RPC), relevant du fédéral. Ces deux régimes sont pour l'essentiel semblables, quoique des différences commencent à apparaître entre eux. Il est important de distinguer le RRQ (ou le RPC pour les autres provinces) de la pension de la SV versée à tout Canadien âgé de 65 ans et plus qui répond aux critères d'admissibilité.

Ajoutons que même si ce sont des régimes similaires, le RRQ et le RPC ont tout de même des états de santé financière très différents. En effet, au début 2011, on prévoyait un épuisement des fonds du RRQ en 2039, alors que les fonds du RPC sont stables et en bonne santé (Laverdière, 2011).

Nous verrons plus loin que le ministre québécois Raymond Bachand a proposé, dans son budget du 17 mars 2011, une solution à cette situation qui pourrait s'avérer désastreuse pour les futurs retraités.

La société de consultation en ressources humaines Mercer résume, dans une brochure d'une vingtaine de pages, les mesures législatives canadiennes et québécoises relativement aux divers avantages sociaux tels que la SV et le RRQ. Nous vous suggérons de la consulter et de la conserver ; elle est renouvelée annuellement.

10.3 Le régime de rentes du Québec (RRQ)

La Régie des rentes du Québec a été créée en 1965. Le régime de rentes (RRQ), lui, existe depuis le 1er janvier 1966. En consultant le site du gouvernement du Québec, vous constaterez que la Régie a pour mandat, entre autres, d'appliquer les lois suivantes :

- La *Loi sur le régime de rentes du Québec* ;
- La *Loi sur les régimes complémentaires de retraite*.

Nous examinerons d'abord le RRQ, puis nous poursuivrons avec les régimes des employeurs.

10.3.1 Le régime de rentes du Québec (RRQ)

En tant que régime administré par le gouvernement provincial, le RRQ est obligatoire pour tous les Québécois. Comme nous l'avons mentionné, des mesures ont été prises, en 1998 et dans le budget provincial de 2011, pour assurer la santé financière de ce régime offert aux retraités, mais aussi en cas de décès ou d'invalidité (Régie des rentes du Québec, 2011a).

Dès l'âge de 18 ans, tous les salariés et employeurs, sauf de rares exceptions, cotisent au RRQ. C'est également le cas des travailleurs autonomes.

Soulignons que la prestation de rentes de la Régie des rentes du Québec est entièrement imposable.

10.3.2 Les récentes réformes apportées au RRQ

Nous aborderons ici les deux grandes réformes récemment apportées au RRQ, celle de 1998 et celle de 2011.

La réforme de 1998

La réforme majeure promulguée par la Régie des rentes du Québec en 1998 visait deux grands objectifs :

- Garantir le paiement des prestations aux générations futures ;
- Instaurer une plus grande équité entre les diverses générations de cotisants. La question fondamentale était la suivante : Les générations futures en auront-elles pour leur argent ?

Au moment de la réforme de 1998, les statistiques révélaient qu'en 1966, on comptait 8 personnes en âge de travailler pour chaque personne âgée de 65 ans et plus ; le ratio était donc de 8 pour 1. En 2005, il était d'un peu moins de 5 pour 1 et, en 2030, on prévoit qu'il sera de 2 pour 1.

En somme, la réforme de 1998 a permis de prendre trois mesures :

- Le taux de cotisation a été augmenté à un maximum de 9,9 % (4,95 % × 2) ;
- L'exemption générale a été gelée à 3 500 $;
- Les travailleurs âgés de plus de 70 ans doivent maintenant cotiser au RRQ.

La réforme de 2011

La plus récente réforme remonte au budget provincial du 17 mars 2011.

La réforme de 2011 visait plusieurs objectifs (toujours dans l'optique du RRQ), à toutes fins utiles les mêmes que ceux de la réforme de 1998. Toutefois, un autre objectif y était greffé, à savoir motiver les travailleurs à demeurer au travail au-delà de l'âge de 60 ou 65 ans.

En ce qui concerne les cotisations, une hausse progressive du taux de cotisation, pendant 6 ans, l'a fait passer de 9,9 % à 10,8 %, à raison de 0,15 point de pourcentage par année dès le 1er janvier 2012. Pour ce qui est du RPC, le taux minimal de cotisation permettant d'assurer la santé financière du régime est de 9,86 % avant 2022 et de 9,85 % par la suite (Laverdière, 2011).

En ce qui concerne les cotisations au RRQ, la réforme s'échelonne de 2012 à 2017, soit 6 hausses de 0,15 % pour une augmentation totale de 0,9 %.

Pour ce qui est des rentes, la réforme s'échelonne de 2013 à 2016. On y distingue les retraites prises avant et après l'âge de 65 ans.

Les retraites prises après l'âge de 65 ans La réforme de 2011 prévoit qu'à compter du 1er janvier 2013, la majoration mensuelle sera bonifiée et passera de l'actuel 0,5 % (en 2011) à 0,7 %, augmentant de 8,4 % par année plutôt que de 6 %. Ainsi, une retraite prise à l'âge de 70 ans sera bonifiée d'un maximum de 42 %, comparativement à 30 % comme c'est le cas actuellement. Pour donner une idée de l'incidence de cette mesure, au moment d'écrire ces lignes, la rente maximale est de 960 $ par mois, ou 11 520 $ par année. Un travailleur qui prend sa retraite à l'âge de 70 ans reçoit donc en ce moment 14 976 $ (11 520 $ × 1,30). Selon la réforme de 2011, il recevra, à partir de 2013 (toujours en se basant sur la rente maximale de 11 520 $ par année) 16 358 $ (11 520 $ × 1,42), ou 1 382 $ de plus par année. Les premières données montrent que bon nombre de travailleurs sont en train de revoir leur plan de fin de carrière et que l'âge moyen de la retraite pourrait augmenter de 4 ans (de 63 ans à 67 ans et plus) (Ordre des conseillers en ressources humaines agréés, 2011).

Les retraites prises avant l'âge de 65 ans Il y a présentement ajustement à la baisse de la prise de retraite avant l'âge de 65 ans. Afin d'inciter les travailleurs à demeurer au travail après 60 ans, le taux de réduction mensuel pour les rentes demandées avant l'âge de 65 ans sera haussé d'un maximum de 0,1 point de pourcentage pour passer de l'actuel 0,5 % à 0,6 % dans le cas de la rente maximale. Cette réduction s'échelonnera sur 3 ans : le maximum sera de 0,03 point en 2014, de 0,06 en 2015 et de 0,1 point en 2016. Le résultat final représente le 0,1 % (0,6 % − 0,5 %) prévu. En d'autres mots, le pourcentage de pénalité annuelle passera de 6 % (0,5 % × 12) à 6,36 % en 2014 (0,5 + 0,03 = 0,53 × 12 = 6,36 %), à 6,72 % en 2015 (0,5 + 0,06 = 0,56 et 0,56 × 12 = 6,72 %) et à 7,2 % en 2016 (0,5 + 0,1 = 0,6 et 0,6 × 12 = 7,2).

Par ailleurs, cette nouvelle réduction variera en fonction du revenu d'emploi moyen en carrière, le maximum de 0,6 % ne s'appliquant qu'au revenu maximum de 48 300 $ (il s'agit du maximum des gains admissibles en avril 2011, mais qui sera, bien sûr, plus élevé les années suivantes). Pour un revenu moyen de 12 075 $, la réduction ne sera que de 0,525 %. La liste des taux de réduction mensuels est présentée sur le site de l'APFF.

En bref, la réduction maximale pour une retraite prise à l'âge de 60 ans sera de 36 % en 2016, plutôt que de 30 % en mars 2011. La rente maximale que reçoit en ce moment une personne ayant pris sa retraite à l'âge de 60 ans est de 8 064 $ (11 520 $ × 70 %). En 2016 (toujours en se basant sur le maximum de 11 520 $ pour une retraite prise à l'âge de 65 ans), le maximum versé à un retraité de 60 ans sera de 7 373 $ (11 520 $ × 64 %), soit une réduction de 691 $ par année.

> ➕ Notez ici que nous aborderons les autres mesures fiscales du budget provincial 2011 aux moments opportuns. Par exemple, la mise en place d'un régime volontaire d'épargne-retraite (RVER) sera étudiée plus loin dans ce chapitre. L'instauration d'un crédit d'impôt pour les travailleurs d'expérience, crédit qui pourrait avoir un effet sur la décision de continuer à travailler, sera traitée au chapitre 13, portant sur l'après-REER (module « La retraite »).

10.3.3 La planification de la retraite – une maison à trois étages

Sur le site de la Régie des rentes du Québec, vous constaterez que la planification de la retraite est illustrée sous la forme d'une maison à trois étages : le premier étage représente la pension de la SV du gouvernement fédéral, le deuxième est la rente de la Régie des rentes du Québec et le troisième correspond aux revenus provenant de deux sources spécifiques : les régimes d'entreprises ou d'employeurs (comme le RPA) et les régimes individuels (REER et épargne hors REER).

Le message suivant apparaît si vous entrez dans la maison : « Pour maintenir votre niveau de vie à la retraite, vous aurez besoin d'environ 70 % de vos revenus annuels bruts de travail. Par exemple, si votre revenu annuel moyen est de 40 000 $ et que vous prenez votre retraite à l'âge de 65 ans, les régimes publics remplaceront environ 40 % de cette somme. Le reste (30 %) devra provenir de votre régime de retraite privé ou de vos épargnes personnelles. » (Régie des rentes du Québec, 2011a) Voici quelques éléments à souligner au sujet de ce message :

- Il n'y a aucune base scientifique à ce taux de remplacement (TDR) du revenu brut de 70 %. Celui-ci peut varier de 50 % à 80 % selon les revenus ;
- Le salaire moyen, dans cet exemple, est de 40 000 $;
- La maison illustre le premier étage (SV – fédéral) à 15 %. La Régie utilise le montant de 6 000 $ (6 322 $ en avril 2011), d'où le 15 % ;
- Le deuxième étage est meublé par le RRQ (25 % des revenus de travail), d'où le montant de 10 000 $, soit 25 % de 40 000 $;
- Le troisième étage représente 30 % pour les régimes de retraite d'employeurs PLUS, les régimes dits personnels comme les REER. Il faut donc aller chercher 12 000 $ (28 000 $ − 16 000 $), ou 30 % des 40 000 $, pour atteindre le montant de 28 000 $, ou 70 % de 40 000 $. Le troisième étage de la maison RRQ comprend des véhicules financiers qui proviennent des deuxième et troisième paliers de notre pyramide modèle.

Les travailleurs qui gagnent moins de 25 000 $ par année peuvent, en général, dépendre du fédéral (SV et SRG) et du provincial (RRQ) pour recevoir environ 70 % de leurs revenus de travail. Ce sont les travailleurs qui gagnent plus de 40 000 $ qui sont à risque.

EXEMPLE

En effet, prenons l'exemple d'un célibataire ou d'un veuf âgé de 65 ans qui gagne 60 000 $ par année, mais ne possède ni REER, ni économies. Cette personne pourra recevoir sa SV, de 6 000 $ par année (6 300 $ serait plus exact, mais nous utilisons ici les chiffres de la maison RRQ), son RRQ (10 000 $ par année) plus un montant annuel estimé à environ 4 000 $ par année de SRG (nous aborderons le SRG plus loin). Son revenu total serait donc de 20 000 $ par année, soit environ le tiers de ses revenus d'emploi. Il lui faudrait au minimum le double, soit 40 000 $, pour maintenir une certaine qualité de vie. Comment pourrait-il obtenir la capitalisation nécessaire pour générer des revenus bruts de 20 000 $ par année ?

Ce type de calcul sera abordé au chapitre 11 avec l'étude du plan efficace pour la retraite. Pour vous donner une idée, mais sans entrer dans le détail des calculs, ce travailleur aurait besoin d'un capital d'environ 250 000 $ à l'âge de 65 ans pour pouvoir générer les 20 000 $ annuels jusqu'à l'âge de 90 ans environ. Des mises de fonds annuelles en REER d'au moins 2 000 $ auraient été nécessaires pendant 30 ans (de l'âge de 35 à 65 ans).

On peut facilement constater que les trois paliers de la pyramide de la retraite sont absolument nécessaires pour constituer une capitalisation suffisante pour assurer le coût de la vie à la retraite. Si le palier « entreprise » est absent (comme c'est le cas dans notre exemple), il faut compenser ce manque à gagner par des régimes individuels (REER, etc.).

Voilà la réalité de la planification de la retraite ! Par contre, selon l'économiste Claude Castonguay, « une majorité de travailleurs se dirigent vers la retraite avec des revenus qui ne leur permettront pas de maintenir un niveau de vie compatible avec celui qu'ils ont connu » (Castonguay, 2011).

Que l'on prenne pour modèle notre pyramide de la retraite ou la maison de la Régie des rentes du Québec, le message est le même. Il faut « bâtir » sa retraite, et non la subir.

10.3.4 **Les rentes et les prestations de la Régie des rentes du Québec**

La Régie des rentes du Québec offre trois rentes et prestations aux personnes qui ont suffisamment cotisé au régime et, dans certains cas, à leurs proches :

- La rente de retraite ;
- Les prestations de survivants ;
- Les prestations d'invalidité.

Nous nous attarderons plus particulièrement sur les deux premiers sujets.

Nous vous suggérons de consulter le tableau des montants mensuels maximaux pour les personnes qui commencent à recevoir leur rente en 2011, tableau disponible sur le site de la Régie.

Vous remarquerez que pour la personne qui désire recevoir sa rente avant l'âge de 65 ans (de 60 à 64 ans), la rente est réduite de 0,5 % par mois, ou 6 % par année. Pour celle qui désire la recevoir après l'âge de 65 ans (de 66 ans à 70 ans), il y a une bonification de 0,5 % par mois, ou 6 % par année. Bien sûr, le budget provincial du 17 mars 2011 est venu changer la situation.

En suivant le même parcours que précédemment sur le site de la Régie, vous pouvez également consulter « Les prestations de survivants » et constater le montant de la prestation de décès accordée par le RRQ, soit 2 500 $ pour le décès d'un cotisant qui a suffisamment participé au régime. Il est important de souligner que cette prestation est imposable peu importe qui reçoit le chèque.

Le RRQ prévoit aussi une rente de conjoint survivant et une rente d'orphelin, s'il y a lieu. Ces trois prestations de survivants (prestation de décès, rente de conjoint survivant et rente d'orphelin) sont détaillées sur le site de la Régie, où vous aurez accès à une gamme de renseignements utiles au sujet de l'admissibilité et de la nature de ces prestations.

10.3.5 **Des questions additionnelles sur le RRQ**

Une bonne façon de bien connaître le RRQ est de consulter la « Foire aux questions » (FAQ) du site de la Régie. Il est recommandé de s'attarder sérieusement sur les aspects concernant les cotisations et les prestations afin de bien comprendre ces concepts. Toutefois, les données de nature macroéconomique, sous « Général », peuvent être simplement survolées. Au-delà des renseignements pouvant être trouvés sur le site de la Régie des rentes du Québec, un certain nombre de questions surgissent. En voici quelques-unes :

Question 1

Comment calcule-t-on le montant maximal de la contribution au RRQ d'un salarié en 2011 ? Et s'il s'agit d'un travailleur autonome ?

Réponse : (48 300 $ − 3 500 $) × 4,95 % = 2 217,60 $. S'il s'agit d'un travailleur autonome, la contribution maximale est du double, soit 4 435,20 $.

Question 2

Le montant de 48 300 $ (2011) représente le maximum des revenus admissibles pour cotiser au régime. On fait référence au maximum des gains admissibles

(MGA) ou encore au maximum annuel des gains admissibles (MAGA). D'où cela vient-il ?

Réponse : Consultez le site des Actuaires-Conseils Bergeron & Associés inc. Vous y constaterez que le MGA de 48 300 $ représente, en 2011, la rémunération moyenne canadienne pour les 12 mois se terminant le 30 juin 2010. Le MGA étant de 47 200 $ en 2010, il y a donc eu une augmentation de 1 100 $, ou 2,3 %, en 2011.

Question 3

Comment calcule-t-on le maximum mensuel de 960 $ (2011) versé à un rentier âgé de 65 ans ? Quelle a été l'augmentation de cette rente maximale de 2010 à 2011 ?

Réponse : On calcule le maximum mensuel de 960 $ comme suit :

Première étape : Il suffit de prendre la moyenne des MGA[2] des cinq dernières années, comme le montre le tableau ci-contre.

Deuxième étape : Moyenne de 46 080 $ × 25 % ÷ 12 mois = 960 $ en 2011.

L'augmentation de la rente maximale, de 2010 à 2011, a été de 2,8 % (960 $ − 934,17 $ = 25,83 $).

Année	MGA
2011	48 300
2010	47 200
2009	46 300
2008	44 900
2007	43 700
Moyenne	46 080

Question 4

Existe-t-il une différence entre le montant des nouvelles rentes et le montant des rentes déjà versées ?

Réponse : Bien sûr. Encore une fois, consultez le site des actuaires-conseils Bergeron & Associés inc. L'augmentation des rentes déjà versées n'a été que de 1,7 % au 1er janvier 2011. On sait que le maximum (65 ans) a augmenté, quant à lui, de 2,8 % (*voir la question 3*). Les rentes versées augmentent elles aussi selon une formule basée sur l'inflation. Il n'existe donc aucune corrélation directe entre l'évolution des prestations maximales payables chaque année pour les nouvelles rentes et celle des montants des rentes déjà versées, lesquelles sont sujettes à une clause d'indexation.

Question 5

Est-il financièrement avantageux de prendre une retraite anticipée et de commencer à recevoir sa rente à partir de l'âge de 60, par exemple ?

Réponse : Pour les personnes qualifiées (*voir le site de la Régie des rentes du Québec, à la FAQ [prestations]*), la réponse est généralement oui.

Il existe plusieurs méthodes de calcul pour en faire la démonstration. Voici une méthode simple. L'hypothèse est que les prestations sont versées à partir de l'âge de 60 ans, qu'elles sont basées sur le maximum et qu'elles sont dépensées par le bénéficiaire, donc non réinvesties. L'inflation n'est pas non plus prise en considération, et les données de 2011 sont utilisées :

- Rente à l'âge de 65 ans en 2011 = 960 $;
- Rente à l'âge de 60 ans en 2011 = 672 $ (perte actuarielle de 30 %, ou 5 ans × 6 %).

2. Vous pouvez obtenir les MGA présentés dans le tableau ci-dessus sur le site de la Régie et sur celui de l'Agence du revenu du Canada.

Voici les trois étapes permettant de déterminer l'âge auquel le seuil d'indifférence (ou point mort) est atteint, à savoir le moment où le bénéficiaire commence à « perdre » de l'argent :

1. 960 $ − 672 $ = 288 $ de moins à l'âge de 60 ans ;
2. Vous auriez reçu, de l'âge de 60 à 65 ans, la somme de 672 $ × 60 mois, soit 40 320 $;
3. Pour connaître le seuil d'indifférence, il suffit de faire le calcul qui suit :

40 320 $ ÷ 288 $ = 140 mois

et

140 mois ÷ 12 = 11,7 années, ou 11 ans et environ 8 mois.

Donc, le seuil d'indifférence est atteint à l'âge de 76 ans et 8 mois (65 ans [et non 60 ans] plus 11,7 ans).

Conclusion : Il est généralement recommandé de faire sa demande le plus tôt possible pour la rente du Québec, pour autant, bien sûr, que les conditions soient favorables (arrêt de travail ou revenu maximal de 25 % du MGA ou encore entente sur une réduction salariale de 20 %). Les conseillers de la Régie recommandent souvent cette approche.

Plusieurs éléments clefs peuvent être pris en compte :

- Par exemple, si la qualité de vie est rehaussée grâce au versement du RRQ, le jeu en vaut la chandelle ;
- Nous avons vu que le seuil d'indifférence se situe autour de l'âge de 77 ans. Si l'espérance de vie est fixée autour de l'âge de 77 ou 78 ans, cette stratégie est valable. Bien sûr, si elle est beaucoup plus grande, cette stratégie peut devenir moins intéressante, mais la perception du retraité peut faire en sorte qu'elle lui permettra de recevoir des revenus de l'âge de 60 à 80 ans ou plus ;
- Enfin, selon la réforme de 2011, la réduction actuarielle passera de 30 % à 36 % en 2016, toujours pour une retraite prise à l'âge de 60 ans. Si l'on utilise les mêmes chiffres que précédemment (*voir la question 5*), le seuil d'indifférence sera atteint autour de l'âge de 74 ans.

➕ À compter du 1er janvier 2014, il ne sera plus nécessaire de réduire son temps de travail, ni de s'entendre avec son employeur pour pouvoir toucher, dès 60 ans, sa rente de retraite du RRQ. Bien sûr, cela favorisera le maintien au travail de nombreux travailleurs en facilitant leur retraite progressive.

10.3.6 Le calcul de base de la rente

La Régie effectue un certain calcul pour déterminer le montant de la rente à verser. Nous n'entrerons pas ici dans les détails, mais soulignons simplement l'approche globale utilisée par la Régie :

- Nous savons déjà que le RRQ est calculé selon les cotisations effectuées et, bien sûr, selon les revenus de travail admissibles. Nous savons aussi que le montant de la rente à l'âge de 65 ans équivaut à 25 % de la moyenne des revenus servant à établir les cotisations ;
- Pour calculer la rente, la Régie utilise l'expression « période de cotisation ». Il ne s'agit pas de la période durant laquelle le contribuable a cotisé au RRQ, mais plutôt de celle durant laquelle il était tenu de cotiser. Cette période va du moment où la personne atteint l'âge de 18 ans (après 1965) à son décès, à celui où elle peut retirer sa rente ou encore à l'âge de 70 ans, selon le premier événement ;
- Certaines périodes sont exclues (revenus faibles, invalidité, etc.).

10.3.7 **La division de la rente pour un couple à la retraite**

Un couple de retraités peut maintenant fractionner ses revenus de retraite (revenus de pension admissibles). Nous y reviendrons. Le RRQ ainsi que la SV et le SRG ne sont pas des revenus de pension admissibles. Cependant, il est possible pour un couple de demander la division du RRQ lors de la retraite. Nous verrons que cela n'est pas possible pour la SV ou le SRG. Pour en savoir plus à ce sujet, vous pouvez consulter les rubriques « La vie à deux » et « La prise de la retraite » sur le site de la Régie.

10.4 **Les rentes fédérales**

Le programme fédéral de pension de la SV est le fondement du système de sécurité sociale du Canada. La SV est à la base de la pyramide de la retraite et de la maison à trois étages que mentionne la Régie dans plusieurs de ses publications. Rappelons également qu'à l'exception du Québec, province disposant de son propre régime de rentes obligatoire, toutes les autres provinces adhèrent au RPC, relevant du gouvernement fédéral. Dans la mesure où les deux régimes sont semblables, nous ne nous attarderons pas sur le RPC.

10.4.1 **Service Canada**

Service Canada est chapeauté par le ministère des Ressources humaines et Développement des compétences Canada. Son but est de faciliter l'accès aux programmes offerts par le gouvernement fédéral, dont ceux de la sécurité de la vieillesse.

Nous vous suggérons un chemin menant à une section fort intéressante du site Internet de Service Canada via sa section « Aînés ». Il s'agit de la section « Renseignements sur les prestations », où vous pourrez accéder à trois sujets :

- Pension de la sécurité de la vieillesse ;
- Supplément de revenu garanti ;
- Allocation (Il s'agit de l'allocation au conjoint [ALC], à ne pas confondre avec l'allocation au conjoint survivant qui n'est pas abordée dans ce chapitre.).

Examinons maintenant chacun des trois programmes, soit SV, SRG et ALC. Gardez en mémoire cette rubrique « Renseignements » du site Internet de Service Canada. Vous pourrez toujours y revenir pour consulter l'un ou l'autre de ces programmes.

10.4.2 **Le programme de la sécurité de la vieillesse (SV)**

Il est possible, pour la majorité des Canadiens âgés de 65 ans et plus, de recevoir la pension de la SV. Cette prestation est accordée mensuellement à toute personne répondant aux exigences, qu'elle ait travaillé ou non. Il est à noter que cette prestation est entièrement imposable (Service Canada, 2011a). La SV a cessé d'être une prestation universelle en 1989 ; un mécanisme de récupération pour les contribuables à hauts revenus a alors été implanté.

En accédant à la section « Pension de la sécurité de la vieillesse (SV) » du site de Service Canada mentionné plus haut, vous aurez accès à une série de

MODULE 3

questions, dont plusieurs sont d'une grande importance. Assurez-vous de bien comprendre les concepts et les réponses associés à ces questions. La question 13 vous permet d'accéder directement au tableau des paiements (SV, SRG et ALC).

 Ce tableau est aussi disponible sur la page de présentation du programme de la sécurité de la vieillesse sous la question « Quels sont les taux des paiements ? ».

Voici une note figurant au bas de ce tableau (en avril-juin 2011) :

Les pensionnés dont le revenu personnel net est supérieur à 67 668 $ doivent rembourser une partie ou l'intégralité du montant maximum prévu pour la pension de la SV. Les montants à rembourser sont normalement déduits de leurs prestations mensuelles avant qu'elles ne soient émises. L'intégralité de la pension de la SV est récupérée lorsque le revenu net du retraité est d'au moins 110 123 $. (Service Canada, 2011b)

Durant la période allant d'avril à juin 2011, la prestation mensuelle maximale était de 526,85 $, ou 6 322,20 $ par année. (Souvenez-vous que la Régie des rentes du Québec illustrait la retraite au moyen d'une maison à 3 étages dont le premier représente la SV, à 15 % du revenu de 40 000 $, soit environ 6 000 $).

Tel que mentionné précédemment, un couple de retraités peut maintenant fractionner son revenu de retraite (revenu de pension admissible). La SV et le SRG ne sont toutefois pas des revenus de retraite admissibles. Rappelons également qu'il est possible, pour un couple, de demander la division du RRQ lors de la retraite. Cela n'est pas possible pour la SV et le SRG. Par ailleurs, le fait de fractionner certains revenus de retraite permet de réduire le revenu net personnel, ce qui a pour effet sinon d'arrêter complètement l'amputation de la SV, du moins d'en réduire la récupération fédérale.

Pour en apprendre davantage à ce sujet, vous pouvez consulter le site de l'Agence du revenu du Canada. Vous constaterez que le RRQ et la SV ne sont pas des revenus de pension admissibles.

10.4.3 Le supplément de revenu garanti (SRG)

Le supplément de revenu garanti assure un revenu additionnel aux personnes âgées à faible revenu vivant au Canada. Le SRG s'ajoute à la pension de la SV. Pour y avoir droit, une personne doit recevoir la pension de la SV et satisfaire aux exigences. Pour en savoir plus sur ce sujet, vous pouvez consultez la section « SRG » du site de Service Canada (toujours à partir de la rubrique « Renseignements ») et les diverses questions/réponses qui se rapportent au programme du SRG.

Voici quelques éléments à souligner :

- Le SRG est non imposable, contrairement à la SV ;
- Il faut recevoir la SV pour être admissible au SRG ;
- La SV ne compte pas au moment d'établir le revenu maximal, mais le RRQ est pris en considération ;
- Depuis le 1er juillet 2008, le montant de l'exemption sur le revenu des bénéficiaires du SRG est passé de 500 $ à 3 500 $. On estime que plus de 30 000 Québécois ont profité de cette nouvelle mesure.

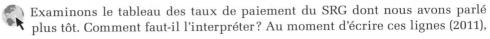 Examinons le tableau des taux de paiement du SRG dont nous avons parlé plus tôt. Comment faut-il l'interpréter ? Au moment d'écrire ces lignes (2011),

celui-ci indiquait un SRG mensuel maximal de 665 $ et un revenu annuel maximal de 15 960 $ pour un célibataire. Ce revenu maximal signifie tout simplement que le bénéficiaire ne reçoit plus de SRG lorsqu'il atteint ce revenu annuel maximal. S'il n'a aucuns revenus, il reçoit la SV (526,85 $) plus le SRG (665 $), pour un total mensuel de 1 191,85 $, ou 14 302,20 $ par année. Pour un revenu annuel allant de 1 $ à 15 960 $, le SRG est amputé proportionnellement selon une formule prédéterminée. Il en est ainsi des autres catégories illustrées dans le tableau.

Pour un couple, le revenu annuel maximum (colonne de droite du tableau) correspond au revenu familial de l'année précédente.

Le 6 juin 2011, le budget fédéral annonçait une nouvelle prestation complémentaire au SRG. En effet, à compter du 1er juillet 2011, les aînés qui ne peuvent compter que sur la SV et le SRG recevront des prestations annuelles additionnelles à concurrence de 600 $ pour les personnes vivant seules et de 840 $ pour les couples.

Les aînés vivant seuls et dont le revenu (autre que la SV et le SRG) est au plus de 2 000 $ recevront le montant intégral de 600 $. Pour les couples, le revenu maximal est de 4 000 $. Cependant, à partir de ces seuils, le montant de la nouvelle prestation descendra jusqu'à 0 pour des revenus atteignant 4 400 $ (personnes seules) ou 7 360 $ (couples).

10.4.4 L'allocation au conjoint

L'allocation au conjoint (toujours dans la section « Renseignements ») est offerte aux personnes âgées à faible revenu qui satisfont aux exigences suivantes :

- L'époux ou le conjoint de fait (de même sexe ou de sexe opposé) de cette personne reçoit une pension de la SV ainsi que le SRG ou a le droit de les recevoir ;
- La personne est âgée de 60 à 64 ans ;
- La personne est un citoyen canadien ou une personne autorisée à demeurer au Canada au moment de soumettre sa demande d'allocation ;
- La personne a vécu au Canada pendant au moins 10 ans après avoir atteint l'âge de 18 ans.

Il s'agit donc ici de la prestation nommée « allocation » ou « allocation au conjoint » (ALC), et non de l'allocation au survivant[3]. Revenons à l'ALC et concentrons-nous sur les questions/réponses importantes qui concernent la nature de cette allocation.

L'allocation cesse d'être payée si le montant familial maximal est atteint ou au cours de l'année pendant laquelle le conjoint atteint l'âge de 65 ans. Ce conjoint devient alors admissible à la SV et au SRG.

Tout comme pour le SRG, vous constaterez que l'allocation au conjoint n'est pas imposable. Cependant, dans le cas de l'ALC, la demande doit être renouvelée chaque année.

---

3. L'allocation au survivant n'est pas abordée dans cette section, mais vous pouvez obtenir de l'information dans la rubrique « Renseignements », section « SRG ».

10.5 Les régimes de retraite d'employeurs

Nous faisons ici référence aux RCR qui relèvent de la *Loi sur les régimes complémentaires de retraite*. Les RCR permettent aux travailleurs participant au programme de recevoir des prestations de retraite financées conjointement par l'employeur et par eux-mêmes, quelquefois par le seul employeur.

Le document de Claude Castonguay, «Le point sur les pensions», auquel nous avons déjà fait référence, établit clairement un fait d'importance: en 1985, on comptait 6 964 RCR au Québec. En 2009, on n'en comptait plus que 2 870 (Castonguay, 2011).

Il est effarant de constater qu'environ 76 % des travailleurs québécois du secteur privé ne participent à aucun type de RCR. Tous secteurs confondus (public et privé), ce ne sont qu'environ 38 % d'entre eux qui le font. Actuellement, ce sont surtout les employés gouvernementaux qui participent à un RCR, le plus souvent à un RPAPD. Certaines grandes entreprises privées offrent également un RPAPD, mais ces régimes sont une espèce en voie de disparition ou, au mieux, en voie de conversion sous une autre forme. De nos jours, ce sont surtout les travailleurs des PME et les travailleurs autonomes qui ont besoin de structurer leur avenir financier au moyen des régimes de retraite appropriés. Notre société aura à s'interroger sérieusement sur la capacité de nos gouvernements (donc du peuple) à assumer (dans le contexte social et économique actuel) la responsabilité des RPAPD. Ce débat sera inévitable dans l'avenir.

Nous avons mentionné, à la section 10.3, que la Régie assure l'application de la loi sur les RCR. Nous y reviendrons en temps et lieu.

Il est difficile, voire impossible, d'établir une classification claire de tous les régimes de retraite (ci-après nommés «RCR» et «RPA»).

Certains de ces régimes sont enregistrés, d'autres, comme le RSCR, ne le sont pas. Certains régimes comme les REER collectifs ne sont pas assujettis aux lois sur les prestations de pension. D'autres, comme les RPDB, diffèrent des RPA conventionnels du fait qu'ils permettent le décaissement des prestations en un seul versement à la retraite. Par contre, tous ces régimes ont un point en commun: ils proviennent d'ententes conclues entre un employeur et un ou plusieurs employés. Parfois, un établissement financier agit comme seul administrateur; d'autres fois, il s'agit d'un comité de retraite dont l'existence est prévue par la *Loi sur les régimes complémentaires de retraite*.

Par conséquent, nous éviterons ici de cataloguer ou de classifier les divers régimes existants, mais en présenterons un bref aperçu:

- Les RCR ou RPA à prestations déterminées ou à cotisations déterminées (RPAPD et RPACD), pour les grandes entreprises privées, les fonctionnaires gouvernementaux, les organismes paragouvernementaux, l'industrie de la construction et certaines PME d'envergure;
- Les REER collectifs et les RRS, qui s'adressent plus particulièrement aux PME;
- Les RRFS, qui s'adressent plus particulièrement à certains travailleurs syndiqués de PME;
- Les RPDB (mentionnés plus haut);

- Les RSCR, pour les cadres supérieurs de grandes entreprises ;
- Les RRI, pour les propriétaires d'entreprise et les professionnels dont l'entreprise est légalement incorporée.

Cette liste n'est pas exhaustive, mais elle est représentative des régimes les plus courants qui se trouvent au deuxième palier de notre pyramide modèle (*voir la figure 10.1 à la page 190*). Certains de ces régimes, comme les RPAPD, s'adressent davantage à la grande entreprise ; d'autres, comme le RREGOP, concernent les employés gouvernementaux. D'autres encore, comme les RRS, s'adressent plus précisément aux PME. Et d'autres, comme les RPDB (qui ne sont pas des RCR classiques), peuvent s'adapter à la grande comme à la petite entreprise.

Nous examinerons maintenant brièvement la réforme des régimes de retraite pour ensuite aborder plus en détail les divers régimes mentionnés plus haut.

10.6 La réforme des régimes de retraite

La réforme des régimes de retraite qui a eu lieu dans les années 1980 et 1990 a complètement modifié le paysage des RCR. Le 1er janvier 1990, la *Loi sur les régimes complémentaires de retraite* est entrée en vigueur. Cette loi, qui s'applique aux régimes enregistrés au Québec, fait en sorte qu'un RCR devient un contrat équivalent à la mise sur pied d'un patrimoine fiduciaire, donc d'une fiducie de retraite. La résultante majeure en est l'existence d'un comité de retraite. Auparavant, l'employeur administrait seul le régime, avec les conséquences désastreuses que l'on a pu voir dans certains cas. La loi de 1990 a fait en sorte que le comité de retraite est devenu responsable d'administrer le régime avec les fiduciaires représentant les participants et un membre indépendant. Ces administrateurs doivent remplir chaque année des formulaires qui permettent à la Régie (responsable de la surveillance) de mieux « contrôler » la gestion du régime. Si elle est très engagée dans la surveillance des RCR, il demeure que tout régime de retraite doit, au Canada, être agréé par l'Agence du revenu du Canada (ARC), laquelle s'assure aussi que les cotisations versées ne dépassent pas les limites prévues par la loi. En ce sens, tous les régimes relèvent de la *Loi de l'impôt sur le revenu* du Canada.

Mentionnons également que certains régimes ne sont pas soumis à cette loi, mais relèvent de la *Loi sur les normes de prestation de pension* (1985). Ce sont les régimes qui sont de compétence fédérale, et ce, en accord avec la Constitution canadienne (banques, sociétés d'État, organismes de transport, etc.).

En terminant, soulignons quelques éléments d'intérêt au sujet de cette réforme, tant provinciale que fédérale :

- L'acquisition immédiate par l'employé des cotisations de l'employeur, qui doit financer le régime à la hauteur de 50 % ;
- L'existence d'un comité de retraite devant respecter de nombreuses règles administratives ;
- L'immobilisation des fonds investis dans le régime. Nous nous pencherons au chapitre 13 sur les règles de transfert des RCR dans un véhicule de retraite tel un CRI, un fonds de revenu viager (FRV) ou encore une rente viagère ;

MODULE 3

L'âge de la retraite prévu par les divers régimes de retraite au Canada est de 65 ans. En 1982, le Québec a aboli, par sa législation, la retraite obligatoire. Le 16 décembre 2011, le Canada a fait la même chose. Les employeurs dépendent de la réglementation fédérale pour fixer un âge spécifique pour la retraite. (Lesaffaires. com, 2011)

- L'âge de la retraite est fixé à 65 ans, mais cela n'est pas obligatoire au Québec ;
- Les travailleurs âgés de 55 ans et plus ont droit à la retraite, mais avec une réduction actuarielle. Comme nous le verrons un peu plus loin dans ce chapitre, il est possible de prendre sa retraite sans réduction si l'on a 60 ou 30 ans de service, ou encore si l'on a atteint le facteur 80 (âge + service).

Cette liste d'éléments pertinents de la réforme n'est pas exhaustive.

10.7 Les régimes de pension agréés à prestations déterminées (RPAPD)

Lorsqu'on parle de régimes complémentaires de retraite (RCR), on fait référence aux RPA (régimes de pension agréés, où le mot « agréé » signifie « enregistré »), aux fonds de pension ou aux régimes enregistrés de pension (REP).

Il existe trois principaux types de RCR :
- Les RPA à prestations déterminées (RPAPD) ;
- Les RPA à cotisations déterminées (RPACD) ;
- Les RPA hybrides ou à double volets.

Les régimes de pension à prestations déterminées (RPAPD) représentent le premier type de RPA. La figure 10.2 en illustre le fonctionnement. Vous y constaterez que les cotisations de l'employé sont connues. Par ailleurs, celles de l'employeur sont inconnues. Dans les paragraphes qui suivent, nous verrons que la rente de l'employé est déterminée à l'avance selon une forme spécifique au régime. L'achat de cette rente repose entièrement sur les épaules de l'employeur, et la rente peut s'avérer très coûteuse si les taux d'intérêt sont faibles.

Il existe de nombreux types de RPAPD. Nous examinerons les trois principaux, soit les régimes salaire de carrière, salaire final et salaire final intégré à l'âge de 65 ans.

10.7.1 Le régime salaire de carrière

La rente viagère est ici déterminée en fonction d'un certain pourcentage du salaire pour chaque année travaillée. Par exemple, la première année : 2 % × 25 000 $ = 500 $ de rente annuelle créditée. Il en est ainsi pour chacune des 15 années passées au sein de l'entreprise, soit 2 % × salaire. Supposons que la rente créditée totalise 10 500 $ en 15 ans. Dès lors, le travailleur recevra (à compter de l'âge normal de la retraite selon le régime) 10 500 $ par année durant toute sa vie.

10.7.2 Le régime salaire final

Essentiellement, la formule qui permet de déterminer cette rente est la suivante : crédit de rente × salaire final × nombre d'années créditées.

Prenons le cas de Pierre Salvail, cadre supérieur dans une grande institution financière.

FIGURE 10.2 Le régime de retraite à prestations déterminées

Source : IQPF (2010).

EXEMPLE

Monsieur Salvail participe depuis 24 ans à un RPAPD dont le crédit de rente est de 1,65 % du salaire final. Celui-ci est défini comme la moyenne des cinq salaires annuels les plus élevés. Voici le profil financier de monsieur Salvail en 2009 :

- Années de service : 26 ;
- Années de participation[1] : 24 ;
- Âge de la retraite : 60 ans ;
- Salaire final : 240 000 $.

À partir de ces données, on calcule sa rente ainsi :

$$1,65 \% \times 24 \text{ ans} \times 240\,000\,\$ = 95\,040\,\$/\text{année}$$

Les éléments qui entrent dans cette formule sont définis comme suit :

- Le crédit de rente est de 1,65 %. Il peut varier selon les régimes, mais il est toujours limité à 2 % par l'ARC (*Loi de l'impôt sur le revenu*) ;
- Monsieur Salvail a participé 24 ans au régime. Certains régimes peuvent être moins restrictifs et utiliser les années de service, soit 26 ans ;
- Le salaire final de 240 000 $ est défini dans le régime : dans notre cas, il s'agit de la moyenne des 5 salaires annuels les plus élevés.

---

(1) Le régime prend en considération les années de participation.

Notez que la cotisation salariale de monsieur Salvail au RPAPD est aussi déterminée en fonction du salaire qu'il a gagné. Par exemple, elle peut s'élever à 7 % de ce salaire.

Nous verrons un peu plus loin la façon de déterminer cette limite fiscale. Disons en bref qu'il s'agit de la prestation unitaire

EXEMPLE

À ce stade, une question importante se pose : monsieur Salvail recevra-t-il cette rente annuelle de 95 040 $? La réponse est non, car l'ARC limite sa rente à 63 555 $.

maximale permise, soit 2 444,44 $ (en 2009) × 26 (nombre d'années de service). L'ARC prend toujours les années de service en considération.

10.7.3 Le régime salaire final intégré à l'âge de 65 ans

Nous faisons ici référence à l'intégration du RPAPD de l'entreprise au RRQ. Pourquoi cette intégration et comment est-elle effectuée ?

Elle peut l'être parce que les employeurs financent déjà au moins 50 % de leurs RPAPD. Depuis l'implantation du RRQ en 1966, ils doivent également assumer un fardeau fiscal plus lourd, car ils doivent aussi financer 50 % du RRQ (4,95 % en 2011).

Pour ce faire, la rente de l'employeur sera réduite, à partir de l'âge de 65 ans, d'un montant correspondant approximativement au RRQ à recevoir. Nous verrons dans l'exemple qui suit que cette réduction est calculée à l'aide de la formule suivante : 0,7 % × (moindre du MGA moyen ou du salaire final × nombre d'années créditées).

Prenons le cas de Lise Fournier :

EXEMPLE

- Lise Fournier : 60 ans en 2008 ;
- Elle prend sa retraite à l'âge de 60 ans ;
- Salaire final : 46 000 $ (moyenne des 5 dernières années) ;
- MGA : 42 460 $ (moyenne de 2004 à 2008 ; 5 ans)[1] ;
- Années créditées : 35 ans.

Rente payable avant l'âge de 65 ans : 2 % × 46 000 $ × 35 = 32 200 $

Rente payable à partir de l'âge de 65 ans : 32 200 $ − 0,7 % × moindre du MGA moyen ou du salaire final (42 460 : 46 000) × 35 = 32 200 $ − 10 403 $ Réponse : 21 797 $

Donc, Lise voit la rente qu'elle pourra récupérer, si elle en demande le versement à la Régie à l'âge de 65 ans, amputée de 10 403 $.

Vous avez pu constater que nous avons utilisé pour Lise le nombre d'années maximales prises en considération par la Régie, soit 35 années : 0,7 % × 35 = 25 %, donc la rente maximale versée. Cette rente étant de 10 615 $ en 2008, Lise pourrait récupérer ses 10 403 $.

---

(1) Voir le site de la Régie des rentes du Québec, www.rrq.gouv.qc.ca via la Retraite > La rente de retraite du Régime des rentes du Québec > Régime en chiffres pour consulter les chiffres sur le MGA.

On comprendra que si le nombre d'années créditées est inférieur à 35, le montant d'intégration ne correspondra pas au montant maximal que peut verser la Régie.

Il demeure que plusieurs RPAPD sont ainsi intégrés au RRQ. Beaucoup de travailleurs croient à tord que la rente de la Régie viendra s'ajouter à la rente de leur RPA. En fait, il faut bien comprendre que c'est la rente de leur RPAPD qui est coupée et que la rente de la Régie n'est pas réduite par cette intégration. Il suffira de faire application pour la recevoir.

EXEMPLE

Lise demande à la Régie le versement de sa rente à l'âge de 60 ans.

Nous sommes en 2008 et Lise a 60 ans. Elle peut très bien décider de demander à la Régie de lui verser sa rente et recevoir 7 431 $ par année (70 % de 10 625 $)[1].

Nous avons déjà analysé un cas semblable dans ce chapitre. Lise serait gagnante. Elle pourrait recevoir 37 155 $ (7 431 × 5 années) de l'âge de 60 à 65 ans au moment où s'effectuerait la réduction de son RPAPD. Cette réduction, basée sur l'âge de 65 ans, sera bien sûr plus élevée que le RRQ qu'elle pourrait recevoir à partir de l'âge de 60 ans. Nous avons déjà établi que le seuil d'indifférence, ou point mort, du RRQ se situe à l'âge de 76 ans et 8 mois.

Cette stratégie est permise par la Régie des rentes du Québec depuis 1984.

_____
(1) Voir le site de la Régie des rentes du Québec, www.rrq.gouv.qc.ca via la Retraite > La rente de retraite du Régime des rentes du Québec > Régime en chiffres.

10.7.4 L'ARC et les RPAPD

L'ARC s'assure que les rentes créditées dans les RPAPD respectent les limites prévues par la _Loi de l'impôt sur le revenu_. Trois éléments doivent être soulignés au sujet du rôle que joue l'Agence.

Le crédit de rente

Le crédit de rente (par exemple : 1,65 % ou 2 %) peut varier selon les régimes, mais il est toujours limité à 2 % par l'ARC (_Loi de l'impôt sur le revenu_).

Les années de service

L'ARC utilise toujours le nombre d'années de service pour établir la rente maximale à recevoir et non les années créditées par le régime. Par contre, les rentes à recevoir dans un RPAPD sont sujettes aux limites prévues dans la _Loi de l'impôt sur le revenu_.

En conséquence, la rente payable sera le moindre de :

- 2 % × salaire final × nombre d'années créditées ;
- 2 494,44 $ (en 2010 ; _voir le tableau 10.1_) × nombre d'années de service.

EXEMPLE

Le cas de Pierre Salvail, exposé plus haut, soulevait la question suivante :

Monsieur Salvail recevra-t-il la rente annuelle de 95 040 $?

La réponse était non, car l'ARC la limite à 63 555 $. Nous savons maintenant comment déterminer cette limite, car il s'agit de la prestation unitaire maximale permise, soit 2 444,44 $ (en 2009) × 26 (nombre d'années de service).

Le tableau 10.1 illustre l'évolution de la prestation unitaire maximale selon l'ARC.

Comment obtient-on le montant de 2 444,44 $ (2009) ? En respectant le principe actuariel des vases communicants. En effet, ce principe se base sur l'hypothèse selon

TABLEAU 10.1 Le plafond des prestations maximales à un RPAPD

Année	Plafond des prestations maximales
1990-2003	1 722,22 $
2004	1 833,33 $
2005	2 000,00 $
2006	2 111,11 $
2007	2 222,22 $
2008	2 333,33 $
2009	2 444,44 $
2010	2 494,44 $
2011	2 552,22 $
2012	1/9 du plafond des cotisations déterminées

Source : Agence du revenu du Canada (2011).

MODULE 3

TABLEAU 10.2 Les plafonds des cotisations à un RPACD et à un REER[1]

Années	Plafond – RPACD	Plafond – REER
1996-2002	13 500 $	13 500 $
2003	15 500 $	14 500 $
2004	16 500 $	15 500 $
2005	18 000 $	16 500 $
2006	19 000 $	18 000 $
2007	20 000 $	19 000 $
2008	21 000 $	20 000 $
2009	22 000 $	21 000 $
2010	22 450 $	22 000 $
2011	22 970 $	22 450 $
2012		22 970 $

(1) Les plafonds des cotisations à un RPACD devancent ceux à un REER d'une année.

Source : Agence du Revenu du Canada (2011).

laquelle un capital de 9 $ engendre des revenus de 1 $. La cotisation maximale à un RPACD en 2009 était de 22 000 $ (*voir le tableau 10.2*).

Donc, 22 000 $ ÷ 9 = 2 444,44 $.

La prestation maximale de 2 444,44 $ signifie qu'un cadre supérieur d'une entreprise qui part à la retraite après 26 années de service avec un salaire final de 240 000 $ (comme c'est le cas de Pierre Salvail) pourrait recevoir la rente maximale annuelle de 2 444,44 $ × 26 ans, soit 63 555 $ annuellement.

L'âge limite sans réduction actuarielle

L'ARC limite également l'âge à partir duquel un travailleur qui participe à un RPAPD peut prendre sa retraite sans aucune réduction actuarielle. Il s'agit du premier âge atteint en fonction des critères suivants :

- 60 ans ;
- 30 ans de service ;
- Facteur 80 (âge + années de service).

Dans le cas où le RPAPD permet de prendre sa retraite avant cet âge, la prestation est réduite de 0,25 % par mois d'anticipation.

EXEMPLE

Claude Labrecque participe depuis 24 ans à un régime de retraite à prestations déterminées dont le crédit de rente est de 1,65 % du salaire final. Celui-ci correspond à la moyenne des cinq salaires annuels les plus élevés. Voici le profil financier de monsieur Labrecque en 2009 :

- Années de service : 25 ;
- Années de participation : 24 (années prises en considération) ;
- Âge de retraite : 54 ans ;
- Salaire final : 200 000 $.

À partir de ces données, sa rente pourrait être calculée ainsi :

$$1,65 \% \times 24 \text{ ans} \times 200\,000\,\$ = 79\,200\,\$/\text{année}.$$

Toutefois, cette rente sera limitée à 61 111 $ par l'ARC (2 444,44 $ × 25).

Les critères pour une retraite sans réduction actuarielle sont les suivants :

- 60 ans ;
- 30 ans de service ;
- Facteur 80 (âge + années de service).

Ces critères s'appliquent dans le cas d'une retraite anticipée, en plus du suivant :

- Dans le cas où le RPAPD permet une retraite avant cet âge, la prestation est réduite de 0,25 % par mois d'anticipation.

Question 1 : À quel âge Claude Labrecque sera-t-il admissible à une retraite sans réduction actuarielle ?

Réponse : Il faut déterminer l'âge à partir duquel Claude aura droit à une rente non réduite selon les trois critères de l'ARC :

- Premier critère : 60 ans, donc critère rejeté ;
- Deuxième critère : 30 ans de service, donc critère rejeté, Claude n'ayant que 25 ans de service ;
- Troisième critère : facteur 80, donc critère rejeté, Claude n'ayant pas atteint le facteur 80 (54 + 25 = 79).

À l'âge de 55 ans, soit dans 1 an (55 ans + 26 = 81), Claude sera admissible à une retraite sans réduction actuarielle. En effet, dans un an, il aura une année de service de plus. Certains régimes lui permettront alors de prendre une pleine retraite dans 6 mois, soit à l'âge de 54 ans et 6 mois. Dès lors, le facteur 80 sera atteint (50,5 + 26,5 = 80).

Question 2 : Si Claude Labrecque prenait sa retraite à l'âge de 54 ans, quel montant recevrait-il ?

Réponse : Le calcul de la rente se faisant toujours selon les critères de l'ARC, Claude Labrecque recevrait des prestations annuelles de 61 111 $. Mais comme le facteur 80 ne serait pas atteint (54 + 25 = 79), sa rente serait réduite de 0,25 % × 12 mois = 3 % :

$$61\,111 \times (97 \%) = 59\,278\,\$/\text{année (à 1 \$ près).}$$

Claude recevrait donc un montant annuel viager de 59 278 $.

10.7.5 Les régimes flexibles, ou les RPAPD avec prestations accessoires

Depuis 1998, l'ARC permet d'ajouter des prestations accessoires aux RPAPD. L'objectif est d'assurer aux employés de meilleures prestations de retraite. De tels régimes à prestations déterminées permettent aux employés ou aux employeurs, ou aux deux parties, de cotiser des montants supplémentaires au régime dans le but d'acheter des prestations accessoires en vue de la retraite. Cependant, si un employé est pleinement satisfait des prestations de son RPAPD, il n'y a pas lieu de cotiser à un tel régime flexible.

Il convient de souligner quatre éléments importants au sujet de ces cotisations additionnelles :

- La cotisation accessoire de l'employé est déductible d'impôt, mais toujours limitée à 9 % (50 % de 18 %) du salaire ;
- Ces cotisations accessoires ne permettent pas de déplafonner le pourcentage maximal du crédit de rente établi par l'ARC (2 494,44 $ en 2010) ;
- Les prestations qui seront achetées avec ces cotisations doivent obligatoirement être des prestations accessoires afin de ne pas influer sur le facteur d'équivalence (FE) ;
- Finalement, il est important d'investir dans des fonds de placement équilibrés.

Les prestations accessoires les plus courantes sont les suivantes :

- La garantie de la rente au décès ;
- L'indexation de la rente avant ou après la retraite ;
- Lors d'une retraite anticipée, une réduction actuarielle moins grande ou totalement éliminée ;
- Une formule plus avantageuse pour calculer le salaire final (à partir de la moyenne des trois dernières années plutôt que des cinq dernières années, par exemple) ;
- Des rentes temporaires versées à partir de l'âge de la retraite anticipée (62 ans, par exemple) jusqu'à l'âge de 65 ans (prestations de raccordement).

10.7.6 L'avenir des régimes à prestations déterminées (RPAPD)

Il est permis de s'interroger sur l'avenir des régimes à prestations déterminées (RPAPD), car ceux-ci sont en perte de vitesse. Au cours des dernières années, un très grand nombre d'entre eux ont été déficitaires, alors que, auparavant, les surplus actuariels étaient davantage la norme que l'exception. Pourquoi ces déficits ? Plusieurs raisons peuvent expliquer cette nouvelle réalité, entre autres :

- l'utilisation des surplus pour des congés de cotisation ;
- de mauvais investissements effectués dans des fonds spéculatifs ;
- la crise financière de 2008 ;
- des taux d'intérêt très bas.

Il faut se rappeler que dans le cas des RPAPD, l'employeur doit garantir la rente de l'employé. Illustrons cette règle au moyen d'un exemple simple : au début des années 1980, le taux du marché se situait à près de 17 % et l'achat d'une rente viagère annuelle, disons de 36 000 $, pouvait coûter aux environs de 220 000 $. Au moment d'écrire ces lignes (2011), cette même rente annuelle pourrait coûter aux environs de 400 000 $. Ces chiffres sont très approximatifs, mais significatifs.

La tendance est maintenant à l'abandon des RPAPD, surtout dans le secteur privé. L'explication en est relativement simple : incertitudes et risques des marchés financiers, caisses de retraite insolvables et nécessité pour l'entreprise d'y « pomper » des millions de dollars, entre autres. On n'a qu'à penser à la pléthore d'entreprises, dont Quebecor World, Air Canada, General Motors, British Airways et Hewlett-Packard, qui abandonnent leur RPAPD. Le dernier bastion est le secteur public. Est-il nécessaire de souligner l'état de la santé financière de nos gouvernements ? Ce n'est qu'une question de temps pour que les choses ne changent.

De nombreuses grandes entreprises canadiennes ont donc abandonné leur RPAPD pour un RPACD. D'autres considèrent sérieusement les REER collectifs couplés à des RPDB, d'autres encore investiguent les régimes à double volet, que nous verrons plus loin.

Depuis le début des années 2000, jusqu'à 70 % des RPAPD administrés par la Régie des rentes du Québec étaient en déficit de solvabilité. L'Assemblée nationale du Québec a adopté plusieurs lois pour rétablir la situation, laquelle demeure toutefois critique. Ces lois visaient divers objectifs, entre autres renforcer le financement des RPAPD et assurer leur santé financière. Vous pouvez consulter le site de la Régie des rentes du Québec pour en savoir plus à ce sujet.

Il faut donc s'attendre soit à des changements majeurs concernant les RPAPD, soit tout simplement à leur abandon pour un RPACD ou un autre régime et, dans certains cas, aucun régime du tout. Un article intitulé « La réforme des régimes de retraite : l'heure a sonné pour un nouveau paradigme » est publié sur le site de Morneau Sobeco.

10.8 Les régimes de pension agréés à cotisations déterminées (RPACD)

Voici le deuxième type de RPA : le régime à cotisations déterminées (RPACD). Celui-ci ne présente aucune promesse de rente, puisque c'est la valeur au compte qui détermine la nature des prestations. Il n'existe aucune formule pour déterminer le montant de ces prestations à la retraite. Dans un régime à cotisations déterminées, les cotisations de l'employé et de l'employeur sont connues (*voir la figure 10.3*).

Les prestations sont donc inconnues et dépendront de la somme totale accumulée dans le régime, mais aussi des conditions économiques existantes au moment de l'achat de la rente viagère (par exemple, les taux d'intérêt en vigueur).

Dans certaines circonstances (valeur capitalisée du régime de moins de 20 % du MGA, cessation d'emploi, etc.), les sommes accumulées dans le RPACD peuvent être transférées à un compte de retraite immobilisé (CRI). Le retraité a alors la possibilité de magasiner pour acheter une rente viagère dont la valeur varie en fonction des taux d'intérêt qui prévalent au moment de l'achat. Le plus souvent, par contre, il voudra gérer son capital en utilisant un FRV. Celui-ci peut comprendre des produits financiers divers, y compris les produits commercialisés par les maisons de courtage. C'est de cette façon que plusieurs retraités ont spéculé et littéralement perdu une fortune au début des années 2000. En effet, ils avaient investi lourdement dans les

FIGURE 10.3 **Le régime de retraite à cotisations déterminées**

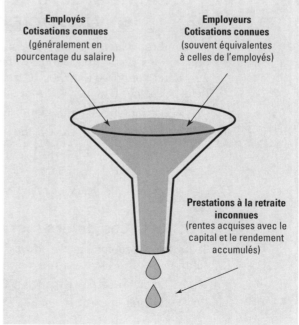

Source : IQPF (2010).

fonds technologiques. Nous reviendrons sur le FRV au chapitre 13, portant sur l'après-REER, dans le module « La retraite ».

10.8.1 Les plafonds des cotisations à un RPACD

Dans un RPACD, les cotisations de l'employé et de l'employeur sont prédéterminées. Par exemple, 5 % du salaire de l'employé permet d'atteindre une cotisation totale de 10 %.

Les plafonds des cotisations à un RPACD devancent ceux à un REER d'une année. Le tableau 10.2 à la page 208 illustre ces plafonds tant pour les RPACD que pour les REER.

10.9 Les régimes hybrides ou à double volet

Comme leur nom l'indique, ces régimes possèdent certaines caractéristiques des RPAPD et des RPACD, mais il peut en exister des versions différentes. Par exemple, une entreprise peut offrir un RPAPD à ses anciens employés et un RPACD à ses nouveaux employés, les deux régimes étant administrés par l'entreprise. Les régimes hybrides sont parfois qualifiés de régimes combinés dans lesquels la rente de retraite provient en partie du RPAPD et en partie du RPACD. Cette approche permet de garantir un montant minimum aux employés, qui sont ainsi davantage au fait de leur responsabilité de planifier leur retraite.

Enfin, ce type de régime ne représente qu'environ 1 % de tous les régimes de retraite au Canada.

10.10 Les divers facteurs administratifs et financiers

De nombreux facteurs administratifs viennent s'ajouter aux caractéristiques fondamentales des deux régimes complémentaires de retraire (RPAPD et RPACD) que nous venons d'analyser. Certains seront présentés ici, sans entrer dans les détails, car ces facteurs relèvent généralement du travail des actuaires :

- Les facteurs d'équivalence (FE, FER et FESP) ;
- Les prestations aux 3D (départ, décès et divorce) ;
- La règle du 50 % ;
- La valeur de transfert ;
- Le rachat de services passés (dans le cas des RPAPD).

10.10.1 Les divers facteurs d'équivalence

Trois types de facteurs d'équivalence influent positivement ou négativement, selon le cas, sur la cotisation maximale permise au REER :

- Le facteur d'équivalence (FE) ;
- Le facteur d'équivalence rectifié (FER) ;
- Le facteur d'équivalence pour services passés (FEPS).

TABLEAU 10.3 **L'avis de cotisation de Marcel Beaulieu**

Date	Nom Marcel Beaulieu	Numéro d'assurance sociale 123 456 789	Année d'imposition 2010	Centre fiscal
État du maximum déductible au titre de REER en 2010				
Maximum déductible au titre de REER en 2009			12 000 $	
Moins : Cotisations admissibles à un REER déduites en 2009			2 000 $	
Déductions inutilisées au titre de REER à la fin de 2009			10 000 $	
Plus 18 % du revenu gagné en 2009 Soit 60 000 $ = (maximum de 22 000 $)			10 800 $	
Moins : Facteur d'équivalence de 2009			5 800 $	
Moins : Facteur d'équivalence pour services passés de 2009			0,00 $	
Plus : Facteur d'équivalence rectifié de 2009			0,00 $	
Votre maximum déductible au titre de REER en 2010			15 000 $	

Afin de voir comment ces divers facteurs d'équivalence s'intègrent dans le calcul de la cotisation maximale au REER, vous pouvez consulter le tableau 10.3.

Le facteur d'équivalence (FE)

Le participant à un RPA se voit automatiquement attribuer un facteur d'équivalence (FE) qui tient compte des avantages qu'il a reçus en tant que membre participant à un RPAPD ou à un RPACD. L'employeur calcule ce FE, lequel vient amoindrir la cotisation maximale de l'employé à un REER.

Dans le cas des RPAPD, le calcul actuariel est assez complexe. En gros, la contribution au REER du participant est réduite de 9 $ pour chaque 1 $ de rente gagnée grâce au régime de l'employeur. Lorsque, par exemple, la rente versée atteint la limite légale de 2 % du salaire, ou encore 2 494,44 $ (2010 ; *voir le tableau 10.1 à la page 207*) pour une année donnée, la cotisation permise au REER est de 600 $, soit le minimum prescrit par la loi. (Avant 1997, ce minimum était de 1 000 $.)

EXEMPLE

Madame Patenaude est la directrice du marketing de la société Lenoir inc. Elle a gagné 80 000 $ en 2009 et participe à un RPAPD dont la rente payable est de 1,5 % de la moyenne des 3 salaires annuels les plus élevés. De plus, cette rente sera intégrée, quand madame Patenaude aura 65 ans, au RRQ au taux de 0,7 %.

Les droits de rente de l'année 2009 se calculent comme suit :

$$1,5\% \times 80\,000\,\$ - (0,7\% \times 46\,300\,\$)^{(1)} = 875,90\,\$.$$

Le FE de 2009 = 9 × 875,90 $ − 600 $ = 7 283 $ (à 1 $ près).

▶ La cotisation au REER de 2010 se calcule comme suit:

Le moindre de (18% × 80 000$) = 14 400$ et de 22 000$ (2010; *voir le tableau 10.2 à la page 208*). Donc, 14 400$ et 14 400$ − 7 283$ = 7 117$ (sans égard aux droits de cotisations inutilisés).

Par conséquent, madame Patenaude pourra cotiser 7 177$ à son REER de 2010.

_____
(1) Notez que l'intégration au moyen du facteur 0,7 % ne s'applique qu'aux revenus en deçà du MGA (ici, 46 300 $ est le MGA de 2009).

Dans le cas des RPACD, le calcul est simple. En effet, le FE d'un participant représente tout simplement le total de toutes les cotisations versées par son employeur et lui-même au cours de l'année précédente. L'exemple suivant, concernant monsieur Blanchet, illustre ce calcul.

EXEMPLE

Monsieur Blanchet est cadre supérieur dans une grande entreprise québécoise. Il a un revenu gagné 120 000$ en 2009; ce montant sert au calcul de son REER. Par conséquent, sa cotisation maximale à un REER pour l'année 2010 est limitée à 21 600$, soit le moindre de 18% de 120 000$, donc 21 600$, ou 22 000$.

Par contre, monsieur Blanchet participe à un RPACD, dont voici les cotisations en 2009:

- Cotisations de l'employé: 5 200$;
- Cotisations de l'employeur: 5 800$.

Donc, le FE est de 5 200$ + 5 800$ = 11 000$.

Quel montant monsieur Blanchet pourra-t-il verser à son REER en 2010 en supposant que les droits de cotisation inutilisés sont nuls?

Voici le calcul:

Cotisation maximale à un REER pour l'année 2010: 21 600$;

Moins: Facteur d'équivalence: 11 000$;

Égale: 10 600$.

Monsieur Blanchet pourra donc cotiser 10 600$ au maximum à son REER de 2010.

Le facteur d'équivalence rectifié (FER)

Vous avez déjà pu constater, dans l'avis de cotisation présenté dans le tableau 10.3 à la page 213, que le FER permet d'augmenter la marge pouvant être attribuée au REER. Cette notion récente (1997) permet à un employé qui quitte son emploi de « rétablir » les marges perdues à titre de REER, et ce, parce qu'il contribuait au RPA (ou RPDB) de son employeur, d'où le terme « rectifié ».

EXEMPLE

Paule a travaillé pendant 10 ans pour une entreprise d'ébénisterie. Elle contribuait au RPA de cette entreprise et, par conséquent, voyait d'année en année ses cotisations REER amoindries à cause d'un FE. Elle a quitté son emploi pour démarrer sa propre entreprise d'ébénisterie. L'actuaire du régime lui soumet les renseignements suivants:

- Le total des FE déclarés ces 10 dernières années: 45 500$;
- La valeur de transfert (valeur actuelle ou présente de la rente prévue à la retraite): 25 200$;
- Le FER sera donc égal au total des FE déclarés moins la valeur de transfert, soit 45 500$ − 25 200$ = 20 300$.

Ainsi, n'ayant pu contribuer pleinement à son REER ces 10 dernières années, Paule pourra « rectifier » la situation au moyen du FER. Remarquez que si la valeur de transfert était égale au total des FE ou dépassait ce montant, la valeur du FER serait nulle.

Nous vous suggérons de lire les guides de l'ARC sur le FE, le FER et le FES sur le site Internet de l'Agence.

Le facteur d'équivalence pour services passés (FESP)

Comme le montre le tableau 10.3 à la page 213, le FESP agit comme le FE pour réduire la marge des cotisations au REER. Essentiellement, deux situations permettent de déclarer un FESP ; elles sont liées au RPAPD et non au RPACD :

- Une modification au RPAPD de l'employeur fait en sorte que les crédits de rente passés sont touchés positivement. Le FESP permet de rétablir la situation, exactement comme le FE ;
- Certains rachats de services passés pour les années suivant 1989 produisent un FESP. Encore ici, le FESP permet de rétablir la situation.

Les calculs actuariels servant à déterminer le FESP sont plus élaborés que ceux du FE des RPAPD. Par exemple, un participant qui recevrait un FESP de 15 000 $ de son employeur et qui aurait des cotisations inutilisées de 4 000 $ dans son REER devrait retirer 3 000 $ de celui-ci (15 000 $ − 8 000 $, soit l'écart permis par l'ARC) − 4 000 $). Il devrait aussi atteindre la marge de 8 000 $ dans son REER avant d'y cotiser de nouveau. Pas si simple ! Pour plus d'information sur ces calculs, vous pouvez consulter le guide de l'ARC portant sur le FESP.

10.10.2 Les prestations payables aux 3D (départ, décès et divorce)

Ces trois sujets sont très vastes et relèvent dans certains cas beaucoup plus de la planification successorale que de la planification de la retraite. Nous nous en tiendrons donc aux éléments principaux.

Le départ

Lorsqu'un employé quitte son emploi, il existe plusieurs possibilités selon la nature du régime (RPAPD ou RPACD) et l'âge de cette personne (avant ou après l'âge de 55 ans). En général, ces possibilités sont les suivantes :

- Conserver les capitaux dans le régime afin de recevoir une rente différée à un âge précis ;
- Transférer les capitaux dans le régime du nouvel employeur ;
- Acquérir une rente immédiate au moyen de la valeur de transfert du régime ;
- Transférer les capitaux dans un CRI.

Le décès

Bien sûr, s'il s'agit d'un RPACD, la situation est essentiellement la même que lors du départ du participant.

> ✚ En général, tout participant qui quitte son emploi dans les 10 ans qui précède l'âge normal de la retraite soit 65 ans, a droit à une rente anticipée. Donc, le participant a au moins 55 ans.

En vertu des dispositions de la *Loi sur les régimes complémentaires de retraite* (effective au 1er janvier 1990), les participants mariés ou ayant un conjoint de fait (avec qui ils ont 3 ans de vie commune ou 1 an avec un enfant) au moment de la retraite sont obligés d'opter pour un contrat qui prévoit, à leur décès, que 60 % de la rente deviendra payable au conjoint survivant. Par contre, ce dernier pourra renoncer à ce droit en signant les documents appropriés devant témoins. Certains RPAPD permettent aussi de choisir une rente réversible à 100 % pour le conjoint survivant, mais celle-ci sera, bien sûr, moins importante pour les deux conjoints.

MODULE 3

Le divorce

L'essentiel ici est que les RPA font partie du patrimoine familial. De ce fait, ils sont sujets, dans le cas de personnes mariées ou unies civilement, au partage en parts égales. Cet aspect sera repris plus en profondeur au module « La planification successorale ».

Même si, dans certains cas exceptionnels, un partage quelconque est possible entre les conjoints de fait, ce sujet ne sera pas traité dans ce chapitre.

10.10.3 La règle du 50 %

Nous avons déjà mentionné ce sujet à la section 10.6, portant sur la réforme des régimes de retraite.

Au Québec, on sait déjà que la règle des 50 % est issue de la *Loi sur les régimes complémentaires de retraite*. Depuis l'entrée en vigueur de cette loi le 1er janvier 1990, l'employeur est obligé de financer au moins 50 % de la rente. Au fédéral, la règle des 50 % est en application depuis le 1er janvier 1987. Il s'agit d'une mesure très importante dans le domaine des RCR.

10.10.4 La valeur de transfert

Le calcul de la valeur de transfert relève du domaine actuariel ; nous nous en tiendrons donc au fait que le planificateur financier généraliste doit consulter un actuaire. Cependant, le planificateur aura à conseiller son client au sujet de la valeur de transfert. Par exemple, un client vous informe qu'il quitte son emploi. Il vous dit qu'il détient actuellement un RPAPD et qu'il hésite entre la rente viagère prévue dans ce régime et la valeur de transfert qu'il pourrait investir dans un FRV. Que lui conseillez-vous ?

D'abord, vous lui expliquez que la valeur de transfert représente tout simplement la valeur actualisée (valeur présente) de l'ensemble des droits accumulés dans le régime de retraite. Essentiellement, cette valeur correspond aux capitaux nécessaires aujourd'hui (PV), lesquels capitaux, selon le rendement (i), pourraient procurer la rente viagère (PMT) promise à la retraite. Cette valeur peut parfois représenter une somme substantielle.

Vous prévenez ensuite votre client qu'il dépendra, en partie, de cette rente viagère pour maintenir son coût de la vie. Vous devez donc discuter avec lui de sa « personnalité financière » ; est-il un investisseur prudent ou un spéculateur invétéré ? Cette information est très importante. Le risque que votre client devra prendre s'il opte pour la valeur actualisée ne doit pas être sous-estimé. En effet, ses fonds pourraient être investis de façon spéculative et produire des résultats néfastes. D'ailleurs, nous avons déjà souligné que des milliers de Québécois qui avaient opté pour un transfert de leurs fonds de retraire dans un FRV se sont retrouvés dans une situation financière plus que précaire. Souvent, ces personnes ont dû abandonner leurs rêves de retraite et retourner au travail.

Finalement, si cette valeur actualisée est importante, le client doit réaliser que sa rente le sera également. Cette rente signifie un revenu régulier à vie sans tracas ni problèmes.

Le client doit de plus comprendre que le calcul du capital nécessaire à la retraite est souvent basé sur une longévité de 100 ans. La rente viagère atteint cet objectif. Le FRV peut l'atteindre s'il est bien investi.

10.10.5 Le rachat d'années de service passées

Une personne participant à un RPAPD, mais qui n'y a pas cotisé ou participé pendant un certain nombre d'années, peut-elle racheter ces années perdues? La réponse est nuancée. Une première question s'impose: le RPAPD le permet-il? Souvent oui, parfois non. L'objectif principal visé par le rachat d'années de service passées est l'obtention d'une rente plus élevée à la retraite ou encore une retraite prise plus tôt que prévu.

Voici une liste non exhaustive de quelques situations où il est possible de racheter des années de service:

- Une employée est retournée aux études et son employeur lui avait accordé un congé sans traitement;
- Un employé a pris une année sabbatique sans traitement;
- Une employée a pris un congé de maternité (ou un congé parental dans le cas du conjoint) auquel elle avait droit;
- Un employé a été travailleur occasionnel pendant un certain temps (deux ou trois années, par exemple);
- Une ancienne employée a été réembauchée (certaines conditions existent).

Lors d'un rachat, il y a un objectif à atteindre, mais aussi un prix à payer. Le calcul du rachat des années de participation antérieures à 1990 est relativement simple. Cependant, celui du rachat des années postérieures à 1989 est plus complexe et relève de calculs actuariels qui ne seront pas traités dans ce chapitre. Pour un excellent exposé sur ces calculs et la logique qui les sous-tend, vous pouvez consulter le site du Service des ressources humaines de HEC Montréal. Vous aurez ainsi accès à plusieurs renseignements concernant les périodes rachetables et les coûts associés et, plus précisément, l'impact fiscal avant 1990 et l'impact fiscal à partir de 1990.

Les rachats peuvent s'effectuer avec de l'argent pris dans les REER ou hors de ceux-ci. Toutefois, il est souvent possible d'y parvenir au moyen de retenues sur le salaire ou encore, dans certains cas, de journées de maladie monnayables.

10.11 Les régimes de retraite les plus répandus au Canada

Nous examinerons maintenant les régimes que les entreprises utilisent pour favoriser la retraite de leurs employés[4]. Ce sont bien sûr les régimes qui meublent le second palier de notre pyramide modèle, en particulier:

- le REER collectif;
- le régime de retraite simplifié (RRS);
- le régime de retraite par financement salarial (RRFS);

---

4. Nous vous suggérons un site Internet pour compléter et enrichir les informations données dans cette section. Il s'agit du site www.conseiller.ca. Par exemple, les articles suivants: «PME: vers quel type de régime de retraite se tourner?», «Régime simplifié: une solution retraite qui favorise la rétention pour Jardin de Ville» et «Le régime de retraite individuel: le véhicule».

- le régime de retraite des employés du gouvernement et des organismes publics (RREGOP);
- le régime de participation différée aux bénéfices (RPDB);
- le régime surcomplémentaire de retraite (RSCR);
- le régime de retraite individuel (RRI);
- le régime de pension agréé collectif (RPAC);
- le régime volontaire d'épargne-retraite (RVER).

Cette liste n'est pas exhaustive, mais elle présente les régimes les plus utilisés au Canada. Comme nous l'avons mentionné au début de ce chapitre, certains d'entre eux s'adressent plus précisément aux PME, d'autres, aux cadres supérieurs des grandes entreprises privées, etc.

10.11.1 Le REER collectif

Le REER collectif est sans doute le régime le plus répandu auprès des PME et de certaines grandes entreprises. Pour les PME, il s'agit de la principale solution de remplacement au RRS que propose la Régie des rentes du Québec et, par le fait même, de son plus grand compétiteur. En outre, les grandes entreprises considèrent le REER collectif comme une solution de rechange aux RPACD. Également, certaines offrent un REER collectif en complément à un RPAPD non contributif. Parfois, les REER collectifs sont offerts en complément à un RPDB.

Soulignons que les REER collectifs n'ont pas à être enregistrés auprès des autorités gouvernementales, car ils ne sont pas assujettis aux diverses lois sur les régimes de retraite. En ce sens, il n'est pas obligatoire de souscrire une rente réversible pour le conjoint survivant.

Voici deux éléments majeurs concernant les REER collectifs:

- Les cotisations versées par l'employeur sont automatiquement acquises par l'employé;
- Tous les fonds sont disponibles, car non immobilisés.

Un REER collectif est constitué d'un regroupement de REER individuels, rassemblés et administrés collectivement pour un groupe d'employés. Souvent, un établissement financier joue le même rôle que le comité de retraite.

Voici quelques éléments à retenir:

- L'employeur n'agit qu'à titre d'agent pour regrouper tous les cotisants dans le même contrat;
- Si l'employé perd ou quitte son emploi, il peut retirer les sommes accumulées (en étant imposé) ou les transférer dans un autre régime. Il évite ainsi les contraintes rattachées au régime de retraite qui, lors du transfert, implique généralement une immobilisation de la portion de l'employeur des sommes rapatriées;
- L'employeur peut contribuer mais, du point de vue fiscal, ces contributions sont considérées comme des contributions de l'employé, donc comme un salaire, et sont déductibles pour l'entreprise;
- Contrairement au REER individuel, dans lequel on contribue avec de l'argent net d'impôt, l'épargne fiscale est immédiate dans un REER collectif.

EXEMPLE

L'une de vos clientes a un salaire mensuel de 3 000 $. Si elle cotisait 200 $ par mois à un REER collectif, l'impôt à payer (retenu à la source) serait calculé sur 2 800 $ et non sur 3 000 $. En d'autres mots, dans un REER collectif, toutes les cotisations sont effectuées avant impôt. Ainsi, l'épargne fiscale est immédiate et représente la différence entre l'impôt à payer sur les 3 000 $ et l'impôt à payer sur les 2 800 $. Au taux d'imposition de 35 %, par exemple, l'économie fiscale est de 70 $ (200 $ × 35 %).

Finalement, la grande majorité des établissements financiers du Québec commercialisent les REER collectifs. Vous pouvez consulter, par exemple, le site de Desjardins Sécurité financière. Vous y trouverez un tableau comparatif de plusieurs régimes, dont le RPACD, le RRS et le REER collectif.

10.11.2 Le régime de retraite simplifié (RRS)

Le régime de retraite simplifié (RRS) est essentiellement un régime à cotisations déterminées. Donc, le montant des cotisations de l'employeur et, le cas échéant, celui des cotisations de l'employé est fixé à l'avance. Ainsi, le RRS est un contrat écrit en vertu duquel l'employeur seul ou l'employeur et les travailleurs sont tenus de cotiser dans le but de procurer à ceux-ci un revenu à la retraite. Ce régime est semblable au REER collectif et au RPACD, car le revenu à la retraite dépend des sommes accumulées dans les comptes immobilisés et non immobilisés (si c'est le cas) des participants.

C'est la Régie des rentes du Québec qui, en 1994, a lancé le RRS. Celui-ci a été conçu spécialement pour répondre aux besoins des PME et pour favoriser la participation de leurs employés à un régime de retraite. Pour leur part, les grandes entreprises administrent généralement des régimes traditionnels (tels que les RPA). Le RRS permet le transfert des responsabilités normalement dévolues à l'employeur ou au comité de retraite à un établissement financier chargé de mettre sur pied le régime et de l'administrer. Plusieurs aspects caractérisent ce régime :

- Les sommes cotisées par l'employeur sont immobilisées. Quant aux cotisations de l'employé, l'immobilisation est au choix de l'employeur ;
- Les tâches administratives de l'employeur sont réduites au minimum ;
- Plusieurs employeurs peuvent adhérer au même régime offert par l'établissement financier, ce qui réduit les frais d'administration.

Le RRS proposé par la Régie des rentes du Québec répond aux besoins des travailleurs des PME (tout comme le REER collectif, d'ailleurs).

Grâce au RRS, les avantages du régime à cotisations déterminées, du REER collectif et du RPDB sont conciliés (Régie des rentes du Québec, 2011b). Le RRS n'a pas pour but de permettre le paiement de la rente à la retraite. C'est plutôt le solde du compte immobilisé qui permet d'acheter une rente viagère auprès d'un assureur. On peut aussi transférer ce solde dans un FRV. Le solde du compte non immobilisé peut de plus être retiré au comptant, servir à acheter une rente ou être transféré dans un REER ou un FERR (*voir le chapitre 13*) (Régie des rentes du Québec, 2011c). La contribution de l'employeur au RRS n'augmente pas le salaire de l'employé, et ce, contrairement au REER collectif. Par conséquent, dans cette situation, les charges fiscales de l'employeur liées au salaire sont moindres.

MODULE 3

Pour tout savoir sur ce type de régime, consultez le site de la Régie des rentes du Québec et lisez tout ce qui touche le RRS. Assurez-vous de bien comprendre le contenu des diverses chroniques, en particulier les caractéristiques du régime. Vous pouvez aussi consulter la brochure intitulée «RRS: un régime de retraite sur mesure pour les PME» sur le site de la Régie.

Pourquoi le RRS n'est-il pas plus populaire? Pour de multiples raisons, dont un manque d'information des PME et des travailleurs, mais aussi le fait que les cotisations de l'employeur (et parfois celles de l'employé) sont immobilisées. Par ailleurs, le fait d'avoir des fonds immobilisés est excellent, car le but d'un tel régime est d'assurer la qualité de vie à la retraite et non de retirer les fonds pour toutes sortes de raisons.

10.11.3 Le régime de retraite par financement salarial (RRFS)

Le régime de retraite par financement salarial (RRFS) est entré en vigueur le 15 mars 2007. Celui que propose la Régie des rentes du Québec est un régime à prestations déterminées dans lequel:

- la cotisation de l'employeur est fixée à l'avance;
- le solde des cotisations à verser (y compris les paiements pour déficit, le cas échéant) est à la charge des participants et non à celle de l'entreprise, comme c'est le cas dans les RPAPD classiques;
- l'excédent d'actif (ou surplus) est, le cas échéant, attribué aux participants.

Quelle est la clientèle visée?

Bien que le RRFS ne s'adresse pas à une clientèle précise, il devrait intéresser tout particulièrement les travailleurs syndiqués. D'une part, des associations de travailleurs expriment le désir de leurs membres d'adhérer à un régime à prestations déterminées. D'autre part, des employeurs deviennent réticents à assumer le risque financier d'un tel régime, alors que des groupes de travailleurs se disent prêts à cela. Le RRFS répond à ces préoccupations car, dans ce nouveau type de régime, les participants assument collectivement la responsabilité financière (Régie des rentes du Québec, 2011d).

C'est probablement le début d'un temps nouveau pour certains employés!

10.11.4 Le régime de retraite des employés du gouvernement et des organismes publics (RREGOP)

Le régime de retraite des employés du gouvernement et des organismes publics (RREGOP) est un régime plaqué or administré par la Commission administrative des régimes de retraite et d'assurances (CARRA). Il vise les employés permanents et occasionnels travaillant à temps plein ou à temps partiel dans le réseau de la santé, des services sociaux et de l'éducation ainsi qu'au sein de la fonction publique du Québec.

Pour en savoir plus sur ce régime, vous pouvez consulter le site de la CARRA.

10.11.5 Le régime de participation différée aux bénéfices (RPDB)

Le régime de participation différée aux bénéfices (RPDB) est un REER au moyen duquel un employeur distribue, en vertu d'une entente, une partie des profits de l'entreprise à certains employés, souvent des cadres. Il faut noter que seul l'employeur peut contribuer à ce régime. Les employés ne peuvent le faire, mais ont la possibilité de le combiner à d'autres régimes de retraite d'employeurs qui permettent le versement de cotisations prélevées sur le salaire (RRS ou REER collectifs). C'est en quelque sorte un régime motivationnel : pas de profit signifie aucun versement. Dans ce régime, un fiduciaire reçoit les cotisations de l'employeur et les investit pour le bénéfice des employés.

Notez que les RPDB (comme les REER collectifs) ne sont pas assujettis aux mêmes lois que les RPAPD et les RPACD.

Voici quelques éléments à retenir :

- Les employés peuvent retirer les cotisations qu'ils ont acquises en tout ou en partie après deux ans de participation au régime ou avant si l'employeur le permet. Par conséquent, les cotisations de l'employeur ne sont pas immobilisées jusqu'à la retraite ;

- En général, les employés décident eux-mêmes des directives de placement à appliquer aux montants déposés en leur nom ;

- Les cotisations de l'employeur à un RPDB donnent lieu à un FE pour l'employé, qui voit alors sa cotisation maximale à un REER réduite. Par ailleurs, ces cotisations sont non imposables pour l'employé ;

- Finalement, les dépôts et les frais sont déductibles du revenu imposable de l'entreprise à titre de frais d'exploitation et, comme pour un REER, les revenus de placement s'accumulent en franchise d'impôts.

Il est intéressant de souligner que les RPDB ne sont pas immobilisés comme le sont les RCR. Comme nous l'avons mentionné plus haut, les sommes accumulées peuvent, à certaines conditions, être retirées lorsque l'employé quitte son emploi, par exemple.

Toutefois, ce type de régime n'entraîne pas un engagement financier permanent de la part de l'employeur. En effet, celui-ci n'a pas à cotiser pendant les années d'imposition au cours desquelles son entreprise subit une perte. Cette dimension porte à réflexion et signifie que l'employé doit planifier sa retraite au moyen d'un régime plus permanent. Le RPDB doit ainsi être perçu comme un régime de motivation pour l'employé, car il lui fournit une raison majeure pour atteindre les objectifs liés aux profits de l'entreprise.

Les cotisations de l'employeur sont limitées au moindre des deux montants suivants :

- 18 % du revenu brut de l'employé ;
- 50 % du plafond des RPACD pour l'année en cours (*voir le tableau 10.2 à la page 208* ; 11 225 $ en 2010).

Le RPDB est un régime qui ne fait pas partie du patrimoine familial (*voir le module « La planification successorale »*), facteur d'intérêt pour certains employés. Il peut toutefois s'avérer un complément efficace aux REER collectifs. Finalement, les options de retrait sont nombreuses et variées, allant du transfert de fonds

MODULE 3

dans le REER ou dans un autre RPDB ou encore au retrait complet des fonds. Dans ce dernier cas, les fonds sont évidemment imposables.

10.11.6 Les régimes surcomplémentaires de retraite (RSCR)

Les régimes surcomplémentaires de retraite (RSCR) sont des régimes non enregistrés qui s'adressent aux cadres supérieurs, généralement de grandes entreprises. Ces régimes portent aussi les noms suivants :

- Régime supplémentaire de retraite ;
- Régime de retraite non enregistré ;
- Entente de retraite non agréée.

L'objectif principal des RSCR est de « déplafonner » les prestations unitaires maximales (en 2010, 2 494,44 $; *voir le tableau 10.1 à la page 207*).

Par contre, les RSCR peuvent aussi être négociés avec un haut salarié qui participe à un RPACD. Comme vous le savez, ceux-ci sont limités par le plafond des cotisations annuelles.

EXEMPLE

Clément Beaudoin est le vice-président principal d'une grande institution financière. En 2009, âgé de 65 ans, il prévoyait prendre sa retraite après 30 années de loyaux services. Il avait participé au RPAPD de l'entreprise et, selon l'ARC, il avait droit à 30 années × 2 444,44 $ (prestation unitaire maximale en 2009 ; *voir le tableau 10.1 à la page 207*), soit à 73 333 $ (à 1 $ près) par année. Son salaire final était de 300 000 $. Heureusement, monsieur Beaudoin avait signé, en 1995, une entente de retraite non agréée qui, essentiellement, lui garantissait 60 % de son salaire final. Donc, à sa retraite, il devait recevoir 2 % × 30 années × 300 000 $, soit 180 000 $ par année. Il s'agit tout de même de deux fois et demi plus que la limite permise par l'ARC.

Pour l'institution financière, la signification d'une telle entente est claire :

- L'écart entre 180 000 $ et 73 333 $ est de 106 667 $;
- L'entente de 1995 stipulait une période de garantie de 20 ans à partir de la retraite, prise à l'âge de 65 ans (et non, comme c'est souvent le cas, pour une période basée sur l'espérance de vie). À son décès, les prestations de monsieur Beaudoin seraient versées à sa conjointe pour la période restante.

L'employeur estimait le capital requis (valeur actuelle de l'écart) à l'âge de 65 ans, pour combler l'écart, à environ un million et demi de dollars (PMT de 106 667 $, n = 20 ans et i estimé à environ 3,5 %).

Il faut voir dans ces ententes ou ces RSCR une façon d'attirer les cadres supérieurs de talent et la possibilité de leur offrir un ratio de remplacement du revenu raisonnable. On peut définir ce ratio de remplacement comme le revenu qui permettra à un cadre de conserver un niveau de vie acceptable à la retraite. Dans le cas de monsieur Beaudoin, ce ratio de remplacement est de 60 %. En pratique, on parle souvent d'un ratio de 70 % comme d'un idéal à viser. Toutefois, lorsqu'il s'agit de revenus élevés, le ratio de 60 % est parfaitement acceptable. Dans le cas où le ratio est moindre (50 %, par exemple), l'employé doit planifier sa retraite en se basant sur une telle entente non agréée, mais également sur le régime par excellence, soit le REER.

Pour terminer, il est primordial de souligner un élément d'une très grande importance : ces ententes non agréées ne sont pas soumises aux lois qui permettent d'encadrer les RPAPD. En effet, dans les RPAPD, il y a obligation de capitaliser la promesse de prestations futures. Cette capitalisation signifie tout simplement que des fonds doivent être investis dans une société de fiducie afin de financer les revenus futurs. Ce sujet a été traité abondamment. Cette obligation pèse lourd sur les entreprises dont le régime est déficitaire.

Or, dans les RSCR, cette obligation n'existe pas. Sans entrer dans les détails, s'il n'y a pas de capitalisation, l'entreprise doit puiser dans son fonds de roulement pour effectuer le versement des prestations, situation qui peut devenir critique en cas d'insolvabilité de l'entreprise.

La capitalisation est effectuée si le cadre supérieur est en demande et si, bien sûr, la négociation joue en sa faveur. Les deux principaux outils de capitalisation sont:

- la convention de retraite (avec fiducie);
- l'assurance vie universelle (avec fonds de capitalisation).

La section qui suit s'attardera uniquement à la convention de retraite, méthode bien connue dans ce genre de situation. Finalement, on peut souligner que les RSCR ne sont pas inclus dans le patrimoine familial et que, dès lors, ils ne font pas partie du partage au moment d'un divorce.

10.11.7 La convention de retraite (CR) pour les RSCR

La convention de retraite (CR) est un outil légal de capitalisation en vertu duquel un employeur s'engage à verser des cotisations, en l'occurrence à une fiducie, et ce, au nom d'un cadre supérieur. Le but visé est de financer des prestations de retraite complémentaires en dehors d'un régime de retraite agréé. La CR constitue un moyen efficace d'attirer et de garder des employés clés.

Le fonctionnement de la CR est assez simple même si, du point de vue fiscal, elle n'est pas nécessairement un véhicule attrayant. En effet, 50 % des cotisations de l'employeur sont versées à la fiducie, alors que les 50 % restants sont versés à l'ARC en guise d'impôt remboursable. Les remboursements d'impôt à l'employeur sont par ailleurs effectués par l'ARC sans aucun intérêt. Voici les caractéristiques les plus importantes de la CR:

- Les cotisations de l'employeur sont déductibles d'impôt pour celui-ci;
- L'employé reçoit une confirmation formelle des cotisations effectuées;
- Il s'agit d'une protection contre les créanciers. En effet, étant donné que l'actif du régime est distinct de celui de l'entreprise (puisqu'il est géré en fiducie), l'actif du participant est insaisissable;
- Les cotisations de l'employeur n'influent pas sur les REER de l'employé.

10.11.8 Le régime de retraite individuel (RRI)

Le régime de retraite individuel (RRI) est un régime de retraite à prestations déterminées. Il fonctionne comme un RPAPD et offre, à la retraite, une rente calculée en fonction du salaire final et du nombre d'années de service. Ce régime existe depuis 1990, mais certaines améliorations l'ont rendu plus attrayant. En effet, depuis 2001, il n'est plus obligatoire d'enregistrer un RRI auprès de la Régie des rentes du Québec. Le RRI qui ne s'adresse qu'à une personne rattachée (un propriétaire d'entreprise possédant au moins 10 % du capital-actions ou une personne ayant un lien de dépendance envers lui) est soustrait à l'application de la

MODULE 3

loi régissant le RCR. Ainsi, il est possible de transférer les fonds d'un RRI dans un REER plutôt que dans un CRI.

Cependant, si le RRI est mis en place pour un employé non rattaché, le régime doit obligatoirement être enregistré auprès de la Régie. Il est alors sujet aux mêmes obligations que les RPAPD.

Par exemple, dans ce dernier cas, la rente de retraite ne pourra dépasser les limites permises, soit 2 494,44 $ (2010) ou 2 % × salaire final × nombre d'années créditées.

Quelques éléments doivent être soulignés au sujet des RRI :

- Le montant de la cotisation est établi par un actuaire en vertu des dispositions de la *Loi de l'impôt sur le revenu* et de la *Loi sur les régimes complémentaires de retraite* ;
- Si les placements détenus dans un RRI produisent un rendement inférieur à 7,5 %, il est possible de cotiser davantage et de déduire un montant supplémentaire pour combler la différence, ce qui est impossible dans le cas d'un REER ;
- Les entrepreneurs (actionnaires) préoccupés par l'insaisissabilité de leurs épargnes choisiront un RRI plutôt qu'un REER ;
- Il n'est pas possible de cotiser à un RRI et à un REER en même temps. Il faut choisir l'un des deux ;
- La cotisation au RRI devient supérieure à celle au REER approximativement vers l'âge de 40 ans. Elle augmente graduellement par la suite ;
- Les frais de mise en place et de suivi du RRI sont très élevés. Par conséquent, celui-ci ne devient avantageux, par rapport au REER, qu'à partir de l'âge de 45 ans environ. De plus, le client cible doit avoir un revenu annuel de l'ordre de 100 000 $ et plus ;
- Le RRI fait partie du patrimoine familial lors du divorce ;
- Les fonds détenus dans un RRI ne peuvent être retirés qu'en cas de maladie grave, d'invalidité sérieuse ou de difficulté financière. Bref, ce régime ne peut normalement servir qu'à procurer un revenu de retraite ;
- Le rachat des années de service passées est possible. Par contre, celui des années antérieures à 1990 fait l'objet de restrictions importantes.

Qui sont les clients cibles du RRI ? Ce sont principalement les propriétaires actionnaires de PME (âgés de 45 ans et plus et ayant des revenus de 100 000 $ et plus) et les professionnels dont l'entreprise est légalement incorporée.

La figure 10.4 présente une comparaison entre le RRI et le REER. La contribution au REER est de 22 000 $ (2010). La contribution au RRI varie en fonction de l'âge.

FIGURE 10.4 Une comparaison entre le REER et le RRI (2010)

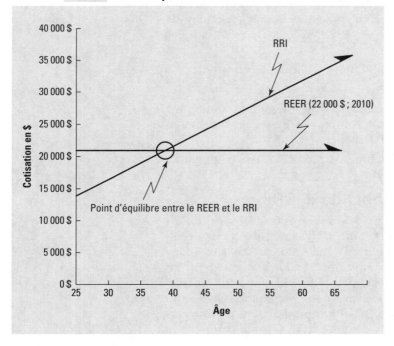

La logique derrière la figure 10.4 réside dans le temps séparant la date de la cotisation de celle de la retraite. Plus ce temps est court, plus le capital investi doit être élevé pour financer la rente visée. Rappelons que le RRI est un RPAPD. Vers l'âge de 40 ans, la cotisation au RRI excède la cotisation au REER.

Pour obtenir plus d'information sur le RRI, vous pouvez consulter le site de CAmagazine, magazine des comptables agréés, où vous trouverez un article de Peter J. Merrick intitulé « Le plan de retraite individuel » (Merrick, 2004). Même si cet article date de quelques années, il est tout de même excellent et décrit le RRI comme un plan de retraite individuel (PRI).

En conclusion, il est primordial de consulter un actuaire spécialisé dans ce domaine avant de prendre une décision. Par contre, le planificateur financier généraliste doit être bien informé à ce sujet afin de conseiller judicieusement son client.

10.11.9 Le régime de pension agréé collectif (RPAC)

Le jeudi 17 novembre 2011, le ministre de l'Industrie Christian Paradis, a présenté les grandes lignes de la nouvelle *Loi concernant les régimes de pension agréés collectifs* (RPAC) *et apportant des modifications connexes à certaines lois*. Cette *Loi* est essentiellement un cadre général qui permettra aux diverses provinces d'établir les conditions spécifiques qui prévaudront sur leurs territoires respectifs. Au Québec, le régime volontaire d'épargne-retraite (RVER) a déjà été annoncé par le ministre Raymond Bachand dans le cadre du budget provincial du 17 mars 2011 (*voir la sous-section 10.11.10*).

Le ministre des Finances Jim Flaherty avait déjà annoncé la mise en place du RPAC le 20 décembre 2010 au terme de sa rencontre avec les ministres responsables des régimes de retraite des provinces et des territoires. Il s'agit donc d'un nouveau véhicule d'épargne pour la retraite, à faible coût, s'adressant au secteur privé et venant élargir la panoplie d'options dont disposent déjà les Canadiens.

En bref, le RPAC est un régime volontaire dont pourront se prévaloir les employés, et ce, peu importe si leur employeur y participe ou non. Les travailleurs autonomes pourront également participer au RPAC. Soulignons que dans le cadre de la loi fédérale, les employeurs ne sont pas obligés d'offrir ce régime et que s'ils l'offrent, ils ne seront pas obligés d'y contribuer. Au Québec, les employeurs se verront obligés d'offrir le RVER (*voir la sous-section 10.11.10*). Ajoutons que les employés, tant avec le RPAC que le RVER, sont entièrement libres de participer ou non.

Le RPAC est un régime à prestations indéterminées, donc à cotisations déterminées administré par des fiduciaires du milieu financier (par exemple, banques, caisses, compagnies d'assurances). Nous avons souligné à plusieurs reprises qu'environ 62 % des Canadiens ne participent à aucun régime de retraite d'employeurs.

« De fait, beaucoup d'employés de petites et moyennes entreprises ainsi que de nombreux travailleurs indépendants pourront participer à un régime de pension de retraite privé pour la toute première fois. » (Ministère des Finances du Canada, 2010)

10.11.10 Le régime volontaire d'épargne-retraite (RVER)

Le 17 mars 2011, le ministre Raymond Bachand a annoncé, dans le cadre du budget provincial, la création d'un RVER accessible à tous, mais particulièrement intéressant pour les travailleurs autonomes.

MODULE 3

Bien que tous les employeurs du Québec aient l'obligation d'offrir ce nouveau RVER, ils ne sont pas tenus d'y cotiser. Ce programme est très utile pour les travailleurs québécois qui ne participent à aucun RCR, car il peut être transféré d'un emploi à l'autre.

Lors de la présentation de son budget à l'Assemblée nationale du Québec, le ministre Bachand a affirmé que «[c]haque Québécois qui a des revenus de travail, y compris comme travailleur autonome, aura bientôt accès à un régime individuel d'épargne pour la retraite, géré collectivement et à peu de frais» (Brousseau-Pouliot, 2011).

 Vous pouvez consulter le budget provincial du 17 mars 2011 sur le site de l'APFF.

MÉDIAGRAPHIE

Page 192
Mercer, www.mercerhr.ca via Mesures législatives 2011

Régie des rentes du Québec, www.rrq.gouv.qc.ca

Page 194
Association de planification fiscale et financière, www.apff.org via Publications > Budget provincial mars 2011 > p. 10

Régie des rentes du Québec, www.rrq.gouv.qc.ca via La planification financière de la retraite

Page 196
Régie des rentes du Québec, www.rrq.gouv.qc.ca via Les programmes > Régime des rentes du Québec > La rente de la retraite > Montant de la rente

Régie des rentes du Québec, www.rrq.gouv.qc.ca via Les programmes > Régime des rentes du Québec > Les prestations de survivants > La prestation de décès

Page 197
Les Actuaires-Conseils Bergeron & Associés inc., www.acba.qc.ca via Communiqués > Régimes publics > Nouveaux paramètres 2011

Régie des rentes du Québec, www.rrq.gouv.qc.ca

Agence du revenu du Canada, www.arc.gc.ca via Tous les taux > Taux du plafond

Régie des rentes du Québec, www.rrq.gouv.qc.ca via Foire aux questions > Prestations

Page 199
Régie des rentes du Québec, www.rrq.gouv.qc.ca via La vie à deux

Régie des rentes du Québec, www.rrq.gouv.qc.ca via La prise de la retraite

Service Canada, www.servicecanada.gc.ca via Aînés > Pension de la Sécurité de la vieillesse (SV) > J'aimerais en apprendre davantage sur les prestations de la SV > Renseignements des prestations

Page 200
Service Canada, www.servicecanada.gc.ca via Aînés > Pension de la Sécurité de la vieillesse (SV) > Renseignements financiers > Quels sont les taux des paiements?

Agence du revenu du Canada, www.arc.ca via Index > F > Fractionnement

Service Canada, www.servicecanada.gc.ca via Aînés > Pension de la Sécurité de la vieillesse (SV) > Renseignements financiers > Quels sont les taux de paiements?

Service Canada, www.servicecanada.gc.ca via Aînés > Pension de la Sécurité de la vieillesse (SV) > J'aimerais en apprendre davantage sur les prestations de la SV > Renseignement des prestations > Pension de la Sécurité de la vieillesse > question 13

Page 211
Régie des rentes du Québec, www.rrq.gouv.qc.ca via > Régimes de retraite > Récentes mesures législatives

Morneau Sobeco, www.morneausobeco.com via Publications > Vision > 3/18/2009 > Le réforme des régimes de retraite au Canada

Page 215
Agence du revenu du Canada, www.cra-arc.gc.ca via Information pour «administrateurs de régimes enregistrés» > Autres liens utiles: «Facteur d'équivalence, Facteur d'équivalence pour services passés et Facteur d'équivalence rectifié (FE, FESP, FER)»

Page 217
HEC, www.hec.ca/rh/rrhec; Cliquez indifféremment sur l'un des trois profils > Rachat de service passé

Conseiller.ca, www.conseiller.ca via Avantages > PME > liste d'articles

Page 219
Desjardins Assurance vie, www.desjardinsassurancevie.com via Régimes collectifs > Régimes de retraite

Page 220
Régie des rentes du Québec, www.rrq.gouv.qc.ca via Régimes complémentaires

Régie des rentes du Québec, www.rrq.gouv.qc.ca via Régimes complémentaires de retraite > Le régime de retraite simplifié > Caractéristiques du régime de retraite simplifié > RSS – un régime de retraite sur mesure pour les PME

Commission administrative des régimes de retraite et d'assurances, www.carra.gouv.qc.ca

Page 225
CA magazine, www.camagazine.com

Page 226
Association de planification fiscale et financière, www.apff.org via Publications >

Budget provincial > 2011 > 4.2.2. Mise en place des Régimes volontaires d'épargne-retraite (RVER), p.11

Références

Agence du revenu du Canada (2011). *Taux du plafond des cotisations déterminées, plafond des REER, MGAP, plafond des prestations déterminées.* Récupéré de www.cra-arc. gc.ca/tx/rgstrd/papspapar-fefespfer/lmts-fra.html

Brousseau-Pouliot, V. (2011). *Construction d'un régime volontaire d'épargne-retraite.* Récupéré de lapresseaffaires.cyberpresse. ca/dossiers/budget-quebec-2011/201103/17/01-4380411-creation-dun-regime-volontaire-depargne-retraite.php

Castonguay, C. (2011). *Le point sur les pensions.* Récupéré de www.cirano.qc.ca/pdf/publication/2011RP-01.pdf

IQPF (2010). *La collection IQPF.* Verdun : IQPF.

Laverdière, D. (2011). Le RRQ et le RPC : régimes similaires mais états de santé différents. *La Cible, 19*(1), 6.

Lesaffaires.com (2011). *L'âge obligatoire de la retraite abolie.* Récupéré de

www.lesaffaires.com/secteurs-d-activite/general/l-age-obligatoire-de-la-retraite-aboli/539014

Merrick, P. J. (2004). *Le plan de retraite individuel.* Récupéré de www.camagazine. com/archives-fr/edition-imprimee/2004/january-february/regulars/camagazine14987. aspx

Ministère des Finances du Canada (2010). *Assurer la solidité du système de revenu de retraite et appuyer les provinces et les territoires tout en gardant le cap en vue de rétablir l'équilibre budgétaire.* Récupéré de www.fin.gc.ca/n10/10-128-fra.asp

Ordre des conseillers en ressources humaines agréés (2011). *Un tiers des travailleurs québécois revoient l'âge de leur retraite à la hausse suite à l'annonce des nouvelles mesures du gouvernement concernant le Régime des rentes du Québec.* Récupéré de www.portailrh.org/presse/fichecommunique.aspx?f=74236

Régie des rentes du Québec (2011a). *Le Régime en chiffres.* Récupéré de www.rrq. gouv.qc.ca/fr/retraite/rrq/regime_chiffres/Pages/regime_chiffres.aspx

Régie des rentes du Québec (2011b). *Le régime de retraite simplifié.* Récupéré de

www.rrq.gouv.qc.ca/fr/programmes/rcr/regimes_simplifies/Pages/regimes_simplifies.aspx

Régie des rentes du Québec (2011c). *Caractéristiques du régime de retraite simplifié.* Récupéré de www.rrq.gouv.qc.ca/fr/programmes/rcr/regimes_simplifies/Pages/caracteristiques_rrs.aspx

Régie des rentes du Québec (2011d). *Régime de retraite par financement salarial.* Récupéré de www.rrq.gouv.qc.ca/fr/programmes/rcr/Pages/rrfs_nouveau_regime_retraite.aspx

Service Canada (2011a). *Pension de la Sécurité de Vieillesse.* Récupéré de www.servicecanada.gc.ca/fra/psr/pub/sv/sv.shtml

Service Canada (2011b). *Taux des paiements de la sécurité et de la vieillesse.* Récupéré de www.servicecanada.gc.ca/fra/psr/sv/svtaux.shtml

Stival, S. (2011). *Les femmes et la retraite : un défi de taille.* Récupéré de www. conseiller.ca/nouvelles/les-femmes-et-la-retraite%E2%80%89-un-defi-de-taille-29645

MODULE 3

QUESTIONS DE RÉVISION

Note : Ces questions englobent les notions abordées dans le dossier 10.1 ainsi que sur les sites Internet de la Régie des rentes du Québec et de Service Canada.

1. Comment appelle-t-on les trois paliers de la pyramide de la retraite ? (Attention : Il ne s'agit pas ici de nommer les véhicules financiers, mais les paliers de la pyramide.)

2. Décrivez les véhicules financiers les plus importants de chacun de ces paliers.

3. Décrivez brièvement les différents types de retraites.

4. Définissez clairement le contexte entourant la pyramide de la retraite.

5. Certains facteurs militent en faveur d'une retraite hâtive. D'autres favorisent une retraite tardive ou même un retour au travail. Nommez ces facteurs, puis expliquez leur importance et leurs incidences.

6. Définissez le concept d'indépendance financière.

7. L'admissibilité aux prestations de la Régie des rentes du Québec pour les conjoints de fait est reconnue depuis 1999, mais à deux conditions. Quelles sont-elles ?

8. En une phrase assez brève, la Régie définit les deux caractéristiques majeures du régime de rentes. Quelles sont ces caractéristiques ?

9. Une personne peut recevoir une rente de la Régie à partir de l'âge de 60 ans. Certaines conditions doivent toutefois être respectées. Lesquelles ?

QUESTIONS DE RÉVISION *(suite)*

10. En cas de divorce ou de séparation légale, le RRQ est susceptible d'être partagé s'il s'agit d'un conjoint de droit (couple marié). Qu'en est-il pour les conjoints de fait?

11. Le MGA est pris en considération pour établir la cotisation maximale d'un salarié. À combien s'élevait le MGA en 2010? D'où vient ce montant? Quel autre montant est pris en compte au moment d'établir la cotisation maximale?

12. Le montant de la rente versée au travailleur retraité équivaut à un certain pourcentage des revenus pour lesquels il a cotisé pendant sa vie active. Quel est ce pourcentage?

13. Les rentes déjà versées par la Régie des rentes du Québec sont-elles indexées chaque année?

14. À quelles conditions une personne qui demeure au Canada peut-elle recevoir la SV partielle minimale?

15. À quelles conditions une personne peut-elle recevoir une pleine pension?

16. La SV est-elle imposable?

17. Une personne âgée de 65 ans a-t-elle droit au SRG?

18. Lors d'une rencontre avec une cliente, celle-ci vous demande si elle pourra recevoir l'allocation offerte aux personnes à faible revenu. Quelles vérifications devez-vous faire avant de vous prononcer?

19. En vertu de la *Loi sur les régimes complémentaires de retraite*, quel est le rôle joué par la Régie des rentes du Québec?

20. Dans le milieu financier, on utilise plusieurs expressions pour désigner les RCR. Mentionnez-en quelques-unes.

21. Dans tout RPA, on trouve deux parties : l'employeur et l'employé. On compte aussi deux éléments importants : les cotisations et les prestations. Faites un résumé des scénarios (cotisations connues ou inconnues, etc.) pour chacun des deux types de régimes, soit les RPACD et les RPAPD.

22. Selon quel concept fondamental propose-t-on de réduire la rente de l'employeur (RPAPD) lorsque l'employé retraité atteint l'âge de 65 ans?

23. Les prestations accessoires sont des primes qui peuvent influer sur le montant de base de la retraite défini dans les RPAPD. Expliquez brièvement comment fonctionnent ces facteurs de bonification.

24. Un professeur d'université quitte son emploi après 15 années d'enseignement. Il participait à un RPACD. De quels éléments sa prestation de départ sera-t-elle composée?

25. Comment s'exprime la formule permettant d'établir la rente créditée d'un RPAPD? Expliquez chaque élément de cette formule en précisant si l'élément est variable ou fixe.

26. Pouvez-vous indiquer les trois facteurs d'équivalence qui influent sur la cotisation maximale à un REER? Pour chacun, indiquez si cette influence est positive (faisant ainsi augmenter l'« espace REER ») ou négative.

27. Expliquez comment se calcule le facteur d'équivalence classique dans le cas d'un RPAPD et dans celui d'un RPACD.

28. Décrivez les grandes lignes du FER et précisez les composantes majeures qui entrent dans son calcul.

29. Deux situations font en sorte qu'un FESP est déclaré. Décrivez-les brièvement.

30. Répondez par vrai ou faux. Lorsqu'un volet flexible est ajouté à un RPAPD, cela permet à certains employés de cotiser des sommes supplémentaires afin d'acheter des prestations accessoires au moment de leur retraite. La garantie de rente au décès est un exemple de prestation accessoire.

31. Répondez par vrai ou faux. Les cotisations accessoires *(voir la question 29)* ne permettent pas de hausser le pourcentage de crédit de la rente.

32. Les RSCR portent plusieurs noms. Nommez-en au moins trois.

33. Quel est l'objectif principal du RSCR?

34. Répondez par vrai ou faux. Les RRI sont essentiellement des RPAPD.

35. Mentionnez trois différences majeures entre les RRI et les REER.

EXERCICES

1. Calculez la cotisation à la Régie 2010 d'un employé dont le revenu est de :

   a) 50 000 $ par année ;

   b) 25 000 $ par année.

2. En 2011, le montant maximal des prestations de RRQ à l'âge de 65 ans était de 960 $. Comment ce montant a-t-il été calculé ?

3. Serge, l'un de vos clients, vous interroge pour savoir s'il serait avantageux, dans son cas, de commencer à recevoir ses prestations de RRQ à l'âge de 60 ans (2011) ou d'attendre 65 ans pour pouvoir recevoir un plus gros montant. Il ajoute qu'il aura besoin de cet argent pour maintenir son coût de la vie. Serge a toujours contribué au maximum du MGA et devrait recevoir le maximum des prestations à l'âge de 65 ans. Il est actuellement à la retraite et vous pouvez considérer qu'il a cessé de travailler. Démontrez-lui qu'il fait un bon choix en commençant à retirer sa rente dès l'âge de 60 ans.

4. En 2008, Julie a eu 60 ans. Elle a donc pris sa retraite, après de nombreuses années de travail, sans toutefois faire une demande pour recevoir ses prestations de RRQ. La prestation de retraite de son employeur s'élève à 2 400 $ par mois. À sa grande surprise, elle apprend qu'elle sera réduite d'environ 700 $ par mois, et ce, dès qu'elle aura 65 ans. Julie vous consulte à ce sujet :

   a) « Comment se fait-il que ma rente sera réduite de 8 400 $ par année ? », vous demande-t-elle. Expliquez brièvement à Julie à quoi correspond approximativement cette réduction annuelle.

   b) Vous voulez rassurer Julie en lui disant qu'elle pourra amplement compenser cette perte, et ce, dès l'âge de 65 ans. Comment ? Soyez précis.

   c) Quelle est la recommandation que vous pourriez faire à Julie dans l'immédiat ?

5. Marc participe à un RPAPD de type salaire final. Il cotise, durant sa dernière année, à 5 % de son salaire de 40 000 $, c'est-à-dire 2 000 $. Le régime propose une rente payable à vie, basée sur 2 % de la moyenne des salaires des trois dernières années, soit 37 000 $, 39 000 $ et 40 000 $. Un total de 10 années de service a été comptabilisé pour effectuer le calcul de la rente.

   Quel montant exact Marc recevra-t-il sous forme de rente viagère ?

6. Madame Savoie est cadre supérieure à la société Belzille inc. Elle est âgée de 60 ans et, depuis 22 ans, elle participe à un RPAPD dont le crédit de rente est de 1,5 % de la moyenne des trois salaires annuels les plus élevés. Voici le profil de madame Savoie :

Années de service	24 ans
Années de participation	22 ans
Moyenne des trois salaires annuels les plus élevés	150 000 $

   Le RPAPD de Belzille inc. permet de prendre une retraite, sans réduction actuarielle, au premier âge atteint selon l'un des trois critères suivants :

Critère n° 1	60 ans *ou*
Critère n° 2	30 ans de service *ou*
Critère n° 3	facteur 80 âge + années de service

   Ce régime est restrictif et, contrairement à l'ARC, laquelle utilise les années de service, il prévoit l'utilisation des années de service créditées, à savoir les années de participation au régime, pour le calcul de la rente annuelle. Utilisez le plafond de 2 444,44 $ établi par l'ARC pour faire vos calculs.

   Ce régime permet aussi une retraite avant le premier âge atteint, selon l'un de ces trois critères, mais avec une réduction actuarielle de 0,25 % par mois.

   a) En tenant compte de ces éléments et en fonction de la rente annuelle maximale permise par l'ARC, déterminez le montant de la rente viagère payable à madame Savoie.

EXERCICES (suite)

b) Monsieur Paradis, meilleur ami de madame Savoie, travaille également pour Belzille inc., mais il est âgé de 53 ans et n'a que 23 années de service. Les deux amis voudraient se lancer en affaire ensemble.

Si monsieur Paradis désirait prendre sa retraite à l'âge de 53 ans (en même temps que son amie):

1) dans combien d'années et à quel âge exactement aurait-il droit à une rente annuelle non réduite? Présentez vos calculs;

2) quel serait le montant exact de sa rente annuelle viagère réduite s'il prenait sa retraite à l'âge de 53 ans? Présentez vos calculs.

SOLUTIONS AUX EXERCICES

1. Les deux réponses sont:

a) $(47\,200\,\$ - 3\,500\,\$) \times 4{,}95\,\% = 2\,163{,}15\,\$$;

b) $(25\,000\,\$ - 3\,500\,\$) \times 4{,}95\,\% = 1\,064{,}25\,\$$.

2. Voir la réponse à la troisième question de la sous-section 10.3.5 de ce chapitre.

3. Voir la réponse à la cinquième question de la sous-section 10.3.5 de ce chapitre.

4. a) Depuis l'implantation du RRQ en 1966, les employeurs ont un fardeau fiscal plus lourd. On a donc intégré la rente de l'employeur au RRQ. Pour cette retraitée âgée de 60 ans, la rente de l'employeur sera réduite quand elle aura atteint 65 ans. Cette réduction du taux de la rente de $0{,}7\,\%$ ($0{,}7\,\% \times$ MGA $\times$ 35 ans au maximum, donc 25 % du MGA) vise à ce que la réduction de la rente de l'employeur corresponde approximativement au montant de la rente qui sera reçue de la Régie.

b) Il suffit d'expliquer à Julie qu'à l'âge de 65 ans, elle recevra des prestations du RRQ d'un montant semblable à la réduction qui sera effectuée. Elle recevra aussi la pension de la SV quand elle aura atteint 65 ans.

c) Considérer sérieusement de faire immédiatement une demande de RRQ.

Vous pouvez aussi relire le cas de Lise Fournier à la sous-section 10.7.3.

5. Le salaire final de Marc est le suivant: $(37\,000\,\$ + 39\,000\,\$ + 40\,000\,\$) \div 3 = 38\,667\,\$$.

Le montant de la rente viagère que recevra Marc est de: $2\,\% \times 38\,667\,\$ \times 10$ ans $= 7\,733\,\$$ par année.

6. a) $2\,444{,}44\,\$ \times 24$ (ARC) $= 58\,667\,\$$ par année

Pour l'ARC: nombre d'années de service, donc 24 ans (et non 22).

b) 1) Dans 2 ans exactement, soit le facteur 80. Donc, à l'âge de 55 ans: $55 + 25 = 80$. Dans 2 ans, M. Paradis aura 55 ans et 25 années de service.

2) Réponse: $52\,849\,\$$

En effet, $2\,444{,}44\,\$ \times 23$ années de service $= 56\,222\,\$$.

Dès lors, $56\,222\,\$ \times 94\,\% = 52\,849\,\$$

($100\,\% - 6\,\%$ pour la réduction actuarielle, soit $\frac{1}{4} \times 1\,\% \times 24$ mois).

La retraite : un concept en évolution

Plan

La retraite : d'hier à aujourd'hui
Les contextes de la retraite
Les facteurs d'influence sur l'âge de la retraite
Les types de retraite
Conclusion

La retraite : d'hier à aujourd'hui

Chacun a une définition très personnelle de la retraite. Pour de nombreuses personnes, celle-ci signifie simplement ne plus travailler et ne plus exercer une activité professionnelle rémunérée. Un beau jour, vers l'âge de 60 ou 65 ans, elles se rendent une dernière fois au travail et, leur journée terminée, le quittent pour de bon en tant que « retraitées ». D'ailleurs, *Le Petit Robert* définit la retraite ainsi : « État d'une personne qui s'est retirée d'une fonction, d'un emploi, et qui a droit à une pension. » Cette définition laisse un peu à désirer, car certaines personnes âgées de 55 à 60 ans, par exemple, bien que retraitées, n'ont droit à aucune pension.

Pour d'autres personnes encore, le travail rémunéré ou autonome est une passion qui leur permet de se valoriser, de s'accomplir et de se sentir utiles. Dans ce cas, la retraite ne veut plus nécessairement dire cesser de travailler. Ces personnes veulent conserver leur travail, possiblement en y apportant des modifications relatives au rythme ou à l'horaire. Ajoutons que les femmes ont été, en général, beaucoup plus nombreuses que les hommes à occuper un emploi à temps partiel, en plus de remplir un rôle social important auprès de leurs enfants. À la retraite, ce rôle familial compense, pour plusieurs d'entre elles, la perte de leur situation de travailleuses, et force est de constater qu'il s'agit d'une période de la vie où les hommes trouvent souvent réconfortant de se rapprocher de leur famille.

Bref, loin d'être univoque, le concept de retraite s'adapte à la réalité de chaque personne. Mais peu importe la définition qu'on en donne, une évidence s'impose à tous : il faut la préparer.

Au Québec, la planification de la retraite a beaucoup évolué depuis les années 1950. À cette époque, il était courant de constater que l'âge de la retraite coïncidait approximativement avec celui du décès. Aujourd'hui, l'espérance de vie a beaucoup augmenté (plus de 80 ans) et, face à cette réalité, un nouveau risque est apparu : celui d'épuiser son capital de retraite avant son décès.

Plusieurs facteurs peuvent expliquer qu'une telle éventualité se produise. On peut penser, en premier lieu, au fait qu'un individu n'investit pas suffisamment durant les années où il est au travail (par exemple, de l'âge de 25 à 60 ou 65 ans), et ce, tout simplement à cause d'un manque de planification, d'objectifs à long terme et de ressources financières ou tout simplement par choix, dans la mesure où il peut préférer consommer qu'épargner.

Il est aussi possible que de mauvaises décisions de placement aient été prises concernant le capital de retraite. En effet, les statistiques montrent que par les années passées, des milliers de Québécois ont choisi de partir à la retraite en refusant la rente qui leur était offerte, préférant empocher leur régime de retraite personnel. Croyant bien faire, ils ont placé leur argent auprès d'une maison de courtage dans un compte de fonds de revenu viager. Malheureusement, on se rappelle qu'au début des années 2000 les marchés boursiers ont périclité et que les mauvais placements dans certains titres technologiques ont fait le reste. Les fonds ainsi investis ont littéralement fondu et la qualité de vie à la retraite en a été fortement compromise. Ainsi, plusieurs retraités ont dû mettre fin à leur rêve de liberté et retourner sur le marché du travail.

De nombreuses recherches scientifiques portant sur la retraite ont été effectuées et publiées. Comme il serait trop long ici de les résumer,

DOSSIER 10.1-_SUITE_

nous nous contenterons de souligner quelques conclusions qui donnent matière à réflexion :

- Le rêve de « liberté 55 » est à oublier. Plusieurs tendances se combinent en effet pour favoriser une retraite plus tardive :
  - Le désengagement de l'État ;
  - Le vieillissement de la population ;
  - La pénurie grave de main-d'œuvre dans certains secteurs ;
  - L'espérance de vie plus longue ;
  - Les rendements financiers faibles (intérêts et Bourse) ;
- Le fait que le quart des Québécois âgés de 45 ans ou plus n'a pas encore commencé à économiser pour la retraite (2010) ;
- Le fait que la majorité (56 %) des Canadiens âgés de moins de 35 ans n'a pas de REER et n'a pas l'intention de cotiser pour le moment !
- Deux Québécois sur trois sont très optimistes par rapport à leur avenir, particulièrement les personnes âgées de 18 à 34 ans. Pourquoi ? Parce qu'elles espèrent des rendements de 18 %[1].

Ces énoncés donnent à réfléchir et démontrent clairement que le concept de la retraite n'est ni simple, ni unidimensionnel, mais bien complexe et multidimensionnel. Voici deux sites Internet d'intérêt général sur la retraite. Vous pouvez, les consulter et les conserver en référence :

www.questionretraite.qc.ca

www.retraites-quebec.ca

Les contextes de la retraite

Nous avons vu que l'indépendance financière est atteinte lorsqu'une personne peut maintenir une bonne qualité de vie sans devoir poursuivre un travail rémunéré ou s'endetter. Une retraite non préparée peut avoir des conséquences financières et psychologiques très graves. Bien sûr, beaucoup de personnes qui ne se sont pas

préparées pourront tout de même prendre une retraite assurée presque uniquement par les régimes publics.

La retraite ne s'improvise pas ; au contraire, elle se planifie pendant la vie active. On vit sa retraite comme on vit sa vie de travailleur et, pour plusieurs personnes, la retraite sera aussi longue que la vie active. La planification de la retraite et la prise de la retraite elle-même s'inscrivent en général dans un triple contexte : personnel ou psychologique, socioéconomique et financier.

La figure suivante illustre notre modèle de pyramide qui s'inscrit dans les trois contextes mentionnés plus haut.

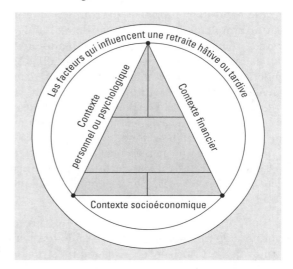

Le contexte personnel ou psychologique

Le contexte personnel fait référence aux rêves, à la santé, aux talents et aux réalités familiales de chacun. On le sait, la retraite n'est pas perçue de la même façon par tous. Pour certains, c'est une rupture complète avec l'activité valorisée qu'est le travail à temps plein. Pour d'autres, c'est une période qui leur permettra de s'adonner à leurs loisirs, de voyager, de devenir membre d'associations récréatives et de mener une nouvelle vie avec leur conjoint. Pour de nombreuses personnes financièrement indépendantes, la retraite consiste tout

---

1. Sondage Léger Marketing publié à l'occasion du colloque du Conseil des fonds d'investissements du Québec (CFIQ), _La Presse_, Montréal, le jeudi 7 avril 2005, p. 7.

simplement à continuer de travailler, mais de façon beaucoup plus détendue et en subissant moins de stress (puisque leur sécurité financière est assurée), car c'est une activité qu'elles aiment.

On constate souvent que ces personnes d'âge mûr se sentent jeunes, sont en bonne condition physique et se montrent d'excellents travailleurs; pour elles, le travail peut s'avérer aussi gratifiant que leurs loisirs favoris. Le fait d'atteindre l'indépendance financière leur permet de vivre en toute tranquillité d'esprit, de faire leur propre horaire et surtout de vivre leur vie comme une aventure plutôt que comme un gagne-pain.

Dans un tel contexte, le planificateur financier n'intervient pas directement, si ce n'est pour offrir à ses clients la possibilité de pouvoir quitter le marché du travail, donc d'atteindre l'indépendance financière, à l'âge désiré. Quelle que soit sa perception de la retraite, il est sage qu'il planifie l'indépendance financière de ses clients à l'âge de 65 ans au plus tard, ceux-ci ayant cependant le loisir de poursuivre leur carrière s'ils le désirent.

Le contexte socioéconomique

Au début du siècle, les gens travaillaient jusqu'à leur mort ou jusqu'au moment où la maladie les obligeait à arrêter. Dans les régions rurales, malgré certains mythes, peu de personnes vivaient au-delà de l'âge de 65 ans. Vers 1900, l'espérance de vie au Québec était de 45 ans pour les hommes et de 48 ans pour les femmes; en 1930, elle est passée à 56 ans et à 58 ans; aujourd'hui, selon l'Institut de la statistique du Québec, un homme qui a atteint l'âge de 65 ans en 2010 peut espérer vivre 18,32 années de plus (soit jusqu'à près de 84 ans) et une femme qui a atteint l'âge de 65 ans peut espérer vivre 21,69 années de plus (soit jusqu'à près de 87 ans)[2]. Dans ce contexte, on comprend que le concept de planification financière personnelle n'ait vraiment percé que vers le début des années 1980. Il s'est toutefois littéralement imposé au cours des années 1990. Comme on vit plus vieux, il est nécessaire de préparer cette période privilégiée de l'existence.

Pour le jeune professionnel qui débute, la retraite semble bien loin! La régression du taux de natalité et la plus grande longévité feront que, vers l'an 2030, il y aura au Québec environ 6 fois plus de personnes âgées de 65 ans ou plus qu'en 1950 et 3 fois plus qu'en 1985. De 1985 à 2030, le nombre de personnes âgées de 18 à 64 ans, donc en âge de travailler, demeurera presque constant, soit de l'ordre de 4 millions d'individus. Ces chiffres sont lourds de sens. Le taux de dépendance, défini dans ce contexte comme le rapport entre les gens âgés de 65 ans ou plus et les gens âgés de 18 à 64 ans en âge de travailler, passera de 15 à 45 %.

Une chose est certaine, il est utopique de penser que l'État-providence résoudra les problèmes financiers des futurs retraités.

Le contexte financier

C'est ici qu'intervient précisément le planificateur financier. La question fondamentale qu'il se pose est la suivante: de quel capital le client aura-t-il besoin pour maintenir sa qualité de vie à la retraite et quels seront les véhicules financiers à utiliser? La détermination de ce capital permet d'établir les mises de fonds annuelles que le client devra investir pour atteindre l'indépendance financière au moment de la retraite. Cet important sujet est justement le propos du chapitre suivant.

La planification de la retraite est un long processus qui doit débuter aussitôt que possible. On reconnaît cependant que certains facteurs personnels, professionnels et familiaux favorisent l'amorce de ce processus financier, soit l'atteinte d'une certaine stabilité professionnelle et d'une maturité personnelle caractérisée par le souci d'équilibrer le budget familial.

---

2. Institut de la statistique du Québec (2010). *Le bilan démographique du Québec*. Récupéré de www.stat.gouv.qc.ca/publications/demograp/pdf2010/Bilan2010.pdf, p.47.

Les facteurs d'influence sur l'âge de la retraite

Planifier sa retraite n'est plus un luxe, mais une nécessité. Si on la prépare sérieusement, elle peut constituer une période privilégiée de l'existence. La meilleure façon de conserver à cette période la qualité de vie déjà acquise est d'avoir atteint une certaine indépendance financière. La retraite, parce qu'on l'a préparée, cesse alors d'être une fatalité qui fait peur et que l'on subit.

Voici donc brièvement les facteurs (*voir la figure à la page 232*) qui influent sur une retraite hâtive ou tardive.

Les facteurs qui militent en faveur d'une retraite hâtive sont les suivants :

- Une expérience de travail négative ;
- Une mise à pied ou une retraite anticipée ou progressive ;
- Des ententes syndicales (dans le cas de l'industrie automobile, par exemple) ;
- Une retraite bien planifiée (pour certains cadres supérieurs) ;
- Aucun autre travail qui soit planifié ;
- Une santé chancelante ;
- Une fortune personnelle ;
- Des activités sportives (par exemple, le golf) ou des loisirs ;
- Des voyages prolongés (en famille, etc.) ;
- Des responsabilités familiales.

Les facteurs qui militent en faveur d'une retraite tardive (ou d'un retour au travail) sont les suivants :

- Des régimes privés moins généreux que ce que l'on croyait ;
- L'absence de planification structurée ;
- Des conditions de travail excellentes ;
- Le choc psychologique ou l'ennui à la retraite ;
- De mauvais investissements personnels ;
- Le désengagement de l'État ;
- L'effet de l'économie (taux d'intérêt ou Bourse) ;

- L'espérance de vie plus longue ;
- L'épuisement du capital ;
- Un travail à temps partiel qui rapporte plus d'argent ;
- Tout simplement l'amour du travail que l'on fait ;
- La valorisation, la réalisation de soi, le fait de garder la forme ou de se sentir utile.

Les types de retraites

Il existe quatre types de retraites. L'objectif est ici de les énumérer, car nous les aborderons plus en détail au chapitre suivant :

- La retraite dite normale, prise à l'âge de 65 ans ;
- La préretraite, également reconnue comme la retraite à 50 % ; il faut souligner qu'en règle générale, seuls les travailleurs autonomes et les professionnels l'utilisent (par exemple, les dentistes) ;
- La retraite progressive ; il s'agit d'une réduction du temps de travail ;
- La retraite anticipée, donc plus hâtive, par exemple entre 55 ans et 60 ans.

Conclusion

Le constat est assez dramatique : d'un côté, notre société aspire à un âge d'or de qualité où les personnes âgées vivront longtemps, en santé et seront valorisés et, de l'autre côté, tous les indices nous confirment que la majorité des travailleurs n'ont pas planifié leur retraite et seront incapables de maintenir la qualité de vie désirée à la retraite.

Pourtant, la plus grande longévité fera en sorte qu'un grand nombre de retraités survivront à leur capital. Cela est très grave.

La solution réside dans l'espoir que les jeunes s'intéresseront davantage au concept de retraite et prendront part aux études menées tant dans le domaine de la planification financière et des régimes de retraite que dans celui des caisses de retraite.

UN PLAN EFFICACE

Ce chapitre présente un plan efficace pour atteindre les objectifs de retraite. Le but n'est pas de proposer un âge précis pour celle-ci, mais plutôt de souligner l'importance de cette deuxième étape vers l'indépendance financière. En effet, cette étape représente la santé financière, la tranquillité d'esprit, quelles que soient les activités personnelles ou professionnelles de la personne à ce moment.

Cette phase fait suite à celle de la budgétisation, laquelle consiste à rembourser les dettes. On entre maintenant dans la phase de la capitalisation (ou de l'accumulation du capital) liée à la planification de la retraite et à l'indépendance financière. Ce chapitre propose donc un plan efficace pour atteindre cette indépendance.

Le plan efficace pour la retraite proposé ici vise deux objectifs majeurs. Dans un premier temps, le but est d'atteindre une capitalisation qui permettra de maintenir le coût de la vie à la retraite, donc d'assurer la qualité de vie. Dès lors, l'accumulation, durant la vie professionnelle, d'actifs générateurs de revenus (ou actifs productifs) suffit pour accomplir cette tâche. Nous verrons au chapitre suivant que le véhicule par excellence sur lequel s'appuyer est le REER.

Par la suite, il faut atteindre le meilleur équilibre possible entre les actifs productifs (ou générateurs de revenus) et les actifs de style de vie (ou encadreurs de la qualité de vie). Ce second objectif nous accompagnera également aux chapitres 12 et 13, portant sur les régimes enregistrés.

11.1 La santé financière avant d'entreprendre le plan de retraite

Pour bien gérer son patrimoine en général et ses mises de fonds REER en particulier, il faut savoir gérer ses dettes. Il est clair que, de nos jours, les consommateurs se surendettent pour atteindre leurs objectifs à très court terme et leurs rêves à long terme. L'élaboration d'un plan de retraite efficace est directement liée à la gestion de l'endettement. C'est pourquoi ce chapitre débute par cet important sujet. Le crédit étant aujourd'hui très facile à obtenir, il est de plus en plus utilisé non pas pour acquérir des actifs générateurs de revenus, ce qui pourrait être acceptable, mais tout simplement pour maintenir le coût de la vie. De plus, l'effet de levier (emprunter pour investir) doit être utilisé avec une très grande prudence.

Plusieurs clients entreprennent un tel plan de retraite sans mettre d'abord de l'ordre dans leur gestion budgétaire. Le planificateur financier doit venir en aide à ceux d'entre eux qui envisagent un tel plan de retraite d'une façon uniquement ponctuelle. Il a donc avantage à souligner l'importance d'intégrer les concepts abordés dans le module 1, traitant de la gestion budgétaire (*voir les chapitres 7 et 8*), et ce, avant même la mise en œuvre du présent module.

11.2 Un plan efficace pour la retraite

Le plan de retraite suit une démarche professionnelle. La majorité des personnes arrive à la retraite avec une pyramide «tronquée», donc aucun REER, aucune épargne hors REER ou très peu et aucun régime complémentaire de retraite. On pourrait ajouter que la très grande majorité arrive à la retraite sans avoir jamais dressé de plan bien structuré sur papier ou à l'ordinateur.

Plusieurs études sérieuses démontrent l'importance de la finance comportementale (ou neuroéconomie) pour «expliquer les difficultés» qu'ont de très nombreuses personnes à épargner en vue de la retraite. Ces difficultés s'expliquent entre autres par la procrastination (tendance qu'ont plusieurs personnes à toujours remettre au lendemain les actions à entreprendre aujourd'hui même, comme investir annuellement en fonction de la retraite) et la tendance à «se priver», c'est-à-dire à faire des sacrifices aujourd'hui pour avoir un meilleur avenir, concept mal compris pour plusieurs raisons culturelles et sociales.

Pour en savoir plus sur ce sujet, nous vous conseillons de lire l'étude «La planification de la retraite: Peut-on en reparler?» sur le site de la Banque de Montréal.

Le plan de retraite, qui doit être détaillé et soumis au client sous forme de rapport écrit, suit un certain nombre d'étapes qui permettent l'atteinte de l'indépendance financière, laquelle signifie, comme nous l'avons déjà mentionné, qu'une personne a la capacité de quitter le marché du travail dans un contexte libre de toute dette en maintenant la qualité de vie recherchée.

Toutefois, avant de se pencher sur le plan de retraite, il convient de souligner un point important.

Dans tout projet d'envergure, il existe trois phases: la phase de la planification, la phase de la réalisation (ou de l'exécution) et la phase du contrôle. Nous abordons dans ce chapitre la phase de la planification, laquelle permet de déterminer la capitalisation et, par ricochet, les mises de fonds annuelles nécessaires pour l'atteindre. La phase de la réalisation est une toute autre histoire. Nous utilisons le REER comme véhicule financier pour accomplir notre projet. Par ailleurs, certaines personnes peuvent choisir d'autres outils financiers, par exemple l'immobilier. Soulignons que la phase du contrôle permet d'ajuster le tir. Toutefois, le plan de retraite ne se limite pas à un simple profil d'investisseur et à un plan d'investissement, ce qui est couramment le cas. Un bon planificateur financier est souvent la réponse aux nombreuses options existantes.

À des fins d'analyse de chacune des sept étapes du plan de retraite, nos clients sont Francine Simard et Claude Lajoie, avec qui nous avons fait connaissance au chapitre 7. Il s'agit d'un couple marié ayant deux enfants. Par conséquent, pour vous rafraîchir la mémoire, nous vous conseillons de consulter les deux questionnaires de l'annexe B ainsi que le chapitre 7 et les tableaux 7.1 à 7.5.

La figure 11.1 illustre les sept étapes du plan de retraite. Dans le but de mieux naviguer dans celui-ci, nous vous recommandons de consulter cette figure à chaque étape franchie.

Procédons maintenant à l'explication de chacune de ces sept étapes.

FIGURE 11.1 **Les étapes du plan de retraite**

- **1re étape :** Les objectifs de retraite
- **2e étape :** L'âge de la retraite
- **3e étape :** Le coût de la vie rajusté pour la retraite
- **4e étape :** Les recettes nécessaires à la retraite
- **5e étape :** Le calcul du capital rajusté et non enregistré pour produire les recettes nécessaires

  Cette cinquième étape comporte deux sous-étapes préalables :
  - Le calcul du capital non enregistré[1] ;
  - La déduction des capitaux hors REER.
- **6e étape :** Le calcul du capital enregistré à accumuler sous forme de REER

  Cette sixième étape comporte deux sous-étapes préalables :
  - La transformation du capital rajusté de la 5e étape sous forme de REER ;
  - La déduction des fonds REER déjà accumulés.
- **7e étape :** Le calcul des mises de fonds REER requises annuellement

(1) Cette première sous-étape, préalable à la cinquième étape, fait l'objet du dossier 11.1.

11.2.1 Les objectifs de retraite

Fixer les objectifs de retraite est la toute première étape du plan de retraite. Un client normal peut avoir certains objectifs qui sont peu réalistes et, très souvent, des objectifs à long terme qui sont imprécis. Ce n'est qu'après avoir discuté avec lui que le conseiller financier avisé et expérimenté procède aux calculs financiers. En effet, il importe de quantifier le plus possible les objectifs de retraite. Par contre, ce processus n'est pas toujours possible au tout début du mandat. Par exemple, en général, le client n'a pas la moindre idée du capital requis à la retraite. Il est tout de même possible d'énoncer cet objectif comme suit : «Prendre ma retraite à l'âge de 65 ans en ayant suffisamment de revenus pour maintenir ma qualité de vie sans travailler et sans m'endetter. » Le rôle du conseiller financier est justement d'aider le client à atteindre ses objectifs en matière de qualité et de quantité.

Les objectifs de retraite de Francine et Claude

Dans le questionnaire no 1, à la section 8 intitulée « Objectifs personnels et familiaux », Francine et Claude ont clairement précisé les objectifs qu'ils poursuivent. Vous pouvez vous y reporter.

11.2.2 L'âge de la retraite

De nombreux facteurs entrent en ligne de compte quand vient le temps de fixer l'âge de la retraite, ce qui constitue la deuxième étape du plan de retraite. Nous en

MODULE 3

avons parlé abondamment au chapitre précédent (*voir le dossier 10.1*). Il est recommandé de toujours envisager l'âge de 65 ans en plus des âges suggérés par le client. Certains clients, plus jeunes, désirent par exemple prendre leur retraite à l'âge de 55 ans, sans trop réaliser le capital qui sera requis pour assurer la qualité de vie de l'âge de 55 à 90 ans ou plus. D'autres, souvent des travailleurs autonomes, désirent prendre une préretraite tout en continuant à travailler à mi-temps.

L'âge de la retraite de Francine et Claude

À la section 5 du questionnaire n° 1, nos clients, Francine et Claude, fixent l'âge prévu pour leur retraite. Pour Claude, qui est plus âgé que Francine, le premier et le deuxième choix sont 60 ans et 65 ans. Francine aurait 57 ans et 62 ans à ces moments-là.

11.2.3 Le coût de la vie rajusté pour la retraite

L'établissement du coût de la vie rajusté pour la retraite est la case départ du processus financier du plan de retraite. Certains spécialistes préfèrent utiliser une méthode qui consiste à déterminer un pourcentage du revenu brut. En effet, la documentation financière fait état de deux approches pour planifier la retraite : la méthode du revenu brut et la méthode du coût de la vie (utilisée ici). Voici brièvement la description de ces deux approches.

La méthode du revenu brut

Cette approche tient compte du ratio (ou taux de remplacement, TDR), donc de l'établissement d'un revenu selon un certain pourcentage du revenu brut actuel. Les règles d'usage indiquent un ratio de remplacement de 70 % (voir, par exemple, le site de la Régie des rentes du Québec). Soulignons cependant qu'il n'existe pas de base scientifique à ce pourcentage. En effet, depuis 1995 environ, la documentation s'est faite plus abondante à ce sujet, et ce TDR peut varier de 50 à 90 % selon les revenus du client, ses objectifs à la retraite, etc. Par ailleurs, la méthode du revenu brut est intéressante lorsqu'il existe une relation étroite entre le coût de la vie et le revenu brut. La Régie des rentes du Québec adopte une approche semblable, utilisant un TDR de 70 % (*voir le chapitre 10*).

La méthode du coût de la vie

Dans la documentation financière, on renvoie au « coût de la vie » comme au « niveau de vie ». Le coût de la vie permet de maintenir la qualité de vie. Le chapitre 7 précisait la nature du coût de la vie (*voir la section 7.2*). Celui-ci n'inclut pas le remboursement des dettes (sauf l'hypothèque), les impôts à payer et les projets spéciaux, par exemple les dépenses occasionnelles effectuées tous les trois, quatre ou cinq ans.

La méthode de planification de la retraite privilégiée est fonction du coût de la vie du client. De plus en plus, de grands établissements financiers utilisent cette méthode. En fait, celle-ci est intéressante pour trois raisons :

- Elle est directement liée à la qualité de vie du client ;
- Il n'existe pas toujours de relation étroite entre le coût de la vie (donc la qualité de vie) et le revenu brut. Il devient alors très délicat de choisir le bon taux de remplacement. Si le taux choisi est trop bas, le client pourrait arriver à la retraite en ayant une capitalisation insuffisante. À l'inverse, si le taux choisi est trop élevé, les mises de fonds le seront également.

Chaque client est unique : ce qui est nécessaire à l'un peut constituer un luxe pour l'autre ;

- Il est possible, voire recommandable, d'ajuster le coût de la vie prévu à la retraite au moyen d'une provision annuelle pour les imprévus à cette période de la vie. Nous reviendrons sur ce point important à la page suivante.

Le coût de la vie à la retraite de Francine et Claude

La méthode d'analyse de la retraite en fonction du coût de la vie nécessite d'établir, en tout premier lieu, le coût de la vie rajusté pour la retraite, c'est-à-dire la troisième étape mentionnée plus haut. Le tableau 11.1 présente ce calcul pour le couple Simard-Lajoie. Tel qu'indiqué plus haut, Claude Lajoie désire prendre sa retraite à l'âge de 65 ans. Sa conjointe Francine sera alors âgée de 62 ans. Par ailleurs, ils aimeraient aussi faire l'analyse de la retraite à 60 ans pour Claude et à 57 ans pour Francine. Le processus décrit dans le tableau 11.1 est basé sur deux prémisses :

- L'âge de Claude sert de point de référence ;
- L'hypothèse énoncée dans le tableau 11.1 est que Claude subvient au coût de la vie (même si plusieurs dépenses sont prises en charge par Francine). Toutefois, pour un couple dont les membres assument conjointement le coût de la vie, le processus sera essentiellement le même, sauf que l'analyse portera sur chacun des conjoints. Nous verrons cette approche à la section 11.5.

TABLEAU 11.1 **Le coût de la vie rajusté pour la retraite (valeurs arrondies aux 100 $ près) – Couple Simard-Lajoie**

	Âge de la retraite		
	2014-2015	65 ans	60 ans
Coût de la vie	43 800 $		
Moins : Versements hypothécaires annuels	6 400		
Moins : Frais liés aux enfants	5 400		
Plus : Provision annuelle pour imprévus à la retraite	6 000		
COÛT DE LA VIE RAJUSTÉ POUR LA RETRAITE	38 000 $	89 500 $	77 200 $

Le texte qui suit reprend les éléments de ce tableau et les explique.

Le coût de la vie au début des mises de fonds Selon le calcul des disponibilités financières du couple Simard-Lajoie (*voir le tableau 7.2 à la page 130*), le coût de la vie pour la dernière année, soit 2013-2014, est de 42 979 $. Les mises de fonds ne débuteront que l'année suivante, soit en 2014-2015, année qui suit la programmation des disponibilités financières. Par conséquent, on doit extrapoler ce coût de la vie d'un an :

42 979 $ × 1,02 = 43 839 $ ou 43 800 $ (aux 100 $ près).

On suppose que les Simard-Lajoie désirent maintenir la même qualité de vie à la retraite qu'au début des mises de fonds. La révision du plan financier tous les trois ou cinq ans permettra de faire les corrections appropriées.

Les versements hypothécaires annuels   Durant la période couverte par la programmation des disponibilités financières (*voir le tableau 7.4 aux pages 135 à 137*), les versements hypothécaires ont été effectués, mais aucune portion additionnelle du capital n'a été remboursée. Néanmoins, on suppose que l'hypothèque sera entièrement payée au moment de la retraite de Francine et Claude. Au cours de ces années, la stratégie consistera à investir dans un REER et à utiliser l'économie d'impôt pour diminuer le montant de l'hypothèque. Dans le tableau 11.1 à la page précédente, retranchons donc le versement annuel de l'hypothèque, soit 6 408 $ par année, ou 6 400 $ (aux 100 $ près).

Les frais liés aux enfants   Les frais liés aux enfants seront aussi retranchés du coût de la vie à la retraite, car ceux-ci ne seront plus à la charge de leurs parents. En 2014-2015, on évalue donc ces frais à environ 5 400 $ (5 000 PV, $n = 4$, $i = 2$ et FV = 5 400 $ aux 100 $ près). Cette évaluation de 5 000 $ par année pour 2010-2011 figure sur le questionnaire n°1 que le couple Simard-Lajoie et le conseiller financier ont rempli.

> ➕ Les extrapolations effectuées dans ce chapitre (par exemple, pour déterminer le FV de 5 400 $ ci-haut) peuvent se faire à l'aide de la table III ou, bien sûr, de la calculatrice financière.

La provision annuelle pour les imprévus à la retraite   À la retraite, le client n'a plus de revenu de travail lui permettant de produire l'excédent de liquidités nécessaire pour faire face aux imprévus. Il faut donc prévoir, pour la retraite, un certain montant d'argent, destiné au renouvellement des éléments d'actif (meubles, auto, etc.), pour des projets qui engendrent des dépenses additionnelles (rénovations, voyages, etc.) et pour certaines situations qui pourraient survenir (maladies graves, s'occuper de ses parents, etc.) non prévues dans le coût de la vie. Cet ajustement représente uniquement une estimation, laquelle peut constituer de 10 à 15 % du revenu familial net. Il faut donc en discuter avec le client. Dans le cas présent, le montant de 6 000 $ est considéré comme approprié (*voir le point 5 du questionnaire n° 1*).

Le coût de la vie rajusté pour la retraite   Le coût de la vie rajusté pour la retraite (troisième étape) est donc de 38 000 $ à l'âge de 36 ans (en 2014-2015). À partir de ce montant, on peut évaluer le coût de la vie à la retraite prise à l'âge de 65 ans et à celui de 60 ans. Les valeurs finales sont arrondies aux 100 $ près.

- À 65 ans (3 % d'inflation[1], $n = 29$ ans) : 89 500 $
- À 60 ans (3 % d'inflation, $n = 24$ ans) : 77 200 $
- Ainsi se terminent les trois premières étapes du plan de retraite : les objectifs à la retraite, la détermination de l'âge de la retraite et le coût de la vie rajusté pour la retraite. Il reste donc quatre étapes importantes à franchir :
  - Le calcul des recettes nécessaires à la retraite ;
  - Le calcul du capital rajusté et non enregistré pour les recettes précédentes ;
  - Le calcul du capital enregistré à accumuler sous forme de REER ;
  - Le calcul des mises de fonds REER en vue de la retraite.

Le tableau 11.2 qui suit permet de bien visualiser l'ensemble de ces sept étapes.

---

1. Le taux d'inflation à long terme est évalué à 3 % (*voir le chapitre 4 à ce sujet*).

TABLEAU 11.2 **Le plan de retraite (valeurs arrondies aux 100$ près) – couple Simard-Lajoie**

1re étape: Objectif principal du couple Simard–Lajoie: «Prendre une retraite à l'âge de 60 ans (Claude) en ayant suffisamment de revenus pour maintenir ma qualité de vie sans travailler et sans m'endetter.»

2e étape:

	Âge de la retraite	
	65 ans	**60 ans**
3e étape: Coût de la vie rajusté pour la retraite	89 500$	77 200$
Moins: Revenus de pension ou de rentes après impôts		
RPA	44 700	32 500
RRQ	19 700	12 500
SV	–	–
4e étape: Recettes nécessaires[1]	25 100	32 200
Capital non enregistré pour recettes	418 300	536 700
Moins: Fonds accumulés hors REER	–	–
5e étape: Capital rajusté et non enregistré pour recettes[2]	418 300	536 700
Capital précédent sous forme de REER	557 700	715 600
Moins: Fonds accumulés en REER	154 400	105 100
6e étape: Capital enregistré à accumuler sous forme de REER	403 300	610 500
7e étape: Mises de fonds requises en REER:		
Annuités constantes	3 900$	9 100$

(1) Suivent les deux sous-étapes préalables à la cinquième étape, soit le capital non enregistré pour recettes, moins les fonds accumulés hors REER.

(2) Suivent les deux sous-étapes préalables à la sixième étape, soit le capital précédent sous forme de REER, moins les fonds accumulés en REER.

Le processus présenté dans le tableau 11.2 fait en sorte que l'on déduit les fonds accumulés hors REER du capital non enregistré requis pour obtenir les recettes nécessaires. Cette approche est valable dans certains cas. D'ailleurs, nous verrons plus loin que le couple Simard-Lajoie ne possède aucun fonds hors REER. Lorsque le client possède des fonds plus élaborés qu'un simple compte d'investissement hors REER, cette déduction peut s'avérer trompeuse. En effet, lorsqu'il possède, par exemple, des investissements dans les domaines immobilier, commercial et industriel ou détient des fonds d'investissement complexes, il est nécessaire d'effectuer une analyse au cas par cas. En général, celle-ci relève de planificateurs financiers expérimentés, souvent des comptables ou des avocats spécialisés.

Abordons maintenant les étapes 4, 5, 6 et 7.

11.2.4 **Les recettes nécessaires à la retraite**

La quatrième étape porte sur les recettes nécessaires à la retraite. Durant celle-ci, certains revenus de pension ou de rentes sur lesquels le client peut compter viennent amoindrir les recettes nécessaires et, par conséquent, la capitalisation requise. Ces revenus sont présentés dans le tableau 11.2. Il faut noter qu'ils sont présentés après le paiement des impôts, d'où l'expression «après impôts».

Nous faisons ici référence aux revenus de pension ou de rentes sur lesquels la majorité des clients, comme Francine et Claude, peuvent compter à la retraite, tels que les régimes de retraite d'entreprises, le RRQ (gouvernement du Québec) et la SV fédérale.

Il faut noter qu'on ne parle pas ici des revenus engendrés par les capitaux REER ou hors REER du client, mais bien des rentes gouvernementales et des régimes d'employeurs.

Pour déterminer ces revenus (RPA, RRQ et SV) « après impôts », il est bon d'utiliser un taux d'imposition moyen en fonction du coût de la vie rajusté. C'est dans cet esprit que le tableau 11.3 qui suit est présenté.

TABLEAU 11.3 Les taux d'imposition moyens[1] en fonction du coût de la vie rajusté actuel

Revenu imposable (recettes brutes nécessaires)	Taux d'imposition moyen, 2010	Revenu disponible au coût de la vie rajusté (selon le tableau 11.1)
25 000	14,90 %	21 275
30 000	17,20 %	24 840
35 000	18,80 %	28 420
40 000	20,20 %	31 920
45 000	22,10 %	35 055
50 000	23,70 %	38 150
55 000	24,90 %	41 305
60 000	26,10 %	44 340
65 000	27,00 %	47 450
70 000	27,90 %	50 470
80 000	29,30 %	56 560
90 000	31,10 %	62 010
100 000	32,50 %	67 500
110 000	33,70 %	72 930
120 000	34,70 %	78 360
130 000	35,60 %	83 720

(1) Les taux moyens combinés de ce tableau tiennent compte des crédits de base au Québec et au fédéral, mais font abstraction des contributions possibles au fonds des services de santé du Québec, au RRQ, au régime d'assurance médicaments du Québec et au régime québécois d'assurance parentale. L'indexation des tables et des crédits d'impôt instaurée par les autorités fiscales fait en sorte que les taux d'imposition moyens seront les mêmes à l'avenir, eu égard aux revenus, lesquels suivent le rythme de l'inflation.

Les recettes nécessaires à la retraite pour Francine et Claude

Le couple Simard-Lajoie a un coût de la vie rajusté « actuel » pour la retraite de 38 000 $ en 2014-2015 (*voir le tableau 11.1 à la page 239*). Il lui faut donc un revenu net d'impôt de 38 000 $ pour maintenir un coût de la vie de 38 000 $. Dans le tableau 11.3, ce que nous cherchons est le coût de la vie rajusté de 38 000 $ de Francine et Claude ; nous nous reportons donc à la troisième colonne. Ce taux moyen est établi aux alentours de 24 % (23,7 % pour 38 150 $). Il faut comprendre qu'une approximation raisonnable de ce taux est parfaitement justifiée. Pour faciliter les calculs et l'apprentissage de cette approche pédagogique, nous utiliserons un taux moyen de 25 % et un rendement de 8 %. À ce taux moyen, nous obtenons un taux de rendement net d'impôt de 6 % (8 % − [8 % × 25 %]). Il peut parfois être utile d'utiliser un logiciel de calcul fiscal afin d'évaluer les données propres à un client pour déterminer le taux moyen avec plus d'exactitude.

Le tableau 11.1 (*voir la page 239*) illustre très bien le coût de la vie de Francine et Claude, et ce, à l'âge de 65 ans et à celui de 60 ans, soit respectivement 89 500 $ et 77 200 $. Pour bien définir les recettes nécessaires (toujours à la quatrième étape), il est approprié de soustraire les revenus gouvernementaux et les régimes d'employeurs sur lesquels le couple Simard-Lajoie peut compter. Commençons par le régime de l'employeur de Claude, puis examinons les rentes du Québec et voyons si nous devons utiliser la SV.

Le régime de pension agréé à prestations déterminées (RPAPD) Claude Lajoie bénéficie d'un régime de pension agréé à prestations déterminées (RPAPD) offert par son employeur, l'entreprise ABC inc. Ce régime stipule qu'à l'âge de 65 ans, Claude recevra 1,3 % du salaire de sa dernière année de travail, soit de l'âge de 64 à 65 ans, le tout multiplié par le nombre d'années créditées. Claude travaille pour ABC inc. depuis deux ans déjà et ses années à créditer commencent à son âge actuel, soit 32 ans. Ce régime permet une retraite à l'âge de 60 ans. Il faut préciser que sa conjointe, Francine, ne bénéficie d'aucun RPA, car elle travaille comme coordonnatrice de mode dans une boutique.

Le tableau 11.4 présente le calcul qui permet d'établir le revenu de pension après impôts de Claude Lajoie.

TABLEAU 11.4 Le revenu de pension après impôts de Claude Lajoie

Âge de la retraite : 65 ans	
Salaire brut actuel, à l'âge de 32 ans	55 600 $
Salaire brut de l'âge de 64 à 65 ans (augmentations salariales de 3 %, en supposant que le salaire augmentera selon le taux de l'inflation ; 32 ans pour atteindre 64 ans) (à 1 $ près)	143 175
Revenu de pension à l'âge de 65 ans (1,3 % × 32 × 143 175 $)[1] (à 1 $ près)	59 561
Impôt (25 % selon le tableau 11.3)	14 890 $
Revenu de pension à l'âge de 65 ans, après impôts	44 671 $
REVENU DE PENSION À L'ÂGE DE 65 ANS, APRÈS IMPÔTS (aux 100 $ près)	44 700 $
Âge de la retraite : 60 ans	
Salaire brut actuel, l'âge de 32 ans	55 600 $
Salaire brut de l'âge de 59 à 60 ans (augmentations salariales de 3 %, 27 ans pour atteindre 59 ans) (à 1 $ près)	123 504 $
Revenu de pension à l'âge de 60 ans (1,3 % × 27 × 123 504 $)[1] (à 1 $ près)	43 350 $
Impôt (25 % selon le tableau 11.3)	10 838 $
Revenu de pension à l'âge de 60 ans, après impôts (à 1 $ près)	32 512 $
REVENU DE PENSION À L'ÂGE DE 60 ANS, APRÈS IMPÔTS (aux 100 $ près)	32 500 $

(1) Voir à ce sujet le questionnaire n°2, point 9. La durée de 32 ans est basée sur le calcul du salaire final de Claude en regard de son RPA. Ce salaire final s'échelonne de 64 à 65 ans, mais n'inclut pas l'âge de 65 ans. Le même raisonnement s'applique pour la retraite à 60 ans. Dans le cas du RRQ qui suit, on calcule la rente pour 65 ans et 60 ans respectivement. Nous obtenons donc une année de plus, soit 33 ans et 28 ans.

Il est ici important d'ajouter que l'évaluation d'un tel revenu de pension est une opération délicate. Il faut en effet être très prudent au moment de la faire, car nul ne sait si l'entreprise ABC inc., pour laquelle travaille Claude, n'aura pas des difficultés financières à l'avenir. Si c'était le cas, le régime de retraite de Claude pourrait être en péril, comme de nombreux régimes semblables l'ont été depuis le début des années 1990. La solution est d'évaluer la situation de l'entreprise tous les trois ou quatre ans. Il est certain que pour les personnes qui bénéficient d'un régime gouvernemental comme le RREGOP, le revenu de pension est raisonnablement assuré. Le planificateur financier se doit donc d'être très vigilant. Dans de tels cas, la solution serait de ne pas tenir compte des mises de fonds investies par Claude dans le RPAPD. Cela affecterait cependant le montant des mises de fonds de Francine et Claude.

Dans le cas des RPACD, le planificateur peut évaluer le revenu de pension en extrapolant les mises de fonds selon un rendement prudent de 3 ou 4 % et en évaluant la rente viagère que le client pourrait recevoir à la retraite.

Le régime de rentes du Québec (RRQ) Il faut déterminer le montant maximal payé par la Régie des rentes du Québec à la date de la planification. Pour obtenir ce renseignement, on peut communiquer avec cet organisme ou évaluer approximativement ce montant en consultant le site de la Régie, laquelle fournit un tableau des rentes. Dans le cas de Claude, la Régie nous confirme un montant annuel de prestation de 10 500 $ en valeur de 2010. Il faut extrapoler ce montant jusqu'à l'âge de la retraite et noter qu'on le fait en général à 3 %. Toutefois, dans le cas d'un tel régime public, une extrapolation de 2 % à long terme serait plus prudente. Les rentes du Québec étant imposables en totalité, le versement annuel doit être présenté après impôts. Ces prestations commencent habituellement à être versées à l'âge de 65 ans, mais elles peuvent l'être à l'âge de 60 ans. Présentement, ces prestations seraient réduites de 30 % mais dans le futur les réductions seront plus appréciables (voir la section 10.3.2).

La pension de la Sécurité de la vieillesse (SV) Au moment d'écrire ces lignes (avril 2011), la SV était de 526,85 $ par mois, ou 6 322 $ par année. Cependant, depuis 1989, elle n'est plus universelle, étant en effet réduite dès que le revenu personnel net est de 67 668 $; elle est complètement récupérée par le fédéral à partir d'un revenu personnel net de 109 764 $. En 2005, ce revenu personnel net était de 98 500 $. Il y a donc eu une augmentation annuelle du revenu maximum. Cependant, pour la majorité des clients fortunés, la SV n'est pas un élément à prendre en considération.

Francine et Claude ne sont pas des clients fortunés. Après discussion, il a tout de même été décidé, par mesure de prudence, de ne pas considérer ce montant comme un revenu garanti à l'âge de 65 ans.

Enfin, on obtient les recettes nécessaires (*voir la quatrième étape dans le tableau 11.2 à la page 241*) en soustrayant les revenus après impôts du coût de la vie rajusté, et ce, respectivement pour les âges de 65 et 60 ans.

Donc, les recettes nécessaires sont :

- à l'âge de 65 ans, de 25 100 $;
- à l'âge de 60 ans, de 32 200 $.

TABLEAU 11.5 Les montants du RRQ de Francine et Claude

Âge de la retraite : 65 ans	
Rentes du Québec (2010)	
(augmentation moyenne de 2 %, 33 ans [65-32])	10 500 $
Rentes du Québec à l'âge de 65 ans, avant impôts (à 1 $ près)	20 183 $
Impôt (25 % selon le tableau 11.3)	5 046 $
Rentes du Québec, après impôts, Claude	15 137 $
Rentes du Québec, après impôts, Francine[1]	4 541 $
Rentes du Québec, après impôts	19 678 $
RENTES DU QUÉBEC, APRÈS IMPÔTS (aux 100 $ près)	19 700 $
Âge de la retraite : 60 ans	
Rentes du Québec (2010)	
(augmentation moyenne de 2 %, 28 ans [60-32])	10 500 $
Rentes du Québec à l'âge de 60 ans, avant impôts	18 281 $
Maximum admissible : 70 %[2]	12 797 $
Impôt (25 % selon le tableau 11.3)	3 199 $
Rentes du Québec, après impôts, Claude	9 598 $
Rentes du Québec, après impôts, Francine[3]	2 879 $
Rentes du Québec, après impôts	12 477 $
RENTES DU QUÉBEC, APRÈS IMPÔTS (aux 100 $ près)	12 500 $

(1) Lorsque Claude Lajoie prendra sa retraite à l'âge de 65 ans, sa conjointe, Francine, aura 62 ans et pourra bénéficier du RRQ. Francine a un salaire de 16 000 $ brut (2010). On suppose que ses rentes annuelles du RRQ après impôts seront d'environ 30 % celles de Claude (15 137 × 30 % = 4 541 $), soit approximativement la même proportion que leurs salaires respectifs soumis au MGA.

(2) La réforme du RRQ proposée par le budget provincial du 17 mars 2011 a été largement abordée au chapitre 10. Cette réforme fera en sorte que la pénalité pour une retraite anticipée à 60 ans sera de 36 % en 2016 au lieu de l'actuelle pénalité de 30 %. Nous avons choisi, pour Claude, de procéder avec une pénalité de 30 % donc, une rente réduite à 70 % au lieu de 64 % dans le but de simplifier l'approche du tableau 11.5, mais surtout pour anticiper une mesure sujette à changement. En procédant sur une page de 64 % au lieu de 70 %, les mises de fonds (60 ans) au tableau 11.2 (*voir la page 241*) seraient un peu plus élevées (environ 9 700 $). Toutefois, une telle planification financière est toujours mise à jour aux trois ou quatre ans. Le couple Simard-Lajoie sera informé de cette situation et pourra prendre les mesures appropriées.

(3) Lorsque Claude prendra sa retraite à l'âge de 60 ans, Francine n'aura que 57 ans et ne pourra bénéficier du RRQ. Cependant, à l'âge de 60 ans, elle y aura droit et ce montant aura tout de même une influence sur les revenus futurs du couple. C'est pourquoi le fait de ne pas envisager de recevoir le RRQ à l'âge de 57 ans crée une importante imprécision dans tous les revenus futurs. Il est certain que lorsqu'on en tient compte, une légère imprécision s'ensuit. On utilise alors à nouveau 30 % du montant de Claude.

11.2.5 Le capital rajusté et non enregistré pour produire les recettes nécessaires

L'établissement du capital rajusté et non enregistré pour produire les recettes nécessaires correspond à la cinquième étape du plan de retraite. Comme l'indiquent la figure 11.1 et le tableau 11.2 (*voir les pages 237 et 241*), deux importantes sous-étapes préalables sont greffées au processus de calcul de ce capital :

- La première concerne le calcul du capital non enregistré pour produire les recettes nécessaires ;
- La deuxième permet de prendre en considération les capitaux hors REER déjà accumulés.

La première sous-étape concerne donc la détermination du capital non enregistré pour produire les recettes nécessaires. Ce capital est le montant requis pour produire les recettes nécessaires déterminées précédemment. Le revenu provenant de ce capital est imposable, et son évaluation est une opération délicate.

Plusieurs méthodes permettent d'évaluer le capital pour produire les recettes nécessaires. Le dossier 11.1, intitulé « Le calcul du capital non enregistré pour produire les recettes nécessaires », porte justement sur ces méthodes.

Pour des taux de rendement de l'ordre de 6 % et plus, la méthode du diviseur du taux de rendement permet d'obtenir une capitalisation raisonnable et, par conséquent, des mises de fonds acceptables pour le client. Elle consiste à diviser les recettes nécessaires par le taux de rendement après impôts. Cette façon de faire permet de calculer la valeur actuelle d'une perpétuité qui, essentiellement, consiste en une annuité dont les versements se poursuivent indéfiniment.

$$C = R \div I,$$

où   C   est le capital pour produire les recettes nécessaires ;
        R   est la perpétuité ou les recettes et ;
        I   est le taux d'intérêt.

Cette méthode est privilégiée au tableau 11.2 à la page 241.

Le capital rajusté et non enregistré pour produire les recettes nécessaires de Francine et Claude

Établissons maintenant le capital rajusté et non enregistré pour produire les recettes nécessaires dans le cas du couple Simard-Lajoie (*voir le tableau ci-dessous*).

TABLEAU 11.6   **Le capital rajusté et non enregistré pour produire les recettes nécessaires**

Âge prévu de la retraite : 65 ans	
Recettes nécessaires à l'âge de 65 ans	25 100 $
Taux de rendement pour accumuler le capital : 8 %	
Taux d'imposition relatif au coût de la vie : 25 % (selon le tableau 11.3)	
Taux de rendement du capital après impôts : 6 % [8 % − (8 % × 25 %)]	
Capital nécessaire : 25 100 $ ÷ 6 %[1]	418 333 $
Capital nécessaire (aux 100 $ près)	418 300 $
Âge prévu de la retraite : 60 ans	
Recettes nécessaires à l'âge de 60 ans	32 200 $
Taux de rendement pour accumuler le capital : 8 %	
Taux d'imposition relatif au coût de la vie : 25 %	
Taux de rendement du capital après impôts : 6 % [8 % − (8 % × 25 %)]	
Capital nécessaire : 32 200 $ ÷ 6 % (aux 100 $ près)	536 700 $

(1) Théoriquement, si le rendement se maintient à 6 % et que les recettes, d'année en année, sont stables à 25 100 $, le capital devrait durer bien au-delà de l'âge de 100 ans, car il s'agit ici d'une « annuité perpétuelle ». Bien sûr, si le client retire plus que 25 100 $ l'an (pour combattre l'inflation, par exemple), le capital s'éteindra dans 20, 25 ou 30 ans selon les retraits. Il s'agit ici, pour le client, de bien « gérer » l'évolution de ses retraits au fur et à mesure qu'il avance en âge.

La deuxième sous-étape préalable pour franchir la cinquième étape concerne, tel que mentionné plus haut, la prise en compte (donc la déduction) des capitaux hors REER déjà accumulés. Ceux-ci viendront réduire le capital total à accumuler.

Au sujet du capital hors REER, nous désirons souligner la grande importance du paragraphe au bas du tableau 11.2 (*voir la page 241*).

Francine et Claude ne possèdent pas de capital hors REER. Par conséquent, le capital rajusté et non enregistré est le même que le capital qui a été précédemment calculé, soit 418 300 $ pour l'âge de 65 ans et 536 700 $ pour l'âge de 60 ans.

11.2.6 Le capital enregistré à accumuler sous forme de REER

Nous voilà maintenant au cœur de tout ce processus. Pourquoi ? Parce que l'objectif est justement d'atteindre cette capitalisation qui, à la retraite, deviendra génératrice de revenus pour permettre de maintenir la qualité de vie. Vivre dans un château à la retraite est peut-être le style de vie adopté par plusieurs personnes riches et célèbres, mais encore faut-il que les revenus permettent de maintenir cette qualité de vie. De nouveau, ici, et tel que le montrent la figure 11.1 et le tableau 11.2 (*voir les pages 237 et 241*), deux sous-étapes doivent être franchies au préalable :

- La transformation du capital rajusté de la cinquième étape sous forme de REER ;
- La déduction des fonds REER déjà accumulés.

À la première sous-étape, il s'agit donc de déterminer le « taux de transformation » approprié. Le processus est le même pour les deux âges, 60 ans et 65 ans.

Deux questions se posent au sujet de ce taux de transformation : pourquoi ? et comment ?

Pourquoi ? – L'unique raison pour laquelle il faut transformer le capital hors REER en capital REER réside dans le fait que celui-ci est le véhicule financier qui sera utilisé pour accumuler les mises de fonds. Il est donc nécessaire d'associer la nature du capital à accumuler à la nature enregistrée des mises de fonds (REER).

Comment ? – En effet, comment convertir un capital non enregistré en capital enregistré ? En d'autres termes, quel « taux de transformation » faut-il utiliser ? Le but du REER est de produire les revenus nécessaires à la retraite, et ce, durant de très nombreuses années. Pendant ces années, deux forces financières s'opposent : l'imposition des retraits (force négative) et le comportement exponentiel du capital REER restant, qui continue de s'accroître en franchise d'impôt (force positive).

Ce sont deux réalités fiscales qui doivent être prises en considération. Nous pourrions utiliser ici un modèle mathématique qui nous permettrait justement d'en tenir considération. Un tel modèle nous permettrait également de prendre en considération, par exemple, les divers taux de rendement ou le nombre d'années pour épuiser le capital. Il serait dès lors nécessaire de concevoir un programme informatique qui nous permettrait de prévoir la situation de chaque client. Une telle approche va au-delà des objectifs pédagogiques de cet ouvrage. Par ailleurs, nous avons entrepris plusieurs simulations à ce sujet, et le taux de transformation de 75 % nous semble raisonnable. Nous avons maintenant un capital enregistré, mais il est toujours basé sur une annuité perpétuelle (méthode du diviseur du taux de rendement). Par ailleurs, une telle approche permettrait au client qui le désire de combattre une certaine inflation. En effet, en se basant sur une inflation de 2 % et même, 3 %, le client pourrait ainsi « gérer » lui-même ses revenus annuels et conserver son capital jusqu'à un âge avancé.

MODULE 3

Le capital enregistré à accumuler sous forme de REER pour Francine et Claude

Voyons maintenant le capital enregistré à accumuler sous forme de REER pour Francine et Claude.

TABLEAU 11.7 Le capital enregistré à accumuler sous forme de REER

À l'âge de 65 ans
  418 300 $ divisé par 75 % = 557 700 $ (aux 100 $ près)

À l'âge de 60 ans
  536 700 $ divisé par 75 % = 715 600 $

La seconde sous-étape (avant de franchir la sixième étape) est la prise en considération des capitaux déjà accumulés sous forme de REER. Le tableau 11.2 (*voir la page 241*) montre un montant de 154 400 $ en fonds REER déjà accumulés à l'âge de 65 ans et de 105 100 $ à l'âge de 60 ans.

Ces montants représentent deux notions différentes :

- L'évaluation du REER déjà acquis par le couple Simard-Lajoie et présenté au bilan personnel de 2010, soit 6 216 $ (*voir le tableau 7.1 à la page 127*);
- Les investissements prévisibles en REER pour la période de programmation des disponibilités financières (*voir le tableau 7.4 aux pages 135 à 137*, soit 1 800 $ par année pendant 4 ans).

Le tableau 11.8 présente comment ces deux montants de 154 400 $ et de 105 100 $ ont été calculés.

TABLEAU 11.8 La prise en considération des capitaux déjà accumulés sous forme de REER

Âge de la retraite : 65 ans (selon le tableau 11.2)	
REER au bilan personnel (novembre 2010, âge : 32 ans)	6 216 $
REER accumulé à l'âge de 65 ans (8 %, 33 ans)	78 794 $
REER au tableau de programmation des disponibilités financières (1 800 $ par année (fin de période) pendant 4 ans à 8 %)	
REER accumulé à l'âge de 36 ans	8 111 $
Valeur de ce REER à l'âge de 65 ans (8 %, 29 ans)	75 572 $
Total du REER à l'âge de 65 ans (78 794 $ + 75 572 $)	154 366 $
TOTAL DU REER À L'ÂGE DE 65 ANS (aux 100 $ près)	154 400 $
Âge de la retraite : 60 ans (selon le tableau 11.2)	
Le processus décrit plus haut est suivi, mais avec $n = 28$ ans au lieu de 33 ans et $n = 24$ au lieu de 29.	
TOTAL DU REER À L'ÂGE DE 60 ANS (aux 100 $ près)	105 100 $

Si on se rapporte au tableau 11.2 (*voir la page 241*), le capital REER à accumuler (*voir la sixième étape*) est donc de :

- 403 300 $ à l'âge de 65 ans : (557 700 $ − 154 400 $);
- 610 500 $ à l'âge de 60 ans : (715 600 $ − 105 100 $).

11.2.7 Les mises de fonds REER requises annuellement

La septième et dernière étape du plan de retraite porte sur les mises de fonds requises annuellement. Sont donc visés les capitaux enregistrés qui ont été mentionnés plus haut, soit 403 300 $ à l'âge de 65 ans et 610 500 $ à l'âge de 60 ans.

Les mises de fonds REER requises annuellement pour Francine et Claude

Claude Lajoie a 32 ans au moment de l'analyse (1er novembre 2010). Le couple Simard-Lajoie pourra donc commencer à effectuer ses mises de fonds pour atteindre la deuxième étape de l'indépendance financière lorsque Claude aura 36 ans, soit à partir de 2014-2015. Il faut souligner que ces mises de fonds serviront à accumuler le capital REER requis à 65 ans et à 60 ans, donc respectivement dans 29 ans et 24 ans. Il n'y aura pas de mise de fonds à l'âge de 65 ou de 60 ans. Par prudence, il faut toujours supposer que les mises de fonds pour produire le capital nécessaire à la retraite sont investies en fin de période, même si le client a toujours avantage à les effectuer le plus tôt possible durant l'année. Ces mises de fonds doivent provenir d'argent neuf. Dans notre exemple, elles proviennent du revenu de travail.

Voici les calculs de mises de fonds compte tenu de l'âge de Claude :

À l'âge de 65 ans

Vous pouvez aussi calculer les mises de fond à l'aide de la table VI.

FV = 403 300 $

$i = 8\%$

$n = 29$ ans

PMT = 3 900 $ (aux 100 $ près)

À l'âge de 60 ans

Vous pouvez aussi calculer les mises de fond à l'aide de la table VI.

FV = 610 500 $

$i = 8\%$

$n = 24$ ans

PMT = 9 100 $ (aux 100 $ près)

Les mises de fonds permettent d'accumuler un capital générateur de revenus (capital productif). L'ultime objectif est de pouvoir maintenir le coût de la vie, donc la qualité de vie, à la retraite. En ce sens, soulignons un point important, abordé à la sous-section 10.11.9 du chapitre précédent : environ trois travailleurs sur quatre ne participent pas à un RCR. Ce simple constat fait ressortir la grande importance des mises de fonds individuelles (ou familiales).

Par mesure de prudence, il faut recommander à Francine et à Claude d'investir 3 900 $, soit l'investissement annuel qui ne prend pas la SV en considération. Il est aussi important de leur rappeler que les mises de fonds REER engendrent une économie d'impôt.

Rappelons que les mises de fonds débutent après la période de programmation des disponibilités financières. Celle-ci se terminant en 2013-2014, les mises de fonds commencent donc en 2014-2015.

11.3 La capacité financière du client

La question qui se pose ici est de savoir si le client peut réellement faire les mises de fonds requises pour atteindre ses objectifs à la retraite. À cet égard, une comparaison entre les disponibilités financières et les mises de fonds requises est nécessaire. Dans cette section, nous aborderons les interventions que peut préconiser le planificateur lorsque les disponibilités financières diffèrent des mises de fonds requises (à savoir qu'elles sont supérieures ou inférieures à celles-ci), ce qui se produit fréquemment. Deux situations peuvent survenir : soit la capacité d'épargne est suffisante, soit elle ne l'est pas. Toutefois, il convient d'abord d'examiner la capacité d'épargne à moyen terme des Simard-Lajoie.

La capacité financière de Francine et Claude

Selon le tableau 7.2 (*voir la page 130*), au 31 octobre 2014, la famille Simard-Lajoie a une capacité d'épargne à moyen terme égale à ses disponibilités financières de 8 218 $. Cependant, les mises de fonds pour la retraite ne débuteront qu'en 2014-2015, au moment où les dettes seront réglées (sauf l'hypothèque). La capacité d'épargne à plus long terme augmentera à partir du moment où les Simard-Lajoie auront remboursé leur hypothèque.

> ➕ Lorsqu'on évalue la capacité d'épargne du client et qu'on la compare aux mises de fonds en REER requises, il est nécessaire d'effectuer cette comparaison avec les mises de fonds sous forme de REER nettes d'impôt et de prendre en considération les Projets Spéciaux.

Les disponibilités en 2014-2015 seront de 8 218 $ × 1,02, soit 8 400 $ (à 100 $ près). Les mises de fonds de 3 900 $ pour une retraite prise à l'âge de 65 ans ne présentent aucun problème. Pour celle prise à l'âge de 60 ans, l'investissement annuel nécessaire est de 9 100 $, générant une économie fiscale d'environ 40 % de 9 100 $, soit environ 3 600 $. Par conséquent, la retraite à l'âge de 60 ans devient aussi possible. En pratique, deux situations se présentent :

- Une capacité d'épargne plus que suffisante (ou simplement suffisante) ;
- Une capacité d'épargne insuffisante.

Une capacité d'épargne plus que suffisante Dans le cas où la capacité d'épargne du client surpasse les mises de fonds requises (c'est le cas de Francine et Claude pour la retraite à l'âge de 65 ans), le planificateur financier et son client peuvent envisager plusieurs possibilités :

- Rembourser l'hypothèque le plus rapidement possible (si ce n'est déjà fait) ;
- Investir pour une retraite plus hâtive ;
- Accroître la qualité de vie en augmentant le coût de la vie ;
- Augmenter la capitalisation hors REER.

Quel que soit l'usage qui sera fait du surplus, il importe d'exercer un bon contrôle budgétaire. En effet, contrairement à ce que croit la majorité des gens, plus on a d'argent, plus on doit le gérer avec soin.

Une capacité d'épargne insuffisante Le cas où la capacité d'épargne du client est inférieure aux mises de fonds requises se produit surtout quand l'âge de la retraite envisagé est inférieur à 65 ou à 60 ans. On peut alors envisager les solutions suivantes :

- Diminuer le coût de la vie ;
- Liquider certains actifs dispendieux à entretenir (résidence secondaire, etc.) ;
- Reporter la retraite à plus tard (c'est souvent l'unique solution).

11.4 La règle du 10%

De nombreuses firmes de planification financière utilisent la règle du 10%. Celle-ci se résume à recommander au client d'investir au moins 10% du revenu salarial familial net dans un ou plusieurs régimes d'accumulation de capital. Certaines personnes participent déjà au RPA de leur employeur. C'est le cas de Claude. Il faut donc prendre en considération les contributions de l'employé. Cette règle est intéressante, même si elle est imprécise. Après tout, l'objectif est d'investir annuellement dans les REER. Par contre, une approche plus structurée, telle que celle préconisée dans ce chapitre, est préférable.

11.5 Le cas d'un couple dont les membres assument conjointement le coût de la vie

Jusqu'ici, nous avons analysé le cas de Francine et Claude, alors que ce dernier subvenait seul au coût de la vie. Dans le tableau 11.1 (*voir la page 239*), nous avons établi le coût de la vie rajusté du couple en vue de la retraite. Dans le tableau 11.2 (*voir la page 241*), nous avons suivi le processus du plan de retraite qui nous menait aux mises de fonds sous forme de REER requises pour le couple Simard-Lajoie, sans distinguer les mises de fonds de Claude de celles de Francine. Dans le cas de plusieurs couples, cette approche est satisfaisante. Par contre, il est possible de procéder d'une façon semblable, mais en utilisant le coût de la vie pris en charge par les deux conjoints.

> **EXEMPLE**
>
> Jean Lefrançois et Monique Lapalme, un couple ayant deux enfants, ont tous deux d'excellents emplois et un coût de la vie de 85000$ pour l'année qui vient. Jean a 36 ans et Monique, 33 ans. Les enfants, Lily Rose et Marc-André, sont âgés respectivement de huit ans et de six ans.
>
> Voici quelques renseignements additionnels :
>
> - Le coût de la vie familial est partagé comme suit : 40% (Jean) et 60% (Monique) ;
> - L'inflation est exceptionnellement calculée à 4% à long terme et le rendement pour les mises de fonds REER est de 10% ;
> - L'âge de la retraite serait de 65 ans pour chacun des deux conjoints ;
> - La pension de la SV n'est pas prise en compte ;
> - L'approche suivie est la même que celle présentée aux tableaux 11.1 et 11.2 (*voir les pages 239 et 241*) ;
> - Les mises de fonds REER débuteront dès cette année et seront partagées entre Jean et Monique ;
> - Le taux de transformation utilisé par le conseiller financier est dans ce cas de 80%.

La composition du tableau 11.9 à la page suivante suit donc exactement le processus expliqué dans ce chapitre, en particulier pour les tableaux 11.1 et 11.2 (*voir les pages 239 et 241*).

TABLEAU **11.9** Le cas du couple Lefrançois-Lapalme

Coût de la vie rajusté pour la retraite

		Jean	Monique
	Valeur actuelle		
Coût de la vie	85 000 $		
Moins : Versements hypothécaires annuels	12 000		
Moins : Frais liés aux enfants	10 100		
Plus : Provision annuelle pour imprévus	10 000		
COÛT DE LA VIE RAJUSTÉ POUR LA RETRAITE	72 900	29 160	43 740
Répartition du coût de la vie (selon le choix de Jean et Monique)		40 %	60 %
Taux moyen d'imposition affecté par le conseiller financier		23 %	29 %
Coût de la vie à la retraite à l'âge de 65 ans[1]		91 000	153 400

Plan de retraite (Calcul des mises de fonds)

	Jean	Monique
ÂGE À LA RETRAITE	65	65
COÛT DE LA VIE RAJUSTÉ POUR LA RETRAITE	91 000	153 400
MOINS : REVENUS APRÈS IMPÔTS		
RPA	–	65 000
RRQ (à l'âge de 65 ans)	12 300	12 000
SV	–	–
	12 300	77 000
Recettes nécessaires	78 700	76 400
Capital pour produire les recettes nécessaires	1 022 100	1 076 100
Capital précédent sous forme de REER[2]	1 277 600	1 345 100
Moins : Fonds accumulés sous forme de REER	85 000	72 000
Capital à accumuler sous forme de REER	1 192 600	1 273 100
MISES DE FONDS REQUISES SOUS FORME DE REER	8 000	6 300

(1) Pour Jean, le coût de la vie est calculé avec $n = 29$ ans et, pour Monique, avec $n = 32$ ans, les deux conjoints ayant chacun 65 ans au moment de la retraite.

(2) Le facteur de transformation utilisé est 80 %. L'encadré présenté au début des exercices (*voir la fin du chapitre*) explique ce taux.

En conclusion, cette approche est plus réaliste pour les couples dont chaque conjoint prend en charge certaines dépenses liées au coût de la vie.

11.6 Les mises de fonds au-delà du REER

Qu'arrive-t-il si les mises de fonds requises sont plus élevées que celles qui sont permises par la loi dans un REER, par exemple des mises de fonds annuelles de 30 000 $ ou plus ? Si les cotisations inutilisées sont insuffisantes pour garantir des mises de fonds de cette importance, il faut, bien sûr, investir le maximum en REER et le surplus en CELI ou hors REER.

Quelques recommandations s'imposent dans une telle situation :

- L'assurance vie universelle est un excellent véhicule pour ces personnes, car le fonds de capitalisation s'accumule en franchise d'impôt (le module « Les assurances » explique plus en détail cette stratégie) ;

- Le CELI pourra devenir le compagnon idéal du REER pour les personnes qui cotisent au maximum à leur REER ;

- Lorsqu'il s'agit d'investir hors REER et hors CELI, il est préférable d'inclure dans le portefeuille des titres qui rapportent des dividendes, et ce, dans le but de bénéficier de l'avantage fiscal.

Conclusion

Un plan efficace pour la retraite ne se résume pas à un simple calcul des mises de fonds nécessaires annuellement, même si cet aspect est essentiel. C'est pourquoi le processus à long terme doit être révisé à moyen terme (à tous les deux ou trois ans). L'autre aspect est l'équilibre qui doit exister entre les actifs productifs et ceux qui sont liés au style de vie. Si une personne effectue ses mises de fonds en REER, mais retire ce capital (en « rappant », par exemple) pour l'investir dans des actifs liés au style de vie (une résidence, par exemple), un très sérieux problème peut survenir à la retraite.

 Enfin, plusieurs organismes ont pour mandat de sensibiliser les Québécois à l'importance du plan de retraite. Nous vous suggérons de consulter le site de Question Retraite, organisme sans but lucratif fondé en 2003.

MÉDIAGRAPHIE

Page 236
Banque de Montréal, www.bmo.com
via Recherche > Institut info-retraite >

Ressources en vedette > La prise de décisions financières : qui gérera votre argent quand vous serez inapte à le faire ?

Page 244
Service Canada, www.servicecanada.com

Page 253
Question Retraite, www.questionretraite.qc.ca

QUESTIONS DE RÉVISION

1. Un bon plan de retraite est toujours décrit et écrit. Déterminez deux objectifs qualitatifs et deux objectifs quantitatifs liés au plan de retraite.

2. Pourquoi la méthode de planification de la retraite en fonction du coût de la vie est-elle plus efficace que la méthode en fonction du revenu brut ?

3. Quels pourraient être les revenus garantis à la retraite ?

4. Le plan de retraite se base sur le coût de la vie à la retraite. À partir de celui-ci, précisez les étapes importantes à franchir pour arriver aux mises de fonds requises. La figure 11.1 et le tableau 11.2 (*voir les pages 237 et 241*) décrivent ces étapes.

5. Expliquez trois méthodes qui permettent de transformer les recettes nécessaires à la retraite en capitalisation hors REER.

MODULE 3

QUESTIONS DE RÉVISION *(suite)*

6. Pourquoi faut-il transformer le capital hors REER (servant à produire les recettes nécessaires) en capital enregistré?

7. Que signifie l'expression «annuité perpétuelle»? Montrez-en la formule.

8. Pourquoi doit-on associer la nature du capital à accumuler dans un REER à celle des mises de fonds?

9. Si votre client devait investir des sommes annuelles dans des fonds non enregistrés, quelles recommandations lui feriez-vous?

10. Que signifie fondamentalement la règle du 10 %, compte tenu du fait que l'on peut déterminer les mises de fonds en faisant des calculs assez précis?

11. Comment peut-on s'assurer que le client a la capacité d'effectuer les mises de fonds requises pour la retraite?

12. Si les mises de fonds requises pour la retraite sont supérieures à la capacité d'épargne du client, que conseillera le planificateur financier?

13. Quelles possibilités s'offrent au client dont la capacité d'épargne est largement suffisante?

EXERCICES

Note: Les exercices qui suivent ne reflètent pas nécessairement les conditions économiques actuelles du milieu financier, par exemple les taux d'intérêt ou l'inflation. Notez que certains exercices utilisent des rendements de 10 % et une inflation de 4 %. Sans entrer dans les détails mathématiques de ce calcul, nous utilisons, dans une telle situation, un taux de transformation de 80 % si la retraite est prise à l'âge de 65 ans et de 72 % si elle l'est à l'âge de 60 ans. Ces facteurs font en sorte que la durée du capital est de 20 ans dans le premier cas et de 25 ans, dans le second.

1. Votre cliente, Paule Lamarche, a 58 ans et vient de terminer sa période de programmation des disponibilités financières. Elle désire prendre sa retraite à l'âge de 65 ans. Elle vous demande de déterminer le capital requis sous forme de REER à cet âge, compte tenu des données suivantes:

   • Le coût de la vie pour l'année qui vient (58-59 ans) atteint 35 000 $;

   • Le coût de l'hypothèque résidentielle, payée au complet à l'âge de 58 ans, est de 8 300 $;

   • Les frais liés aux enfants s'élèvent à 6 000 $ par année;

   • La provision pour imprévus à la retraite est de 3 000 $;

   • L'inflation est évaluée à 4 %;

   • Les rentes du Québec s'élèvent à 5 000 $ avant impôts en valeur d'aujourd'hui. Supposez qu'elles suivront une inflation de 2 %;

   • Le taux d'imposition moyen à la retraite est de 30 %;

   • Le taux de rendement des mises de fonds est de 10 %;

   • Le conseiller financier propose un taux de transformation approximatif de 80 %;

   • La SV n'est pas prise en considération.

   Arrondissez les résultats aux 100 $ près.

2. André et Marie sont conjoints de fait depuis 17 ans. Aujourd'hui, en 2010, ils ont tous deux 45 ans (presque 46 ans) et envisagent de prendre une retraite dorée à l'âge de 60 ans. Professionnels, ils ont tous deux un bon emploi et un coût de la vie actuel (en 2010) de 45 000 $ par année. Ils aiment bien vivre, voyager et fréquenter les bons restaurants. Depuis plusieurs années, toutes leurs liquidités sont réinvesties dans leur résidence

EXERCICES *(suite)*

familiale, dont la valeur marchande s'élève à plus de 300 000 $.

André possède un RPA de son employeur, ce qui lui procurera un revenu annuel de 20 000 $ par année, après impôts, en dollars de 2010. Toutefois, Marie ne bénéficie d'aucun régime de son employeur. Le couple ne possède pas de REER et envisage actuellement la possibilité d'investir 2 500 $ par année (5 000 $ au total) par personne dans le but de maintenir, à l'âge de 60 ans, son coût de la vie de 45 000 $. Les régimes gouvernementaux sont ignorés.

Le coût de la vie ainsi que le RPA d'André seront extrapolés à 4 % pour les 15 prochaines années. On estime que les capitaux de retraite (en REER) seront investis au taux de 7 % après impôts. Par contre, les mises de fonds annuelles en REER le seront au taux de 10 %. Le conseiller financier propose un taux approximatif de transformation de 72 % pour convertir le capital hors REER en capital REER.

a) Quelles seraient les mises de fonds (REER) requises annuellement (annuités constantes) pour maintenir le coût de la vie de ce couple à l'âge de 60 ans ? Leurs mises de fonds individuelles de 2 500 $ seraient-elles suffisantes ?

b) Que recommanderiez-vous à André et Marie ?

(Arrondissez les totaux aux 100 $ près et utilisez la méthode du diviseur pour calculer le capital.)

3. Déterminez la valeur des mises de fonds requises annuellement en annuités constantes à effectuer dans chacune des situations qui suivent. Le rendement après impôts sur placements est de 6 %. Supposez que les mises de fonds sont faites hors REER et qu'elles sont effectuées en fin de période.

(Arrondissez les résultats aux 100 $ près.)

a) Mme Lajoie a 45 ans. Elle désire obtenir un capital de 1 000 000 $ à l'âge de 65 ans, sans mise de fonds à cet âge. Elle n'a actuellement aucun placement.

b) M. Aubin a 42 ans. Il veut prendre sa retraite à l'âge de 50 ans. Vous avez évalué le capital nécessaire à cet âge à 720 000 $. Aucune mise de fonds ne sera effectuée à l'âge de 50 ans.

c) Mme Lafortune a 40 ans. Elle veut être millionnaire dans cinq ans. Elle possède actuellement 400 000 $ en placements.

4. Albert Delage vous consulte dans le but d'établir son plan de retraite. Il a 39 ans. Selon le tableau de programmation des disponibilités financières, vous prévoyez qu'il atteindra la première étape de l'indépendance financière à l'âge de 43 ans et qu'il pourra ainsi entreprendre les mises de fonds requises pour sa retraite (à l'âge de 65 ans) à partir de l'âge de 44 ans. M. Delage est particulièrement intéressé à connaître les mises de fonds requises. Il y aurait des mises de l'âge de 44 à 64 ans inclusivement, donc 21 années de contribution et, par conséquent, aucune mise de fonds à l'âge de 65 ans.

Vous déterminez ensemble les données suivantes pour l'âge de 44 ans :

Coût de la vie (y compris l'hypothèque)	45 000 $ par année
Frais liés aux enfants	5 500 $ par année
RRQ avant impôts	8 000 $ par année
Provision pour les imprévus à la retraite	4 500 $ par année
Fonds REER accumulés	55 000 $

Vous vous entendez également sur les points suivants :

• Le RPA de l'employeur avant impôts, à partir de l'âge de 65 ans, est évalué à 30 300 $;

• La SV ne sera pas prise en considération ;

• L'inflation est évaluée à 4 % à long terme, sauf pour le RRQ, dont la hausse sera extrapolée à 2 % ;

• Le taux d'imposition s'élève à 30 % pour le capital de retraite ;

• Le taux de rendement est de 10 % pour les mises de fonds REER ;

EXERCICES *(suite)*

- L'hypothèque, qui représente des débours annuels de 11 600 $, sera réglée à l'âge de 44 ans, et donc à la retraite ;

- Le taux de transformation sera de 80 %.

Pour répondre aux cinq questions ci-dessous, suivez la démarche décrite dans les tableaux 11.1 et 11.2 (*voir les pages 239 et 241*).

a) Quel sera le coût de la vie rajusté pour la retraite prise à l'âge de 44 ans ?

b) Quelles seraient les recettes nécessaires pour la retraite prise à l'âge de 65 ans ?

c) Quel serait le capital REER nécessaire à l'âge de 65 ans ?

d) En tenant compte de son REER de 55 000 $ à l'âge de 44 ans, déterminez quel serait le capital REER à accumuler.

e) Quelles seraient les mises de fonds annuelles en annuités constantes ?

(Arrondissez les résultats aux 100 $ près.)

5. Analysez le plan de retraite de Julie Goyette. Voici les caractéristiques de sa situation (les valeurs sont arrondies aux 100 $ près) :

- Julie Goyette désire prendre sa retraite à l'âge de 65 ans ;

- Elle a 42 ans ;

- Elle prévoit effectuer ses premières mises de fonds dans 5 ans (à l'âge de 47 ans), au moment où toutes ses dettes personnelles seront réglées ;

- Son coût de la vie de l'âge de 42 à 43 ans est de 32 600 $;

- L'hypothèque de sa résidence sera réglée à la retraite ; elle est actuellement de 12 000 $ par année, et ce, pour les 5 prochaines années ;

- Julie Goyette a un enfant ; les frais annuels sont estimés à 4 500 $ par année à l'âge de 47 ans ;

- La provision pour les imprévus à la retraite est évaluée à 6 800 $ à l'âge de 47 ans ;

- Le revenu provenant de la Régie des rentes du Québec sera de 9 870 $ par année (à l'âge de 42 ans) en valeur d'aujourd'hui ; supposez que les rentes suivront une inflation de 2 % ;

- La SV n'est pas prise en compte ;

- Les fonds accumulés en REER seront de 45 000 $ à l'âge de 47 ans ;

- Le taux d'inflation prévu est de 4 % à long terme et de 2 % à moyen terme ;

- Le rendement avant impôts sur les mises de fonds en REER est de 10 % ;

- Le taux d'imposition général serait de 30 % à la retraite ;

- Julie Goyette prévoit recevoir une rente viagère à l'âge de 65 ans, rente évaluée à 21 000 $ par année après impôts ;

- Le conseiller propose un taux de transformation de 80 % pour convertir le capital hors REER en capital REER.

Quelles seraient les mises de fonds nécessaires pour la retraite ?

(Arrondissez aux 100 $ près.)

6. Consultez le site de l'Autorité des marchés financiers. Cliquez sur « Publications (consommateurs) » et consultez le dépliant intitulé « L'inflation et l'espérance de vie : une combinaison dangereuse pour votre retraite ? ». Vous pouvez lire cette brochure, car elle est très intéressante, mais voici la question.

 www.lautorite.qc.ca

Le tableau 4 (à la page 11 de la brochure) indique un capital accumulé de 42 591 $ (à 1 $ près) pour $n = 25$ ans, $i = 7$ % et une inflation de 3 %. Le capital est exact. Comment les actuaires sont-ils arrivés à ce montant ? Supposez des mises de fonds effectuées en début de période.

Note : Pour faire cet exercice, il est préférable de consulter la section 4.4.2 (l'approche théorique dans le calcul du rendement réel).

SOLUTIONS AUX EXERCICES

1.

Recettes nécessaires à l'âge de 65 ans – Paule Lamarche (valeurs arrondies aux 100$)	À l'âge de 58 ans	À l'âge de 65 ans
Coût de la vie (58-59 ans)	35 000 $	
Moins : Versements hypothécaires annuels	8 300	
Moins : Frais liés aux enfants	6 000	
Plus : Provision annuelle pour imprévus à la retraite	3 000	
COÛT DE LA VIE RAJUSTÉ POUR LA RETRAITE	23 700 $	31 200 $
Moins : RRQ, après impôts		4 000
RECETTES NÉCESSAIRES À L'ÂGE DE 65 ANS		27 200 $
Capital pour recettes nécessaires		388 600
CAPITAL PRÉCÉDENT SOUS FORME DE REER		485 800 $

2. a)

Mises de fonds annuelles – André et Marie (aux 100$ près)	
Coût de la vie à la retraite (60 ans)	81 000 $
Moins : RPA à la retraite (après impôts)	36 000
Manque à gagner	45 000 $
Capital pour produire le manque à gagner	
Capital	642 900 $
Capital sous forme de REER	892 900 $
Mises de fonds REER	28 100 $

Ainsi, Marie et André devraient investir annuellement chacun 14 050 $ (soit 28 100 $ ÷ 2). Quel choc pour eux ! On voit donc que les mises de fonds de 5 000 $ proposées sont nettement insuffisantes.

b) Les recommandations possibles :

- Réduire de façon appréciable leur coût de la vie actuel et, par conséquent, leur coût de la vie à la retraite ;
- Investir la majorité de leurs liquidités dans des REER.

3. Le calcul des mises de fonds

Annuités constantes

a) Les mises de fonds annuelles de l'âge de 45 à 65 ans (mise de fonds à l'âge de 65 ans non incluse) : 27 200 $ (aux 100 $ près)

b) Les mises de fonds annuelles : 72 700 $ (aux 100 $ près)

c) Les mises de fonds annuelles : 82 400 $ (aux 100 $ près)

En effet, Mme Lafortune possède déjà 400 000 $.

Valeur finale de ce montant dans 5 ans : 535 300 $ (aux 100 $ près)

Mme Lafortune devra donc accumuler en 5 ans : 1 000 000 $ − 535 300 $ déjà accumulés = 464 700 $ en nouveaux capitaux.

4. Albert Delage

a) Selon le tableau 11.1 (*voir la page 239*), à l'âge de 65 ans, vos calculs vous indiquent que la valeur du coût de la vie rajusté pour la retraite sera de 32 400 $ (à l'âge de 44 ans), soit 45 000 $ − (11 600 $ + 5 500 $) + 4 500 $ = 32 400 $.

Selon le tableau à la page suivante (à l'âge de 65 ans)

b) 44 100 $: recettes nécessaires à l'âge de 65 ans

c) 787 500 $: capital sous forme de REER à l'âge de 65 ans

d) 380 500 $: capital à accumuler sous forme de REER

e) 5 900 $: mises de fonds requises annuellement en annuités constantes

SOLUTIONS AUX EXERCICES *(suite)*

Plan de retraite – Albert Delage	À l'âge de 44 ans	À l'âge de 65 ans
Coût de la vie	45 000 $	
Moins : Versements hypothécaires	11 600	
Moins : Frais liés aux enfants	5 500	
Plus : Provision annuelle pour imprévus à la retraite	4 500	
COÛT DE LA VIE RAJUSTÉ POUR LA RETRAITE	32 400 $	73 800 $
Moins : Revenus après impôts		
RPA		21 200
RRQ	5 600	8 500
SV		–
RECETTES NÉCESSAIRES		44 100
Capital pour recettes nécessaires		630 000
CAPITAL PRÉCÉDENT SOUS FORME DE REER		787 500 $
Moins : Fonds accumulés en REER		407 000
CAPITAL À ACCUMULER SOUS FORME DE REER		380 500 $
MISES DE FONDS REQUISES EN REER		
Annuités constantes		5 900 $

5.

Plan de retraite – Julie Goyette (valeurs arrondies aux 100 $ près)	À l'âge de 47 ans	À l'âge de 65 ans
Coût de la vie	36 000 $	
Moins : Versements hypothécaires	12 000	
Moins : Frais liés aux enfants	4 500	
Plus : Provision annuelle pour projets spéciaux à la retraite	6 800	
COÛT DE LA VIE RAJUSTÉ POUR LA RETRAITE	26 300 $	53 300 $
Moins : Revenus après impôts		
Rente viagère		21 000
RRQ	7 600	10 900
SV	–	–
RECETTES NÉCESSAIRES		21 400 $
CAPITAL POUR RECETTES NÉCESSAIRES		305 700 $
Capital précédent sous forme de REER		382 100
Moins : Fonds accumulés en REER		250 200
CAPITAL À ACCUMULER SOUS FORME DE REER		131 900 $
MISES DE FONDS REQUISES EN REER		
Annuités constantes		2 900 $

6. Les actuaires ont utilisé ici l'approche théorique pour le calcul du rendement réel. Les mises de fonds se font en début de période. S'ils avaient utilisé l'approche pratique avec $i = 4\%$ (soit $7\% - 3\%$), ils auraient obtenu un capital de 43 312 $ (à 1 $ près) au lieu de la réponse exacte de 42 591 $ (*voir la section 4.4 au chapitre 4*).

Le calcul du capital non enregistré pour produire les recettes nécessaires à la retraite

Plan

Introduction
Les méthodes de capitalisation
Une réflexion sur les méthodes de capitalisation
Conclusion

Introduction

Au chapitre 11, nous avons constaté que le calcul du capital non enregistré nécessaire à la retraite est un processus délicat. Remarquez ici qu'il s'agit plus précisément de la toute première sous-étape préalable à la cinquième étape. Ce calcul du capital non enregistré pour recettes nécessaires est donc le montant requis pour produire les recettes nécessaires. Nous vous recommandons de consulter la figure 11.1, le tableau 11.2 (*voir les pages 237 et 241*) ou encore la sous-section 11.2.5. L'objectif principal de ce dossier est de présenter les diverses méthodes de capitalisation qui nous permettent justement de déterminer le capital non enregistré pour alimenter les recettes nécessaires à la retraite. Donc, lorsque nous faisons référence, dans ce dossier, au terme « capital », nous nous reportons à la toute première sous-étape préalable à la cinquième étape.

Les méthodes de capitalisation

Il existe cinq méthodes pour évaluer le capital ; elles sont basées sur les éléments suivants :

- Le diviseur du taux de rendement ;
- Le nombre d'années pour épuiser le capital ;
- L'espérance de vie ;
- Le nombre d'années protégées (les annuités à progression géométrique) ;

- Le nombre d'années protégées (le taux corrigé – théorique et pratique).

Il s'agit, comme nous l'avons mentionné, d'arriver à une capitalisation raisonnable qui entraîne des mises de fonds acceptables pour le client. En effet, si celles-ci sont trop importantes, elles entraîneront une diminution du coût de la vie, ce qui est impossible dans certains cas. On fait ici face au dilemme suivant : Vaut-il mieux vivre aujourd'hui ou mieux vivre à la retraite ? L'un des rôles du planificateur financier consiste à résoudre ce dilemme le plus intelligemment possible. Dans cette optique, les objectifs du client deviennent des considérations majeures, non seulement pour le calcul du capital, mais aussi pour la façon de l'investir et de l'utiliser.

Les hypothèses formulées sont les suivantes :

- Taux de rendement pour accumuler le capital de 8 % ;
- Taux d'imposition relatif au coût de la vie de 25 % ;
- Taux de rendement du capital non enregistré après impôts de 6 % [8 % – (25 % × 8 %)].

Note : Tous les résultats sont arrondis aux 100 $ près et ne sont présentés que pour une retraite prise à l'âge de 65 ans. Nous débutons tout ce processus à partir des recettes (PMT) qui sont de 25 100 $ (*voir la quatrième étape du plan au tableau 11.2 à la page 241*).

La méthode du diviseur du taux de rendement (Méthode A)

La méthode du diviseur du taux de rendement (aussi appelée « perpétuité ») est celle qui a été privilégiée et expliquée dans ce chapitre (*voir la sous-section 11.2.5*). Comme vous le savez maintenant, elle consiste à diviser les recettes nécessaires par le taux de rendement après impôts.

Méthode A – Capital nécessaire à l'âge de 65 ans : 25 100 $ ÷ 6 % = 418 300 $

DOSSIER 11.1-SUITE

La méthode du nombre d'années pour épuiser le capital (Méthode B)

Cette méthode nécessite de déterminer le nombre d'années nécessaires pour épuiser le capital. Le client choisit, par exemple, 35 ans à partir de l'âge de 65 ans, soit l'atteinte de l'âge de 100 ans pour épuiser le capital. Dès lors, avec un PMT = 25 100 $, $i = 6\%$, $n = 35$ ans, on obtient un PV = 363 900 $.

> Méthode B – Capital nécessaire à l'âge de 65 ans : 363 900 $

La méthode basée sur l'espérance de vie (Méthode C)

Cette méthode, basée sur l'espérance de vie, ressemble à la précédente. Cependant, le nombre d'années choisi est déterminé en fonction de l'espérance mathématique de vie du client. Si l'on considère, par exemple, une espérance de vie de 20 ans, donc de l'âge de 65 à 85 ans, avec $n = 20$ et PMT = 25 100 $, le capital s'élèvera à 287 900 $ et sera épuisé au bout de 20 ans. On constate que cette méthode produit une capitalisation beaucoup moins élevée. Par ailleurs, on peut s'interroger sur le bien-fondé de l'espérance de vie en tant qu'indice de calcul.

En effet, l'espérance de vie est fixée à partir de la plus récente table établie par Statistique Canada. On sait cependant que les données ne prennent pas en considération la profession, la classe sociale, l'état de santé, l'hérédité, le fait qu'une personne fume ou non, etc. Ce sont cependant tous des facteurs importants pour fixer l'espérance de vie d'une personne. En effet, le fait d'être plus fortuné, non fumeur et en bonne santé a un effet bénéfique sur l'espérance de vie. Dans le cadre de la planification de la retraite, l'espérance de vie est un indicateur peu valable pour le planificateur financier, puisqu'elle exprime une « moyenne ». Il est donc très risqué de l'utiliser.

> Méthode C – Capital nécessaire à l'âge de 65 ans : 287 900 $

La méthode du nombre d'années protégées (Méthode D – annuités à progression géométrique)

Le planificateur peut, s'il le juge nécessaire, établir un capital dont le nombre d'années protégées de l'inflation pourrait être de 20 ans, de 25 ans ou même plus. Il s'agit alors d'utiliser les annuités à progression géométrique, aussi appelées « annuités en croissance ». Comme vous le savez, la calculatrice offerte sur le marché n'est pas programmée pour résoudre l'équation de l'annuité à progression géométrique.

C'est la raison pour laquelle la table XI, qui porte sur ces annuités, a été incluse à l'annexe A. La table XI.A avec 3 % d'inflation, un rendement de 6 % et $n = 35$ ans présente le facteur 211 301 et 211 301 × 2.51 (pour 25 100 $) = 530 400 $.

> Méthode D – Capital nécessaire à l'âge de 65 ans : 430 400 $

La méthode du nombre d'années protégées (Méthode E – le taux corrigé)

La méthode du taux corrigé s'apparente à la précédente, mais sa formule est plus simple, ce qui permet d'utiliser la calculatrice. Elle comprend l'approche théorique et l'approche pratique.

1) **L'approche du taux corrigé théorique**

$$\text{TC théorique} = \left(\frac{1+i}{1+r}\right) - 1$$

Pour $i = 6\%$ et $r = 3\%$, on obtient 2,913 % (mis en mémoire en appuyant sur la touche × STO 1 (RCL pour rappel)).

La capitalisation est donc de 546 200 $ (avec $n = 35$ ans et PMT = 25 100 $).

Méthode E théorique – Capital nécessaire
à l'âge de 65 ans : 546 200 $

2) L'approche du taux corrigé pratique

TC pratique = Rendement (*i*) – Inflation (*r*)

Il s'agit tout simplement de soustraire
6 % − 3 % = 3 %. Le capital obtenu est de
539 300 $.

Méthode E pratique – Capital nécessaire
à l'âge de 65 ans : 539 300 $

Une réflexion sur les méthodes de capitalisation

En résumé, voici le capital obtenu avec chacune
des méthodes :

A)	Le diviseur du taux de rendement	418 300 $
B)	Le nombre d'années	363 900 $
C)	L'espérance de vie	287 900 $
D)	Le nombre d'années protégées (*voir la table XI.A*)	530 400 $
E)	Le taux corrigé 1) théorique	786 900 $
	2) pratique	772 000 $

On peut conclure que les approches qui utilisent les annuités à progression géométrique (selon la formule ou les approches du taux corrigé) ne sont pas nécessairement adaptées aux ressources financières d'une grande majorité de clients, surtout si la période de protection est élevée.

Nous ne recommandons sûrement pas la méthode basée sur l'espérance de vie qui peut s'avérer dangereuse en sous-estimant le capital requis. Par ailleurs, tant la méthode A que la méthode B offrent une capitalisation raisonnable, c'est-à-dire 418 300 $ par rapport à 363 900 $.

Par mesure de prudence, la méthode A est privilégiée.

Conclusion

Le conseiller financier doit toujours garder à l'esprit la capacité financière du client à accumuler le capital requis et l'équilibre nécessaire entre la qualité de vie durant la phase d'accumulation du capital et la qualité de vie au moment de la retraite. Il est aussi important de souligner que les calculs financiers sont une chose, et que le comportement humain à la retraite en est une autre. En effet, plusieurs clients voudront effectuer des retraits plus importants durant les premières années de leur retraite (par exemple, pour des voyages et des loisirs plus nombreux). Par conséquent, ils devront «budgétiser» au fil des ans de façon à maintenir une qualité de vie acceptable tout au long de leur retraite.

LES RÉGIMES ENREGISTRÉS ET LES STRATÉGIES QUI Y SONT LIÉES

Le chapitre 10 traitait de la pyramide de la retraite et le chapitre 11, du plan efficace pour atteindre l'indépendance financière. Le présent chapitre est d'une importance capitale, car il concerne les différents régimes enregistrés tels que le régime enregistré d'épargne-retraite (REER), lequel est le moyen par excellence pour meubler le dernier et troisième palier de la pyramide, soit le palier individuel.

Un régime enregistré est un contrat déposé à l'ARC selon lequel un épargnant investit en vue d'atteindre un objectif précis. Pour le REER, par exemple, l'objectif est d'épargner en vue de la retraite. Le régime enregistré permet à son titulaire de différer l'impôt à payer sur ces sommes jusqu'au moment de leur retrait. C'est essentiellement un fonds constitué de produits financiers conventionnels tels que les actions, les obligations, les certificats de placement garanti, les dépôts indiciels, les fonds distincts, les fonds communs de placement. Cependant, dans chaque régime que nous aborderons (REER, CELI, REEE, etc.), nous verrons que des dispositions fiscales particulières s'appliquent.

Il faut mentionner que les régimes enregistrés produisent des revenus d'intérêt, des dividendes et des gains en capital qui s'accroissent en franchise d'impôt, ce qui n'est pas le cas des placements non enregistrés. Néanmoins, les cotisations aux régimes enregistrés sont toujours limitées d'une façon ou d'une autre, ce qui n'est pas le cas des placements non enregistrés.

Il est aussi important de distinguer le « contenant » qu'est le régime du « contenu » que sont les placements qui le composent. Le module « Les placements » vous permettra de mieux comprendre cela, mais, à ce stade-ci, l'important est de bien saisir la nature des régimes enregistrés et les stratégies qui y sont liées.

12.1 Le profil des régimes enregistrés

Ce chapitre ne se limite pas à la simple description des caractéristiques des régimes enregistrés. L'objectif visé est d'inciter le lecteur à la réflexion sur l'utilité véritable de certains d'entre eux (par exemple, le RAP) et, par conséquent, de favoriser un processus décisionnel plus rationnel de la part du lecteur de même qu'une plus grande capacité d'analyse et de recommandation de la part du planificateur financier.

Ainsi, la toute première tâche consiste à bien définir les régimes enregistrés qui suivent :

- Les régimes enregistrés de base tels que le REER, le CELI, le REEE et le REEI ;
- Les régimes enregistrés qui dérivent du REER, tels que le RAP et le REEP.

Une simple description de ces régimes, si concise soit-elle, n'est pas suffisante. Certaines stratégies qui y sont liées seront donc abordées. Par exemple, est-il préférable d'investir dans un REER ou de rembourser son hypothèque ? Ou encore, est-il toujours sage d'utiliser le RAP ?

12.2 Le régime enregistré d'épargne-retraite (REER)

La création du régime enregistré d'épargne-retraite (REER) remonte à 1957 et relève de la volonté du gouvernement fédéral de permettre aux travailleurs autonomes et aux salariés d'économiser de l'argent pour leur retraite et, par conséquent, de ne pas dépendre uniquement des régimes gouvernementaux. Ainsi, ces travailleurs pouvaient effectuer des cotisations déductibles d'impôt en vue de leur retraite. Au début, la cotisation était limitée au moindre de 2 500 $ ou de 10 % du revenu gagné.

Le REER est le véhicule financier par excellence de la préparation à la retraite. Il représente un placement fiscal dont aucun contribuable admissible ne devrait se priver. Grâce au REER, chacun exerce un certain contrôle sur sa qualité de vie à venir. De plus, il est possible d'équilibrer les montants annuels à épargner et à investir durant ces nombreuses années de préparation à la retraite afin de s'assurer de la qualité de vie recherchée.

Le REER est un régime de revenus différés, donc de report d'impôt. Il est compréhensible que lorsque les sommes accumulées sont retirées, en totalité ou en partie, elles deviennent automatiquement imposables l'année du retrait. Celui-ci s'effectue au taux d'imposition auquel le contribuable est alors assujetti. Il est possible, et même probable, que ce taux soit alors inférieur à celui qui avait cours au moment du versement des cotisations.

L'argument crucial en faveur du REER, comme nous l'avons mentionné plus haut, réside dans le fait que les sommes et les revenus (intérêts, dividendes et gains en capital) s'accumulent en franchise d'impôt. Cet avantage permet ainsi aux épargnants de profiter de la force exponentielle du REER afin d'accumuler des sommes très appréciables. Cette force exponentielle, qui sera examinée plus loin, est probablement le facteur d'enrichissement le plus sous-estimé.

12.2.1 Les facteurs d'enrichissement du REER

Trois grands facteurs d'enrichissement peuvent être associés au REER :

- La déductibilité – la déductibilité des cotisations de 100 % ;
- La force exponentielle – l'accroissement des sommes investies en franchise d'impôt ;
- La stabilité de rendement – une certaine stabilité du rendement en raison de la nature du portefeuille d'investissement, lequel doit être diversifié et, dans une certaine mesure, équilibré quant au risque.

Examinons maintenant plus en détail chacun de ces facteurs d'enrichissement.

La déductibilité

Les contributions annuelles versées dans un REER peuvent être déduites en totalité (à 100 %) du revenu total, de sorte que le revenu imposable du contribuable diminue d'autant. Cette caractéristique permet d'obtenir un remboursement d'impôt proportionnel au taux marginal d'imposition. Par exemple, pour une contribution de 5 000 $, un contribuable verra son revenu imposable réduit de 5 000 $. Si le taux marginal est de 40 %, il bénéficiera d'une diminution d'impôt (économie fiscale) de 2 000 $ ou d'un « remboursement d'impôt » de 2 000 $ si, bien sûr, le solde de son impôt à payer est nul.

Cette déductibilité à 100 % nous amène à souligner un point très important, qui sera utile pour effectuer certains exercices à la fin du chapitre. En effet, lorsqu'on compare un investissement REER à un investissement hors REER, il faut utiliser respectivement un montant de 5 000 $ et un autre de 3 000 $[1] (et non deux investissements de 5 000 $ en plus de l'épargne fiscale pour le REER). Le débours annuel sur ce REER ne correspond effectivement qu'à 3 000 $. Il faut donc utiliser un investissement hors REER de ce même montant, soit (5 000 $ − 3 000 $) 3 000 $, et ce, à des fins de comparaison. Nous en présenterons un exemple plus loin.

L'utilisation du montant de 5 000 $ pour comparer les deux types d'investissements est une erreur assez courante. Pour en savoir plus sur la comparaison de ces deux outils de placement, nous vous suggérons de lire l'article « Le taux d'inclusion des gains en capital et les REER... », publié dans le magazine *Objectif conseiller* du CQFF. Consultez en particulier la partie intitulée « Erreur de calcul courante ». Cet article va plus loin que la simple comparaison d'un investissement dans un REER à un investissement hors REER, lequel ne produit que de l'intérêt. En effet, cet article s'attaque aussi au mythe selon lequel, compte tenu du taux d'inclusion de 50 % sur les gains en capital et l'imposition reportée, un investissement hors REER pourrait s'avérer plus intéressant qu'un REER. Il n'en est rien. Dans l'immédiat, la lecture de cet article vous permettra d'y voir plus clair. À la sous-section 12.2.3, cette situation sera décrite plus en détail.

Une force exponentielle

Dans le domaine de la finance, lorsqu'on parle de « force exponentielle », on fait référence à une croissance exponentielle, ou logarithmique. Pour visualiser l'allure d'une courbe exponentielle, consultez la figure 12.1. Pour le moment, ne vous attardez que sur la courbe du haut. Celle-ci illustre graphiquement le

---

1. En assumant un taux d'imposition de 40 %.

FIGURE 12.1 **La capitalisation d'un placement dans un REER de 5 000 $ et d'un placement hors REER correspondant de 3 000 $**

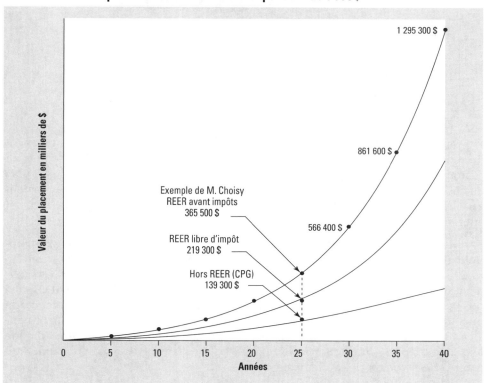

Note : La comparaison s'effectue au taux de rendement annuel de 8 % et au taux d'imposition marginal de 40 %. Tous les placements se font en fin de période.

comportement financier, donc la capitalisation avant impôts, d'un investissement REER annuel de 5 000 $ effectué en fin de période et placé au taux d'intérêt de 8 %.

On constate les résultats suivants, arrondis aux 100 $ près :

- Rendement dans 25 ans : 365 500 $;
- Rendement dans 30 ans : 566 400 $;
- Rendement dans 35 ans : 861 600 $;
- Rendement dans 40 ans : 1 295 300 $.

Examinez bien ces résultats en fonction de la courbe exponentielle : gains de 200 900 $ en 5 ans (de 25 à 30 ans). Pourtant, 25 ans ont été nécessaires pour atteindre la somme de 365 500 $. Comme vous pouvez le constater, une fois le « genou » de la courbe atteint (ici, entre 25 et 30 ans), la croissance est vraiment spectaculaire et exponentielle. Pourtant, la projection est faite à partir du rendement de 8 %.

Comme nous l'avons mentionné, il s'agit sans doute du facteur d'enrichissement le moins bien compris du REER. Cette incompréhension est probablement liée à la complexité mathématique du phénomène. Assurez-vous de bien le comprendre.

La force exponentielle du REER peut être exprimée au moyen de l'équation suivante :

$$F = f(M, R, T),$$

où   F   est la force financière (capital accumulé) ;

       f signifie « fonction de », « dérive de » ou « dépend de » ;

       M   est le montant investi annuellement (en dollars) ;

       R   est le rendement (en pourcentage) ;

       T   est le temps (en années).

Selon l'objectif visé, le capital accumulé dépendra du montant d'argent investi, du rendement et de la durée du placement. Ce dernier élément sera traité plus en profondeur dans l'exemple qui suit. Bien sûr, il est aisé de comprendre que plus on cotise annuellement (par exemple, 3 000 $ au lieu de 1 000 $), plus le rendement est élevé (par exemple, de 10 % au lieu de 8 %) et plus le capital accumulé est appréciable.

Mais qu'en est-il de la durée ou de l'élément « temps » ? La courbe exponentielle de la figure 12.1 à la page précédente illustre la réponse à cette question. En fait, le temps est un élément essentiel pour permettre au REER de profiter pleinement de sa force exponentielle, c'est-à-dire un accroissement phénoménal au-delà du « genou » de la courbe. Une conclusion s'impose donc : il faut commencer le plus tôt possible à contribuer à son REER et le considérer comme un outil financier à long terme. L'exemple qui suit est résumé dans le tableau 12.1 ; il permet de bien comprendre l'importance de la durée d'un placement et de voir concrètement l'effet exponentiel du temps.

EXEMPLE

Nathalie et Gilbert viennent tout juste de terminer leurs études. Ils ont tous deux 28 ans. Nathalie se propose d'investir 3 000 $ annuellement pendant les 7 prochaines années, soit de l'âge de 28 à 34 ans inclusivement, et ce, en début de période. Elle n'envisage aucune autre cotisation avant sa retraite, à l'âge de 65 ans. Gilbert se propose de prendre du bon temps de l'âge de 28 à 35 ans, moment où il commencera à verser des cotisations de 3 000 $ par année (en début d'année) jusqu'à l'âge de 65 ans inclusivement, ce qui fait donc 31 années de cotisation. Nathalie aura contribué pour un montant total de 21 000 $ (7 × 3 000 $) et Gilbert, pour un montant total de 93 000 $ (31 × 3 000 $).

Gilbert affirme à Nathalie qu'à sa retraite, à l'âge de 65 ans, son capital sera beaucoup plus important que le sien. A-t-il raison ? Le tableau 12.1 montre l'essentiel des calculs (arrondis à 1 $ près) et permet de bien comprendre l'importance d'investir le plus tôt possible dans un REER.

Dans les deux cas, un rendement de 10 % est utilisé. Soyons clair, ce rendement est toujours laissé à la discrétion du planificateur financier, qui en discute avec son client et aborde aussi avec lui la notion d'inflation, donc de rendement réel (rendement brut moins inflation). De toute façon, la conclusion serait la même que l'on utilise un rendement de 6, 7 ou 8 %.

Les chiffres du tableau 12.1 sont très clairs : en 7 ans, Nathalie aura investi 21 000 $ (3 000 $ pendant 7 ans) ; à l'âge de 65 ans, le montant de ses placements s'élèvera à 600 936 $. Pour obtenir le même résultat ou presque, soit 600 413 $, Gilbert aura investi 93 000 $ (3 000 $ pendant 31 ans).

TABLEAU 12.1 La force exponentielle du REER (calculs)

Nathalie		Renseignements généraux		Gilbert	
Dépôts (début d'année)	Capital et intérêts (fin d'année)	Année	Âge en début de période	Dépôts (début d'année)	Capital et intérêts (fin d'année)
3 000 $	3 300 $[1]	1	28		
3 000 $	31 308 $[2]	7	34		
		8	35	3 000 $	3 300 $
	600 936 $[3]	38	65	3 000 $	600 413 $[4]
Total				Total	
21 000 $				93 000 $	

(1) Taux de i = 10 % en franchise d'impôt, n = 1 et PV = 3 000 $. Donc, FV = 3 300 $.

(2) Calculatrice avec n = 7 ans, i = 10 % et PMT = 3 000 $ (en mode BGN).
Donc, FV = 31 308 $ (à 1 $ près).

(3) Calculatrice avec n = 31 ans (de 35 à 65 ans inclusivement), i = 10 % et PV = 31 308 $.
Donc, FV = 600 936 (à 1 $ près).

(4) Calculatrice avec n = 31 ans, i = 10 % et PMT = 3 000 $ (en mode BGN). Donc, FV = 600 413 $ (à 1 $ près).

Bref, il est évident que le temps constitue la carte maîtresse du REER. Un deuxième exemple est présenté sur le site du CQFF, intitulé « L'importance de commencer tôt : Jean Lève-Tôt/Simon Tardif ». Bien que les hypothèses utilisées dans cette démonstration soient un peu différentes, vous constaterez que la conclusion est semblable. Le facteur temps est capital dans le cas du REER. Dans un article publié dans la revue *Objectif Conseiller*, Claude Couillard (2005) mettait en évidence l'importance du temps et de la forme exponentielle du REER. En d'autres termes, si la déductibilité est un facteur intéressant, il ne faut pas attendre de faire beaucoup d'argent pour investir dans un REER, mais plutôt miser sur sa force exponentielle.

La stabilité du rendement

De par sa nature de véhicule financier à long terme, le REER contribue grandement à la stabilisation du rendement, due à la nature du portefeuille d'investissement, lequel doit être diversifié et équilibré quant au risque.

Au module « Les placements », nous aborderons plus en détail les quatre règles d'or de l'investissement : 1) la prudence (un rendement espéré raisonnable) ; 2) la diversification ; 3) le long terme et 4) l'investissement périodique. Ces règles prennent toute leur signification dans le cas du REER. La stratégie proposant une gestion active et souvent spéculative du portefeuille (en anglais, *market timing*) n'a pas sa place ici. Celle qui consiste à conserver des titres de qualité et bien diversifiés (en anglais, *buy and hold*) est généralement celle que les meilleurs gestionnaires de portefeuilles recommandent. L'auteur de l'ouvrage *Dans la jungle du placement* (2005), Stephen A. Jarislowsky, est tout à fait de cet avis et le mentionne à plusieurs reprises.

12.2.2 L'investissement dans un REER et l'investissement hors REER – les revenus d'intérêts

La figure 12.1 (*voir la page 265*) compare un investissement dans un REER à un investissement hors REER ne produisant que des intérêts. Elle fait aussi ressortir l'importance de la durée, combinée aux facteurs de déductibilité totale et de stabilité du portefeuille, et est basée sur l'exemple décrit ci-après.

EXEMPLE

Pour sa retraite, M. Choisy se demande s'il doit investir dans un véhicule enregistré comme le REER, comportant des placements sécuritaires tels des certificats de placement garanti (CPG), ou encore investir dans ces CPG, mais hors REER. M. Choisy veut prendre sa retraite dans 25 ans. Dans cet exemple, nous utilisons un taux marginal de 40 % et un taux de rendement de 8 % par année.

L'investissement dans un REER

- Investissement annuel : 5 000 $ (en fin de période)
- Durée : 25 ans
- Taux de rendement avant impôts : 8 %
- Taux d'imposition présumé au moment du retrait des fonds : 40 %
- Fonds accumulés après 25 ans (aux 100 $ près)   365 500 $

     Impôt au moment du retrait (40 %), (aux 100 $ près)   146 200 $

     FONDS ENREGISTRÉ, LIBRE D'IMPÔT   219 300 $

L'investissement dans des CPG

- Investissement annuel : 3 000 $[1] (en fin de période)
- Durée : 25 ans
- Taux de rendement après impôts : 4,8 %[2]
- Fonds accumulés après 25 ans (aux 100 $ près)   139 300 $

     FONDS NON ENREGISTRÉ, LIBRE D'IMPÔT   139 300 $

L'avantage financier du REER

Fonds REER, libre d'impôt	219 300 $
Moins : Fonds non enregistré, libre d'impôt	139 300 $
Avantage du REER	80 000 $

---

(1) Un investissement de 5 000 $ en REER amène une diminution d'impôt de 2 000 $ au taux de 40 %. Ainsi, le débours annuel pour ce REER correspond à 3 000 $. Il convient de suggérer un investissement de ce montant en CPG.

(2) Le taux avant impôts est de 8 %. Au taux marginal de 40 %, le rendement annuel est de 4,8 % par année.

La figure 12.1 (*voir la page 265*) illustre clairement le fait que le REER est un instrument des plus puissants à long terme, et ce, parce que les rendements s'y accumulent en franchise d'impôt.

Dans cet exemple, on constate aussi que le REER de 365 500 $ est libre d'impôt dans le seul but de comparer des dollars semblables sur une base non enregistrée.

Toutefois, en réalité, le client retire graduellement les fonds de son REER durant sa retraite. À ce moment-là, l'imposition s'effectue en fonction du montant retiré, comme c'est le cas pour un salaire. La figure 12.1 (*voir la page 265*) permet de constater l'effet de l'élément «temps», mais aussi le grand avantage que procure le REER par rapport au portefeuille non enregistré. Cet avantage augmente de plus en plus avec les années.

12.2.3 L'investissement dans un REER et l'investissement hors REER – le gain en capital

Depuis le budget fédéral du 18 octobre 2000, le gain en capital n'est imposé qu'à 50 %. La question suivante se pose donc : est-il toujours aussi avantageux d'investir dans un REER lorsque les fonds produisent exclusivement un gain en capital ?

EXEMPLE

Dans le cas de M. Choisy (*voir l'exemple précédent*), la première partie du calcul est exactement la même, à savoir 5 000 $ par année en REER à 8 % pendant 25 ans, ce qui donne 365 500 $ avant impôts et 219 300 $ une fois le REER devenu libre d'impôt.

Pour évaluer l'investissement hors REER, il importe de prendre en considération, dès le départ, l'économie d'impôt qu'implique ce type de placement. C'est pourquoi un montant de 5 000 $ en REER équivaut à un montant de 3 000 $ hors REER (40 % d'impôt marginal), comme dans le cas de M. Choisy.

En revanche, le gain en capital n'étant imposé qu'au moment du retrait, la capitalisation hors REER est calculée comme suit :

- Investissement annuel (hors REER) : 3 000 $ (en fin de période)
- Durée : 25 ans
- Taux de rendement : 8 % (imposition dans 25 ans)
- Fonds accumulés après 25 ans : 219 300 $, soit le même montant que celui de l'exemple précédent concernant le REER libre d'impôt. Ici, le montant de 219 300 $ hors REER doit être libre d'impôt relativement au gain en capital
  - Donc, 219 300 $ − 75 000 $ (3 000 $ × 25) = 144 300 $
  - 144 300 $ × 20 % (50 % × 40 %) = 28 900 $ d'impôt (aux 100 $ près)
  - 219 300 $ − 28 900 $ = 190 400 $

Avantage du REER : 219 300 $ − 190 400 $ = 28 900 $

EXEMPLE

Reprenons l'exemple ci-dessus, mais en considérant cette fois que les fonds hors REER sont retirés et, par conséquent, imposés chaque année.

- Investissement annuel (hors REER) : 3 000 $ (en fin de période)
- Durée : 25 ans
- Taux de rendement après impôts : 6,4 %, soit 8 % − (8 % × 50 % × 40 %)
- Fonds accumulés après 25 ans : 174 200 $

Avantage du REER : 219 300 $ − 174 200 $ = 45 100 $

L'avantage de 45 100 $ ou de 28 900 $ est, bien sûr, moins important que dans le cas de M. Choisy, où l'on considérait des revenus d'intérêt plutôt que des gains en capital, mais il est toujours présent. Soulignons de plus qu'une telle approche (investir dans des actions spéculatives qui ne produisent que des gains en capital) est non seulement très peu réaliste à long terme, mais également dangereuse. En effet, lorsqu'il s'agit d'un portefeuille REER, celui-ci doit, comme nous l'avons souligné à quelques reprises, être diversifié, équilibré et viser le long terme.

12.2.4 **Les nombreuses caractéristiques du REER**

Le REER possède de nombreuses caractéristiques. Avant de les aborder, il convient toutefois de mentionner les changements de durée de vie qu'a subi ce régime.

En effet, en 1996, Paul Martin a réduit la vie du REER de 71 à 69 ans alors qu'il était ministre fédéral des Finances. Cela voulait dire qu'un titulaire devait liquider son REER au plus tard le 31 décembre de l'année où il atteignait l'âge de 69 ans. Le budget du 19 mars 2007 déposé par le ministre Jim Flaherty a fait marche arrière et a fait passer la vie du REER de l'âge de 69 à 71 ans. Donc, ce régime prend maintenant fin au plus tard le 31 décembre de l'année où le détenteur atteint l'âge de 71 ans (Grammond, 2007).

La liste suivante met en évidence les caractéristiques les plus importantes du REER :

- Pour une année d'imposition donnée, la date limite pour cotiser à un REER est fixée au 60e jour (1er mars ou 29 février) ;

- Depuis 1991, on peut reporter indéfiniment la déduction de la cotisation au REER. Cela est très intéressant pour les adolescents, mêmes mineurs, qui travaillent à temps partiel et contribuent à un REER pour profiter de sa force exponentielle ;

- Depuis 1996, il est possible d'investir la somme excédentaire de 2 000 $ à vie. Toutefois, cette somme n'est pas déductible et le cotisant doit avoir au moins 19 ans. Cette caractéristique est intéressante, puisque l'argent s'accumule en franchise d'impôt. Par contre, toute contribution dépassant les 2 000 $ est pénalisée au taux de 1 % par mois. Par ailleurs, depuis l'avènement du CELI, cette contribution excédentaire de 2 000 $ au REER est moins intéressante ;

- Il n'y a pas d'âge minimal pour commencer à contribuer à un REER. Si une personne (un adolescent âgé de 16 ans, par exemple) a un revenu admissible l'année précédant la cotisation, elle peut commencer à cotiser à son REER. Seul un numéro d'assurance sociale (NAS) est nécessaire pour enregistrer un REER. Par ailleurs, les REER auto-gérés exigent que le client soit majeur ;

 - Le REER peut contenir une variété de produits financiers tels que des CPG, des actions, des obligations, des fonds communs de placement (FCP), etc. La plupart des placements actuels sont admissibles. La liste des investissements permis s'est allongée en raison du budget fédéral du 23 février 2005. En effet, les lingots d'or et d'argent sont maintenant admissibles à certaines conditions. Par contre, on ne peut y inclure des œuvres d'art, des antiquités, des terrains, etc. À ce sujet, vous pouvez consulter la section 1.2 du budget fédéral de 2005, publié sur le site de l'APFF.

- La limite de 30 % de contenu étranger est abolie (*voir le budget fédéral de 2005 sur le site de l'APFF*) ;

- En général, les différents types de REER (*voir la sous-section 12.2.5*) peuvent être transférés entre eux ou encore entre les institutions financières. Ces transferts s'effectuent en franchise d'impôt.

 Pour mieux connaître les diverses caractéristiques du REER, nous vous recommandons de consulter le site de BMO Ligne d'action.

12.2.5 Les types de REER

Il n'existe pas de classification officielle des REER. Cependant, sans entrer dans les détails, voici une liste des principales formes de régimes :

- Les REER de FCP comprennent les fonds gérés par des professionnels du milieu financier ;
- Les REER autogérés englobent les REER commercialisés par les maisons de courtage (filiales de banques, etc.). Selon le cas, l'investisseur, seul ou avec l'aide d'un courtier ou d'un conseiller financier, gère lui-même les montants investis. Certains investisseurs qui recherchent ce type de REER sont davantage intéressés par une gestion active et même spéculative que par une gestion passive ;
- Les REER collectifs sont souvent offerts par les petites ou moyennes entreprises à leurs employés. C'est dans le contexte du régime d'entreprise que le REER collectif s'insère (*voir le chapitre 10*) ;
- Les fonds de travailleurs sont commercialisés par les deux grandes centrales syndicales québécoises, soit la FTQ et la CSN. Ils peuvent servir de stratégie fiscale (*voir le chapitre 9*). Néanmoins, ce sujet sera traité plus en détail dans ce chapitre en tant que régime enregistré.

12.2.6 La cotisation maximale au REER

Il est facile de connaître le montant des cotisations à un REER qui sont déductibles. En effet, dans l'avis de cotisation annuel (*voir le tableau 10.3 à la page 213*) que lui envoie Revenu Canada, le contribuable est informé du montant maximal auquel il a droit pour l'année en cours. Voici le calcul auquel procède l'Agence du revenu du Canada (ARC) :

Le moindre de :

22 000 $[2] ;

18 % du revenu gagné l'année précédente.

Moins :

facteur d'équivalence (FE) de l'année précédente dans le cas d'un salarié bénéficiaire d'un RPA ;

facteur d'équivalence pour services passés (FESP) pour l'année en cours.

Plus :

report des cotisations inutilisées (depuis 1991) ;

facteur d'équivalence rectifié (FER)[3].

Égale :

montant déductible sous forme de REER pour l'année en cours.

Clarifions brièvement quelques-uns des éléments de ce calcul, soit le revenu gagné, le facteur d'équivalence (FE), le facteur d'équivalence pour services passés (FESP) et le report des cotisations inutilisées.

---

2. En 2010, le maximum est de 22 000 $ (*voir le tableau 10.2 à la page 208*).

3. Une personne qui quitte son emploi sans prendre sa retraite peut avoir droit au facteur d'équivalence rectifié (FER). Le but du FER est de rétablir les marges de cotisation au REER qui ont été perdues (*voir le chapitre 10*).

MODULE 3

Le revenu gagné exige un calcul assez complexe, mais inclut sommairement :

- les revenus nets d'emploi ;
- les pensions alimentaires imposables reçues ;
- les revenus de location nets ;
- les revenus nets provenant de l'exploitation d'une entreprise.

Il faut noter que le revenu gagné ne comprend pas les diverses prestations de retraite provenant des régimes gouvernementaux, des régimes privés d'entreprises ou encore des régimes individuels (par exemple, REER). Par contre, les pensions alimentaires versées réduisent le revenu gagné.

Pour obtenir une définition plus complète de la notion de « revenu gagné », vous pouvez consulter le site d'Invesco. Vous y trouverez une liste des éléments inclus et exclus du revenu gagné[4].

Le report des cotisations inutilisées permet, depuis 1991, de reporter indéfiniment les cotisations au REER non utilisées. L'avis de cotisation annuel envoyé par l'ARC mentionne ce montant.

Enfin, mentionnons que les trois facteurs d'équivalence (FE, FESP, FER) ont été traités en détail au chapitre 10 (*voir la sous-section 10.11.1*).

12.2.7 Une cotisation excédentaire finale au REER

Le site d'Invesco présente un bon exemple de cette cotisation. Nous allons donc nous y reporter. À la toute première page du document, vous trouverez une excellente définition du « revenu gagné[5] ».

Voici un exemple pour illustrer cette cotisation.

EXEMPLE

Prenons le cas de Marcel Beaulieu. Celui-ci a eu 71 ans le 18 mai 2009. En 2010, Marcel était toujours sur le marché du travail. Il a toujours cotisé à son REER. Ses droits de cotisation se chiffraient à 13 000 $ en 2009, année au cours de laquelle ils ont été complètement utilisés. Toujours en 2009, Marcel a eu un revenu gagné de 80 000 $. Des droits de cotisation de 18 % de 80 000 $, soit 14 400 $, lui seront accordés en 2010. Quelle stratégie le conseiller de Marcel lui a-t-il recommandée ?

Le 10 décembre 2009, Marcel a converti son REER en un fonds enregistré de revenu de retraite (FERR). Cependant, le 6 décembre 2009, il a versé une contribution excédentaire finale de 14 400 $ à son REER. Il n'avait jusque-là jamais utilisé les 2 000 $ excédentaires auxquels il avait droit. La pénalité pour le mois de décembre 2009 était de 124 $, soit 1 % de (14 400 $ – 2 000 $). Elle devait être déclarée à l'ARC au plus tard le 31 mars 2010, et ce, au moyen du Formulaire T1-OVP accompagné d'un chèque de 124 $.

Le total des contributions de Marcel en 2009 est de 27 400 $ (13 000 $ + 14 400 $). Par contre, le maximum déductible dans sa déclaration de 2009 était de 13 000 $. Marcel pourra ainsi utiliser la somme de 14 400 $ en 2010 ou même la conserver pour plus tard.

Si nous évaluons cette stratégie en tenant compte d'un taux d'imposition de 45 %, Marcel aura épargné beaucoup d'argent à cause de cette cotisation excédentaire finale.

En fait, il aura récolté (14 400 $ × 45 %), moins la pénalité de 124 $, soit 6 356 $.

---

4. En consultant le contenu de cet article, vous constaterez que de nombreuses caractéristiques du REER y sont mentionnées.

5. De plus, vous pourrez consultez la « Contribution au profit du conjoint » à la page 2 (*voir la sous-section 12.1.8 du document*). À la page 3, on aborde la cotisation à vie de 2 000 $ (âge minimum de 19 ans). Finalement, « la cotisation excédentaire finale » est présentée à la page 4. Assurez-vous de bien comprendre le cas d'Henri qui y est exposé. Une version simplifiée du formulaire T1-OVP est disponible à l'adresse suivante : www.cra-arc.gc.ca/F/pbg/tf/t1-ovp-s.

12.2.8 Les contributions au REER du conjoint

Un contribuable peut cotiser au REER de son époux ou conjoint en vue de fractionner son revenu à la retraite et de profiter de l'un des avantages qu'offre ce régime, à savoir la déductibilité des cotisations. La limite de la déduction pour ce contribuable reste la même. Précisons que depuis le budget fédéral du 25 février 1992, les conjoints de fait sont considérés de la même façon que les personnes mariées.

Les contributions au régime du conjoint appartiennent de droit à ce dernier. Par ailleurs, tout capital REER fait automatiquement partie du patrimoine familial en vertu de la *Loi sur le patrimoine familial*, entrée en vigueur le 1er juillet 1989.

Le REER doit être conservé au moins deux ans (soit trois 31 décembre) par le conjoint, sinon il sera imposé au nom du conjoint cotisant. On veut ainsi éviter qu'il y ait abus de la stratégie du fractionnement du revenu. Après deux ans, au moment du retrait du REER, le conjoint est imposé sur les fonds enregistrés à son nom, d'où la notion de fractionnement du revenu. S'il est imposé à un taux moindre, le couple bénéficie d'une économie d'impôt. En réalité, l'objectif du fractionnement est d'équilibrer le plus possible les taux d'imposition des deux conjoints.

À partir de l'âge de 65 ans, le crédit pour revenus de retraite s'applique aux paiements de rentes viagères provenant d'un REER, et ce, pour chacun des deux conjoints rentiers.

Il faut aussi noter que, depuis 2007, le régime fiscal fédéral et celui du Québec permettent aux résidents canadiens qui reçoivent un revenu de pension admissible de le fractionner jusqu'à 50 %. Cette mesure s'applique, entre autres, aux paiements de rente viagère provenant d'un REER, mais seulement à partir de l'âge de 65 ans. Nous reviendrons plus en détail sur cet aspect au chapitre suivant.

Par ailleurs, la stratégie qui consiste à contribuer au REER du conjoint est toujours valable pour les couples qui désirent fractionner leurs revenus avant l'âge de 65 ans.

12.2.9 L'emprunt pour cotiser au REER

Selon un principe largement accepté, une personne peut emprunter à court terme pour placer ce montant dans un REER. Elle doit cependant s'assurer d'être en mesure de rembourser son prêt durant l'année. Sinon, l'avantage du REER sera partiellement anéanti à cause du coût de l'emprunt.

Au moment d'écrire ces lignes (2011), certaines institutions financières proposaient à leur clientèle un prêt personnel dans le but d'investir en REER le montant total des cotisations inutilisées. Cette stratégie peut s'avérer dangereuse pour de nombreux consommateurs. Voyons les faits : les sommes à investir en REER ont déjà été calculées au moyen d'un plan efficace pour la retraite (*voir le chapitre 11*). Or, il arrive assez souvent que les cotisations inutilisées en REER sont beaucoup plus élevées que nécessaire pour atteindre l'objectif de ce plan. Si c'est le cas, les remises du prêt REER (souvent étalées sur plusieurs années) peuvent affecter négativement la qualité de vie durant de nombreuses années. En effet, ces remises sont remboursées partiellement au moyen des économies fiscales provenant de l'investissement dans un REER. Les autres sommes d'argent doivent provenir des disponibilités financières, si disponibilités il y a. Sinon, le coût de la vie (donc la qualité de vie) peut en être sérieusement affecté.

Il faut aussi se rappeler que les intérêts sur le prêt REER ne sont pas déductibles.

Par ailleurs, cette stratégie peut s'avérer intéressante (et même parfois recommandée) dans certains cas :

- Une personne a atteint un âge se rapprochant de la retraite et réalise que sa capitalisation accumulée en REER est insuffisante pour lui permettre d'atteindre ses objectifs de retraite. Il peut alors s'avérer nécessaire d'accélérer l'investissement REER en utilisant cette stratégie et, par conséquent, en récupérant le plus possible les cotisations au REER inutilisées ;

- Également, une personne peut, durant la phase de la capitalisation, vouloir, par prudence, investir un peu plus dans son REER que ne le suggère le plan. Cette stratégie ne pose aucun problème si elle n'affecte pas la qualité de vie (coût de la vie) ;

- Enfin, certaines personnes peuvent investir dans leur REER une somme supérieure à celle que leur recommande leur plan et se servir de ces fonds REER supplémentaires pour « rapper » (*voir le RAP à la section 12.6 et dans le dossier 12.3*). Tel que mentionné au chapitre 11, il est primordial, à la retraite, d'atteindre un bon équilibre entre les actifs générateurs de revenus (tel le REER) et ceux qui permettent de maintenir la qualité de vie (telle la résidence).

Il faut donc être très prudent avant d'employer une telle stratégie et ne l'utiliser que si elle sert bien les objectifs de retraite, tant qualitatifs que quantitatifs.

12.2.10 Le traitement fiscal appliqué au retrait du REER

Deux aspects nous intéressent ici, soit l'imposition des retraits ponctuels par le particulier et les retenus fiscales à la source effectuées par les institutions financières.

Le retrait ponctuel est imposé au provincial et au fédéral comme un revenu salarial.

Les taux de retenue à la source pratiqués par les établissements financiers diffèrent des retenues salariales. Le tableau 12.2 illustre ces taux, lesquels sont des crédits remboursables.

TABLEAU 12.2 Les taux de retenue à la source pour les retraits de REER – 2010

Montant	Québec	Fédéral	Total
5 000 $ et moins	16 %	5 %	21 %
De 5 001 $ à 15 000 $	16 %	10 %	26 %
15 001 $ et plus	16 %	15 %	31 %

Source : CQFF (2011).

12.2.11 Le REER et certains événements spéciaux

Le décès, le divorce et la faillite sont des événements spéciaux qui soulèvent la question suivante : qu'arrive-t-il au REER dans chacune de ces situations ? En pratique, celles-ci sont toujours complexes et nécessitent l'intervention d'experts.

Le planificateur financier généraliste se doit donc de connaître les grandes lignes de chacune de ces situations spéciales.

Le décès

Le processus successoral relatif au décès fait l'objet du module «La planification successorale». Il s'agit d'un domaine très vaste et complexe qui peut être résumé ainsi :

- Un particulier est présumé, immédiatement avant son décès, avoir disposé de l'ensemble des biens (amortissables ou non amortissables) qu'il ne lègue pas à son conjoint (ou à une fiducie exclusive en sa faveur) à un prix correspondant à leur juste valeur marchande (JVM) ;

- Au moment du décès, la JVM des régimes enregistrés tel le REER est ajoutée aux revenus de la personne décédée. Par contre, dans le cas du legs du REER au conjoint ou au conjoint de fait, ce régime est légué en franchise d'impôt.

Le divorce

Le REER fait partie du patrimoine familial. Donc, les personnes mariées ou unis civilement auront lors d'un divorce (mariage) ou d'une entente légale notariée de séparation (union civile) à partager le REER. Par contre, les conjoints de fait ne sont pas soumis au Code civil du Québec dont fait partie le patrimoine familial.

La faillite

Le 14 mai 2004, la Cour suprême du Canada s'est prononcée sur les REER autogérés auxquels se rattachait une rente à terme fixe appelée «REER protégé». L'arrêt était le suivant : ces REER sont saisissables ! Puis, en 2007, de nouvelles dispositions sont entrées en vigueur rendant les REER insaisissables à certaines conditions. Pour en savoir plus à ce sujet, vous pouvez consulter le dossier 12.1. Ce document dresse un portrait de la situation jusqu'à aujourd'hui (mai 2011).

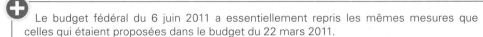

> Le budget fédéral du 6 juin 2011 a essentiellement repris les mêmes mesures que celles qui étaient proposées dans le budget du 22 mars 2011.
>
> Ce budget propose d'instaurer des règles anti-évitement pour le REER, règles qui seraient semblables à celles relatives au CELI. Sans entrer dans certains détails qui touchent surtout la fiscalité et l'impôt à payer, l'essentiel se résume en trois types de règles : les règles sur les avantages (par exemple : opération swap et produits financiers dérivés), les règles sur les placements interdits (placement en actions de 10 % ou plus dans une société privée) et les règles sur les placements non admissibles (un impôt spécial correspondant à 50 % de la JVM du placement non admissible).

12.2.12 Le REER : un véhicule pour tous ?

Pour terminer cette section, une grande question se pose : le REER est-il un véhicule financier qui convient à tous (*voir le dossier 12.2*) ? De nombreuses études le confirment : c'est l'outil d'investissement par excellence pour bien planifier sa retraite. Par contre, il faut bien reconnaître que le REER demeure l'apanage des gens à revenus moyens ou élevés, mais rien n'empêche le plus humble des salariés d'y participer.

12.3 Le compte de retraite libre d'impôt (CELI)

Le deuxième régime enregistré que nous aborderons est relativement nouveau, puisqu'il date de 2009. En effet, le budget fédéral du 26 février 2008, déposé par le ministre des Finances Jim Flaherty, présentait une mesure d'envergure concernant une nouvelle façon d'épargner, soit le « compte d'épargne libre d'impôt » (CELI). Le budget du Québec du 13 mars 2008 par la ministre Monique Jérôme-Forget a entièrement endossé la création du CELI.

En 2007, le taux d'économie des Canadiens était d'environ 1,3 % du revenu disponible. C'est sûrement l'une des raisons qui ont motivé le gouvernement fédéral à adopter cette mesure.

Toutefois, l'idée du CELI n'était pas complètement nouvelle. Au début des années 2000, le réputé Institut C. D. Howe avait posé les bases d'un nouveau régime qui favoriserait l'épargne chez les familles moins fortunées. Le Régime d'épargne aux impôts prépayés (REIP) était censé devenir le complément du REER. Son fonctionnement est simple : les cotisations ne sont pas déductibles du revenu imposable ; ainsi, lors de leurs retraits, il n'y a aucun impôt à payer. Cependant, les sommes d'argent ainsi investies croissent en franchise d'impôt, tout comme c'est le cas dans le REER. À l'occasion des budgets 2003 et 2004, le gouvernement fédéral a fait mention de ce projet, mais les budgets de 2005 à 2007 sont restés muets à ce sujet. Le CELI annoncé en 2008 par le ministre Jim Flaherty est entré en vigueur le 1er janvier 2009.

12.3.1 Quelques caractéristiques du CELI

Voici la liste des principales caractéristiques du CELI :

- Les Canadiens âgés de 18 ans et plus (sans limite d'âge) peuvent, depuis 2009, verser des cotisations allant jusqu'à 5 000 $ (plus indexation, s'il y a lieu) par année dans un CELI. Ils n'ont pas besoin d'avoir des revenus pour y être admissibles, mais doivent produire une déclaration de revenus pour pouvoir y cotiser ;

- Les cotisations excédentaires sont soumises aux mêmes pénalités que celles qui sont applicables au REER, soit 1 % par mois, et ce, pour chaque mois où l'excédent demeure dans le compte. Par ailleurs, si la cotisation excédentaire est considérée comme volontaire, une pénalité additionnelle de 100 % est imposée sur les revenus ou gains en résultant ;

- Si un contribuable a effectué des retraits durant l'année d'imposition, de nouveaux droits de cotisation équivalant à la valeur des retraits sont créés, mais ils ne peuvent être utilisés que l'année suivante. Ce « rattrapage » de mise de fonds peut être effectué sans réduire les droits de cotisation ;

- Les cotisations au CELI ne sont pas déductibles du revenu à des fins d'imposition et les revenus de placement gagnés (intérêts, dividendes et gains en capital) au moyen du CELI ne sont pas imposables, et ce, même lors des retraits ;

- Les droits de cotisation inutilisés peuvent être reportés indéfiniment aux années suivantes ;

- L'argent se trouvant dans le compte CELI peut être retiré en tout temps et à n'importe quelle fin ;

- Le revenu gagné au moyen d'un CELI ainsi que les retraits effectués ne modifient aucunement le droit à recevoir des prestations ou des crédits fédéraux fondés sur le revenu (SV, SRG, etc.);

- Au décès de l'un des conjoints, l'actif détenu dans un compte CELI peut être transféré au conjoint survivant en franchise d'impôt;

- Les restrictions quant aux placements autorisés dans le cadre d'un CELI sont les mêmes que celles concernant les REER et les RPA;

- Au moment du décès du titulaire du CELI, le capital accumulé est entièrement libre d'impôt, comme l'est celui d'une assurance vie.

12.3.2 Quelques stratégies liées au CELI

Dans les pages suivantes, nous expliquerons les divers usages du CELI.

- Il n'est pas possible de cotiser au CELI du conjoint, mais un certain montant peut être donné à celui-ci pour qu'il contribue à son CELI. En effet, les règles d'attribution ne s'appliquent pas dans le cas du CELI. Ces règles stipulent que les revenus provenant d'un montant d'argent donné à son conjoint ou à son enfant mineur sont imposables au nom du donateur, non du bénéficiaire. Le conjoint le plus riche peut donc fournir à l'autre les liquidités nécessaires pour qu'il puisse cotiser annuellement à son CELI. Cela facilite la tâche de tous les couples qui veulent y verser globalement 10 000 $ par année, répartis également entre les comptes des conjoints.

- Le CELI est un programme complémentaire au REER, mais il ne le remplace pas. Fiscalement parlant, les investisseurs ont avantage à contribuer au maximum à leur REER avant de considérer le CELI. En effet, les cotisations au REER sont déductibles et engendrent ainsi une économie fiscale immédiate.

- Les familles comprenant des enfants âgés de moins de 18 ans ont avantage à cotiser au REEE avant de considérer le CELI, et ce, dans le but de recevoir les subventions des gouvernements fédéral et provincial.

- Une règle fondamentale demeure: il faut rembourser ses dettes personnelles de consommation (emprunts personnels, cartes de crédit, etc.) avant d'investir dans un CELI. Une stratégie est fortement recommandée aux personnes endettées qui n'apprécient pas particulièrement le REER: rembourser leurs dettes graduellement tout en investissant périodiquement dans un CELI.

 Pour mieux saisir les concepts se rapportant au CELI, nous vous proposons les ressources suivantes:

- Le site du gouvernement fédéral portant sur le CELI est un incontournable; il vous offre toutes les informations nécessaires à la compréhension de ce régime;

- Le site Internet du CQFF propose diverses analyses des budgets fédéraux, dont celui de 2008 qui abordait le CELI dans sa première section. Ce site fait appel à divers intervenants pour commenter ce budget. Vous y trouverez donc des liens menant vers l'analyse de l'APFF et de l'ordre des CGA;

- Nous vous recommandons aussi le site budget.gc.ca, qui donne accès à une calculatrice permettant de constater l'avantage financier d'investir dans un régime enregistré plutôt que dans un régime non enregistré. (Les mises de fonds s'effectuent à la mi-année.);

Pour une description de la comparaison stratégique entre l'investissement dans un REER et l'investissement dans un CELI, consultez la section 12.8 une fois que nous aurons abordé le RAP (*voir la section 12.6*), celui-ci jouant un certain rôle dans ce débat.

12.4 Le régime enregistré d'épargne-études (REEE)

Le régime enregistré d'épargne-études (REEE) est soumis à la *Loi de l'impôt sur le revenu* et est établi en vue de fournir une aide financière au futur étudiant désirant poursuivre des études postsecondaires.

Voici quelques éléments d'intérêt du REEE :

- Le revenu généré par l'épargne accumulée dans un REEE croît en franchise d'impôt ;
- Les enfants inscrits à un REEE doivent être des résidents canadiens et avoir un numéro d'assurance sociale valide ;
- Le bénéficiaire doit être un résident canadien chaque fois qu'une cotisation est versée dans son REEE.

Les paiements d'aide aux études sont constitués de retraits imposés au nom du bénéficiaire, c'est-à-dire un étudiant qui paie généralement peu ou pas d'impôt.

Le financement des études universitaires préoccupe de plus en plus les parents qui planifient leur propre avenir financier et celui de leurs enfants. Le coût de quatre années d'études universitaires (droits de scolarité, logement et nourriture) va en augmentant.

12.4.1 Les caractéristiques du REEE

Depuis le budget fédéral du 28 février 1998, la popularité des REEE a connu une croissance phénoménale, et ce, pour plusieurs raisons : divers facteurs sociologiques, la souplesse des nouveaux REEE, l'entrée en vigueur de la subvention canadienne pour l'épargne-études (SCEE), etc.

Les budgets fédéraux du 19 mars 2007 et du 26 février 2008 ont apporté de nombreux changements au REEE. Les aspects les plus pertinents prennent en considération ces deux budgets. Le REEE permet aux parents de planifier l'avenir de leurs enfants. Sans ce régime, ils devraient recourir à une panoplie de moyens allant de l'hypothèque résidentielle au retrait des REER, de même qu'aux emprunts personnels. L'étudiant devrait aussi devoir gagner l'argent qui lui est nécessaire, cela ayant le plus souvent des effets négatifs sur ses études.

Les parents, les grands-parents, la parenté et les amis peuvent verser ensemble ou individuellement des sommes annuelles dans le REEE d'un bénéficiaire. Le budget fédéral du 19 mars 2007 a aboli le plafond des cotisations annuelles de 4 000 $. Celles-ci ne sont pas déductibles des revenus du souscripteur. De ce fait, le capital n'est pas imposable lorsqu'il est remis à ce dernier. La date limite de cotisation est le 31 décembre de chaque année.

Le REEE permet au bénéficiaire de cotiser jusqu'au plafond à vie de 50 000 $ et d'ainsi profiter d'une stratégie d'exonération d'impôt visant à maximiser la croissance des fonds accumulés et à minimiser l'impôt à payer. Une personne peut donc choisir de cotiser 50 000 $ d'un seul coup ou de verser un certain montant annuellement.

Le budget fédéral du 26 février 2008 a permis de modifier deux aspects importants du REEE :

1. Au départ, les cotisations pouvaient être versées dans un REEE pendant les 21 années suivant l'année de création du régime. Cette durée est passée à 31 ans ;

2. Avant le budget de 2008, le REEE devait être dissous avant la fin de l'année marquant le 25e anniversaire de la création du régime. Aujourd'hui, la dissolution survient au 35e anniversaire.

12.4.2 Les subventions gouvernementales

Les parents peuvent bénéficier de trois subventions gouvernementales dans le cadre du REEE :

- La subvention canadienne pour l'épargne-études (SCEE) ;
- Le bon d'études canadien (BEC) ;
- L'incitatif québécois à l'épargne-études (IQEE).

La subvention canadienne pour l'épargne-études (SCEE)

Le gouvernement du Canada a mis en place la subvention canadienne pour l'épargne-études (SCEE) afin de permettre aux parents d'épargner pour les études postsecondaires de leurs enfants. Cette subvention est calculée selon les cotisations versées à un REEE au nom du bénéficiaire admissible ainsi que d'après le revenu familial du responsable de l'enfant.

La SCEE peut prendre deux formes. D'abord, la subvention de base, valide jusqu'à la fin de l'année civile où l'enfant atteint l'âge de 17 ans, représente 20 % des cotisations versées à un REER. Elle peut atteindre un maximum de 500 $, c'est-à-dire 20 % de 2 500 $. Cependant, le maximum à vie du bénéficiaire est 7 200 $. Le gouvernement fédéral remet la SCEE supplément (SCEE-S), c'est-à-dire une somme d'argent additionnelle contribuant à l'épargne du REEE. Cette subvention peut s'ajouter au SCEE de base. Elle touche la première tranche de 500 $ versée dans un REEE, de 10 % ou 20 %, et ce, en fonction du revenu net familial[6] (Gouvernement du Canada, 2011).

 Pour connaître ces montants, qui varient chaque année, consultez le site de Ressources humaines et Développement des compétences Canada.

Le bon d'études canadien (BEC)

Le bon d'études canadien (BEC) est versé au REEE d'un enfant né le 1er janvier 2004 ou après. Le montant du BEC est de 500 $ la première année. Par la suite, 15 versements de 100 $ sont faits chaque année, jusqu'à ce que le bénéficiaire atteigne l'âge de 15 ans, pour un maximum de 2 000 $. Le BEC est versé dans le REEE du bénéficiaire chaque année où sa famille reçoit le supplément de la prestation nationale pour enfants.

Comme dans le cas de la SCEE supplémentaire, le souscripteur doit fournir le numéro d'assurance sociale du principal responsable du bénéficiaire, généralement

---

6. En 2011, pour un revenu net familial inférieur à 41 544 $, le maximum de SCEE est de 600 $, soit 20 % de 2 500 $ plus 20 % de 500 $.

MODULE 3

la personne qui reçoit la prestation fiscale canadienne pour enfant et, s'il y a lieu, le supplément de la prestation nationale pour enfant.

L'incitatif québécois à l'épargne-études (IQEE)

Entré en vigueur le 21 février 2007, l'incitatif québécois à l'épargne-études (IQEE) souhaite encourager les études postsecondaires en amenant les parents et grands-parents à épargner pour leurs enfants et petits-enfants. Il s'agit d'un crédit d'impôt remboursable versé directement dans un REEE (Industrielle Alliance, 2011).

Pour être admissible à l'IQEE, l'enfant bénéficiaire doit respecter les quatre conditions suivantes :

- Être le bénéficiaire désigné d'un REEE déjà existant ;
- Être un résident du Québec au 31 décembre de l'année d'imposition ;
- Être âgé de moins de 18 ans ;
- Avoir un numéro d'assurance sociale.

Un compte REEE peut recevoir, pour une année donnée, une somme correspondant à 10 % des cotisations nettes versées durant cette année, jusqu'à concurrence de 250 $. De plus, depuis 2008, un montant de droits accumulés au cours des années précédentes peut s'ajouter au montant de base.

Une majoration de 5 % ou 10 % s'ajoute au premier 500 $ de subvention versée au régime, et ce, conditionnellement à un revenu net familial peu élevé[7].

Il faut cependant noter que le montant cumulatif de l'IQEE accordé à l'égard d'un bénéficiaire ne peut excéder 3 600 $.

L'IQEE n'est pas un crédit d'impôt que l'on réclame dans sa déclaration de revenus. C'est le fiduciaire désigné du REEE qui doit en faire la demande auprès de Revenu Québec.

Pour en savoir plus sur l'IQEE et pour consulter des exemples pertinents, nous vous recommandons le site de Revenu Québec, où une excellente brochure présente des exemples de situations concrètes. Encore une fois, les sites des fonds Universitas et Héritage peuvent être utiles.

12.4.3 Les types de REEE

Il existe trois types de REEE : les régimes individuels, les régimes familiaux et les régimes collectifs.

Le budget fédéral du 6 juin 2011 proposait d'autoriser les transferts des REEE individuels entre frères et sœurs sans entraîner de pénalité fiscale ni déclencher le remboursement de la SCEE, et ce, à la seule condition que le bénéficiaire du régime recevant le transfert d'actifs n'aie pas atteint l'âge de 21 ans à l'ouverture du régime.

Les régimes individuels

Les régimes individuels peuvent être traditionnels ; ils sont alors distribués par les établissements financiers (caisses et banques). Ils peuvent aussi être autogérés, ce qui convient davantage aux personnes intéressées à la gestion d'un tel portefeuille. Ils sont alors commercialisés par les maisons de courtage. Dans certains régimes individuels, un nouveau

---

7. En 2011, pour un revenu net familial inférieur à 39 060 $, le maximum d'IQEE est de 300 $, soit 10 % de 2 500 $ plus 10 % de 500 $.

bénéficiaire peut être nommé si l'enfant désigné originalement ne poursuit pas ses études. Il n'y a aucune limite d'âge pour le bénéficiaire.

Les régimes familiaux

Les régimes familiaux sont semblables aux régimes individuels, sauf que l'on peut nommer plusieurs bénéficiaires. Ceux-ci doivent toutefois être liés par les liens du sang ou de l'adoption. Si l'on remplace un bénéficiaire, le nouveau bénéficiaire doit être son frère ou sa sœur. En général, les bénéficiaires doivent avoir moins de 21 ans.

Les régimes collectifs

Les régimes collectifs sont les plus anciens ; ils sont offerts par des fondations à but non lucratif. Les fonds des souscripteurs sont en fait administrés par une fiducie qui veille à les investir d'une façon sécuritaire. On peut nommer jusqu'à trois bénéficiaires (trois bourses d'études) et remplacer un bénéficiaire par un autre. Certains régimes collectifs étant moins flexibles que d'autres, il importe de choisir celui qui convient le mieux, car certains offrent de nombreux avantages. Les fonds Universitas et Héritage sont des exemples de régimes collectifs.

12.4.4 L'utilisation d'un REEE

Dès que l'étudiant est inscrit à temps plein (dans certains cas, à temps partiel) dans un établissement admissible, il peut commencer à utiliser son REEE pour payer ses droits de scolarité, entre autres. En effet, les revenus accumulés sur les montants cotisés sont versés au bénéficiaire sous forme de paiement d'aide aux études (PAE). À noter que ces PAE comprennent également les subventions gouvernementales et que tous les revenus que l'étudiant reçoit sont imposables en son nom. Ces revenus que l'étudiant reçoit sont imposables en son nom. En revanche, il ne paie en général que peu d'impôt, ses revenus étant peu élevés.

Il est important de répondre à la question suivante : si le bénéficiaire d'un REEE ne fait pas d'études postsecondaires, qu'advient-il du capital investi ? Des revenus produits par les cotisations ? De la subvention fédérale et des revenus qui en découlent ?

- Le capital (cotisations) peut être retiré en tout temps sans pénalité fiscale. Ce montant est remis au souscripteur.

- En général, si le régime existe depuis 10 ans et que le bénéficiaire a atteint l'âge de 21 ans (ou s'il est décédé), le souscripteur peut retirer les revenus accumulés. Il peut alors transférer les revenus du REEE à son REER ou à celui de son conjoint si, bien sûr, les cotisations inutilisées le permettent. Le maximum ainsi transférable est de 50 000 $. Les revenus non transférés au REER sont imposés au taux marginal et assujettis à une pénalité de 20 % (12 % au fédéral et 8 % au Québec).

- Les subventions SCEE, BEC et IQEE doivent être retournées aux différents gouvernements, mais non les revenus qui proviennent de ces subventions.

- Ces subventions peuvent être conservées si le régime permet de nommer un nouveau bénéficiaire. Le régime poursuit son existence pour ce nouveau bénéficiaire âgé de moins de 21 ans.

12.4.5 Le REEE : un avantage financier certain

Comparons un investissement dans un REEE et un investissement traditionnel non enregistré qui produit surtout de l'intérêt. Voici les données utilisées dans l'exemple qui suit :

- Une cotisation au REEE de 2 000 $ par année (en mode BGN) pendant 15 ans à 5 % ;
- La SCEE de 400 $ et l'IQEE de 200 $ par année (en fin de période) pendant 15 ans à 5 % ;
- Pour l'investissement hors REER, on suppose un taux d'imposition de 50 %.

EXEMPLE

Investissement dans un REEE

Cet exemple ne prend en considération que la SCEE et l'IQEE. Un dépôt annuel de 2 000 $ à 5 % pendant 15 ans, effectué en début de période, donne le résultat suivant :

 En mode BGN

CE/C > 2ND > CLR	
2ND > BGN > 2ND > SET	
2ND > P/Y > 1 > ENTER	1
CE/C > CE/C	
2 000 > +/− > PMT	−2 000
15 > N	15
5 > I/Y	5
CPT > FV	45 315 $ (à 1 $ près)

Où le capital investi (2 000 $ × 15 ans)	30 000 $
le rendement (REEE) est (45 315 $ − 30 000 $)	15 315
Total du fonds investi	45 315 $

Plus : Une subvention de 400 $ par année (SCEE) et un crédit d'impôt de 200 $ par année (IQEE)

Le total des deux subventions : 400 $ + 200 $ = 600 $. Il faut présumer que ces deux subventions sont reçues en fin de période.

Si ce total de 600 $ est investi annuellement en fin de période à 5 % d'intérêt pendant 15 ans, on obtient :

CE/C > 2ND > CLR	
2ND > END > 2ND > SET	
2ND > P/Y > 1 > ENTER	1
CE/C > CE/C	
600 > +/− > PMT	−600

▶

15 > N	15
5 > I/Y	5
CPT > FV	12 947$ (à 1$ près)

Total produit par le REEE (45 315$ + 12 947$) 58 262$ (à 1$ près)
ou 58 300$ (aux 100$ près)

Investissement hors REEE

Si le parent, imposé au taux marginal de 50%, place ce même montant, le rendement net chute à 2,5%. Le résultat est le suivant:

Total du fonds investi (en début de période) hors REEE: 36 800$ (aux 100$ près)

Voici le calcul à faire pour obtenir ce résultat:

 En mode BGN

CE/C > 2ND > CLR	
2ND > BGN > 2ND > SET	
2ND > P/Y > 1 > ENTER	1
CE/C > CE/C	
2 000 > +/− > PMT	−2 000
15 > N	15
2.5 > I/Y	2.5
CPT > FV	36 800$ (aux 100$ près)

Avantage financier du REEE

Total produit par le REEE – Total du fonds investi hors REEE:
58 300$ − 36 800$ = 21 500$

L'avantage du REEE est donc évident. Les calculs précédents ne montrent pas l'économie fiscale pour le contribuable, car celle-ci dépend de nombreux facteurs. Pour obtenir plus d'information sur le REEE, vous pouvez consulter le site de l'ARC. Vous y trouverez une excellente présentation du REEE dans le formulaire RC4092.

12.5 Le régime enregistré d'épargne-invalidité (REEI)

Le régime enregistré d'épargne-invalidité (REEI) est légalement entré en vigueur le 1er janvier 2008. Il faisait partie des mesures législatives proposées en 2007 par le ministre fédéral des Finances, Jim Flaherty. Ce régime à long terme permet d'investir des fonds libres d'impôt jusqu'au moment de leur retrait. Il a pour but d'aider les parents et d'autres personnes à épargner pour assurer la sécurité financière à long terme d'un enfant ayant une invalidité. C'est en fait un accord de fiducie au bénéfice d'une personne handicapée. Bien

MODULE 3

sûr, tout comme pour le REEE, les cotisations ne sont pas déductibles, mais les revenus s'accumulent en franchise d'impôt. Le REEI suppose quatre joueurs importants :

- L'émetteur du régime, par exemple une grande institution financière telle la RBC Banque Royale ;
- Le titulaire, qui établit le régime avec l'émetteur (tuteur ou organisme reconnu) ;
- Le responsable du bénéficiaire (père, mère, tuteur, organisme, etc.) ;
- Le bénéficiaire du régime, qui peut effectuer des cotisations au REEI.

12.5.1 Les subventions

Les subventions possibles concernant le REEI sont de deux types.

Le premier concerne les cotisations que la personne handicapée ou sa famille fait dans le compte REEI. Selon son revenu, le gouvernement y déposera jusqu'à 3 500 $. La cotisation annuelle n'est pas limitée, mais la limite cumulative à vie s'élève à 200 000 $.

Le second est un bon versé en surplus et pouvant atteindre 1 000 $ par année. Il s'adresse aux familles à revenu modeste, qu'il y ait eu cotisation ou non. Le fait d'ouvrir un compte au nom d'une personne handicapée ayant des revenus modestes lui garantit cette subvention.

Les subventions et les bons sont versés jusqu'à ce que le bénéficiaire atteigne l'âge de 49 ans. Par ailleurs, pour encourager l'épargne, ils doivent être maintenus dans le REEI pendant au moins 10 ans.

12.5.2 L'assouplissement de certaines règles

Deux changements importants ont été apportés au REEI en 2011.

Depuis janvier 2011, il est permis de reporter les droits inutilisés à la subvention et au bon pour une période de 10 ans précédant l'ouverture du régime (débutant en 2008, année de création du REEI).

Depuis juillet 2011, les produits d'un REER, d'un FERR et d'un RPA d'un particulier décédé peuvent être transférés dans le REEI d'un enfant ou d'un petit-enfant handicapé et financièrement à la charge du particulier décédé.

12.5.3 Les retraits

Terminons cet exposé sur le REEI en soulignant que les retraits se font dès que la personne handicapée atteint l'âge de 60 ans et s'échelonnent jusqu'à ce qu'elle ait atteint l'âge de 80 ans. Certaines règles permettent toutefois de faire des retraits avant l'âge de 60 ans. En général, plus la personne handicapée est jeune au moment où ses parents ou elle-même commence à cotiser à son REEI, plus ces règles sont souples. Le budget fédéral du 6 juin 2011 proposait d'accorder aux bénéficiaires d'un REEI dont l'espérance de vie est réduite une plus grande marge de manœuvre pour en retirer les actifs, et ce, sans avoir à rembourser la subvention canadienne pour l'épargne-invalidité (SCEI) et le bon canadien pour l'épargne-invalidité (BCEI).

➕ Il est à noter que le montant de la SCEI est fonction du revenu net du bénéficiaire adulte (et de son conjoint, le cas échéant) et des cotisations annuelles au REEI. Par exemple, si le bénéficiaire est mineur, le montant de la SCEI est fonction du revenu annuel familial net du bénéficiaire et du montant des cotisations annuelles. La SCEI cumulative maximale est de 70 000 $ par bénéficiaire.

En regard du BCEI, les bénéficiaires ou les familles dont le revenu familial net est inférieur à 41 544 $ sont également admissibles aux Canadiens pour l'épargne-invalidité. Ajoutant qu'il n'est pas nécessaire de cotiser à un REEI pour avoir un droit au BCEI. Enfin, soulignons que le BCEI cumulatif maximal est de 20 000 $ par bénéficiaire.

12.6 Le régime d'accession à la propriété (RAP)

Le régime d'accession à la propriété (RAP) est le premier régime dérivé du REER. Depuis le 28 janvier 2009, il permet aux contribuables d'emprunter en franchise d'impôt jusqu'à 25 000 $ de leur REER dans le but de financer l'achat ou la construction d'une première maison. Le RAP s'applique au provincial, et le budget fédéral de février 1994 a permis qu'il soit transformé en un régime permanent. Il faut cependant préciser que l'habitation admissible doit avoir été acquise avant le 1er octobre de l'année civile qui suit celle du retrait (par exemple, si l'on retire les fonds en décembre 2009, on a jusqu'au 30 septembre 2010 pour acheter une maison). Pour tirer profit de ce programme, il est très important que l'acheteur prévoie les liquidités nécessaires pour rembourser le montant retiré par fractions étalées pendant la période de 15 ans exigée. Sinon, le retrait du REER devient imposable. Le premier remboursement doit être effectué au plus tard à la fin de la deuxième année civile suivant celle du retrait.

L'expression «acheteur d'une première maison» désigne une personne ou des conjoints (époux ou conjoints de fait) n'ayant pas possédé de maison (résidence principale) au cours des cinq années civiles commençant avant la date du retrait. Certaines conditions s'appliquent pour les personnes handicapées.

Il faut noter qu'un couple peut retirer un maximum de 50 000 $ (25 000 $ par conjoint), pourvu que les deux personnes deviennent conjointement propriétaires de la maison. L'acheteur devra d'abord s'assurer auprès de son établissement financier que les fonds du REER sont disponibles, car ils peuvent être immobilisés durant un certain temps (par exemple,

➕ Vous n'êtes donc pas considéré comme l'acheteur d'une première habitation si vous ou votre époux ou conjoint de fait étiez propriétaire d'une habitation considérée comme votre lieu principal de résidence durant la période commençant le 1er janvier de la quatrième année précédant l'année du retrait et se terminant 31 jours avant la date de celui-ci.

un CPG de cinq ans). Au décès, le solde devient imposable l'année du décès, mais le conjoint survivant peut choisir de rembourser le solde de la période restante.

12.6.1 La règle des 90 jours

Deux situations sont particulièrement visées par la règle des 90 jours. La première concerne les contributions au REER effectuées pour se prévaloir du RAP. Les fonds provenant de ce régime doivent être conservés au moins 90 jours pour être déductibles. Bien sûr, si le capital REER, 90 jours avant le retrait, excède le montant du retrait au moyen du RAP, cette règle ne s'applique pas.

MODULE 3

La seconde situation concerne les personnes qui n'ont pas de REER ou qui possèdent des cotisations inutilisées dans un REER modeste. Ces personnes peuvent emprunter d'un établissement financier les fonds nécessaires. C'est une stratégie très populaire depuis quelques années ; on l'observe surtout chez les jeunes couples. Encore ici, la règle des 90 jours est essentielle.

12.6.2 Le RAP : une stratégie intéressante ?

Le RAP peut, à certaines conditions, s'avérer une stratégie intéressante pour la personne seule ou le couple qui désire améliorer sa qualité de vie, car il n'y a aucun intérêt à payer sur les montants à rembourser. Par contre, il y a toujours deux côtés à une médaille. Le dossier 12.3 est intitulé « Le RAP : un pensez-y bien ! ». Pourquoi un « pensez-y bien » ? Parce qu'il peut en effet être très coûteux de « rapper », et ce, pour de très nombreuses raisons.

Le REER est un véhicule financier qui permet de faire des mises de fonds annuelles régulières et d'accumuler un capital générateur de revenus servant à maintenir la qualité de vie à la retraite. « Rapper » signifie utiliser une partie de ses REER pour faire l'achat d'une maison ou d'un actif lié au style de vie (encadreur de la qualité de vie) qui nécessite des débours additionnels et réguliers (entretien, améliorations, imprévus, etc.). Les nouveaux propriétaires sous-estiment en général le coût de possession d'une maison. Ce fait peut parfois avoir des conséquences désastreuses sur les remises annuelles au REER et, ce qui est plus sérieux encore, sur le capital à accumuler en vue de la retraite. Le cas de Paul Domier, que présente le dossier 12.3, est éloquent à ce sujet.

Pour obtenir plus d'information sur le RAP, vous pouvez consulter le site de l'ARC et son guide RC4135 ainsi que la section « Planification de la retraite » du site d'Invesco.

12.7 Le régime d'encouragement à l'éducation permanente (REEP)

À l'instar du RAP, le régime d'encouragement à l'éducation permanente (REEP) est un régime dérivé du REER. En vigueur depuis 1999, il permet de retirer de son REER, en franchise d'impôt, jusqu'à 20 000 $ en 4 ans pour un retrait annuel maximal de 10 000 $. La date limite pour bénéficier du régime est le 31 décembre de chaque année. Les deux conjoints d'un couple peuvent le faire si chacun possède les liquidités dans son REER ; ils peuvent donc retirer un total de 40 000 $.

Au moment d'effectuer le retrait, il faut détenir d'un établissement agréé (cégep ou université, par exemple) une preuve confirmant l'admission à temps plein de la personne à un programme d'études, et ce, avant le mois de mars de l'année suivante.

Le retrait constitue un prêt sans intérêt à rembourser sur une période maximale de 10 ans, en versements égaux. Comme pour le RAP, tout montant exigible mais non remboursé devient automatiquement imposable. Un contribuable peut s'inscrire plusieurs fois à ce programme à la condition d'avoir remboursé entièrement la somme de ses retraits antérieurs.

En conclusion, il faut bien le reconnaître, le fait que ce régime serve à financer les études du propriétaire du REER (ou de son conjoint) lui accorde une certaine noblesse. En effet, contrairement à une maison familiale, l'éducation, comme on le sait, est un « actif générateur de revenus ». Le REEP peut donc intéresser un grand nombre de personnes. Bien sûr, les mêmes mises en garde s'appliquent au REEP qu'au RAP. Par contre, l'éducation est une grande richesse qu'il ne faut pas sous-estimer ; en ce sens, ce régime est souvent justifié. En règle générale, une personne plus instruite a de meilleurs revenus et peut ainsi compenser d'une façon efficace le manque de capitalisation de son REER.

Pour obtenir plus d'information sur le REEP, vous pouvez consulter les deux sites suggérés pour le RAP, soit ceux d'Invesco et de l'ARC.

12.8 Le REER : un véhicule financier qui permet plusieurs stratégies

Abordons finalement la dernière étape de ce chapitre, lequel concerne exclusivement des stratégies liées au REER.

12.8.1 REER ou CELI ?

Voilà une question qui a alimenté plusieurs débats depuis l'arrivée du CELI en janvier 2009. Heureusement, un consensus est en train d'émerger au sein de l'industrie financière pour différencier ces deux produits financiers qui sont très différents l'un de l'autre, mais qui se complètent. Il est intéressant de faire un survol des derniers articles écrits par des planificateurs financiers sur ce sujet. Si l'objectif visé est de planifier sa retraite, donc un but à long terme, le moyen par excellence pour y parvenir demeure le REER.

> Quand le directeur d'Aviso, François Morency, se fait demander quel est le meilleur moyen d'épargner, il compare le CELI et le REER à des outils.
>
> « C'est comme si on demandait : « Tournevis ou marteau ? », dit-il. Ça dépend si vous avez une vis ou un clou. Si l'objectif de l'épargne est d'acheter une voiture, le REER sera pénalisant. Pour un jeune qui a des revenus très bas, il vaut mieux utiliser le CELI, prendre l'habitude d'épargner et ensuite envoyer dans un REER quand il pourra faire des économies d'impôt avec ses droits inutilisés. » (Gosselin, 2010)

Soyons clair : le CELI est une stratégie appropriée dans les cas suivants :

- Pour alimenter un fonds d'urgence (ou une réserve de base correspondant à environ trois mois de coût de la vie), que toute famille devrait posséder ;
- Pour optimiser ses revenus après l'âge de 71 ans ;
- Pour optimiser les revenus d'une personne qui contribue déjà au maximum à son REER ;
- Pour planifier à court et moyen terme certains projets spéciaux (par exemple : achat d'une résidence, rénovations majeures, installation d'une nouvelle piscine). À ce sujet, consultez l'exemple à la page suivante.

MODULE 3

- Pour fractionner ses revenus avec son conjoint ou ses enfants. En effet, comme nous l'avons mentionné, il n'est pas permis de contribuer au CELI de son conjoint et de ses enfants (âgés de 18 ans et plus), mais il est possible de leur donner de l'argent sans que les règles d'attribution s'appliquent;

- Le travailleur qui possède un excellent RPAPD pourrait se retrouver avec un facteur d'équivalence (FE) assez élevé et, par conséquent, un espace REER très restreint. Le CELI devient alors une solution intéressante pour lui;

- Un argument qui semble porter fruit auprès des contribuables à faible revenu est le fait que ces gens voudront, à la retraite, bénéficier le plus possible des programmes gouvernementaux tel le SRG. Les retraits du REER sont considérés comme un revenu et, par conséquent, pourraient affecter négativement le SRG. Cela n'est pas le cas du CELI, dont les retraits n'auront aucun effet sur l'admissibilité à certains programmes gouvernementaux;

- Certains travailleurs autonomes qui possèdent une entreprise incorporée légalement retirent des dividendes plutôt qu'un salaire pour des raisons fiscales et autres. Ces personnes sont pratiquement dans l'impossibilité de contribuer à un REER. Le CELI est pour eux une solution de rechange intéressante;

- Notons que le CELI peut s'avérer utile au moment d'effectuer la planification successorale. En effet, cet outil permet de compenser le manque d'assurance vie nécessaire pour acquitter les impôts au moment du décès, puisque les sommes accumulées dans un compte CELI pourront être encaissées par la succession, et ce, en étant libres d'impôt;

- Enfin, les personnes qui, en investissant dans un REER, n'auront qu'une économie fiscale d'environ 30 % auront possiblement avantage à investir dans un CELI et à transférer celui-ci dans leur REER lorsque l'économie fiscale sera plus élevée.

EXEMPLE

Achat d'une maison à l'aide du CELI

L'achat d'une première maison est un grand moment pour un jeune couple. La retraite, elle, est une réalité si lointaine que l'on aura toujours le temps de s'y attarder… un beau jour. La section 12.6 et le dossier 12.3 portaient sur le RAP. Rien ne sert d'y revenir, mais gardons-les tout de même à l'esprit.

Ce jeune couple se lancera tout probablement les yeux fermés dans le RAP, sans trop se soucier de l'impact financier qu'aura son choix sur le capital nécessaire au moment de la retraite. Liberté 55, 65 ou 75, ce sera pour demain… Aujourd'hui, on « rappe » et on danse !

Si ce jeune couple investit 5 000 $ par année dans un CELI, par exemple pendant 4 ans, il recueillera environ 21 000 $ si les fonds sont investis prudemment. Il pourrait investir ce 21 000 $ dans 1 ou 2 REER (selon sa situation fiscale) et employer son remboursement d'impôt pour effectuer la mise de fonds requise. Les conjoints auraient donc 21 000 $ de REER, dont une partie (environ 7 000 $) pourrait servir au RAP si nécessaire. Pour une mise de fonds de 15 000 $ et en assurant un taux d'imposition de 40 %, la situation serait la suivante : 7 000 $ proviendrait du RAP et environ 8 000 $ (40 % de 21 000 $) proviendraient du remboursement d'impôt.

Le jeune couple possèdent un REER de 14 000 $ plus le montant de 7 000 $ du RAP qui serait remis à tous les ans sur une base de 5 à 10 ans. Le plan de retraite pourrait être ajusté en conséquence.

Terminons cet exposé sur le CELI en soulignant deux éléments majeurs.

Un argument de taille qui revient souvent dans les nombreux articles publiés par des acteurs tant du monde financier que du monde universitaire est de favoriser le CELI si le taux d'imposition à la retraite est plus élevé que celui qui a cours durant la vie professionnelle. En fait, pour une personne qui approche la retraite, cet argument peut être pris en considération. Par ailleurs, plus l'échéance de la retraite est éloignée, plus il est difficile de prévoir le taux d'imposition qui s'appliquera à ce moment. En général, le taux marginal réel durant les années de travail est plus élevé qu'à la retraite. Par conséquent, le REER est à privilégier la plupart du temps.

L'un des éléments clefs de nombreux dilemmes dans le domaine financier est sans contredit l'aspect comportemental. En effet, quand on planifie la retraite, l'objectif « épargne » doit primer ; le REER y répond bien. Pourquoi ? Simplement parce que la pénalité fiscale lors du retrait du REER fait réfléchir et incite à l'épargne. C'est tout le contraire avec le CELI. Sa souplesse « invite » au retrait. Cet outil peut être intéressant pour réaliser des projets, mais non pour accumuler de l'argent en vue de la retraite.

 Il faut donc s'attarder sur la dimension comportementale de l'épargne-retraite. Le rapport « La planification de la retraite : Peut-on en reparler ? » de l'institut Info-retraite de la BMO s'intéresse à cet aspect. La question « Pourquoi y a-t-il autant de Canadiens qui ne planifient pas ni n'épargnent adéquatement en vue de leur retraite ? » est posée, et on tente d'y répondre par la psychologie comportementale. Le rapport met le doigt sur ce qui se passe véritablement présentement au Québec, à savoir que l'endettement et l'épargne sont perçus le plus souvent comme des dilemmes fianciers et non comme des dillemmes comportementaux, ce qu'ils sont en réalité.

Pour en savoir plus sur la finance comportementale, vous pouvez aussi consulter l'article « Des moutons et des hommes » sur le site de Conseiller.ca.

12.8.2 Les fonds de travailleurs québécois et le REER

Les fonds de travailleurs québécois ont été abordés au chapitre 9. Il existe deux grands fonds de ce type : le Fondaction, ou fonds de travailleurs de la CSN pour la coopération et l'emploi, et le Fonds de solidarité FTQ.

Au chapitre 9, nous avons également mentionné que les actions de ces deux fonds peuvent être transférées dans un REER.

Le Fondaction CSN pour la coopération et l'emploi

Au moment d'écrire ses lignes (2011), le Fondaction offrait un crédit de 40 % (25 % au Québec et 15 % au fédéral). Un 10 % de plus au Québec existe depuis le 1er juin 2009 et représente une mesure temporaire et valide uniquement pour les cotisations effectuées au moyen de la retenue salariale. Consultez le site de la CSN pour en savoir plus.

L'exemple qui suit utilise deux crédits de 15 %.

EXEMPLE

Un investissement de 5 000 $ ne nécessitera à l'investisseur, au taux marginal de 40 %, qu'une mise de fonds de 1 500 $:

Investissement dans un REER	5 000 $
Taux marginal : 40 %	
Économie due au REER	2 000 $
Crédit fédéral de 15 %	750 $
Crédit provincial de 15 %	750 $
Coût net du REER	1 500 $

Vous pouvez utiliser les calculateurs déjà programmés disponibles sur le site de Fondaction. Faites-en l'expérience en utilisant la calculatrice « Vos économies d'impôts ». La calculatrice utilise en ce moment des crédits de 25 % et de 15 %, soit un total de 40 % (novembre 2011). Inscrivez un investissement de 5 000 $ et choisissez un revenu imposable de 42 000 $ couplé à 26 paies par année. Vous obtiendrez un « Coût net du REER » de 1 081,50 $, car le taux marginal est de 38,37 %.

Le Fonds de solidarité FTQ

Ce fonds offre deux crédits de 15 % pour un total de 30 % comme dans l'exemple plus haut.

On recommande souvent ces fonds aux personnes qui approchent de la retraite car, avant 65 ans, des conditions assez strictes s'appliquent quant au rachat des actions. Il convient tout de même d'analyser chaque situation objectivement. Bien sûr, une personne jeune n'investirait pas tout son portefeuille REER dans ce type de fonds. Si elle hésitait, par manque d'argent ou d'intérêt, à investir 5 000 $ dans un portefeuille standard, elle pourrait accepter d'investir 1 500 $ par année (au taux marginal de 40 % ou environ 1 100 $ par année dans le Fondaction) afin d'obtenir 5 000 $ de REER. La majorité des conseillers financiers n'aborde souvent que l'angle du rendement. L'aspect comportemental est de première importance.

Il faut aussi prêter attention à la croissance exponentielle de ce REER d'ici 25 ou 30 ans. Même avec un rendement de 3 ou 4 %, le résultat pourrait s'avérer très intéressant. Bon nombre de salariés ne contribuent pas à leur REER mais, grâce au programme RSS (retenue sur le salaire), ces personnes sont capables de payer 10, 20 ou 30 $ par semaine. Toutefois, elles seraient incapables de faire un chèque annuel de 500, 1 000 ou 1 500 $. Cet important facteur est soulevé par le Fonds CSN :

 La contribution par retenue sur le salaire (RSS), lorsqu'elle est offerte par l'employeur, est la bonne habitude à prendre pour épargner en douceur et accumuler plus pour la retraite. En autorisant la retenue d'un montant sur le salaire, l'actionnaire bénéficie de la réduction d'impôt immédiate, et ce, à chaque paie. Il est aussi possible de cotiser par retenue selon une entente avec une caisse d'économie Desjardins du Québec.

En terminant cette sous-section consacrée aux fonds de travailleurs, il est impossible de ne pas aborder le rendement de ces fonds, lequel s'améliore depuis peu. Le texte de *La Presse* intitulé «Fondaction et Solidarité: ça travaille!» (Girard, 2011) le montre bien. Consultez le tableau présentant les divers rendements: vous y constaterez que ceux-ci s'améliorent, surtout celui du Fondaction.

12.8.3 L'allocation de retraite et le REER

L'allocation de retraite consiste en une indemnité de départ offerte à l'employé à titre de compensation pour la perte de son emploi ou encore en reconnaissance de ses loyaux services. En effet, au moment de la mise à pied ou de la retraite anticipée, l'employé peut se voir offrir une indemnité de cessation d'emploi. En général, l'indemnité de départ inclut les congés de maladie remboursables, mais non utilisés. Les journées de vacances non payées ne sont, par contre, pas admissibles.

Sur le plan fiscal, plusieurs possibilités s'offrent au contribuable qui a reçu une indemnité de départ:

- La somme totale perçue peut être ajoutée aux revenus de l'année;
- L'indemnité peut être versée par tranches, étalées en général sur un maximum de deux ans;
- Dans certains cas, elle peut être transférée dans le RPA du nouvel employeur;
- Il est aussi possible de transférer la somme (en partie ou en totalité) dans le REER de l'employé. Voyons cette dernière stratégie.

Le transfert de l'indemnité de départ dans le REER s'applique uniquement à celui de l'employé, non à celui du conjoint. Voici les règles concernant les montants du transfert:

- 2 000 $ par année de service complète ou partielle pour les années antérieures à 1996;

Plus:

- 1 500 $ par année complète ou partielle pour les années antérieures à 1989 au cours desquelles l'employé ne participait pas au RPA de l'entreprise.

EXEMPLE

Richard a reçu de son employeur une offre de retraite anticipée. Voici les données qui décrivent la situation:

- Indemnité de départ: 70 000 $;
- Date d'embauche: 1er décembre 1976;
- Date de cessation d'emploi proposée: 20 janvier 2006;
- Date d'adhésion au RPA de l'employeur: début 1981.

Question 1: Quel est le montant transférable dans le REER de Richard?

Ce montant se calcule ainsi:

20 ans (de 1976 à 1995) × 2 000 $	40 000 $
Plus: 5 ans (de 1976 à 1980) × 1 500 $	7 500
Montant transférable	**47 500 $**

▶

▶ **Question 2 :** Quel serait le montant entièrement imposable si Richard versait dans son REER, en 2006, le montant des droits inutilisés, soit 10 500 $?

Le calcul s'effectue comme suit :

Indemnité de départ	70 000 $
Moins : Montant transférable dans le REER	47 500
Moins : Cotisation normale au REER	10 500
Solde imposable	**12 000 $**

Question 3 : Qu'arrive-t-il au montant imposable de 12 000 $?

Une retenue fiscale s'applique sur le solde imposable de 12 000 $ selon le taux prescrit. Les taux peuvent être obtenus sur le site du CQFF. Consultez la rubrique « Tableaux utiles ».

Question 4 : Concrètement, qui effectue la cotisation REER de 10 500 $? Richard ou son employeur ? Quelles sont les conséquences pour chacun ?

Les 10 500 $ (déjà mentionnés) de la cotisation normale de Richard peuvent être transférés par son employeur au moyen d'un formulaire. Dans un tel cas, la retenue fiscale sur cette somme est évitée. Par contre, Richard doit inclure ce montant dans son revenu annuel. L'autre possibilité consiste pour Richard à retirer ce montant soumis aux retenues fiscales et à contribuer à son REER à partir de sommes d'argent nettes d'impôt, comme c'est toujours le cas.

L'encadré qui suit souligne le fait que le résultat final est le même, que ce soit l'employeur ou Richard qui cotise au REER.

EXEMPLE

Cotisation normale au REER : 10 500 $

S'il n'y a aucune cotisation :

10 500 $ + 12 000 $ = 22 500 $ (retenues fiscales selon le taux prescrit)

S'il y a cotisation :

A) Richard cotise : imposition marginale de 40 %.

   Richard reçoit 6 300 $ (60 % de 10 500 $).

   Les gouvernements reçoivent 4 200 $.

   Richard devra donc « trouver » 4 200 $ pour cotiser à son REER ou utiliser son remboursement d'impôt.

B) L'employeur cotise 10 500 $ et remet à Richard un Formulaire T4 pour cette somme (revenu annuel).

   Richard devra donc « trouver » 4 200 $ pour payer ses impôts ou utiliser son remboursement d'impôt.

Soulignons trois autres éléments importants relativement au transfert de l'indemnité de départ dans un REER :

- Le transfert de l'indemnité de départ dans un REER ne modifie en rien la cotisation normale à celui-ci. En fait, comme nous l'avons vu, le solde des cotisations non utilisées pour cotiser à un REER peut aussi servir au transfert direct de l'indemnité à un tel régime ;

- L'indemnité de départ n'est pas touchée par l'impôt minimum de remplacement, et ce, depuis 1997 ;

- Les indemnités de départ des employés plus jeunes, au service d'entreprises depuis 1989, peuvent être intéressantes. Cependant, la portion transférable dans le REER l'est beaucoup moins.

Le site d'Invesco propose un document intitulé « Allocations de retraite » qui donne de nombreux renseignements sur le sujet et présente des exemples pertinents.

12.8.4 Le REER et l'hypothèque résidentielle

Faut-il contribuer à son REER ou payer plus rapidement son hypothèque sur la résidence principale? Voilà une question qui a fait couler beaucoup d'encre. Plusieurs spécialistes sont arrivés à des conclusions diamétralement opposées selon les hypothèses ou les critères de base utilisés. Pour nous, deux approches doivent être suivies en même temps, à savoir contribuer au REER et rembourser l'hypothèque au moyen du remboursement d'impôt. Cette stratégie doit surtout être favorisée par les personnes âgées de 40 ans à 60 ans environ. Plus jeune, on doit contribuer au maximum de son REER pour en favoriser la croissance exponentielle, les remboursements d'impôt pouvant servir à diverses fins. Au fur et à mesure que l'on avance en âge, il faut utiliser le remboursement d'impôt lié à la cotisation au REER pour diminuer l'hypothèque résidentielle. À quelques années de la retraite, il est important de régler le solde de l'hypothèque le plus rapidement possible, quitte à investir moins dans son REER.

12.8.5 Le REER, le REEE et le REEI

Pour les familles comptant des enfants, une préoccupation importante s'ajoute à la liste des priorités : l'éducation des enfants (REEE) ou la protection d'un enfant handicapé (REEI). Quelle que soit la méthode utilisée, il faut épargner, et l'utilisation du remboursement d'impôt lié à la cotisation au REER est une manière efficace de le faire. Pour les personnes qui reçoivent un remboursement appréciable, il s'agit de décider de la façon de répartir l'argent reçu entre le remboursement de l'hypothèque et l'investissement dans un REEE ou un REEI et sans les cautionner.

12.8.6 Quelques stratégies (douteuses) liées au REER

Dans certaines stratégies douteuses, on utilise les retraits du REER à diverses fins, sauf la retraite. Nous les mentionnerons sans les expliquer en détail.

Le REER et les rénovations domiciliaires : On utilise le retrait du REER pour acquitter le coût des travaux de rénovation en espérant que les pertes d'exploitation du triplex, par exemple, vont plus que compenser l'imposition du retrait REER.

Hypothéquer sa maison dans le but d'effectuer des retraits REER non imposables : Cette stratégie relève de la pure spéculation et de l'effet de levier, à risque très élevé (achat d'actions, frais déductibles, etc.).

Les options : L'utilisation des options d'achat ou de vente est permise dans le cas du REER.

MÉDIAGRAPHIE

Page 264
Centre québécois de la formation en fiscalité, www.cqff.com via Magazine Conseiller > 2001 > Le taux d'inclusion des gains en capital et les REER...

Page 267
Centre québécois de la formation en fiscalité, www.cqff.com via Tableaux utiles > L'importance de commencer tôt : Jean Lève-Tôt/Simon Tardif

Page 270
Association de planification fiscale et financière, www.apff.org via Publications > Budget fédéral > 2005 > Section 1.2

BMO Ligne d'action, www.bmolignedaction. com via Centre éducatif > Apprenez l'ABC > REER > Foire aux questions (FAQ) sur la planification de la retraite

Page 272
Invesco, www.invesco.ca via Centre des ressources > Documents sur la fiscalité et les successions > Documents de référence > Planification de la retraite > Régimes enregistrés d'épargne retraite

Invesco, www.invesco.ca via Produits > Bibliothèque > Planification de la retraite > Régimes enregistrés d'épargne retraite

Page 277
Gouvernement du Canada, www.celi.gc.ca

Centre québécois de formation en fiscalité, www.cqff.com via Résumés des budgets > Budgets des années antérieures (de 1998 à aujourd'hui) > Budget fédéral 2008, sélectionnez APFF ou Ordre des CGA

Gouvernement du Canada, www.budget. gc.ca via Budgets précédents > Budget 2008

Page 279
Ressources humaines et Développement des compétences Canada, www.hrsdc.gc.ca

Ressources humaines et Développement des compétences Canada, www.rhdsc.gc.ca via Programmes et politiques > Régime enregistré d'épargne-études (REEE)

Page 280
Fonds d'éducation Héritage, www. heritageresp.com

Les Fonds Universitas, www.universitas.ca

Page 283
Agence du revenu du Canada, www.cra-arc. gc.ca via Formulaires et publications > RC4092

Page 286
Agence du revenu du Canada, www.cra-arc. gc.ca via Formulaires et publications > RC4135

Invesco, www.invesco.ca via Produits > Bibliothèque > Planification de la retraite

Page 289
Banque de Montréal, www.bmo.com via Particuliers > Placements > Épargne-retraite > Institut info-retraite BMO > La planification de la retraite : Peut-on en reparler ? (juillet 2010)

Conseiller.ca, www.conseiller.ca via Archives du magazine *Conseiller* > 2009 > Octobre 2009 > Des moutons et des hommes

Fondaction CSN, www.fondaction.com

Fonds de solidarité FTQ, www.fondsftq.com

Page 290
Fondaction CSN, www.fondaction.com via Calculatrices > Vos économies d'impôt

Fondaction CSN, www.fondaction.com via Je veux investir > Comment cotiser ?

Page 292
Centre québécois de la formation en fiscalité, www.cqff.com via Tableaux utiles

Page 293
Invesco, www.invesco.ca via Produits > Bibliothèque > Planification fiscale > Allocations de retraite

Références

Centre québécois de la formation en fiscalité (2011). *Tableau 303 – Plafonds des nouvelles contributions à un REER et taux des retenues à la source pour les retraits de REER – 2011.* Récupéré de www.cqff.com/tableaux_utiles/tab_contributions_reer.pdf

Couillard, C. (2005). Avoir 16 ans... et des REER. *Objectif conseiller*. Récupéré de www.conseiller.ca/nouvelles/avoir-16-ans-et-des-reer-23252

Girard, M. (2011). Fondaction et solidarité : ça travaille ! *La Presse* (5 février). Récupéré de lapresseaffaires.cyberpresse.ca/dossiers/reer-2011/201102/04/01-4367012-fondactionet-solidarite-ca-travaille.php

Gosselin, J. (2010). Le meilleur véhicule ? *La Presse* (30 janvier). Récupéré de lapresseaffaires.cyberpresse.ca/dossiers/reer-2011/201001/27/01-943481-le-meilleur-vehicule.php

Gouvernement du Canada (2011). *Subvention canadienne pour l'épargne-études – Planifier les études.* Récupéré de www.canlearn.ca/fra/epargner/scee/index.shtml

Grammond, S. (2007). Laissez votre REER prendre de l'âge. *La Presse* (9 avril). Récupéré de lapresseaffaires.cyberpresse.ca/economie/200901/06/01-682422-laissez-votre-reer-prendredelage.php

Industrielle Alliance (2011). *Guide du produit Diploma.* Récupéré de www.inalco.com/documents/marketing/ViewFile.ashx?FileId=270

Jarislowsky, S. A. (2005). *Dans la jungle du placement.* Montréal, Québec : Éditions Transcontinental.

QUESTIONS DE RÉVISION

1. Expliquez l'expression « montant déductible à 100 % dans un REER ».

2. À l'aide de la formule correspondante, démontrez la force exponentielle du REER.

3. Dans vos propres mots, expliquez le fonctionnement de l'élément « temps » dans le cas du REER.

4. Définissez le concept de stabilité du rendement du portefeuille REER.

5. Résumez les principales modalités de transfert du REER au moment d'un décès.

6. Les fonds de travailleurs sont perçus différemment selon le conseiller qui les recommande. Décrivez brièvement les avantages et désavantages de ces fonds.

7. Décrivez les caractéristiques majeures de l'indemnité de départ, particulièrement en ce qui a trait : a) au transfert dans le REER ; b) à la cotisation normale au REER ; c) au montant imposable.

8. Sur quel document officiel figure le montant de la cotisation maximale au REER que peut effectuer un contribuable ?

9. Quelles sont, selon vous, les quatre grandes différences entre le REER et le CELI ?

10. Pourquoi le RAP influe-t-il sur la force exponentielle du REER ?

11. Comment un contribuable qui a bénéficié du RAP peut-il compenser la perte de capitalisation de son REER ?

12. Une maison représente un actif tant quantitatif que qualitatif. Plusieurs personnes comptent sur cet actif financier pour assurer leur retraite. Que leur diriez-vous ?

13. Décrivez l'argument central en faveur de la cotisation excédentaire finale au REER.

14. Pourquoi le REEE est-il aujourd'hui aussi intéressant pour les études des enfants ?

15. Si le bénéficiaire ne fait pas d'études, qu'arrive-t-il de son REEE ?

EXERCICES

Note : Les exercices qui suivent ne reflètent pas nécessairement les conditions économiques présentement en vigueur dans le milieu financier, par exemple les taux d'intérêt ou l'inflation. Certains exercices utilisent des rendements de 10 %. Un rendement de 4 % ou de 6 % ne changerait en rien les conclusions que vous pourriez tirer.

1. Madame Labelle a 35 ans. Elle désire investir 2 000 $ par année pendant les 25 années qui viennent (en début d'année), soit de l'âge de 35 à 59 ans inclusivement. Le capital sera donc disponible quand elle aura atteint l'âge de 60 ans. Elle se demande si elle devrait investir dans un REER au taux de rendement de 10 %, lequel lui paraît raisonnable à long terme, ou dans des CPG (hors REER) offrant le même rendement. Un impôt de 30 % serait suffisant pour libérer le REER. Elle vous consulte à ce sujet.

Que lui recommandez-vous ? (Arrondissez les données aux 100 $ près.)

2. Monsieur Renault a 42 ans. Il souhaite placer 10 000 $ par année pendant les 5 années qui suivent (en fin de période) et vous demande s'il a intérêt à opter pour un REER ou pour des CPG. Il n'a aucunement besoin de ces fonds à moyen terme. Le taux de rendement sur ces placements serait de 10 %, son taux d'imposition marginal étant de 50 %. Faites une analyse comparative de ces deux types de placements. Supposez qu'un impôt de 35 % serait suffisant pour libérer le REER. (Arrondissez aux 100 $ près.)

3. Un ami vous fait part de son intention d'investir 10 000 $ dans son REER, uniquement en actions qui produisent un gain en capital, et ce, durant 10 ans. Son taux d'imposition marginal est de 50 %, et il s'attend à un rendement de 10 %.

EXERCICES *(suite)*

Votre ami comprend très bien qu'un tel investissement se compare à un investissement de 5 000 $ hors REER grâce à l'économie d'impôt liée à l'investissement dans un REER. Il s'inquiète tout de même car, selon lui, le gain en capital ne serait que de 50 % sur un investissement semblable hors REER. Prévoyez ce même pourcentage dans 10 ans.

a) Comment pourriez-vous assurer à votre ami qu'il agit de la bonne façon en investissant dans un REER ? (Arrondissez à 1 $ près.)

b) Commentez l'approche de votre ami relativement à l'investissement.

4. Des amis de longue date, Claude et Roger, discutent de REER ensemble. Claude est planificateur financier et fait remarquer à son ami la grande importance de cotiser le plus tôt possible à un REER. Roger aura 28 ans prochainement et Claude lui fait la proposition suivante : « Si tu débutes à 28 ans et que tu investis 4 000 $ par année dans un REER en début d'année pendant 7 ans, soit de l'âge de 28 à 34 ans inclusivement, tu obtiendras sensiblement le même capital à l'âge de 65 ans que si tu commençais à l'âge de 35 ans et que tu investissais 4 000 $ par année pendant 31 ans, soit de l'âge de 35 à 65 ans inclusivement. »

a) Dressez un tableau qui illustre les deux situations décrites par Claude. Utilisez un taux de rendement de 10 %. (Arrondissez les montants à extrapoler à 1 $ près et les capitaux de fin aux 100 $ près.)

b) Quelles seraient les mises de fonds respectives dans chacune des deux situations ?

c) Quels seraient les capitaux accumulés à l'âge de 65 ans dans chaque situation ?

d) Comment expliquer qu'un investissement aussi minime que celui qui est requis dans la première situation produise un capital semblable à celui de la seconde situation, où l'investissement total est beaucoup plus grand ?

5. Claudia a commencé à cotiser à son REER alors qu'elle était étudiante en commerce international au cégep. Elle a pris la bonne habitude d'y déposer 2 000 $ par année en début d'année. Aujourd'hui, Claudia est au début de la trentaine.

Pendant 10 ans (de l'âge de 20 à 29 ans), elle a versé 2 000 $ par année et se retrouve à l'âge de 30 ans avec une jolie somme d'argent. À l'âge de 26 ans, elle s'est mariée avec Marc-André et le couple a maintenant deux enfants. Claudia, qui est aujourd'hui directrice commerciale pour une grande entreprise, a accepté d'être mutée en Europe avec sa famille. Comme elle avait suivi un cours de planification financière quand elle fréquentait le cégep, elle a assuré à son conjoint que même sans aucune autre contribution au REER (de l'âge de 30 à 65 ans), elle serait millionnaire à l'âge de 65 ans. Marc-André, surpris, lui a répondu qu'il ne pouvait comprendre comment un investissement de 2 000 $ pendant 10 ans (donc 20 000 $ au total) pouvait produire un million de dollars. « Avec un taux de rendement de 10 %, nous aurons ce million de dollars à l'âge de 65 ans », lui a-t-elle affirmé. Il lui suggère qu'il aurait peut-être mieux valu ne rien investir pendant ces 10 années et profiter pleinement de la vie. « Et puis, ajoute-t-il, nous aurions pu investir 2 000 $ par année (en début d'année) pendant 36 ans (de l'âge de 30 à 65 ans inclusivement). Cet investissement global de 72 000 $ (36 × 2 000 $ par année) rapporterait sûrement beaucoup plus que un million de dollars ! »

a) Construisez un tableau illustrant les deux possibilités dont discutent Claudia et Marc-André. (Arrondissez les montants à extrapoler à 1 $ près et les capitaux accumulés aux 100 $ près.)

b) Quel est le capital accumulé par Claudia en 10 ans (en fin d'année) au taux de rendement de 10 % ?

c) Quel serait le capital accumulé à l'âge de 65 ans si Claudia cessait de faire des investissements au bout de 10 ans ? A-t-elle raison de dire qu'elle serait millionnaire à l'âge de 65 ans ?

d) L'estimation de Marc-André est-elle juste ? Quel serait le capital s'ils n'investissaient que de l'âge de 30 à 65 ans en début d'année ?

6. Deux frères jumeaux, âgés de 45 ans, investissent chacun dans un CPG au taux annuel de 10 % (en début d'année) pendant 25 ans (soit de l'âge de 45 à 69 ans inclusivement). Tous deux ont un taux d'imposition marginal de 50 %.

EXERCICES *(suite)*

Le premier, Richard, place 7 500 $ à l'abri de l'impôt dans un REER et le second, Yvon, ne peut mettre que 3 750 $ dans des placements traditionnels après avoir payé ses impôts. (Arrondissez les valeurs à 1 $ près.)

a) Quel capital Richard et Yvon auront-ils accumulé en 5 ans ? En 10 ans ? En 15 ans ? En 20 ans ? En 25 ans ?

b) Si Richard retire son REER à l'âge de 69 ans (en fin d'année), combien d'argent lui restera-t-il ? Supposez un taux d'imposition marginal de 50 %.

c) Si Richard se constitue une rente viagère assortie d'une garantie de 15 ans, combien recevra-t-il après impôts chaque mois ? Chaque année ? Supposez des prestations de 1 % par mois prises sur les fonds disponibles et un taux d'imposition marginal de 50 %.

d) Si Yvon, à l'âge de 69 ans (en fin d'année), décide de vivre des intérêts de son capital investi à 10 %, quel montant recevra-t-il après impôts chaque mois ? Chaque année ? Supposez un taux d'imposition marginal de 50 %.

e) Richard a investi dans une rente viagère et ne possède plus de capital, tandis qu'Yvon possède toujours son capital. Il y a cependant une différence énorme entre leurs revenus annuels après impôts. Quelle est cette différence ? En faveur de qui ?

f) Si Richard, à l'âge de 69 ans (en fin d'année), décide d'investir cette différence à 10 % avec un taux d'imposition marginal de 50 %, quel capital pourra-t-il amasser en 5 ans ? En 10 ans ? Combien lui faudra-t-il d'années pour que son capital rivalise avec celui de son frère Yvon ?

7. Au 31 décembre 2008, le REER de Francine affiche un total de 10 000 $. Le 28 février 2009, elle y verse 7 000 $; le 3 mai 2009, elle en retire 15 000 $ grâce au RAP pour effectuer le versement initial sur l'achat d'une maison.

Les transactions sont terminées lorsqu'elle vous consulte à ce sujet. Que lui dites-vous ?

8. Votre employeur vous encourage à participer au Fonds de Solidarité FTQ, admissible au REER. Votre taux d'imposition marginal se situe à 45 % et vous décidez d'investir 3 000 $ par année au cours des années qui suivent. Votre employeur se charge d'apporter les corrections à votre paie en fonction de vos contributions brutes et des économies d'impôt qu'elles vous procurent. Vous êtes payé tous les 15 jours.

a) Quelle sera votre économie totale d'impôt sur une base annuelle ?

b) Quelle sera votre contribution nette par période de paie ?

9. Le 15 janvier 2009, Marcel verse 10 000 $ dans son REER de 2008. Depuis longtemps, il songe à s'acheter une maison à l'aide du programme RAP. Au début de l'année 2009, son REER se chiffrait à 15 000 $.

Sa contribution de 10 000 $ à son REER de 2008 sera-t-elle acceptée par le fisc ?

10. Diane est technicienne de laboratoire et travaille à la société Labo Techno inc. depuis le 1er décembre 1975. Elle a été mise à pied le 22 juillet 2005 ; son employeur lui offre une indemnité de départ de 58 000 $. Diane a commencé à participer au RPA de son employeur en 1979. Elle vous consulte en tant que planificateur financier au sujet de cette indemnité, dont les documents doivent être signés pour le 1er septembre 2005. L'employeur n'accepte pas de payer l'indemnité par tranches sur deux ans ; Diane doit donc s'organiser avec cette somme durant l'année 2005. Elle vous informe qu'elle a droit à 10 000 $ de REER non encore utilisés. Que lui recommandez-vous ? Préparez un bref rapport qui illustre les faits.

SOLUTIONS AUX EXERCICES

1. a) Avec un investissement dans un REER

🖩 Les données sont les suivantes : PMT = 2 000 $ (mode BGN), n = 25 ans et i = 10 %.

Réponse sur la calculatrice : FV = 216 400 $ (aux 100 $ près)

CAPITAL REER DISPONIBLE À L'ÂGE DE 60 ANS : 216 400 $

CAPITAL LIBÉRÉ D'IMPÔT : 151 500 $ (216 400 $ moins 30 % d'impôt)

b) Avec un investissement hors REER (en dépôts à terme garantis) :

🖩 Les données : PMT = 1 400 $ (mode BGN) (2 000 $ moins 30 % d'impôt[1]), n = 25 ans et i = 7 % (10 % moins 30 % d'impôt)

Réponse sur la calculatrice : FV = 94 700 $ (aux 100 $ près)

CAPITAL HORS REER À L'ÂGE DE 60 ANS : 94 700 $

c) AVANTAGE DU REER : 56 800 $

(151 500 $ − 94 700 $)

Le REER est donc fortement recommandé.

2. a) Avec un investissement dans un REER :

🖩 Les données sont les suivantes : PMT = 10 000 $, n = 5 ans et i = 10 %.

Réponse sur la calculatrice : FV = 61 100 $ (aux 100 $ près)

CAPITAL LIBÉRÉ D'IMPÔT : 39 700 $ (61 100 $ moins 35 % d'impôt)

b) Avec un investissement hors REER (en placements traditionnels) :

🖩 Les données sont les suivantes : PMT = 5 000 $ (10 000 $ moins 50 % d'impôt), n = 5 ans et i = 5 %.

Réponse sur la calculatrice : FV = 27 600 $ (aux 100 $ près)

c) AVANTAGE DU REER : 12 100 $ (39 700 $ − 27 600 $)

Le REER est donc fortement recommandé.

3. a) Investissement dans un REER

🖩 Les données sont les suivantes : PV = 10 000 $, i = 10 % et n = 10 ans.

Réponse sur la calculatrice : FV = 25 937 $ (à 1 $ près)

REER libéré d'impôt : 25 937 $ × 50 % = 12 969 $

Investissement hors REER

🖩 Les données sont les suivantes : PV = 5 000 $, i = 10 % et n = 10 ans.

Réponse sur la calculatrice : FV = 12 969 $ (à 1 $ près)

Gain en capital : 12 969 $ − 5 000 $ = 7 969 $

Impôt à payer : 7 969 $ × (50 % × 50 %) = 1 992 $

Montant disponible : 12 969 $ − 1 992 $ = 10 977 $

Avantage du REER : 1 992 $

b) Vous devez préciser deux choses importantes à votre ami :

- L'avantage du REER est évident et représente le montant d'impôt à payer sur l'investissement hors REER... un cadeau des gouvernements.

- Il n'est pas réaliste d'investir uniquement en actions spéculatives dans un REER, véhicule qui doit servir à amasser des fonds en vue de la retraite et qui doit être diversifié. De tels placements sont très risqués et doivent s'inscrire dans une stratégie de placement équilibrée.

---

1. Afin de tenir compte de l'économie d'impôt sur le REER.

SOLUTIONS AUX EXERCICES *(suite)*

4. a)

Situation n° 1		Renseignements généraux		Situation n°2	
Dépôts (début d'année)	Capital et intérêts (fin d'année)	Année	Âge en début de période	Dépôts (début d'année)	Capital et intérêts (fin d'année)
4 000 $	4 400 $[(1)]	1	28		
4 000 $	41 744 $[(2)]	7	34		
		8	35	4 000 $	4 400 $
	801 200 $[(3)]	38	65	4 000 $	800 600 $[(4)]
Total				Total	
28 000 $	801 200 $[(3)]			124 000 $	800 600 $[(4)]

(1) Taux de 10 % en franchise d'impôt (REER). Donc, 4 000 $ × 1,1 = 4 400 $ en fin d'année.

(2) PMT = 4 000 $ (mode BGN), n = 7 ans et i = 10 %. Donc FV = 41 744 $ (à 1 $ près pour l'extrapolation).

(3) PV = 41 744 $, n = 31 ans et i = 10 %. Donc FV = 801 200 $ (aux 100 $ près).

(4) PMT = 4 000 $ (mode BGN), n = 31 ans, et i = 10 %. Donc FV = 800 600 $ (aux 100 $ près).

b) Les mises de fonds totales seraient respectivement de 28 000 $ (4 000 $ × 7) dans la situation n° 1 et de 124 000 $ (4 000 $ × 31) dans la situation n° 2.

c) Les capitaux accumulés seraient respectivement de 801 200 $ dans la situation n° 1 (7 ans de mises de fonds de 4 000 $) et de 800 600 dans la situation n° 2 (31 ans de mises de fonds de 4 000 $).

d) L'explication est simple : « Le temps, c'est de l'argent. » On voit que 31 années sont nécessaires pour rattraper le « temps perdu ». L'avantage de commencer tôt est donc évident !

5. a)

Approche de Claudia		Renseignements généraux		Approche de Marc-André	
Dépôts (début d'année)	Capital et intérêts (fin d'année)	Année	Âge en début de période	Dépôts (début d'année)	Capital et intérêts (fin d'année)
2 000 $	2 200 $[(1)]	1	20		
2 000 $	35 062 $[(2)]	10	29		
		11	30	2 000 $	2 200 $
	1 083 900 $[(3)]	46	65	2 000 $	658 100 $[(4)]
Total				Total	
20 000 $	1 083 900 $[(3)]			72 000 $	658 100 $[(4)]

(1) Taux de 10 % en franchise d'impôt (REER).

(2) PMT = 2 000 $ (mode BGN), n = 10 ans et i = 10 %. Donc FV = 35 062 $ (à 1 $ près pour l'extrapolation).

(3) PV = 35 062 $, n = 36 ans et i = 10 %. Donc FV = 1 083 900 $ (aux 100 $ près).

(4) PMT = 2 000 $ (mode BGN), n = 36 ans et i = 10 %. Donc FV = 658 100 $ (aux 100 $ près).

SOLUTIONS AUX EXERCICES *(suite)*

b) Le capital accumulé par Claudia au bout de 10 ans, en fin d'année, est de 35 062 $.

c) Le capital accumulé par Claudia à l'âge de 65 ans, en fin d'année, serait de 1 083 900 $. Bien sûr, elle a raison. La question qu'il faut se poser relativement à ce million est : que vaudra-t-il à ce moment-là ? Le facteur à prendre en considération est celui de l'inflation. Avec un taux d'inflation de 4 %, son capital à l'âge de 65 ans ne vaudrait que 264 100 $ en valeur d'aujourd'hui.

d) Marc-André a sûrement tort. Sa façon de faire permettrait d'obtenir un capital de 658 100 $. On voit de nouveau l'importance de cotiser tôt et régulièrement à son REER.

6. Taux d'intérêt de 10 % ; taux d'imposition marginal de Richard et Yvon : 50 % ; investissement de Richard : 7 500 $; investissement d'Yvon : 3 750 $.

Note : Les résultats sont arrondis à 1 $ près. En pratique, ils seraient sensiblement les mêmes s'ils étaient arrondis aux 100 $ près. L'étudiant est invité à refaire les calculs en arrondissant aux 100 $ près.

a)

Capital accumulé		
En fin de période	**Richard (REER)**	**Yvon (hors REER)**
5 ans	50 367 $	21 757 $
10 ans	131 484	49 525
15 ans	262 123	84 966
20 ans	472 519	130 197
25 ans	811 363	187 925

Note: Mode BGN pour PMT avec $i = 10$ % pour REER et 5 % hors REER.

b) Au taux de 50 %, il devra payer 405 682 $; il lui restera l'autre 50 %, soit 405 681 $.

Fonds accumulé en REER à l'âge de 69 ans (fin d'année)   811 363 $

Impôt (50 %) [à 1 $ près]   405 682

FONDS LIBRES D'IMPÔT   405 681 $

c) Avant impôts : 811 363 $ × 1 % = 8 114 $ par mois, ou 97 368 $ par année

Au taux marginal de 50 %

MONTANT REÇU APRÈS IMPÔTS : 97 368 $ × 0,50 = 48 684 $ par année, ou 4 057 $ par mois

Note : Richard ne possède plus de capital.

d) Capital : 187 925 $

Taux d'intérêt de 10 % : 18 793 $ par année avant impôts

MONTANT REÇU APRÈS IMPÔTS : 18 793 $ × 0,50 = 9 397 $ par année, ou 783 $ par mois

Note : Yvon possède toujours son capital.

e) Richard : 48 684 $ par année, après impôts ; Yvon : 9 397 $ par année, après impôts

Différence : 39 287 $ en faveur de Richard

f) Les deux frères retirent donc 9 397 $ chaque année et Richard décide d'investir ses 39 287 $ au taux de 10 %, avec un taux marginal de 50 %.

Capital amassé par Richard :

- 5 ans : avec $n = 5$, $i = 5$ % et PMT = 39 287 $; donc, FV = 217 085 $;

- 10 ans : avec $n = 10$, $i = 5$ % et PMT = 39 287 $; donc FV = 494 148 $.

Yvon possède un capital de 187 925 $. Il est évident qu'après cinq ans, Richard a déjà dépassé ce capital.

Nombre d'années nécessaires à Richard pour rivaliser avec son frère Yvon : en 4 ans, Richard aurait accumulé 169 332 $. Par conséquent, cela lui prendrait un peu moins de 4,5 ans pour rivaliser avec son frère Yvon.

7. Il y aura certainement une incidence fiscale sur la contribution maximale permise au REER de Francine. En effet, le retrait destiné au RAP a été effectué à l'intérieur de la période de 90 jours suivant la cotisation au REER (du 28 février au 3 mai, donc 65 jours).

SOLUTIONS AUX EXERCICES *(suite)*

La cotisation maximale permise ne sera que de 2 000 $, soit :

Cotisation au REER	7 000 $
Moins : Écart négatif au REER (10 000 $ − 15 000 $)	5 000
Cotisation permise	2 000 $

8. a)

Placement annuel dans le REER	Crédits d'impôt de 30 %[1]	+	Économie d'impôt sur le REER[2]	=	Économie totale
3 000 $	900 $	+	1 350 $	=	2 250 $

(1) Réduction de l'impôt québécois (crédit de 15 %) et fédéral (crédit de 15 %) : 30 % × 3 000 $. (Fonds de Solidarité : 30 %)

(2) Économie basée sur le taux marginal de 45 % : 45 % × 3 000 $

b) Contribution nette par paie :
(3 000 $ − 2 250 $) ÷ 26 = 28,85 $ par paie

9. Le retrait de 20 000 $ destiné au RAP a été effectué à l'intérieur de la période de 90 jours (environ 67 jours) suivant la date de contribution au REER ; la contribution de Marcel ne sera donc pas acceptée. La situation est la suivante :

Contribution au REER de 2008	10 000 $
Moins : Écart non déductible entre le retrait de 20 000 $	

pour le RAP et le solde de 15 000 $ du REER avant la cotisation de l'année ... 5 000

Cotisation maximale permise en 2008	5 000 $

10.

Rapport — Diane	
Montant transférable dans le REER	
2 000 $ × 21 (de 1975 à 1995 inclusivement)	42 000 $
Plus : 1 500 $ × 4 (de 1975 à 1978 inclusivement)	6 000
TOTAL TRANSFÉRABLE	48 000 $
Solde imposable	
Indemnité de départ	58 000 $
Moins : Montant transférable	48 000
SOLDE IMPOSABLE	10 000
Cotisation normale au REER	
Diane peut utiliser ses droits inutilisés au REER pour réduire son revenu imposable à zéro :	
Revenu imposable (ci-dessus)	10 000 $
Moins : Cotisation au REER	10 000
REVENU IMPOSABLE	0 $

Note : Diane devra contribuer à son REER de 2005 avant la fin de février 2006.

MODULE 3

DOSSIER 12.1

Votre REER est-il saisissable ?

Plan

Introduction

Le REER est, pour de nombreuses personnes, le moyen par excellence pour planifier leur retraite. Durant la retraite, il devient un instrument flexible qui peut assurer la qualité de vie du titulaire de maintes façons (FERR, rente viagère, etc.).

Il existe plusieurs types de régimes enregistrés, dont le REER, lequel présente lui plusieurs variantes (autogéré, fonds commun de placement, garanti, etc.). Par exemple, la très grande majorité des comptes de retraite immobilisés (CRI) et des fonds de revenu viager (FRV) sont insaisissables, tandis que les REER conventionnels le sont.

Ce document ne prétend pas faire le tour de la question de l'insaisissabilité, mais est présenté à titre informatif.

Les conditions de l'insaisissabilité

Avant le 19 décembre 2002, pour qu'un REER soit insaisissable, donc à l'abri de la saisie d'un syndic en cas de faillite, les conditions suivantes devaient être respectées :

- Le REER devait être enregistré dans un contrat de rente, au sens de l'article 2367 du *Code civil* du Québec ; donc, la rente devait être constituée auprès d'une société de fiducie ou d'un assureur ;
- Un bénéficiaire devait être désigné (privilégié ou irrévocable) ;
- Le titulaire du REER ne pouvait effectuer aucun retrait partiel ou complet ;
- Le titulaire du REER ne détenait aucun contrôle sur le choix des placements ou la gestion du REER.

La naissance des REER hybrides ou « protégés »

Dans le but d'offrir des REER insaisissables, certains établissements financiers (courtiers en valeurs mobilières et sociétés de fiducie) ont voulu constituer un régime hybride. Il s'agit d'un REER autogéré ordinaire auquel est rattachée une rente à terme fixe, donc un REER dit « protégé ».

L'article 2367 du *Code civil* du Québec

En août 2001, la Cour d'appel du Québec (affaire Thibault) a rejeté la jurisprudence et déclaré ces REER hybrides saisissables, car ils n'étaient pas assimilés à des contrats de rente (article 2367 du *Code civil* du Québec).

L'Assemblée nationale a réagi en révisant le *Code civil*. Le 19 décembre 2002, elle a modifié la loi pour autoriser les retraits partiels ou complets tout en permettant que le REER soit considéré comme un contrat de rente au sens de l'article 2367 du *Code*.

La Cour suprême du Canada

Il faut souligner qu'un mois auparavant, soit le 21 novembre 2002, la Cour suprême du Canada avait accepté d'entendre l'affaire Thibault (Scotia McLeod contre la Banque de Nouvelle-Écosse). Dans cette cause, le REER était justement de type « protégé ».

Le 14 mai 2004, la Cour suprême du Canada a tranché : saisissable ! Pourquoi ? Parce que le REER dit « protégé » ne répondait pas à la définition du contrat de rente au sens du *Code civil* du Québec : le titulaire ne s'était pas départi de ses fonds au profit d'un tiers et en avait conservé l'entière maîtrise, pouvant ainsi effectuer des retraits partiels ou complets.

Le projet de loi 136 (Québec)

Québec est alors intervenu afin de dissiper la confusion provoquée par cet arrêt de la Cour suprême dans l'affaire Thibault. Dans son projet de loi 136, sanctionné par l'Assemblée nationale le 16 décembre 2005, le législateur souligne ce qui suit: «[...] dans un contrat constitutif de rente, le fait qu'une compagnie d'assurance offre des choix de placements n'empêche pas cette compagnie d'avoir la maîtrise du capital accumulé pour le service de la rente». De plus, même en présence d'un REER autogéré, «une faculté de retrait partiel ou total du capital accumulé pour le service de la rente peut être stipulée, mais son exercice a pour effet de réduire de façon corrélative les obligations de la compagnie d'assurance».

Par conséquent, on reconnaît que le projet de loi 136 éclaircit l'équivoque autour des contrats de rente et, du coup, confirme un avantage pour les produits d'assurance. On pense aussitôt aux fonds distincts. Un fonds distinct standard propose une protection garantissant 75 % du capital à l'échéance, généralement 10 ans, et une garantie de 100 % au décès.

Les conseillers juridiques sont d'avis que le projet de loi 136 a eu pour effet de confirmer la validité du caractère insaisissable des contrats de rente à terme fixe, pourvu que la désignation «bénéficiaire» figurant au contrat soit conforme, et ce, malgré l'incidence qu'a pu avoir sur le marché l'arrêt de 2004 de la Cour suprême du Canada dans l'affaire Thibault.

Le projet de loi C-12 (fédéral)

Le projet de loi C-12 (qui faisait suite au projet de loi 55) a reçu la sanction royale le 14 décembre 2007 et, le 7 juillet 2008, de nouvelles dispositions sont entrées en vigueur. Dorénavant, les REER, FERR (et RPDB) étaient insaisissables. Par ailleurs, les cotisations effectuées au cours des 12 mois précédant la date de la faillite n'étaient pas visées par cette nouvelle loi, laquelle permet à un juge d'inclure les cotisations antérieures à 12 mois dans l'actif du failli.

Il est très important de noter qu'il existe effectivement deux procédures légales: la première en vertu des lois du Québec, la seconde en vertu de la *Loi sur la faillite et l'insolvabilité* (projet de loi C-12) dans le Canada tout entier. En fait, la loi fédérale gère les faillites, tandis que les lois québécoises gèrent les saisies.

Soulignons que les nouvelles dispositions fédérales ne protègent les Québécois qu'en cas de faillite du particulier. Dès lors, dans l'éventualité de difficultés financières (sans faillite), bon nombre de REER et de FERR sont toujours saisissables par les créanciers. À quand des modifications à la loi au Québec?

Pour terminer, soulignons que les régimes suivants sont toujours insaisissables au Québec:

1. Les REER ou FERR souscrits auprès d'une compagnie d'assurance ou d'une société de fiducie;

2. Lorsque le contrat prévoie le paiement d'une rente viagère au bénéficiaire approprié.

Enfin, pour les personnes (restaurateurs, entrepreneurs, etc.) plus sujettes à la faillite que le particulier salarié, un mot clef s'impose: PRUDENCE.

Conclusion

Le planificateur financier doit agir avec beaucoup de prudence lorsqu'il recommande à ses clients de cotiser à des REER insaisissables (comme les fonds distincts). Il faut savoir que tous les REER sont insaisissables lors d'une faillite personnelle. En outre, il doit mentionner l'importance du testament pour les REER, lesquels ne sont pas considérés comme des contrats de rente et dont le bénéficiaire doit être désigné dans le testament.

Pour obtenir un excellent résumé de la situation, vous pouvez consulter la publication suivante:

- Maître Odette Jobin-Laberge du cabinet Lavery, de Billy, avocats fait un excellent résumé des faits concernant le jugement du 10 mai 2005 de la Cour d'appel, jugement qui qualifie le REER de fiducie d'insaisissable. www.laverydebilly.com (sous le nom de l'auteur). Prenez note que cet article datant de 2005 n'aborde pas le projet de loi C-12.

Le REER : un véhicule pour tous ?

Plan

Introduction
Les personnes à faible revenu
Les personnes à revenus élevés, les investisseurs « actifs », etc.
Conclusion

Introduction

La question suivante se pose : le REER est-il un véhicule financier qui convient à tout le monde ? Tous ne le perçoivent pas ainsi. De nombreuses études confirment qu'il s'agit du moyen idéal sur les plans financier, fiscal et comportemental. Par contre, il faut bien reconnaître que le REER demeure l'apanage des gens à revenus élevés.

Nous l'avons constaté au chapitre 10 dans la pyramide de la retraite : la majorité des Canadiens n'épargnent pas suffisamment pour s'assurer une retraite confortable et n'économisent pas assez pour simplement se munir d'un fonds d'urgence. Ces personnes vivent au jour le jour. Les chiffres sont éloquents : environ 38 % des travailleurs participent à un RCR, 76 % des employés de l'industrie privée ne participe pas à un RCR, seulement environ 7 % des personnes âgées de 65 ans et plus reçoivent des revenus de leur REER et ces revenus représentent moins de 2 % de leurs revenus totaux.

Il existe aujourd'hui de nombreuses études sérieuses sur le sujet. Vous pouvez consulter l'une d'entre elles : « Planifier sa retraite : Les Canadiens épargnent-ils suffisamment ? » (Institut canadien des actuaires, 2007)[1].

Nous avons déjà recommandé la lecture du texte « Le point sur les pensions » (Castonguay, 2011)[2], lequel suggérait, face à cette situation dramatique, un « REER obligatoire ». Cette recommandation a été, en général, mal accueillie. L'une des résultantes a été le RVER (régime volontaire d'épargne retraite) du budget Bachand du 17 mars 2011 (équivalent du RPAC dont la loi cadre a été présentée le jeudi, 17 novembre 2011 par le ministre de l'Industrie, Christian Paradis). Présentement, des centaines de milliers de personnes ne cotisent pas volontairement à un REER. Pourquoi se mettraient-elles soudainement à cotiser volontairement au RVER ? Monsieur Castonguay fait ressortir, dans son texte cité plus haut, le fait que la cotisation moyenne du Québécois au REER était de 2 500 $ en 2008. Aussi, il mentionne que seulement 25 % des Québécois cotisent chaque année à un REER.

Plusieurs autres études démontrent que le REER est pour les gens riches. Leur argument réside dans le fait que ce sont eux, les soi-disant riches (ayant un revenu annuel de 70 000 $ et plus) qui cotisent à un REER. La grande majorité des gens ayant des revenus de plus de 25 000 $ sont capables de le faire, mais ne le font tout simplement pas. Plusieurs raisons peuvent expliquer cet état de fait : l'endettement, la procrastination, l'absence de budget familial et de plan de retraite, la gratification immédiate des divers besoins personnels et familiaux ou l'incompréhension de la nécessité d'économiser aujourd'hui pour demain.

Luc Godbout, professeur à l'Université de Sherbrooke et chercheur principal à la Chaire en fiscalité et en finances publiques, s'est attaqué à la question des aides fiscales, tel le REER. Nous vous recommandons la lecture de son article, paru dans *La Tribune* et disponible via le portail de cyberpresse (Godbout, 2011)[3].

---

1. Institut canadien des actuaires (2007). *Planifier sa retraite : Les Canadiens épargnent-ils suffisamment ?* Récupéré de www.actuaires.ca/members/publications/2007/FINAL%20CIA_Retirement_F.pdf

2. Castonguay, C. (2011). *Le point sur les pensions*. Cirano. Récupéré de www.cirano.qc.ca/pdf/publication/2011RP-01.pdf

3. Godbout, L. (2010). *REER : encore les riches ? La Tribune*. Récupéré de www.cyberpresse.ca/la-tribune/opinions/201002/22/01-954077-reer-encore-les-riches-.php

Sa conclusion est intéressante : « Ce sont les riches qui profitent le moins de l'aide fiscale et ce sont eux qui paient le plus d'impôt. » Votre réaction à cet énoncé dépend de votre culture, de votre éducation, de votre allégeance politique et de vos valeurs. Il demeure que le REER est un véhicule financier pour tous, sauf peut-être pour les personnes à très faible revenu.

Les personnes à faible revenu

Les personnes à faible revenu (moins de 25 000 $ par année) hésitent souvent à investir dans un REER. D'un côté, elles n'ont pas l'argent nécessaire et, de l'autre, elles justifient leur position par le fait que l'économie fiscale sera faible car, au moment de retirer les fonds, elles seront imposées. C'est un point de vue que l'on peut comprendre. Ces personnes auraient avantage à investir dans un CELI.

De plus, certaines personnes à faibles revenus possèdent, pour une raison ou pour une autre, un certain capital. Cela peut sembler incroyable, mais bon nombre d'entre elles arrivent à la retraite et ne désirent tout simplement pas recevoir de revenus d'intérêts sur leur capital, car elles craignent d'être pénalisées en regard de leur SRG (Supplément de revenu garanti). Elles laissent tout simplement « dormir » leur capital, lequel ne génère pas de revenus. Bien sûr, on peut penser que le CELI pourrait dans ce cas être la solution, mais sa facilité de retrait pour toutes sortes de raisons nous porte à croire que le CELI a plutôt pour mission de financer des projets de tous genres à court terme plutôt que d'assurer, à long terme, le coût de la vie à la retraite. L'avenir nous le dira.

Les personnes à revenus élevés, les investisseurs « actifs », etc.

Certaines personnes à revenus élevés contribuent déjà au maximum à leur REER, mais désirent investir également hors REER. D'autres possèdent des fonds appréciables, mais n'ont pas de « revenus suffisants » pour investir dans un REER. (Il faut se rappeler que les revenus d'intérêts, les gains en capital et les dividendes ne sont pas pris en compte au moment d'établir le revenu gagné.) Enfin, d'autres encore perçoivent le REER comme un investissement « passif » ayant peu d'intérêt. En plus d'avoir une personnalité de spéculateur, ces personnes possèdent une personnalité d'entrepreneur. Elles ne se sentent pas visées, même si elles ont les fonds nécessaires pour investir dans un REER. Elles préfèrent investir soit dans la brique et le mortier (immobilier), car elles peuvent concrètement toucher à leur investissement, soit dans des projets qui demandent un plus grand engagement de leur part. Pour toutes ces personnes, il existe de nombreuses possibilités d'investissement, dont voici quelques exemples :

- L'immobilier en tant qu'investissement (et non en tant que résidence principale) ;
- Les commerces de tous genres ;
- Les « paradis fiscaux » ;
- Le RRI (régime de retraite individuel pour certains dirigeants et actionnaires de PME et professionnels dont la société est légalement incorporée) ;
- Les œuvres d'art ;
- Les métaux précieux et les diamants.

Cette liste n'est pas exhaustive, et plusieurs de ces « investissements » sont soit hautement spéculatifs, soit très exigeants en ce qui concerne le temps qu'il faut y consacrer, soit sont l'équivalent d'un travail rémunéré.

Conclusion

Il est vrai que les investisseurs qui ont un revenu élevé cotisent plus à leur REER que les personnes à faibles revenus, mais il est aussi juste de dire que les riches paient plus d'impôts que les personnes économiquement faibles.

Nous croyons donc avoir répondu à la question soulevée en début de dossier : Pourquoi les Québécois ne contribuent-ils pas plus à leur REER ?

MODULE 3

Le RAP : un pensez-y bien !

Plan

Introduction
Le cas de Paul Domier
Le rôle du conseiller financier
Conclusion

Introduction

Ces dernières années, deux tendances importantes ont prévalu en ce qui concerne le RAP : d'une part, les établissements financiers qui vendent ce « produit » parlent très peu des désavantages d'une telle stratégie, d'autre part, on considère que certains conseillers financiers fournissent des justifications basées sur des hypothèses peu réalistes. Cependant, l'état émotionnel qui entoure l'achat d'une première maison est souvent peu propice à une réflexion en profondeur. Il est alors difficile de faire prendre conscience au client des effets négatifs liés au retrait d'une portion de ses REER tôt dans la vie. C'est ici que le rôle du planificateur financier moderne prend toute son importance.

Le cas de Paul Domier

Dans le but de mieux comprendre le RAP, nous utiliserons le cas de Paul Domier. Les données financières sont les suivantes :

- Paul Domier possède un REER de 20 000 $;
- Il voudrait acheter un appartement en copropriété de 160 000 $ qui requiert une mise de fonds de 10 000 $, fonds que Paul possède hors REER ;
- Le constructeur, par l'entremise de son établissement financier, lui offre une hypothèque de 150 000 $ au taux de 9,75 % pour un amortissement de 25 ans.

(L'assurance hypothécaire n'est pas prise en considération dans cette situation.)

- Paul se demande s'il doit utiliser ses 20 000 $ en REER pour diminuer l'hypothèque de 150 000 $ à 130 000 $, et ce, en profitant du RAP, car il y est admissible ;
- Le constructeur lui dit que c'est une excellente idée, puisque ses mensualités diminueraient de 176 $ (à 1 $ près, soit 1 141,02 $ au lieu de 1 316,56 $).

L'objectif de Paul

Paul désire utiliser son REER dans 25 ans. Il calcule qu'au taux de 10 %, ses 20 000 $ produiraient la jolie somme de 216 694 $ (à 1 $ près). Pour le moment, il ne prévoit pas verser d'autres cotisations à son REER.

Paul vous demande conseil et vous pose la question suivante : « Combien aurais-je de capital REER dans 25 ans si je "rappe" ? »

Voici les éléments de réponse :

- Le RAP exigera des remboursements mensuels de 111,11 $. En effet, 20 000 $ sur 15 ans donne 1 333,33 $ par année, ou 111,11 $ par mois.
- Son REER ne vaudra que 94 899 $ (à 1 $ près) dans 25 ans. Pour les 111,11 $ à 10 % réinvestis avec $n = 180$ et $i = 0{,}7974$[1], on obtient un FV de 44 271,11 $; ce montant produira, 8 ans plus tard, 94 899 $ (à 1 $ près).

Pourquoi 8 ans plus tard ? Parce que le RAP se rembourse à partir de la troisième année ou, en d'autres mots, au plus tard le 31 décembre de la deuxième année civile suivant celle du retrait. Par conséquent, pour Paul, le plan de 25 ans ressemble à ceci : années 1 et 2, rien à rembourser, puis 15 ans de remboursements de 111,11 $ par mois, puis 8 ans pour atteindre 25 ans (25-17) et permettre la capitalisation de 94 899 $.

---

1. Le taux effectif de 10 % se traduit, en taux nominal (12 mois) = 9,5689, et en taux mensuel nominal. Donc, 9,5689 ÷ 12 = 0,7974.

DOSSIER 12.3-*SUITE*

Paul vous pose la question suivante : « Le capital REER est-il touché au bout de 25 ans ? »

Vous lui répondez : « Bien sûr, et très sérieusement. » On parle de 216 694 $ sans RAP et de 94 899 $ avec RAP (différence de 121 795 $).

Si Paul « rappe », il possédera un appartement qui aura pris de la valeur suivant l'inflation. Comme vous le savez, en général, une maison représente des dollars non réalisables (si l'on veut maintenir sa qualité de vie), tandis que les REER sont précisément des sommes d'argent réalisables qui permettent d'assurer la qualité de vie à la retraite.

Les liquidités de surplus

« Mais quelles liquidités ? », vous demande Paul.

L'accroissement des liquidités représente 32 820 $ et se calcule en utilisant 3 équations, comme suit :

1. $(176\,\$ \times 12 \times 2\ \text{ans}) +$
2. $(65\,\$\ (176 - 111{,}11) \times 12 \times 15\ \text{ans}) +$
3. $(176\,\$ \times 12 \times 8\ \text{ans}) = 32\,820\,\$$ de liquidités excédentaires.

En effet, l'hypothèque étant moindre (*voir plus haut*), Paul disposera de cet argent pour investir ou encore pour assumer le coût de possession d'une propriété.

Paul étant une personne disciplinée, vous lui conseillez d'investir ses liquidités excédentaires.

« Dois-je investir dans un REER ou hors REER ? », vous demande-t-il.

« Préférablement dans un REER, si c'est possible. »

Si Paul investissait toutes ses liquidités (*voir les trois équations plus haut*) dans un REER au taux de 10 %, il obtiendrait environ 124 900 $ (sans tenir compte des remboursements d'impôt). Donc, 94 899 $ seraient augmentés à 219 800 $ et

cela permettrait de récupérer complètement la perte causée par le RAP.

Dans le cas d'un investissement hors REER, le résultat dépendrait, bien sûr, du rendement annuel. Toutefois, on peut estimer une récupération allant de 45 000 $ à 50 000 $. Attention : il s'agit ici d'argent net d'impôt estimé selon un rendement de 4 à 5 %. Ainsi, Paul aurait compensé en grande partie la perte causée par le RAP.

Combien de « rappers » ont cette discipline qui exige de réinvestir les sommes « économisées » grâce à une hypothèque moins élevée ? Nous vous laissons le soin d'y répondre !

Le rôle du conseiller financier

Le conseiller financier moderne se doit de bien assister ses clients en ce qui concerne le RAP, comme nous l'avons mentionné dans l'introduction de ce document. Son rôle est très important, surtout, redisons-le, à un moment où l'aspect émotionnel est présent chez la plupart des futurs acheteurs de première maison. Dans son travail, le conseiller financier peut faire face à deux situations stratégiques qui demandent une attention particulière :

- Situation 1 : Un jeune couple (ou une personne seule) n'ayant pas de REER ;
- Situation 2 : Un couple (ou une personne seule) ayant des REER et des placements hors REER.

Dans un premier temps, examinons chacune de ces situations du point de vue de l'information donnée dans ce chapitre. Ensuite, voyons plus en détail le rôle, tout de même complexe, que joue le planificateur financier.

Situation 1 : Un jeune couple (ou une personne seule) n'ayant pas de REER

Un jeune couple ne possède aucun REER et emprunte (grâce à un prêt-REER) en respectant la règle des 90 jours (*voir le RAP dans ce chapitre ou consulter le site Invesco*).

L'argument utilisé par plusieurs conseillers est que le jeune couple a « rappé », mais ne possédait aucun REER.

Cet argument est très dangereux. Dans ce chapitre, nous avons clairement expliqué la très grande importance de commencer à cotiser tôt à son REER dans le but de miser sur sa force exponentielle.

Recommandations du planificateur financier :

- Commencer le plus tôt possible à cotiser à un REER conventionnel ;
- Si possible, tenter d'accumuler un capital hors REER afin d'acheter la maison ;
- Sinon, adopter la stratégie CELI–RAP, expliquée à la sous-section 12.8.1 ;
- Rembourser le RAP le plus rapidement possible. En ce sens, le jeune couple doit être conscient du coût de possession d'une maison, concept qui sera abordé plus loin dans ce document.

Situation 2 : Un couple (ou une personne seule) ayant des REER et des placements hors REER

Le cas de Paul Domier présenté au début de ce document est très représentatif de cette situation. Voici un autre cas, légèrement différent. Vous travaillez pour une firme de conseillers financiers. Le couple Tremblay vient vous consulter au sujet de l'achat de sa première maison. Durant la collecte de données, vous recueillez les renseignements suivants en ce qui a trait à cet achat :

	Monsieur	Madame	Total
	(en milliers de dollars)		
Placements (hors REER)[1]	15	10	25
Placements REER	13	12	25

(1) Les placements hors REER sont à court terme.

Le couple désire acheter une résidence d'une valeur de 200 000 $ pour laquelle ils effectueront une mise de fonds de 25 000 $. Monsieur et madame vous demandent ce qui est préférable : utiliser les placements à court terme pour effectuer cette mise de fonds ou conserver les placements à court terme tout en retirant 25 000 $ du REER dans le cadre du RAP. Si ce couple n'a pas d'autres obligations financières, quelle sera votre recommandation ? Expliquez votre réponse.

Les recommandations du conseiller financier

- Utiliser les fonds hors REER pour acheter la maison ;
- À la limite, si un fonds d'urgence hors REER doit absolument exister, investir 20 000 $ provenant des placements à court terme au lieu de 25 000 $ et 5 000 $ provenant des fonds REER. Donc, « rapper » et remettre les 5 000 $ dans le REER le plus rapidement possible ;
- Souligner que le temps est le meilleur allié du REER (force exponentielle).

Ces deux situations doivent inciter le conseiller à faire preuve de discernement. Il est évident que son rôle revêt ici une grande importance. Ce conseiller se trouve souvent dans des situations où les objectifs que lui impose son employeur ne concordent pas avec les objectifs de ses clients. Il doit alors prendre en considération deux notions très importantes : 1) la notion d'appauvrissement ; 2) la notion de la maison en tant qu'actif non réalisable.

L'appauvrissement est causé par deux éléments : 1) l'affaiblissement du REER ; 2) la sous-estimation du coût élevé de possession d'une maison car, pour plusieurs couples, l'appauvrissement vient du manque de liquidités qui en découle.

L'affaiblissement du REER

Plusieurs personnes ne comprennent pas l'effet exponentiel du REER. Elles croient à tort que, par exemple, retirer 15 000 $ de leur REER et remettre 15 fois 1 000 $ (soit 1 000 $ par année pendant 15 ans) donne le même résultat que de ne faire aucun retrait. Comme vous avez pu le constater, il s'agit là d'une fausse croyance ; plus le retrait dans le cadre du RAP est effectué alors que la personne est jeune, plus le facteur d'appauvrissement sera grand.

Que peut recommander le conseiller financier ?

Une première solution consiste à recommander au client qui désire absolument utiliser le RAP d'investir tous ses surplus (donc les économies qu'il réalise en ayant des mensualités hypothécaires moindres). Cela est peu réaliste pour la majorité des gens.

Une deuxième recommandation, pour le client qui comprend la situation, consiste à lui suggérer de contribuer à son REER, mais également d'amasser pendant quelques années des fonds hors REER (dans un CELI, par exemple) afin d'effectuer le versement initial sur la maison (*voir la sous-section 12.8.1 à ce sujet*). En d'autres mots, « contrôler[2] » son désir plutôt que de le combler immédiatement à l'aide de son REER. La psychologie a toujours été un bon allié du planificateur financier.

La sous-estimation du coût élevé de possession d'une maison

Il faut savoir que les futurs propriétaires sous-estiment généralement le coût de possession d'une maison. En effet, ce coût annuel englobe les coûts de l'entretien normal, mais également les coûts des rénovations majeures (améliorations) et des réparations. Les conséquences liées à la sous-estimation de ce coût annuel total

peuvent s'avérer désastreuses car, en général, ce coût est toujours plus élevé que prévu. Pour de nombreux nouveaux propriétaires ayant utilisé le RAP, le résultat net de ce coût élevé se traduit par un manque de liquidités, non seulement pour investir de nouvelles sommes d'argent dans leur REER, mais aussi tout simplement pour effectuer les remises annuelles du RAP dans leur REER. La conséquence, dans ce dernier cas, est une imposition immédiate de l'argent non remis dans le REER.

Par conséquent, l'appauvrissement vient du fait que le REER perd une partie de sa force exponentielle et qu'en général, on sous-estime les coûts rattachés à la possession d'une maison. Dans cette situation, plusieurs personnes répondront que la valeur de leur maison compensera ce facteur d'appauvrissement. La section qui suit permet de vérifier si cette affirmation est fondée.

La notion de maison en tant qu'actif non réalisable

La question posée est donc celle-ci : la maison est-elle un actif réalisable ? Il faut bien comprendre, en tout premier lieu, que les mises de fonds annuelles dans un REER sont calculées et effectuées pour permettre l'atteinte d'un capital qui sera réalisable à la retraite, donc, un capital générateur de revenus. Ces revenus permettront de subvenir au coût de la vie et, par conséquent, d'assurer la qualité de vie.

Par contre, la résidence n'est pas considérée comme un actif réalisable. À la base, c'est un actif lié au style de vie et qui sert à maintenir la qualité de vie. Mais cet actif coûte de l'argent plutôt que d'en produire. Nous ne parlons pas ici de transformation, à savoir liquider un bungalow pour acheter, par exemple, une copropriété de qualité équivalente. Si des revenus additionnels sont repris, la résidence peut toujours être

---

2. Si, bien sûr, le marché immobilier est raisonnablement stable.

vendue pour en acheter une de moindre valeur et dégager ainsi certains fonds pour alimenter le coût de la vie. Cette solution ne plaît pas à tous les propriétaires dans cette situation. L'hypothèque inversée, qui fait également l'objet du module « La retraite », demeure une solution de rechange permettant de générer des revenus pour assurer la qualité de vie et, dans certains cas, pour l'améliorer. Néanmoins, comme nous le verrons, cette stratégie amène son lot de difficultés. Il s'agit là d'un dilemme qui, pour plusieurs, pose un sérieux problème. Le fait de bien planifier sa retraite touche le maintien, le plus longtemps possible, de la qualité de vie, et celle-ci est souvent liée au lieu de résidence.

La résidence peut certainement devenir réalisable selon l'état de santé et l'âge de son propriétaire. Les personnes âgées rechercheront une résidence qui offrira tous les services dont elles ont besoin.

Conclusion

La planification de la retraite est un sujet « lointain » pour la majorité des jeunes gens, alors que l'achat d'une première résidence est un sujet d'actualité et soulève une émotion liée au moment présent. Toutefois, cette planification met justement en évidence l'importance de posséder les revenus nécessaires à la retraite et de disposer d'un plan efficace pour assurer ces revenus. Malheureusement, le RAP détourne très souvent l'attention des gens, surtout les plus jeunes, de ce type d'objectif à long terme.

La solution est de leur fournir une information de qualité de façon à les faire réfléchir sur leurs actions.

Dans le cas du REER, il faut commencer tôt (même à l'adolescence) pour permettre à son portefeuille d'atteindre sa pleine force exponentielle. Voilà l'argument le plus frappant, non les remboursements d'impôts dont on parle si souvent. Les sommes investies pourront toujours être déduites au moment opportun. C'est l'argent qui s'accumule en franchise d'impôt au rythme de l'intérêt composé qui donne sa force au REER. Voilà pourquoi le RAP est un pensez-y bien !

L'un des plus grands administrateurs que le Canada ait connu, Stephen A. Jarislowsky, est président fondateur de Jarislowsky Fraser. Dans son récent ouvrage, intitulé _Dans la jungle du placement_, il décrit justement ce concept de force exponentielle (qu'il appelle « croissance capitalisée ») :

> Une fois qu'on a établi un bon plan de placement, il suffit de laisser s'accumuler les intérêts ; tout gain supplémentaire pourra alors être dépensé en toute bonne conscience. Je ne comprendrai jamais pourquoi ces principes ne sont pas enseignés à l'école secondaire, pourtant ils sont beaucoup plus simples que la plupart des choses inutiles que l'on y apprend.

CHAPITRE
13

L'APRÈS-REER

L a planification financière d'un client à la retraite doit suivre un processus méthodique et stratégique, tout comme la planification de la retraite elle-même. Cette planification touche principalement, au moment de la retraite, l'investissement du capital de retraite de façon à satisfaire les besoins financiers tout en réduisant au minimum l'impôt à payer. Le marché de l'après-REER est devenu l'un des plus importants marchés financiers au Canada. On sait que le REER constitue le fer de lance de toute planification de la retraite. Il est primordial pour le planificateur financier de bien comprendre les possibilités de conversion du portefeuille de REER et du portefeuille hors REER afin de choisir la meilleure combinaison de revenus de retraite en fonction des objectifs du client.

Il n'existe pas une seule et unique formule «magique», mais une foule de stratégies qui se combinent et se complètent pour offrir au client les revenus appropriés. Ce chapitre servira donc à élucider tant la nature des outils financiers existants que les meilleures stratégies recommandées par les experts du milieu de la finance. La retraite se caractérise par la phase de liquidation du capital (aussi appelée «phase d'utilisation du capital») en comparaison à la phase d'accumulation du capital (ou «phase de capitalisation») pour les années de préparation.

Plusieurs éléments permettent d'assurer la qualité de vie à la retraite. Nous avons déjà souligné, aux chapitres précédents, l'importance, durant la phase de capitalisation, d'atteindre un bon équilibre entre les actifs générateurs de revenus et les actifs reconnus comme des actifs de style de vie.

FIGURE 13.1 La pyramide au seuil de la retraite

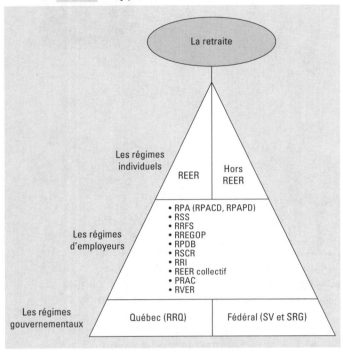

13.1 L'après-REER

Ce chapitre traite de l'après-REER, donc de la retraite elle-même et des véhicules financiers utilisés à ce moment. Cette étape de la vie est très importante pour la majorité des gens. De ce fait, il est primordial de tirer le meilleur parti de l'argent accumulé grâce aux différents véhicules financiers tels que le REER et le RPA. La pyramide représentée dans la figure 13.1, issue de la figure 10.1 (*voir la page 190*), illustre bien que cette personne a atteint le seuil de la retraite.

Nous tenons ici pour acquis que le client a réussi à construire, avec succès, une pyramide de la retraite d'envergure et qu'il faut maintenant utiliser les fonds accumulés le plus efficacement possible. En général, deux situations se présentent au planificateur financier :

- Soit le client est âgé d'environ 65 ans et prend sa pleine retraite après 30 ou 35 ans de travail rémunéré ;
- Soit le client, toujours âgé d'environ 65 ans, décide de continuer d'occuper son emploi.

Soulignons que compte tenu du contexte socioéconomique dans lequel nous vivons, certaines personnes âgées de 65 ans et plus qui perçoivent déjà une rente de pension d'une ou de plusieurs entreprises, en plus de recevoir du RRQ et de la SV, continuent de travailler. Ces personnes peuvent aussi s'engager dans un autre genre d'activité rémunérée qui les motive particulièrement. Elles vivent donc simultanément les phases de capitalisation et de liquidation du capital. Dans ce cas, le planificateur financier ne doit pas compter sur les revenus de travail. L'indépendance financière à la retraite signifie qu'une personne peut maintenir sa qualité de vie (son coût de la vie) sans pour cela avoir à travailler ou à s'endetter.

13.2 Les biens non réalisables et les biens réalisables

Les biens accumulés pour cette importante étape de la vie sont de deux ordres : les biens non réalisables et les biens réalisables.

Les biens non réalisables sont ceux que le client entend conserver (ne pas liquider ou vendre) et possiblement transmettre à sa succession. Très souvent, il possédera une résidence, des meubles, des objets de collection et, dans certains cas, une résidence secondaire, un bateau, un avion, etc. Dans cette situation, le client décide de conserver ses biens pour un meilleur encadrement de sa qualité de vie et pour les transmettre à sa succession. Il s'agit d'une décision très importante à prendre au début de la retraite afin d'établir le capital dont on disposera pour maintenir son coût de la vie.

FIGURE 13.2   **Le processus de liquidation des fonds à la retraite**

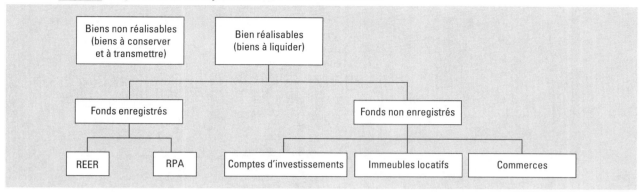

À l'inverse, les biens réalisables sont ceux que le client choisit de liquider, soit graduellement, comme c'est le cas du REER ou du portefeuille de fonds hors REER, soit immédiatement, comme c'est le cas d'un chalet, par exemple. Les biens réalisables se divisent en deux groupes :

- Les fonds enregistrés (portefeuille de REER, RPA, etc.) ;
- Les fonds non enregistrés (portefeuille hors REER).

D'où proviennent les fonds enregistrés ? Nous nous intéressons ici aux fonds que sont le REER et le RPA. Comme nous le verrons, plusieurs véhicules financiers en dérivent. Quant aux fonds non enregistrés, ils sont généralement définis comme étant hors REER. Toutefois, ce sont les actifs de tous genres tels que les comptes d'investissement (valeurs mobilières), les immeubles locatifs, les commerces, qui peuvent engendrer des revenus non enregistrés. La figure 13.2 résume ce processus de liquidation des fonds à la retraite.

13.3 Les options de revenus à partir d'un REER

La figure 13.3 à la page suivante illustre les options de revenus de retraite à partir du capital investi dans un REER. De façon générale, plusieurs options de conversion s'offrent au détenteur d'un REER :

- Le retrait du REER ;
- Les rentes (la rente certaine et la rente viagère) ;
- Le fonds enregistré de revenu de retraite (FERR).

Il est possible de combiner ces options dans les proportions désirées. Pour la personne qui procède seule à cette planification et qui n'est pas experte en planification financière, la prudence est de rigueur. En effet, le choix d'une option, par exemple la rente viagère, peut être irrévocable, menaçant ainsi sa tranquillité d'esprit et sa situation financière. C'est en ce sens que l'aide d'un conseiller financier peut s'avérer le meilleur choix. Il faut bien comprendre que la retraite peut s'échelonner de l'âge de 60 à plus de 90 ans, soit une période aussi longue que la vie active. Quelle que soit l'option choisie, le REER doit être converti en FERR avant la fin de la 71e année du client, sinon ce dernier sera imposé sur le montant

FIGURE 13.3 Les fonds de revenus d'un REER

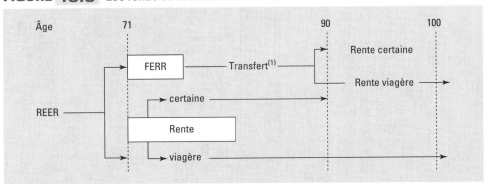

(1) Ce transfert est facultatif et peut être effectué à n'importe quel âge pour ce qui est de la rente viagère, mais avant l'âge de 90 ans pour la rente certaine. Nous reviendrons sur l'importance de transformer le FERR en rente viagère ou certaine (selon le cas).

global l'année suivante. La conversion peut avoir lieu avant si le client désire recevoir des revenus réguliers de son REER.

13.3.1 Le retrait du REER

Le retrait du REER peut être total ou partiel. Dans le cas d'un retrait total, le client dispose de la totalité des fonds, moins l'impôt à payer, lequel risque d'être très lourd si son taux d'imposition est élevé. Pour des retraits partiels, le client sera imposé sur les montants retirés, toujours en fonction du taux d'imposition marginal relatif à l'année civile du retrait. D'ailleurs, au moment du retrait partiel, l'établissement financier doit effectuer les retenues fiscales. Le client peut ensuite réclamer ces retenues à titre de crédit remboursable dans sa déclaration de revenus de l'année en question. Pour connaître les taux des retenues applicables aux retraits pour l'année 2010, vous pouvez consulter le tableau 12.2 à la page 274 ou le site du CQFF.

13.3.2 Les rentes enregistrées

Une rente (enregistrée ou non) permet de recevoir de façon régulière (mensuellement, bi-annuellement, etc.) des prestations (aussi appelées « arrérages ») constituées du remboursement du capital et des revenus d'intérêt. La rente est donc une annuité. Pour y avoir droit, le futur rentier confie un certain montant en capital à un établissement financier. Cette définition s'applique tant à la rente enregistrée qu'à la rente non enregistrée. Dans les faits, il existe deux types de rentes : la rente certaine et la rente viagère. Le dossier 13.1 présente quelques articles importants du *Code civil* du Québec concernant les rentes.

La rente certaine enregistrée

La rente certaine (ou rente à terme) assure au client des prestations de capital et d'intérêt étalées sur une période déterminée. Dans le cas de la rente certaine enregistrée, les arrérages sont imposables l'année de l'encaissement. Nous verrons que dans le cas des rentes certaines non enregistrées, il y a imposition, mais uniquement sur les intérêts provenant du capital.

La rente certaine enregistrée doit s'étaler jusqu'à l'âge de 90 ans. Elle peut procurer un revenu mensuel nivelé pendant la durée établie au contrat. Le montant de la rente n'est pas fonction de l'espérance de vie du client (donc de son âge) ou de son sexe. En fait, cet arrérage mensuel dépend de quatre facteurs :

- Le nombre d'années précisées au contrat, normalement 90 ans moins l'âge du client ou celui de son conjoint (le montant est le même pour un homme et une femme) ;
- Le montant des fonds investis ;
- Le taux de rendement au moment de l'achat de la rente ;
- L'établissement qui émet la rente.

Les arrérages de la rente certaine sont généralement plus élevés que ceux de la rente viagère. Par conséquent, ce produit financier est avantageux pour le client plus âgé et moins en santé qui désire recevoir un revenu garanti sans se préoccuper de gérer son portefeuille. Ce type de rente enregistrée peut être très utile, par exemple lors du décès d'un parent qui lègue son REER à un enfant à charge. Ce sujet sera abordé au module « La planification successorale ». La grande majorité des établissements financiers commercialisent ce type de produit. Au moment de l'achat d'une rente certaine, il est utile de consulter un spécialiste des rentes.

La rente viagère enregistrée

Tout comme pour la rente certaine provenant d'un REER, les arrérages annuels (encaissements) d'une rente viagère achetée à partir d'un REER sont entièrement imposables. Nous verrons plus loin que l'imposition de la rente viagère non enregistrée est basée sur l'espérance de vie et les intérêts générés par le capital.

Comme son nom l'indique, la rente viagère assure un revenu au rentier jusqu'à son décès. Toutefois, elle peut comporter une période minimale de garantie de paiement aux héritiers ou au conjoint survivant. Lorsqu'il n'y a aucune période de garantie, on parle de « rente viagère pure ». Le client recherche surtout la sécurité et le meilleur revenu possible pour le restant de sa vie sans pour cela avoir à investir en Bourse. Il faut aussi comprendre que la décision de contracter une rente viagère est généralement irrévocable.

Les rentes viagères sont commercialisées strictement par les compagnies d'assurance vie. La désignation d'un bénéficiaire peut rendre le contrat de rente insaisissable. Par exemple, lorsque le bénéficiaire désigné est le conjoint, les droits que confère le contrat sont insaisissables (CcQ, article 2457).

Plusieurs facteurs influent sur l'arrérage[1] mensuel à recevoir de cette rente :

- Le sexe – Les rentes viagères sont basées sur l'espérance de vie, laquelle diffère chez les hommes et les femmes ;
- L'âge – Plus le client est âgé, plus le montant de la prestation versée est élevé ;
- Les compagnies d'assurance – Ces établissements, qui sont d'ailleurs les seuls habilités à offrir ce type de rente, proposent à leurs clients des montants plus élevés quand, par exemple, ceux-ci ont de grands besoins financiers. Les

MODULE 3

---

1. Pour établir le taux de la rente, donc l'arrérage, les actuaires utilisent des tables qui illustrent l'espérance de vie des individus d'un groupe cible en prenant en considération leur sexe et leur âge.

écarts d'arrérage entre les différentes compagnies peuvent facilement atteindre de 10 à 15 %, surtout durant les périodes où les taux d'intérêt sont instables. Il faut donc faire des comparaisons ou, de préférence, consulter un spécialiste tel un courtier en rentes ;

- Le montant à investir – Plus le montant est important, plus les prestations sont élevées ;

- La période de garantie – Les gens, en général, n'aiment pas les rentes viagères, car si le décès survient quelques mois ou quelques années après avoir contracté la rente viagère, le capital constitutif est complètement perdu pour la succession (sauf, bien sûr, si le décès survient durant la période de garantie). Afin de remédier à ce qui pourrait être un sérieux problème pour certaines personnes, il est possible de constituer une rente viagère à terme garanti de 5, 10 ou 15 ans. Bien sûr, les montants d'arrérage diminuent avec l'augmentation de la période de garantie. Dans l'éventualité d'un décès, la compagnie d'assurance s'engage alors à poursuivre les versements mensuels aux héritiers jusqu'à la fin de la période de garantie ;

- La réversion en faveur du conjoint – Il s'agit ici de rentes viagères réversibles (par exemple, à 50, 75 ou 100 %) aussi appelées « rentes conjointes » qui, au décès du rentier, continuent d'être payées jusqu'au décès du conjoint survivant. Ce type de rente procure des paiements mensuels moins élevés, mais peut s'avérer un excellent choix si l'objectif consiste à maintenir la qualité de vie du conjoint ;

- Les autres types de rentes viagères – Les rentes viagères déjà mentionnées sont immédiates, ce qui signifie que les prestations débutent un mois après la réception des fonds à investir (capital constitutif). On peut aussi constituer une rente viagère différée, c'est-à-dire que le premier paiement s'effectuera 5 ou 10 ans après la constitution de la rente. D'autres options sont aussi offertes par les compagnies d'assurance, par exemple la rente viagère indexée.

Que ce soit pour les rentes certaines ou viagères (enregistrées ou non), le concept de taux de rente mensuel (TRM) nous indique le montant de la rente (prestation ou arrérage) mensuelle pour 1 000 $ de capital constitutif, parfois 100 000 $.

Pour illustrer ce concept de TRM, vous pouvez consulter un tableau présenté sur le site de Cannex[2] et donnant l'exemple d'une rente non enregistrée dont la période de garantie est de 10 ans pour un homme âgé de 55 à 80 ans. Au 4 juin 2011, Cannex offrait le TRM de Desjardins (DSF) à 603,18 $ pour 100 000 $ de capital constitutif, et ce, pour un homme âgé de 65 ans. Le TRM est donc de 6,03 $ par 1 000 $.

Vous pouvez donc constater l'évolution du TRM pour cet homme de l'âge de 55 à 80 ans.

Nous présentons ici deux exemples[3] : le premier concernant une rente certaine enregistrée et le second, une rente viagère enregistrée.

---

2. Ce site est en anglais.

3. Dans tous les exemples de ce chapitre, les données visent uniquement à illustrer le processus financier et ne représentent en rien la réalité des taux d'intérêt en vigueur. De plus, ils ne tiennent pas compte de certains frais administratifs, souvent exigés dans ce type de transaction.

EXEMPLE

La rente certaine enregistrée de 10 ans

Monsieur Labelle désire acheter une rente certaine enregistrée avec son portefeuille REER.

 Les données sont les suivantes :

- Capital constitutif : 100 000 $ (prime unique) ;
- Rente certaine de 10 ans ;
- TRM de 9,52 pour 1 000 $.

Dès lors : 9,52 $ × 100 = 952 $ par mois, ou 11 424 $ par année. Ce montant est entièrement imposable.

Le calcul au moyen du taux d'intérêt est le suivant :

En connaissant le taux d'intérêt, on peut utiliser la calculatrice pour arriver au même résultat. Par exemple, si le taux d'intérêt est de 2,5 % (toujours avec PV = 100 000 $ et n = 10 ans), on obtient une rente annuelle de 11 426 $, donc semblable à celle de la méthode précédente.

EXEMPLE

La rente viagère enregistrée pure

Monsieur Labelle, âgé de 69 ans, désire cette fois acheter une rente enregistrée pure, toujours à partir de son REER. Les données sont les suivantes :

- Capital constitutif : 100 000 $ (prime unique) ;
- Rente viagère pure ;
- TRM de 7,35 $ pour 1 000 $.

Dès lors : 7,35 $ × 100 = 735 $ par mois, ou 8 820 $ par année. Ce montant est entièrement imposable.

13.3.3 Le fonds enregistré de revenu de retraite (FERR)

Le fonds enregistré de revenu de retraite (FERR) s'achète uniquement à même un REER. Comme dans ce régime, les fonds s'accumulent à l'abri de l'impôt ; en ce sens, le FERR est un prolongement du REER.

Voici les principales caractéristiques du FERR :

- Le transfert d'un REER à un FERR peut s'effectuer à n'importe quel âge, au plus tard à la fin de la 71ᵉ année de vie du client. Le budget fédéral du 19 mars 2007 a en effet repoussé l'âge limite pour convertir le REER en FERR de 69 à 71 ans ;

- Le FERR, tout comme le REER, est un véhicule financier qui peut contenir une variété d'instruments financiers selon les objectifs du client ;

- Une fois le transfert effectué et le FERR comprenant les produits financiers appropriés, un montant minimal doit être retiré annuellement. L'âge du plus jeune des conjoints peut servir de référence pour le calcul des retraits minimaux. Le pourcentage de la valeur du FERR en début d'année inclut ces retraits. (Ce tableau peut également être consulté dans la section « Tableaux utiles » du site de la CQFF.) ;

- Les établissements financiers ne retiennent en général aucun impôt sur le minimum de retrait obligatoire, mais utilisent les pourcentages du tableau 13.1 à la page suivante pour calculer l'excédent du retrait (au-delà du minimum). Par contre, le client peut exiger que son établissement financier effectue des retenues plus élevées qui lui conviennent mieux ;

MODULE 3

TABLEAU 13.1   Le pourcentage des retraits minimaux à même un FERR

Âge	%[1]	Âge	%	Âge	%
71[2]	7,38	81	8,99	91	14,73
72	7,48	82	9,27	92	16,12
73	7,59	83	9,58	93	17,92
74	7,71	84	9,93	94	20,00[3]
75	7,85	85	10,33	95	20,00
76	7,99	86	10,79	96	20,00
77	8,15	87	11,33	97	20,00
78	8,33	88	11,96	98	20,00
79	8,53	89	12,71	99	20,00
80	8,75	90	13,62	100 et plus	20,00

(1) Pourcentage de la valeur du FERR au 1er janvier.

(2) Pour les personnes âgées de moins de 71 ans, la formule suivante s'applique :

$$\text{Retrait minimal} = \frac{\text{Valeur du FERR (début de l'année)}}{90 - \text{Âge (détenteur ou conjoint)}}$$

(3) À compter de l'âge de 94 ans, les retraits minimaux équivalent à 20 % de la valeur du FERR en début d'année.

Source : Centre québécois de la formation en fiscalité (2010).

- Aucun retrait minimal n'est exigé l'année civile où le REER est converti en FERR. En effet, le solde du FERR au 1er janvier de cette année civile est obligatoirement nul ;

- Le FERR peut être liquidé en tout temps si les fonds sont investis dans des placements qui le permettent. Par ailleurs, il peut être transféré dans une rente viagère ou une rente certaine. Lors du décès du rentier, le FERR, tout comme le REER, peut être transféré en franchise d'impôt au conjoint survivant ;

- Finalement, le FERR peut toujours être reconverti en REER avant l'âge de 71 ans.

Le FERR est devenu la plus souple et souvent la plus avantageuse des options de retraite. Mais, là encore, il doit s'inscrire dans une approche globale de planification. Abordons brièvement les deux graves dangers du FERR.

Tout d'abord, il est possible d'épuiser tout le capital très rapidement, car il n'existe aucun maximum aux retraits annuels (tout comme c'est d'ailleurs le cas pour le REER) en dehors de la valeur escomptée du fonds. Le principal objectif du FERR consiste à verser un revenu mensuel ou annuel régulier selon les besoins, et ce, le plus souvent et le plus longtemps possible.

Il est aussi possible d'épuiser le capital avant le décès. Trois facteurs entrent ici en ligne de compte :

- L'espérance de vie, qui augmente d'année en année. De plus en plus de personnes atteignent aujourd'hui l'âge de 100 ans ou plus ;

- Les retraits minimums qui, pour la personne âgée de 80 ans, atteignent 8,75 % (*voir le tableau 13.1*) ;

- Les rendements sur les produits sécuritaires, qui avoisinent les 3 ou 4 % (moins dans de nombreux cas).

Conclusion ? Le FERR est grugé d'année en année avant de s'épuiser (selon le cas) vers l'âge de 90 ans environ, même plus tôt dans certains cas. Il n'est pas surprenant que de nombreux planificateurs financiers (le plus souvent indépendants de la vente de valeurs mobilières) recommandent de convertir le FERR en rente viagère vers l'âge de 80 ans.

Pour illustrer ce fait, voici le cas d'un couple dont les conjoints sont respectivement âgés de 80 ans (madame) et de 78 ans (monsieur).

EXEMPLE

La conversion d'un FERR en rente viagère

Les chiffres qui suivent sont ceux d'un exemple réel datant d'avril 2011. Les noms des clients et de l'entreprise sont fictifs.

Madame Marie-Paule Desroches est âgée de 80 ans et possède un FERR de 142 000 $ (cette valeur est nette une fois les minimums retirés).

▶

Monsieur Guillaume Desroches est âgé de 78 ans et ne possède que 25 000 $ en FERR (valeur nette).

Voici deux propositions qui ont été faites à madame Desroches :

1re proposition : Rente viagère pure et non réversible de 60 000 $

- Prime unique : 60 000 $
- TRM : 9,65 $
- Rente mensuelle : 579 $
- Rente annuelle : 6 948 $
- Retrait minimum à l'âge de 80 ans : 8,75 % de 60 000 $, soit 5 250 $. Les pourcentages de retrait minimum augmentent au fil des années alors que les capitaux diminuent, car les rendements sont de l'ordre de 3 à 3,5 % pour les fonds sécuritaires.
- Rendement de la rente à vie : 11,6 %

2e proposition : Rente viagère de 82 000 $ réversible à 75 %

- Prime unique : 82 000 $
- Réversibilité : 75 % au conjoint survivant, c'est-à-dire monsieur Desroches
- TRM : 9,85 $
- Rente mensuelle : 807,70 $
- Rente annuelle : 9 692,40 $
- Retrait minimum à l'âge de 80 ans : 8,75 % de 82 000 $, soit 7 175 $. Les pourcentages augmentent au fil des ans, mais les capitaux diminuent.
- Rendement de la rente à vie : 11,8 %

Voici maintenant la proposition faite à monsieur Desroches : Rente viagère pure et non réversible de 25 000 $.

- Prime unique : 25 000 $
- TRM : 10,45 $[1]
- Rente mensuelle : 261,25 $
- Rente annuelle : 3 135 $
- Rendement à vie : 12,5 %[1]

---

(1) L'espérance de vie des hommes étant moindre que celle des femmes, le TRM est meilleur, même pour un âge moins avancé, et présente donc un meilleur rendement.

Tous ces chiffres sont assez éloquents. Soulignons que depuis quelques années, de nombreux intervenants du milieu financier ont fait pression sur le gouvernement fédéral pour qu'il diminue considérablement les pourcentages de retrait dans les FERR. À l'inverse, certaines institutions qui commercialisent les rentes viagères sont heureuses de la situation actuelle. Au moment d'écrire ces lignes (2011), le dilemme n'était pas encore résolu. Ajoutons simplement que même à des pourcentages plus bas, il se trouvera toujours des clients qui préféreront la stabilité et la rentabilité de la rente viagère à l'incertitude de la Bourse.

13.4 Les options de revenus à partir d'un régime de pension agréé (RPA)

Le régime de pension agréé (RPAPD ou RPACD) constitue la seconde source de revenus enregistrés après le REER (et le FERR qui en dérive). Il existe essentiellement trois principaux véhicules financiers qui dérivent des RPA, soit la rente viagère, le CRI et le FRV.

13.4.1 La rente viagère

Lorsqu'il s'agit d'un RPAPD, le régime de retraite offre le plus souvent au futur retraité une rente viagère donc, une rente enregistrée dont les prestations sont entièrement imposables. Dans le cas des RPACD, le futur retraité peut se voir offrir une rente viagère et parfois, la possibilité de transférer son régime dans un compte de retraite immobilisé (CRI). C'est justement le sujet de la sous-section qui suit.

13.4.2 Le compte de retraite immobilisé (CRI)

Le compte de retraite immobilisé (CRI) est un REER particulier dans lequel ont été versées des sommes provenant d'un RPA. Il s'agit d'un véhicule intermédiaire d'accumulation de fonds. En effet, aucun montant ne peut en être retiré, car le CRI doit servir à procurer un revenu à la retraite. Tout comme le REER, il permet la croissance du capital en franchise d'impôt et doit être converti en un régime de revenus de retraite au plus tard avant la fin de l'année où la personne atteint 71 ans.

Le CRI s'apparente au REER immobilisé qui est en vigueur dans les provinces canadiennes. Au Québec, il a remplacé le REER immobilisé pour mettre fin aux nombreuses sorties de fonds des REER immobilisés, sorties attribuables aux erreurs administratives. Les deux régimes de revenus de retraite que l'on peut obtenir à partir du CRI sont la rente viagère enregistrée et le fonds de revenu viager (FRV).

13.4.3 Le fonds de revenu viager (FRV) du Québec

Le fonds de revenu viager (FRV) du Québec est assujetti à la *Loi sur les régimes complémentaires de retraite*. Il s'agit du FRV issu de régimes d'employeurs dont les activités sont de compétence provinciale, et ce, dans les secteurs privé, municipal, public (par exemple, le RREGOP), parapublic et universitaire.

La source de fonds pour l'acquisition d'un FRV doit obligatoirement être un CRI provenant d'un RPA de compétence provinciale (RRQ) et non d'un REER. Tout comme le FERR, le fonds de revenu viager est un régime enregistré qui fructifie à l'abri de l'impôt. Cependant, il est assorti de restrictions importantes concernant les modalités de retrait. Les retraits minimaux sont les mêmes que dans le cas d'un FERR (*voir le tableau 13.1 à la page 318*).

Dans le cas des retraits maximaux (toujours pour les FRV de compétence provinciale), leur calcul se fonde sur l'âge du détenteur (au 31 décembre de l'année précédente), le solde du compte et le taux Cansim de Statistique Canada, comme suit :

$$\text{Retrait viager maximal} = S \times F,$$

où S est le solde du compte au 31 décembre de l'année précédente et F, le facteur de retrait maximal en fonction du taux de référence et de l'annexe 0.6 du *Règlement sur les régimes complémentaires de retraite*.

Pour déterminer F, vous pouvez consulter le site de la Régie des rentes du Québec et sa section consacrée aux types de revenus possibles pour le FRV. Prenez note de deux éléments importants : le minimum prescrit (comme pour le FERR) et le revenu maximal. Celui-ci est, comme nous l'avons mentionné plus haut, calculé en fonction de l'âge, du solde du FRV et du taux de référence fixé chaque année pour les FRV. Il faut noter que, en 2011, ce taux est de 6 %. Soulignons qu'il ne peut être inférieur à 6 %.

Sous la liste des taux de référence, il est possible de lire ceci :

Au début de chaque année, l'établissement financier calcule les montants minimum et maximum qui peuvent être retirés d'un FRV en cours d'année. Le maximum s'obtient en multipliant le facteur prévu à l'annexe 0.6, établi selon l'âge et le taux de référence, par le solde du FRV en début d'année ou à l'ouverture, selon le cas. Lorsqu'un revenu temporaire est demandé, le maximum se calcule différemment. (RRQ, 2011a)

Vous pourrez donc accéder à l'annexe 0.6, intitulée « Retraits minimums d'un FERR en 2010 », sur la même page Web, et déterminer le facteur F.

EXEMPLE

Monsieur Lapalme est âgé de 60 ans et sa conjointe, de 50 ans (au 31 décembre précédent). Le solde de son FRV du Québec est de 160 000 $ (toujours au 31 décembre précédent). Supposez un taux de référence de 6,0 %. Monsieur Lapalme désire retirer le moins d'argent possible.

Question 1 : Quel sera le retrait minimal ?

Réponse 1 : 160 000 $ ÷ (90 − 50) = 4 000 $. (50 ans : âge de sa conjointe)

Question 2 : Quel sera le retrait viager maximal ?

Réponse 2 : 160 000 $ × 0,067[1] = 10 720 $

---

(1) Facteur tiré de l'annexe 0.6.

Trois exceptions existent en ce qui concerne la désimmobilisation d'un CRI ou d'un FRV (au Québec ou au fédéral) :

- « Le titulaire d'un CRI ou d'un FRV, âgé de 65 ans ou plus, peut retirer la totalité de son compte à condition que le total des sommes qui y sont accumulées ne dépasse pas 40 % du maximum des gains admissibles (MGA) de l'année de la demande, soit 19 320 $ en 2011 (40 % × 48 300 $). » (RRQ, 2011b)

- « Le titulaire est atteint d'une invalidité physique ou mentale qui réduit son espérance de vie. Dans ces cas et sur présentation à l'établissement financier d'un *certificat médical* le détenteur peut retirer les sommes du CRI ou les transférer dans un REER ou un FERR, par exemple. » (RRQ, 2011b) Pour plus d'information sur le CRI, vous pouvez consulter le site de la Régie des rentes du Québec. Vous y trouverez une gamme de renseignements sur les caractéristiques du CRI et du FRV. Une brochure intitulée « Pour mieux connaître le CRI et le FRV » est également disponible.

- Le titulaire quitte le Canada et est admissible au statut de non-résident à des fins fiscales.

Depuis le 1er janvier 1998, il n'est plus nécessaire de convertir le FRV (Québec) en rente viagère avant la fin de l'année où le rentier atteint l'âge de 80 ans. Au fédéral, cette exigence a été abolie en 2007. Afin d'obtenir plus d'information sur le FRV, consultez le site de la Régie des rentes du Québec.

13.4.4 Le revenu temporaire et le FRV (Québec)

Les personnes âgées de 54 à 65 ans peuvent retirer un montant additionnel de leur FRV (Québec), en plus du montant maximal permis, à titre de revenu temporaire. Cette mesure permet de « déplafonner » le FRV et d'augmenter les revenus des personnes qui ne reçoivent pas encore de RRQ ou de SV. La limite de 65 ans, pour ce revenu temporaire, s'explique par le fait que c'est habituellement à compter de cet âge que l'on reçoit la pension de la SV.

Dès lors, les situations de deux groupes nous préoccupent : les personnes âgées de moins de 54 ans et celles qui sont âgées de 54 à 65 ans. Toutes ces personnes possèdent au moins un FRV admissible, de compétence provinciale. Examinons chaque situation.

- Avant l'âge de 54 ans :
  - Le détenteur possède un seul FRV ;
  - Le détenteur du FRV a un revenu maximal de 40 % du MGA pour l'année de la demande, moins 75 % des autres revenus ;
- De 54 à 65 ans[4] :
  - Les revenus étant illimités, ils ne sont pas pris en compte ;
  - La rente est limitée à 40 % du MGA (19 320 $ en 2011).

Pour plus d'information sur le revenu temporaire au Québec et son lien avec le FRV, vous pouvez consulter le site de la Régie des rentes du Québec ainsi que le dossier 13.2. Ce dossier explique également comment distinguer le FRV fédéral du FRV du Québec, ce qui vous sera utile pour la section qui suit.

13.4.5 Le fonds de revenu viager (FRV) fédéral

Le budget fédéral du 26 février 2008 proposait d'assouplir les règles régissant le FRV fédéral, lequel ne possède pas tout à fait les mêmes caractéristiques que le FRV du Québec. Les nouvelles règles proposées dans ce budget sont entrées en vigueur le 8 mai 2008.

Même si les deux FRV n'ont pas les mêmes caractéristiques, ils comportent tout de même quelques éléments en commun, par exemple :

- ce sont des régimes enregistrés et immobilisés qui permettent de retirer un certain minimum et un certain maximum ;
- le FRV fédéral indique un retrait minimum qui est le même que pour le FERR comme pour le FRV du Québec.

Par ailleurs :

- le calcul des retraits maximum est semblable à celui du FRV du Québec, quoique un peu différent. Nous n'aborderons pas ce calcul ici. Le maximum que l'on peut retirer d'un FRV fédéral est un peu moins élevé que celui que l'on a droit de prendre dans le FRV du Québec ;
- le FRV fédéral n'offre pas la possibilité de recevoir un revenu temporaire comme le permet le FRV du Québec, mais offre d'autres possibilités intéressantes qu'explique le dossier 13.3.

13.4.6 Le décès, le FRV du Québec et celui du fédéral

Mais qu'arrive-t-il au FRV (et au CRI) lors du décès ? Nous y donnons une réponse détaillée dans le module « La planification successorale ». Notre objectif est plutôt ici d'examiner brièvement si, au décès, ces instruments financiers demeurent immobilisés.

---

4. Il s'agit de l'âge de 65 ans, atteint le 31 décembre de l'année précédant la demande.

Le CRI, ou REER immobilisé dans les provinces canadiennes, est en fait un REER particulier. Il en est ainsi du FRV, lequel est un FERR particulier. Il est important de faire la distinction entre le CRI et le REER immobilisé au moment du décès. En effet, s'il s'agit d'un CRI (ou d'un FRV) enregistré au Québec, et dont le conjoint[5] est le bénéficiaire, les sommes d'argent ne sont plus immobilisées et peuvent ainsi être transférées dans un REER ou un FERR, selon le cas. Par contre, s'il s'agit d'un régime enregistré au fédéral et si le conjoint est toujours bénéficiaire, il y a immobilisation *post-mortem*. Ainsi, les sommes d'argent doivent être transférées dans un autre REER immobilisé ou un FRV fédéral. Dans le cas où le conjoint est le bénéficiaire, le transfert n'a aucun impact fiscal.

13.5 La conciliation travail-retraite (retraite progressive)

La retraite progressive permet à une personne toujours présente sur le marché du travail, mais désirant réduire le nombre d'heures qu'elle y consacre, de recevoir, à certaines conditions, une prestation provenant de son régime de retraite et du RRQ. Plusieurs raisons peuvent l'inciter à choisir cette option plutôt que de prendre une retraite complète : la détérioration de son état de santé, le désir de ne pas se retirer brusquement du travail ou encore l'obligation de réduire ses heures de travail pour faire face à des événements imprévus. Il ne faut pas confondre ici « retraite progressive » et « retraite anticipée » qui concerne des travailleurs âgés de 60 à 64 ans et qui consiste à recevoir la rente de la Régie avant l'âge de 65 ans (*voir le chapitre 10*).

13.5.1 Une nouvelle loi concernant la retraite progressive au Québec

Le 18 juin 2008, l'Assemblée nationale du Québec a adopté à l'unanimité la *Loi modifiant la Loi sur les régimes complémentaires de retraite, la Loi sur le régime de rentes du Québec et d'autres dispositions législatives.* Le gouvernement a ainsi pris des mesures avant-gardistes pour maintenir au travail les personnes âgées de 55 ans et plus, mais moins de 70 ans, qui le désirent. Les personnes visées par cette nouvelle loi sont celles qui bénéficient d'un RPA ou d'un régime de pension agréé à leur travail.

L'objectif principal de ces nouvelles mesures est de maintenir au travail les personnes qualifiées, et par ricochet, d'encourager le retour au travail des « jeunes » retraités. Comme vous pourrez le constater en consultant le site Internet de la Régie des rentes du Québec, ces mesures permettront aux employés qualifiés de bénéficier de conditions plus souples concernant le passage du travail à la retraite complète. Par exemple, les employés qui se prévaudront de ces nouvelles mesures pourront continuer à travailler à temps plein ou à temps partiel et recevoir jusqu'à 60 % des prestations de leur RPA.

Il est important de noter que la retraite progressive n'est pas un droit automatique ; elle doit faire l'objet d'une entente avec l'employeur. Si l'employé reçoit une rente de retraite du RRQ, tout en travaillant, il verra sa rente augmentée d'un montant de 0,5 % du revenu sur lequel il aura cotisé l'année précédente. Ce supplément à

---

5. Le terme « conjoint » signifie époux ou conjoint de fait.

la rente, réparti sur douze mois, sera cumulatif et indexé annuellement en fonction du coût de la vie.

Nous devons reconnaître le mérite de cette nouvelle loi, car il est prévu que, dans les années 2011 à 2021, le Québec aura besoin de centaine de milliers de travailleurs pour satisfaire ses besoins de main-d'oeuvre. Nous n'avons qu'à penser à l'effet négatif sur le marché du travail du départ des baby-boomers à la retraite vers 2020-2022.

Enfin, deux aspects sont importants à souligner :

- Le site Internet de la Régie des rentes du Québec offrent de bons exemples au sujet de la retraite progressive ;
- Le travailleur qualifié et intéressé peut demander à la Régie des rentes du Québec une simulation de sa future rente de retraite.

13.5.2 Le budget du Québec du 17 mars 2011 (retraite progressive)

Trois mesures proposées dans le budget québécois du 17 mars 2011 touchent les travailleurs en ce qui a trait à leur décision de prendre une retraite progressive ou de demander le RRQ.

La première mesure est l'instauration d'un crédit d'impôt pour les travailleurs d'expérience. Ce crédit s'adresse aux personnes âgées de 65 ans ou plus ayant au moins 5 000 $ de revenu de travail admissible. Il ne sera versé qu'à compter de 2012. Le montant sera égal à 16 % de chaque dollar de revenu de travail qui excède 5 000 $, jusqu'à concurrence d'un certain revenu de travail, par exemple 3 000 $ en 2012, 4 000 $ en 2013, 5 000 $ en 2014, 8 000 $ en 2015 et 10 000 $ les années suivantes. Ce crédit d'impôt prendra en considération la déduction déjà offerte aux travailleurs (6 % du revenu de travail pour un maximum de 1 045 $ en 2011).

La deuxième mesure consiste en une bonification supplémentaire pour les retraites tardives prises après l'âge de 65 ans. Nous en avons déjà parlé au chapitre 10 quand nous avons abordé la pyramide de la retraite. À compter de 2013, cette bonification mensuelle passera de 0,5 % à 0,7 %. Donc, pour une personne âgée de 70 ans, l'augmentation sera de 42 % au lieu de l'actuel (2011) 30 %. Ces 42 %, selon des études récentes, devraient encourager les travailleurs à demeurer actifs plus longtemps.

Enfin, la troisième mesure est un ajustement à la baisse de la rente prise avant l'âge de 65 ans. Le taux de réduction mensuelle devrait passer de 0,5 % à 0,6 % dans le cas de la rente maximale (*voir le chapitre 10*). Essentiellement, en 2016, la réduction maximale pour une personne prenant sa retraite à l'âge de 60 ans atteindra 36 % au lieu de l'actuel (2011) 30 %. Encore une fois, cela constitue une motivation incitant les gens à demeurer au travail et à retarder le versement du RRQ.

13.5.3 La loi sur le régime de rentes du Québec et d'autres dispositions législatives

Cette loi a été adoptée le 9 décembre 2011 et stipule essentiellement qu'à compter du 1er janvier 2014, il ne sera plus nécessaire de réduire son temps de travail, ni de s'entendre avec son employeur pour pouvoir toucher, dès 60 ans, sa rente de retraite du RRQ (*voir le chapitre 10*). L'objectif principal de cette mesure est de favoriser le maintien au travail des travailleurs les plus expérimentés.

13.6 Les options de revenus à partir d'un capital non enregistré

Le capital non enregistré est un capital traditionnel que l'on peut retirer sans aucune retenue d'impôt ; il s'agit donc d'un capital hors REER et hors RPA. Plusieurs options s'offrent au retraité :

- Le placement traditionnel ;
- La rente certaine ;
- La rente viagère ;
- La rente viagère dos à dos ;
- L'hypothèque inversée.

13.6.1 Le placement traditionnel

Il existe plusieurs types de placements traditionnels : compte d'investissement, portefeuille de valeurs mobilières incluant un ensemble de produits tels que les certificats de placement garanti, dépôts à terme, bons du Trésor, actions, obligations ou véhicules financiers comme les FCP. Il peut aussi s'agir de commerces ou d'immeubles locatifs. Tous ces actifs peuvent, sous leur forme originale, produire des revenus à la retraite. L'élément à retenir est qu'une fois que ces actifs sont qualifiés de biens réalisables par le client, il est nécessaire de déterminer la nature et l'ampleur des revenus sur lesquels celui-ci peut compter.

13.6.2 La rente certaine non enregistrée

La rente certaine a déjà été définie au début de ce chapitre. La rente certaine non enregistrée peut être prescrite ou non prescrite.

La rente certaine prescrite (une rente non agréée) se caractérise comme suit :

- Les revenus d'intérêt sont nivelés en fonction de la durée de la rente ;
- Ce type de rente offre au client la possibilité de laisser la valeur escomptée à ses héritiers ;
- C'est le contribuable qui fixe le nombre d'années de versement de la rente ;
- La rente doit obligatoirement prendre fin au 91e anniversaire du rentier ;
- L'imposition ne concerne que les intérêts générés par le capital constitutif (aussi appelé « prime unique »).

EXEMPLE

Madame Labelle désire investir dans une rente certaine prescrite les 100 000 $ provenant d'une assurance vie qu'elle vient tout juste de recevoir au décès de son conjoint. Les données sont les suivantes :

- Capital constitutif : 100 000 $;
- Rente certaine prescrite de 10 ans ;
- TRM de 10 $ pour 1 000 $ de prime unique ;
- Prestation annuelle de 1 000 $ × 12 = 12 000 $;
- Remboursements du capital : 100 000 $ ÷ 10 ans = 10 000 $ non imposables ;
- Versements d'intérêts (de façon nivelée) : 12 000 $ − 10 000 $ = 2 000 $ imposables.

> L'approche utilisant le taux d'intérêt
>
> 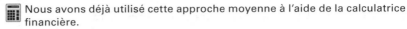 Nous avons déjà utilisé cette approche moyenne à l'aide de la calculatrice financière.
>
> Le PV = 100 000 $, n = 10 ans et i = 3,47 %. La rente annuelle est de 12 000 $ (aux 100 $ près). L'imposition est la même que ci-haut.

Note: Les personnes moins familières avec la calculatrice peuvent se servir des tables financières en utilisant un i sans décimales. Le résultat sera approximatif, mais représentatif.

Ces rentes non agréées et prescrites peuvent être constituées auprès d'une fiducie, d'une compagnie d'assurance et même de certaines banques.

On peut aussi acheter des rentes certaines non prescrites dont les arrérages sont constants mais composés d'une portion d'intérêts qui va en diminuant, de façon semblable au comportement financier d'une hypothèque.

13.6.3 La rente viagère non enregistrée

La rente viagère non enregistrée a déjà été abordée au début de ce chapitre. La rente viagère non enregistrée, ou non agréée, peut également être prescrite ou non prescrite. La rente viagère prescrite engendre des arrérages annuels composés d'une portion de capital et d'une portion d'intérêts, toutes deux nivelées pour la vie. L'imposition s'effectue de la manière décrite dans l'exemple suivant.

Il faut toutefois se rappeler que si la rente viagère prescrite est indexée, elle perd automatiquement son statut de rente prescrite.

EXEMPLE

Monsieur Bellemare vient tout juste de perdre sa conjointe. Il est âgé de 65 ans et, avec son assurance vie, il désire acheter une rente viagère non enregistrée et prescrite. Il aimerait qu'elle soit garantie pour 10 ans. Il a nommé sa fille bénéficiaire. Les données sont les suivantes :

- Capital constitutif : 100 000 $ (capital non enregistré) ;
- Espérance de vie : 20 ans ;
- TRM de 6,13 $ pour 1 000 $ de prime unique ;
- Rente viagère prescrite non agréée avec période de garantie de 10 ans : arrérage de 613 $ par mois, ou 7 356 $ par année ;
- Remboursements de capital : 100 000 $ ÷ 20 ans = 5 000 $ non imposables ;
- Versements d'intérêts (de façon nivelée) : 7 356 $ – 5 000 $ = 2 356 $ imposables.

Tel que mentionné, les intérêts de la rente viagère non prescrite ne sont pas nivelés et s'apparentent à ceux d'une hypothèque traditionnelle, c'est-à-dire qu'ils sont élevés au début, mais diminuent au fil des ans.

Dans le cas de monsieur Bellemare, nous utilisons des données hypothétiques, et nous ne tenons pas compte de certains frais administratifs. Afin d'obtenir une cotation plus exacte, vous pouvez consulter le site de Cannex mentionné en début de chapitre (*voir la sous-section 13.3.2*). Choisissez-y la rente désirée, comme un courtier en rentes le ferait. Par exemple, si vous choisissez « BMO Insurance », vous obtenez une rente mensuelle de 603,18 $ (au 18 juin 2011), soit un TRM d'environ 6,03 $ pour 1 000 $ (sur Cannex, le TRM est exprimé à 1 000 000 $).

Fait notable, dans le cas des rentes viagères (enregistrées et non enregistrées), nous pourrions aussi effectuer le calcul de la rente annuelle à l'aide de la calculatrice si le taux d'intérêt était connu. Ce calcul serait approximatif, mais valable. Nous devrions alors utiliser l'espérance de vie pour n, donc $n = 20$ (*voir l'exemple précédent*) et PV = 100 000 $, de même que $i = 4\%$ pour obtenir une rente annuelle de 7 358 $ (7 356 $ ci-dessus). Il faut savoir que les rentes viagères varient selon les taux d'intérêt à long terme.

13.6.4 La rente viagère dos à dos

La rente viagère dos à dos (de l'anglais *back-to-back annuity*) est aussi souvent appelée « rente-assurance » ou « rente assurée », puisque, dans les faits, elle combine une rente viagère pure et une assurance vie. Cela peut donc être un choix intéressant, en particulier dans les conditions suivantes :

- Une personne possède un capital hors REER d'une certaine envergure comprenant des placements prudents produisant de l'intérêt. En effet, la rente-assurance ne s'achète qu'avec un capital non enregistré ;
- Cette personne utilise les intérêts pour maintenir sa qualité de vie ;
- Elle désire transmettre, à son décès, un héritage à sa succession ;
- Elle est assurable, donc en bonne santé, et est âgée de 65 ans ou plus.

La rente viagère dos à dos est une rente viagère prescrite et pure, sans garantie minimale au décès, couplée à une assurance temporaire de 100 ans (T-100) ou encore une assurance vie permanente sans valeur de rachat. Ce type de rente peut s'avérer plus rentable qu'un simple investissement de capital dans un produit financier traditionnel tel un CPG, et ce, en raison de la nature même de l'imposition de la rente viagère prescrite (intérêts nivelés) et du montant relativement élevé de l'arrérage de la rente viagère pure.

EXEMPLE

Madame Prévoyante est veuve et se demande comment investir 100 000 $ hors REER de façon sûre. Dans un premier temps, elle désire jouir des intérêts. Toutefois, à son décès, elle veut aussi laisser ce capital en entier à sa plus jeune sœur, qui s'occupe d'elle. Elle envisageait un CPG, mais son conseiller financier lui suggère une rente viagère dos à dos. Voici une simulation des deux scénarios (les montants ne sont présentés qu'à titre d'exemple et ne reflètent ni les coûts réels d'assurance, ni les rendements actuels sur les CPG). Madame Prévoyante possède d'autres fonds enregistrés qui lui permettent de maintenir sa qualité de vie et de faire face à certains imprévus.

Âge de madame Prévoyante : 72 ans

Capital constitutif : 100 000 $

 Objectif : Jouir des revenus des 100 000 $, mais, à son décès, laisser ce capital intact à sa plus jeune sœur, qui s'occupe d'elle.

Taux d'imposition : 35 %

Scénario 1 : un CPG ou un dépôt à terme

- L'achat d'un CPG de 100 000 $ de 5 ans au taux de 4 % permet de recevoir un revenu brut annuel de 4 000 $, donc un montant net de 2 600 $ (4 000 $ – 1 400 $). Le capital de 100 000 $ demeure intact et, au décès de madame Prévoyante, il est légué à sa sœur.

Scénario 2 : une rente dos à dos

- Une rente viagère pure, achetée avec le capital constitutif de 100 000 $: prestations annuelles (estimation) basées sur un TRM de 9,67 $ pour 100 000 $ de capital, donc 967 $ par mois, ou 11 600 $ brut par année (aux 100 $ près).

▶
- L'espérance de vie est de 15,15 ans. Donc, une partie est non imposable : 100 000 $ divisés par 15,15 = 6 600 $.
- La portion imposable de la rente est de 5 000 $ par année (11 600 $ − 6 600 $ = 5 000 $).
- Impôt sur la partie imposable : 5 000 $ × 35 % = 1 750 $
- Revenu net de la rente viagère : 11 600 $ − 1 750 $ = 9 850 $
- Assurance vie temporaire de 100 ans (T-100) : prime annuelle, femme non fumeuse, 4 850 $ (estimation)
- Revenu net par année : 9 850 $ − 4 850 $ = 5 000 $

Avantage de la rente dos à dos
- Avantage : 5 000 $ − 2 600 $ = 2 400 $ par année

Le tableau 13.2 résume ces deux scénarios.

Bien sûr, plus le capital constitutif est élevé, plus l'avantage est marqué.

La rente dos à dos, dans ce cas-ci du moins, offre un rendement beaucoup plus élevé que le CPG. Il faut cependant reconnaître que cette rente est moins profitable qu'auparavant, principalement en raison de l'augmentation de certaines primes d'assurance. Il s'agit quand même d'un scénario intéressant, que le conseiller financier peut envisager pour sa cliente.

TABLEAU 13.2 **Le placement traditionnel et la rente dos à dos (capital constitutif : 100 000 $)**

	Certificat de placement garanti	Annuité + / Assurance T-100
Rente viagère sans garantie	–	100 000 $
Certificat de placement garanti de 5 ans à 4 % (payable mensuellement)	100 000 $	
Revenu brut annualisé (estimation)	4 000	11 600
Partie imposable (intérêts reçus)	4 000	5 000
Moins : Impôt (taux marginal de 35 %)	1 400	1 750
Revenu net après impôts	2 600	9 850
Moins : Prime d'assurance (femme de 72 ans, non fumeuse)	–	4 850
Revenu net	2 600	5 000
Capital disponible du vivant de la rentière	100 000	–
Capital disponible au décès	100 000	100 000

13.6.5 La résidence et l'hypothèque inversée

L'hypothèque inversée est l'inverse d'une hypothèque conventionnelle. Elle permet au couple, par exemple, de recevoir le montant d'argent nécessaire pour subvenir au coût de la vie. Les montants reçus sont non imposables, car ils constituent un prêt et non un revenu.

L'hypothèque inversée est, à notre avis, un scénario de dernier recours. Voici un cas typique.

EXEMPLE

Âgés de 65 ans, Janine et Paul arrivent à la retraite après avoir atteint l'indépendance financière. Le couple n'a aucune dette. Il désire conserver sa résidence principale, laquelle est entièrement payée, pendant encore environ huit ans. Outre leur résidence et les capitaux nécessaires à la retraite, Janine et Paul ne possèdent qu'un capital minime destiné aux imprévus. Leurs revenus (pensions et placements) suffisent à subvenir au coût de la vie. Le couple prévoit toutefois effectuer de nombreux voyages, et ses revenus annuels sont insuffisants pour maintenir le nouveau coût de la vie ainsi engendré. Que peuvent faire Janine et Paul?

Contracter une hypothèque inversée est envisageable. Cependant, cette hypothèque devra être remboursée au plus tard à la vente de la résidence, soit dans huit années selon les prévisions. Comme la valeur de la résidence risque fort d'augmenter, le capital à rembourser sera un moindre mal. L'hypothèque inversée peut donc comporter certains avantages pour les personnes âgées d'au moins 60 ans. Celles-ci peuvent tirer parti de la valeur nette de leur résidence et ainsi recevoir un revenu non imposable pendant un certain nombre d'années. Les propriétaires conservent leur maison et peuvent continuer d'y demeurer. De plus, les revenus engendrés ne modifient pas la pension de la SV, le cas échéant.

Par contre, l'hypothèque inversée comporte de nombreux désavantages. Les frais d'ouverture et de clôture sont en général très élevés. Si l'emprunteur choisit de rembourser son prêt au moment de la vente de sa propriété, par exemple dans 8 ans, un prêt de 75 000 $ à 9 % atteindra environ la somme de 150 000 $. Si la valeur de la propriété n'a pas beaucoup augmenté, cette option n'aura donc pas été avantageuse. En outre, une fois l'argent dépensé, les personnes qui changent d'idée et ne désirent plus vendre leur propriété se retrouvent dans une situation financière difficile, ce qui peut nuire à leur tranquillité d'esprit. Toute leur vie, elles ont travaillé dans le but de régler leur hypothèque, mais reviennent au point de départ. C'est un pensez-y bien! D'autres encore voient leur succession diminuer fortement. L'hypothèque inversée ne devrait par conséquent être utilisée qu'en dernier recours et avec les conseils éclairés d'un bon planificateur financier. Si toutes les autres possibilités de sources de revenus ont été épuisées, il faut peut-être penser à vendre la maison et à en acheter une moins chère, ou tout simplement à opter pour la location d'un appartement.

Il y a plusieurs façons de procéder dans le cas de l'hypothèque inversée. En voici quelques-unes:

- Le client peut assumer tous les frais, incluant les intérêts, mais pas le capital emprunté. À son décès, ses héritiers se partagent la valeur de la maison moins le capital emprunté. Par contre, le capital que reçoivent les héritiers n'est pas imposé au moment de la succession;

- Les propriétaires reçoivent un montant forfaitaire ou une rente hypothécaire mensuelle. Par exemple, les 75 000 $ mentionnés plus haut pourraient être étalés sur 96 mois.

Pour plus d'information sur l'hypothèque inversée, vous pouvez consulter le site CHIP Programme de revenu résidentiel. Vous comprendrez qu'il porte sur les frais d'ouverture (évaluation et avis juridiques), mais également sur les frais de clôture d'une telle hypothèque.

MODULE 3

13.7 Les aspects stratégiques à la retraite

Le futur retraité doit suivre minutieusement toutes les étapes fondamentales de la planification financière au moment de la retraite. Il est essentiel de reprendre les quatre grandes étapes de toute bonne planification :

- L'analyse de la situation au début de la retraite : Où en sommes-nous ?
- La définition des objectifs à la retraite : Où voulons-nous aller ?
- La recherche des moyens d'action (FERR, rente viagère, etc.) et la planification des rentrées et des sorties de fonds : Comment y arriver ?
- Les aspects liés au contrôle : Quel suivi effectuer ? Qu'avons-nous fait ?

Les décisions prises en début de retraite sont souvent irréversibles et ont des incidences importantes sur la qualité de vie à la retraite. Il s'agit d'un fait important pour les nombreuses personnes âgées de 60 ou 65 ans et plus qui choisissent les régimes et placements destinés à contribuer à la qualité de vie et au coût de la vie jusqu'à un âge avancé, soit 80, 90 ans ou plus.

Toutes les stratégies à appliquer au moment de la retraite doivent résulter d'une sérieuse analyse de la situation financière du client. Nous examinerons plusieurs des questions stratégiques qui reviennent le plus souvent au début de la retraite et durant celle-ci :

- Quels sont les facteurs qui influent sur le choix d'un régime de retraite ?
- Faut-il choisir la rente viagère différée ou le montant forfaitaire ?
- Faut-il privilégier la rente viagère ou le FERR ?
- Quels sont les actifs à utiliser en premier lieu ?
- Le fractionnement du revenu de pension : une stratégie indispensable ?
- Quels sont les produits financiers à utiliser ?
- Quelles sont les opérations douteuses à éviter ?

13.7.1 Les facteurs qui influent sur le choix d'un régime enregistré de revenu de retraite

Les décisions stratégiques qui influent sur la performance des revenus à la retraite sont très nombreuses et s'échelonnent sur toute la vie active. Par conséquent, le planificateur doit prendre en considération un grand nombre de facteurs en vue d'établir la meilleure combinaison de revenus de retraite pour son client. La liste suivante n'est pas exhaustive, mais elle est représentative des questions dont doivent discuter le client et le planificateur :

- La nature des actifs que possède le client : enregistrés ou non enregistrés ? réalisables ou non réalisables ?
- Les revenus de régimes de retraite sur lesquels le client peut compter : Sont-ils privés ou publics ?
- L'ampleur du capital des biens réalisables : À combien s'élèvent-t-ils ?
- Les besoins financiers mensuels du client et leur évolution dans le temps : Quels seront-ils à 75, 80, 90 ans ou plus ?
- Quel est le profil de la personnalité du client ?

- Quelle est l'état de santé du client ?
- La nécessité de composer, à la retraite, avec la santé et la personnalité du conjoint : Comment le conjoint envisage-t-il la retraite ?
- Le client a-t-il une tendance à la spéculation ?
- Les répercussions fiscales de chaque option : Quelle est la plus avantageuse ?
- Quel est le contexte économique ?
- La nécessité d'utiliser un certain capital en vue de constituer la succession : Quelle somme le client veut-il laisser à sa succession ?
- Quelles sont les décisions majeures qui doivent être prises bien avant la retraite et qui influeront sur les revenus à la retraite même ?

Avant d'aborder les autres composantes de cette section, il est nécessaire de faire une mise au point.

La grande majorité des analyses stratégiques que l'on trouve dans la presse financière spécialisée s'attarde sur l'aspect quantitatif, à savoir la rentabilité financière d'une décision. L'aspect quantitatif est le propre du spécialiste financier. L'aspect qualitatif du profil financier du client est rarement abordé ; pourtant, ce peut être l'élément le plus déterminant de la décision. Le client a-t-il la personnalité d'un « investisseur » ou d'un « spéculateur », ou encore celle d'un « entrepreneur » ?

L'un des pionniers de l'investissement, Benjamin Graham, tuteur du célèbre homme d'affaire Warren Buffet, disait : « Le pire ennemi de l'investisseur, ce n'est pas la Bourse, c'est lui-même. » (Marcoux, 2002)

Il est toujours difficile, pour le commun des mortels, d'investir un important montant d'argent dans le but de le faire fructifier en vue de la retraite. L'appât du gain et les émotions sont souvent des forces qui guident le processus décisionnel, ce qui peut avoir des conséquences désastreuses. Dès lors, les situations suivantes seront examinées, tant d'un point de vue quantitatif que qualitatif.

13.7.2 Une décision stratégique : la rente viagère différée ou le montant forfaitaire ?

Par exemple, lorsqu'une personne âgée de 40 ans se voit offrir par son employeur une rente garantie à vie à partir de l'âge de 65 ans ou un montant forfaitaire à l'âge de 40 ans, la décision peut être complexe. Comment prendre une telle décision ? Très souvent, elle est vite prise par besoin d'argent.

Prenons un exemple concret.

EXEMPLE

Pierre travaillait pour le ministère du Tourisme à Québec en tant que spécialiste des communications. En 2010, à l'âge de 43 ans, il a subi une grave opération qui l'a rendu invalide d'une façon totale et permanente. Il reçoit aujourd'hui une prestation d'invalidité de 1 800 $ par mois, et ce, jusqu'à l'âge de 65 ans. Pierre était membre du RREGOP depuis bon nombre d'années.

L'employeur de Pierre lui offre les choix suivants (les montants sont en dollars de 2010) :

1. Un montant forfaitaire de 54 000 $ pourrait être versé dans un CRI ; s'il opte pour ce montant, il devra l'administrer (sous la forme d'un CRI ou d'un FRV, par exemple).

▶ Ensuite, à l'âge de 65 ans, il pourra recevoir une rente viagère qui ne sera pas amputée de la rente à recevoir de la Régie, rente qui se chiffre à 4000$ (en valeur de 2010);

2. Une rente viagère de 12000$ pourrait être perçue à compter de 65 ans. Cette rente inclurait 2 montants: 8000$ du RREGOP et 4000$ du RRQ (en valeur de 2010).

Que doit faire Pierre? Voici les hypothèses formulées:

- Rendement sur les sommes investies: 6%
- Rendement sur le RREGOP et le RRQ: 2%
- Nombre d'années avant d'avoir atteint l'âge de 65 ans: 22 ans
- Résultats arrondis aux 100$ près

1. Le montant forfaitaire

Montant à l'âge de 65 ans = FV = 194600$

Ce capital peut générer une rente viagère d'environ 14200$ avec un TRM prudent approximatif de 5,90$. Donc, 194,6 × 5,90 × 12 = 13800$.

Pierre recevrait aussi les 4000$ de RRQ, lesquels vaudraient 6200$ dans 22 ans (avec $i = 2\%$). Il aurait donc une rente totale de 6200$ + 13800$ = 20000$ par année. Les 6200$ du RRQ seraient indexés, mais non les 13800$.

2. La rente viagère

Les 8000$ du RREGOP, extrapolés à 2% pendant 22 ans, donnent 12400$ par année. De plus, il faudra ajouter les 6200$ du RRQ, pour un total de 18600$. Par contre, ces 2 rentes (12400$ et 6200$) seront indexées au moyen de certaines formules.

Cinq ans plus tard, Pierre aurait 70 ans.

Selon la première hypothèse, Pierre recevrait 13800$ + 6800$ (6200$ avec $n = 5$ et $i = 2$) = 20600$ à l'âge de 70 ans.

Selon la rente, à l'âge de 70 ans, il recevrait 20500$ (18600$ avec $n = 5$ et $i = 2$).

Nous pouvons conclure que, finalement, les deux hypothèses se valent plus ou moins sur le plan financier. En effet, Pierre aura bénéficié d'un surplus d'environ 7000$ de l'âge de 65 à 70 ans (20000$ − 18600$) × 5 années, sans tenir compte de l'indexation. Toutefois, avec les années, la rente viagère (RREGOP + RRQ) prend le dessus, car le tout est indexé.

Une question se pose à Pierre avant de décider: Sera-t-il capable de générer un rendement global de 6%? Et s'il n'obtenait qu'un rendement de 4%? Refaites les calculs et constatez les résultats: un FV de 128000$! Une rente de 9100$ + 6200$ = 15300$ au lieu de 18600$ pour la rente garantie!

L'une des deux hypothèses, soit la rente RREGOP, est une certitude, une garantie. La première hypothèse équivaut à une éventualité, un « peut-être ». L'autogestion de ses propres capitaux de retraite peut constituer un défi stimulant, mais elle s'accompagne d'une très lourde responsabilité.

Le rôle que joue un bon conseiller financier est crucial dans une telle situation. Vous pouvez constater que bien que l'aspect financier soit important, c'est probablement la personnalité financière du client qui sera l'élément décisif. De plus, personne ne peut deviner les conditions économiques qui auront cours pendant ces 22 années!

13.7.3 Une décision stratégique: la rente viagère ou le FERR?

En fait, il n'existe ni règle ni de formule toute faite pour choisir entre un FERR ou une rente. De plus, il est toujours possible de choisir une combinaison de ces véhicules, par exemple 50% en FERR et 50% en rente viagère.

Au moment de convertir le REER en FERR, le choix entre la rente viagère et le FERR peut parfois être difficile. Nous avons abordé plus haut ce dilemme en montrant qu'avec l'âge, le FERR se détériore rapidement et que la rente viagère devient une solution très viable (*voir la sous-section 13.3.3*). L'exemple qui suit présente le cas d'une personne âgée de 71 ans.

EXEMPLE

Pour bien illustrer notre dilemme, prenons le cas de madame Lemieux, une veuve qui a eu 71 ans le 10 novembre 2010. Elle a converti son portefeuille REER en FERR avant le 31 décembre 2010 et se pose maintenant quelques questions. Elle possède un portefeuille FERR de 250 000 $ et se demande si les rentes viagères ne seraient pas plus appropriées pour elle.

Les chiffres suivants ne sont présentés qu'à titre indicatif et ne reflètent nullement la réalité financière de 2010 pour ces produits. Ils ne sont donc qu'approximatifs, quoique significatifs, l'accent étant mis sur le processus décisionnel.

- La rente viagère pure: TRM de 7,40 $; prestations de 1 850 $ par mois à vie ou de 22 200 $ par année. Aucune valeur au décès.
- Le FERR: retraits de 1 850 $ par mois ou de 22 200 $ par année. Avec un rendement de 3 ou 4 % et des retraits annuels de l'ordre de 8 à 9 %, le FERR n'existera plus d'ici une douzaine d'années.

Quels facteurs devaient être pris en considération dans une telle situation? En voici trois qui ont une certaine importance:

- La rentière désire-t-elle laisser un certain montant de capital à sa succession? Si oui, la rente viagère assortie d'une période de garantie de 15 ans ou plus, par exemple, pourrait représenter une solution. Par contre, les arrérages pourraient être insuffisants;

- La rentière a-t-elle les compétences nécessaires pour gérer son FERR? Cette question est très importante, car la pertinence de la rente viagère ne demande aucune gestion de fonds. La rente ne devrait jamais dépendre uniquement des taux d'intérêt en vigueur. Ce n'est pas un outil de spéculation (en anglais, *market timing*), mais un produit financier qui consiste à assurer un revenu la vie durant. La rente représente une certitude, tandis que le FERR représente la flexibilité. Dans cette optique, il est possible de « garantir » un revenu mensuel grâce à une portion du capital de 250 000 $ en rente viagère et de se servir de la portion FERR pour obtenir une plus grande flexibilité, donc une plus grande marge de manœuvre pendant un certain nombre d'années;

- Combien d'années durera la retraite? Il n'est pas facile de répondre à cette question. En effet, celle-ci concerne l'épuisement possible des fonds avant la fin de la retraite. Une bonne planification doit justement tenir compte non seulement de l'ampleur des revenus nécessaires à la retraite et de leur importance dans le temps, mais aussi du nombre d'années sur lesquelles pourrait s'étaler l'utilisation du capital.

Il n'y a pas de règle universelle pour choisir entre le FERR et la rente viagère. Il est cependant important de ne pas se fier uniquement au taux d'intérêt en vigueur sur le marché. Une approche plus stratégique implique non seulement d'évaluer les facteurs financiers, mais aussi les caractéristiques comportementales du client. Une bonne combinaison du FERR et de la rente viagère peut être la meilleure solution.

13.7.4 Une décision stratégique : Quels actifs utiliser en premier lieu ?

Il est crucial d'optimiser le décaissement des différentes classes d'actifs au moment de la retraite. La règle fondamentale consiste à utiliser les capitaux non enregistrés en tout premier lieu et à reporter les capitaux enregistrés qui s'accumulent en franchise d'impôt. Il faut ajouter un second volet à cette règle, à savoir détenir le plus possible d'actions hors REER et de produits à revenus fixes dans les REER. Ce second volet vise surtout les clients qui possèdent des portefeuilles REER et hors REER importants.

Comme nous l'avons mentionné plus tôt, plusieurs facteurs entrent alors en ligne de compte. Les objectifs du client et le maintien de sa qualité de vie demeurent des points de repère cruciaux pour le planificateur financier.

13.7.5 Une décision stratégique : Doit-on fractionner les revenus de retraite ?

Depuis 2007, les retraités ont la possibilité de fractionner jusqu'à 50 % de leurs revenus de retraite. Cette mesure fédérale permet aux membres du couple de répartir entre eux certains montants dans leur déclaration de revenus. Bien sûr, cette stratégie est efficace si l'un des conjoints déclare des revenus de retraite beaucoup plus élevés que ceux de l'autre conjoint. Non seulement le couple payera-t-il moins d'impôt, mais, dans de nombreux cas, la SV fédérale pourra être récupérée (partiellement ou totalement) par le conjoint qui fractionne ses revenus de retraite, et ce, selon son nouveau revenu net personnel.

 Pour mieux comprendre cette stratégie, nous vous recommandons de consulter les sites suivants :

- Le site Invesco, article « Fractionnement du revenu de pension ». Regardez quels sont les revenus admissibles et non admissibles. Remarquez que les retraits ponctuels d'un REER, la SV, le SRG et le RRQ ne sont pas des revenus admissibles ;
- La Standard Life, brochure « Fractionnement du revenu de retraite – Analyse de la législation » (PC F6147), plus particulièrement la section V ;
- Le site de la Chambre de la sécurité financière, article de Pierre Brunette intitulé « Peut-on éviter la récupération de la Sécurité de la vieillesse ? » ;
- Finalement, sur le site Conseiller.ca, trois articles importants : « Nouveau fractionnement du revenu de pension », « La nouvelle règle sur le fractionnement du revenu de pension » et « Fractionnement du revenu de retraite ».

13.7.6 Une décision stratégique : Quels sont les produits financiers à utiliser ?

Voici deux mots qui ne vont pas ensemble : retraite et risque ! Un rentier qui détient un certain capital, enregistré ou non, doit absolument songer à une gestion prudente de ses actifs générateurs de revenus. Il doit faire affaire avec un conseiller financier, préférablement indépendant de tout produit financier, pour établir une bonne stratégie d'ensemble. La règle à suivre est celle de la simplicité, de la prudence et de la recherche d'un rendement raisonnable au moyen de produits que le client comprend très bien.

Cette approche est d'autant plus nécessaire que, dans certains cas, le rentier possède des fonds distincts (rentes d'accumulation) dont le capital est variable plutôt que garanti (autre que la garantie du capital au décès). Les mauvais produits financiers sont plutôt rares, mais la crise financière américaine de 2008, avec ses prêts hypothécaires à risque (*subprime mortgage*), montre qu'il en existe.

Nous avons, dans ce chapitre, abordé les outils financiers les plus connus à la retraite: REER, FERR, les rentes, CRI, FRV et la rente-assurance. Encore faut-il que ces véhicules financiers soient constitués avec prudence (fonds équilibrés, fonds pondérés qui contiennent un plus fort pourcentage d'obligations que les fonds équilibrés, fonds d'obligations, etc.) et qu'ils ne servent pas des objectifs de pure spéculation.

Comme nous l'avons dit, la prudence est de mise lorsque le client possède des fonds distincts, des rentes viagères, etc. Pourquoi? Parce que de nombreux pièges légaux, fiscaux et financiers sont liés à ces produits. Par conséquent, il est important de consulter un expert au sujet du testament approprié, de la nomination d'un titulaire subrogé, de celle d'un corentier, etc.

Nous ne pouvons clore cette section sans aborder les produits hybrides que sont les fonds distincts combinés aux rentes viagères. De quels produits parle-t-on ici? On peut penser par exemple à RevenuPlus de Manuvie, à HELIOS de Desjardins et à Sunwise Elite Plus de Sunlife.

Notre but n'est pas d'analyser ces produits en détail, mais d'inviter à la prudence avant de les acheter. Par exemple, on a souvent confondu le retrait minimum garanti de ces fonds avec le rendement minimum garanti, ce qui n'est pas pareil. Pour en savoir plus, consultez le dossier 13.4.

13.7.7 Une décision stratégique: Quelles sont les opérations douteuses à éviter?

À la sous-section 12.8.6, nous avons abordé quelques stratégies liées au REER que nous avons qualifiées de douteuses. Cette section concerne aussi le contexte de l'après-REER, car celui-ci est le véhicule financier par excellence pour planifier la retraite. Il est également, comme vous avez pu le constater, l'un des régimes de tout premier plan pour générer des revenus à la retraite.

Une autre stratégie que nous qualifions de douteuse est la désimmobilisation du CRI. Le CRI est un instrument financier dont l'objectif principal est de procurer un revenu viager. Pourquoi alors vouloir le désimmobiliser? Il peut arriver qu'une telle situation se présente. L'article «Désimmobiliser un CRI», de Ronald McKenzie, paru dans le magazine *Le Bel Âge,* explique la bonne façon de le faire. Vous trouverez sur le même site Internet une panoplie d'autres bons articles.

MÉDIAGRAPHIE

Page 314
Centre québécois de formation en fiscalité, www.cqff.com via Tableaux Utiles > Plafonds de contributions à un REER et taux des retenus à la source sur un retrait de REER effectué en 2001

Page 316
Cannex, www.cannex.com via Canada > Annuities > Single Life – Male > 10 Year Guarantee – Non-registred

Page 320
Régie des rentes du Québec, www.rrq.gouv. qc.ca via Les programmes > Les régimes complémentaires de retraite > CRI/FRV > Caractéristiques du FRV > Types de revenus possibles

Page 321
Régie des rentes du Québec, www.rrq.gouv. qc.ca via Une publication > Régimes complémentaires de retraite > Pour mieux connaître le CRI et le FRV

Page 323
Régie des rentes du Québec, www.rrq.gouv. qc.ca via La retraite > La retraite progressive

Page 329
CHIP, www.chip.ca via Le programme de revenu résidentiel CHIP > Frais d'établissement

Page 334
Invesco, www.invesco.ca via Produits > Bibliothèque > Planification de la retraite > Fractionnement du revenu de pension

Standard Life, www.standardlife.ca via Source du conseiller > Outils > Publications > Fractionnement du revenu de pension > « Fractionnement du revenu de retraite – Analyse de la législation » (PC F6147)

Chambre de la sécurité financière, www. chambresf.com via > Communications et médias > Publications > Magazine *Sécurité financière* > avril-mai 2009 – vol. 34 – n° 2 > Page 13 : Peut-on éviter la récupération de la Sécurité de la vieillesse ?

Conseiller.ca, www.conseiller.ca via Dossiers > Archives du magazine *Conseiller* > Décembre 2006 > Nouveau fractionnement du revenu de pension/Octobre 2007 > La nouvelle règle sur le fractionnement du revenu de pension/Février 2008 > Fractionnement du revenu de retraite

Page 335
Le Bel Âge.ca, www.lebelage.ca via Argent et droits > Votre argent > Plus d'articles > Désimmobiliser un CRI

Références

Centre québécois de la formation en fiscalité (2010). *Retraits minimums d'un FERR en 2011.* Récupéré de www.cqff.com/tableaux_utiles/tab_retraitferr.pdf

Marcoux, M. (2002). *Fonds d'investissement : Le pire ennemi de l'investisseur.* Récupéré de www.ledevoir.com/economie/actualites-economiques/17052/fonds-d-investissement-le-pire-ennemi-de-l-investisseur

Régie des rentes du Québec (2011a). *RRQ – Le CRI et le FRV.* Récupéré de www.rrq.gouv. qc.ca/fr/programmes/rcr/CRI_FRV/Pages/CRI_FRV.aspx

Régie des rentes du Québec (2011b). *RRQ – Remboursement des CRI et des FRV.* Récupéré de www.rrq.gouv.qc.ca/fr/programmes/rcr/CRI_FRV/Pages/remboursement.aspx

QUESTIONS DE RÉVISION

1. Expliquez la phase de liquidation du capital et situez-la par rapport à la phase d'utilisation du capital.

2. Quelle différence y a-t-il entre les biens réalisables et les biens non réalisables ?

3. Expliquez brièvement les caractéristiques principales des produits de revenus de retraite suivants : le REER, le FERR et la rente viagère enregistrée.

4. Énumérez les diverses options de retrait d'un REER.

5. Nommez deux avantages et deux désavantages du FERR.

6. Pourquoi la retenue à la source est-t-elle obligatoire au moment du retrait d'un REER ?

7. Quel est le principe fondamental de la rente certaine ?

8. La rente viagère achetée avec un REER est-elle imposable ? Expliquez votre réponse.

9. Pourquoi les taux de rente (pour une rente viagère enregistrée ou non enregistrée) sont-ils différents selon le sexe et l'âge ?

10. Comment calcule-t-on les retraits minimaux d'un FERR ?

QUESTIONS DE RÉVISION *(suite)*

11. En quoi consiste le CRI?

12. Qu'est-ce que le FRV?

13. Pourquoi le gouvernement du Québec a-t-il instauré le revenu temporaire?

14. Nommez quatre facteurs qui influent sur le choix d'un régime de revenu de retraite.

15. Quelles sont les options de revenu de retraite à partir d'un capital non enregistré?

16. La rente certaine peut être achetée avec du capital enregistré ou non enregistré. Décrivez les types de rentes que l'on peut obtenir dans chaque cas.

17. La rente viagère peut être achetée avec du capital enregistré ou non enregistré. Décrivez les types de rentes que l'on peut obtenir dans chaque cas.

18. Quels sont les désavantages de l'hypothèque inversée pour un couple dont les membres sont âgés de 65 ans?

EXERCICES

1. Depuis le 1er janvier 1998, il est possible, pour une personne âgée de moins de 54 ans résidant au Québec, de recevoir un revenu temporaire, c'est-à-dire un revenu additionnel permettant de « déplafonner » son FRV. Encore faut-il que le contrat de FRV offre cette option (un RPA à charte provinciale, par exemple). Cependant, deux autres conditions essentielles doivent être respectées. Quelles sont ces conditions, en 2011, si le MGA est de 48 300 $?

2. L'achat d'une rente prescrite s'effectue à partir de sommes d'argent non enregistrées. L'avantage de ce type de rente réside dans le fait que la portion de l'arrérage imposable est uniformément répartie en fonction de la durée de la rente choisie (viagère ou certaine).

Prenons le cas de Claude Bilodeau, âgé de 68 ans, bénéficiaire d'une assurance vie de 150 000 $. Claude accepte d'affecter ce capital à la souscription d'une rente viagère garantie de 10 ans. Les données sont les suivantes:

- Un taux de rente mensuelle (TRM), donc un taux d'achat de 7,76 $ pour 1 000 $ de capital, pour un homme âgé de 68 ans, avec garantie de 10 ans

- L'espérance de vie: 15,47 années

  a) Quel sera le montant de la rente mensuelle? (à 1 $ près)

  b) Quel sera le montant mensuel exact imposable en dollars? (à 1 $ près)

3. Annie Brisson est âgée de 69 ans. Elle possède un capital REER d'exactement 392 018 $, selon son relevé de compte. Elle aimerait recevoir une annuité viagère de 40 800 $ (avant impôts). Annie vous consulte à ce sujet. La meilleure rente viagère mensuelle de 8,06 $, avec une garantie de 10 ans lui reviendrait à 1 000 $.

  a) Annie pourra-t-elle atteindre son objectif de 40 800 $ par année en achetant une telle rente? Expliquez votre réponse en calculant la rente annuelle que pourrait recevoir Annie (à 1 $ près).

  b) Annie envisage également une rente certaine à 90 ans ($n = 21$ ans), car le rendement offert est de 10 %. Atteindra-t-elle son objectif annuel pour la période

EXERCICES *(suite)*

allant de l'âge de 69 à 90 ans? Expliquez votre réponse en déterminant le montant de la rente qu'elle recevra en la comparant aux 40 800 $ nécessaires (arrondissez aux 100 $ près).

4. Tom Lapointe est âgé de 74 ans (sa femme Irène a 69 ans). Il possède des CPG (capital non enregistré) totalisant 500 000 $, investis à 5 % et arrivant à échéance. Tom se demande s'il ne pourrait pas gagner un meilleur revenu annuel tout en laissant, à son décès, ce capital à son épouse Irène. Il vous consulte à ce sujet et, après réflexion, vous lui proposez une rente viagère dos à dos (ou rente-assurance). Les données sont les suivantes:

- La rente viagère dos à dos serait pure et prescrite.

- Le revenu annuel de la rente est de 57 800 $ (ce montant provient d'un TRM [taux d'achat] de 9,63 $ produisant une rente annuelle arrondie aux 100 $ près). La partie imposable est de 15 500 $. La prime annuelle d'assurance est de 25 600 $. Tom possède l'argent nécessaire pour payer cette prime, payable en fin de période.

- Le taux d'imposition sur les revenus est de 50 %, pour faciliter les calculs.

- Tom a une espérance de vie de 11,82 ans.

  a) Montrez clairement les calculs qui mènent à la partie imposable de 15 500 $ à partir de la rente de 57 800 $. Précisez chaque étape.

  b) Quel serait le montant de revenu annuel net que recevrait Tom (et Irène) avec une rente dos à dos?

  c) Quel serait le montant de revenu annuel net d'impôt si Tom réinvestissait dans des CPG à 5 %?

5. Répondez par vrai ou faux. Cochez la case appropriée.

	Vrai	Faux
Le CRI est un compte de retraite immobilisé.		
Le FERR doit être converti en FRV à l'âge de 69 ans.		
Le FRV est un fonds qui provient en général d'un REER.		
La rente viagère est toujours garantie pour une période minimale de cinq ans.		
La rente certaine enregistrée permet de recevoir des prestations jusqu'à l'âge de 95 ans.		
Le CRI ne provient que du RPA du Québec.		
Le RPA est lié à l'emploi.		

SOLUTIONS AUX EXERCICES

1. Première condition : l'existence d'un seul FRV.

Deuxième condition : un revenu maximal de 19 320 $ (en 2011), soit 40 % de MGA de 48 300 $ moins 75 % de ses autres revenus.

2. a) $(150\,000 \div 1\,000) \times 7,76 = 1\,164\,\$$ par mois de rente mensuelle

b) $(150\,000 \div 15,47) \div 12 = 808\,\$$ et $1\,164\,\$ - 808\,\$ = 356\,\$$, montant imposable

3. a) Non. La rente serait de $392,018 \times 8,06 \times 12 = 37\,916\,\$$.

b) La rente certaine se calcule comme suit : PV = 39 2018 $; $i = 10\,\%$; $n = 21$ ans (à l'âge de 90 ans) ; PMT = 45 300 $. Donc, la réponse est oui.

4. a) $500\,000\,\$ \div 11,82 = 42\,300\,\$$, montant non imposable et $57\,800\,\$ - 42\,300\,\$ = 15\,500\,\$$, soit la partie imposable.

b) 24 450 $, soit $42\,300\,\$ + (50\,\%$ de $15\,500\,\$ = 7\,750\,\$) = 50\,050\,\$$ et $50\,050\,\$ - 25\,600\,\$ = 24\,450\,\$$

c) 12 500 $, soit $500\,000\,\$ \times 5\,\% = 25\,000\,\$$ et $25\,000\,\$ \times 50\,\% = 12\,500\,\$$

5.

	Vrai	Faux
Le CRI est un compte de retraite immobilisé.	X	
Le FERR doit être converti en FRV à l'âge de 69 ans.		X
Le FRV est un fonds qui provient en général d'un REER.		X
La rente viagère est toujours garantie pour une période minimale de cinq ans.		X
La rente certaine enregistrée permet de recevoir des prestations jusqu'à l'âge de 95 ans.		X
Le CRI ne provient que du RPA du Québec.		X
Le RPA est lié à l'emploi.	X	

MODULE 3

Les rentes et le *Code civil* du Québec (CcQ)

Plan

Le chapitre quatorzième de la rente

Section I La nature du contrat et la portée des règles qui le régissent

2367. Le contrat constitutif de rente est celui par lequel une personne, le débirentier, gratuitement ou moyennant l'aliénation à son profit d'un capital, s'oblige à servir périodiquement et pendant un certain temps des redevances à une autre personne, le crédirentier.

Le capital peut être constitué d'un bien immeuble ou meuble; s'il s'agit d'une somme d'argent, il peut être payé au comptant ou par versements. [1991, c. 64, a. 2367]

Section II L'étendue du contrat

2371. La rente peut être viagère ou non viagère.

Elle est viagère lorsque la durée de son service est limitée au temps de la vie d'une ou de plusieurs personnes.

Elle est non viagère lorsque la durée de son service est autrement déterminée. [1991, c. 64, a. 2371]

2372. La rente viagère peut être établie pour la durée de la vie de la personne qui la constitue ou qui la reçoit, ou pour la vie d'un tiers qui n'a aucun droit de jouir de cette rente.

Néanmoins, il peut être stipulé que le service de la rente se continuera au-delà du décès de la personne en fonction de laquelle la durée du service a été établie, au profit, selon le cas, d'une personne déterminée ou des héritiers du crédirentier. [1991, c. 64, a. 2372]

Le chapitre quinzième des assurances

Section I Dispositions générales

2393. L'assurance sur la vie garantit le paiement de la somme convenue, au décès de l'assuré; elle peut aussi garantir le paiement de cette somme du vivant de l'assuré, que celui-ci soit encore en vie à une époque déterminée ou qu'un événement touchant son existence arrive.

Les rentes viagères ou à terme, pratiquées par les assureurs, sont assimilées à l'assurance sur la vie, mais elles demeurent aussi régies par les dispositions du chapitre De la rente. Cependant, les règles du présent chapitre sur l'insaisissabilité s'appliquent en priorité. [1991, c. 64, a. 2393]

Le revenu temporaire et le FRV du Québec

Plan

Introduction
Des exemples de calculs
La détermination de la loi applicable à un FRV
Conclusion

Introduction

Tous les FRV ne possèdent pas nécessairement d'option de revenu temporaire, mais plusieurs l'offrent, ce qui permet au titulaire du FRV du Québec de retirer un montant supérieur au maximum du FRV. Par ailleurs, le fait de retirer un plus gros montant fait en sorte que le FRV est grugé plus rapidement.

Le revenu temporaire est donc intimement lié au FRV. Par conséquent, il existe trois types de revenus principaux :

1. Le revenu viager minimum (même que le FERR) ;
2. Le revenu viager maximum (*voir l'annexe 0.6*) ;
3. Le revenu temporaire maximum.

Notez que le revenu temporaire ne s'ajoute pas au revenu viager maximum.

Des exemples de calculs

Exemple n° 1 :

Madame Cirano a 52 ans au 31 décembre 2010. Elle possède un FRV de 50 000 $ et prévoit des revenus salariaux de 8 000 $ pour l'année 2011 qui vient.

Calculez les trois revenus principaux qu'elle pourrait recevoir.

Dans l'ordre indiqué plus haut :

4. 50 000 $ ÷ 38 = 1 315,79 $ l'an

5. 50 000 $ × 0,061 (*voir l'annexe 0.6*) = 3 050 $ l'an

6. 40 % × 48 300 $ − 6 000 $ (8 000 $ × 75 %) = 13 320 $ l'an

Si madame Cirano n'avait pas de revenus, elle pourrait recevoir 40 % de 48 300 $, soit 19 320 $.

Exemple n° 2 :

Paul est âgé de 50 ans au 31 décembre 2010. Il possède un FRV de 50 000 $ et prévoit des revenus à venir de 6 000 $.

Toujours dans l'ordre indiqué plus haut :

1. 50 000 ÷ 40 = 1 250 $ par année
2. 50 000 × 0,061 = 3 050 $ par année
3. 40 % × 48 300 $ − 6 000 $ × 75 % = 14 820 $ par année

Exemple n° 3 :

Monsieur Patrice est âgé de 58 ans au 31 décembre 2010. Il possède un FRV de 200 000 $, mais pas d'autres revenus annuels.

1. 200 000 $ ÷ 32 = 6 250 $
2. 200 000 $ × 0,066 = 13 200 $
3. 19 320 $ (40 % de 48 300 $)

Monsieur Patrice pourrait retirer un montant annuel plus élevé que 19 320 $. En effet, il pourrait avoir droit à un ajustement (revenu ajusté) de l'ordre de 4 218,13 $ (voir la page 10 de la brochure « Pour mieux connaître le CRI et le FRV » de la Régie des rentes du Québec[1]).

D'où vient ce 4 218,13 $? Patrice étant âgé de plus de 54 ans, la formule employée pour calculer le rajustement est la suivante :

Rajustement = FRV maximum − 40 % × MGA/Facteur Annexe 0.7 (disponible sur le site de la Régie, section « Annexes »)

---

1. Régie des rentes du Québec (2011). *Pour mieux connaître le CRI et le FRV*. Récupéré de www.rrq.gouv.qc.ca/SiteCollectionDocuments/www.rrq.gouv.qc/Francais/publications/rcr/CRI_FRV_F.pdf

DOSSIER 13.2-*SUITE*

- Dans le cas de Patrice : Brochure RRQ, page 10, calcul de rajustement :
  - FRV Max. = 13 200 $
  - 40 % × 48 300 $ = 19 320 $
  - 19 320 $ ÷ 2,151 (facteur Annexe 0.7) = 8 981,87 $
  - Donc 13 200 $ − 8 981,87 = 4 218,13 $

Revenu total en 2011 : 19 320 $ plus 4 218,13 $ = 23 538,13 $

Vous pouvez vérifier tous les calculs présentés plus haut à l'aide de l'ordinateur sur le site de la Régie, rubrique « FRV Calculs Express ».

- Démarrez le service ;
- Demande pour janvier 2011 ;
- Date de naissance ;
- Solde du FRV au 31 décembre dernier ;
- Un seul FRV pour simplifier les calculs ;
- Revenu temporaire maximum de 19 320 $;
- Entrer les chiffres appropriés.

La détermination de la loi applicable à un FRV

Vous comprendrez qu'il est important pour le conseiller financier (et l'institution financière) de déterminer quelle loi (fédérale ou provinciale) s'applique au CRI ou au FRV.

Tous les renseignements que nous avons présentés jusqu'ici renvoient au FRV du Québec.

La marche à suivre pour trouver un dossier est un peu onéreuse mais en vaut la peine[2].

Conclusion

Les FRV du Québec permettent, pour la plupart, de pouvoir recevoir un revenu temporaire plus élevé que le revenu maximum permis. Ce revenu assure à certaines personnes une bonne qualité de vie et leur permet d'équilibrer leurs revenus de l'âge de 50 à 65 ans.

---

2. Régie des rentes du Québec, www.rrq.gouv.qc.ca via Les programmes > Les régimes complémentaires de retraite > CRI/FRV > Coin pratique > Pour mieux connaître le CRI et le FRV > La Lettre express > 21 mai 2008 – Détermination de la loi applicable à un CRI ou à un FRV

DOSSIER 13.3

Le FRV du fédéral

Plan

Introduction
Le transfert unique de 50 %
La désimmobilisation d'un solde moindre que 50 %
du MGA
La désimmobilisation en cas de difficultés financières
Conclusion

Introduction

Tel qu'indiqué à la sous-section 13.4.5, les nouvelles règles proposées par le budget du 26 février 2008 sont entrées en vigueur le 8 mai 2008.

Afin d'élargir les options de désimmobilisation du FRV du fédéral, le gouvernement fédéral a modifié le *Règlement de 1985 sur les normes de prestation de pension.*

Le transfert unique de 50 % des fonds d'un FRV fédéral dans un REER/FERR

Un particulier âgé de 55 ans ou plus peut maintenant transférer jusqu'à 50 % de la valeur de son FRV dans un régime à imposition différée non immobilisée comme un REER ou un FERR. Les fonds doivent en tout premier lieu être transférés dans un FRV, lequel peut également servir à recevoir certaines prestations de retraite provenant d'un RPA en prévision d'une désimmobilisation. Certaines règles s'appliquent à ces transferts.

La désimmobilisation d'un solde moindre que 50 % du MGA

Le solde auquel nous faisons ici référence correspond à 50 % ou moins du MGA de 2011, se chiffrant par exemple à 48 300 $. Ainsi, le solde maximal à transférer s'établit à 24 150 $. Les fonds pourront être transférés dans un REER ou un FERR ou tout simplement en espèces.

Cette désimmobilisation vise les personnes âgées de 55 ans ou plus.

La désimmobilisation en cas de difficultés financières

Les particuliers qui éprouvent des difficultés financières peuvent désimmobiliser une partie des fonds de leur FRV, et ce, jusqu'à 50 % du MGA de l'année civile visée. Ces difficultés financières peuvent résulter de deux situations : 1) Les coûts associés à une invalidité ou à l'état de santé ; et 2) Un faible revenu. Certaines conditions s'appliquant, il est important d'en discuter avec son institution financière.

Conclusion

Le FRV du fédéral ne donne pas droit au revenu temporaire, mais à une certaine désimmobilisation des fonds. Mais attention, voici un cas qui illustre bien la complexité de la situation et la nécessité de consulter un expert au moment opportun.

Exemple

Paul Patenaude travaille à Postes Canada depuis bon nombre d'années. Il participe au RPA à charte fédérale de l'entreprise. Il épouse Suzanne Archambault en 1970. Le couple vit sur la Rive-Sud de Montréal avec ses deux enfants. En 2005, Paul et Suzanne divorcent après 35 ans de vie commune.

Patrimoine familial oblige, le RPA admissible est divisé en deux (dollars accumulés du début de la relation à la date du divorce). Suzanne reçoit 350 000 $ dans son CRI (Québec) et investit aussitôt dans un FRV du Québec, ce qui lui donne le droit de recevoir un revenu temporaire, ce qui est le cas.

Seul le FRV du fédéral ne donne pas droit au revenu temporaire, et non le fait qu'un CRI ou un FRV du Québec soit constitué à partir d'argent provenant d'un RPA à charte fédérale.

Les prestations de retrait minimum garanti (PRMG)

Plan

Introduction

La décennie 2000-2010

Conclusion

Introduction

Nous nous dirigeons rapidement vers une société composée de personnes âgées. D'ailleurs, il est étonnant de constater que l'âge moyen sera au Canada d'environ 46 ans en 2050, alors qu'il était de 35,3 ans en 1996[1]. Ces statistiques sont révélatrices du vieillissement de la population.

Les baby-boomers, atteignant les 65 ans, représentent en 2011 environ le tiers de la population canadienne[2]. On parle ici d'un groupe constitué de plus de 10 millions de personnes[3] qui se préparent à la retraite et qui doivent accroître leur épargne-retraite de façon à s'assurer un revenu de retraite suffisant.

Depuis 2006 environ, un grand nombre de nouveaux produits ont fait leur apparition sur les marchés financiers. Ce sont en fait des produits hybrides (rentes viagères et fonds distincts) qui portent différents noms (PRMG pour Prestations de retrait minimum garanti ou FPG pour Fonds de placement garanti). Commercialisés par les grandes compagnies d'assurance, ils sont faits sur mesure pour les investisseurs à la retraite qui désirent garantir leur capital, s'exposer au marché boursier et recevoir des revenus stables et durables toute leur vie (RevenuPlus de Manuvie, le Contrat HELIOS de Desjardins, les placements SunWise Elite Plus de La Financière Sun Life en sont des exemples).

La décennie 2000-2010

La décennie 2000-2010 a été marquée par des crises financières assez graves et des scandales financiers d'importance. Plusieurs baby-boomers ont vu leurs épargnes fondre considérablement. Il faut toujours se rappeler qu'aucun produit financier ne peut remplacer un manque de capital à la retraite.

Brièvement, nous avons vécu :

- la bulle technologique, bulle spéculative qui a affecté les « valeurs technologiques », c'est-à-dire celles des secteurs liés à l'informatique et aux télécommunications sur les marchés d'actions à la fin des années 1990. Son apogée a eu lieu en mars 2000. Ses effets se sont fait sentir jusqu'en 2002-2003 ;

- la crise financière de 2008, crise mondiale provoquée par la spéculation immobilière excessive et des produits dérivés qui n'avaient aucun sens (par exemple, le papier commercial adossé à des actifs non bancaire et qui représente l'achat d'actifs provenant de prêteurs dans les secteurs tels que les hypothèques à risque) ;

- les nombreux scandales financiers, lesquels ont démontré la corruption de certaines personnes du monde de la finance, particulièrement à Wall Street. Cette crise est maintenant semblable à celle de 1929. Après avoir été considérée comme découlant de la crise des hypothèques à risque, elle a touché les marchés financiers et a laissé planer la menace d'une

---

1. Lavoie, M. et A. Boivin (2006). *Plus ça change... moins c'est pareil*. Récupéré de www.conseiller.ca/files/2006/05/05_06_courrier.pdf

2. *Idem.*

3. Presse canadienne (2007, 16 juin). Statistique Canada est formel – Les baby-boomers deviendront un frein pour la croissance économique. *Le Devoir.*

crise systémique. Elle a ainsi provoqué une crise du capitalisme. Le cœur du problème résidait dans la poursuite effrénée du profit à court terme. Résultat ? L'endettement excessif des consommateurs, de nombreuses grandes entreprises (qui ont fait faillite) et des gouvernements, pris au dépourvu.

- Le résultat de tout cela a été l'arrivée de nouveaux produits, tels les nouveaux FPG ou PRMG.

Conclusion

De nombreux baby-boomers ont été marqués par ces crises, tant psychologiquement que financièrement. Le marché boursier a pris pour plusieurs d'entre eux un goût un peu amer. Les FPG et les PRMG répondent donc à un besoin de stabilité dans les revenus de retraite, mais, disons-le, ce sont des produits complexes qui demandent une sérieuse analyse et l'appui d'experts en la matière. En plus, comme nous l'avons souligné, il existe des stratégies de rechange (rentes viagères, FCP axé sur les revenus ou dividendes, etc.) très valables et beaucoup moins complexes.

Pour plus d'information sur la nature de ces produits, voici quelques réflexions :

« On a intérêt à y regarder à deux fois pour être bien sûr de comprendre les forces et faiblesses de ces produits, particulièrement à la lumière des changements dont ils ont été victimes récemment[4]. »

« Ce produit ne garantit pas du 7 % […]. Ce produit a été vendu avec l'argument : "Pourquoi vous contenter d'un certificat de placement garanti à 4 % ? Allez en actions, vous aurez des chances de faire plus !" Le problème, c'est que vous avez aussi des risques de faire moins[5]. »

« Les assureurs refont leurs devoirs après la crise financière de 2008. Manuvie a jeté à la poubelle la version originale de RevenuPlus, son produit vedette qui avait, en 2006, révolutionné l'industrie[6]. »

D'autres articles véhiculent le même message : agissons avec prudence[7].

4. Fonds de l'Ordre des ingénieurs du Québec (2010, 1er janvier). Les prestations de retrait minimum: trop beau pour être vrai ? Récupéré de www.ferique.com/public/File/Documents/576/Les%20prestations%20de%20retrait%20minimum%20garanti.pdf

5. Tison, M. (2010, 10 avril). Retraite et retraits garantis ? *La Presse*. Récupéré de lapresseaffaires.cyberpresse.ca/finances-personnelles/sous-la-loupe/201004/09/01-4268991-retraite-et-retraits-garantis.php

6. Grammond, S. (2009, 3 octobre). Les assureurs retirent des fonds des tablettes. *La Presse*. Récupéré de lapresseaffaires.cyberpresse.ca/finances-personnelles/plus-value/200910/02/01-907912-les-assureurs-retirent-des-fonds-des-tablettes.php

7. Voir, entre autres, IQPF (2009, juin). La cible. *19*(1), p. 10-11.

MODULE 3

MODULE

4

LES PLACEMENTS

L e module « Les placements » se divise en deux chapitres visant respectivement les objectifs suivants :

- Le chapitre 14 aborde surtout les multiples produits financiers existant aujourd'hui sur les grands marchés financiers ;
- Le chapitre 15 propose une approche théorique de la gestion de portefeuille, à savoir une stratégie de placement fondée sur un modèle intégrateur.

Ce module répond à la question suivante : Quels sont les produits financiers qui permettent au client d'atteindre ses objectifs à court, à moyen et à long terme ? Il ne fait aucun doute que, dans cette optique, la composition du portefeuille de placements revêt une grande importance. Toute stratégie de placement doit tenir compte de la nature des objectifs et du degré de tolérance au risque du client. Le planificateur financier doit donc composer avec tous ces éléments afin de faire des recommandations qui aideront véritablement le client à atteindre ses objectifs.

Le module « Les placements » porte sur les moyens d'action à employer, étape qui suit l'analyse de la situation financière et la détermination des objectifs, mais qui précède le suivi (*voir la figure 3.3 à la page 34*). Il s'agit de choisir, parmi une vaste gamme de produits financiers de toutes sortes, ceux qui permettent au client d'atteindre ses objectifs à court et à moyen terme, mais surtout à long terme.

L'investissement consiste à diriger l'épargne vers des instruments financiers appelés « placements », dans le but principal de préparer à l'avance la retraite, donc d'atteindre la deuxième étape de l'indépendance financière. Dans cette optique, soulignons que ce module traite de planification financière et non de spéculation financière, activité qui s'apparente beaucoup plus à un jeu de hasard, quoi qu'on en dise. Il s'adresse en effet beaucoup plus à l'investisseur qu'au spéculateur.

LES PRODUITS ET LES MARCHÉS FINANCIERS

Le chapitre 14 présente une typologie des multiples produits financiers existants (actions, obligations, etc.), les intervenants du domaine des valeurs mobilières ainsi qu'une description des divers marchés financiers (marché boursier, marché monétaire, etc.).

Les instruments financiers comprennent les produits financiers eux-mêmes, c'est-à-dire les dépôts à terme, les bons du Trésor, les obligations, les actions, etc., ainsi que les véhicules financiers qui les composent.

Les véhicules financiers se divisent en véhicules enregistrés (aussi appelés «régimes enregistrés», dont nous avons traité au chapitre 12) et en véhicules non enregistrés, tels les fonds communs de placement (FCP), lesquels contiennent de nombreux produits financiers (actions, obligations, etc.). Il faut noter que les FCP peuvent eux-mêmes faire partie de certains véhicules enregistrés comme le REER.

14.1 La classification des véhicules et des produits financiers (valeurs mobilières et autres)

L'expression « valeurs mobilières » est un générique qui s'applique aux produits financiers et aux titres de placement comme les obligations, les actions et les billets indiciels. Certaines de ces valeurs mobilières, par exemple les actions, sont des titres de propriété ; d'autres, telles les obligations, sont des titres de créance. Comme nous l'avons déjà mentionné, les fonds communs de placement sont, quant à eux, des véhicules financiers qui contiennent divers produits. Il en est de même des fonds distincts.

Il existe plusieurs classifications des produits financiers, mais aucune n'est exhaustive. En effet, ces produits sont parfois de type hybride, c'est-à-dire qu'ils possèdent des caractéristiques appartenant à plusieurs catégories. Par exemple, les obligations convertibles sont des titres de créance (d'emprunt) à revenu fixe, mais elles peuvent être converties en titres de propriété à revenu variable (dividendes plus gain ou perte en capital).

La classification que propose le tableau 14.1 repose sur l'importance du risque, tant en matière de capital investi que de revenu engendré ; cette liste n'est pas exhaustive. La section 14.5 définit les produits les plus courants.

TABLEAU 14.1 Une classification des produits financiers selon la caractéristique du risque

Les produits financiers sûrs (risque allant de nul à très faible)	Les produits financiers partiellement sûrs (risque allant de faible à moyen)	Les produits financiers spéculatifs (risque allant de moyen à très élevé)
• Les obligations d'épargne • Les dépôts à terme • Les certificats de placement garanti (CPG) • Les bons du Trésor	• Les fonds distincts • Les CPG indiciels ou boursiers • Les billets boursiers • Les obligations gouvernementales et municipales • Les obligations à coupons détachés • Les obligations et débentures de grandes entreprises • Les actions privilégiées • Les actions ordinaires de premier ordre • Les fonds négociés en Bourse fonds indiciels	• Les actions ordinaires • Les parts de sociétés en commandite • Les droits de souscription • Les bons de souscription • Les options • Les contrats à terme • Les placements dits alternatifs

Vous remarquerez que cette classification contient surtout des produits en valeurs mobilières. Les véhicules financiers ou les produits suivants n'apparaissent pas au tableau 14.1. Voici quelques mots à leur sujet :

• Les prestations de retrait minimum garanti (PRMG), que nous avons abordées dans le module « La retraite » au chapitre 13 (*voir le dossier 13.4*) ;

- Les fonds communs de placement (FCP). En effet, ces véhicules financiers peuvent contenir des produits financiers qui appartiennent aux trois catégories de risque : faible, moyen et élevé (*voir la section 14.5*). Il aurait été possible de les inclure dans nos trois catégories (*voir le tableau 14.1*) selon le type de produit utilisé ;

- L'immobilier, tant résidentiel que locatif (*voir le dossier 14.2*) ;

- Les diamants, les œuvres d'art et les métaux précieux (domaine considéré comme hautement spéculatif, s'adressant parfois à des connaisseurs, mais le plus souvent à des spéculateurs, il ne sera pas abordé dans cet ouvrage).

14.2 Les caractéristiques d'un placement

De façon générale, un produit financier (ou placement), possède quatre caractéristiques :

- La liquidité ;
- Le rendement ;
- Le risque ;
- Le traitement fiscal.

14.2.1 La liquidité

La liquidité désigne le degré de facilité avec lequel il est possible de reprendre, sans perte, sa mise de fonds initiale. Le placement le plus liquide est le compte d'épargne, car on peut en retirer l'argent en tout temps.

14.2.2 Le rendement

Le rendement fait référence au gain réalisé ou au gain espéré à partir du capital investi. Il couvre deux réalités :

- Le revenu courant engendré par un placement, que ce soit sous forme d'intérêts, de dividendes ou de revenus de location (dans le cas des biens immobiliers) ;

- La plus-value, ou appréciation du capital investi, qui signifie que le prix de vente ou la valeur marchande excède le coût à l'acquisition (à la vente d'une action, par exemple).

Le rendement recherché est souvent appelé « rendement escompté » ou « rendement espéré ».

14.2.3 Le risque

Le risque désigne le degré d'incertitude en ce qui concerne le rendement d'un titre, à savoir la possibilité de perdre une portion du capital investi (ou l'ensemble) à la disposition de ce titre, des revenus associés à ces investissements ou encore les deux à la fois, capital et revenus.

Le risque est toujours lié aux facteurs susceptibles de compromettre le rendement, que ce soit sur le plan de la nature du produit financier lui-même (un dépôt à terme est sûrement moins risqué qu'une action minière) ou celui du marché et de l'économie en général (par exemple, les taux d'intérêt peuvent augmenter et

FIGURE 14.1   **La relation entre le rendement et le risque d'un placement**

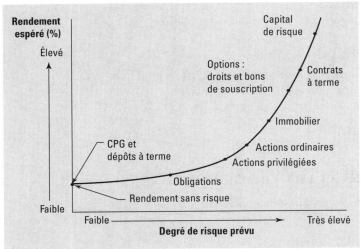

Note: Cette courbe n'illustre que la relation existant entre le rendement et le risque; elle ne le fait aucunement d'une façon mathématique. Le dossier 14.1 approfondit cette relation.

ainsi influer positivement sur les rendements des CPG et négativement sur les rendements des obligations négociables). Le risque peut aussi être lié à l'émetteur du produit financier (par exemple, l'obligation d'une entreprise éprouvant des difficultés financières).

Cette relation entre le risque et le rendement est illustrée dans la figure 14.1 (*voir aussi le dossier 14.1*). Bien sûr, il existe des produits financiers qui ne comportent aucun risque, inhérent au produit lui-même ou au marché. C'est le cas du compte d'épargne, du dépôt à terme et du CPG. Le risque lié à l'émetteur est omniprésent et doit toujours être évalué. Toutefois, les produits financiers très sûrs engendrent souvent des rendements relativement faibles. Dès lors, le risque peut également porter sur la probabilité de ne pas atteindre le capital désiré, à la retraite par exemple. En général, lorsque le rendement espéré d'un produit est très élevé, le risque l'est également; ainsi, il faut s'attendre à une forte probabilité de fluctuation.

14.2.4 Le traitement fiscal

Le traitement fiscal concerne les règles fiscales applicables à l'acquisition, à la disposition et à la perception des revenus provenant d'un placement; ces règles sont fortement liées à l'attrait qu'exerce un certain placement par rapport à un autre. L'impôt, coût obligatoire associé au revenu de placement, force le contribuable qui veut bien évaluer la rentabilité d'un placement à toujours tenir compte du revenu après impôts.

Soulignons au passage que tout avantage fiscal doit être accompagné d'une rentabilité satisfaisante. En d'autres termes, on ne doit pas acheter l'avantage fiscal mais le placement lui-même, en tenant compte de l'avantage fiscal. Par exemple, certains incitatifs fiscaux permettent des déductions importantes. Toutefois, ce sont la plupart du temps des placements hautement spéculatifs qu'il faut évaluer en fonction des objectifs poursuivis par le client et de son tempérament financier.

14.3 Les courtiers en valeurs mobilières et leurs représentants

Les courtiers en valeurs mobilières sont les firmes de courtage inscrites auprès de l'AMF. Ces firmes exécutent les ordres de leurs clients et sont inscrites en tant que courtiers de plein exercice, de courtiers à escompte ou de courtiers d'exercice restreint (le courtage dans un domaine particulier, tel le courtage en titres d'emprunts garantis ou encore le courtage en FCP).

Les représentants en valeurs mobilières sont des individus ou personnes physiques qui travaillent pour les firmes de courtage. Ces représentants sont de plein exercice ou d'exercice restreint. Ils sont également connus sous différentes titres, selon leurs fonctions : le courtier, le conseiller en placement, etc.

14.4 Les marchés financiers

Les divers produits financiers sont négociés sur les marchés financiers qui les contiennent (par exemple, le marché boursier contient les produits négociés sur les diverses Bourses). Bien qu'il existe diverses classifications, celle qui suit propose trois grandes catégories de marchés financiers :

- Le marché boursier ;
- Le marché hors Bourse ;
- Le marché monétaire.

Examinons maintenant chacune de ces catégories en prêtant une attention particulière aux firmes et aux professionnels qui évoluent dans ces secteurs.

14.4.1 Le marché boursier

Le marché boursier primaire est celui sur lequel se fait la première émission des titres. Ce sont tout particulièrement les entreprises qui ont besoin d'obtenir des capitaux pour financer leurs activités, d'expansion par exemple, qui s'y intéressent. Ces transactions concernent les entreprises émettrices des titres et les grandes maisons de courtage qui en font la distribution. Les particuliers n'étant pas directement touchés par ce processus, notre intérêt se portera plutôt sur le marché boursier secondaire. Celui-ci représente l'ensemble des négociations boursières qui ont lieu entre les investisseurs (acheteurs et vendeurs) en tant que particuliers. Le marché institutionnel, à savoir les entreprises qui achètent et vendent sur le marché secondaire, ne sera pas abordé dans le présent ouvrage.

Dans l'optique du marché secondaire, nous pouvons définir le marché boursier comme un marché public où se négocient principalement l'achat et la vente d'actions de sociétés inscrites en Bourse. La société qui a émis les actions à l'origine ne perçoit aucun revenu à l'occasion d'une transaction sur le marché secondaire.

En ce qui concerne le marché boursier, trois éléments très importants doivent être soulignés : le rôle des courtiers, les Bourses et les indices boursiers ainsi que la venue d'Internet.

Le rôle des courtiers en valeurs mobilières

Sur le marché boursier secondaire, le courtier (donc la maison de courtage et son représentant) agit en général comme mandataire, c'est-à-dire en tant qu'agent intermédiaire entre l'acheteur et le vendeur (en anglais, *broker*). Cela signifie qu'il ne prend pas possession des titres. Il tire son revenu de la commission (courtage) que lui verse son client.

Les Bourses et les indices boursiers

Une Bourse est essentiellement un organisme qui facilite les échanges entre les investisseurs. La Bourse de Toronto est celle des grandes entreprises et des grandes capitalisations (*voir le chapitre 1*). La Bourse de Montréal, quant à elle, est devenue celle des produits dérivés tels que les options et les contrats à terme,

MODULE 4

lesquels s'adressent surtout aux investisseurs institutionnels. Le parquet des actions de la Bourse de Montréal a fermé le 3 décembre 1999.

En 2002, l'indice boursier TSE 300 de la Bourse de Toronto est devenu l'« indice composé S&P/TSX » et l'indice CDNX du Canadian Venture Exchange est devenu l'« indice composé de croissance S&P/TSX ». C'est la firme internationale Standard & Poor's, spécialisée dans l'analyse financière (d'où les lettres d'appel S&P avant TSX), qui administre les deux indices canadiens.

Les indices boursiers permettent de mesurer l'évolution des différents marchés financiers dans leur ensemble ou de certains secteurs en particulier tels que celui des banques et des assurances. Ces indices sont composés d'un certain nombre d'actions négociées à une Bourse précise, tel l'indice composé S&P/TSX à la Bourse de Toronto. Pour consulter les indices du Groupe TMX, consultez le site Internet du groupe TMX.

En raison de la diversification internationale, on peut maintenant connaître tous les principaux indices boursiers dans le monde. Si vous voulez examiner les indices internationaux, consultez le site de la Banque Nationale du Canada. Vous y trouverez une excellente présentation des indices nationaux et internationaux ainsi que leur analyse.

La venue d'Internet

La croissance phénoménale du marché Internet est principalement due à la technologie informatique.

Grâce à Internet, les établissements financiers sont désormais entrés dans l'ère de l'automatisation. Il existe aujourd'hui une foule de services bancaires offerts dans Internet, en plus de l'investissement en ligne. Ces réalités ont fait leur apparition au Canada au milieu des années 1990.

Au Québec, il existe déjà de nombreux courtiers en ligne. C'est sans contredit une révolution. Les commissions des courtiers en ligne sont généralement moins élevées que celles des courtiers à escompte et des courtiers traditionnels. Il faut cependant souligner que pour la grande majorité des clients, l'investissement en ligne est beaucoup plus une forme de spéculation qu'un investissement planifié selon des objectifs à long terme.

14.4.2 Le marché hors Bourse

Le marché hors Bourse, ou hors cote, ne constitue pas un marché central, mais couvre plutôt les actions de certaines sociétés non inscrites à la Bourse de même que l'ensemble des opérations sur les obligations gouvernementales et municipales ainsi que les obligations de sociétés. Les opérations sur ces titres se font par l'intermédiaire d'un courtier en valeurs mobilières, qui joue généralement un rôle de contrepartiste (en anglais, *investment dealer*). La maison de courtage agit en quelque sorte comme un détaillant qui prend possession d'un produit (en l'achetant à un certain coût) pour le revendre à profit. Celui-ci provient de la différence entre le prix d'achat et le prix de vente, en d'autres mots de la marge bénéficiaire.

Il existe aux États-Unis un important marché hors Bourse, la National Association of Securities Dealers Automated Quotations (NASDAQ), dont on a beaucoup parlé en 2000-2001 à la suite de la chute dramatique des titres technologiques, domaine privilégié par ce marché. Le NASDAQ est un marché électronique établi à

Washington, donc virtuel et sans parquet, maintenu grâce à un grand nombre de courtiers américains.

14.4.3 Le marché monétaire

Le marché monétaire peut être de deux ordres :

- D'une part, il peut être constitué du marché monétaire « classique », lequel inclut, en majeure partie, des titres qui se négocient à court terme, tels les bons du Trésor. Ce sont surtout les marchés institutionnels qui s'intéressent à ces derniers titres ;

- D'autre part, le marché monétaire peut aussi inclure les titres de capitaux qui ne sont pas négociés, mais simplement achetés, tels que les obligations d'épargne, les dépôts à terme et, bien sûr, les CPG. De nombreux particuliers qui recherchent la stabilité financière s'intéressent fortement à ces titres de capitaux.

Depuis le décloisonnement des établissements financiers au Québec, l'ensemble du marché monétaire a pris un essor considérable. Les banques, les sociétés de fiducie et les caisses populaires y jouent un rôle prépondérant.

14.5 Une typologie des produits financiers

Voyons maintenant la définition des produits financiers les plus courants ainsi que leurs caractéristiques sur les plans financier et fiscal. À la section 14.2, les quatre grandes caractéristiques de tout produit financier ont été précisées : la liquidité, le rendement, le risque et le traitement fiscal. Dans le tableau 14.1 (*voir la page 348*), le risque a servi de référence pour classer les produits. Selon cette approche, on peut aussi souligner que la notion de risque et, par conséquent, celle de sécurité, concernent uniquement la nature du produit et non l'établissement financier ou l'intermédiaire qui émet les titres ou gère le portefeuille.

14.5.1 Les produits financiers sûrs (risque allant de nul à très faible)

Les obligations d'épargne

Le gouvernement fédéral et le gouvernement québécois émettent des obligations d'épargne chaque année. Ces obligations sont vendues dans tous les établissements financiers et, très souvent, par l'intermédiaire des employeurs, qui effectuent alors les retenues appropriées sur les salaires. Les obligations d'épargne ne produisent que des intérêts, sans perte ni gain en capital possible. Ces obligations, dont le prix ne varie pas, ne sont pas transigées sur le marché secondaire.

Il existe de nos jours plusieurs types d'obligations tant au Québec qu'au Canada.

Pour mieux connaître la gamme des obligations (y compris les obligations boursières) qui existent sur le marché, vous pouvez consulter le site d'Épargne Placements Québec. Vous remarquerez que l'on y trouve les catégories suivantes :

- Les obligations à taux progressif ;
- Les obligations à taux fixe ;

- Les obligations à escompte ;
- Les obligations sécuri+ ;
- Les obligations d'épargne traditionnelles.

Les dépôts à terme

Les dépôts à terme sont des produits dont le capital est garanti pendant une période variant de 30 jours à 5 ans. L'acheteur peut les encaisser avant leur date d'échéance moyennant le paiement d'une pénalité. Les dépôts à terme nécessitent souvent des mises de fonds minimales de l'ordre de 5 000 $. Par contre, ils rapportent généralement un peu plus que les obligations d'épargne, selon le type. Si la durée des dépôts est courte, par exemple de l'ordre de un mois, il incombe au client de les renouveler, de les encaisser ou de s'en servir à d'autres fins. Les dépôts à terme ne produisent que des intérêts, sans perte ni gain en capital possible. Tous les établissements financiers (banques, sociétés de fiducie, caisses populaires, etc.) en offrent.

Les certificats de placement garanti (CPG)

Les certificats de placement garanti (CPG) sont assortis d'une échéance qui varie de un à cinq ans. Ils rapportent plus que les dépôts à terme. Ils ne requièrent que des mises de fonds minimales de 500 $ ou de 1 000 $ selon l'établissement financier. Les CPG ne produisent que des intérêts, sans perte ni gain en capital. Ils ne peuvent être encaissés avant la date d'échéance. Certains titres permettent toutefois de le faire moyennant un rendement moins élevé que prévu.

Les bons du Trésor

Les bons du Trésor sont des titres à court terme de 98, 182 ou 364 jours qui sont émis toutes les deux semaines par les gouvernements (surtout le fédéral) afin de couvrir leurs besoins financiers à court terme. Les bons du Trésor s'achètent à escompte. L'escompte est la différence entre la valeur promise à l'échéance et le prix payé.

EXEMPLE

Un bon du Trésor de 98 jours d'une valeur nominale de 5 000 $ est acheté 4 870 $. À l'échéance, l'acheteur reçoit 5 000 $. L'escompte est donc de 130 $ (5 000 $ − 4 870 $). Voici comment se calcule le rendement nominal annuel :

$$\text{Taux de rendement nominal annuel} = \frac{\text{Valeur nominale} - \text{prix d'achat}}{\text{Prix d'achat}} \times \frac{365}{\text{terme}}$$

Donc, $\dfrac{5\,000\,\$ - 4\,870\,\$}{4\,870\,\$} \times \dfrac{365}{98} = 0,099$ ou 9,9 %

En pratique, on voudra aussi connaître le taux de rendement effectif (EFF) annuel :

$$\text{Taux EFF annuel} = (1 + \text{taux périodique})^{\frac{365}{98}} - 1$$

$$\text{où le taux périodique} = \frac{\text{Escompte}}{\text{Prix}} = \frac{130\,\$}{4\,870\,\$} = 2,67\,\%$$

$$\text{et } (1 + 0,0267)^{\frac{365}{98}} - 1 = 10,3\,\%.$$

Afin de résoudre ce problème mathématique, il est préférable de diviser en premier lieu 365 par 98, puis de mettre le résultat en mémoire. Il suffira par la suite d'utiliser la touche y^x. Pour plus de précision, il est préférable d'utiliser quatre ou cinq décimales.

Il faut noter que, du point de vue fiscal, les gains réalisés sont assimilés à des intérêts et sont imposés comme tels et non comme un gain en capital. Les bons du Trésor sont vendus par les établissements financiers et chez les courtiers en valeurs mobilières. S'ils sont revendus avant l'échéance, leur prix sera celui du marché. Il est nécessaire de placer des montants minimaux de 5 000 $ dans ce genre de produit financier.

14.5.2 Les produits financiers partiellement sûrs (risque allant de faible à moyen)

Nous traitons ici des placements partiellement sûrs qui englobent les meilleurs produits offerts sur les marchés financiers. Cependant, ces produits présentent tout de même un certain degré de risque quant au capital placé ou au rendement.

Les fonds distincts

Les fonds distincts et les fonds communs de placement (FCP, que nous verrons plus loin) sont similaires à bien des égards. Tous deux regroupent les épargnes de nombreux investisseurs et sont rachetables. Par contre, il existe des différences importantes entre ces fonds.

D'abord, ce sont les compagnies d'assurance qui commercialisent les fonds distincts. Ceux-ci contiennent des produits financiers que détiennent et gèrent ces compagnies, mais aucune part n'est émise à l'achat. C'est le contrat d'assurance vie qui, finalement, valorise l'investissement dans les fonds distincts.

Les fonds distincts sont garantis, raison pour laquelle ils sont inclus ici. La garantie peut cependant varier de 75 à 100 % du capital investi sur une période donnée (par exemple, 10 ans). Comme pour n'importe quel produit d'assurance, l'investisseur doit payer une prime qui permettra de garantir le capital advenant le décès avant la fin du délai. Bien sûr, si les fonds sont retirés avant la fin de la période de garantie, l'investisseur pourra subir une perte.

La compagnie d'assurance verse un capital décès lorsque la personne assurée meurt avant la fin du contrat. Par conséquent, les frais de gestion liés aux fonds distincts sont supérieurs à ceux des FCP.

La *Loi modifiant la Loi sur les assurances et la Loi sur les sociétés de fiducie et les sociétés d'épargne* a été sanctionnée par l'Assemblée nationale du Québec le 16 décembre 2005. Cette loi vient renforcer l'insaisissabilité des contrats de rente et des fonds distincts offerts par les compagnies d'assurance. Dans ce sens, les fonds distincts sont particulièrement intéressants pour les travailleurs autonomes et les professionnels, car ils peuvent offrir une protection contre les créanciers. Par ailleurs, les REER sont maintenant également insaisissables dans l'éventualité d'une faillite (*voir le dossier 12.1*).

Pour en savoir plus sur les fonds distincts, vous pouvez consulter le site de l'Association canadienne des compagnies d'assurances de personnes inc. La brochure intitulée « Éléments clés des contrats à fonds distincts » vise à aider le lecteur à comprendre les contrats de fonds distincts et à faire de lui un consommateur averti. Elle contient de l'information sur les options de placement offertes dans le cadre de contrats de fonds distincts et sur les caractéristiques et avantages de ces contrats. De plus, on y trouve des conseils pour aider le consommateur à déterminer si les fonds distincts correspondent bien à ses besoins et à sa stratégie en matière de placement.

Les CPG indiciels ou boursiers

Depuis le krach boursier des technologies au début des années 2000 et les crises financières qui ont marqué les années 2008 et 2011, de nombreux investisseurs ont littéralement boudé les marchés boursiers, car ils craignent d'y perdre leur capital. Ainsi est apparue une gamme de produits financiers dont le capital est garanti et dont la performance est liée à un indice boursier (CPG indiciels) ou encore un portefeuille de valeurs mobilières (billets liés). Nous avons également abordé ce vaste sujet au dossier 13.4 en mentionnant des produits tels que les PRMG et les produits de retraits minimums garantis. Cette présente section et la suivante porteront sur ces nouveaux produits.

Les CPG indiciels, reconnus comme des produits structurés (à cause de leur structure financière), sont liés à la performance de certains indices boursiers. Depuis leur introduction en 1993, presque tous les établissements financiers en émettent. Les avantages qu'ils présentent peuvent se résumer en deux points :

- Le capital investi (minimum allant de 500 à 1 000 $, selon l'établissement) est garanti à 100 % ;
- Le potentiel de rendement est supérieur à celui des CPG traditionnels, mais il n'est pas garanti.

Toutefois, les désavantages liés à ces produits sont plus nombreux :

- Du point de vue fiscal, comme le revenu provient des intérêts, il n'est pas considéré comme un gain en capital (c'est donc un placement bien adapté au REER) ;
- Tout comme les CPG traditionnels, les CPG indiciels ne sont pas liquides et doivent être conservés jusqu'à l'échéance ;
- Le rendement est lié à l'appréciation de l'indice boursier, généralement sans égard aux dividendes versés ;
- Certains CPG boursiers ont un rendement maximal, par exemple 30 % sur 3 ans. Advenant une importante appréciation du marché, l'investisseur verra son rendement total limité à ce taux de 30 % sur 3 ans.

Ce type de placements répond très bien aux besoins de l'investisseur qui désire éviter une perte de capital, mais qui veut quand même profiter d'une appréciation des indices boursiers sur une période de deux ou trois ans. On trouve des CPG boursiers liés aux divers indices sur les marchés nationaux et internationaux[1].

EXEMPLE

Prenons un exemple pour en illustrer le fonctionnement. Vous investissez 1 000 $ dans un CPG indiciel lié au TSX. On suppose ici qu'il n'y a aucune autre contrainte que la durée de cinq ans. Au moment de votre achat, le TSX est, disons, à 12 000 points. On suppose aussi que, dans 5 ans, le TSX sera à 15 000 points. Vous aurez réalisé un gain de 25 %, soit 250 $ (le rendement annuel moyen est de 4,6 %). Par contre, si le TSX atteint le niveau de 10 000 points au lieu de 15 000, votre capital de 1 000 $ sera sauf. Il n'y a donc aucun risque de perdre votre capital, mais un risque demeure, celui de vous retrouver avec un rendement de 0 %, comme c'est le cas dans notre exemple, où le TSX a baissé de 12 000 à 10 000 points.

---

1. Les obligations boursières du Québec sont semblables aux CPG indiciels. Le capital en est entièrement garanti, et les détenteurs profitent de la performance boursière de 30 grandes entreprises ayant leur siège social au Québec. Pour plus d'information, consultez le site d'Épargne Placements Québec (www.epq.gouv.qc.ca).

Les CPG boursiers ou indiciels [...] d'un terme de cinq ans ou moins qui sont émis par les banques canadiennes et les caisses Desjardins, [...] bénéficient, [...] de la protection de l'assurance-dépôts. Comme on sait, l'assurance-dépôts protège les dépôts des clients des banques et caisses jusqu'à hauteur de 100 000$, en cas de faillite de l'institution financière. (Girard, 2008)

Les billets boursiers ou liés

Tout comme les CPG indiciels, les billets boursiers s'adressent aux personnes qui désirent protéger leur capital tout en participant au marché boursier. On appelle aussi ces produits «billets liés», parce que leur rendement découle de celui d'un actif auquel ils sont liés. Cet actif peut très bien être un indice boursier, mais également un fonds commun de placement ou encore un ensemble d'actions et même une fiducie de revenu. Le capital des billets boursiers est protégé et l'on voit de plus en plus apparaître des billets qui protègent non seulement le capital, mais aussi le gain.

> **EXEMPLE**
>
> Prenons l'exemple d'un billet lié à un indice boursier tel le TSX. Quand il a été émis, ce billet valait 100$. Supposons que l'indice TSX a augmenté de 20% en 5 ans; le billet vaudra alors 120$.

Par opposition aux CPG indiciels, il existe un marché secondaire pour les billets liés. En fait, ce n'est pas un marché secondaire classique, car ce sont les émetteurs des billets liés qui maintiennent une sorte de Bourse virtuelle dans le but, justement, de «contrôler» ce marché secondaire et d'éviter toute flambée des prix qui pourrait motiver certains détenteurs à vendre. En d'autres termes, les émetteurs fixent la valeur marchande des billets liés et s'assurent ainsi du bon fonctionnement de leur marché.

Du point de vue fiscal, si le billet est racheté par l'émetteur, le gain en capital (si c'est le cas) est considéré comme un intérêt. Il en va de même à l'échéance du billet. En général, ce type de billet pose un problème pour la personne qui veut s'en défaire avant l'échéance; la garantie de capital, dès lors, n'existe plus. Ces produits ne sont pas couverts par la protection de l'assurance-dépôts comme le sont les CPG boursiers.

Les obligations gouvernementales et municipales

Une obligation est un prêt consenti par un investisseur (obligataire) à un gouvernement ou à une entreprise moyennant un certain montant en intérêts, généralement semestriel, et ce, pour un terme précis. Il s'agit donc d'un titre de créance à long terme, qu'il ne faut pas confondre avec l'obligation d'épargne.

Voici quelques termes usuels qui sont associés aux caractéristiques des obligations en général:

- La valeur nominale (ou au pair): le capital ou la valeur à l'échéance;
- La date d'échéance: la date à laquelle le capital (valeur nominale) est remboursé; les intérêts cessent de courir à cette date;
- Le taux du coupon: celui-ci est inscrit sur le titre et sert à calculer les intérêts;
- Le coupon: la partie détachable de l'obligation, qui représente le montant semestriel en intérêts;
- Le taux de rendement exigé: le taux que désire obtenir l'investisseur sur son placement; ce taux est fonction du marché.

MODULE 4

Sur le plan fiscal, les obligations gouvernementales et municipales comportent les contraintes suivantes :

- Les intérêts sont imposables à 100 % ;
- À l'échéance, l'investisseur reçoit la valeur nominale de l'obligation (1 000 $, 10 000 $, etc.). La différence entre cette valeur nominale et le prix payé représente soit un gain, soit une perte en capital ;
- Si l'obligation est vendue avant sa date d'échéance, la différence entre le prix payé et le montant obtenu entraîne un gain ou une perte en capital.

La valeur (ou le prix) d'une obligation Pour établir la valeur d'une obligation, il suffit de connaître la valeur nominale, le nombre de périodes d'ici l'échéance, le taux du coupon et le taux exigé par l'investisseur.

Le prix de l'obligation est en fait la valeur actuelle de l'encaissement de tous les coupons futurs (intérêts) plus la valeur actuelle de l'encaissement de la valeur nominale à l'échéance, et ce, à partir du taux de rendement établi.

Valeur actuelle de l'obligation = Valeur actuelle de l'ensemble des coupons + Valeur actuelle de l'encaissement à l'échéance

ou

PV de l'obligation = PV des coupons + PV du titre à l'échéance

---

EXEMPLE

Une obligation gouvernementale avec coupons de 10 000 $ a été émise le 1er juin 2002 avec une échéance fixée le 1er juin 2022, donc pour une durée de 20 ans. Elle porte intérêt à 7 % (les coupons sont semestriels). La personne qui détient cette obligation recevra donc 350 $ en intérêt tous les 6 mois, en juin et en décembre de chaque année. Le 1er juin 2022, l'obligataire recevra le dernier montant d'intérêt de 350 $ plus la valeur nominale de l'obligation, soit 10 000 $.

1. Nous sommes le 1er juin 2010. Si le taux de rendement nominal exigé et capitalisé 2 fois par année est de 10 %, quelle est la valeur actuelle de l'obligation ? Donc, quel est le prix à payer ?

2. Si le taux exigé passait à 12 %, quelle serait la valeur de l'obligation ?

3. Si le taux exigé s'établissait à seulement 5 %, quel serait le prix à payer, toujours au 1er juin 2010 ?

Solutions

On peut résoudre ces problèmes à l'aide des tables financières ou de la calculatrice. Avant tout, il faut comprendre que la valeur actuelle (PV) comporte deux paramètres :

[PV] de l'obligation = [PV] des coupons + [PV] de l'obligation principale.

1. Les données sont les suivantes : FV = 10 000 $, n = 24 semestres ou périodes, i = 5 % et finalement PMT = 350 $.

Donc, selon la calculatrice PV = 7 930.20 $

L'obligation se vend alors à escompte, car le taux exigé (10 %) est plus élevé que celui des coupons (7 %). L'augmentation du taux de 3 points de pourcentage (10 % – 7 %) a entraîné une réduction de presque 21 % de la valeur de l'obligation.

2. Pour effectuer ce calcul, il suffit de conserver les données précédentes et d'utiliser i = 6 % pour obtenir PV = 6 862.24

Le taux exigé étant supérieur au taux du coupon (12 % par rapport à 7 %), l'obligation se vendrait à escompte d'une façon encore plus marquée que dans le cas précédent, où le taux était de 10 %.

> 3. Pour $i = 2,5\%$, on obtient PV = 11 788.50.
>
> Comme le taux exigé (5 %) est moindre que celui des coupons (7 %), l'obligation se vendrait à prime (11 788.50 $). Ici, une diminution de 2 points de pourcentage (7 % – 5 %) a provoqué une augmentation du prix de presque 18 %.

La relation entre le taux du coupon, le rendement requis et le prix d'une obligation   On peut résumer cette relation en trois points si l'on considère que la valeur nominale (ou valeur au pair) d'une obligation a un indice de 100 :

- Si le taux du coupon est inférieur au rendement requis, le prix sera inférieur à la valeur nominale (il aura un indice inférieur à 100). L'obligation se vendra alors à escompte (*voir les points 1 et 2 de l'exemple précédent*) ;

- Si le taux du coupon est supérieur au rendement requis, le prix sera supérieur à la valeur nominale (il aura un indice supérieur à 100). L'obligation se vendra alors à prime (*voir le point 3 de l'exemple précédent*) ;

- Si le taux du coupon est égal au rendement requis, le prix sera égal à la valeur nominale (il aura un indice de 100). L'obligation se vendra au pair ou à sa valeur nominale (dans l'exemple précédent, ce calcul n'a pas été effectué, mais vous êtes incités à le faire).

La stratégie active et la stratégie passive   La stratégie active consiste à vendre ou à acheter des obligations selon le marché. Par exemple, un obligataire qui prévoit une forte hausse des taux d'intérêt la semaine prochaine aura avantage à vendre aujourd'hui ses fonds d'obligation. En effet, lorsque les taux d'intérêt augmentent, la valeur des obligations diminue, et inversement. Un obligataire qui prévoit une forte baisse pourra attendre que la valeur de ses fonds d'obligation augmente pour les vendre à profit, encaissant ainsi un gain en capital.

En revanche, plusieurs obligataires investissent à long terme pour bénéficier de revenus garantis durant plusieurs années et de la valeur nominale de l'obligation à l'échéance. C'est ce qu'on appelle « stratégie passive ».

La détermination du taux de rendement d'une obligation   Les courtiers proposent souvent aux investisseurs des obligations à un prix déterminé. Par exemple, ils peuvent offrir une obligation dont la valeur nominale est de 5 000 $ au prix de 4 800 $. La seule façon de juger de la justesse de ce prix est d'établir le taux de rendement sur ce titre.

EXEMPLE

Valeur nominale	5 000 $
Valeur des coupons semestriels	200 $ (8 % d'intérêt annuel)
Nombre de périodes	20 (10 ans)
Prix demandé par le courtier	4 800 $

Les données sont les suivantes :

FV = 5 000 $, PMT = 200 $, $n = 20$ semestres, PV = 4 800 $.

Donc, selon la calculatrice, $i = 4.3\%$ (par semestre)

ou $4,3\% \times 2 = 8,6\%$ (par année)

Les obligations à coupons détachés

Depuis le milieu des années 1980, on trouve sur le marché des obligations à coupons détachés (en anglais, *stripped bonds*), presque exclusivement gouvernementales.

C'est la maison de courtage qui décide de détacher les coupons de l'obligation principale. Chaque coupon devient une obligation vendue séparément de l'obligation principale et donne droit au remboursement d'un montant fixe, soit celui qui est indiqué sur le coupon. Cette obligation-coupon est achetée à escompte. Une obligation traditionnelle qui contient 30 coupons devient ainsi une obligation principale de 30 obligations-coupons.

Du point de vue fiscal, la différence entre le prix payé (achat à escompte) et la valeur nominale à l'échéance représente un intérêt et non un gain en capital. Par contre, le gain en capital réalisé par la vente à profit avant la date d'échéance est réduit du montant des intérêts courus et imposés annuellement.

Soulignons que ce type d'investissement est très bien adapté au REER auto-géré, lequel permet d'éviter l'imposition des intérêts.

EXEMPLE

Une grande maison de courtage paie 500 000 $ pour un lot d'obligations de 10 000 $ chacune. Il s'agit d'obligations gouvernementales échéant dans 15 ans avec des coupons semestriels portant intérêt au taux de 10 %. Le taux du marché pour les titres semblables est de 8 %. Émises le 1er juin 2009, ces obligations viennent à échéance le 1er juin 2024. La maison de courtage décide de détacher les coupons de plusieurs de ces obligations, créant ainsi 31 obligations et coupons qui seront vendues séparément.

1. Quelle est la valeur (prix à payer) de l'obligation principale au 1er juin 2009?

2. Quelle est la valeur de l'obligation-coupon n° 1 au 1er juin 2009?

3. Quelle est la valeur de l'obligation-coupon n° 30 au 1er juin 2009?

Solutions

1. Les données sont les suivantes:

$$FV = 10\,000\,\$, \; n = 30 \text{ périodes ou semestres et } i = 4\,\%.$$

   Donc, la calculatrice nous indique PV = 3 083.19 $.

2. Les données sont les suivantes:

$$FV = 500\,\$, \; n = 1 \text{ semestre et } i = 4\,\%.$$

   Donc, la calculatrice nous indique PV = 480.77 $.

3. Comme à la solution 2, mais avec $n = 30$ périodes.

   Donc, la calculatrice nous indique PV = 154.16 $.

Les obligations d'entreprises

Les grandes entreprises canadiennes ont régulièrement recours aux obligations pour faire face à leurs besoins de fonds à long terme. Elles émettent des obligations traditionnelles comme le font les gouvernements, tant au fédéral, au provincial qu'au municipal.

Selon leur situation financière et leurs besoins, ces entreprises émettent de nombreux autres types d'obligations, dont les principales sont décrites ci-dessous.

Les débentures   Les débentures sont des obligations dépourvues de garantie, c'est-à-dire que l'entreprise ne met en gage aucun bien précis. Seule sa réputation de bon payeur tient lieu de garantie.

Les obligations convertibles   Ces obligations peuvent être échangées contre un nombre déterminé d'actions ordinaires de l'entreprise émettrice. En général, l'obligataire bénéficie d'une certaine période pour faire cette transaction, qui s'effectue sans l'entremise d'un courtier, donc sans frais.

Mentionnons que les grandes agences d'évaluation, tel le Dominion Bond Rating Service (DBRS) de Toronto, offrent des indicateurs de qualité pour les titres qu'émettent les diverses entreprises et les gouvernements. Par exemple, les meilleurs titres porteront la mention AAA, AA, A ou BBB. Les titres cotés BB, B ou CCC sont de moindre qualité.

Les actions privilégiées

Les actions privilégiées sont des titres de propriété qui ne comportent en général aucun droit de vote. Elles permettent cependant au détenteur de recevoir des dividendes fixes non liés au profit de l'entreprise. En fait, le terme « privilégié » renvoie à la priorité qu'a le détenteur de ces actions sur les actionnaires ordinaires. Tout comme les obligations, les actions privilégiées reçoivent des cotes qui vont de « qualité supérieure » (P1) à « spéculatives » (P5).

Pour ce qui est du risque, l'action privilégiée se situe entre l'obligation et l'action ordinaire de premier ordre. Elle possède certaines caractéristiques de l'obligation (par exemple, le revenu fixe) et certaines caractéristiques de l'action ordinaire (ce sont des titres de propriété). D'ailleurs, certaines actions privilégiées sont convertibles en actions ordinaires. La majorité des actions privilégiées permettent de recevoir des dividendes cumulatifs ; par conséquent, les dividendes non déclarés sont automatiquement reportés aux exercices financiers futurs et doivent être payés avant que les actionnaires ordinaires ne puissent recevoir des dividendes.

Comme on le sait, les revenus de dividendes font l'objet d'un traitement fiscal particulier en ce qui concerne les revenus d'intérêts (*voir le chapitre 4*).

Les actions de premier ordre

Selon certains analystes financiers, toutes les actions ordinaires, y compris les actions de premier ordre (en anglais, *blue chips*), font partie des placements spéculatifs. Ce point de vue est fort valable, car même les meilleurs titres ont beaucoup fluctué ces dernières années. Sans entrer dans les détails, disons que c'est l'historique de l'action, sa stabilité, son rendement, etc., qui font que celle-ci est de premier ordre, ainsi que son potentiel futur, estimé par certains analystes.

Les fonds négociés en Bourse

Les fonds négociés en Bourse (FNB) sont essentiellement des fiducies de fonds communs de placement dont les parts sont cotées et négociées sur les principaux marchés boursiers, comme n'importe quelle action. Les FNB offrent aux investisseurs tous les avantages des FCP. Les FNB sont aussi appelés « fonds indiciels » ou encore « fonds cotés en Bourse (FCB) ».

Investir dans un FNB indiciel, appelé aussi « placement à gestion passive », consiste à investir dans un groupe d'actions représentant la composition d'un indice général, sectoriel ou international. Ces parts tendent à refléter globalement le cours et le rendement de cet indice. Les FNB permettent donc aux investisseurs d'acheter ou de vendre en un seul titre un portefeuille entier d'actions aussi facilement que s'ils achetaient ou vendaient un titre unique. Ainsi, ils offrent une bonne diversification de titres en un seul.

Le ratio des frais de gestion d'un FNB est bien en deçà de 1 %, alors qu'il peut atteindre de 1,5 à 3 % pour la plupart des fonds communs traditionnels. Par contre, tout comme les actions cotées en Bourse, les FNB comportent des frais de transaction ou frais de commission à verser à un courtier pour l'achat ou la vente des parts à la Bourse. Ces frais s'ajoutent aux frais de gestion et varient de 25 à 125 $ et plus par transaction selon le type de courtier.

Les FNB sur indice sont mieux connus sous les noms anglais de *iShares* et *iUnits*. Au Canada, ils sont produits par trois firmes : Barclays Global Investors, State Street et TD Asset Management. Les FNB les plus connus sont les Diamonds (Dow Jones), les SPDRs (S&P 500) et les XIU (S&P/TSX 60). Les FNB en dollars canadiens sont négociés à la Bourse de Toronto ; ceux en dollars américains le sont à la Bourse américaine (AMEX).

EXEMPLE

Prenons un exemple de FNB, dans lequel vous investissez 1 000 $. On suppose que le taux de rendement est de 9 % ; les frais de gestion sont fictifs.

Avec un FCP :

- Taux de rendement avec un FCP : 6,5 % (9 % – 2,5 % de frais de gestion) ;
- Capital dans 25 ans : 4 827 $ (à 1 $ près).

Avec un FNB :

- Taux de rendement d'un FNB : 8,6 % (9 % – 0,4 %) ;
- Capital dans 25 ans : 7 866 $ (à 1 $ près).

En conclusion, les fonds indiciels négociés en Bourse peuvent offrir à l'investisseur non expérimenté une excellente option si on les compare aux FCP ou encore aux actions en général. Cependant, une trop grande concentration d'un placement dans un FNB peut survenir, car certains indices peuvent servir des secteurs très précis, par exemple l'énergie, les services financiers et les matériaux. Il faut donc surveiller de près la diversification d'un placement dans un ou plusieurs FNB à partir de l'indice de référence.

14.5.3 Les produits financiers spéculatifs (risque moyen à très élevé)

Les actions ordinaires

La très grande majorité des actions offertes sur le marché boursier et sur le marché hors Bourse sont des titres qui vont de « risqués » à « très risqués » (capital de risque). Par contre, ces titres peuvent s'avérer des stabilisateurs de portefeuille s'ils sont conservés à long terme (nous y reviendrons au chapitre suivant). Comme nous l'avons mentionné, ces titres de propriété sont assortis d'un droit de vote.

Examinons brièvement quatre aspects des actions ordinaires :

- Les méthodes d'analyse des marchés boursiers ;
- La valeur intrinsèque d'une action ;
- La vente à découvert ;
- L'achat sur marge.

Les méthodes d'analyse des marchés boursiers Il existe deux grandes méthodes d'analyse des marchés boursiers : l'analyse fondamentale (ou traditionnelle) et l'analyse technique. Sans examiner ces méthodes dans les détails (puisqu'elles sont abordées dans les cours portant sur les placements), précisons que l'analyse fondamentale tient compte de la santé financière de l'entreprise et du secteur d'activité économique dont relèvent les titres. Cette analyse, tant qualitative que quantitative, permet de déduire le potentiel de plus-value boursière. Quant à l'analyse technique, elle repose sur l'offre et la demande des titres. Cette catégorie d'analyse, essentiellement quantitative, qui nécessite l'utilisation de logiciels sophistiqués, s'appuie sur les statistiques boursières.

En effet, il existe aujourd'hui d'excellents logiciels qui permettent à l'investisseur autodidacte d'effectuer des analyses techniques poussées de certains titres boursiers. Plusieurs ouvrages traitent également de l'analyse technique. Par contre, l'analyse fondamentale est très utile pour mieux comprendre l'évaluation de la valeur intrinsèque d'une action.

La valeur intrinsèque d'une action Pour certains investisseurs qui désirent participer activement à la gestion de leur portefeuille, la connaissance d'un modèle général d'évaluation des actions ordinaires est un atout important. En bref, cet examen comprend les étapes suivantes :

- L'analyse de l'environnement économique, de l'industrie et de l'entreprise elle-même ;
- La prévision des bénéfices et des dividendes de l'entreprise ;
- L'estimation de la valeur intrinsèque des actions.

Le modèle le plus couramment employé pour estimer la valeur intrinsèque d'une action est le modèle « ratio cours-bénéfice » (« ratio C-B »). La figure 14.2 illustre l'évolution du ratio C-B de l'action XYZ. Selon de nombreux experts, la première partie de la courbe, qui représente des ratios C-B variant de 30 à 40 au maximum, est recommandable lorsque ces ratios concernent des sociétés dont les dividendes sont en croissance. Il faut être très prudent avec les titres dont les ratios sont au-delà de 40.

FIGURE 14.2 **L'index du ratio cours-bénéfice de l'action XYZ**

MODULE 4

EXEMPLE

L'action RGP se négocie actuellement à 90$ sur le marché boursier, mais le bénéfice par action n'est que de 3$; par conséquent, le ratio C-B est de 30 (90$ ÷ 3$). Il s'agit d'une évaluation à très court terme.

Dans le cas du titre RGP, si l'on prévoit un bénéfice par action de 5$ pour le prochain trimestre, la moyenne historique du ratio C-B pour les 10 dernières années étant de 25, que peut-on déduire au sujet de la valeur intrinsèque du titre pour le prochain trimestre?

Valeur intrinsèque du titre RGP = Ratio C-B (historique) × Bénéfice prévu par action
= 25 × 5$ = 125$

Donc, le titre RGP est sous-évalué à 90$ et constitue un bon achat par rapport aux prévisions. Cet exemple est simplifié, mais il présente bien le concept qui sous-tend l'estimation de la valeur intrinsèque d'un titre boursier. Les spécialistes utilisent plusieurs modèles qui relèvent de l'analyse fondamentale pour confirmer ou infirmer leurs conclusions.

La vente à découvert La vente à découvert consiste à vendre des titres qu'on ne possède pas, mais que l'on a empruntés auprès de la maison de courtage. L'objectif est de racheter ces titres plus tard, à un prix inférieur à celui auquel on les a vendus en premier lieu. C'est donc de la spéculation pure.

L'achat sur marge Pour acheter des titres sur marge, on emprunte une partie de l'argent nécessaire auprès de son courtier. Bien sûr, des frais d'intérêt s'appliquent pour cette opération. La marge est le montant minimal que doit fournir l'investisseur; ce sont les Bourses qui l'établissent. Cette stratégie permet d'accroître le rendement (profit), grâce à l'effet de levier, d'une façon inversement proportionnelle à la marge utilisée. Par exemple, si celle-ci est de 40%, le facteur d'amplification sera de 2,5 (soit 1 ÷ 0,40). Cette stratégie est valable lorsqu'on prévoit une hausse future de la valeur d'un titre. C'est également de la spéculation pure.

Prenons un exemple simple sans tenir compte des intérêts à payer ni des frais de transaction.

EXEMPLE

Sans marge

Le 1er janvier 2006, vous achetez pour 10000$ d'actions ABC qui valent 12000$ au 31 décembre 2006 (un an plus tard). Vous réalisez donc un profit de 2000$ pour un rendement de 20%.

Avec marge

Vous obtenez de votre courtier une marge de 40%. Par conséquent, vous achetez pour 25000$ d'actions ABC (40% × 25000$ = 10000$, soit votre mise de fonds) qui valent toujours, à la fin de l'année, 20% de plus, soit 30000$. Votre profit est de 50%: 5000$ de profit ÷ 10000$ de mise initiale. Vous avez accru le rendement (profit) de 2,5 (20% × 2,5 = 50%).

Voyons maintenant un exemple de l'effet contraire.

EXEMPLE

Si le titre ABC perdait 20% de sa valeur durant la même année, qu'arriverait-il dans les deux situations de l'exemple précédent?

Sans marge

Les actions ABC ne vaudraient plus que 8000$ à la fin de l'année 2006. Vous avez investi 10000$ et vous perdez 2000$, ce qui représente un rendement de –20%.

▶

▷ **Avec marge**

Le montant de 25 000 $ d'actions ABC ne vaudrait plus que 20 000 $ à la fin de l'année 2006. Vous avez investi 10 000 $ et vous subissez une perte de 5 000 $ (25 000 $ − 20 000 $) pour un rendement de −50 %. L'achat accroît la perte dans la même proportion que le profit. Le courtier émettra sûrement un appel de marge vous enjoignant d'augmenter votre mise de fonds. Les titres ABC ayant servi à garantir le prêt, il pourra toujours les liquider pour rétablir la marge au montant minimal. Si l'on tenait compte des frais de transaction et d'intérêt, la situation serait encore plus désavantageuse. L'utilisation de cette stratégie demande donc mûre réflexion.

Les parts de sociétés en commandite

La société en commandite est formée de plusieurs associés qui investissent en vue de réaliser un projet particulier, lequel peut concerner l'immobilier, l'exploitation minière ou la production cinématographique. Certaines de ces sociétés en commandite constituent des abris fiscaux.

Les associés, ou commandités, font démarrer le projet et en assument la gestion. Les commanditaires, quant à eux, apportent le financement supplémentaire en achetant des parts. Une fois le projet réalisé, la société peut être dissoute ; les commandités rachètent alors les parts des commanditaires. Entre-temps, ces parts peuvent avoir pris ou perdu de la valeur selon la réussite du projet. Ainsi, dans le cas d'un film qui n'obtient pas de succès, le commanditaire peut facilement perdre une partie ou la totalité du montant investi.

Les bons de souscription et les droits de souscription

Les bons de souscription (en anglais, *warrants*) constituent une option d'achat offerte par une entreprise (et non par un investisseur indépendant, comme dans le cas des options). Ainsi, l'entreprise permet à ses actionnaires de lui acheter un certain nombre d'actions à un prix fixé d'avance et pour une période déterminée. Ces bons sont habituellement attachés aux obligations ou aux actions privilégiées, ce qui en facilite l'émission. Ils sont généralement négociables, c'est-à-dire qu'ils peuvent être vendus sur le marché secondaire. L'échéance du bon peut varier de 1 à 10 ans.

Les droits de souscription (en anglais, *rights*) constituent une option d'achat offerte par une entreprise à ses actionnaires. Si l'actionnaire possède 1 % des actions, ces droits lui permettent d'acquérir 1 % des actions de la nouvelle émission d'actions liée à l'existence des droits de souscription. Ces droits sont négociables sur le marché secondaire. L'échéance de l'option peut varier de quatre à six semaines.

Les produits dérivés

Comme nous l'avons mentionné au chapitre 1, la restructuration majeure des Bourses canadiennes en 1999 a mené à la fermeture du parquet des actions de la Bourse de Montréal. Celle-ci est devenue la Bourse canadienne des produits dérivés. Le terme « dérivé » s'applique à une gamme étendue de produits de négociation qui ne possèdent pas de valeur réelle, mais qui dérivent plutôt du droit qu'ils donnent à l'investisseur relativement à d'autres produits financiers (des actions, par exemple) ou à d'autres titres non financiers (les viandes, les céréales, etc.).

 Il existe deux grandes catégories de produits dérivés : les options et les contrats à terme. C'est un domaine de très grande spéculation qui utilise, tout comme celui de l'assurance, le principe de transfert du risque comme protection contre les fluctuations de prix du marché. On y trouve donc des spéculateurs (la minorité) qui misent sur la fluctuation de la valeur du produit (l'or, le pétrole, les oranges, le café, les obligations, les devises, etc.) et des producteurs et utilisateurs (la grande majorité) qui veulent se protéger de ces mêmes fluctuations de prix. Pour en apprendre davantage sur les produits dérivés, vous pouvez consulter le site Internet de la Bourse de Montréal. On y présente l'historique de la Bourse et on en décrit le fonctionnement. Vous pouvez aussi visiter le site de formation de la Bourse pour vous renseigner sur les cours portant sur les produits dérivés.

Abordons maintenant brièvement les deux grandes catégories de produits dérivés, soit les options et les contrats à terme.

Les options À la Bourse de Montréal se négocient, entre autres, des options d'achat (en anglais, *call*) et des options de vente (en anglais, *put*). L'option d'achat donne à l'investisseur le droit (mais non l'obligation) d'acheter un titre (une action, par exemple) à un certain prix jusqu'à une date donnée. L'investisseur achète une option d'achat lorsqu'il prévoit une hausse du titre sous option.

EXEMPLE

L'option sur le titre ABC est de juillet/45$ et le prix de l'option est de 3$. Ce titre se négocie actuellement à 47$. Selon cet énoncé:

- le prix de l'option est de 3$;
- l'offre prend fin en juillet;
- le prix d'exercice ou de levée de l'option est de 45$, et non de 47$;
- un lot de 100 options vous coûtera 300$ (3$ × 100 actions).

1. Si le titre ABC vaut 55$ au début de juillet, vous levez l'option et votre profit sera de 7$ l'action (55$ – [45$ + 3$]).

2. Si le titre chute à 40$ au début de juillet, votre perte sera de 300$, soit la prime payée pour le lot de 100 actions. Vous pourriez toujours essayer de revendre l'option avant l'échéance pour éviter cette perte.

L'option de vente donne à l'investisseur le droit de vendre (et non d'acheter) un titre; c'est l'inverse de l'option d'achat. Les caractéristiques de fonctionnement sont semblables dans les deux cas. Si l'investisseur prévoit une baisse de la valeur de l'option sur un produit, il achète celui-ci et exige de le vendre à un prix supérieur à l'option.

Les contrats à terme Les contrats à terme sont des ententes en vertu desquelles un vendeur accepte de livrer un bien à un acheteur. Ces contrats se négocient à la Bourse. Ils représentent une obligation d'acheter ou de vendre un bien financier ou une denrée (du blé, de l'orge, des métaux, etc.). Les contrats à terme comportent une quantité donnée, un prix fixé d'avance et une date d'échéance.

EXEMPLE

Vous êtes producteur de blé et espérez vendre votre récolte au moins 7$ le boisseau en septembre prochain. Cependant, le prix du marché peut très bien atteindre 10$ ou tomber à 5$ le boisseau d'ici septembre. En avril, vous vous protégez en vendant votre récolte à l'avance 7$ le boisseau. Vous avez signé avec votre acheteur un contrat à terme qui vous garantit 7$ le boisseau quoi qu'il advienne.

Les placements dits alternatifs

L'étiquette «alternatif» s'applique à un groupe de placements non traditionnels. Ce groupe englobe en général des placements hautement spéculatifs tels que les fonds de couverture (appelés en anglais *hedge funds*. Ces fonds sont avant tout des entités privées prenant la forme d'une fiducie, d'une société en commandite ou encore d'une société par actions), les placements privés et le capital de risque. Les placements dits alternatifs sont, en règle générale, gérés dans le but de tirer le meilleur parti de la volatilité. En effet, il est connu que de tels placements spéculatifs peuvent réduire la volatilité d'un portefeuille à long terme, car ces fonds ont été conçus pour donner un rendement indépendant de celui des marchés. En effet, leur rendement affiche habituellement une faible corrélation avec les titres traditionnels comme les actions et les obligations, de même qu'avec l'orientation générale des marchés. Cependant, ils nécessitent des mises de fonds assez considérables et, par conséquent, s'adressent à un nombre restreint d'investisseurs.

14.6 Les fonds communs de placement (FCP)

Les fonds communs de placement (FCP) contiennent des produits qui chevauchent toutes les catégories de risque (allant de nul à très élevé). C'est pour cette raison qu'ils sont traités séparément dans cette section. Les fonds communs de placement ou les organismes de placement collectif (OPC) sont des véhicules financiers dont le réservoir de capitaux est constitué d'un ensemble d'investissements administré par un gestionnaire de portefeuille.

On fait référence ici aux fonds que vendent les sociétés d'investissement à capital variable (SICAV). Ces sociétés sont constituées comme des fiducies. Ces fonds, nommés FCP ou OPC, peuvent être achetés et vendus au gré du client. Ce dernier peut acquérir des parts d'un FCP auprès d'une banque, d'une caisse populaire ou d'une fiducie, ou même directement auprès du producteur du fonds. L'acheteur doit toujours s'enquérir des frais exigés (frais d'acquisition, de gestion, de retrait, etc.). Par ailleurs, il peut acheter des parts d'un FCP en passant par un courtier traditionnel ou à escompte ; dans ce cas, une commission s'ajoute évidemment aux autres frais.

Le principe des FCP ou OPC est simple : les détenteurs de parts d'un fonds sont propriétaires de ce fonds au prorata du capital qu'ils y ont investi.

Parmi les nombreuses raisons qui ont motivé les consommateurs avertis à investir dans les FCP, plus particulièrement depuis le début des années 1990, on peut citer celles-ci :

- Les mises de fonds peuvent être périodiques et minimes ;
- La complexité grandissante des produits financiers ;
- La volonté de mieux préparer sa retraite ;
- La diversification du portefeuille ;
- L'attrait d'un meilleur rendement lorsque les taux d'intérêt sont relativement bas ;
- La gestion professionnelle des FCP commercialisés par les établissements financiers établis et la majorité des ordres professionnels ;
- Une population de tout âge qui recherche des placements offrant de bons rendements ;

- L'accessibilité des FCP, qui peuvent être achetés ou vendus auprès de la majorité des établissements financiers ;
- Le grand choix de fonds ; il en existe pour tous les goûts et toutes les bourses.

Depuis 1995, la popularité grandissante des FCP a suscité la normalisation des diverses catégories de fonds. En 2011, au Canada, on en trouve des milliers dans de très nombreuses catégories. À eux seuls, les fonds d'actions couvrent une douzaine de catégories comprenant les fonds d'actions canadiennes, les fonds d'actions américaines, les fonds d'actions européennes, etc.

La classification suivante est établie en fonction du niveau de risque des fonds. Bien qu'elle soit élémentaire, elle illustre tout de même le vaste choix de fonds qui s'offre à l'investisseur :

- **Les fonds sûrs (risque allant de nul à très faible) :**
  - Les fonds du marché monétaire ;
- **Les fonds partiellement sûrs (risque allant de faible à moyen) :**
  - Les fonds d'obligations ;
  - Les fonds d'hypothèques ;
  - Les fonds équilibrés (surtout axés sur le revenu) ;
  - Les fonds équilibrés pondérés (qui contiennent environ 60 % d'obligations) ;
- **Les fonds spéculatifs (risque allant de moyen à élevé) :**
  - Les fonds équilibrés axés sur la croissance ;
  - Les fonds indiciels ;
  - Les fonds d'actions en général ;
  - Les fonds de science et technologie ;
  - Les fonds internationaux ;
  - Les fonds de ressources.

Aujourd'hui, on peut se procurer des portefeuilles de fonds, ou fonds de fonds (en anglais, *wrap funds*). En fait, il s'agit d'un compte intégré qui regroupe un ensemble de fonds diversifiés, incluant les services-conseils de gestion de portefeuille accompagnés de rapports détaillés, qui tracent l'évolution des fonds et le processus de rééquilibrage, s'il y a lieu. Ce type de portefeuille de fonds communs est de plus en plus populaire au Canada.

Les FCP sont en train de devenir le véhicule préféré d'un très grand nombre d'investisseurs, leur popularité ne cessant de croître. Plusieurs études américaines révèlent que les acheteurs de FCP ont des revenus élevés et sont en général très scolarisés. Ces fonds peuvent aussi être inclus dans des régimes enregistrés tels que le REER, le FERR et le CELI. Sur le plan fiscal, les revenus produits par ces fonds enregistrés (intérêts, dividendes et gains en capital) ne sont pas imposables tant qu'ils ne sont pas retirés. Cependant, au moment du retrait, les intérêts gagnés, les dividendes déclarés et les gains en capital perdent leur nature et le retrait devient entièrement imposable.

Il en va autrement si les fonds ne sont pas enregistrés. En effet, les administrateurs calculent les intérêts réalisés par le fonds ainsi que les dividendes canadiens et étrangers et les gains en capital. L'investisseur devra déclarer sa part de revenus exactement comme s'il avait reçu les montants directement et, bien sûr, il devra payer les impôts exigibles.

Un portefeuille de fonds communs ne devrait pas être trop diversifié ; il peut contenir cinq ou six fonds au maximum.

Conclusion

Depuis le début des années 1990, la croissance de l'industrie financière est phénoménale. De plus en plus de consommateurs se soucient de leur indépendance financière et se renseignent sur les produits financiers. Pour ce faire, ils ont maintenant accès à plusieurs publications québécoises de qualité, notamment celles des établissements financiers, qui offrent une foule de brochures informatives. Ils peuvent également consulter les nombreux professionnels, qui sont toujours plus qualifiés. Enfin, beaucoup d'investisseurs ont subi l'influence de la venue d'Internet.

Le comportement à la baisse des marchés financiers, de l'été 2000 à l'été 2001, en 2008 et à l'automne 2011, a montré aux investisseurs que spéculation et investissement ne vont pas toujours de pair. Les professionnels du milieu financier ont joué un rôle important durant cette période en rappelant à leurs clients les règles de base d'une saine gestion de portefeuille. C'est d'ailleurs le propos du chapitre suivant.

 Pour mieux comprendre le contenu de ce chapitre (et du chapitre 15 qui suit), vous pouvez consulter le site Internet de l'AMF, lequel offre une gamme de renseignements pertinents sur le vaste sujet de l'investissement. Vous aurez accès à de nombreux dépliants et brochures concernant l'investissement, dont celle intitulée « Maîtrisez vos placements » (Autorité des marchés financiers, 2010). Ainsi vous pourrez connaître votre profil d'investisseur, ce qui vous servira au chapitre suivant.

MÉDIAGRAPHIE

Page 352

Groupe TMX, www.tmx.com

Banque nationale du Canada, www.bnc.ca via Taux et analyses > Revue des marchés

Page 353

Épargne Placements Québec, www.epq.gouv.qc.ca

Page 355

Association canadienne des compagnies d'assurances de personnes inc., www.clhia.ca via Pour les consommateurs > Publications destinées aux consommateurs > Éléments-clés des contrats à fonds distincts

Page 365

Bourse de Montréal, www.m-x.ca

Page 369

Autorité des marchés financiers, www.lautorite.qc.ca via Section pour les consommateurs > Publications

Références

Autorité des marchés financiers (2010). *Maîtrisez vos placements*. Récupéré de www.lautorite.qc.ca/files//pdf/publications/conso/investissement/AMF-maitrisez-finances-personnelles.pdf

Girard, M. (2008). Les billets boursiers sont-ils en danger? *Cyberpresse*. Récupéré de lapresseaffaires.cyberpresse.ca/opinions/chroniques/200901/09/01-692299-les-billets-boursiers-sont-ils-en-danger.php

MODULE 4

QUESTIONS DE RÉVISION

1. Quelle est la différence entre un produit financier et un véhicule financier?

2. Décrivez brièvement les grandes caractéristiques des produits financiers.

3. En quoi consiste la relation existant entre le risque et le rendement?

4. Quelle classification a-t-on utilisée pour décrire les produits financiers? Expliquez-en les grandes lignes.

5. Décrivez brièvement les grands marchés financiers du Canada.

QUESTIONS DE RÉVISION *(suite)*

6. Expliquez la différence entre le marché boursier primaire et le marché boursier secondaire. Quel est le rôle du courtier sur le marché secondaire?

7. En quoi consiste le marché hors Bourse? Quel est le produit principal négocié sur ce marché?

8. Nommez trois différences importantes entre les obligations d'épargne et les obligations traditionnelles des gouvernements.

9. En quoi consistent les bons du Trésor? Comment évalue-t-on leur rendement?

10. Comment fonctionnent les CPG boursiers? Les billets liés?

11. Comment fonctionnent les obligations à coupons détachés?

12. Que signifie l'expression « valeur intrinsèque d'une action » ?

13. En quoi consiste le marché des produits dérivés?

14. Nommez les principaux avantages des fonds communs de placement (FCP). Pourquoi certains investisseurs y voient-ils des inconvénients?

15. En quoi consistent les fonds distincts?

EXERCICES

1. Un bon du Trésor d'une valeur nominale de 10 000 $ vient à échéance dans 98 jours. Il se vend 9 850 $ sur le marché secondaire.

a) Quel est son taux de rendement périodique?

b) Quel est son taux de rendement nominal annuel?

c) Quel est son taux de rendement effectif annuel?

Note : Pour effectuer ces calculs, utilisez la calculatrice avec deux décimales.

2. Votre client a acheté, il y a plusieurs années, un bon du Trésor de 10 000 $ et de 91 jours qu'il avait payé exactement 9 911,30 $. Il vous demande de calculer les taux de rendement suivants :

a) Le taux de rendement périodique;

b) Le taux de rendement nominal.

3. Une grande firme de courtage a acheté un lot de deux millions de dollars d'obligations du gouvernement canadien. Les obligations, de 50 000 $ chacune, viennent à échéance dans 12 ans, et leurs coupons affichent un taux annuel de 7 %. Les intérêts sur les coupons sont versés semestriellement. La majorité de ces obligations seront vendues avec leurs coupons, un certain nombre l'étant avec les coupons détachés. Ainsi, la firme de courtage pourra créer 24 nouvelles obligations-coupons de 1 750 $ chacune, avec des dates d'échéance variant de 6 mois à 12 ans, en plus de l'obligation principale de 50 000 $.

Considérons en premier lieu les obligations traditionnelles.

a) Si le taux de rendement nominal capitalisé 2 fois par année qu'exige le marché est de 8 %, quelle est la valeur actuelle (PV) de ces obligations de 50 000 $?

b) Si le taux de rendement exigé par le marché est de 6 %, quelle est la PV?

c) Si le taux passe à 10 %, quelle est la PV?

d) Si le taux exigé s'établit à 7 %, quelle est la PV?

Considérons maintenant les obligations à coupons détachés et supposons que le taux de rendement nominal capitalisé 2 fois par année exigé par le marché est de 12 %.

e) Quelle est la valeur actuelle de l'obligation principale?

EXERCICES *(suite)*

f) Quelle est la valeur actuelle du premier coupon?

g) Quelle est la valeur actuelle du dernier coupon?

Note: Pour effectuer les exercices 4 et 5, vous devez avoir lu le dossier se trouvant à la fin de ce chapitre.

4. L'action de l'entreprise Blanchet valait 35 $ le 1er janvier 2010. Au 30 juin 2010, elle avait atteint 40 $, au moment même où l'entreprise déclarait un dividende de 4,10 $ par action. Quel est le taux de rendement périodique (six mois) pour cette action?

5. Une cliente vous consulte en tant que planificateur financier au sujet de son portefeuille. Elle hésite entre quatre fonds communs de placement qui sont tous des fonds d'actions canadiennes. Elle recherche le rendement le plus élevé possible, mais veut minimiser son risque. Elle vous montre le tableau suivant:

Fonds	Rendement moyen (sur 5 ans)	Écart type
A	8 %	±15 %
B	15 %	±10 %
C	15 %	±12 %
D	10 %	± 5 %

Quel fonds lui recommanderez-vous?

6. Calculez la valeur du coupon au taux de 10 % capitalisé semestriellement et dont la valeur nominale de l'obligation est de 5 000 $.

7. Calculez la valeur actuelle de l'obligation dans les quatre situations décrites. La valeur nominale est de 5 000 $, le taux de coupon est de 8 % capitalisé semestriellement et le taux de rendement exigé par les investisseurs est de 10 % capitalisé semestriellement.

a) Échéance dans 5 ans;

b) Échéance dans 7 ans;

c) Échéance dans 10 ans;

d) Échéance dans 15 ans.

8. Calculez le prix d'une obligation dont le taux de rendement exigé est de 8 % capitalisé semestriellement, dont l'échéance est de 15 ans et dont la valeur nominale est de 1 000 $, sachant qu'elle est rachetable au pair et que son taux de coupon est de:

a) 10 % capitalisé semestriellement;

b) 6 % capitalisé semestriellement;

c) 8 % capitalisé semestriellement.

9. Vous décidez d'acheter un coupon semestriel qui vaudra 500 $ dans 6 ans. Si vous exigez un taux de rendement de 8 % capitalisé semestriellement, quel prix paierez-vous ce coupon?

10. Vous désirez acheter uniquement la valeur de rachat d'une obligation de 5 000 $ (obligation à coupons détachés) qui vient à échéance dans 8 ans. Quel montant devrez-vous débourser si vous exigez un taux de rendement de 8 % capitalisé semestriellement?

MODULE 4

SOLUTIONS AUX EXERCICES

1. a) Taux de rendement périodique pour
98 jours $= ((10\,000 - 9\,850) \div 9\,850) = 1{,}52\,\%$
(décimales non retenues)

b) Taux de rendement nominal annuel[1] $=$
$1{,}52 \times (365 \div 98) = 5{,}66\,\%$

c) Taux de rendement effectif annuel : 5,79 %

Les données sont les suivantes :

$PV = 9\,850\,\$$, $FV = 10\,000\,\$$ et $n = 0{,}26849$
(98 divisé par 365)

Donc $i = 5{,}79\,\%$

2. a) Taux de rendement périodique :

$((10\,000 - 9\,911{,}30) \div 9\,911{,}30) = 0{,}89\,\%$

b) Taux de rendement nominal :

$0{,}89 \times (365 \div 91) = 3{,}57\,\%$[2]

3. Les obligations traditionnelles avec coupons

a) Les données sont les suivantes :

$FV = 50\,000\,\$$, $PMT = 1\,750\,\$$, $n = 24$
semestres et $i = 4\,\%$

Donc, la calculatrice nous indique
$PV = 46\,188.26$.

L'obligation se vend à escompte parce que le taux du marché (8 %) est supérieur à celui des coupons (7 %).

b) $PV = 54\,233{,}89\,\$$. L'obligation se vend à prime, car le taux du marché (6 %) est inférieur à celui des coupons (7 %).

c) $PV = 39\,651{,}02\,\$$. L'obligation se vend à escompte, car le taux exigé (10 %) est supérieur à celui des coupons (7 %).

d) $PV = 50\,000\,\$$. L'obligation se vend au pair, donc à sa valeur nominale, car les deux taux sont identiques (7 %).

S'il s'agit d'obligations à coupons détachés :

e) PV de l'obligation principale

Les données sont les suivantes :

$FV = 50\,000\,\$$, $n = 24$ semestres et $i = 6\,\%$

Donc, la calculatrice nous indique
$PV = 12\,348.93\,\$$.

f) PV du premier coupon

Les données sont les suivantes :

$FV = 1\,750\,\$$, $n = 1$ semestre et $i = 6\,\%$

Donc, la calculatrice nous indique
$PV = 1\,650.94\,\$$.

g) PV du dernier coupon

Les données sont les suivantes :

$FV = 1\,750\,\$$, $n = 24$ semestres et $i = 6\,\%$

Donc, la calculatrice nous indique
$PV = 432.21\,\$$.

4. La formule est la suivante :

Taux de rendement périodique
$= \dfrac{40-35}{35} + \dfrac{4{,}10}{35} = 26\,\%$

5. Le fonds B, car il offre le rendement le plus élevé pour le risque (écart type) le plus bas.

6. $5\,000 \times 10\,\% \div 2 = 250\,\$$

7. Valeur nominale 5 000, rendement exigé 10 %, $i = 5\,\%$, coupons 200

a) $i = 5\,\%$, $n = 10$

Table IV	$613{,}91 \times 5 =$	3 069,55
Table VII	$7\,721{,}73 \times \frac{200}{1\,000} =$	1 544,35
		4 613,90

b) $i = 5\,\%$, $n = 14$

Table IV	$505{,}07 \times 5 =$	2 525,35
Table VII	$9\,898{,}64 \times \frac{200}{1\,000} =$	1 979,73
		4 505,08

---

1. Il s'agit du taux annoncé dans la presse financière.

2. Si nous utilisions la calculatrice en conservant les décimales, la réponse finale serait 3,59 % au lieu de 3,57 %.

SOLUTIONS AUX EXERCICES *(suite)*

c) $i = 5\%$, $n = 20$

⊞ Table IV $\quad$ 376,89 × 5 = $\qquad$ 1 884,45

$\quad$ Table VII $\quad$ 12 462,21 × $\frac{200}{1\,000}$ = $\quad$ 2 492,44

$\hspace{9cm}$ 4 376,89

d) $i = 5\%$, $n = 30$

⊞ Table IV $\quad$ 231,38 × 5 = $\qquad$ 1 156,90

$\quad$ Table VII $\quad$ 15 372,45 × $\frac{200}{1\,000}$ = $\quad$ 3 074,49

$\hspace{9cm}$ 4 231,39

8. Valeur nominale 1 000, rendement exigé 8%, $i = 4\%$, échéance 15 ans, $n = 30$

a) $i = 4\%$, $n = 30$

⊞ Table IV $\hspace{4cm}$ 308,32

$\quad$ Table VII $\quad$ 17 292,03 × $\frac{50}{1\,000}$ = $\quad$ 864,60

$\hspace{9cm}$ 1 172,92

b) $i = 4\%$, $n = 30$

⊞ Table IV $\hspace{4cm}$ 308,32

$\quad$ Table VII $\quad$ 17 292,03 × $\frac{30}{1\,000}$ = $\quad$ 518,76

$\hspace{9cm}$ 827,08

c) $i = 4\%$, $n = 30$

⊞ Table IV $\hspace{4cm}$ 308,32

$\quad$ Table VII $\quad$ 17 292,03 × $\frac{40}{1\,000}$ = $\quad$ 691,68

$\hspace{9cm}$ 1 000

9. Échéance 6 ans, $n = 12$, taux de rendement exigé 8 %, $i = 4\%$

⊞ Table IV, $i = 4\%$, $n = 12$

$\quad$ 624,60 × $\frac{500}{1\,000}$ = 312,30

10. Échéance 8 ans, $n = 16$, taux de rendement exigé 8 %, $i = 4\%$

⊞ Table IV, $i = 4\%$, $n = 16$

$\quad$ 533,91 × 5 = 2 669,55

MODULE 4

La mesure du rendement et du risque

Plan

Introduction
Les rendements passés ou historiques d'un titre
Le rendement périodique d'un titre
Le rendement futur, exigé ou espéré d'un titre
L'évaluation du risque financier

Introduction

La figure 14.1 (*voir la page 350*) illustre la délicate relation existant entre le rendement espéré de certains titres (bons du Trésor, obligations, actions, etc.) et le risque prévu quant à la réalisation de ce rendement. Nous verrons l'importance de cette relation au chapitre suivant portant sur la gestion de portefeuille. En effet, des titres qui sont considérés comme risqués ou volatils peuvent devenir, à long terme, des éléments stabilisateurs d'un portefeuille bien diversifié.

Le rendement espéré est celui qui est exigé par le marché à un moment donné. Par exemple, il ne s'agit pas du rendement qu'exige un investisseur visant un taux de 20 % alors que le marché pour ce titre est de l'ordre de 8 %. Une certaine dose de réalisme s'impose. Les questions abordées dans ce dossier se résument à l'évaluation de certains aspects particuliers du rendement d'un titre ou du risque qui y est lié. On cherche donc à savoir comment évaluer :

- les rendements passés ou historiques d'un titre ;
- le rendement périodique d'un titre ;
- le rendement exigé d'un titre ;
- le risque d'un titre.

Ce dossier vous permettra aussi de mieux comprendre ces questions au regard d'un portefeuille qui contient de nombreux titres.

Les rendements passés ou historiques d'un titre

L'évaluation des rendements passés d'un titre nécessite l'analyse financière des performances passées de ce titre sur une période allant si possible de 5 à 10 ans. Prenons l'exemple du titre ABC, action qui n'a que quatre années d'existence. Le tableau suivant donne le rendement réalisé durant ces quatre premières années.

Année	Rendement
2007	18 %
2008	6 %
2009	26 %
2010	−34 %

La moyenne arithmétique des rendements révèle un rendement moyen (Rm) de 4 % (16 % ÷ 4). Lorsqu'un titre est très volatil (avec une forte variation du rendement), comme l'action ABC, le rendement moyen n'est pas très utile. Plusieurs analystes financiers se servent de la moyenne géométrique (Rg)[1], car elle mesure le rythme moyen de la richesse d'un investisseur en tenant compte du rendement composé, ce que ne fait pas la moyenne arithmétique.

Le rendement périodique d'un titre

Comment avons-nous évalué les différents rendements périodiques présentés dans le tableau précédent ? Reprenons l'exemple de l'action ABC pour 2007, alors qu'elle affichait un rendement de 18 %,

$$Rp = \frac{P2-P1}{P1} + \frac{D}{P1}$$

où Rp renvoie au rendement périodique du titre (ici, la période est d'une année, mais il pourrait s'agir d'une semaine ou d'un mois) ;

---

1. Rg = ([1 + 0,18] [1 + 0,06] [1 + 0,26] [1 + (−0,34)])$^{1/4}$ − 1 = environ 1 %

P1 = le prix du titre au début de la période ;

P2 = le prix du titre à la fin de la période ;

D = le dividende (parce qu'il s'agit d'une action, mais il pourrait tout aussi bien désigner l'intérêt d'une obligation d'épargne ; D représente donc le revenu que l'on prévoit recevoir en fin de période).

Dans le cas de l'action ABC, on donne l'information suivante :

P1 = le prix du titre au début de 2006 : 40 $;

P2 = le prix du titre à la fin de 2006 : 43,20 $;

D = le dividende (en fin de période) : 4 $.

$$Rp = \frac{43,20 - 40}{40} + \frac{4}{40}$$

$$= 8\% + 10\%$$

$$= 18\%$$

C'est une approximation très valable pour l'objectif qui est poursuivi. Dans le cas présent, nous n'avons pas pris en considération les frais de transaction ni le traitement fiscal du rendement ainsi déterminé.

Prenons le cas d'une obligation d'épargne qui rapporterait 8 % par année. La même formule s'applique, mais, ici, P2 = P1 (l'obligation d'épargne payée 100 $ vaut toujours 100 $ au bout d'une année, plus, bien sûr, les intérêts de 8 $). Dès lors, son rendement périodique (une année) se calcule comme suit :

$$Rp = \frac{8\$}{10\$} = 8\% \text{ pour un an}$$

Le calcul du rendement réel

Note : Ce sujet a été abordé en détail au chapitre 3. Il est présenté simplement ici à titre d'aide-mémoire.

L'approche pratique

Si l'inflation pour cette année était de 3 %, le taux de rendement réel ne serait que de 5 % avant impôts (8 % − 3 %). Au taux d'imposition marginal de 40 %, le rendement réel après impôts ne serait que de 1,8 % :

Rendement	8 %
Moins : Impôt (40 %)	3,2 %
Rendement net	4,8 %
Moins : Inflation	3,0 %
Rendement réel	1,8 %

L'approche théorique

$$\text{Rendement réel} = \frac{1 + \text{taux de rendement}}{1 + \text{taux d'inflation}} - 1$$

$$\text{Rendement réel} = \frac{1 + 0,048}{1 + 0,03} - 1 = 1,75\%$$

Le rendement futur, exigé ou espéré d'un titre

On pourrait difficilement se servir du premier tableau pour évaluer les rendements futurs de l'action ABC, car la moyenne arithmétique n'est valable que si les rendements passés sont très stables d'année en année, ce qui n'est pas le cas ici. La solution serait d'utiliser une distribution de probabilités. Les probabilités peuvent être objectives ou subjectives. Elles sont objectives si elles sont basées sur l'analyse des rendements passés (une dizaine d'années). On détermine ainsi qu'un titre a eu, par le passé, 30 % de probabilité de produire un rendement de 5 %, par exemple. Les probabilités subjectives proviennent d'estimations fournies par des experts à la suite d'une certaine analyse technique. Le tableau suivant montre les probabilités objectives pour le titre XYZ, très ancien titre qui s'accompagne donc de nombreuses données financières. Une distribution de cinq données est suffisante.

Rendement	Probabilité
−25 %	20 %
−10 %	15 %
5 %	30 %
15 %	20 %
25 %	15 %
	100 %[1]

(1) Le total doit toujours donner 100 %.

Le rendement espéré (Re) du titre XYZ pour l'année qui vient se calcule ainsi :

$$Re = (0,20)\,(20,25) + (0,15)\,(20,10)$$
$$+ (0,30)\,(0,05)$$
$$+ (0,20)\,(0,15) + (0,15)\,(0,25)$$
$$= 1,75\,\%.$$

L'évaluation du risque financier

L'écart type est la mesure par excellence du risque, donc de la volatilité. C'est une mesure de dispersion avec laquelle la plupart des étudiants sont familiers. Par exemple, un professeur donne la moyenne d'un examen (70 %) en fournissant également l'écart type (10 %). Plus l'écart type est élevé, plus les notes sont éloignées de la moyenne (donc de l'espérance mathématique). C'est en fait la variance que l'on mesure, l'écart type correspondant à la racine carrée de cette variance. Les logiciels tel Excel permettent d'effectuer ces calculs très rapidement. Sans entrer dans les détails, disons que l'écart type pour le titre XYZ du tableau à la page précédente serait de 16,8 %[2], ce qui indique une assez grande volatilité, donc une grande variabilité. Selon la courbe normale (écart type de 1 ou 2, ou 68 chances sur 100) pour l'année à venir, le rendement du titre XYZ pourrait varier de 18,55 % (1,75 % + 16,8 %) à 215,05 % (1,75 % − 16,8 %).

Nous verrons au chapitre suivant qu'il est possible de réduire l'écart type (ou le risque total) d'un portefeuille au moyen de la diversification des titres.

---

2. Variance = $0,20\,(-0,25 - 0,0175)^2 + 0,15\,(-0,10 - 0,0175)^2 + 0,30\,(0,05 - 0,0175)^2 + 0,20\,(0,15 - 0,0175)^2 + 0,15\,(0,25 - 0,0175)^2$

= 0,02832… et écart type = racine carrée de cette variance = 0,1682 ou 16,8 %.

L'immobilier

Plan

Introduction
La résidence principale
L'immeuble de location

Introduction

Dans cet ouvrage, la résidence familiale est abordée dans plusieurs modules de la planification financière personnelle, notamment dans les modules « La gestion budgétaire », « Les placements » et « La planification successorale ». Mais l'immobilier, tant personnel que locatif, n'est pas un module de la planification financière. La résidence personnelle (que ce soit en tant que locataire ou propriétaire) fait partie de la vie de presque tous. La mission principale d'un duplex ou d'un triplex est d'abord et avant tout d'être un lieu de résidence familiale. Par ailleurs, le propriétaire pourra compter sur les loyers de quelques locataires pour rentabiliser son investissement, et ce, sans trop investir de son temps dans la gérance d'un tel « immeuble ».

Il en va autrement de l'immeuble locatif de plus grande envergure. Comme nous le verrons, son administration demande du temps, à un point tel que si plusieurs immeubles sont en jeu, il est nécessaire de retenir les services d'un administrateur professionnel. Nous pourrions qualifier l'immeuble locatif d'actif « actif » par rapport à un compte d'investissement qui, même s'il demande un certain suivi, est un actif « passif ». Cette différence est primordiale pour de nombreux professionnels qui préfèrent gérer des comptes « passifs », leur vie professionnelle étant déjà assez bien remplie.

Dans les sections qui suivent, nous aborderons brièvement la résidence principale et l'immeuble locatif.

La résidence principale

L'expression « résidence principale » désigne la résidence familiale occupée par le propriétaire : une maison unifamiliale (bungalow ou cottage, par exemple), un duplex, un triplex ou encore un logement en copropriété.

L'achat d'une résidence principale représente beaucoup plus un choix de style de vie qu'une décision d'investissement fondée sur l'évaluation des avantages financiers de l'achat par rapport à ceux de la location. L'acheteur doit donc déterminer ses besoins actuels et futurs en tenant compte, par exemple, des éléments suivants : le trajet jusqu'au travail, la proximité des écoles, des parcs et des centres commerciaux.

L'achat d'une maison constitue un investissement à long terme. Contrairement aux autres biens de consommation, telle une auto, dont la valeur se déprécie d'année en année, une résidence tend à prendre de la valeur si la conjoncture est normale. En théorie, on estime que la valeur d'une maison augmente approximativement au rythme de l'inflation. De fait, bien d'autres variables entrent en ligne de compte. De manière générale, la valeur d'une maison bien située et bien entretenue augmente sensiblement à long terme. Pour de nombreuses personnes, l'achat d'une maison représente l'opération financière la plus importante de leur vie. Par ailleurs, comme nous l'avons souligné dans certains des chapitres précédents, c'est un investissement dans un actif encadreur de la qualité de vie, un actif de style de vie qui a toute sa raison d'être pour autant qu'il est bien équilibré par rapport à l'investissement dans des actifs productifs ou générateurs de revenus permettant d'alimenter la qualité de vie à la retraite.

Dans le dossier 12.3 (*voir la page 306*), nous soulevions également un point important : les coûts liés à la possession d'une maison sont généralement sous-estimés. Ils englobent en effet les coûts d'entretien normal, les réparations et les rénovations majeures. Les conséquences liées à cette sous-estimation peuvent souvent s'avérer désastreuses.

L'investissement dans une résidence

L'investissement dans une résidence soulève deux obstacles majeurs, auxquels les acheteurs doivent faire face :

- **La mise de fonds initiale** – Il n'existe pas de normes précises afin de déterminer la mise de fonds initiale, laquelle se situe habituellement entre 5 et 25 % du prix d'achat de la maison. Comme nous l'avons démontré à plusieurs reprises aux chapitres précédents, les intérêts payés sur les hypothèques sont très élevés après plusieurs années. Une mise de fonds initiale maximale, pourvu qu'elle s'insère dans un plan intégré sur plusieurs années, et un remboursement rapide du solde hypothécaire sont donc préférables. Outre la mise de fonds initiale, il est très important d'évaluer avec le plus de précision possible les frais de démarrage (par exemple, les frais juridiques, l'arpentage, l'aménagement intérieur et extérieur de la nouvelle maison).

- **La capacité de payer** – La majorité des analystes recommandent que le montant consacré au logement (remboursement d'hypothèque, impôt foncier [taxes municipale et scolaire], frais d'entretien, assurance, chauffage et électricité) ne dépasse pas 32 % du revenu net. Il s'agit d'une norme parfaitement valable, car il est nécessaire que les versements hypothécaires ne mettent pas en péril les autres objectifs fixés par le client. Cependant, plusieurs établissements financiers utilisent les indices ABD et ATD pour mesurer la capacité à payer du client (_voir la sous-section 8.1.3_).

L'achat ou la location

Est-il préférable d'acheter ou de louer son logement ? Le problème est multidimensionnel et doit tenir compte de plusieurs éléments :

- Le style de vie recherché ;
- La capacité financière d'acheter la maison désirée et de maintenir la qualité de vie ;
- Le nombre de personnes (adultes et enfants) ;
- Le type d'investissement recherché.

Nous avons comparé l'achat d'une maison unifamiliale à la location d'un logement. La maison achetée est hypothéquée sur 20 à 25 ans. Le coût d'habitation comprend les versements hypothécaires (dont une portion représente le capital), l'impôt foncier (taxes municipale et scolaire), l'assurance, le chauffage, l'électricité, l'entretien principal annuel et parfois le transport si la résidence est située en banlieue. Pour ce qui est du logement, au loyer s'ajoutent l'assurance, l'entretien, le chauffage et l'électricité. Toutes les dépenses sont indexées à 4 %, mais les versements hypothécaires restent fixes.

Deux constatations majeures ressortent :

- La première est qu'au bout de 20 à 25 ans, les débours de l'un et de l'autre sont à peu près équivalents. L'hypothèque étant réglée, le propriétaire voit ses débours diminuer considérablement, ce qui l'avantage ;

- La deuxième constatation, peut-être plus importante, est que si le locataire investit les écarts annuels favorables (vu ses débours moindres que ceux d'un propriétaire) durant ces 20 à 25 années, les capitalisations finales obtenues par l'un ou l'autre sont sensiblement identiques si l'on compare la plus-value de la maison au fonds accumulé par le locataire. Par ailleurs, on ne peut supposer que le locataire soit suffisamment discipliné pour épargner les écarts monétaires qui lui sont favorables et les investir pendant 20 ou 25 ans d'une façon efficace.

En général, l'achat d'une maison constitue un excellent investissement et, dans de nombreux cas, permet de réaliser un rêve personnel ou familial. Cependant, ce n'est pas le style de vie recherché par tous. Pour de nombreuses personnes, la location d'un logement leur procure une certaine liberté d'action tout en leur permettant d'investir selon leurs goûts et leurs aptitudes. Signalons aussi que plus la résidence est coûteuse, plus il est difficile de trouver un équivalent acceptable en guise de logement et plus ce dernier est proportionnellement onéreux.

La valeur d'une résidence principale

La loi économique de l'offre et de la demande détermine le prix d'une maison. Plus la demande est forte, plus la maison prend de la valeur. De nombreux facteurs jouent sur l'offre et la demande d'une maison, donc sur la valeur de la propriété. Ils peuvent être groupés en trois points principaux :

- **L'emplacement** – Tous les courtiers immobiliers affirment que l'élément primordial de la valeur d'une propriété est son emplacement. Dans certains quartiers, la demande pour les maisons est très forte et le stock immobilier est de plus grande valeur ;

- **La qualité intrinsèque de la résidence** – Celle-ci concerne la construction et l'attrait de la maison. Les éléments importants portent sur la fondation, l'apparence, l'année de construction, la qualité des matériaux utilisés et le cachet particulier ;

- **La conjoncture économique** – La vigueur de l'économie et les taux d'intérêt influent aussi sur la valeur d'une propriété. Durant une période où les taux d'intérêt sont élevés ou en période de récession économique, par exemple, les maisons sont plus difficiles à vendre, ce qui a pour effet de faire diminuer leur valeur marchande. Pour les personnes qui vendent leur propriété afin d'en acheter une autre, ce point est de moindre importance, car la vente et l'achat portent sur des montants moins élevés.

La disposition d'une résidence familiale

La disposition d'une résidence familiale n'est pas considérée comme un gain en capital ; elle n'entraîne donc aucun impôt à payer. Cependant, dans le cas d'un duplex ou d'un triplex, la portion louée est assujettie au gain en capital de la même façon que pour un immeuble de location.

L'immeuble de location

L'immeuble de location constitue un instrument financier du marché immobilier. Il existe plusieurs façons d'investir dans l'immobilier : seul, avec des associés ou au moyen d'une fiducie de placement immobilier. Ce type de fiducie fait des placements immobiliers de tous genres (pour les constructions, les hypothèques et les terrains). La constitution légale peut devenir un véhicule d'investissement immobilier, surtout pour l'investisseur spécialisé.

Si l'immobilier a généralement permis à de nombreux investisseurs de juguler l'inflation et de faire des gains en capital intéressants, il faut aussi signaler les revers de situation très coûteux en cas d'achat malencontreux ou de crise économique.

Un principe fondamental s'applique : cette catégorie d'investissement, allant de partiellement spéculatif à spéculatif, doit s'insérer dans une politique prioritaire de placement. Un acheteur unique peut toujours revendre l'immeuble, mais les parts d'une fiducie de placement immobilier sont plus difficiles à vendre. Lorsqu'il s'agit d'une convention immobilière à laquelle plusieurs associés participent, la revente d'une partie indivise de la propriété s'avère également difficile.

La tactique qui consiste à emprunter en vue d'investir permet de réaliser des gains considérables lorsque tout va bien, mais elle peut devenir dangereuse dans le cas contraire. Les spécialistes de l'immobilier possèdent souvent un réseau impressionnant d'immeubles

DOSSIER 14.2-*SUITE*

administrés au moyen d'un système structuré et informatisé de gestion immobilière. Ils sont généralement bien organisés pour faire face aux quelques déboires qui peuvent survenir dans leur entreprise. Ce n'est pas le cas de la majorité des investisseurs.

L'immobilier, source d'enrichissement?

La clé principale de la réussite dans l'immobilier, c'est souvent de payer un prix raisonnable à l'achat.

L'immobilier peut s'avérer une source d'enrichissement pour l'investisseur intéressé. Celui-ci doit savoir à qui confier la gestion financière, la perception des loyers, l'entretien et la location. Des entreprises se spécialisent dans la gérance d'immeubles, mais qu'advient-il de la rentabilité? Bref, l'investisseur doit savoir ce que signifie l'investissement immobilier avant d'acheter. Il doit avoir du temps, des connaissances techniques et le goût de l'immobilier, surtout s'il désire gérer seul ses immeubles.

Les critères de sélection

Une fois la décision prise et l'achat sérieusement envisagé, une liste de critères de sélection permet à l'investisseur de s'assurer du meilleur rendement possible. Il doit donc se poser des questions sur différents points:

- Le bien-fondé du prix de vente de l'immeuble;
- Le bon état de l'immeuble;
- La suffisance et la stabilité du taux d'occupation;
- La qualité des baux;
- Les frais d'exploitation;
- L'augmentation de l'impôt foncier à l'achat de l'immeuble;
- Le bon état, la grandeur et l'ensoleillement des logements;
- La compétitivité des loyers par rapport à d'autres immeubles comparables;
- La qualité du quartier;
- Le fonds de roulement nécessaire.

Cette liste non exhaustive de critères de sélection est indispensable à l'investisseur moyen. Une bonne analyse des états financiers des années précédentes, s'ils sont disponibles, permet d'évaluer la rentabilité d'un immeuble.

CHAPITRE

15

LA GESTION DE PORTEFEUILLE

La gestion de l'argent, donc de l'investissement, demande beaucoup de discipline. Les décisions des investisseurs relèvent parfois davantage des émotions et de l'apât du gain que de la logique financière. Nous voulons réitérer l'importance de la finance comportementale (*behavioral finance*), nouveau champ qui ajoute une dimension humaine au marché financier. L'investisseur avisé n'est pas nécessairement un spéculateur, même si son portefeuille contient parfois des titres spéculatifs. Il s'agit surtout d'une personne qui désire atteindre la deuxième étape de l'indépendance financière, définie au module « La retraite », obtenir la qualité de vie recherchée et une plus grande liberté d'action dans plusieurs sphères de sa vie.

Pour parvenir à l'indépendance financière, l'investisseur a besoin d'un plan d'investissement structuré et des services d'un bon conseiller financier. Il faut donc distinguer l'investisseur de l'entrepreneur, qui « investit » sa vie dans une entreprise familiale. L'investisseur dont il est ici question est un travailleur autonome, un professionnel à son compte ou encore un salarié (comme Claude Lajoie ou Francine Simard). De façon générale, cet investisseur n'est ni un spécialiste de la finance, ni un gestionnaire professionnel.

La gestion de portefeuille s'appuie sur la théorie de portefeuille, dont les grandes règles, appliquées à la stratégie de placement, composent les éléments du modèle intégrateur. La section 15.4 sera consacrée au rôle du planificateur financier. Enfin, nous aborderons quelques autres sujets d'importance, dont la politique prioritaire de placement.

15.1 Le portefeuille de placements et le modèle intégrateur

Le portefeuille de placements représente l'ensemble des produits et des véhicules financiers qui appartiennent à une personne. Certains de ces titres sont négociés au moment de l'achat (par exemple : valeurs mobilières), alors que d'autres sont tout simplement achetés (par exemple : fonds commun de placement). Le portefeuille d'un particulier peut être assez homogène et simple, composé de quatre ou cinq de ces fonds. Il peut également être plus complexe, autogéré et contenir une multitude de titres individuels allant des obligations aux actions aux produits plus sophistiqués.

Quatre éléments majeurs caractérisent le portefeuille bien géré. Ces éléments font appel aux quatre règles d'or de l'investisseur avisé et composent le modèle intégrateur du tableau 15.1 :

- La relation entre le rendement et le risque (la prudence) ;
- La diversification (la prévoyance) ;
- L'investissement à long terme (la patience) ;
- L'investissement périodique (la périodicité)[1].

Examinons maintenant ces éléments séparément, bien qu'en réalité, ils s'influencent mutuellement et se chevauchent. Par exemple, le risque associé à un portefeuille sera considérablement réduit grâce à une bonne diversification, de même que le risque lié à la volatilité sera diminué au moyen de l'investissement à long terme. Enfin, il faut souligner qu'un tel modèle n'est pas statique, mais dynamique, car il évolue avec la vie du client. En effet, à chaque étape importante de la vie (liée à famille, à une promotion, à la retraite, etc.) correspondent de nouveaux objectifs, de nouveaux défis qui nous forcent littéralement à rééquilibrer notre portefeuille.

15.1.1 La relation entre le rendement et le risque associé à un portefeuille

Au chapitre précédent, notre analyse de la relation entre le rendement et le risque portait sur les titres eux-mêmes (*voir la figure 14.1 à la page 350 et le dossier 14.1 à la page 374*). Toutefois, la mesure du rendement et celle du risque total d'un portefeuille sont très complexes et difficiles à effectuer sur le plan financier. Par exemple, le rendement du portefeuille dépend du rendement de chacun des titres qui le composent ; l'évaluation du risque doit tenir compte de plusieurs éléments, y compris de la variabilité du rendement de chacun des titres et de leur interdépendance. Afin d'évaluer la relation existant entre le rendement et le risque, le planificateur financier doit tenir compte de deux éléments importants : le rendement espéré par le client et le degré de risque que ce dernier tolère (sa personnalité financière).

La grande majorité des spécialistes s'accorde pour dire qu'un rendement espéré au-delà de 8 % accroît considérablement le degré de risque qui y est lié. Nous avons vu dans la figure 14.1 (*voir la page 350*) que la relation existant entre

---

1. Cette approche, dite des « 4 P » (analogue à celle qui est employée en marketing), a été utilisée partiellement par beaucoup d'analystes, de chroniqueurs et d'auteurs.

TABLEAU 15.1 **Le modèle intégrateur – Les éléments majeurs d'un portefeuille de placements et les règles d'or à respecter**

Élément	Description	Règle d'or
La relation entre le rendement et le risque	Le rendement et le risque sont indissociables. Le rendement escompté dépend du risque toléré, donc du profil d'investisseur du client. Le questionnaire n° 1 (*voir l'annexe B*) permet d'obtenir une certaine appréciation à ce sujet.	La prudence est de mise. Il faut acheter des produits de qualité dont on comprend bien le fonctionnement.
La diversification	Cet élément concerne le nombre et la nature des titres qui composent le portefeuille de placements. Ceux-ci sont équilibrés pour réduire le risque diversifiable et pour neutraliser les fluctuations individuelles des titres et des marchés financiers.	La prévoyance implique d'équilibrer (de diversifier) le portefeuille, donc de planifier sa composition.
L'investissement à long terme	Le temps est probablement le plus grand allié de l'investisseur, quoi qu'on en dise. C'est l'élément le plus important pour neutraliser le risque lié à la volatilité d'un titre ou d'un groupe de titres.	Faire preuve de patience donne toujours de bons résultats.
L'investissement périodique	Il est presque impossible de prédire le comportement des marchés. Les études montrent que la solution est d'être présent, donc d'investir régulièrement. Cet élément est probablement le moins bien compris des quatre.	La périodicité signifie ici une présence régulière sur les marchés.

MODULE 4

le rendement et le risque est exponentielle ; ainsi, un rendement de 8 % pour un fonds équilibré se situerait, en théorie, au « genou » de cette courbe, c'est-à-dire à l'endroit où elle amorce sa trajectoire verticale. De nombreuses études financières portant sur le rendement des portefeuilles équilibrés au cours des 10 ou 20 dernières années révèlent des rendements à long terme aux alentours de 8 à 9 % pour un portefeuille bien diversifié. Ces analyses sont publiées par la majorité des grands établissements financiers[2].

Au chapitre 3, nous avons opté pour un rendement à long terme de 8 %, basé sur la logique d'un portefeuille enregistré et bien diversifié. Par ailleurs, le choix d'un rendement relève du planificateur financier et de son client. Il serait très acceptable de suggérer 8 % au client, comme le font de nombreux planificateurs financiers. Il serait cependant téméraire de suggérer des rendements de 12 ou 15 %. La prudence est donc recommandée.

---

2. Le site de Gestion férique, qui présente les Fonds fériques de l'Ordre des ingénieurs du Québec (OIQ), fournit de nombreux renseignements sur les performances historiques de ces fonds (www.ferique.com).

FIGURE **15.1** **La croissance constante de 10 000 $ à long terme (indice de rendement global S&P/TSX)**

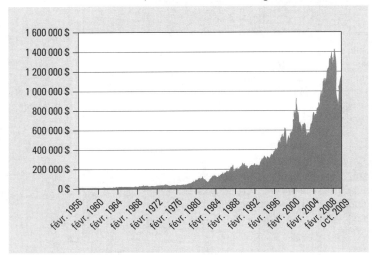

Source : Globe Hysales (2009) ; Investissements Manuvie (2011).

Pour mieux vous situer, consultez la figure 15.1, laquelle illustre la croissance de l'indice composé S&P/TSX. Cette courbe est intéressante pour plusieurs raisons : vous constaterez que le rendement de l'investissement initial de 10 000 $ sur 54 ans avoisine les 9 %, que les effets de la crise des années 2000-2001 et de celle de 2008 sont très spectaculaires et que les reprises boursières sont en général très marquées.

Le questionnaire n° 1 de l'annexe B permet d'évaluer le degré de risque que tolère le client. En effet, le test « Votre profil d'investisseur » (*voir le questionnaire n° 1*) est une mesure subjective, mais tout de même assez révélatrice de la personnalité financière du client et de sa zone de confort. Vous pouvez donc vous y reporter.

La relation existant entre le rendement et le risque est au cœur de la gestion stratégique du portefeuille. Comme nous l'avons mentionné, elle subit l'influence des autres éléments du modèle intégrateur, comme la diversification. La prudence dicte de choisir les titres en se laissant guider par la logique plutôt que par les émotions et d'opter pour des placements qui répondent au profil d'investisseur du client. Aujourd'hui, plusieurs FCP ont des ratios de frais de gestion (RFG) abordables, sans mentionner que l'investisseur peut maintenant meubler son portefeuille de fonds indiciels pour lesquels les RFG sont très abordables.

15.1.2 La diversification du portefeuille de placement

La diversification, l'un des plus importants concepts en matière de placement, consiste à planifier son portefeuille de façon qu'il contienne plusieurs titres de nature différente. La règle d'or ici est la prévoyance, car la diversification permet de réduire le risque total d'un portefeuille et de neutraliser, dans une certaine mesure, les fluctuations des titres.

La figure 15.2 illustre la diversification de trois portefeuilles de FCP. Chaque portefeuille est composé de quatre fonds communs répartis différemment pour chaque investisseur, selon sa personnalité financière. De plus en plus d'investisseurs achètent ces fonds d'investissement selon leurs besoins. De par leur nature, les FCP sont déjà diversifiés ; par conséquent, cinq ou six fonds au maximum suffiront dans un portefeuille. Ils répondent plus précisément au profil de l'investisseur ; de plus, ce sont des professionnels qui les gèrent sur une base quasiment privée. Ces fonds gérés sont rééquilibrés de manière automatique. (Le concept de rééquilibrage sera repris un peu plus loin.) Il en va autrement des titres individuels, qui doivent atteindre le nombre de 50 et plus. Le défi pour l'investisseur débutant est d'éviter la sous-diversification ou la surdiversification et d'atteindre le meilleur équilibre selon les objectifs visés, soit le profil financier et le contexte économique. Cette tâche requiert une bonne dose d'expérience, du temps et un suivi assidu ; c'est pourquoi les FCP sont si populaires auprès d'un grand nombre d'investisseurs. Certains sont toutefois peu intéressés par ces fonds. Ils tirent une grande satisfaction et un réel plaisir du fait de meubler leur portefeuille de divers titres individuels et de le rééquilibrer assez fréquemment. En plus du fait que les RFG des FCP rendent quelquefois ces fonds moins intéressants, ces personnes aiment investir en Bourse et recherchent des émotions particulières. Cette pratique relève de la « gestion active » et le plus souvent de la spéculation, comme nous le verrons plus loin.

Les formes de diversification

Il existe plusieurs formes de diversification, en particulier :

- les catégories d'actifs (actions, obligations, etc.) ;
- les sous-catégories d'actions (actions de différents secteurs) ;
- les catégories d'émetteurs (titres de diverses entreprises) ;
- les régions ou les pays (diversification internationale).

FIGURE 15.2 **La diversification du portefeuille de fonds communs de placement**

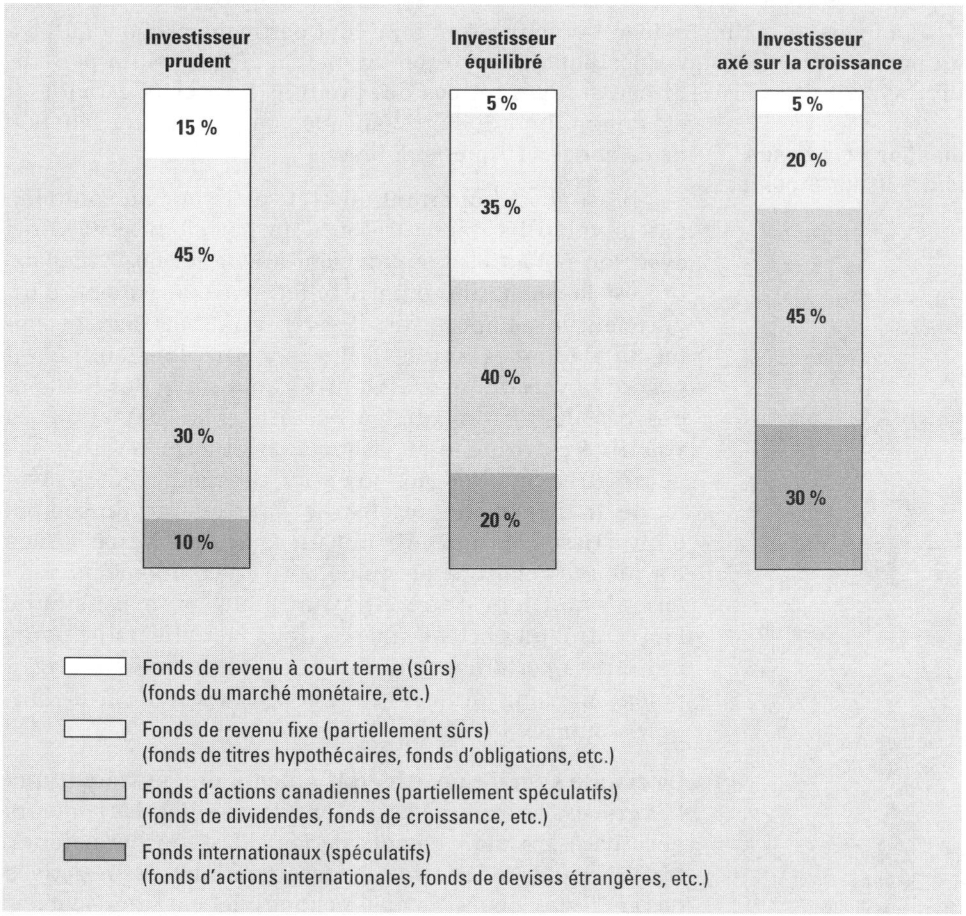

Investisseur prudent
- 15 %
- 45 %
- 30 %
- 10 %

Investisseur équilibré
- 5 %
- 35 %
- 40 %
- 20 %

Investisseur axé sur la croissance
- 5 %
- 20 %
- 45 %
- 30 %

Fonds de revenu à court terme (sûrs)
(fonds du marché monétaire, etc.)

Fonds de revenu fixe (partiellement sûrs)
(fonds de titres hypothécaires, fonds d'obligations, etc.)

Fonds d'actions canadiennes (partiellement spéculatifs)
(fonds de dividendes, fonds de croissance, etc.)

Fonds internationaux (spéculatifs)
(fonds d'actions internationales, fonds de devises étrangères, etc.)

Note : Cette répartition des actifs n'est qu'un exemple et ne représente aucunement la diversification idéale. La diversification doit faire l'objet d'une planification à l'aide du modèle intégrateur et tenir compte de toutes les variables sur lesquelles repose une bonne stratégie de placement, comme nous l'expliquerons plus loin.

Le risque total d'un portefeuille

Nous parlons du risque lié à un titre, mais aussi de celui qui est associé à un portefeuille, lequel, par définition, est composé de plusieurs titres. Le risque total d'un portefeuille est fonction des titres qui le composent. Comment peut-on amenuiser ce risque total ? Pour ce faire, il faut que le portefeuille soit composé de plusieurs titres bien diversifiés.

La figure 15.3 met en relief le lien existant entre le risque total associé à un portefeuille et le nombre de titres qu'il comprend. Elle montre, en ordonnée, ce risque total mesuré à l'aide de son écart type (*voir le dossier 14.1 à la page 374*). L'abscisse représente quant à elle le nombre de titres (on suppose qu'ils sont bien diversifiés). L'équation suivante permet de résumer le lien en question :

Risque total du portefeuille = Risque spécifique + Risque du marché.

Il faut noter que ce sont les gestionnaires de portefeuille professionnels plutôt que les particuliers qui utilisent cette notion de risque total. En général, ceux-ci peuvent tout de même appliquer ces grands principes en diversifiant bien leur portefeuille selon les formes de diversification mentionnées plus haut ou encore en investissant dans un portefeuille de cinq ou six fonds communs de placement.

La figure 15.3 illustre bien les deux risques qui font partie du risque total lié à un portefeuille : le risque spécifique et le risque du marché. Même si un particulier investit dans les FCP, ceux-ci ne sont pas des produits financiers garantis. Il est donc primordial qu'il ait une compréhension générale de ce que ces risques signifient.

Il est aussi important que l'investisseur ne confonde pas la volatilité d'un titre ou d'un portefeuille de titres avec son potentiel de rendement à long terme. La volatilité est la sensibilité d'un titre (et, par conséquent, d'un portefeuille composé de titres) par rapport aux événements de toutes sortes. Elle concerne l'instabilité ou encore la variabilité, c'est-à-dire l'amplitude des hauts et des bas du titre ou du portefeuille. Mais attention : la volatilité correspond au risque à court terme et n'est pas nécessairement liée au potentiel de rendement à long terme du titre ou du portefeuille. Par exemple, un compte d'investissement qui offrirait un taux de 2 % par année n'a aucune volatilité, et son potentiel de rendement à long terme serait loin d'être attrayant pour les investisseurs. Par contre, un portefeuille d'actions bien diversifié pourrait être, à certaines périodes, très volatil, mais avoir un potentiel à long terme de 10 % et plus. C'est le cas de l'indice composé S&P/TSX.

Le risque spécifique, diversifiable ou non systématique

Les grèves, les erreurs de gestion importantes, les rumeurs négatives, les changements de goût des consommateurs, les poursuites judiciaires, les recommandations négatives des analystes, pour n'en nommer que quelques-uns, sont des facteurs dont l'influence sur un titre d'entreprise peut être désastreuse et entraîner une perte de valeur des actions ordinaires. Ces facteurs représentent le risque spécifique

FIGURE 15.3   La diversification et le risque total associé à un portefeuille

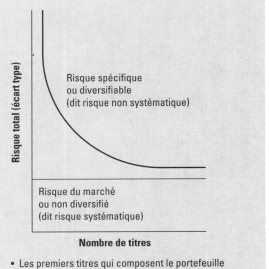

- Les premiers titres qui composent le portefeuille permettent de réduire le risque spécifique de façon plus marquée que les titres acquis subséquemment.

- Lorsque le portefeuille comprend une grande quantité de titres (50 et plus), l'ajout de titres ne diminue que légèrement le risque spécifique.

- Le risque du marché est constant, quel que soit le nombre de titres détenus.

(diversifiable ou non systématique). Il s'agit donc du risque associé à une firme ou à quelques firmes tout au plus. Étant donné que ces faits sont aléatoires et ne concernent pas tous les titres d'un portefeuille en même temps, leurs effets négatifs sont diminués par la présence de plusieurs titres dans le portefeuille. En effet, une mauvaise nouvelle concernant un titre peut être compensée par une bonne nouvelle au sujet d'un autre titre du portefeuille. Puisque la diversification diminue le risque spécifique, celui-ci ne devrait pas avoir d'effet négatif, dans des conditions idéales, sur le rendement espéré à long terme.

Le risque du marché, non diversifiable ou systématique L'inflation, les taux d'intérêt élevés et les récessions sont des facteurs qui peuvent influer à la baisse sur la valeur des actions. Ils constituent un risque lié au marché et à l'économie en général (risque non diversifiable ou systématique). Habituellement, la plupart des titres d'un pays donné sont touchés par ces facteurs ; le risque ne peut donc pas être atténué par l'acquisition d'une plus grande quantité de titres.

La volatilité est la sensibilité d'un titre par rapport aux événements de toutes sortes. Plus un titre subit l'influence d'un événement, plus il est volatil. Si sa valeur augmente de 10 % à la suite d'un événement favorable et que celle d'un autre titre augmente de 5 %, on dira que le premier titre est plus volatil que le second. La volatilité s'observe aussi dans le sens inverse : des événements défavorables entraînent une perte de valeur plus grande dans le cas d'un titre plus volatil. Le risque du marché est associé à la volatilité d'un titre. En effet, plus ce dernier est volatil, plus le risque du marché qui est associé à ce titre est élevé.

Le risque du marché d'un portefeuille est lié à tous les titres qui composent ce portefeuille. La notion de risque s'applique donc au titre, mais aussi au portefeuille dans son ensemble. Afin d'amenuiser le risque du marché associé à un portefeuille d'actions, on choisira d'investir une partie du portefeuille sur le marché international, même si, en général, le risque du marché est non diversifiable. En effet, si les mouvements du marché et de l'économie canadienne font réagir à la baisse les titres canadiens, les titres détenus à l'étranger ne seront pas nécessairement touchés, ou du moins le seront-ils dans une moindre mesure. On parlera alors de « diversification internationale ».

Certains experts utilisent le coefficient bêta pour mesurer le risque du marché. Ce coefficient est une mesure de volatilité d'un titre par rapport à un indice boursier. Plus le coefficient bêta est élevé, plus le titre en question comporte un risque systématique élevé. Un coefficient bêta inférieur à 1 signifie que les rendements de ce titre fluctuent moins que ceux du marché dans son ensemble et qu'ils sont donc moins volatils. Un placement est qualifié de « défensif » lorsque le risque et le rendement espéré sont peu élevés. Il s'agit alors d'un placement peu volatil. Ce placement défensif présente un coefficient bêta d'environ 0,50. Les entreprises de services publics se trouvent généralement dans cette catégorie.

À l'opposé, un coefficient bêta supérieur à 1 indique que le titre est plus volatil que ceux de l'ensemble du marché. Il présente un risque plus grand et offre par conséquent un rendement espéré plus élevé. Les entreprises actives dans certains secteurs comme la haute technologie, le pétrole et le transport présentent habituellement un coefficient bêta se situant autour de 2. Par ailleurs, il faut noter que le coefficient bêta de la plupart des actions se situe entre 0,50 et 2 (2 étant le maximum).

FIGURE 15.4 La diversification internationale

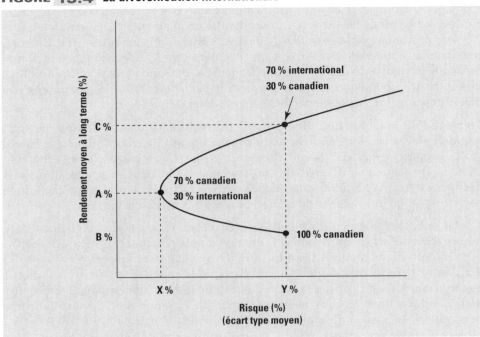

Note : Cette courbe illustre la relation entre le rendement et le risque, basée sur une diversification internationale. Elle ne vise pas à exprimer cette relation d'un point de vue mathématique.

La diversification internationale

Comme nous l'avons mentionné ci-dessus, la diversification internationale (Asie, États-Unis, Europe, etc.) permet d'amenuiser le risque du marché et, par conséquent, de réduire le risque total lié à un portefeuille (*voir la figure 15.4*). Un portefeuille qui contient une bonne part de produits internationaux offre un meilleur rendement, pour un risque total équivalent, qu'un portefeuille axé uniquement sur des titres nationaux. Récemment, les lois fiscales ont été assouplies, permettant d'augmenter de 30 à 100 % le contenu étranger ou international d'un fonds commun de placement équilibré. Plusieurs détenteurs de fonds ont modifié le contenu de leur portefeuille cible (fonds équilibrés) dans le but d'adapter leur stratégie de répartition des actifs en tenant compte de cette nouvelle situation. Depuis quelques années, la diversification internationale a pris un essor considérable et, aujourd'hui, toutes les grandes institutions commercialisent ces produits internationaux sous une forme ou sous une autre. Notons que ces fonds internationaux ajoutent un élément de risque lié aux devises étrangères.

Le concept de corrélation

Une bonne diversification du portefeuille n'est pas toujours suffisante ; il faut aussi s'assurer que les titres ou les secteurs (technologie, services financiers, ressources naturelles, etc.) sont bien corrélés. La corrélation est une notion statistique qui définit la direction des rendements de deux titres ou de deux secteurs. Si ceux-ci ont tendance à varier dans la même direction (à la hausse ou à la baisse), on dit que la corrélation est positive. Si les rendements des titres ou des secteurs varient indépendamment l'un de l'autre, la corrélation est nulle. Dans un portefeuille bien diversifié et bien équilibré, on recherche une corrélation négative où les rendements varieront dans le sens contraire l'un de l'autre. Par exemple, les titres du secteur technologique ont eu tendance, au début des années 2000, à varier dans le même sens, soit tous à la baisse. En effet, avec la progression de la mondialisation, les économies du globe ne sont plus aussi indépendantes les unes des autres, et même la diversification internationale (par région géographique) a perdu de son efficacité. Il faut donc investir dans des secteurs qui sont corrélés négativement pour améliorer le rendement et diminuer le risque.

On utilise le coefficient de corrélation pour mesurer le degré de dépendance qui existe entre les titres ou les secteurs. Un coefficient de +1 indique une corrélation positive parfaite et un coefficient de −1, une corrélation négative parfaite. Si les rendements des titres ou des secteurs sont indépendants, le coefficient est nul.

L'investisseur qui privilégie les FCP peut utiliser cinq ou six fonds dans le but de bien diversifier son portefeuille. Il est important d'apporter une diversification selon les diverses formes abordées dans cette sous-section, incluant une diversification internationale. De cette façon, l'investisseur averti peut obtenir une bonne corrélation de ces différents actifs.

15.1.3 L'investissement à long terme

Le troisième élément du modèle intégrateur est l'investissement à long terme, la règle d'or qui s'y rattache étant la patience. Cet élément est le plus controversé dans le domaine du placement, parce qu'il s'oppose à l'investissement en ligne (en anglais, *day trading*) et s'insère dans le grand débat sur la gestion active (en anglais, *market timing*) et la gestion passive (en anglais, *buy and hold*).

La très grande majorité des planificateurs financiers préconise la stratégie à long terme pour une seule et unique raison : c'est la seule stratégie qui permet vraiment d'atteindre les objectifs de retraite.

Bien sûr, quand on parle d'investissement à long terme, on fait référence à l'investissement requis, par exemple, pendant toute la durée d'une carrière professionnelle dans le but d'avoir une retraite confortable. Les mises de fonds, généralement dans un REER, peuvent s'effectuer sur une période de 10, 25, 30 ans et plus. Il peut aussi s'agir d'un portefeuille de REEE, qui aura une durée de vie de 15 ou 20 ans et dont le but est l'éducation des enfants. On ne peut se permettre de jouer à la loterie avec l'argent de la retraite ou celui des études des enfants.

La stratégie d'investissement à long terme implique automatiquement un concept très important, celui du rééquilibrage. Le rééquilibrage est le processus qui vise à ramener le portefeuille à la répartition des actifs telle qu'elle a été définie au moment d'établir le profil d'investisseur du client et d'investir dans un portefeuille équilibré, composé par exemple d'obligations, d'actions. Si les actions du portefeuille ont surperformé et que les obligations ont sous-performé, il pourrait être important de rééquilibrer, au moment opportun, le portefeuille selon la pondération visée au départ, par exemple 50 % en actions (au lieu de 60 %) et 35 % en obligations (au lieu de 25 %). Le rééquilibrage permet finalement de maintenir le risque total lié au portefeuille dans des limites acceptables.

Il n'existe pas de règles établies pour rééquilibrer un portefeuille. Certains professionnels rémunérés à commission peuvent avoir tendance à rééquilibrer trop souvent. Plusieurs études statistiques démontrent qu'un rééquilibrage tous les trois à cinq ans est amplement suffisant et qu'il présente les mêmes avantages qu'un rééquilibrage mensuel ou biannuel. À ce sujet, vous pouvez consulter l'article « L'art du rééquilibrage rentable » sur le site Internet de PWL Capital Inc.

> ⊕ Pour l'investisseur qui recherche un portefeuille bien équilibré et diversifié, le marché des actions est une quasi-nécessité. Le meilleur moyen de composer avec l'instabilité de ce marché, même lorsque les fluctuations à court terme sont très grandes, est d'avoir un objectif à long terme, de maintenir un horizon de placement de 15, 20 ou 30 ans, selon le cas, et de ne pas trop se préoccuper des soubresauts quotidiens, mensuels ou annuels du marché.

Décrivons maintenant brièvement les concepts de gestion passive et de gestion active de portefeuille.

La gestion passive

Les conseillers en placement les plus sérieux[3] reprennent constamment ce propos, mais seuls un nombre restreint d'investisseurs le retiennent. En effet, de nombreux investisseurs sont plutôt motivés par l'appât du gain à court terme. Or, les volumineuses études des grandes universités américaines (telles que Harvard), de certaines universités canadiennes (telles que celles de Toronto) et de grandes maisons de recherche (telles que Boston Dalbar) ont clairement démontré que la meilleure stratégie est celle de la gestion passive (en anglais, *buy and hold*). Cette stratégie consiste à gérer un portefeuille à long terme dans le but d'atteindre le rendement désiré. Il ne s'agit pas du tout d'une gestion inactive. L'expression « gestion passive » est malheureuse, car elle n'indique pas la stratégie suivie. En effet, dans cette stratégie dite passive, mais qui se veut très proactive, le profil financier du client est établi et le meilleur portefeuille est adapté à ce profil. Le portefeuille peut donc être rééquilibré à l'occasion de changements importants dans la vie familiale ou professionnelle de l'investisseur. La gestion passive donne d'excellents résultats avec le temps. D'ailleurs, les fonds indiciels sont basés sur ce type de gestion. Dans cette optique, la qualité la plus précieuse d'un investisseur est probablement la patience.

La gestion active

Le but de l'investisseur qui exerce une gestion active (en anglais, *market timing*) est d'obtenir de meilleurs résultats que le marché en général. Son objectif est de « battre les indices ». La plupart des experts reconnaissent qu'il est difficile, voire impossible, de prévoir les fluctuations des marchés boursiers. En théorie, il devrait être avantageux de vendre quand le marché est à la hausse et d'acheter quand il est à la baisse, mais ce n'est pas le cas en pratique. Comme nous le verrons plus loin, la présence sur les marchés est l'élément clé. En fait, cette stratégie peut s'avérer fort coûteuse si le moment pour acheter ou pour vendre est mal choisi... ce qui est généralement le cas. En effet, il a été clairement démontré qu'avec le temps, les rendements positifs des marchés boursiers l'emportent haut la main sur les rendements négatifs. Comme l'ont souligné plusieurs experts, la richesse se construit une étape à la fois et nécessite beaucoup de patience. Alors, pourquoi tous les investisseurs ne réussissent-ils pas ? La réponse est très simple : ils se laissent guider par leurs émotions plutôt que par la logique financière.

Une dimension extrême de la gestion active est l'investissement que l'on appelle « spéculation sur séance » (en anglais, *day trading*). Depuis le début des années 2000,

---

3. Stephen A. Jarislowsky en parle abondamment dans son ouvrage *Dans la jungle du placement*.

on a vu cette activité hautement spéculative prendre une grande ampleur. Des entreprises d'investissement en ligne se sont installées au Québec pour répondre aux besoins de ce nouveau segment de spéculateurs (et non d'investisseurs). Cette activité de spéculation consiste à jouer avec les fluctuations quotidiennes les plus minimes des cours boursiers, et ce, durant une même journée (d'où l'expression *day trading*). Les cyberinvestisseurs sont motivés par le profit, mais également par le plaisir et le sentiment de puissance que procure le fait de négocier seul devant son ordinateur. Certains retraités s'y adonnent un peu comme à un passe-temps en utilisant quelques milliers de dollars au maximum. L'investissement en ligne n'est pas mauvais en soi, à la condition de limiter sa mise. Mais combien le font ?

15.1.4 L'investissement périodique

L'investissement périodique est probablement la méthode la plus simple pour construire un portefeuille. Cette approche éprouvée a l'avantage d'imposer une discipline d'achat et de favoriser une vision à long terme de l'investissement. L'investissement périodique permet de profiter de la volatilité des marchés et assure une certaine sécurité lorsque ceux-ci sont très volatils. En d'autres termes, il permet à l'investisseur de viser le long terme (troisième élément du modèle intégrateur), mais également de profiter par moments des rebonds des marchés tout en maintenant son plan stratégique.

La règle d'or qui s'applique ici est la périodicité (présence). Les chroniqueurs financiers ayant une vaste expérience du milieu financier racontent fréquemment l'anecdote suivante, inspirée d'une étude portant sur l'investissement périodique.

De 1965 à 1998, on a analysé le comportement de trois investisseurs types à partir des données financières du marché. Chacun investissait 1 000 $:

- Le premier, M. Stratégique, investissait son montant chaque année au plus bas du marché, donc juste avant la reprise économique. Il a obtenu un rendement annuel de 11,7 % ;
- Le deuxième, M. Perdant, investissait toujours au plus haut du marché, soit juste avant le déclin. Il a obtenu un rendement annuel de 10,6 %.
- Le troisième, M. Périodique, investissait au tout début de l'année, indépendamment de l'état des marchés. Il a obtenu un rendement annuel de 11 %.

Cette étude montre qu'il n'y a pas de bon ou de mauvais moment pour investir et que l'important est d'investir régulièrement. Chaque crise boursière est suivie d'une reprise, et le véritable risque pour l'investisseur n'est pas du tout lié à la volatilité des marchés, mais à son comportement financier.

15.2 La stratégie de placement

Lorsqu'on mentionne le terme « stratégie », on aborde automatiquement le travail du professionnel du placement. On définit les paramètres que ce conseiller doit analyser de façon minutieuse pour composer le portefeuille de son client. La stratégie de placement consiste donc à composer un portefeuille en fonction de trois ensembles de variables :

- **Le profil du client** – Plusieurs conseillers, sinon la majorité, s'en tiennent au « Profil d'investisseur » que nous avons a mis en évidence dans le questionnaire n°1 (*voir l'annexe 1 du questionnaire*). Pourtant, un certain nombre d'entre eux préfèrent, avec l'approbation et l'encouragement de leur client, évaluer tant les caractéristiques socioéconomiques et démographiques de celui-ci que son profil comportemental concernant ses finances personnelles (donc ses caractéristiques personnelles, son style de vie, sa situation financière, sa situation familiale, ses objectifs, etc.). La longue expérience des auteurs de cet ouvrage a démontré à maintes reprises que plusieurs clients qualifient leur portefeuille de raisonnablement prudent alors qu'il est en fait vraiment audacieux (axé sur la croissance).

- **Le modèle intégrateur** – Celui-ci porte sur la composition technique des paramètres du portefeuille. Reprenons en détail le tableau 15.1 (*voir la page 383*) et les composantes du modèle intégrateur : la relation rendement-risque, les objectifs, tant qualitatifs que quantitatifs, à atteindre à long terme, la diversification nécessaire et l'investissement annuel requis tel qu'il est défini dans le plan de retraite (*voir le chapitre 11*). C'est ici que le conseiller se base sur ses connaissances et sur ce qu'il connaît de son client pour formuler une répartition stratégique des actifs (RSA) d'un portefeuille. Comme nous l'avons mentionné au chapitre précédent, son engagement dépendra de la nature du permis qu'il possède. Toutefois, il n'est nullement nécessaire de posséder un permis de courtier pour recommander à son client une répartition intelligente des actifs de son portefeuille.

- **La conjoncture économique** (inflation, taux d'intérêt, récession, etc.) – La conjoncture économique influe sur le modèle intégrateur, et sans aucun doute sur les divers moyens utilisés pour atteindre les objectifs du client.

Ces trois ensembles de variables sont illustrés dans la figure 15.5. Examinons donc le profil du client, puisque nous avons déjà analysé le modèle intégrateur et les aspects de la conjoncture économique.

FIGURE 15.5 **L'ensemble des variables influant sur la stratégie de placement**

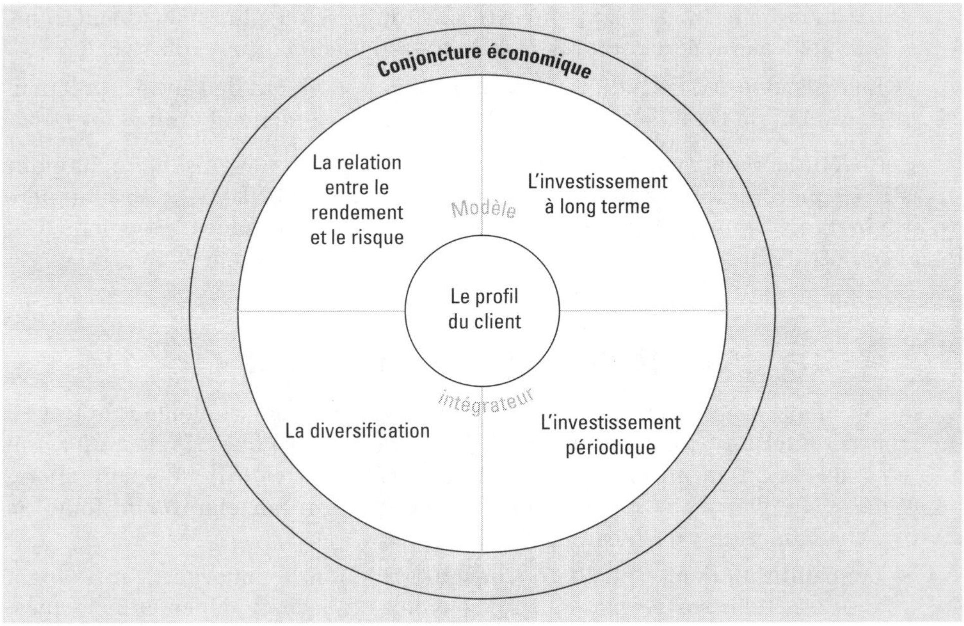

Les variables présentées dans la figure 15.5 ne vont pas toujours dans la même direction. Par exemple, le comportement financier du client (profil d'investisseur) ne concorde pas toujours avec son âge. Beaucoup de jeunes clients recherchent la sécurité, alors que des clients d'un certain âge (65 ans et plus) se montrent très audacieux dans leurs placements. Les « recettes » qui suggèrent uniquement des actions aux clients plus jeunes et uniquement des produits sûrs aux clients plus âgés sont dangereuses. Ces idées datent de plusieurs décennies. Aujourd'hui, les clients peuvent vivre une retraite presque aussi longue que leur carrière professionnelle. Ils doivent donc investir à long terme, aussi paradoxal que cela puisse paraître. Il est important de bien cerner leur profil psychosocial (style de vie, situation familiale, âge, objectifs, etc.), et pas uniquement leur profil d'investisseur.

Devant de telles situations, le planificateur financier moderne doit être un bon conseiller, mais aussi un fin psychologue. Il doit conseiller son client et effectuer un suivi efficace. La composition d'un portefeuille de placements est un art et une science qui n'admettent pas de formule magique. Il s'agit d'un processus fonctionnant par essais et erreurs. En ce sens, la formation continue et l'expérience sont de précieux atouts pour le conseiller moderne.

15.3 Le levier financier et l'investissement

Il est impossible d'aborder la notion d'investissement sans traiter également du levier financier. Au chapitre 14, nous avons examiné ce sujet dans le cas de l'achat sur marge des actions. Vous pouvez vous y reporter pour revoir la notion de facteur d'amplification.

Le levier financier consiste à emprunter une certaine somme d'argent dans le but d'investir à un rendement supérieur au coût de l'emprunt. (Dans le vocabulaire financier, on utilise souvent l'expression « effet de levier ».) En théorie, il s'agit d'un outil assez puissant, mais, en pratique, c'est une arme à deux tranchants dont les effets peuvent s'avérer tout aussi profitables que désastreux.

Comme nous l'avons mentionné, l'utilisation intelligente du levier financier peut être fructueuse. Par exemple, emprunter pour investir dans un REER traditionnel est recommandable, même si les intérêts ne sont pas déductibles, pour autant que l'emprunt soit rapidement remboursé. Par contre, pour la majorité des investisseurs, emprunter pour investir dans des abris fiscaux ou acheter des actions ordinaires est en général à déconseiller.

15.4 Le rôle du planificateur financier

Le rôle du planificateur financier va bien au-delà du rôle traditionnel du conseiller en placements que nous avons présenté au moment d'aborder la stratégie de placement (*voir la section 15.2*). Le planificateur se préoccupe des placements de ses clients pour trois périodes bien précises. Il donne d'abord son opinion sur les placements actuels, puis émet des recommandations concernant la période de programmation des disponibilités financières. Enfin, le planificateur fixe une ligne de conduite en proposant une stratégie de placement après la période de programmation des disponibilités financières. En résumé, son rôle couvre trois aspects :

- L'analyse des placements actuels ;
- Les placements recommandés pendant la période de programmation des disponibilités financières ;
- L'établissement d'un portefeuille de placements après les années de programmation des disponibilités financières, et ce, jusqu'à la retraite (plan efficace pour la retraite).

Pour chacun de ces trois aspects, le planificateur financier doit prêter une attention toute particulière à la RSA pour les placements à long terme.

Dans certains cas, le planificateur financier peut recommander à son client la liquidation de certains placements. Voici quelques principes généraux à respecter au moment de la liquidation des placements :

- Liquider les placements quand le besoin s'en fait sentir. Si le client a des dettes personnelles (coûteuses et importantes), le besoin est immédiat ;
- Liquider d'abord les titres dont le rendement est moins élevé ;
- S'assurer de la pertinence de la date de liquidation proposée. Certains titres ne sont pas encaissables avant une date déterminée, telle la date d'échéance ;
- Liquider les placements dont la plus-value est douteuse. Il s'agit ici d'un élément délicat pour le planificateur, qui doit présumer de la plus-value future d'une action, par exemple ;
- Éviter la liquidation d'un REER, à moins d'une situation d'extrême gravité telle une faillite imminente ;
- Éviter la liquidation d'un titre si elle pénalise le client ;
- Éviter la liquidation d'un titre qui doit être conservé en tant que réserve de base.

15.5 Le cas de Claude Lajoie et Francine Simard

Dans la section précédente, nous avons examiné le rôle du planificateur financier pour trois périodes bien précises. Voyons ce qui s'est produit dans le cas de Claude et Francine, ainsi que les recommandations du planificateur financier pour ces trois périodes.

15.5.1 Les placements actuels (bilan)

La section « Placements » du questionnaire n° 1 (*voir l'annexe B*) indique que Claude et Francine se considèrent comme des investisseurs « prudents ». Par ailleurs, le test du profil d'investisseur indique un profil « Équilibré et axé sur la croissance ». On s'en doutait, la septième section du questionnaire n° 2 révèle que le fonds REER de 6 216 $ (*voir le bilan au tableau 7.1 à la page 127*) est investi dans un fonds d'actions.

Une recommandation : investir le REER dans un fonds équilibré, possiblement de type audacieux, donc axé sur la croissance.

15.5.2 La programmation des disponibilités financières

Trois aspects nous intéressent : les recettes, le REER et le REEE (*voir le tableau 7.4 à la page 135*).

Voici quelques recommandations :

- Retirer 11 000 $ du CPG (*voir le questionnaire n° 2, point 5*) ;
- Investir annuellement les 1 800 $ du REER dans un fonds équilibré axé sur la croissance ;
- Investir annuellement 1 000 $ du REEE, également dans un fonds équilibré axé sur la croissance (si le REEE est collectif, il se peut que Claude et Francine n'aient aucun droit de gérance) ;
- La réserve de base (*voir le tableau 7.4 à la page 135*) est constituée du solde d'encaisse et du solde restant du CPG, soit 5 000 $. Aujourd'hui, ce coussin de sécurité est souvent « assuré » par une marge de crédit. Par contre, il est important de gérer cette réserve avec diligence. Les 5 000 $ du CPG seront investis dans un CELI au taux de 3 %.

FIGURE 15.6 **La personnalité financière de Claude et Francine**

1er élément : Portefeuille déterminé : équilibré croissance

Vous faites preuve d'une tolérance moyenne aux fluctuations des marchés et recherchez une combinaison équivalente de titres de revenus et de titres de croissance.

2e élément : Répartition de l'actif selon le test n° 1

Voici la répartition idéale pour vous :

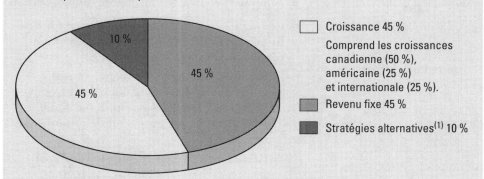

Croissance 45 %
Comprend les croissances canadienne (50 %), américaine (25 %) et internationale (25 %).

Revenu fixe 45 %

Stratégies alternatives[1] 10 %

Votre profil d'investisseur est donc « modéré », ou « équilibré », mais est axé sur la croissance. Dans cette optique, la répartition des titres que vous avez indiquée est acceptable, même si elle est peut-être davantage axée sur la prudence. Notre recommandation serait donc la suivante : 45 % du portefeuille axé sur des titres à revenus (fonds de marché monétaire, fonds de dividendes, fonds d'obligations, fonds de titres hypothécaires, etc.), 45 % axé sur les actions (canadiennes, américaines, internationales) et 10 % axé sur les fonds alternatifs.

(1) L'étiquette « stratégies alternatives » s'applique à un groupe de placements non traditionnels qui englobe les fonds de couverture, les placements privés et le capital de risque. Ces placements sont très spéculatifs et visent à produire un rendement positif assorti d'une volatilité relativement faible. Les experts reconnaissent que ces placements peuvent réduire la volatilité d'un portefeuille à long terme, mais la mise de fonds initiale est généralement très élevée.

15.5.3 **Le plan efficace pour la retraite**

Finalement, le plan efficace décrit au chapitre 11 recommande des investissements REER de 3 900 $ pour l'âge de 65 ans et de 9 100 $ pour celui de 60 ans.

Une recommandation : investir annuellement 9 100 $ selon les objectifs de la retraite prise à l'âge de 60 ans.

L'annexe 1 du questionnaire n° 1 (*voir l'annexe B*) présente le profil du portefeuille à adopter. Celui-ci est reproduit à la figure 15.6 à la page précédente pour faciliter la lecture. Il s'agit des deux éléments principaux qui caractérisent la personnalité financière de Claude et Francine et qui figureront dans le rapport écrit.

MÉDIAGRAPHIE

Page 389
PWL Capital inc., www.pwlcapital.ca via Centre de recherche >
Investissement > L'art du rééquilibrage rentable

Référence
Investissements Manuvie (2011). *Guide de référence des conseillers 2011*. Récupéré de https://repsourcepublic.manulife.com/wps/wcm/connect/4c7a53004320c7b4aa05bff8124687a6/inv_advisorquickrefguidef.pdf?MOD=AJPERES&CACHEID=4c7a530
04320c7b4aa05bff8124687a6

QUESTIONS DE RÉVISION

1. Qu'est-ce que la gestion de portefeuille ?

2. Que signifie l'expression « portefeuille de placements » ?

3. Pourquoi doit-on utiliser un modèle intégrateur ? En quoi consiste-t-il ?

4. Expliquez la notion de rendement exigé ou espéré par le client. Pourquoi le client n'exigerait-il pas un rendement de 20 % ou de 30 % ?

5. Que signifient les expressions « profil d'investisseur » et « profil psychosocial » ?

6. Pourquoi la relation existant entre le rendement et le risque est-elle au cœur de la gestion stratégique d'un portefeuille ?

7. Pourquoi associe-t-on la diversification à la répartition des titres, lesquels sont en fait les « actifs » d'un portefeuille ?

8. Qu'est-ce que la RSA ? Que signifie l'énoncé suivant : « Le planificateur procède actuellement à la RSA d'un FCP » ?

9. Nommez les diverses formes de diversification.

10. Consultez des sites Internet et des brochures financières publiées par les banques afin de répondre aux questions suivantes :

    a) Combien de titres sont inclus dans un fonds d'investissement équilibré ? Combien y a-t-il de catégories de produits ? Quelles sont-elles ? Combien y a-t-il de produits par catégorie ?

    b) Répondez aux mêmes questions relativement aux fonds d'actions canadiennes.

11. Quelle est la différence majeure entre un investisseur prudent et un investisseur axé sur la croissance ? Décrivez leurs portefeuilles respectifs.

12. Un portefeuille, même s'il est équilibré, comporte un certain risque total. Définissez la formule qui permet d'évaluer ce risque.

13. Expliquez la différence fondamentale entre le risque spécifique et le risque du marché.

QUESTIONS DE RÉVISION *(suite)*

14. Les nouvelles lois fiscales sur la diversification internationale concernant le contenu étranger ont permis aux grandes institutions financières de rééquilibrer leurs fonds équilibrés. Comment et pourquoi?

15. En quoi consiste la gestion passive d'un portefeuille? Cela signifie-t-il que l'investisseur ne doit rien faire et attendre sa retraite pour agir? Comment se nomme l'opération qui consiste à restructurer le portefeuille? Quand doit-elle être entreprise?

16. Quelle différence y a-t-il entre la gestion active et l'investissement en ligne?

17. Que signifie le concept de corrélation lorsqu'il s'agit d'un portefeuille d'actions investies dans différents secteurs?

18. Expliquez pourquoi l'investissement périodique donne de bons résultats.

19. La composition d'un portefeuille est une tâche stratégique qui doit tenir compte du profil du client. Résumez la stratégie de placement, les éléments qui influent sur celle-ci et sur l'environnement. Expliquez ensuite le rôle du profil du client dans cette stratégie.

20. Pourquoi doit-on envisager une politique prioritaire de placement pour le client?

21. En quoi consiste le levier financier?

22. Quel est le rôle du planificateur financier en ce qui concerne les placements du client?

MODULE 4

MODULE

5

LES ASSURANCES

Le module « Les assurances » ne contient qu'un seul chapitre, intitulé « Les assurances de personnes ». Celles-ci constituent un vaste domaine incluant, entre autres :

- l'assurance vie ;
- l'assurance invalidité ;
- l'assurance maladies graves ;
- l'assurance soins de longue durée.

Toutes ces assurances concernent les individus et répondent à un besoin de protection (*voir la figure 3.1 à la page 30*).

Bien sûr, le domaine des assurances générales concerne plus particulièrement l'habitation et l'automobile (par exemple : incendies, accidents et vols). Nous ne nous y attarderons que très brièvement.

Afin d'éviter les risques financiers et la perte de qualité de vie, les assurances abordées dans ce module sont liées à la gestion des risques. Nous parlons ici de risques assurables ; dès lors, l'assurance a pour but de pallier en totalité ou en partie les pertes financières et les pertes de qualité de vie subies. D'ailleurs, elle est née du besoin qu'a l'être humain de se protéger contre certains risques tels qu'un décès prématuré et une invalidité.

CHAPITRE
16

LES ASSURANCES DE PERSONNES

L'assurance de personnes représente la garantie qu'accorde un assureur à un assuré de l'indemniser en cas de réalisation d'un risque et moyennant le versement d'une prime.

Ce chapitre présente une analyse des deux principaux types d'assurances, soit l'assurance vie et l'assurance invalidité.

L'assurance vie a pour but de protéger la famille survivante contre d'importants problèmes financiers. En effet, lors du décès d'un membre de la famille, par exemple un membre qui génère des revenus permettant d'assurer la qualité de vie familiale, il est important de prévoir une capitalisation qui permettra justement de remplacer les revenus manquants.

Nous aborderons donc l'analyse des besoins financiers (ABF), laquelle permet justement de déterminer la capitalisation nécessaire et son évolution dans le temps.

Si les clients comprennent généralement assez bien l'assurance vie, ce n'est pas le cas de l'assurance invalidité. L'invalidité peut rendre une personne incapable de générer des revenus. Le résultat peut être tragique si la famille n'a plus les moyens financiers de maintenir son coût de la vie et sa qualité de vie. Ce chapitre permettra également de faire la distinction entre l'assurance invalidité de courte durée, laquelle peut servir, par exemple, à acquitter les frais généraux d'un bureau professionnel, et l'assurance invalidité de longue durée, laquelle vise à assurer la sécurité d'une personne jusqu'à l'âge de 65 ans, par exemple.

Ce chapitre aborde également les assurances qui concernent les maladies graves et les soins de longue durée. Dans un certain sens, ces assurances sont une variante, plus limitée cependant, de l'assurance invalidité.

Présentons d'abord les assurances générales.

16.1 Les assurances générales

Nous abordons brièvement cette catégorie d'assurances, car une planification financière contient rarement une analyse des assurances générales. Celles-ci sont généralement appelées « assurances de dommages » ou « IARD » (incendies, accidents et risques divers). Les biens que l'on assure le plus souvent se rapportent à l'habitation et à l'automobile. Les risques de pertes financières que l'on désire éliminer concernent le feu, le vol et les dommages de tous genres. Ils peuvent se subdiviser en deux grands types d'assurance de biens, soit l'assurance des risques désignés et l'assurance tous risques.

16.1.1 L'assurance habitation

En assurance habitation, il est primordial de connaître clairement les différents risques couverts, par exemple un tremblement de terre, une inondation, un glissement de terrain, un gel, une avalanche et un refoulement d'égouts. Les polices tous risques, communément appelées « formule étendue » ou « formule supérieure », offrent davantage, mais leur prix est évidemment plus élevé.

En ce qui a trait aux meubles, il est fondamental d'obtenir l'avenant de « valeur à neuf », sans quoi le recouvrement ne représentera que la valeur initiale du bien moins un certain amortissement. Il faut donc absolument vérifier que la couverture est égale au coût de remplacement. Il est prudent de conserver en lieu sûr un formulaire d'inventaire des biens, ce qui simplifiera toute demande d'indemnisation. Ce genre de formulaire peut être obtenu auprès de la majorité des grandes compagnies d'assurance ou du courtier. Il contient une description structurée des biens meubles (par exemple: chambre, cuisine et salon), des appareils électriques, des articles de sport, des vêtements et de tous les objets de valeur. Il peut aussi mentionner la liste des cartes de crédit.

16.1.2 L'assurance automobile

Le système d'assurance automobile du Québec combine la Société de l'assurance automobile du Québec (SAAQ) et l'assurance privée. Les comparaisons portent donc sur cette dernière. Les polices d'assurance automobile varient grandement et peuvent établir des limites bien précises pour chaque type de risque, par exemple les frais médicaux et les frais de remorquage. Il est donc important de vérifier attentivement les exclusions et les limites mentionnées dans la police offerte. On peut aussi obtenir, à certaines conditions, la clause de « valeur à neuf ».

16.2 Les assurances de personnes

Ce chapitre porte surtout sur les assurances de personnes. Aujourd'hui plus que jamais, ce type d'assurance s'intègre à la planification financière personnalisée.

Il est intéressant de noter que le chapitre quinzième du *Code civil* du Québec traite des assurances. L'article 2392 définit l'assurance de personnes comme suit: « [...] l'assurance de personnes porte sur la vie, l'intégrité physique ou la santé de l'assuré ».

Dans cette optique, les assurances de personnes comprennent, entre autres :

- l'assurance vie ;
- l'assurance invalidité de courte durée, ou assurance salaire ;
- l'assurance invalidité de longue durée ;
- l'assurance maladies graves ;
- l'assurance soins de longue durée.

Cette liste n'est pas exhaustive, mais elle est représentative des principales catégories d'assurances liées aux personnes. Aujourd'hui, on peut obtenir de nouveaux produits d'assurance combinés réunissant l'assurance invalidité de longue durée, l'assurance soins de longue durée et l'assurance maladies graves. Nous analyserons brièvement chaque type d'assurance de personnes, mais prêterons une attention toute particulière à l'assurance vie et à l'ABF en assurance vie.

16.3 L'assurance vie

Le planificateur financier se fixe pour principal objectif de déterminer les besoins financiers actuels et futurs (à moyen terme) du client en ce qui a trait à la protection d'assurance vie. Il cerne également les types de produits qui répondent le mieux aux besoins du client ; jumeler le « meilleur » produit aux besoins du client s'avère toujours une opération délicate fondée sur des éléments objectifs et subjectifs. Pour vous accompagner dans vos études et recherches sur l'assurance vie, nous vous suggérons de consulter le site de l'Association canadienne des compagnies d'assurances de personnes inc. (ACCAP ; en anglais : CLHIA, pour Canadian Life and Health Insurance Association). Vous y trouverez d'abord un excellent « Guide de l'assurance vie ». Nous y ferons référence à l'occasion. Plusieurs autres guides et documents d'information sont également disponibles ; nous les aborderons au moment opportun.

L'assurance vie permet de produire un patrimoine instantané, et ce, au décès de l'assuré. Ce patrimoine peut servir à atteindre différents objectifs, tels que :

- protéger la famille survivante (assurance vie familiale) ;
- faire un legs à un organisme (assurance vie philanthropique) ;
- contracter une assurance vie commerciale (convention commerciale entre associés).

16.3.1 L'assurance vie familiale

Le rôle principal de l'assurance vie familiale est la constitution, au décès de l'assuré, d'un capital de protection. Celui-ci, ajouté au capital provenant du patrimoine de l'assuré (succession), pourra engendrer un revenu annuel suffisant pour maintenir la qualité de vie de la famille survivante pendant un nombre d'années déterminé. Précisons que le montant de l'assurance vie reçu au décès d'un assuré est non imposable pour les ayants droit.

L'assuré est défini comme le preneur, ou la personne qui souscrit à un contrat auprès d'un assureur. En effet, si le preneur prend une assurance sur sa propre vie, il est à la fois le preneur et l'assuré. Il peut bien sûr assurer la vie d'une autre personne, mais là n'est pas notre propos. La succession concerne l'ensemble des biens (patrimoine) que l'assuré, lors de son décès, laisse aux légataires qu'il a désignés dans son testament ou aux bénéficiaires légaux s'il n'existe pas de testament. La famille, soit le conjoint survivant et les enfants, est le plus fréquemment nommée bénéficiaire; après le décès de l'assuré, l'assurance aide alors financièrement la famille à maintenir son coût de la vie et sa qualité de vie.

Le concept d'assurance vie familiale mène à trois considérations importantes: l'assurance vie de la personne qui génère les revenus, le maintien d'une protection suffisante et l'assurance vie des enfants.

L'assurance vie de la personne qui génère les revenus

Le principe fondamental de l'assurance vie familiale consiste à assurer la personne qui génère les revenus. Si les deux conjoints génèrent des revenus et participent à la qualité de vie commune, tous deux devraient envisager de contracter une assurance vie. Dans ce cas, la planification porte sur le couple et l'ABF fait ressortir les besoins de l'un et l'autre conjoint.

Le maintien d'une protection suffisante

Le maintien d'une protection suffisante permet d'assurer à la famille une qualité de vie équivalente à celle qui prévalait avant le décès.

Parfois, l'assuré évalue mal sa situation et accepte une protection qui procure ultérieurement à sa famille une qualité de vie supérieure. Cette protection lui coûte cher et peut diminuer, dans certains cas, sa qualité de vie actuelle en raison des primes d'assurance élevées.

Plus souvent, l'absence d'évaluation périodique des besoins entraîne une diminution de la qualité de vie pour les survivants à cause de l'insuffisance de la protection.

L'assurance vie des enfants

Un enfant ne génère aucun revenu et, en ce sens, n'aide pas à subvenir au coût de la vie de sa famille. Une protection élevée ne s'impose donc pas dans son cas et peut en fait se limiter aux frais liés au décès. Certaines polices contiennent des clauses qui permettent d'assurer les enfants pour quelques milliers de dollars, ce qui suffit dans bien des cas.

Contracter une assurance vie permanente afin de planifier, dans une certaine mesure, l'avenir financier d'enfants en bas âge offre l'avantage de leur garantir une certaine assurabilité, et ce, pour des versements minimes. De plus, la valeur de rachat d'une assurance pour enfant peut aider à financer une partie des frais d'études de ce dernier.

16.3.2 L'assurance vie philanthropique

L'assurance vie peut viser d'autres objectifs, selon le choix du preneur. Par exemple, elle peut être d'ordre purement philanthropique, c'est-à-dire qu'elle sert à garantir un don de bienfaisance planifié.

L'assurance vie philanthropique a pris un certain essor ces dernières années. Elle permet au preneur de faire un don sous forme d'assurance vie à un assuré, par exemple une œuvre de charité ou une fondation collégiale ou universitaire. Cela signifie qu'au décès de la personne, le montant de l'assurance vie est légué à l'organisme ou à l'établissement en question. L'impôt considère les primes de ce type d'assurance vie comme un don.

Le module « La planification successorale » abordera plus en profondeur le sujet des dons planifiés (philanthropie).

16.3.3 L'assurance vie commerciale

Cette troisième forme d'assurance se voit au sein des entreprises. C'est la raison pour laquelle elle est qualifiée de commerciale.

L'assurance vie commerciale s'inscrit dans l'optique d'une convention d'achat et de vente entre associés ou actionnaires d'une entreprise. Par exemple, cette convention permet à un associé ou à un actionnaire d'acheter la part de l'actionnaire ou de l'associé décédé. À cet égard, l'assurance vie peut constituer un outil privilégié en vue de financer l'achat de la part de l'associé décédé.

Chaque actionnaire ou associé fait l'acquisition d'une police d'assurance sur la vie de chacun des autres actionnaires ou associés. Au décès de l'un d'eux, les survivants reçoivent le capital assuré de la police, en franchise d'impôt. Ce capital sert à l'achat de la part de l'associé décédé.

L'entreprise des assurés peut acquitter les primes de cette assurance vie. Cependant, celles-ci ne sont pas déductibles d'impôt, ni pour l'entreprise, ni pour le preneur.

16.4 L'assurance vie : un vaste domaine

Dans le cadre de ce chapitre, il n'est pas possible d'étudier le domaine de l'assurance vie dans le détail. Avant d'aborder les produits d'assurance vie particuliers, voici une brève analyse de quatre aspects importants :

- Les types de régimes d'assurance vie ;
- La prime à payer ;
- Le montant d'assurance vie minimal à maintenir ;
- La désignation de bénéficiaire.

16.4.1 Les types de régimes d'assurance vie

De nos jours, la sécurité financière repose sur trois principaux régimes d'assurance vie : les régimes gouvernementaux, les régimes individuels et les régimes collectifs. Ceux-ci garantissent à la famille survivante le paiement d'une certaine somme d'argent ou un revenu à la suite du décès d'une personne.

Les régimes gouvernementaux

Les régimes gouvernementaux, tel le régime de rentes du Québec (RRQ), comportent en général une clause qui garantit, à certaines conditions, le versement des prestations au conjoint survivant. En 2011, la prestation de décès du RRQ s'élève à 2 500 $ et constitue un versement unique et imposable. Ajoutons que la Régie des rentes du Québec verse une rente au conjoint survivant si, bien sûr, le conjoint décédé a contribué suffisamment au régime. À ce sujet, vous pouvez consulter le site de la Régie.

Les régimes individuels

Lorsqu'un assureur négocie un contrat d'assurance vie avec une personne (preneur), cette dernière est propriétaire du contrat et paie les primes en fonction des risques courus. Un tel contrat fait partie des régimes individuels, que commercialisent de nombreuses compagnies d'assurance de personnes regroupées soit en sociétés mutuelles[1] (détenues par les titulaires de polices avec participation), soit en sociétés à capital-actions (détenues par les actionnaires de la société). Ces entreprises offrent évidemment des produits d'assurance vie, mais également des assurances maladies graves, des assurances soins de longue durée, etc.

Les régimes collectifs

L'assurance collective est une forme d'assurance dans laquelle toutes les personnes formant un groupe structuré, ou la plupart d'entre elles, sont assurées en vertu d'un seul contrat. Il s'agit donc d'un preneur collectif qui négocie pour plusieurs personnes à la fois. Chaque personne assurée (ou adhérent) reçoit ainsi un certificat plutôt qu'une police (contrat d'assurance individuelle). Les ingénieurs, les dentistes, les médecins et les comptables, par exemple, peuvent s'assurer en vertu de tels régimes collectifs. Les personnes salariées se voient très souvent offrir par leur employeur cette forme d'assurance vie. Dans sa brochure intitulée « Guide de l'assurance vie », l'ACCAP aborde ce type d'assurance.

L'assurance collective, qui permet dans une certaine mesure d'assurer les besoins des personnes à charge, telles que le conjoint et les enfants, a cependant ses limites. Par exemple, une personne âgée de 50 ans qui perd son emploi a toujours la possibilité de convertir son assurance collective en assurance individuelle, mais les primes pourront alors être beaucoup plus élevées.

Dans certains cas, l'assuré peut conserver son assurance collective jusqu'à l'âge de 65 ou 70 ans, mais le montant de la protection diminuera en conséquence.

Finalement, l'assurance collective est souvent plus économique que l'assurance individuelle, car elle est négociée pour un groupe de plusieurs personnes. Parfois, le travailleur salarié partage le coût d'une telle assurance avec son employeur.

16.4.2 La prime d'assurance vie

La prime[2] correspond à la somme que verse, périodiquement ou à un seul moment, le preneur ou le titulaire de la police à l'assureur en échange du risque assumé. Lorsqu'on envisage de contracter une assurance vie, le montant de la prime importe, sans cependant être crucial. En effet, un produit bien adapté aux besoins d'un client peut ne pas coïncider avec la prime la moins élevée. Il est toutefois essentiel de respecter la capacité financière du client. D'autres facteurs entrent aussi en jeu, tels que la relation personnelle établie avec le courtier ou l'agent d'assurance et la qualité du service reçu.

---

1. Depuis quelques années, ces sociétés mutuelles se sont « démutualisées » pour former des sociétés à capital-actions. Le processus de démutualisation est un phénomène international. Au Canada, ce processus a débuté vers 1992, au moment où le fédéral adoptait la *Loi sur les sociétés d'assurance*. Cependant, c'est à partir de 1999 que les grandes compagnies d'assurance, tant au Canada qu'au Québec, ont entrepris de se démutualiser.

2. En pratique, la prime que paie le client à l'assureur se nomme « prime brute ». Elle inclut la prime pure, laquelle tient compte des tables de mortalité et du taux de rendement recherché par l'assureur, en plus des frais de contrat.

En assurance vie, la prime varie principalement en fonction des trois facteurs suivants :

- L'assuré[3] : l'âge, l'état de santé, les antécédents familiaux, les habitudes (fumeur ou non-fumeur), le sexe (homme ou femme), l'emploi et les loisirs (parachutisme ou course automobile, par exemple). L'ensemble des éléments qu'évalue l'assureur concerne le risque ; par le fait même, il détermine l'assurabilité du futur assuré. Dans la demande d'assurance vie, il est primordial que l'assuré dise toute la vérité sur chacun de ces éléments, sinon la police pourrait être annulée ;

- L'assurance : le type d'assurance vie, la durée du contrat, le montant du capital assuré, les conditions et garanties complémentaires, notamment. En d'autres termes, la prime dépend du produit d'assurance vie. Par exemple, toutes choses étant égales, une assurance vie entière sera plus dispendieuse qu'une assurance temporaire.

- L'assureur : pour le même produit, l'écart entre les tarifs de différentes compagnies d'assurance peut souvent excéder les 25 %. L'assureur tient compte de trois facteurs quand il établit le coût (la prime) d'une assurance :
  - L'intérêt gagné, lequel correspond à la somme gagnée sur les placements de l'assureur entre la perception de la prime et l'échéance du contrat (au décès ou à la fin de la période assurée) ;
  - Les frais variables, lesquels dépendent du montant du capital assuré. Ils comprennent le coût des examens médicaux, la taxe provinciale sur les primes, la rémunération des agents ainsi que les frais d'exploitation et d'administration ;
  - Les frais fixes, lesquels comprennent les dépenses invariables, quel que soit le montant du capital assuré : les fournitures, les registres et les avis de primes, par exemple. Ces frais se présentent habituellement sous forme d'un forfait annuel indiqué dans la police (40 $, 50 $ ou 100 $, par exemple). Selon les compagnies, ce forfait s'appelle « constante de police », « frais de police », « coût de contrat » ou encore « droit de contrat ».

L'expert en assurance vie peut utiliser différentes sources pour établir les primes. En général, les compagnies publient des brochures sur leurs produits et mentionnent les primes, les garanties, les exigences médicales, etc. Vous pouvez consulter le site Kanetix.ca pour visionner quelques exemples de primes.

16.4.3 L'assurance vie minimale

Faut-il maintenir un montant minimal d'assurance vie durant toute sa vie ? Pas nécessairement, si l'analyse démontre que les capitaux sont amplement suffisants et si le conjoint jouit également d'une certaine indépendance financière. Cependant, il est généralement préférable de maintenir un minimum d'assurance vie. Le montant peut varier entre 10 000 $ et 100 000 $ et plus, selon les besoins. Certaines personnes voudront conserver un montant minimal durant leur vie entière.

---

3. La souscription à un contrat d'assurance vie implique toujours la présence d'un preneur, aussi appelé « titulaire », qui est la personne qui souscrit au contrat et s'engage à payer les primes. Très souvent, ce titulaire est également l'assuré, donc la personne dont la vie est assurée. Toutefois, il peut aussi s'agir d'un tiers sur la vie duquel le titulaire a un intérêt assurable, par exemple un enfant ou un associé. Le bénéficiaire est la personne qui recevra le capital-décès.

Au moment du décès, il se peut que le patrimoine successoral ne puisse être utilisé avant un certain temps par le conjoint survivant; le montant de l'assurance vie, généralement versé au bénéficiaire dans les 30 jours suivant le décès de l'assuré, permet alors d'acquitter les débours imputables au décès et les dépenses des mois qui suivent. De plus, il est possible que le conjoint survivant, bouleversé par le deuil, prenne un certain temps avant de s'occuper de la succession du conjoint décédé. Pendant ce laps de temps, des fonds seront nécessaires afin de maintenir la qualité de vie.

16.4.4 La désignation du bénéficiaire

Soulignons en tout premier lieu que le capital assuré est, en général, versé au bénéficiaire en franchise d'impôt.

La désignation du bénéficiaire peut se faire d'une façon révocable ou irrévocable. Lorsque le conjoint[4] est désigné, les droits qui découlent de la police d'assurance vie sont insaisissables et une telle désignation est habituellement irrévocable, sauf, bien sûr, dans le cas d'une stipulation contraire. Le bénéficiaire désigné, dans ce cas, devra acquiescer à tout changement de bénéficiaire. L'article 2457 du *Code civil* du Québec aborde le sujet de l'insaisissabilité, et l'article 2449 traite de l'irrévocabilité de la désignation d'un conjoint comme bénéficiaire. Ces deux articles ont en effet été modifiés de façon à préciser qu'il s'agit ici du « conjoint marié ou uni civilement ». Le module « La planification successorale » permettra de clarifier les questions de régimes matrimoniaux et d'union civile. Les conjoints de fait sont exclus de ces deux articles (2449 et 2457) et, en réalité, du *Code civil* du Québec en entier. Il faut noter que le conjoint de fait peut, bien sûr, être désigné comme bénéficiaire. Cependant, cette désignation n'est pas automatiquement irrévocable et ne confère aucunement la qualité d'insaisissabilité des droits qui découlent du contrat d'assurance. Précisons que pour conférer l'insaisissabilité, et ce, en accord avec l'article 2458 du *Code civil*, la désignation d'un bénéficiaire doit être « irrévocable ». Finalement, il faut aussi noter que la rupture du mariage par divorce et la dissolution de l'union civile rendent caduque toute désignation du conjoint en tant que bénéficiaire.

Lorsqu'un bénéficiaire est désigné de façon révocable ou irrévocable, le capital assuré est versé, généralement en franchise d'impôt, à ce bénéficiaire au moment du décès du titulaire de la police; ce capital ne fera pas partie du bilan successoral. À défaut de bénéficiaire, le capital assuré est versé, habituellement en franchise d'impôt, à la succession de l'assuré.

Pour plus d'information à ce sujet, vous pouvez consulter le « Guide de l'assurance vie » de l'ACCAP mentionné plus haut.

16.5 Les produits d'assurance vie

En général, les produits d'assurance vie sont excellents. En revanche, le lien entre un produit et la situation précise d'un client est souvent inapproprié. L'assurance vie est un produit financier qui doit répondre aux besoins d'un client. En ce sens, c'est l'appariement du produit et du besoin qu'il faut réussir.

---

4. On renvoie au terme « conjoint » comme à la personne mariée ou unie civilement. Le conjoint de fait n'est pas mentionné dans le *Code civil* du Québec.

Le planificateur financier doit bien connaître les besoins de son client, et non se limiter à énumérer les qualités d'un produit s'il veut que les avantages de celui-ci soient pertinents pour le client. Aucun produit d'assurance vie n'est une panacée. Chaque produit a ses objectifs et son fonctionnement, mais le planificateur financier doit avant tout cerner les besoins du client, puis lui recommander le produit le mieux adapté à son budget.

Dans plusieurs cas, le planificateur financier recommande au client de consulter un expert en assurance vie pour mieux choisir un produit précis. Il lui suggère une approche générale, une stratégie, plutôt que le produit d'une certaine compagnie. L'important pour le client est alors de choisir un intermédiaire, soit un courtier ou un agent avec lequel il se sent à l'aise et dont les services le satisfont. La différence entre ces deux intermédiaires est que l'agent travaille pour une grande entreprise d'assurance, tandis que le courtier est le plus souvent un travailleur autonome qui négocie avec plusieurs compagnies d'assurance pour le bénéfice de son client.

Examinons maintenant les produits d'assurance vie les plus populaires :

- L'assurance vie temporaire ;
- L'assurance vie entière ou permanente ;
- L'assurance vie universelle.

16.5.1 L'assurance vie temporaire

L'assurance vie temporaire consiste en une protection pure, c'est-à-dire sans épargne, exactement comme l'assurance contre le vol ou la maladie. Dans cette expression, le mot « temporaire » est relatif ; il peut couvrir une période de 5, de 10 ou même de 100 ans. À l'expiration du contrat, l'assurance se termine ; cependant, le contrat peut être renouvelé pour une prime généralement plus élevée. Les polices d'assurance vie temporaire, garanties et renouvelables jusqu'à l'âge de 75 ou 80 ans, peuvent très souvent être converties en polices d'assurance vie entière jusqu'à concurrence de la protection en vigueur. Cette conversion s'effectue généralement avant l'âge de 60 ou de 65 ans, soit l'âge où le privilège de conversion prend fin. De même, les polices d'assurance vie temporaire renouvelables comportent une option permettant de renouveler le contrat, souvent sans aucun examen médical.

Dans le cas des polices d'assurance vie temporaire, il est très important de maintenir un échéancier rigoureux quant au paiement des primes car, après la période de grâce d'une trentaine de jours, leur non-paiement peut signifier l'annulation de la police. Pour la remettre en vigueur, des preuves d'assurabilité peuvent être exigées.

Lorsqu'on contracte une assurance vie temporaire, il importe de vérifier si les primes sont garanties, si l'assurance est renouvelable automatiquement sans examen médical et si elle est convertible en un contrat permanent sans examen médical. La police n'offre aucune valeur résiduelle si l'assuré est toujours vivant à la fin du contrat.

L'assurance vie temporaire, plus particulièrement le capital assuré, peut prendre plusieurs formes : un capital constant, un capital décroissant et un capital croissant. Nous nous attarderons sur la populaire T-10 à capital constant, la T-100 à capital constant et l'assurance hypothèque à capital décroissant.

TABLEAU 16.1 **Les primes annuelles approximatives d'une assurance vie temporaire uniforme de 100 000 $, renouvelable tous les 10 ans (T-10), pour un non-fumeur**

Âge	Prime annuelle
30 ans	140 $
40 ans	180
50 ans	300
60 ans	650
65 ans	1 150

Note : Les frais annuels de la police s'élèvent à 60 $ et plus et ne sont pas inclus.

➕ Il est intéressant de mentionner que la grande majorité des contrats pour les T-100 sont libérés quand l'assuré atteint l'âge de 100 ans, si bien que, dans ce sens, les T-100 sont de véritables polices « permanentes ».

L'assurance vie temporaire uniforme, 10 ans (T-10)

Pour ce qui est de l'assurance vie temporaire uniforme (capital constant), 10 ans (T-10), le capital de protection est fixe ou nivelé pendant 10 ans, période de la police. Au bout de cette période, l'assurance peut être renouvelée, mais la prime augmente si le capital assuré reste le même et risque d'atteindre un montant excessif après plusieurs renouvellements. La protection prend généralement fin vers l'âge de 75 ou de 80 ans. On désigne souvent ce type d'assurance par l'expression « temporaire à primes croissantes ». Cette assurance vie temporaire s'avère un bon choix si les besoins de protection sont de courte durée, de 5 ou 10 ans, par exemple.

Le tableau 16.1 présente les primes approximatives d'une assurance vie temporaire uniforme (T-10) renouvelable. On constate donc qu'il s'agit d'une croissance exponentielle des primes.

L'assurance vie temporaire uniforme, 100 ans (T-100)

L'assurance vie temporaire uniforme, 100 ans (T-100), est similaire à la précédente, sauf que la période de la police est de 100 ans. Elle procure donc une protection à long terme, et sa prime est stable pendant 100 ans.

Le tableau 16.2 montre les primes approximatives d'une assurance vie temporaire uniforme, 100 ans (T-100). Cependant, on y constate la croissance exponentielle des primes sur une longue période de vie (de 30 à 65 ans, par exemple). La T-100 peut donc s'avérer un bon choix, car la prime est fixe pour la vie.

TABLEAU 16.2 **Les primes annuelles approximatives d'une assurance vie temporaire uniforme 100 ans (T-100) de 100 000 $ pour un non-fumeur**

Âge	Prime annuelle[1]
30 ans	450 $
40 ans	650
50 ans	1 350
60 ans	2 350
65 ans	3 350

(1) La durée des versements de la prime dépend du type de contrat.

Note : Les frais annuels de police s'élèvent à 75 $ et plus et ne sont pas inclus.

L'assurance hypothèque décroissante

Pour une assurance vie temporaire décroissante, le capital assuré décroît avec l'âge, mais la prime reste fixe ou uniforme pendant la durée du contrat, lequel peut s'échelonner, par exemple, sur des périodes de 5, de 10 ou de 20 ans selon les besoins et l'assureur. L'assurance hypothèque est un bon exemple de ce type d'assurance, qui peut parfois être dispendieux. Dans la foulée de la négociation d'une hypothèque, on se laissera souvent plus facilement convaincre d'adhérer à une telle assurance. L'idée de posséder ce type d'assurance est excellente, mais les primes le sont souvent moins. Parfois, une T-10 ou T-20 peut être un meilleur choix. Il faut prendre le temps de bien vérifier.

16.5.2 L'assurance vie entière

L'assurance vie entière, ou permanente, est constituée de deux éléments : une protection viagère et une épargne.

Comme son nom l'indique, l'assurance vie entière garantit une protection pour toute la vie. Le contrat ne vient à terme qu'au décès de l'assuré. La prime payée sert à assurer cette protection et à alimenter, au fil des ans, les surplus qui engendrent la valeur de rachat et permettent ainsi à la prime de demeurer uniforme ou nivelée au cours des années plutôt que d'augmenter parallèlement au risque en raison de la conservation de la police sans paiement ultérieur.

Il importe de souligner quelques éléments au sujet de l'assurance vie entière :

- Après un certain nombre d'années, l'assuré peut emprunter une certaine somme d'argent en se servant de la valeur de rachat de son assurance vie entière comme garantie ;
- L'assuré peut aussi mettre fin à son contrat et réclamer la partie de la réserve accumulée, indiquée dans le tableau des valeurs de rachat inclus dans la police ;
- Au décès, seul le capital de protection, et non la valeur de rachat, est versé aux bénéficiaires. Le capital décès est non imposable ;
- Une police peut être participante[5] (vie entière avec participations), ce qui signifie que le client peut jouir de certains avantages financiers (réduction des primes et capital de protection plus élevé, notamment) de la part de l'assureur en fonction du contrat d'assurance et du rendement financier de celui-ci. Les participations correspondent à une part des profits du « réservoir » des produits d'assurance participants de l'assureur ;
- Certaines normes s'appliquent pour que la partie de l'épargne soit exemptée d'impôt, l'assureur se chargeant, grâce à la planification, de conserver les polices à l'abri de l'impôt. L'informatique a facilité la tâche de l'assureur à cet égard.

Les primes d'une assurance vie entière

La prime d'une T-10 (temporaire) de 100 000 $ pour un homme de 36 ans non fumeur serait d'environ 150 $. La prime pour une T-100 serait d'environ 575 $. Pour une vie entière (sans participation), la prime annuelle serait de l'ordre de 650 $ par année, donc un peu plus coûteuse que la T-100. Une fois la prime d'une assurance permanente établie, elle demeure fixe la vie entière. Par contre, la vie entière d'un homme de 60 ans pourrait coûter environ 2 300 $ et plus par année, ce qui est semblable au coût d'une T-100.

---

5. Avant décembre 1982, l'assurance vie participante était exonérée d'impôt, sans égard au taux de rendement qu'elle pouvait produire. Il faut donc conserver ces polices à tout prix, surtout si le taux de rendement minimal garanti est élevé. Le gouvernement fédéral a par la suite plafonné les valeurs de rachat.

Un homme de 36 ans pourrait opter pour une vie entière payable en 10 ans au moment où la police serait libérée. Le coût annuel d'une telle police serait d'environ 1 300 $ (deux fois plus cher que la vie entière normale). Toutefois, dans le cas présent, au bout de 10 ans et après avoir déboursé quelque 13 000 $, cet homme se retrouverait avec un capital assuré à vie de 100 000 $, sans parler de la valeur de rachat.

La rentabilité de l'assurance vie entière

L'assurance vie est un mode d'épargne et non un mode de placement. La compagnie d'assurance doit administrer le portefeuille de placements alimenté par les primes de l'assurance vie entière. En tant qu'investisseur, peut-on mieux réussir que l'assureur? On ne doit pas uniquement réfléchir à cela pour choisir entre une assurance vie temporaire et une assurance vie entière. En effet, pour certaines personnes, l'assurance vie entière peut représenter une protection et une discipline d'épargne. Pour d'autres, il est préférable de contracter une assurance vie temporaire (protection pure) et d'investir la différence qu'il y a entre les primes de ces deux assurances. Ce débat s'inscrit dans un contexte financier (le budget du client ou le type d'assurance approprié, notamment); le planificateur doit donc l'évaluer avant de proposer un type de produit ou une stratégie particulière au client. Par exemple, il sera toujours possible de combiner une assurance vie temporaire avec un minimum d'assurance vie entière dans le but de bénéficier des avantages de ces deux types d'assurances.

Une comparaison entre l'assurance vie temporaire (T-10 ou T-100) et l'assurance vie entière La figure 16.1 compare l'assurance vie entière à primes nivelées, l'assurance vie temporaire, 10 ans (T-10), à primes croissantes et l'assurance vie temporaire, 100 ans (T-100), à primes nivelées. Le client est toujours un homme

FIGURE 16.1 **Une comparaison des primes pures de l'assurance vie entière, de l'assurance vie temporaire T-10 et de l'assurance vie temporaire T-100 – Client âgé de 36 ans, non-fumeur, assurance de 100 000 $**

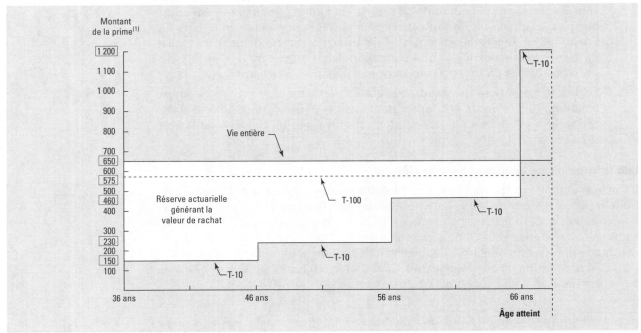

(1) Les montants des primes sont approximatifs et ne servent qu'à illustrer la relation entre les différents types d'assurances. Ces montants proviennent des exemples présentés dans ce chapitre, et ce, en date du 12 juin 2011.

âgé de 36 ans, non-fumeur. La zone claire représente la réserve accumulée, ou valeur de rachat. En fait, l'assurance vie entière est fondamentalement une assurance à primes nivelées qui sont, au début, relativement plus élevées que ne l'exige le risque assumé. Les surplus ainsi perçus sont accumulés à intérêt composé et forment la réserve, que l'on appelle « provision mathématique » et qui constitue justement la portion « épargne » ou « valeur de rachat » des contrats d'assurance vie entière. Cette réserve sert à compenser l'insuffisance de la prime nivelée relativement à l'aggravation du risque due à l'avancement en âge de l'assuré. La figure 16.1 montre la présence d'une valeur de rachat pendant les premières années. Cependant, cette valeur n'est pas nécessairement disponible avant quelques années (souvent de cinq à sept ans), car les frais de rachat (frais variables) durant ces premières années sont plus élevés que la valeur de rachat.

Le choix entre ces produits dépend fondamentalement des besoins du client.

16.5.3 L'assurance vie universelle

L'assurance vie universelle permet à l'assuré d'adapter à ses besoins une protection viagère tout en investissant, à l'abri de l'impôt, dans un fonds de capitalisation. Depuis 1983, au Québec, l'assurance universelle a surtout pris de l'importance pour les membres de professions libérales et les gens d'affaires qui peuvent utiliser ce type d'assurance pour répondre à plusieurs besoins à la fois, tels qu'un capital de protection décroissant, une assurance vie pour le conjoint ou des placements à l'abri de l'impôt.

L'assurance vie universelle possède les caractéristiques de l'assurance vie temporaire, 100 ans (certains fournisseurs d'assurance vie utilisent une assurance vie permanente, d'autres, une combinaison de l'assurance vie permanente et de l'assurance vie temporaire), donc une protection à vie, combinée à un placement jouissant d'un traitement fiscal privilégié. En effet, au décès de l'assuré, le bénéficiaire reçoit le capital assuré plus la réserve, ou fonds de capitalisation (si cette option est retenue). L'assurance vie universelle est un produit complexe du fait, justement, de ses nombreuses particularités. Vous pouvez de nouveau consulter le site de l'ACCAP pour obtenir plus d'information.

Le fonctionnement de l'assurance vie universelle

Le fonctionnement de l'assurance vie universelle peut varier dans les détails selon l'assureur, mais, en général, il suit le principe illustré dans la figure 16.2.

En somme, les primes (moins la taxe provinciale) que verse le client alimentent un fonds de capitalisation (ou réserve) qui est crédité par l'assureur soit d'un intérêt concurrentiel à un taux régulièrement révisé, soit d'un dividende. Le client choisit le type de placement dans lequel son argent sera déposé (fonds de valeurs sûres ou partiellement sûres).

Périodiquement, par exemple chaque mois, l'assureur prélève du fonds de capitalisation les frais d'administration et les coûts d'assurance (protection), lesquels peuvent inclure certaines garanties complémentaires telle l'exonération des primes en cas d'invalidité.

FIGURE 16.2 Le principe de l'assurance vie universelle

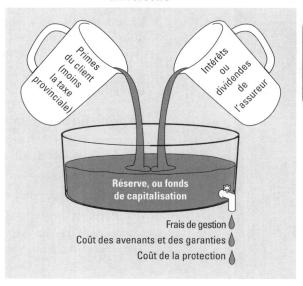

Primes du client (moins la taxe provinciale)

Intérêts ou dividendes de l'assureur

Réserve, ou fonds de capitalisation

Frais de gestion

Coût des avenants et des garanties

Coût de la protection

MODULE 5

Les caractéristiques de l'assurance vie universelle

Quatre éléments caractérisent l'assurance vie universelle : la fiscalité, la souplesse, le suivi et la protection.

La fiscalité La loi de l'impôt accorde à certaines de ces polices le statut de police exemptée, ce qui permet à l'assuré de capitaliser un fonds d'investissement à l'abri de l'impôt. Par contre, le planificateur financier doit informer son client du fait qu'une partie des frais de gestion sert à payer l'impôt fédéral de 15 % sur le revenu de placement de ces polices exonérées. Le report d'impôt est donc « partiel », car les frais de gestion sont très élevés. La compagnie d'assurance s'engage à ce que les fonds accumulés dans la police universelle demeurent exempts d'impôt, ce qui procure un accroissement automatique du capital de protection. Tout retrait du fonds de capitalisation est cependant assujetti à l'impôt. Par ailleurs, il est possible de céder le contrat en garantie d'une marge de crédit et d'effectuer ainsi des retraits non assujettis à l'impôt. Lors du décès, la protection d'assurance vie ainsi que l'argent accumulé (capital et intérêts) peuvent être versés à la succession, libres d'impôt.

La souplesse Dans le cas de l'assurance vie temporaire ou de l'assurance vie entière, les primes et le montant de l'assurance sont fixés dès le départ. Ce n'est pas le cas de la police d'assurance vie universelle. En effet, l'assuré peut notamment augmenter ses primes, les réduire ou effectuer un retrait du fonds de capitalisation, et ce, sans annuler sa police. De plus, la police d'assurance vie universelle permet, à certaines conditions, de modifier le capital assuré, de sorte que l'assuré maîtrise ainsi son niveau de protection. Elle peut enfin être utilisée pour obtenir des revenus supplémentaires à la retraite.

Le suivi Les assurés reçoivent un relevé détaillé qui leur permet de suivre toutes les activités liées à leur police d'assurance vie universelle et de connaître les primes minimales et maximales à payer afin de conserver les polices en vigueur et le fonds de capitalisation à l'abri de l'impôt.

La protection Si un bénéficiaire, tel le conjoint marié ou uni civilement, a été désigné, les montants capitalisés en vertu du contrat peuvent être insaisissables du vivant du titulaire de la police, même en cas de faillite. L'assurance vie universelle offre donc une protection contre les créanciers. Elle permet aussi à l'assuré de participer à la gestion de ses besoins en assurance vie.

En conclusion, la police d'assurance vie universelle n'est pas une panacée. Disons-le, elle a souvent été commercialisée et vendue comme un produit quasi-miraculeux. Certains clients peuvent préférer un produit plus simple, telle l'assurance vie temporaire.

Enfin, l'assurance vie universelle est avant tout un produit d'assurance, non un véhicule de placement.

Le profil du client idéal

L'assurance vie universelle peut s'avérer un excellent choix pour la personne qui possède le profil financier suivant :

- Ne plus avoir de dettes de consommation dont l'intérêt n'est pas déductible ;
- Contribuer déjà au maximum de son REER et de son CELI ;
- Avoir des liquidités excédentaires ;
- Avoir besoin de la protection d'une assurance vie comportant plusieurs clauses complémentaires (assurance vie pour le conjoint, les enfants, les associés, etc.).

16.6 L'analyse des besoins financiers en assurance vie (ABF)

L'analyse des besoins financiers en assurance vie (ABF) est un processus assez complexe qu'utilisent les spécialistes de l'assurance afin de déterminer le montant d'assurance vie dont a besoin le client. Présentons maintenant cet important processus à l'aide du cas du couple Simard-Lajoie. Nous avons déjà décrit la situation de Francine Simard et Claude Lajoie au chapitre 7.

Avant de procéder à l'ABF de Claude et Francine, soulignons que deux autres exemples de ce type d'analyse seront présentés dans ce chapitre. En effet, le dossier 16.1 s'attarde sur l'ABF du docteur Bonsoins, que nous avons présenté dans le dossier 7.1. Quant à elle, la section 16.7 se concentre sur l'ABF du couple D'Amours.

Avant de débuter, soulignons deux éléments importants :

- Dans le cas de l'ABF du couple Simard, qui suit, il s'agit uniquement du décès de Claude. Dans le cas du dossier 16.1, il s'agit également uniquement du décès du docteur Bonsoins. Le décès de la conjointe de Claude et celui de la conjointe du docteur Bonsoins n'ont pas été analysés, car le but est principalement d'illustrer la marche à suivre. Par ailleurs, la section 16.7 s'attarde sur le décès des deux conjoints D'Amours.
- L'ABF en matière d'assurance vie est uniquement axée sur l'aspect « protection familiale ».

16.6.1 L'objectif de l'ABF en matière d'assurance vie

Le processus de l'ABF en matière d'assurance vie vise à déterminer d'une façon assez précise non seulement l'ampleur du capital assurance auquel souscrire, mais également son évolution. Par exemple, une personne peut avoir besoin d'un capital de 250 000 $ momentanément, mais de 100 000 $ 4 ans plus tard. On trouve, dans le milieu financier, des approches basées sur des calculs simplifiés. Par exemple, on peut estimer que le capital nécessaire au décès est de cinq à sept fois le revenu courant net du client. Ces approches ont leur utilité, car si nécessaire, mieux vaut avoir une assurance vie de six fois le revenu net, par exemple, que pas d'assurance du tout. Par ailleurs, la complexité de la situation financière de nombreux clients demande une approche plus structurée et plus personnalisée, d'où l'ABF en matière d'assurance vie.

16.6.2 L'ABF en matière d'assurance vie de Claude Lajoie

La phase de budgétisation, tout comme le profil financier de Francine Simard et Claude Lajoie, ont été présentés au chapitre 7.

Francine Simard et Claude Lajoie ont consulté la firme de planificateurs financiers Les Modules intégrés inc. Ce couple est marié et la famille compte deux enfants, Nathalie, six ans et Jean-Michel, un an. Nous avons précédemment présenté les différents états financiers liés à la gestion budgétaire de la famille Simard-Lajoie, famille de salariés. Ce bilan est daté du 1er novembre 2010. L'annexe B contient les questionnaires qu'ils ont remplis.

Vous pouvez consulter la section 11 du questionnaire n°1 pour en savoir davantage sur les assurances que possède le couple Simard-Lajoie. Voici quelques commentaires au sujet de Francine et Claude :

- La T-10 de 100 000 $ de Claude, contractée en avril 2002, lui coûte 300 $ par année. Elle est trop dispendieuse, car Claude a 32 ans au moment du bilan. Une T-10 lui coûterait environ 150 $ par année ;
- L'entreprise pour laquelle Claude travaille, ABC inc., lui fournit une assurance vie collective de 25 000 $, dont Francine est la bénéficiaire.

Voici quelques renseignements additionnels qui caractérisent le cas du couple Simard-Lajoie :

- Ce couple considère qu'une protection de 12 ans et de 8 ans, respectivement, serait acceptable ;
- Toutes les personnes visées s'entendent pour utiliser un montant de 4 900 $ en ce qui a trait aux projets spéciaux ;
- Le taux d'imposition en fonction du coût de la vie sera de 24 %, taux jugé raisonnable dans les circonstances ;
- Pour ce qui est de la prestation annuelle au conjoint survivant (RRQ), on suppose que le montant sera de 3 500 $ après impôts (4 600 $ brut − 24 % d'impôt) ;
- Le tableau 7.2 (*voir la page 130*) affiche, pour Francine, un salaire net de 12 700 $ en 2010-2011. Il faut comprendre qu'au décès de Claude, le salaire de Francine ainsi que tous les autres revenus découlant en partie des intérêts de l'assurance vie seront imposés à 24 %. La démarche qui suit a pour but d'évaluer les besoins de Claude en matière d'assurance vie, compte tenu, entre autres, du taux d'imposition :

Salaire brut	16 000 $
Retenues admissibles	800
Portion imposable	15 200
Impôt 24 % (*voir le tableau 11.3 à la page 242*)	3 600
Retenues non admissibles	−
Revenu net de travail (arrondi)	<u>11 600 $</u>

- Les derniers débours seront de l'ordre de 10 000 $ à l'âge de 32 ans et de 15 000 $ à l'âge de 36 ans, compte tenu de la prestation de la Régie au moment du décès ;
- Nous utiliserons un rendement après impôts de 4 % afin de calculer le capital nécessaire pour subvenir au coût de la vie au moment du décès. Nous utiliserons la méthode du nombre d'années pour épuiser le capital ;
- L'hypothèque n'est pas assurée. Le solde du prêt est disponible au 1er novembre 2010. Supposez que le solde sera de 50 000 $ en novembre 2014. Toutes les autres dettes seront payées (*voir la section 7.3*) ;
- Aucun fonds spécial n'est précisé.

16.6.3 Les quatre étapes de l'ABF en matière d'assurance vie

L'ABF porte sur une certaine période et s'effectue en quatre étapes :

- La détermination des deux âges clés ;
- L'évaluation du capital nécessaire au moment du décès ;

- Le calcul de la protection manquante;
- La détermination du produit approprié à la nature de la protection manquante.

Avant d'examiner brièvement chacune de ces étapes, soulignons qu'une réévaluation des besoins devrait être effectuée au moment des changements importants survenant dans la vie d'un couple, tels qu'un mariage ou une naissance.

16.6.4 La détermination des deux âges clés

En premier lieu, la détermination des deux âges clés, séparés de quelques années, permet de mesurer non seulement les besoins en assurance vie à ces deux âges, mais également leur évolution durant une période relativement longue et importante dans la vie des clients.

Les âges clés sont :
- l'âge actuel du client;
- l'âge du client au moment de l'atteinte de la première étape de l'indépendance financière, soit à la fin de la période de programmation des disponibilités financières.

L'âge actuel du client

Claude Lajoie a 32 ans au moment de l'analyse, en novembre 2010. Il s'agit donc du premier âge clé.

L'âge du client au moment de l'atteinte de la première étape de l'indépendance financière

La première étape de l'indépendance financière commence lorsque le client s'est libéré de la majorité de ses dettes personnelles et lorsqu'il a acquis l'habitude de subvenir à son coût de la vie et de payer le coût de ses projets à même ses revenus. En ce qui concerne Claude Lajoie, on peut tenir pour acquis qu'il réglera ses dettes d'ici quatre ans, selon la programmation des disponibilités financières. Le deuxième âge clé sera donc 36 ans.

Le lecteur peut se reporter au tableau 16.3 à la page suivante afin de mieux saisir la portée de ces deux âges dans le cadre de l'analyse des besoins financiers.

16.6.5 L'évaluation du capital nécessaire au moment du décès de Claude Lajoie

La deuxième étape de l'ABF consiste à évaluer le capital nécessaire à la famille survivante afin qu'elle puisse maintenir sa qualité de vie. Le calcul figure dans le tableau 16.3 (*voir la page suivante*). Voici une définition de chacun des grands éléments qui le composent :

- Le coût de la vie, après le décès, est celui que la famille survivante devra maintenir après le décès de l'assuré;
- Les revenus gagnés, après impôts, correspondent à l'évaluation des revenus qui seront disponibles pour le conjoint survivant. Dans le présent cas, il s'agit du salaire de Francine et des prestations de RRQ versées au conjoint survivant. Les revenus peuvent provenir d'autres sources, telles que de l'immobilier, d'une entreprise sous son contrôle et de diverses

TABLEAU `16.3` L'évaluation du capital nécessaire (aux 100$ près) au moment du décès de Claude Lajoie

	nov. 2010	nov. 2014
Date		
Âge au décès:	**32 ans**	**36 ans**
Nombre d'années:	**12 ans**	**8 ans**
Coût de la vie après le décès		
Coût de la vie actuel	40 500$ [1]	
Plus:		
Provision annuelle pour les projets spéciaux	4 900	
	45 400$	
Moins:		
Versement hypothécaire annuel	6 400	
Coût de la vie rajusté	39 000$	
Ajustement suggéré	–	
Coût de la vie net (après décès)	39 000$	
Moins:		
Revenus gagnés, après impôts, par le conjoint survivant		
Rentes du Québec **(4 600$ × 76%)**	**3 500**	
Revenu de travail	11 600	
	15 100$	
Revenu manquant pour maintenir le coût de la vie	23 900$	25 900$ [2]
Capital nécessaire pour maintenir le coût de la vie	224 300$ [3]	174 400$ [3]
Plus: Capital de libération		
Derniers débours	10 000	15 000
Dettes au décès (hypothèque non assurée)	82 600 [4]	50 000
Impôt exigible au décès	–	–
	92 600$	65 000$
Plus:		
Fonds spéciaux (aucune mention)	–	–
CAPITAL NÉCESSAIRE AU MOMENT DU DÉCÈS	316 900$	239 400$

(1) Voir le tableau 7.2 à la page 130.

(2) Revenu manquant de 23 900$ à l'âge de 32 ans majoré de 2% d'inflation.

⊞ (3) Voir la table financière VII.

(4) Voir le bilan familial dans le tableau 7.1 à la page 127. L'impôt éventuel ne fait pas partie des dettes; le capital REER est présumé avoir été remis à Francine au moment du décès de Claude.

prestations gouvernementales (par exemple : programme de soutien aux enfants au provincial et la prestation fiscale canadienne pour enfants au fédéral). Afin de simplifier notre exemple, nous avons décidé de ne pas tenir compte de ces diverses sources de revenus :

- Le revenu manquant pour maintenir le coût de la vie est la différence, dans le cas du conjoint survivant, entre le coût de la vie après le décès et les revenus gagnés, après impôts ;
- Le capital nécessaire pour maintenir le coût de la vie permet de produire le revenu manquant, et ce, pendant le nombre d'années de protection choisi. La table financière VII (*voir l'annexe A*) sert de référence pour les revenus fixes dans le temps. C'est l'approche préconisée dans le présent cas. Par ailleurs, la table financière XI permet de mesurer le capital générant des revenus qui se majorent annuellement de l'inflation, soit de 3 % ou de 4 %. Ici, nous considérons que les revenus seront encaissés en fin de période, car le capital disponible est passablement élevé. Il revient au planificateur, après discussion avec le client, de choisir la table financière appropriée ainsi que les modalités d'encaissement des revenus, soit en début ou en fin de période ;
- Le capital de libération permet à la succession de libérer la famille, au besoin, des dettes personnelles (*voir le bilan familial au tableau 7.1 à la page 127*), des frais relatifs au décès et de l'impôt ;
- Les fonds spéciaux peuvent servir à effectuer un legs particulier à une œuvre de charité ou à une fondation, par exemple, ou encore à financer les frais d'études professionnelles ou universitaires des enfants, et ce, dans l'éventualité où la famille n'aurait pas prévu de capital pour ce faire (p. ex. : lorsqu'un parent décède alors que les enfants sont en bas âge) ;
- Le capital nécessaire au moment du décès correspond au total du capital nécessaire pour maintenir le coût de la vie, au capital de libération et aux fonds spéciaux.

Le tableau 16.3 présente le cas de Claude Lajoie. L'analyse des besoins financiers en assurance vie s'effectue, d'une part, en fonction de l'âge actuel du client, comme si ce dernier décédait aujourd'hui, à l'âge de 32 ans et, d'autre part, en fonction de la date où celui-ci parvient à la première étape de l'indépendance financière, soit à l'âge de 36 ans selon la programmation des disponibilités financières. Il convient de rappeler qu'après cette étape, toutes les dettes personnelles seront réglées et que des placements dans des REER auront déjà été effectués en vue de la retraite. Le coût de la vie sera alors mieux maîtrisé, dans la plupart des cas. Pour ces raisons, la situation financière du client s'en trouve passablement modifiée ; il est donc utile d'évaluer les besoins en assurance vie du client à cette période de sa vie. Le tableau 16.3 illustre les deux premières étapes du processus d'ABF.

16.6.6 Le calcul de la protection manquante

Après la détermination des deux âges clés et l'évaluation de l'ABF, il faut procéder au calcul de la protection manquante. Ce calcul figure dans le tableau 16.4 à la page suivante.

Voici une définition de deux grands éléments du calcul, soit le capital nécessaire ayant déjà été établi et l'assurance vie manquante.

Le capital disponible

Consacré aux bénéficiaires de Claude Lajoie, le capital disponible représente en fait l'évaluation des fonds générateurs de revenus qui sont à la disposition de la famille survivante. La résidence familiale ne fait pas partie de ce capital, car elle sera utilisée directement ou indirectement à des fins de logement par le conjoint survivant, qu'elle soit conservée ou vendue. Il en va ainsi des meubles et de l'automobile. Dans certains cas, on présume que la voiture de la personne décédée sera vendue, donc que sa valeur sera incluse dans le capital disponible. Le planificateur doit s'efforcer de faire une évaluation prudente du capital disponible afin d'éviter une surévaluation qui pénaliserait le conjoint survivant. Dans cette optique, il est prudent de ne pas considérer le portefeuille de REER comme un actif disponible. Deux raisons justifient cette approche : en conseillant au conjoint survivant de conserver le portefeuille de REER, le planificateur l'encourage à investir dans le financement de sa propre retraite et, de plus, il lui évite de payer de l'impôt, puisqu'un tel transfert de REER se fait en franchise d'impôt, alors que tout retrait du REER est imposable. De toute façon, en dépit de la stratégie de planification utilisée, le conjoint survivant pourra décider, lors du décès de l'assuré, de liquider tout ou une partie de ses REER. Le tableau 16.4 ne tient pas compte du retrait des REER dans l'évaluation du capital disponible. Dans le présent cas, la prestation de la Régie est présentée dans les derniers débours. On peut aussi la présenter dans le capital disponible.

TABLEAU 16.4 La détermination de la protection manquante (aux 100 $ près) au moment du décès de Claude Lajoie

Âge au décès :	32 ans	36 ans
Capital nécessaire au moment du décès	316 900 $	239 400 $
Moins : Capital disponible		
Liquidités	1 800[1]	1 700[2]
Placements actuels hors REER	16 000[1]	
Placements prévus hors REER	—	5 000[2]
Assurance vie actuelle	125 000[3]	125 000[3]
Assurance hypothécaire	—	—
Capital disponible	142 800 $	131 700 $
ASSURANCE VIE MANQUANTE	174 100 $	107 700 $

(1) Voir le bilan familial dans le tableau 7.1 à la page 127.

(2) Voir le tableau 7.4 à la page 135 sur la programmation des disponibilités financières (solde de fin 2014 : 1 722 $). En plus il y a un CPG-CÉLI de 5 000 $.

(3) Voir le questionnaire n° 1, point 11. (Une T-10 de 100 000 $ plus 25 000 $ d'assurance vie collective.) La T-10 a été contractée en 2002 et prend donc fin en 2012.

L'assurance vie manquante

On obtient le montant de l'assurance vie en soustrayant le capital nécessaire au moment du décès du capital disponible. Cela permet de déterminer les montants de protection supplémentaires qui seront nécessaires à différents âges. Il peut arriver que le capital disponible soit supérieur au capital nécessaire au moment du décès. Dans ce cas, il n'existe en théorie aucun besoin d'assurance vie.

16.6.7 La détermination du produit approprié à la nature de la protection manquante

La détermination des produits d'assurance vie appropriés à Claude Lajoie est la dernière étape de l'ABF.

Voici quelques éléments que Claude et son conseiller doivent examiner :

- Annuler la T-10 actuelle, car elle est trop coûteuse ;
- Les besoins à long terme de la famille Simard-Lajoie seraient couverts par une T-100 de l'ordre de 200 000 $; (107 900 $ + 100 000 $ = 207 900 $). Une telle T-100 pourrait lui coûter environ de 500 $ à 600 $ (de l'âge de 30 à 40 ans). Le conseiller pourrait aussi opter pour une assurance vie entière ou une assurance vie universelle si l'une des deux s'avère pertinente pour le client ;
- Acquérir une T-10 de l'ordre de 70 000 $ (274 100 $ − 207 700 $ = 66 400 $ en considérant l'annulation de la T-10 existante de 100 000 $). Avant d'annuler la police d'assurance dans quatre ans, il serait bon de procéder de nouveau à l'ABF en assurance vie afin de s'assurer de la pertinence de ce choix.

16.6.8 L'achat d'une rente certaine

Le décès est le plus souvent une tragédie, surtout dans un cas comme celui de Claude Lajoie. En effet, si Claude décédait à l'âge de 32 ans, il laisserait dans le deuil son épouse Francine, 29 ans, et deux jeunes enfants, Nathalie et Jean-Michel. Imaginons un moment que la famille Simard-Lajoie ait suivi les recommandations de son conseiller financier et que Claude se soit assuré pour 270 000 $. Que pourra faire Francine de ce montant ? La réponse à cette question dépend des suggestions que lui aura faites son conseiller.

Une façon prudente et efficace de régler la situation serait pour Francine d'investir dans une rente certaine d'environ 12 ans. La nature des rentes certaines a été abordée au chapitre 13. Par ailleurs, concernant l'assurance vie et le capital disponible, il faudrait, en premier lieu, défrayer le capital de libération et, en second lieu, prévoir la rente de façon à financer le coût de la vie futur. L'avantage d'une telle stratégie est de permettre au conjoint survivant d'utiliser adéquatement le produit de l'assurance vie afin de respecter la période prévue dans l'analyse, soit, dans notre cas, 12 ans (si le décès survient à 32 ans).

Pour conclure, il faut souligner que la stratégie proposée n'est ni nécessairement la meilleure, ni la seule qui puisse satisfaire les besoins de Francine et Claude.

En assurance vie, la règle fondamentale pour choisir le bon produit est celle-ci : un besoin temporaire doit être comblé par une assurance vie temporaire et un besoin permanent, par une assurance vie permanente ou universelle. Rappelons que la T-100 peut être considérée comme permanente.

16.7 L'ABF en matière d'assurance vie : les deux conjoints

Monsieur et madame D'Amours vous demandent d'évaluer leurs besoins en assurance vie. Monsieur a 28 ans et madame, 24 ans. Jusqu'à maintenant, ils n'ont effectué aucun placement, préférant donner la priorité au paiement de leurs dettes. Ils possèdent une maison dont l'hypothèque, non assurée, s'élève à 85 000 $

et qui sera de 35 000 $ 5 ans plus tard. Ils ont une automobile, des meubles et tout ce qui leur faut, selon eux. Ils vous donnent les renseignements suivants :

- Le couple d'Amours a adopté un enfant qui a aujourd'hui un an. Le désir des conjoints est de recevoir des revenus d'assurance pendant 20 ans pour un décès survenant à l'âge de 28 ans ou pendant 15 ans pour un décès survenant à l'âge de 33 ans (respectivement à 24 ans et à 29 ans pour madame D'Amours) ;
- Le coût de la vie actuel du couple est de 35 000 $ par année, ce qui inclut le coût annuel de l'hypothèque, soit 11 600 $, et les frais liés à l'enfant ;
- Si l'un des deux conjoints décédait, la provision annuelle pour les projets spéciaux est estimée à 2 000 $;
- La prestation annuelle de la Régie s'élèverait à 3 000 $ au décès de l'un des conjoints ;
- Aucun fonds spécial n'est prévu au décès de monsieur D'Amours, mais madame D'Amours suggère un fonds d'études de 20 000 $ pour l'enfant aux 2 âges d'analyse correspondant à son propre décès ;
- Le salaire brut annuel de madame D'Amours est de 34 000 $ et celui de monsieur D'Amours, de 14 000 $;
- Les débours imputables au décès de l'un des conjoints seraient de 6 000 $ après réception de la prestation de décès de la Régie des rentes du Québec ;
- Aucun ajustement (réduction ou augmentation) ne doit être fait concernant le coût de la vie après le décès ;
- L'assurance vie entière de monsieur D'Amours s'élève à 50 000 $ et madame D'Amours possède une assurance vie temporaire T-10 de 150 000 $;
- L'inflation à venir est estimée à 6 %. Le rendement sur les futurs placements est évalué à 10 %, avant impôts. On suppose un taux d'imposition de 30 % pour tous les calculs.

Le couple D'Amours vous demande précisément (en arrondissant toutes les valeurs aux 100 $ près) de :

- faire l'étude de leurs besoins en assurance vie en date d'aujourd'hui et cinq ans plus tard dans le cas de monsieur D'Amours ;
- faire ensuite une étude similaire dans le cas de madame D'Amours ;
- préciser les produits d'assurance vie que vous leur recommanderiez.

Les prochaines sous-sections s'attaquent à ces trois défis.

16.7.1 Une étude des besoins en assurance vie en date d'aujourd'hui et cinq ans plus tard dans le cas de monsieur D'Amours

TABLEAU 16.5 Une évaluation du capital nécessaire (aux 100 $ près) au moment du décès – Monsieur D'Amours

Âge au moment du décès :	28 ans	33 ans
Nombre d'années :	20 ans	15 ans
Coût de la vie après le décès		
Coût de la vie actuel	35 000 $	
Plus : Provision annuelle pour projets spéciaux	2 000	
	37 000 $	

TABLEAU 16.5 *(suite)*

Âge au moment du décès: Nombre d'années:	28 ans 20 ans	33 ans 15 ans
Moins: Versements hypothécaires	11 600	
Coût de la vie rajusté	25 400$	
Ajustement suggéré	0	
Coût de la vie net (après le décès)	25 400$	
Moins: Revenus gagnés, après impôts, par le conjoint survivant (madame D'Amours)		
Rentes du Québec (3000$ × 70%)	2 100	
Salaire de madame D'Amours (34000$ × 70%)	23 800	
	25 900$	
Revenu manquant pour maintenir le coût de la vie	0[1]	0$
Capital nécessaire pour maintenir le coût de la vie	0	0
Plus: Capital de libération		
Derniers débours	6 000	8 000[2]
Dettes au moment du décès	85 000[3]	35 000
	91 000$	43 000$
Plus: Fonds spécial	0	0
CAPITAL NÉCESSAIRE AU MOMENT DU DÉCÈS	91 000$	43 000$

(1) Le revenu manquant est de 0$, bien qu'il soit en fait de – 500$, ce qui constitue un surplus de revenu. À moins que ce surplus ne soit très appréciable, il est préférable de ne pas en tenir compte dans le calcul du capital nécessaire au décès.

(2) $n = 5$ ans, 6% d'inflation; donc 8000$

(3) Les dettes au moment du décès ne représentent que l'hypothèque, laquelle n'est pas assurée.

TABLEAU 16.6 **Le calcul de la protection manquante – Monsieur D'Amours**

Âge au moment du décès: Nombre d'années:	28 ans 20 ans	33 ans 15 ans
Capital nécessaire au moment du décès	91 000$	43 000$
Moins: Capital disponible		
Assurance vie entière (monsieur D'Amours)	50 000	50 000
Assurance hypothécaire	–	–
ASSURANCE VIE MANQUANTE	41 000$	0$

16.7.2 Une étude des besoins en assurance vie en date d'aujourd'hui et cinq ans plus tard dans le cas de madame D'Amours

TABLEAU 16.7 Une évaluation du capital nécessaire (à 100$ près), au décès – Madame D'Amours

	24 ans	29 ans
Âge au moment du décès:	**24 ans**	**29 ans**
Nombre d'années:	**20 ans**	**15 ans**
Coût de la vie après le décès		
Coût de la vie actuel	35 000$	
Plus: Provision annuelle pour projets spéciaux	2 000	
	37 000$	
Moins: Versements hypothécaires	11 600	
Coût de la vie rajusté	25 400$	
Ajustement suggéré	0	
Coût de vie net (après décès)	25 400$	
Moins: Revenus gagnés, après impôts, par le conjoint survivant (monsieur D'Amours)		
RRQ (3 000$ × 70%)	2 100	
Salaire de monsieur D'Amours (14 000$ × 70%)	9 800	
Revenu manquant pour maintenir le coût de la vie	13 500$	18 100$[1]
Capital nécessaire pour maintenir le coût de la vie	143 000$[2]	164 900$[3]
Plus: Capital de libération		
Derniers débours	6 000	8 000[4]
Dettes au décès	85 000[5]	35 000
	91 000$	43 000$
Plus: Fonds spécial	20 000	20 000
	111 000$	63 000$
CAPITAL NÉCESSAIRE, AU DÉCÈS	**254 000$**	**227 900$**

(1) $n = 5$ ans, 6% d'inflation; donc 18 100$

(2) $n = 20$ ans, 7% de rendement après impôts (10% − 30% d'impôt); donc 143 000$

(3) $n = 15$ ans, 7% de rendement; donc 164 900$

(4) $n = 5$ ans, 6% d'inflation; donc 8 000$

(5) L'hypothèque non assurée est la seule dette.

TABLEAU 16.8 Le calcul de la protection manquante – Madame D'Amours

Âge au moment du décès:	24 ans	29 ans
Capital nécessaire au moment du décès	254 000$	227 900$
Moins: Capital disponible		
Assurance vie temporaire (T-10)	150 000	150 000
Assurance hypothécaire	–	–
ASSURANCE VIE MANQUANTE	**104 000$**	**77 900$**

16.7.3 Les produits d'assurance vie recommandés

Monsieur D'Amours possède déjà une assurance vie entière de 50 000 $. Ses besoins additionnels sont temporaires; par conséquent, une assurance temporaire additionnelle d'environ 40 000 $ serait de mise (telle une T-10). Il serait bon de conserver l'assurance vie entière de 50 000 $.

Quant à madame D'Amours, ses besoins totaux en assurance vie sont de l'ordre de 254 000 $ à l'âge de 24 ans et de 227 900 $ à l'âge de 29 ans si l'on exclut la T-10 de 150 000 $. Il serait préférable, vu son jeune âge, d'envisager une assurance vie entière ou une assurance vie temporaire T-100 ou une vie universelle de l'ordre de 230 000 $, ainsi qu'une T-10 d'environ 25 000 $, et d'annuler sa T-10 de 150 000 $ existante.

L'assurance vie ayant été abordée dans les sections précédentes, nous traiterons maintenant des prestations qui sont versées du vivant de l'assuré. Toutefois, avant de procéder, il convient de souligner quelques éléments de grande importance :

- La détermination de la mort est une chose relativement simple pour un expert médical et, dès lors, le règlement d'une assurance vie (une prestation au décès) est, en général, une procédure assez rapide et simple ;

- Ce n'est pas du tout le cas, par exemple, de l'assurance invalidité (prestation versée du vivant de l'assuré). Il existe de multiples définitions du terme « invalidité ». De plus, certaines assurances ont des avenants et des clauses particulières (frais généraux, etc.). Certaines autres s'attardent sur l'assurance invalidité de courte durée (maximum de deux ans), tandis que d'autres encore couvrent l'invalidité à plus long terme (jusqu'à l'âge de 65 ans, par exemple). Enfin, dans le vaste domaine de l'assurance invalidité, on trouve, tout comme dans celui de l'assurance vie, trois grands types de régimes :

  – Les régimes gouvernementaux, qui prévoient des prestations en cas d'invalidité (RQAP, RRQ et RAAQ, entre autres) ;

  – Les régimes individuels ;

  – Les régimes collectifs (entreprises, ordres professionnels, etc.).

16.8 L'assurance invalidité de courte durée (AICD)

L'assurance invalidité de courte durée (AICD) prévoit le versement d'une rente à la suite d'un accident ou d'une brève maladie. On l'appelle donc fréquemment « assurance maladie », « assurance revenu » ou « assurance salaire ». Il s'agit tout simplement d'une assurance de remplacement du revenu (salaire ou revenu d'emploi) en cas d'invalidité, en général de moins de deux ans. L'assurance individuelle coûte plus cher que l'assurance collective ou associative, mais elle offre une protection taillée sur mesure. La plus coûteuse est sûrement l'assurance invalidité individuelle, non résiliable et avec garantie de renouvellement, par opposition aux polices résiliables. Dans ce dernier cas, l'assureur peut refuser de renouveler le contrat ou y mettre fin à sa guise. L'invalidité dont il est ici question est généralement partielle ; même si elle est totale, le contrat de courte durée se caractérise par les conditions suivantes :

- Le délai de carence[6] (période d'attente) : un mois, trois mois ou six mois, par exemple ;
- La période d'indemnisation : six mois, un an ou deux ans, par exemple ;
- La nature de l'invalidité (totale, partielle, temporaire ou permanente) ;
- La nature des prestations[7] (montant forfaitaire ou prestations mensuelles) et les frais inclus (frais généraux, frais de réadaptation, pourcentage du salaire, etc.) ;
- Les causes de l'invalidité ;
- Les exclusions (acte criminel ou acte de guerre, etc.) ;
- Les primes à payer[8].

Cette liste n'est pas exhaustive, mais elle est représentative des contrats de courte durée.

L'assurance invalidité (de courte ou de longue durée) est une nécessité. À cet égard, les statistiques sont révélatrices ! « Les hommes ont 43 % de chance de devenir sérieusement invalides pendant leurs années de travail. Les femmes ont 54 % de chance de devenir sérieusement invalides pendant leurs années de travail. À l'âge de 42 ans, vous avez 4 fois plus de chances d'être atteint d'une invalidité que d'un décès. » (Gagné, 2011)

Le client doit bien comprendre ce que l'assureur lui propose en guise de protection et ne pas se fier à sa propre définition de l'invalidité. Certaines assurances peuvent en donner une définition élargie pour une surprime de 25 %, par exemple. Le montant de la prime, si attrayant soit-il, ne doit jamais l'emporter sur ce facteur fondamental qu'est la définition que donne l'assureur de l'invalidité.

En conclusion, il ne faut pas confondre assurance invalidité et assurance maladie complémentaire, fort différentes. En effet, au Québec, par exemple, les résidents sont admissibles au régime d'assurance maladie du Québec. (Les personnes qui n'ont pas accès à un régime privé d'assurance médicaments sont également admissibles au régime d'assurance médicaments du Québec.) L'assurance maladie complémentaire vient couvrir les frais non assumés par l'État québécois ou encore par une assurance privée collective. Voici un exemple : les frais d'une chambre d'hôpital semi-privée peuvent être assumés, mais une assurance maladie complémentaire permettra de couvrir les frais d'une chambre privée.

---

6. Il est important de bien jauger ce délai de carence, car les primes diminuent de façon appréciable si les délais sont plus longs. Par exemple, une prime pour un délai de carence de 3 mois peut être d'environ 50 % de la prime dont le délai de carence est de 1 mois. Une personne de 40 ans pourrait payer près de 1 000 $ par année pour recevoir une indemnisation mensuelle de 2 000 $, pour un délai de carence de 1 mois. Si le délai de carence est de 3 mois, cette prime sera d'environ 500 $, ce qui permettra de contracter une assurance pour de plus longues périodes d'indemnisation. Cet exemple soulève l'importance de maintenir une bonne réserve de base pour maintenir le coût de la vie.

7. Il est très important de vérifier la nature de l'indemnité versée par l'assureur. Par exemple, certains assureurs offrent une police de base à un coût raisonnable, mais les protections supplémentaires sont coûteuses. D'autres versent une indemnité maximale qui ne peut dépasser, par exemple, les deux tiers du revenu imposable. Il faut magasiner et, de préférence, consulter un spécialiste de l'assurance.

8. Ces primes sont calculées en fonction des tables de morbidité, par opposition aux tables de mortalité utilisées en assurance vie. La table de morbidité indique la fréquence des accidents et des maladies graves, par exemple, pour un grand nombre de personnes. En voici un exemple : « Dans ce groupe de personnes…, une personne sur huit sera atteinte d'un cancer de… ».

Pour en savoir davantage sur l'assurance maladie complémentaire, vous pouvez consulter le site de l'ACCAP. Vous y trouverez une brochure intitulée « Guide sur l'assurance maladie complémentaire ». Cette brochure aborde d'autres sujets concernant l'invalidité. Vous y trouverez aussi le « Guide sur l'assurance invalidité ». Ce document explique ce qu'est l'assurance invalidité (aussi appelée « assurance salaire »), donne un aperçu des régimes qui relèvent de l'État et des régimes individuels et collectifs. Il permet aussi de faire l'analyse des besoins financiers en assurance invalidité.

16.9 L'assurance invalidité de longue durée (AILD)

Dans la section précédente, nous avons souligné la nécessité de l'assurance invalidité de courte durée (AICD). Cette remarque s'applique également, et surtout, à l'assurance invalidité de longue durée (AILD), ce type d'invalidité constituant sans aucun doute l'une des grandes tragédies de la vie. En fait, de nombreux planificateurs financiers d'expérience vous diront que l'assurance invalidité est à la base même de toute planification financière.

Vivre toute sa vie en étant invalide est déjà un fardeau assez lourd. Il est donc crucial de ne pas en plus être privé des ressources financières nécessaires pour maintenir une certaine qualité de vie.

L'assurance invalidité de longue durée paie des prestations au titulaire de la police si ce dernier devient invalide et incapable de travailler. Elle a donc pour objectif principal de garantir une sécurité de revenu à long terme, jusqu'à l'âge de 65 ans en remplaçant les revenus perdus à cause de l'invalidité. Les mêmes conditions que celles qui ont été énumérées ci-dessus concernant l'AICD sont à surveiller ici aussi : le délai de carence, la période d'indemnisation, etc.

L'assurance invalidité se contracte tôt dans la vie familiale et professionnelle d'un individu. À l'âge de 30 ans, l'AILD n'est vraiment pas très coûteuse, mais représente une absolue nécessité.

Les prestations provenant d'une police individuelle d'invalidité de courte ou de longue durée sont non imposables. Par contre, les prestations provenant d'une police collective d'invalidité liée à l'emploi le sont.

16.10 L'assurance maladies graves

En général, l'assurance maladies graves (ou assurance contre les maladies graves) permettra un versement unique au titulaire de la police s'il est victime d'une maladie grave tel un cancer. Tout comme l'AILD, cette assurance se contracte tôt dans la vie du jeune professionnel.

Les produits présentement offerts sur le marché peuvent couvrir de 5 à plus de 20 maladies graves, dont les plus connues sont :

- l'accident vasculaire cérébral (AVC) ;
- la crise cardiaque ;
- le cancer ;
- le sida ;
- la maladie d'Alzheimer.

Une question se pose : Si j'ai une assurance maladies graves, aurai-je besoin d'une assurance invalidité en plus ? Ce qu'il faut comprendre, c'est que l'assurance maladies graves ne couvre pas, en général, les dépressions et autres problèmes psychiatriques, ni le stress, qui – et cela est médicalement reconnu – est l'une des causes principales de l'invalidité. Avec l'assurance maladies graves, vous assurez la cause de l'invalidité et non l'invalidité même. C'est comme assurer votre maison pour le feu, mais assurer seulement le salon et la chambre principale. C'est pourquoi il faut bien y penser avant d'acheter une telle assurance. Par ailleurs, pour certaines personnes qui auraient de la difficulté à contracter une assurance invalidité. L'assurance maladies graves pourrait s'avérer utile.

Pour un homme âgé de 40 ans jouissant d'une protection étendue (une vingtaine de maladies) de 100 000 $ (les montants peuvent varier de 25 000 $ à plus de 2 millions de dollars), la prime mensuelle peut varier entre 100 $ et 150 $ selon les protections. Ce coût peut sembler élevé, mais lorsqu'une maladie grave frappe, la prestation de 100 000 $ peut s'avérer une précieuse aide financière pour la personne éprouvée et sa famille.

Les prestations provenant d'une assurance maladies graves sont non imposables.

Le document de l'ACCAP intitulé « Guide sur l'assurance invalidité » mentionné plus haut aborde ce type d'assurance.

16.11 L'assurance soins de longue durée

L'assurance soins de longue durée permet à l'assuré de recevoir des prestations lorsqu'il est victime d'une maladie chronique ou souffre d'une incapacité prolongée. Cela est de plus en plus fréquent, entre autres à cause du vieillissement de la population, de l'arrivée du privé dans le système de santé public et de la baisse de la natalité, qui font pression sur le système de santé public, etc. L'assurance soins de longue durée répond à un besoin précis : celui de disposer de ressources financières pour faire face à une telle éventualité. Les soins offerts dans les centres privés sont coûteux, et la plupart des planifications financières en vue de la retraite ignorent présentement ce coût dans le calcul des mises de fonds nécessaires. Par contre, au chapitre 11, notamment dans le tableau 11.1 (*voir la page 239*), une somme d'argent « pour les imprévus à la retraite » a été ajoutée. Ce montant est de l'ordre de 10 à 15 % du revenu familial net. Comme nous l'avons indiqué, lors de ces imprévus, le coût d'une assurance soins de longue durée a parfaitement sa place.

Ce type d'assurance est relativement nouveau sur le marché. Il existe également plusieurs types d'assurances soins de longue durée. Certaines assurances offrent un montant forfaitaire, d'autres ne permettent de rembourser que les dépenses autorisées. D'autres encore offrent des prestations régulières, les prestations hebdomadaires pouvant varier grandement d'un assureur à l'autre. Toutefois, pour donner un ordre de grandeur, il est possible d'obtenir de 200 $ à 2 000 $ par semaine quand les délais de carence vont jusqu'à 6 mois.

Au Québec, le nouveau titulaire d'une assurance soins de longue durée est généralement âgé d'environ 55 ans et a un revenu allant de moyen à élevé. C'est une personne qui jouit d'un niveau d'éducation élevé, qui planifie son avenir financier et qui ne compte pas uniquement sur le réseau de santé public.

Les prestations provenant d'une assurance soins de longue durée sont non imposables.

Le document de l'ACCAP intitulé « Guide sur l'assurance invalidité » mentionné plus haut aborde aussi ce type d'assurance.

Conclusion

Le module « Les assurances » nous a permis d'analyser le rôle de l'assurance vie en ce qui a trait au maintien d'une protection suffisante pour maintenir la qualité de vie de la famille survivante. Nous y avons dressé un bref portrait des produits d'assurance les plus connus sur le marché.

Dans ce chapitre, nous avons surtout voulu démontrer la nécessité de bien cerner les besoins du client. Tous conviendront du fait que le client d'aujourd'hui est très différent de celui des années passées. Il est plus informé, plus instruit, plus avisé et s'attend à ce que les gens qui le conseillent sur ses assurances aient une approche professionnelle. De plus en plus d'organismes engagés dans l'éducation des consommateurs suggèrent fortement à ceux-ci de mieux s'informer, non seulement pour analyser leurs besoins à court et à moyen termes, mais également pour trouver le produit d'assurance le plus approprié.

Quant aux assurances qui offrent des prestations du vivant du titulaire, elles sont de plus en plus en demande. De nouveaux types de polices d'assurance font leur entrée sur le marché en offrant des assurances qui combinent plusieurs produits, tels que l'assurance maladies graves et les assurances invalidité et soins de longue durée.

Terminons en soulignant que les intermédiaires qui travaillent dans le vaste domaine de l'assurance deviendront de plus en plus des planificateurs financiers. Le grand défi qu'ils auront à relever – et qu'ils relèveront, nous en sommes persuadés – consistera à concilier leur sens de l'éthique professionnelle, qui les motive à être avant tout au service du client, et leur devoir envers les assureurs qu'ils représentent.

MÉDIAGRAPHIE

Page 401
Association canadienne des compagnies d'assurances de personnes, www.clhia.ca via Pour les consommateurs > Publications destinées aux consommateurs > Guide sur l'assurance vie

Page 403
Régie des rentes du Québec, www.rrq.gouv.qc.ca

Page 404
Association canadienne des compagnies d'assurances de personnes, www.clhia.ca via Pour les consommateurs > Publications destinées aux consommateurs > Guide sur l'assurance vie > Assurance collective (à partir de la page 9)

Page 405
Kanetix.ca, www.kanetix.ca

Page 425
Association canadienne des compagnies d'assurances de personnes, www.clhia.ca

via Pour les consommateurs > Publications destinées aux consommateurs > Guide sur l'assurance maladie complémentaire et Guide sur l'assurance invalidité

Références
Diane A. Gagné Services financiers (2011). *Statistiques sur l'invalidité*. Récupéré de www.dianeagagne.com/fr/solutions/healthcare/disability_insurance.php

MODULE 5

QUESTIONS DE RÉVISION

1. Les assurances se subdivisent en deux grandes catégories. Quelles sont-elles?

2. Que signifie l'expression «assurances IARD»?

3. Quel est précisément le rôle de l'assurance vie?

4. Quel est le principe fondamental qui sous-tend l'assurance vie?

5. Que signifie l'expression «prime d'assurance vie»?

6. Que signifie l'expression «table de mortalité»?

7. La prime d'assurance vie varie en fonction de plusieurs facteurs. Quels sont-ils?

8. Décrivez brièvement les assurances vie temporaires uniformes T-10 et T-100.

9. En quoi consiste l'assurance vie entière?

10. Comment fonctionne l'assurance vie universelle?

11. Pourquoi doit-on maintenir une assurance vie minimale?

12. Quelle différence y a-t-il entre un régime collectif d'assurance vie et un régime individuel?

13. L'assurance invalidité est-elle vraiment nécessaire? Expliquez votre réponse.

14. Quelle différence majeure y a-t-il entre l'assurance invalidité de courte durée et celle de longue durée?

15. En quoi consiste l'assurance maladies graves?

16. Pourquoi une personne âgée de 55 ans, en bonne santé, devrait-elle se préoccuper de souscrire une assurance soins de longue durée?

EXERCICES

Note: Les exercices qui suivent ne reflètent pas nécessairement les conditions économiques en vigueur dans le milieu financier (par exemple: taux d'intérêt ou d'inflation). Ils favorisent l'apprentissage des concepts expliqués dans ce chapitre, plus précisément celui de l'ABF. La décision d'utiliser un taux de rendement, un taux d'inflation donné ou une protection moindre du nombre d'années que l'ABF prend en considération appartient au planificateur financier et à son client.

Pour résoudre adéquatement les exercices suivants, il est nécessaire de comprendre l'ABF de Francine Simard et Claude Lajoie.

Afin de simplifier les calculs, un taux d'imposition est suggéré pour les différentes sources de revenus, et ce, pour chacun des exercices présentés.

1. À partir des renseignements suivants, on vous demande d'évaluer les revenus gagnés, après impôts (aux 100$ près), de ces 3 personnes en cas de décès immédiat. Faites-en aussi une

évaluation cinq ans plus tard. Notez que l'inflation est estimée à 5%. Les taux d'imposition approximatifs sont de 30% pour madame Bello, de 35% pour monsieur Belland et de 40% pour madame Bélair.

	Mme Bello (36 ans)	M. Belland (42 ans)	Mme Bélair (34 ans)
Coût de la vie après le décès	24 000$	35 000$	48 000$
Rentes du Québec en cas de décès	4800	4900	3500
Salaire brut du conjoint	7000	11 000	34 000
Revenu net de location[1]	5000	6000	0

(1) Le revenu net de location pour cet exercice est égal au revenu imposable.

EXERCICES *(suite)*

2. Le docteur Aristide Bellecroc est un orthodontiste marié âgé de 29 ans. Son épouse, Ivoire, travaille à temps partiel et a un salaire annuel (avant impôts) de 18 500 $. Ce salaire suivra le taux d'inflation à l'avenir. Le coût de la vie actuel du couple est de 50 000 $ par année, ce qui inclut un versement hypothécaire mensuel de 1 750 $ pour la résidence principale. L'hypothèque est assurée par l'établissement prêteur. Le docteur Bellecroc vous consulte pour effectuer l'analyse de ses besoins en assurance vie. Il précise qu'aucune réduction ni augmentation du coût de la vie net (ou après décès) ne serait acceptable pour la famille survivante. Il vous informe que le coût annuel moyen des projets spéciaux serait de l'ordre de 3 000 $. En cas de décès, la rente annuelle du Québec versée au conjoint survivant représenterait près de 4 300 $. Le couple Bellecroc vous indique qu'une période de 15 ans pour recevoir les revenus d'assurance serait acceptable (11 ans pour un décès à l'âge de 33 ans). Le taux de rendement après impôts est de 7 % et le taux d'imposition sur les revenus gagnés, de 30 %.

a) Si le docteur Bellecroc décédait à l'âge de 29 ou de 33 ans, quel serait le capital nécessaire à ces deux âges pour permettre à la famille survivante de maintenir son coût de la vie ? Vous estimez, en accord avec le couple, que le capital de libération nécessaire serait de 70 000 $ à l'âge de 29 ans et de 30 000 $ à l'âge de 33 ans. Comme l'hypothèque est assurée, elle ne figure pas dans ce montant et, par conséquent, il ne sera pas nécessaire d'inclure un montant sous la rubrique « Assurance hypothécaire » pour calculer le capital disponible. Le docteur Bellecroc vous demande de considérer un legs particulier de 10 000 $ à un fonds universitaire pour les deux âges d'analyse.

b) Le docteur Bellecroc est non fumeur ; il possède déjà une assurance vie entière de 50 000 $. De plus, vous estimez avec lui que la famille dispose présentement d'un capital hors REER de 115 500 $ (après impôts). Le docteur Bellecroc vous fait deux propositions

pour simplifier votre tâche de conseiller :
1) Extrapoler ce capital à 6 % afin de connaître le capital disponible à l'âge de 33 ans ;
2) Prévoir des placements, hors REER, de l'âge de 29 à 33 ans, lesquels devraient produire un capital de près de 30 000 $ (après impôts) dans 4 ans. Quels sont les montants manquants en assurance vie à l'âge de 29 et à l'âge de 33 ans ? (Les valeurs sont arrondies aux 100 $ près.)

c) Selon vous, quels produits pourraient satisfaire les besoins du docteur Bellecroc ? Faites une analyse de la situation en considérant qu'une assurance vie minimale de 50 000 $ est nécessaire.

3. D'après les renseignements suivants, calculez le capital nécessaire pour maintenir le coût de la vie (valeurs arrondies aux 100 $ près) des deux clients, aux deux âges indiqués.

| | M. Alpha | | Mme Bêta | |
	À 35 ans	À 40 ans	À 29 ans	À 33 ans
Revenu manquant pour maintenir le coût de la vie	14 000 $		22 000 $	
Nombre d'années pour recevoir les revenus	22 ans		25 ans	
Coût de la vie actuel	24 000 $		28 000 $	
Taux de rendement futur estimé : 10 %				
Taux d'imposition présumé : 30 %				

4. Vous avez en main le bilan personnel de monsieur Latulipe, fleuriste, âgé de 42 ans, en date du 31 décembre 2010. On vous fournit de plus les renseignements suivants :

- Monsieur Latulipe prévoit que d'ici 3 ans (en 2013, à l'âge de 45 ans), toutes ses dettes seront remboursées ;

EXERCICES *(suite)*

- Étant donné que les biens sont tous légués au conjoint, il n'y aura aucun impôt exigible au moment du décès ;

- Monsieur Latulipe prévoit que ses placements hors REER actuels seront investis durant les 3 prochaines années à un taux de rendement de 7 % après impôts ;

- Il prévoit investir dans un REER à la fin des trois prochaines années. Le montant total du portefeuille REER, au 31 décembre 2013, est estimé à 55 000 $, y compris le montant actuel de 40 000 $. Le portefeuille REER ne sera pas considéré comme un capital disponible, car il sera transféré en franchise d'impôt dans le REER du conjoint survivant.

- Le coût de la vie actuel familial du couple Latulipe est de 39 000 $, ce qui inclut le versement hypothécaire annuel de 10 800 $; aucun ajustement de ce coût de la vie n'est suggéré après le décès ;

- Au décès de M. Latulipe, la provision annuelle pour les projets spéciaux est estimée à 3 000 $;

- La rente du Québec (au conjoint survivant) serait de 4 600 $ au 31 décembre 2010, au moment du décès de monsieur Latulipe.

- Madame Latulipe travaille et prévoit recevoir un salaire brut de 12 000 $ l'année qui vient. Ce salaire suivra l'inflation à moyen terme ;

- Madame Latulipe désire recevoir des revenus d'assurance pendant 22 ans et 19 ans (donc pour un décès à l'âge de 42 et 45 ans, respectivement) ;

- Le couple prévoit la somme actualisée de 8 000 $ en frais funéraires, frais notariés et frais divers au moment du décès, après avoir pris en considération la prestation de décès de la Régie ;

- Monsieur Latulipe possède une assurance vie entière de 25 000 $;

- L'inflation à venir est estimée à 2 % à moyen terme ;

- Le taux d'imposition est estimé à 30 % ;

- Monsieur Latulipe vous suggère un taux de rendement de 7 % après impôts pour les placements actuels.

a) Présentez un rapport sur les besoins en assurance vie de monsieur Latulipe pour aujourd'hui et dans trois ans. (Vous devez donc calculer le capital nécessaire au moment du décès ainsi que la protection manquante.)

b) Quels produits d'assurance vie recommanderiez-vous à monsieur Latulipe ?

M. Latulipe
Bilan personnel au 31 décembre 2010

ACTIF

Liquidités		
Encaisse	2 000 $	
Comptes débiteurs	3 000	5 000 $
Placements		
CPG[(1)]	10 000	
Actions (valeur marchande)	70 000	
REER	40 000	120 000
Biens personnels		
Résidence	200 000	
Meubles	25 000	
Automobile	20 000	245 000
TOTAL DE L'ACTIF		370 000 $

PASSIF

Dettes à court terme		
Solde des cartes de crédit	2 000 $	
Acomptes provisionnels	4 000	6 000 $
Dettes à long terme		
Marge de crédit	5 000	
Emprunt bancaire	10 000	
Hypothèque résidentielle (non assurée)	90 000	105 000
Impôt éventuel		
Impôt éventuel sur placements	3 800	
Impôt éventuel sur REER	14 000	17 800
TOTAL DU PASSIF		128 800 $
VALEUR NETTE		241 200
TOTAL DU PASSIF ET DE LA VALEUR NETTE		370 000 $

(1) Acheté le 31 décembre 2010, donc pas d'intérêts courus.

EXERCICES *(suite)*

5. Madame Aubry est pharmacienne. Elle est aujourd'hui âgée de 40 ans (2010) et désire faire faire une analyse de ses besoins en assurance vie pour aujourd'hui et pour dans quatre ans, soit la durée de son tableau de programmation des disponibilités financières. Elle vous fournit son bilan personnel ainsi que les renseignements suivants :

* Le couple Aubry désire obtenir une protection initiale de 20 ans, donc de 16 ans dans 4 ans ;

● L'inflation est estimée à 2 % à moyen terme et à 4 % à long terme ;

● Le taux d'imposition moyen pour les revenus est estimé à 30 % et le taux de rendement sur le capital investi à long terme (autre que REER), à 7 % après impôts. Pour extrapoler les capitaux actuels, on suppose un taux de rendement réel après impôts de 2 % ;

● Au décès de madame Aubry, son conjoint prévoit vendre l'immeuble de location (*voir le bilan*). Celui-ci lui serait transféré en franchise d'impôt. Si le décès survenait à l'âge de 44 ans, la valeur de l'immeuble devrait avoir augmenté de 2 %, selon le taux d'inflation à moyen terme ;

● Madame Aubry compte investir pendant les 4 prochaines années et prévoit un portefeuille de REER additionnel de 20 000 $;

● Le coût de la vie pendant l'année à venir sera de 35 000 $ et diminuera de 10 % en cas de décès ;

● En cas de décès immédiat, la rente annuelle du conjoint survivant serait de 4 000 $ avant impôts ;

● Aucun impôt ne serait exigible en cas de décès, puisque le conjoint survivant est le seul bénéficiaire de tous les éléments d'actif ;

● Monsieur Aubry travaille et prévoit gagner 15 000 $ brut pendant l'année à venir. Son salaire devrait être indexé selon le taux de l'inflation à moyen terme ;

● Le montant actualisé des débours imputables au décès s'élèverait à 6 000 $ après réception de la prestation de décès de la Régie des rentes du Québec ;

● L'assurance vie entière de madame Aubry est de 50 000 $; elle l'a achetée à l'âge de 30 ans ;

● Il n'y aura pas de dettes dans 4 ans.

● La famille Aubry vit dans une copropriété entièrement payée ;

● Tous les placements figurant au bilan personnel de madame Aubry seront conservés à l'avenir. Le portefeuille REER serait transféré au conjoint survivant en franchise d'impôt en cas de décès de monsieur Aubry ;

● En ce qui concerne la provision annuelle pour projets spéciaux, madame Aubry suggère un montant de 3 000 $ par année ;

● Madame Aubry maintient généralement une encaisse minimale de 5 000 $; ce montant restera le même à l'âge de 44 ans.

a) Présentez les besoins financiers en assurance vie de madame Aubry au 31 août 2010 et dans 4 ans, au 31 août 2014. (Vous devez effectuer les calculs à l'aide de la table XI.)

b) Quels types d'assurance vie devrait-elle acheter si cela était nécessaire ?

Mme Aubry
Bilan personnel au 31 août 2010

ACTIF

Liquidités		
Encaisse		8 000 $
Placements (valeur marchande)		
Obligations – gouvernement fédéral	20 000 $	
Intérêts courus[1]	1 667	
REER	30 000	
Immeuble de location	200 000	251 667
Biens personnels (valeur marchande)		
Meubles	15 000	
Automobile	8 000	23 000
TOTAL DE L'ACTIF		282 667 $

EXERCICES *(suite)*

PASSIF		
Dettes à court terme		
Solde des cartes de crédit		2000$
Dettes à long terme		
Hypothèque non assurée sur immeuble de location		38000
Impôt éventuel		
Impôt éventuel sur REER[2]	10500$	
Impôt éventuel sur plus-value[3]	39750	
Impôt éventuel sur récupération de l'amortissement[4]	14840	65090
TOTAL DU PASSIF		105090$

VALEUR NETTE	177577
TOTAL DU PASSIF ET DE LA VALEUR NETTE	282667$

(1) Les acomptes provisionnels de madame Aubry sont évalués en tenant compte de l'impôt sur les gains en intérêts ; ils ont été payés correctement.

(2) Fonds REER — 30000$
Taux d'imposition estimé : 35 %
IMPÔT ÉVENTUEL SUR REER — 10500$

(3) Valeur marchande, en date du bilan — 200000$
Coût de l'immeuble — 40000
Gains en capital — 160000
IMPÔT ÉVENTUEL SUR PLUS-VALUE — 39750$

(4) Amortissement déjà utilisé — 30000$
IMPÔT ÉVENTUEL SUR RÉCUPÉRATION DE L'AMORTISSEMENT — 14840$

SOLUTIONS AUX EXERCICES

1.

	Mme Bello		M. Belland		Mme Bélair	
Évaluation des revenus gagnés, après impôts (aux 100$ près)						
	À 36 ans	À 41 ans	À 42 ans	À 47 ans	À 34 ans	À 39 ans
Taux d'impôt utilisé	30 %		35 %		40 %	
Rentes du Québec, après impôts	3400$[1]		3200$[2]		2100$[3]	
Salaire, après impôts	4900$[4]		7200$[5]		20400$[6]	
Loyers, après impôts	3500$[7]		3900$[8]		0	
REVENUS GAGNÉS, APRÈS IMPÔTS	11800$	15100$[9]	14300$	18300$[10]	22500$	28700$[11]

(1) 4800$ × 70 % = 3360$ ou 3400$

(2) 4900$ × 65 % = 3185$ ou 3200$

(3) 3500$ × 60 % = 2100$

(4) 7000$ × 70 % = 4900$

(5) 11000$ × 65 % = 7150$ ou 7200$

(6) 34000$ × 60 % = 20400$

(7) 5000$ × 70 % = 3500$

(8) 6000$ × 65 % = 3900$

(9) Table III, 5 ans, 5 % d'inflation ; facteur 1276,28. Donc 1276,28 × 11,8 (pour 11800$) = 15060$ ou 15100$.

(10) Table III, 5 ans, 5 % d'inflation ; facteur 1276,28. Donc 1276,28 × 14,3 (pour 14300$) = 18251$ ou 18300$.

(11) Table III, 5 ans, 5 % d'inflation ; facteur 1276,28. Donc 1276,28 × 22,5 (pour 22500$) = 28716$ ou 28700$.

SOLUTIONS AUX EXERCICES *(suite)*

2. a)

Docteur Aristide Bellecroc
Évaluation du capital nécessaire, au décès
(aux 100$ près)

	Âge au moment du décès :	**29 ans**	**33 ans**
	Nombre d'années :	**15 ans**	**11 ans**
Coût de la vie après le décès			
Coût de la vie actuel		50 000$	
Plus : Provision annuelle pour projets spéciaux		3 000	
		53 000$	
Moins : Versements hypothécaires (1 750$ × 12)		21 000	
Coût de la vie rajusté		32 000$	
Ajustement suggéré		0	
Coût de la vie net (ou après le décès)		32 000$	
Moins : Revenus gagnés, après impôts, par le conjoint survivant			
Rentes du Québec (4 300$ × 70 %)		3 000	
Revenu salarial (18 500$ × 70 %)		13 000	
		16 000$	
Revenu manquant pour maintenir le coût de la vie		16 000	20 200$[1]
Capital nécessaire pour maintenir le coût de la vie		145 700[2]	151 500[3]
Plus : Capital de libération		70 000	30 000
Legs particulier		10 000	10 000
CAPITAL NÉCESSAIRE AU MOMENT DU DÉCÈS		225 700$	191 500$

[1] Table III, n = 4 ans, 6 % d'inflation ; facteur 1 262,48
Donc 1 262,48 × 16 (pour 16 000$) = 20 200$ (à 100$ près)

[2] Table VII, n = 15 ans, 7 % de rendement après impôts ; facteur 9 107,91
Donc 9 107,91 × 16 (pour 16 000$) = 145 727$ ou 145 700$

[3] Table VII, n = 11 ans, 7 % de rendement après impôts ; facteur 7 498,67
Donc 7 498,67 × 20,2 (pour 20 200$) = 151 473$ ou 151 500$

SOLUTIONS AUX EXERCICES *(suite)*

b)

Calcul de la protection manquante Docteur Aristide Bellecroc		
Âge au moment du décès :	29 ans	33 ans
Capital nécessaire au moment du décès [*voir a)*]	225 700 $	191 500 $
Moins : Capital disponible		
Placements actuels hors REER (après impôts)	115 500	145 800[1]
Placements hors REER (après impôts) dans 4 ans	–	30 000
Assurance vie actuelle (vie entière)	50 000	50 000
Assurance vie hypothécaire (existante mais non prise en compte)	–	–
Capital disponible	165 500 $	225 800 $
ASSURANCE VIE MANQUANTE	60 200 $	(34 300 $)

(1) *n* = 4 ans, 6 % d'inflation ; donc 145 800 $

c) Il y a lieu, pour le docteur Bellecroc, de conserver l'assurance vie entière de 50 000 $ comme assurance minimale. Actuellement, le docteur Bellecroc (29 ans) a besoin de quelque 60 000 $ d'assurance vie, mais ses besoins seront de à 0 $ dans 4 ans (à l'âge de 33 ans).

Par conséquent, une T-5 ou une T-10 d'une valeur de 60 000 $ serait justifiée avant d'annuler la T-10.

3.

Capital nécessaire pour maintenir le coût de la vie (aux 100 $ près)				
	M. Alpha		Mme Bêta	
	À 35 ans	À 40 ans	À 29 ans	À 33 ans
Revenu manquant pour maintenir le coût de la vie	14 000 $	18 700 $[1]	22 000 $	27 800 $[2]
Nombre d'années	22 ans	17 ans	25 ans	21 ans
Taux d'imposition présumé : 30 %				
Taux de rendement après impôts : 7 % (10 % – 3 %)				
CAPITAL NÉCESSAIRE AU COÛT DE LA VIE	154 900 $[3]	182 600 $[4]	256 400 $[5]	301 200 $[6]

(1) 5 ans, 6 % ; donc 18 700 $

(2) 4 ans, 6 % ; donc 27 800 $

(3) 22 ans, 7 % après impôts ; donc 154 900 $

(4) 17 ans, 7 % après impôts ; donc 182 600 $

(5) 25 ans, 7 % après impôts ; donc 256 400 $

(6) 21 ans, 7 % après impôts ; donc 301 200 $

SOLUTIONS AUX EXERCICES *(suite)*

4. a)

Évaluation du capital nécessaire (aux 100$ près) au moment du décès – M. Latulipe		
Âge au moment du décès :	**42 ans**	**45 ans**
Nombre d'années :	**22 ans**	**19 ans**
Coût de la vie après le décès		
Coût de la vie actuel	39 000$	
Plus : Provision annuelle pour projets spéciaux	3 000	
	42 000$	
Moins : Versement hypothécaire annuel	10 800	
Coût de la vie rajusté	31 200$	
Ajustement suggéré	0	
Coût de la vie net (après décès)	31 200$	
Moins : Revenus gagnés, après impôts, par le conjoint survivant		
Rentes du Québec (4 600$ × 70 %)	3 200	
Revenu de travail (12 000$ × 70 %)	8 400	
	11 600$	
Revenu manquant pour maintenir le coût de la vie	19 600$	20 800$ [1]
Capital nécessaire pour maintenir le coût de la vie	216 800$ [2]	215 000$ [3]
Plus : Capital de libération		
Derniers débours	8 000	8 500 [4]
Dettes au décès (hypothèque non assurée)	111 000 [5]	0
Impôt exigible au décès	0	0
	119 000$	8 500$
Plus : Fonds spéciaux (aucune mention)	0	0
	119 000$	8 500$
CAPITAL NÉCESSAIRE AU MOMENT DU DÉCÈS	335 800$	223 500$

(1) 3 ans, 2 % ; donc 20 800$ (à 100$ près)
(2) 22 ans, 7 % de rendement après impôts ; donc 216 800$
(3) 19 ans, 7 % de rendement après impôts ; donc 215 000$
(4) 3 ans, 2 % ; donc 8 500$ (à 100$ près)
(5) 6 000$ + 105 000$ = 111 000$ (*voir le bilan à l'exercice 4*)

SOLUTIONS AUX EXERCICES *(suite)*

Détermination de la protection manquante
(aux 100$ près) – M. Latulipe

	42 ans	45 ans
Âge au moment du décès :		
Capital nécessaire au moment du décès	335 800$	223 500$
Moins : Capital disponible		
Liquidités	5 000[1]	
Placements actuels hors REER	80 000[2]	98 000[3]
Placements prévus hors REER	0	0
Assurance vie actuelle	25 000	25 000
Assurance hypothécaire	0	0
Capital disponible	110 000$	123 000$
ASSURANCE VIE MANQUANTE	225 800$	100 500$

(1) 2000$ + 3000$ = 5000$

(2) 10 000$ + 70 000$ = 80 000$ (*voir le bilan à l'exercice 4*)

(3) 3 ans, 7 % de rendement après impôts ; donc 98 000$ (aux 100$ près)

b) Monsieur Latulipe devra conserver son assurance vie entière de 25 000 $; il s'agit d'une protection à vie. En tant que travailleur autonome, il aurait avantage à considérer une assurance vie universelle, et ce, après avoir réglé ses dettes à court et à long terme (*voir le bilan*) et avoir contribué au maximum de son REER. Sinon, une assurance vie temporaire additionnelle sera nécessaire : environ 225 000 $ à l'âge de 42 ans et 100 000 $ à l'âge de 45 ans. Dès lors, une T-10 de 125 000 $ et une T-100 d'environ 100 000 $ pourraient être prises en compte à l'âge de 42 ans. Il faudra évaluer de nouveau les besoins à l'âge de 45 ans.

5. a)

Évaluation du capital nécessaire (aux 100$ près),
au décès – Mme Aubry

	40 ans	44 ans
Âge au moment du décès :		
Protection de :	20 ans	16 ans
Coût de la vie après le décès		
Coût de la vie actuel	35 000$	
Plus : Provision annuelle pour projets spéciaux	3 000	
	38 000$	
Moins : Versements hypothécaires	–	
Coût de la vie rajusté	38 000$	
Moins : Réduction suggérée de 10 %	3 800	
Coût de la vie net (ou après décès)	34 200$	

SOLUTIONS AUX EXERCICES *(suite)*

	Âge au moment du décès :	40 ans	44 ans
	Protection de :	20 ans	16 ans
Moins : Revenus gagnés, après impôts, par le conjoint survivant			
Rentes du Québec (4 000 $ × 70 %)		2 800	
Salaire (15 000 $ × 70 %)		10 500	
Revenus de location		–	
		13 300 $	
Revenu manquant pour subvenir au coût de la vie		20 900	22 600 $[1]
Capital nécessaire pour maintenir le coût de la vie		302 200[2]	275 400[3]
Plus : Capital de libération			
Débours imputables au décès		6 000	6 500[4]
Dettes au décès		2 000[5]	–
Plus : Fonds spéciaux (études)		–	–
CAPITAL NÉCESSAIRE AU MOMENT DU DÉCÈS		310 200 $	281 900 $

(1) $n = 4$ ans, 2 % d'inflation (moyen terme) ; donc 22 600 $

(2) Table XI, $n = 20$ ans, 4 % d'inflation (long terme), 7 % de rendement après impôts ; facteur 144 591
Donc 144 591 × (20 900 $ ÷ 10 000 $) = 302 195 $ ou 302 200 $. Sans tenir compte de l'inflation, le capital ne serait que de 221 400 $ (avec la calculatrice) et le capital nécessaire au décès serait considérablement moindre, soit de 229 400 $.

(3) Table XI, $n = 16$ ans, 4 % d'inflation, 7 % de rendement après impôts ; facteur 121 852
Donc, 121 852 × (22 600 $ ÷ 10 000 $) = 275 385 $ ou 275 400 $

(4) $n = 4$ ans, 2 % d'inflation ; donc 6 500 $

(5) Voir le bilan sous la rubrique « Solde des cartes de crédit ».

Calcul de la protection manquante – Mme Aubry

	Âge au moment du décès :	40 ans	44 ans
Capital nécessaire au moment du décès		310 200 $	281 900 $
Moins : Capital disponible			
Encaisse		8 000[1]	5 000
Placements actuels hors REER (après impôts)		129 100[2]	139 700[3]
Placements programmés hors REER		–	–
Assurance vie entière actuelle		50 000	50 000
Assurance vie hypothécaire		–	–
		187 100 $	194 700 $
ASSURANCE VIE MANQUANTE		123 100 $	87 200 $

(1) Voir le bilan sous la rubrique « Encaisse (âge : 40 ans) ». À l'âge de 44 ans, madame Aubry suggère une encaisse minimale de 5 000 $.

(2) Selon le bilan

	40 ans	44 ans
Obligations		20 000 $
Intérêts courus		1 667
Immeuble de location (valeur marchande)	200 000 $	
Moins : Hypothèque	38 000	
Moins : Impôt à payer sur la vente		
Récupération de l'amortissement	14 840	
Gain en capital	39 750	107 410
Placements actuels hors REER (après impôts)		129 077 $
PLACEMENTS ACTUELS HORS REER (APRÈS IMPÔTS) (aux 100 $ près)		129 100 $

(3) $n = 4$ ans, 2 % d'inflation ; donc 139 700 $ (à 100 $ près)

SOLUTIONS AUX EXERCICES *(suite)*

b) L'assurance vie entière achetée à l'âge de 30 ans doit être conservée comme une assurance minimale à vie. Les besoins additionnels sont plutôt raisonnables pour une professionnelle qui possède un commerce (pharmacie). Pour ce type de personne, l'assurance vie universelle est tout indiquée. Sa souplesse et sa viabilité à long terme en font un produit bien adapté aux besoins de la famille Aubry. Un montant de l'ordre de 100 000 $ serait approprié. Pour les besoins s'échelonnant entre 40 et 44 ans, une assurance vie temporaire (T-5 ou T-10) de l'ordre de 25 000 $ (123 100 $ − 100 000 $) serait souhaitable.

Le cas du docteur Bonsoins : l'ABF en matière d'assurance vie

Plan

Introduction
L'analyse des besoins financiers en assurance vie
La détermination des deux âges clés
L'évaluation du capital nécessaire au moment du décès
Le calcul de la protection manquante
La détermination du produit approprié à la nature de la protection manquante
Conclusion

Introduction

Dans ce dossier, nous étudierons l'ABF en matière d'assurance vie du docteur Bonsoins, que nous avons présenté dans le dossier 7.1.

Rappelons que le docteur Bonsoins est un omnipraticien membre de la Fédération des médecins omnipraticiens du Québec (FMOQ) et de la Corporation professionnelle des médecins du Québec (CPMQ). Au moment de l'analyse, soit au 1er avril 2010, il a 36 ans. Sa femme, Iode, 32 ans, est hygiéniste dentaire et travaille à temps partiel. Le couple Bonsoins a deux enfants, Cyro, 7 ans et Pilule, 6 ans. Pour simplifier le dossier, nous n'avons pas inclus les questionnaires que le couple Bonsoins a remplis ; cependant, les différents tableaux rendent compte des renseignements recueillis.

L'ABF en matière d'assurance vie présentée ici est uniquement axée sur l'aspect « protection familiale ». En outre, ce dossier n'aborde pas les assurances invalidité, maladies graves ou soins de longue durée, dont le docteur Bonsoins et son conseiller financier devront discuter en profondeur.

De plus, nous ne présentons que les tableaux de l'analyse, les explications ayant été offertes dans ce chapitre lorsque nous avons fait l'ABF du couple Simard-Lajoie.

L'analyse des besoins financiers en matière d'assurance vie

L'analyse à faire pour le docteur Bonsoins porte sur les quatre étapes classiques de toute ABF en matière d'assurance vie :

- La détermination des deux âges clés ;
- L'évaluation du capital nécessaire au moment du décès ;
- Le calcul de la protection manquante ;
- La détermination du produit approprié à la nature de la protection manquante.

La détermination des deux âges clés

L'âge actuel du client – Le docteur Bonsoins a 36 ans au moment de l'analyse, en avril 2010. Il s'agit donc du premier âge clé.

L'âge du client au moment de l'atteinte de la première étape de l'indépendance financière – La première étape de l'indépendance financière commence au moment où le client s'est libéré de la majorité de ses dettes personnelles, quand il a pris l'habitude de subvenir à son coût de la vie et à payer le coût de ses projets à même ses revenus. En ce qui concerne le docteur Bonsoins, on peut tenir pour acquis qu'il réglera ses dettes dans quatre ans, selon la programmation des disponibilités financières. Le deuxième âge clé sera donc 40 ans.

Le lecteur peut consulter le tableau suivant afin de mieux saisir la portée de ces deux âges dans le cadre de l'ABF.

L'évaluation du capital nécessaire au moment du décès

La deuxième étape de l'ABF consiste à évaluer le capital nécessaire pour que la famille survivante puisse maintenir sa qualité de vie.

L'évaluation du capital nécessaire (aux 100$ près) au moment du décès – Docteur Bonsoins[1]		
Âge au moment du décès:	**36 ans**	**40 ans**
Date:	**Avril 2010**	**Avril 2014**
Nombre d'années:	**15 ans**	**11 ans**
Coût de la vie après le décès		
Coût de la vie actuel	46 000$	
Plus:		
Provision annuelle pour projets spéciaux	11 000	
	57 000$	
Moins:		
Versements hypothécaires	10 600	
Coût de la vie rajusté	46 400	50 200$
Ajustement suggéré	–	–
Coût de la vie net (ou après le décès)	46 400$	50 200$
Moins:		
Revenus gagnés, après impôts, par le conjoint survivant		
Rentes du Québec	4 200	4 500
Revenu de travail	4 100	20 000
	8 300$	24 500$
Revenu manquant pour maintenir le coût de la vie	38 100	25 700
Capital nécessaire pour maintenir le coût de la vie	370 000	202 700
Plus: Capital de libération au moment du décès		
Débours imputables au décès	10 000	10 800
Dettes (y compris l'hypothèque non assurée)	99 300	–
Impôt exigible au décès	–	–
	109 300$	10 800$
Plus: Fonds spéciaux		
Legs particulier	–	–
Fonds pour les études	–	40 000
	–	40 000$
CAPITAL NÉCESSAIRE AU MOMENT DU DÉCÈS	479 300$	253 500$

(1) Ce tableau est basé sur les données du dossier 7.1.

Le calcul de la protection manquante

Après la détermination des deux âges clés et l'évaluation du capital nécessaire au moment du décès, la troisième étape de l'ABF est le calcul de la protection manquante.

Le calcul figure dans le tableau suivant.

La détermination de la protection manquante (aux 100$ près) au moment du décès – Docteur Bonsoins		
Âge au moment du décès:	**36 ans**	**40 ans**
Date:	**Avril 2010**	**Avril 2014**
Capital nécessaire au moment du décès	479 300$	253 500$
Moins: Capital disponible		
Encaisse	23 800	19 700
Comptes débiteurs	9 000	9 700
Placements actuels, hors REER, après impôts	37 100	–
Placements prévus, hors REER, après impôts	–	–
Assurance vie actuelle	75 000	75 000
Assurance hypothécaire	–	–
Capital disponible	144 900$	104 400$
ASSURANCE VIE MANQUANTE	334 400$	149 100$

L'assurance vie manquante

Obtenue en soustrayant le capital nécessaire au moment du décès du capital disponible, l'assurance vie manquante indique les montants de protection supplémentaires nécessaires aux différents âges. Il peut arriver que le capital disponible soit supérieur au capital nécessaire au moment du décès. Dans ce cas, il n'existe en théorie aucun besoin d'assurance vie.

La détermination du produit approprié à la nature de la protection manquante

Récapitulons la situation.

DOSSIER 16.1-_SUITE_

	Décès à 36 ans	Décès à 40 ans
Assurance vie manquante	334 400 $	149 100 $
Assurance T-10 actuelle	75 000	75 000
Protection totale requise	409 400	224 100 $
PROTECTION TOTALE REQUISE (aux 1 000 $ près)	409 000 $	224 000 $

Pour les besoins de courte durée (4 ans, soit de 36 à 40 ans) et de longue durée (40 ans et plus), la stratégie suggérée par le planificateur pour combler les besoins financiers en assurance vie du docteur Bonsoins à partir d'avril 2010, au début de l'analyse financière, est la suivante :

- Contracter une assurance vie à long terme de l'ordre de 225 000 $ à 250 000 $ (selon les coûts) ; une T-100 serait idéale et une vie universelle, acceptable ;

- Conserver la T-10 de 75 000 $ jusqu'en 2015 pour les besoins à court terme ;

- Acquérir une T-5 ou une T-10 (selon les coûts) de l'ordre de 100 000 $.

La famille Bonsoins serait donc assurée pour environ 400 000 $ à moyen terme (2010-2015) et pour 225 000 $ à 250 000 $ (selon les coûts) à plus long terme (2015 et plus).

Il sera important de réévaluer cette situation dans quatre ou cinq ans.

Conclusion

Soulignons de nouveau qu'en matière d'assurance vie, la règle fondamentale pour choisir le bon produit est celle-ci : un besoin temporaire doit être comblé par une assurance vie temporaire et un besoin permanent, par une assurance vie permanente ou universelle. La T-100 peut être considérée comme permanente.

Enfin, la stratégie proposée n'est ni nécessairement la meilleure, ni la seule à pouvoir satisfaire les besoins du docteur Bonsoins. Toutefois, elle illustre bien le grand avantage qu'il y a à utiliser un processus structuré d'analyse tenant compte des deux âges clés.

MODULE

6

LA PLANIFICATION SUCCESSORALE

I
l est ardu de brosser un tableau complet de l'évolution de la planification successorale québécoise depuis les années 1950. L'un des points culminants de ce passionnant domaine aura été la modification du *Code civil* du Québec (CcQ) en 1994.

Depuis quelques décennies, nous sommes passés du concept de famille traditionnelle à une vision plus éclatée. Une chose n'a cependant pas changé : le testament demeure tout aussi important. Dans les années 1940 à 1960, la planification successorale se résumait simplement à la rédaction d'un testament et, dans certains cas, au contrat de mariage.

Au décès des baby-boomers, qui arrivent présentement à l'âge de la retraite, on estime que les successions seront de centaines de milliards de dollars. Cette filiation de la richesse collective aura un effet certain sur le domaine de la planification successorale. L'arrivée d'immigrants et le vieillissement de ces néoquébécois viendront aussi sûrement changer certaines « habitudes successorales ».

La Chambre des notaires du Québec a suivi de près toute cette évolution sociale. De récentes études révèlent des statistiques ahurissantes au sujet des conjoints de fait. Entre autres, « 64 % des gens en union libre pensent que tous les biens acquis pendant leur vie commune seront partagés à parts égales en cas de séparation[1] ».

Au moment d'écrire ces lignes (2011), les conjoints de fait n'ont pas droit au partage du patrimoine familial, et le CcQ ne leur accorde pas le droit à une pension alimentaire, entre autres choses. Avec la très médiatisée saga juridique de Lola et Éric[2], une question se pose : les conjoints de fait sont-ils victimes de discrimination selon la *Charte canadienne des droits et libertés* ? La Cour d'appel du Québec a répondu de façon unilatérale : NON pour le patrimoine familial, mais OUI pour l'obligation alimentaire. La Cour suprême devra se pencher sur ce dossier : nous verrons ce que le plus haut tribunal du Canada décidera.

---

1. Chambre des notaires du Québec (2011). *Prévenir pour éviter le pire.* Récupéré de www.cdnq.org/doc/fr/patrimoine/prevenir_pour_eviter_pire.pdf

2. La saga judiciaire Lola contre Éric concernait la pension alimentaire entre conjoints de fait. Lola et Éric (noms fictifs) se sont affrontés en cour pour déterminer si, outre la pension alimentaire des enfants, madame avait droit à sa propre pension alimentaire de la part de monsieur, même s'ils n'étaient pas mariés.

CHAPITRE

17

LA TRANSMISSION DU PATRIMOINE

Ce chapitre souhaite d'abord expliquer le processus dynamique et continu de la planification successorale dans le contexte de la planification financière personnelle, tout en soulignant l'importance de sa dimension juridique. En effet, la planification successorale touche plusieurs aspects de la planification financière : aspects légaux, considérations fiscales et impacts financiers. Nous abordons ici les aspects fondamentaux de la transmission du patrimoine : patrimoine familial, régimes matrimoniaux et divers types de testament.

La planification successorale est une tâche souvent chargée d'émotion, et plusieurs personnes n'ont même pas de testament et encore moins de plan successoral. Elle s'inscrit dans des stratégies structurées qui se traduisent par des méthodes (ou modes) de transmission du patrimoine adaptées aux différentes étapes de la vie. Il s'agit notamment du testament, des transferts entre vifs et des fiducies (*voir le chapitre 19*).

Il importe de comprendre deux éléments importants. D'abord, la planification successorale ne se limite pas au testament, comme plusieurs semblent le croire. Ensuite, le plan successoral concerne tant le jeune couple qui débute dans la vie que le couple plus avancé en âge.

Il ne faut donc pas confondre patrimoine et patrimoine familial. Un célibataire possède un certain patrimoine, mais n'a aucun patrimoine familial qui dérive du mariage ou de l'union civile. Le plan successoral exige de la planification, des compétences et une attention sans relâche. La consultation d'un expert devient indispensable lorsqu'il s'agit de plans successoraux complexes. Le planificateur financier généraliste doit donc se faire aider d'un spécialiste lorsque la situation l'exige.

Précisons que, depuis le 1er janvier 1972 au Canada et depuis le 23 avril 1985 au Québec, les dons et successions ne sont plus imposés. Les droits successoraux ont pour leur part été partiellement remplacés par l'imposition des gains en capital présumés au moment du décès.

17.1 Les raisons majeures du plan successoral

Quels que soient les actifs que vos clients ont accumulés ou souhaitent accumuler, ils ont besoin d'un plan successoral pour deux raisons majeures :

> Pour ce module, vous devrez consulter de nombreux sites Web qui font intégralement partie de la matière à étudier. Ceux-ci sont présentés dans le dossier 17.1.

- Contrôler et gérer leurs avoirs, les partager avec leur famille ou soutenir les causes qui leur tiennent à cœur durant leur vie active ;
- Préserver leur patrimoine et laisser un héritage durable à leurs héritiers et, de plus en plus fréquemment, faire des legs aux œuvres de bienfaisance et aux causes qui leur sont chères.

17.2 Les objectifs généraux de la planification successorale

Comme nous l'avons constaté, la planification successorale englobe la transmission du patrimoine avant le décès ainsi que sa préservation et sa répartition dans le respect des dernières volontés de la personne décédée. Elle vise également à « protéger » certaines personnes ou à avantager financièrement certains organismes.

Sans entrer dans les détails de la situation du propriétaire du patrimoine à transmettre (transfert entre vifs ou transmission au moment du décès), voici quelques objectifs de la planification successorale :

- Assurer un revenu annuel suffisant au conjoint survivant sa vie durant ;
- Garantir aux enfants d'un premier mariage une certaine sécurité financière ;
- Réduire au minimum l'impôt à payer au moment du décès ;
- Avantager financièrement, immédiatement ou sa vie durant, une personne chère (autre que le conjoint) ;
- Offrir à un organisme un capital ou un revenu ;
- Permettre l'usufruit d'un bien immobilier (par exemple, une maison) à une personne (handicapée ou non) et, au décès de cette dernière, remettre le bien immobilier à d'autres personnes ;
- Créer une fondation pour le bénéfice de personnes malades ou défavorisées ;
- Réduire les impôts au minimum en fractionnant les revenus entre plusieurs bénéficiaires ;
- Assurer un revenu annuel, à vie, à un enfant handicapé ;
- Créer une bourse d'études dans un domaine particulier ;
- Entretenir à vie un bien familial, telle une résidence classée monument historique.

Cette liste, qui est loin d'être exhaustive, laisse entrevoir la complexité des instruments et des stratégies qui permettent de mener à bien une planification successorale.

17.3 Le *Code civil* du Québec

En vigueur depuis le 1er janvier 1994, le nouveau *Code civil* du Québec, dont l'importante réforme a été amorcée en 1955, touche particulièrement à la planification successorale. Les deux traits dominants du nouveau CcQ sont la primauté de la personne et la modernisation du droit. Les autres provinces canadiennes relèvent du *Code civil du Bas-Canada* (CcB.-C.), qui date de 1866 et relève de la *Common Law*.

La *Common Law* est l'ensemble des règles de droit en vigueur dans les pays de culture juridique anglo-saxonne, dont les provinces canadiennes autres que le Québec et tous les États américains, sauf la Louisiane. Le nouveau CcQ maintient l'héritage civiliste du Québec et propose, par exemple, une théorie fiduciaire (*voir le chapitre 19*) qui n'a rien de commun avec l'approche du CcB.-C.

Le CcQ comporte 10 livres et réglemente la plupart des aspects juridiques de la vie du citoyen québécois. Les titres de ces livres révèlent les sujets traités :

- Livre premier : Des personnes (intégrité physique, capacité, majorité, personnes morales, etc.) ;
- Livre deuxième : De la famille (résidence familiale, patrimoine familial, régimes matrimoniaux, etc.) ;
- Livre troisième : Des successions (testaments, liquidation, etc.) ;
- Livre quatrième : Des biens (fiducies, usufruit, etc.) ;
- Livre cinquième : Des obligations (contrats, vente, donation, etc.) ;
- Livre sixième : Des priorités et des hypothèques (créanciers, hypothèques, etc.) ;
- Livre septième : De la preuve ;
- Livre huitième : De la prescription ;
- Livre neuvième : De la publicité des droits ;
- Livre dixième : Du droit international privé.

Dans ce module, on réfère aux articles du CcQ pour les sujets les plus importants. Si vous désirez vous en procurer un exemplaire, optez pour l'édition la plus récente de Baudoin et Renaud, mais sachez que d'autres versions existent. Les articles du CcQ sont aussi publiés sur le site du ministère de la Justice du Québec. Vous y trouverez ceux que nous utilisons tout au long de ce module ainsi qu'un bref historique du CcQ.

Pour obtenir une bonne vue d'ensemble du nouveau CcQ, vous pouvez aussi consulter le site du Réseau juridique du Québec. Le texte de Me Patrice Vachon de Fasken Martineau, « Une vue d'ensemble du *Code civil* du Québec », souligne certains aspects importants qui caractérisent le nouveau CcQ.

Le CcQ est à la base de notre droit civil. Il existe des lois, tant fédérales que provinciales, qui le complètent et qui s'appliquent dans des situations particulières. C'est le cas, par exemple, pour les indemnités de la Commission de la santé et de la sécurité du travail (CSST) ou de la Société de l'assurance automobile du Québec (SAAQ). Soulignons que plusieurs de ces lois reconnaissent les conjoints de fait, tandis que le CcQ ne reconnaît que les conjoints mariés ou unis civilement.

MODULE 6

17.4 La planification successorale d'un océan à l'autre

C'est la Constitution canadienne qui établit les règles de partage des compétences entre le gouvernement fédéral et les gouvernements provinciaux. Par exemple, en ce qui concerne les régimes matrimoniaux, nous avons déjà mentionné que le CcQ ne reconnaît que les conjoints mariés, alors que d'autres lois reconnaissent les conjoints de fait. Mais qu'en est-il dans les autres provinces du Canada? Le mariage et sa dissolution sont de compétence fédérale, alors que sa célébration et les droits relatifs aux régimes matrimoniaux sont de compétence provinciale. Au fil des ans, le gouvernement fédéral n'a pas vraiment légiféré sur le sujet. Dès lors, chaque province, en l'absence de loi fédérale, a formulé sa propre définition du mariage pour appliquer les lois patrimoniales, successorales et autres. En effet, la notion d'époux est assez précise pour un couple marié vivant au Québec, mais elle peut s'avérer plus difficile à cerner dans certains autres cas. Par exemple, un couple marié au Québec et résidant en Ontario sera régi par la *Family Law Act* si ces personnes mariées divorcent. Le partage des biens se fera donc selon cette loi ontarienne. En Alberta, chacun des époux est propriétaire des biens dont il apparaît détenir les titres durant le mariage.

Il est aussi important de souligner que les tribunaux disposent d'une très grande autorité en matière familiale pour décider du sort des biens d'une personne par rapport aux besoins de sa famille. Nous aborderons, plus loin dans ce chapitre, la question de l'union civile et du mariage entre partenaires de même sexe.

Comme vous pouvez le constater, ce sujet est d'une grande complexité. Il est donc important, pour le planificateur financier généraliste qui fait face à ce type de situation, de consulter des experts «locaux» connaissant bien les limites des lois matrimoniales et successorales des provinces concernées[1].

17.5 La filiation de la richesse

Plusieurs chercheurs évaluent que les transferts annuels, d'une génération à une autre, seront de plusieurs centaines de milliards vers 2015. Cette filiation de la richesse provient des baby-boomers, qui sont maintenant dans la soixantaine, et de leurs parents. Ces transferts auront un effet certain sur la profession de planificateur financier.

17.6 Portez secours à vos clients!

L'endettement de nombreux clients est un problème bien connu. De plus, on sait que les gens épargnent généralement très peu. Les consommateurs s'endettent à la fois pour atteindre des buts à court terme, par exemple maintenir le coût de la vie quotidien, et à long terme pour réaliser des rêves souvent érigés sur des fondations chancelantes. Les conseillers financiers d'expérience savent que l'élaboration d'un plan successoral est intimement liée à la gestion de l'endettement. L'effet le plus négatif de l'endettement excessif est que la personne n'a plus l'aptitude et la marge de manœuvre nécessaires pour bien gérer ses affaires financières et planifier sa succession.

---

1. Pour plus d'information sur ce sujet, lisez l'article d'Hélène Marquis (D. Fisc., Pl. fin., TEP), « La planification successorale d'un océan à l'autre », *Congrès 2004*, tome 2, présentations 26 à 52, Association de planification fiscale et financière (APFF), présentation 37, p. 37:1-37:50.

Le rôle du gestionnaire de patrimoine consiste à bien cerner les objectifs successoraux du client et à déterminer les actions à entreprendre pour les atteindre. Il doit donc utiliser une démarche globale et intégrée qui permet de structurer le plan successoral.

L'entrave majeure au plan successoral est parfois l'insouciance, parfois le manque de connaissances, mais très souvent l'endettement excessif. Le conseiller financier doit donc secourir ses clients en leur proposant un plan d'élimination des dettes et un plan de dépenses. Ces plans préliminaires encadreront ces personnes dans leur motivation à adopter et à suivre un plan successoral. Sans ces plans préliminaires, en apparence simplistes, les clients n'atteindront possiblement pas leurs buts à long terme.

 Nous vous recommandons la lecture de l'article « Soulagez vos clients endettés », de Claude Couillard, publié sur le site Conseiller.ca.

17.7 Les méthodes de transmission du patrimoine

Le patrimoine est l'ensemble des biens que possède légalement une personne, que ces biens soient des placements enregistrés ou non, de l'argent comptant, un bien immobilier (maison, immeuble et terrain), des meubles en tout genre, un bateau, une montre de valeur, un bijou familial, une collection précieuse, un abonnement à un sport professionnel, etc.

La figure 17.1 illustre les trois principales méthodes ou techniques légales de transmission du patrimoine :

- Le transfert des biens entre vifs ;
- La fiducie entre vifs ;
- Le transfert des biens au moment du décès (testament et fiducie testamentaire).

Chaque méthode se concrétise par des actions qui peuvent être très simples (tel le don d'une somme d'argent à un enfant) ou par des actes juridiques fort complexes.

FIGURE 17.1   **Les trois principales méthodes de transmission du patrimoine (des biens)**

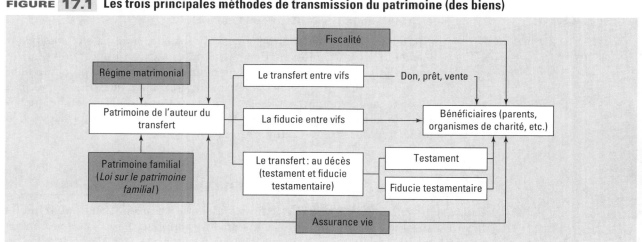

Cette figure fait référence au patrimoine de l'auteur du transfert, car il ne peut s'agir ici que d'une personne qui décide de se départir de certains biens de son vivant ou qui dicte ses dernières volontés dans un testament. L'auteur du transfert est le propriétaire légal du patrimoine successoral. Pour la personne mariée, l'exercice de ce droit de propriété peut être limité par la nature du régime matrimonial et les règles relatives au patrimoine familial (*Loi sur le patrimoine familial*, 1er juillet 1989).

Deux autres aspects de la transmission de biens sont présentés dans la figure précédente: la fiscalité (incluant les aspects financiers) et l'assurance vie. Nous nous attarderons sur ces deux paramètres au chapitre 18. La fiscalité est omniprésente dans les transferts entre vifs et les transferts au moment du décès (imposition au décès, par exemple). L'assurance vie sert, quant à elle, à créer un patrimoine instantané, entre autres pour réduire l'importance de l'impôt que doivent payer les héritiers.

Bien que la figure 17.1 à la page précédente n'en fasse pas mention, il importe, pour le propriétaire de tout patrimoine, de se protéger et de protéger son patrimoine s'il subit une perte d'autonomie, et ce, par l'établissement d'un mandat en cas d'inaptitude (ou mandat d'inaptitude) et d'une procuration. Ces sujets seront abordés plus loin dans ce chapitre.

Trois éléments importants doivent être soulignés au sujet du patrimoine et de son transfert:

- En premier lieu, il faut bien comprendre que la transmission du patrimoine implique fréquemment la rédaction de documents ou d'actes légaux. Pour plus d'information sur ces documents légaux, vous pouvez consulter le site du Directeur de l'état civil. La page d'accueil présente les actes de l'état civil au Québec. Par exemple, vous y trouverez une foule de renseignements sur le mariage et l'union civile, sujet qui sera repris plus loin.

- En second lieu, la figure 17.1 (*voir la page précédente*) indique un transfert du patrimoine d'une personne à un ou plusieurs bénéficiaires. Il est donc important pour chaque citoyen de rédiger un «bilan patrimonial», lequel consiste en un inventaire complet de son patrimoine. Cet inventaire comporte les divers biens, mais aussi les polices d'assurance, les relevés financiers, l'information sur les régimes de retraite, les cartes de crédit, etc. Pour plus de renseignements sur le bilan patrimonial, vous pouvez consulter le site de la Chambre des notaires du Québec.

- Enfin, le bénéficiaire peut être l'épouse du décédé, son fils, etc., mais peut également être un organisme de charité ou une cause importante pour le décédé. Ce type de philanthropie, que nous examinerons au prochain chapitre, est fonction de la richesse d'un individu, mais aussi de sa culture. Nous vous suggérons un article intitulé «Le déclin de l'université québécoise», du chroniqueur Yves Boisvert de *La Presse*. Il vous informera sur la signification des termes «philanthropie» et «culture».

17.8 Le patrimoine familial

La *Loi sur le patrimoine familial*, entrée en vigueur le 1er juillet 1989, a pour but de favoriser l'égalité économique entre les époux. Elle s'applique à toutes les personnes domiciliées au Québec, peu importe le lieu de leur mariage. Par cette loi, le législateur du Québec a imposé aux personnes mariées un régime légal de constitution et de partage de biens : le patrimoine familial. Depuis son entrée en vigueur, le mariage entraîne automatiquement un patrimoine familial formé de certains « biens familiaux », dont la valeur est sujette au partage en cas de dissolution du mariage. Il est important de souligner que les dispositions du patrimoine familial ont préséance sur tous les types de régimes matrimoniaux. Les conjoints de fait et les célibataires ne sont pas soumis aux règles du patrimoine familial. Le CcQ (art. 414) considère que le patrimoine familial est créé par le seul fait du mariage.

Il faut noter ici que le terme utilisé dans le CcQ pour les personnes unies par les liens du mariage ou ceux de l'union civile est « époux ». On peut, bien sûr, faire référence au « conjoint » de l'époux. Par exemple, dans l'article 401 du CcQ, on lit : « Un époux ne peut, sans le consentement de son conjoint [...] ». Par contre, on fait référence aux couples vivant en union libre ou en union de fait comme à des « conjoints de fait ». Précisons qu'en 2002, le législateur a remplacé l'expression « concubin » par « conjoint de fait » dans le CcQ. Il a également adopté ce qui suit : « Sont des conjoints les personnes liées par un mariage ou une union civile. »

Par cette loi, le législateur du Québec a imposé aux personnes mariées ou unies civilement un régime légal de constitution et de partage de biens : le patrimoine familial. Malgré le qualificatif « familial », le patrimoine familial concerne aussi les couples mariés qui n'ont pas d'enfants.

Précisons que les couples mariés avant le 1er juillet 1989 pouvaient signer une déclaration notariée pour se soustraire au patrimoine familial, et ce, avant le 31 décembre 1990. On se reporte souvent à cette déclaration comme à une convention d'exclusion.

En résumé, on peut souligner quatre éléments importants au sujet du patrimoine familial :

- La *Loi sur le patrimoine familial* s'applique à toutes les personnes domiciliées au Québec, peu importe le lieu de leur mariage ou de leur union civile ;
- Les dispositions du patrimoine familial ont préséance sur tous les types de régimes matrimoniaux et sur l'union civile ;
- Au moment de la dissolution du mariage ou de l'union civile, c'est le régime matrimonial ou le régime d'union civile qui détermine ce qu'il advient des biens ne faisant pas partie du patrimoine familial ;
- Les conjoints de fait et les célibataires ne sont pas soumis aux règles du patrimoine familial.

17.8.1 Les biens qui composent le patrimoine familial

Le patrimoine familial est constitué d'une série de biens ou de droits (CcQ, art. 415), dont :

- les résidences familiales ;
- les meubles qui garnissent ces résidences ;
- les véhicules automobiles utilisés par la famille ;
- les régimes de retraite (RPA, REER, etc.) ;
- le RRQ ou les programmes équivalents (sauf en cas de décès).

 Les divers écrits sur le patrimoine familial mentionnent, en général (comme ci-dessus, d'ailleurs), que « les biens autres que ceux énumérés à l'article 415 C.c.Q. »

MODULE 6

sont exclus du patrimoine familial. Il y a lieu de clarifier ce point, qui revêt une certaine importance. Pour connaître les biens qui sont exclus, vous pouvez jeter un coup d'œil à la section portant sur le patrimoine familial du site du Réseau juridique du Québec, en particulier « Les biens exclus du patrimoine familial ». Il faut noter la nature et l'importance de ces biens, dont voici quelques exemples :

- L'argent et les comptes bancaires ;
- Les obligations d'épargne, les bons du Trésor, les actions et autres placements (non enregistrés) ;
- Les entreprises et les commerces ;
- Les immeubles à revenus, à l'exception de la partie utilisée par la famille, le cas échéant ;
- Les biens reçus à la suite d'un don ou d'un héritage. Ainsi, si vous héritez d'une résidence et que celle-ci devient l'une des résidences de votre famille, elle ne fait pas partie du patrimoine familial, puisque vous l'avez reçue en succession.

Cette liste d'exclusions n'est pas exhaustive. En effet, sur le site du Réseau juridique du Québec, on indique que la majorité des régimes sont inclus, tels que les RPAPD, les RPACD et les RRI. Toutefois, vous constaterez que certains autres sont exclus : les RPDB et les régimes surcomplémentaires qui sont des véhicules non enregistrés. Ces précisions peuvent s'avérer très importantes lors d'un divorce, par exemple. En plus, contrairement au REER, tout porte à croire que le CELI ne fait pas partie des actifs partageables au moment du divorce ou du décès. La jurisprudence future nous apportera sûrement plus d'information à ce sujet.

17.8.2 Le partage de la valeur des biens dans le patrimoine familial

C'est la valeur des biens qui est partagée, et non les biens eux-mêmes (CcQ, art. 416). Après déduction des dettes contractées pour l'acquisition de ces biens, leur valeur est divisée en deux parts[2] égales, soit entre les époux lors d'une séparation ou d'un divorce ou entre l'époux survivant et les héritiers lors du décès d'un conjoint. Il faut noter que, durant le mariage, chaque époux demeure propriétaire du bien qui lui appartient, même si ce bien fait partie du patrimoine familial. Les biens acquis avant le mariage ne font pas partie du patrimoine.

EXEMPLE

Bruno et Gisèle ont acheté une maison après leur mariage. Cette maison a coûté 100 000 $, et les conjoints ont contracté une hypothèque de 65 000 $. La mise de fonds de Bruno, provenant de ses économies avant le mariage, a été de 25 000 $. Gisèle a effectué une mise de fonds de 10 000 $, cet argent provenant d'un legs de sa marraine. Dix ans plus tard, le couple a divorcé. La juste valeur marchande de la maison au moment du divorce était de 150 000 $, et le solde de l'hypothèque était de 50 000 $.

---

2. Selon la *Loi sur le patrimoine familial*, les deux parts sont égales. Par contre, si le partage se fait devant la cour, le juge tiendra compte de certains éléments tels que la durée du mariage et les biens acquis avant le mariage. La décision finale du juge peut donc être différente de ce que propose la loi.

▷ Quels seront:
- la valeur partageable du patrimoine?
- la part de chacun des époux de cette valeur partageable?
- le montant total d'argent qui reviendra à Gisèle?

Essentiellement, on dispose des faits suivants:

La valeur nette au divorce:

$$150\,000\$ - 50\,000\$ = 100\,000\$$$

La valeur partageable du patrimoine avant l'ajustement pour plus-value:

$$100\,000\$ - 10\,000\$ = 90\,000\$$$

L'ajustement dû à la plus-value de la maison:

$$50\,000\$ \text{ (plus-value de la maison)} \times 10\,000\$ \text{ (de l'héritage)} \div 100\,000\$$$
$$\text{(valeur à l'acquisition)} = 5\,000\$^{(1)}$$

Solution

La valeur partageable du patrimoine:

$$90\,000\$ - 5\,000\$ = 85\,000\$$$

La part de chaque conjoint:

$$85\,000\$ \div 2 = 42\,500\$$$

Le montant total dû à Gisèle:

$$42\,500\$ + 10\,000\$ + 5\,000\$ = 57\,500\$$$

_____

(1) Étant donné l'exclusion de l'héritage, ces 5 000 $ dus à la plus-value de la maison viendront s'ajouter au montant total qui revient à Gisèle.

17.8.3 Le partage du patrimoine familial: l'investissement des économies accumulées avant le mariage dans une résidence familiale

Revenons à l'exemple de Bruno et Gisèle. Le point crucial de cette section concerne la mise de fonds de 25 000 $ de Bruno. La maison a été achetée après le mariage, mais avec l'argent que Bruno avait épargné avant le mariage. Dès lors, la question soulevée est celle-ci: Est-il exact de ne pas déduire ces 25 000 $ (plus la plus-value) lors du partage du patrimoine familial?

C'est la position que nous adoptions dans la section précédente. Nul doute qu'il existe un « débat jurisprudentiel » sur cet aspect. Le CcQ n'aborde ce point précis que dans l'article 418, lequel stipule que la déduction n'est valable que si le bien possédé avant le mariage fait partie du patrimoine familial.

➕ Selon l'article 418 du CcQ, une fois établie la valeur nette du patrimoine familial, on déduit la valeur nette, au moment du mariage, du bien que l'un des époux possédait alors et qui fait partie de ce patrimoine; on déduit de même celle de l'apport, fait par l'un des époux pendant le mariage, pour l'acquisition ou l'amélioration d'un certain bien de ce patrimoine, lorsque cet apport a été fait à même les biens échus par succession ou donation, ou leur remploi.

On déduit également de cette valeur, dans le premier cas, la plus-value acquise, pendant le mariage, par le bien, dans la même proportion que celle qui existait, au moment du mariage, entre la valeur nette et la valeur brute du bien et, dans le second cas, la plus-value acquise, depuis l'apport, dans la même proportion que celle qui existait, au moment de l'apport, entre la valeur de l'apport et la valeur brute du bien.

Le remploi, pendant le mariage, d'un bien du patrimoine familial possédé donne lieu aux mêmes déductions, compte tenu des adaptations nécessaires.

Les 25 000 $ de Bruno ne faisaient pas partie des biens inclus dans le patrimoine familial et ne peuvent donner lieu à une déduction. Ce n'est donc pas un cas de remploi tel que stipulé à l'article 418 du CcQ. Sans entrer dans les détails juridiques, il s'agit de la position adoptée par la Cour d'appel du Québec. La Cour supérieure s'est déjà prononcée dans le même sens.

Qu'en est-il de la possibilité d'intenter un recours en justice pour obtenir un partage inégal du patrimoine familial? La Cour d'appel a déjà statué sur cette question en 1994. Le tribunal n'autoriserait donc pas une telle poursuite.

Toutes les sources classiques, telles que le ministère de la Justice, Educaloi et la Chambre des notaires, abondent dans le même sens: les 25 000 $ ne sont pas déductibles, même s'ils proviennent d'économies effectuées avant le mariage. Ils le seraient, bien sûr, s'ils provenaient d'un don ou d'un héritage.

17.8.4 Le partage du patrimoine familial : les biens du patrimoine familial possédés avant le mariage

---

EXEMPLE

Jean-Pierre a acheté un appartement en copropriété en 1993. Il l'a payé 120 000 $ et financé au moyen d'une hypothèque de 40 000 $. En 1997, il a rencontré Diane et, en 2000, les amoureux ont décidé de se marier. À ce moment, l'appartement avait une valeur marchande de 150 000 $, et l'hypothèque était de 50 000 $. Jean-Pierre avait, en effet, refinancé l'appartement en 1998.

En 2005, Jean-Pierre et Diane décident de divorcer. La valeur marchande de l'appartement est maintenant de 200 000 $ et l'hypothèque représente la somme de 40 000 $. De 2000 à 2005, Jean-Pierre et Diane avaient participé à part égale au remboursement de l'hypothèque.

Dans un tel cas, qu'arrive-t-il au partage du patrimoine familial ? Quel montant Jean-Pierre devra-t-il verser à Diane ?

Pour résoudre ce dilemme, il faut suivre quatre étapes :

1re étape : La valeur nette du patrimoine familial

Valeur de l'appartement lors du divorce :	200 000 $
Hypothèque :	40 000 $
Valeur nette du patrimoine familial :	160 000 $

2e étape : Les déductions accordées à Jean-Pierre

a) L'appartement

Valeur marchande de l'appartement lors du mariage :	150 000 $
Hypothèque :	50 000 $
Valeur nette au moment du mariage :	100 000 $

b) La plus-value de l'appartement

200 000 $ − 150 000 $ = 50 000 $ de plus en valeur marchande

(50 000 $ ÷ 150 000 $) × 100 000 $ = plus-value nette =	33 333 $

3e étape : La valeur partageable du patrimoine familial

160 000 $ − (100 000 $ + 33 333 $) =	26 667 $

4e étape : Le montant dû à Diane

26 667 $ ÷ 2 = (à 1 $ près)	13 334 $

En conclusion, Jean-Pierre devra verser la somme de 13 334 $ à Diane.

17.8.5 Le partage inégal du patrimoine familial

Il pourrait aussi y avoir un partage inégal du patrimoine familial. En effet, dans l'éventualité où le tribunal devrait établir le partage, on pourrait se poser la question suivante : Quels facteurs prendrait-il en considération ? Dans la section de son site Internet consacrée au patrimoine familial, Éducaloi répond à la question suivante : « Puis-je demander un partage inégal du patrimoine familial ? » au moyen de six raisons majeures (justifications et circonstances) pour lesquelles la loi permet de déroger au principe du partage égal.

Nous vous recommandons la lecture de l'article d'André Giroux, publié sur le site Conseiller.ca, « Partage du patrimoine familial lors d'une séparation : le conseiller encore trop peu consulté », qui traite du partage du patrimoine familial.

Le RPA est un autre cas dont la Cour suprême du Canada a été saisi. Nous vous suggérons de lire l'article « Patrimoine familial : la caisse de retraite doit être partagée », de Judith Lachapelle, publié sur le site Cyberpresse.ca.

17.8.6 La renonciation au partage du patrimoine familial

Les époux ne peuvent renoncer à l'avance à leurs droits quant au patrimoine familial (CcQ, art. 423), que ce soit au moyen du contrat de mariage ou autrement. Des modalités de renonciation s'appliquent à compter du moment du décès d'un conjoint ou du jugement de dissolution du mariage ou de l'union civile. Une convention de renonciation doit alors être établie par acte notarié en minute[3] ou encore au moyen d'une déclaration juridique. Par conséquent, ce n'est qu'à l'ouverture du droit de partage (au moment d'un décès, du divorce, de l'annulation de mariage, etc.) que l'on peut renoncer au partage du patrimoine familial.

17.8.7 La transmissibilité du patrimoine familial

La question qui se pose ici est la suivante : Le droit d'un conjoint marié au patrimoine familial est-il un droit de créance général transmissible à l'héritier de ce conjoint ?

Pour bien saisir la portée et le contexte de cette question, examinons le cas pratique de Denis Paradis.

EXEMPLE

Denis possède très peu de biens, sauf ses effets personnels. Il est marié à Gisèle Lapalme depuis 20 ans. Son automobile a été achetée presque entièrement à l'aide d'un prêt bancaire, endossé par Gisèle. Le solde, en juillet 2010, est de 10 000 $. Durant le mariage, le couple a acquis une magnifique résidence, une automobile luxueuse et un portefeuille REER.

Tous ces biens sont au nom de Gisèle et ont été acquis grâce à ses excellents revenus de travail. Ils font partie du patrimoine familial, lequel a une valeur nette de 500 000 $ en juillet 2010. Dans son testament, Denis lègue tous ses biens à sa sœur Maryse.

Question 1 : Denis décède en juillet 2010. Maryse peut-elle réclamer de Gisèle 250 000 $, soit 50 % de la valeur du patrimoine familial ?

La réponse est OUI. En effet, la Cour d'appel a tranché cette question le 29 avril 2002. La Cour a établi que le droit d'un conjoint sur le patrimoine familial est un droit de créance général transmissible à l'héritier (à l'héritière, dans ce cas-ci) du conjoint décédé. Bien sûr, Gisèle pourrait s'adresser au tribunal pour demander le partage inégal du patrimoine familial.

---

3. L'expression « acte notarié en minute » signifie que l'acte juridique est enregistré avec date, heure et lieu.

MODULE 6

> **Question 2:** Une banque pourra-t-elle réclamer ces 10 000 $?
>
> La réponse à la question 2 est également OUI. Le créancier de Denis pourrait exercer son recours contre le conjoint survivant en tant qu'endosseur du prêt.

17.8.8 La résidence familiale (et les meubles)

Le CcQ protège la résidence familiale et les biens qui la garnissent d'une façon toute particulière. Ces protections sont expliquées clairement dans quelques articles, soit les articles 401 et suivants. Essentiellement, ces articles prévoient que le consentement du conjoint est requis pour hypothéquer ou vendre la résidence familiale, par exemple, ou encore pour vendre les meubles. Pour en savoir plus à ce sujet, vous pouvez consulter le site d'Éducaloi mentionné plus haut.

Il est donc important, pour tout conseiller financier qui travaille dans un établissement financier, de bien comprendre l'implication légale du sujet.

17.9 Les divers types de conjoints au Québec

Essentiellement, au Québec, il existe trois types de conjoints, de sexe opposé ou du même sexe :

- Les conjoints mariés ;
- Les conjoints unis civilement (depuis le 24 juin 2002) ;
- Les conjoints de fait (union libre).

Pour avoir un aperçu des différences entre ces types d'unions, il est recommandé de lire la présentation de Me Daphnée Vézina intitulée « Diverses comparaisons entre conjoints mariés et conjoints de fait », publiée sur le site du Réseau juridique du Québec. Vous constaterez que les conjoints de fait peuvent être reconnus tels des conjoints « sociaux » ou des conjoints « fiscaux ». En effet, pour les conjoints sociaux (voir la section « Lois sociales : indemnités... »), la règle est de trois ans de cohabitation ou de un an si un enfant est né de cette union. Pour les conjoints fiscaux (voir la section « Déclaration de revenus »), la règle est de un an de cohabitation ou un enfant né de l'union.

Par contre, il est important de clarifier un mythe qui a la vie dure, à savoir que des conjoints de fait qui auraient vécu ensemble trois ans obtiendraient la même protection que s'ils étaient mariés. Rien n'est plus faux, comme le démontre Me Vézina. Un peu plus loin dans ce chapitre, nous verrons que ces conjoints peuvent obtenir une certaine protection en recourant à un contrat de vie commune. Sinon, du point de vue légal, ce sont de purs étrangers.

17.10 Les régimes matrimoniaux ou d'union civile

Cette section porte principalement sur les deux grands régimes matrimoniaux conventionnels toujours en vigueur au Québec, soit la séparation de biens et la société d'acquêts. Le régime d'union civile (*voir la section 17.12*) suit sensiblement les mêmes règles que les régimes matrimoniaux. La communauté de biens (meubles et acquêts) ne fait plus partie du CcQ. Nous en parlerons tout de même brièvement un peu plus loin. Il a été remplacé par la société d'acquêts le 1er juillet 1970. Grâce à ce régime, une première étape vers l'égalité économique entre les époux a été franchie. Le 1er juillet 1989, l'entrée en vigueur de la *Loi sur le patrimoine familial* en constituait la deuxième étape.

Le régime matrimonial, tout comme le patrimoine familial d'ailleurs, peut limiter l'exercice du droit de propriété d'une personne mariée. Cette restriction ne s'applique guère au célibataire, car il n'y a aucune limite à la capacité de ce dernier de disposer de ses biens comme il l'entend.

Nous avons déjà mentionné que le patrimoine familial avait préséance sur tous les régimes matrimoniaux. Cependant, au moment de la dissolution du mariage, c'est le régime matrimonial qui détermine ce qu'il advient des biens ne faisant pas partie du patrimoine familial.

Examinons à présent le régime de la société d'acquêts et le régime de la séparation de biens. La communauté de biens, présentée ensuite à la sous-section 17.10.3 est un régime qui n'existe plus aujourd'hui. Par ailleurs, il convient d'ajouter que les époux ont toujours la possibilité de modifier leur régime matrimonial[4].

17.10.1 Le régime de la société d'acquêts

Depuis le 1er juillet 1970, le régime matrimonial légal au Québec est celui de la société d'acquêts, en remplacement du régime de la communauté de biens (*voir la sous-section 17.10.3*). C'est donc le régime de tous les couples (domiciliés au Québec) qui se sont mariés depuis cette date sans avoir signé de convention matrimoniale au préalable.

La société d'acquêts ne nécessite aucun contrat de mariage. Cependant, les époux sont encouragés à en signer un dans le but de stipuler qu'il existe bien entre eux une société d'acquêts. Un tel contrat leur permet également :

- de désigner clairement les biens propres à chaque époux ;
- de déterminer certaines donations entre vifs (p. ex. : les meubles de la résidence) ;
- d'énoncer une clause testamentaire.

Dans la société d'acquêts, le patrimoine de chaque conjoint se divise en biens propres et en acquêts.

La liste des biens propres peut être assez importante (CcQ, art. 450) ; essentiellement, il s'agit des biens que chaque époux possédait avant le mariage et des biens acquis durant le mariage par succession ou donation. Dans cette liste figurent aussi les biens dits personnels (par exemple : vêtements et diplômes) et ceux qui représentent des instruments utilisés par chaque époux dans l'exercice de son travail, y compris les droits de propriété intellectuelle. Tous les autres biens acquis durant le mariage sont généralement considérés comme des acquêts, à moins que l'un des époux puisse en démontrer le contraire.

Dans la société d'acquêts, les époux jouissent d'une assez grande autonomie. Par exemple, chaque époux est libre d'administrer ses biens comme il l'entend, qu'il s'agisse de biens propres ou d'acquêts. De la même manière, chacun est responsable

---

4. Vous pouvez consulter l'article suivant : Me Marc-André Lamontagne (2009, juin). *Prolégomènes à toute relation amoureuse future*. Récupéré de www.conseiller.ca/files/2009/06/25_boiteoutils_juin09.pdf

des dettes qu'il a contractées avant ou pendant le mariage. Le régime de la société d'acquêts prend toute son importance au moment de la dissolution du mariage. Le partage, selon les modalités définies préalablement, sera fondé sur la valeur des biens, comme c'est le cas du patrimoine familial.

17.10.2 Le régime de la séparation de biens

Le régime de la séparation de biens nécessite la signature d'un contrat de mariage notarié. Quatre éléments sont à souligner au sujet de ce régime :

- Chaque époux est libre d'administrer ses biens comme il l'entend ;
- Dans l'impossibilité de prouver la propriété d'un bien, celui-ci appartient aux deux époux à parts égales ;
- Chaque époux est responsable des dettes qu'il a contractées, sauf si elles visaient à satisfaire aux besoins familiaux courants ;
- Le régime de la séparation de biens est dissout au moment du décès ou à la dissolution du mariage. Chaque époux conserve alors ses biens (sous réserve du partage du patrimoine familial[5]).

17.10.3 Le régime de la communauté de biens

Le régime de la communauté de biens n'existe plus dans le CcQ, mais il est toujours valable pour les couples mariés, sans contrat de mariage, avant le 1er juillet 1970. C'est précisément ce régime qu'a voulu remplacer le législateur en instituant la société d'acquêts à compter de cette même date. D'ailleurs, les références légales à ce régime se font en fonction du CcB.-C. Ce sont pratiquement et uniquement des gens du troisième âge mariés avant juillet 1970 qui vivent aujourd'hui selon ce régime.

Ce régime reconnaît trois types de biens, soit les biens propres, les biens communs et les biens réservés :

- Les biens propres concernent surtout les immeubles que l'époux possédait au moment du mariage ou ceux qu'il a acquis, par succession, pendant le mariage ;
- Les biens communs sont les biens meubles (p. ex. : possédés au moment du mariage ou acquis par la suite, ou encore acquis pendant le mariage par succession ou donation), les immeubles acquis pendant le mariage, les dettes des époux, etc. Sous le régime de la communauté de biens, le mari est le chef de la communauté, responsable de l'administration des biens communs, lesquels ne représentent qu'un seul patrimoine, devenant propriété indivise des époux au moment de la dissolution du mariage ;
- Les biens réservés sont les biens considérés comme réservés à la femme mariée sous ce régime. Ils concernent surtout ses économies, le produit de son travail personnel et certains meubles acquis par elle. Par contre, l'épouse ne peut, en général, vendre ces meubles sans le consentement de son époux.

Il faut souligner qu'à l'occasion de la dissolution du régime, l'épouse peut accepter la communauté de biens ou y renoncer.

---

5. Les biens qu'un conjoint donne à l'autre conjoint par contrat de mariage sont toutefois inclus dans le patrimoine familial, si bien sûr, ils en font partie.

17.11 Les mariages contractés à l'étranger

Il faut différencier deux situations bien distinctes dans le cas des mariages contractés à l'étranger.

Dans un premier temps, la situation de deux personnes qui vivent et résident au Québec et qui, par exemple, désirent se marier à l'étranger dans un endroit exotique. En effet, pour deux Québécois, il est possible de se marier à l'étranger et que ce mariage soit reconnu au Québec. Pour plus de détails à ce sujet, vous pouvez consulter la chronique intitulée « Se marier à l'étranger » sur le site d'Éducaloi. On recommande aux époux de déposer le certificat de mariage obtenu hors Québec au registre de l'état civil du Québec.

Dans un second temps, on trouve la situation de deux personnes qui résidaient dans un autre pays lors de leur union, mais qui vivent maintenant au Québec. Ce couple est marié selon un régime matrimonial assujetti à une loi étrangère. Ce cas est très différent du premier. Le fait que ce couple vive maintenant au Québec n'implique pas que le mariage sera reconnu au Québec. Une solution est de consulter un notaire ou encore l'institution qu'est le Directeur de l'état civil du Québec pour obtenir des conseils judicieux. L'État civil du Québec possède des bureaux dans les principales villes de la province.

17.12 Le mariage civil, l'union civile et le mariage civil entre personnes de même sexe

Ces trois types d'unions, soit le mariage civil, l'union civile et le mariage civil entre personnes de même sexe, seront maintenant examinés.

17.12.1 Le mariage civil en 1968

Le 8 novembre 1968, l'Assemblée législative du Québec adoptait un projet de loi instituant le mariage civil. En effet, le gouvernement unioniste de Jean-Jacques Bertrand avait fait adopter, en troisième et dernière lecture, la *Loi relative au mariage civil*. Jusqu'à tout récemment, ce type d'union était réservé aux personnes de sexe opposé. D'ailleurs, c'est en grande partie la raison pour laquelle le gouvernement du Québec a institué l'union civile, laquelle, au départ, devait être réservée aux conjoints de même sexe. Cependant, à la suite de pressions, il l'a aussi rendue accessible aux couples de sexe opposé.

17.12.2 L'union civile en 2002

Dès lors, la loi qui instituait l'union civile et établissait de nouvelles règles de filiation a été adoptée le 24 juin 2002.

L'union civile permet aux conjoints d'établir entre eux, par contrat, un régime soumis aux mêmes règles que celles des régimes et des contrats matrimoniaux. En l'absence d'un tel contrat, le régime de la société d'acquêts s'applique. En bref, l'union civile permet aux couples de même sexe ou de sexe opposé de se prévaloir de nombreux droits jusqu'ici réservés uniquement aux couples mariés. Parmi ces droits, on peut citer certaines protections offertes par le CcQ au regard du patrimoine familial ou des régimes matrimoniaux. L'union civile soumet également les conjoints à diverses obligations dans ces domaines.

Toutefois, il existe des différences majeures entre le mariage et l'union civile. Le mariage peut être contracté à partir de l'âge de 16 ans, alors qu'il faut attendre d'avoir 18 ans pour pouvoir s'unir civilement. En ce qui concerne la rupture des liens du mariage traditionnel, seul le tribunal peut prononcer le divorce. Dans l'union civile, il n'y a pas de séparation de corps, mais seulement une séparation de fait ou une dissolution qui équivaut à un divorce. La dissolution de l'union civile peut, quant à elle, se faire à l'amiable (par consentement mutuel) devant un notaire, par le décès de l'un des conjoints ou le jugement du tribunal. Cette dissolution peut s'avérer complexe si des enfants sont nés de cette union.

Il existe, bien sûr, d'autres différences importantes entre le mariage et l'union civile. Pour plus d'information sur l'union civile, vous pouvez consulter le site du Réseau juridique du Québec. Vous y trouverez un bon article, intitulé « L'union civile au Québec ». Vous pouvez également consulter le site d'Éducaloi. L'union civile y est traitée en profondeur.

Les articles 521.1 à 521.19 du CcQ ont trait à cette nouvelle réalité qu'est l'union civile. Il faut également noter que depuis le 24 juin 2002, le contrat d'union civile doit être inscrit au Registre des droits personnels et réels mobiliers (RDPRM).

Il est clair que l'union civile a été une stratégie politique pour légaliser l'union entre conjoints de même sexe, et ce, dans deux contextes d'importance : le contexte « religieux » qui, en général, s'oppose aux mariages gais, et le contexte « politique », compte tenu du fait que le mariage est de compétence fédérale.

17.12.3 Le mariage civil entre personnes de même sexe en 2004 au Québec et en 2005 au Canada

Le vendredi 19 mars 2004, le Québec est devenu la troisième province (après l'Ontario et la Colombie-Britannique) à permettre le mariage homosexuel. En effet, ce jour-là, la Cour d'appel du Québec a rejeté la définition traditionnelle du mariage, réservée jusque-là aux couples hétérosexuels.

Le 9 décembre 2004, la Cour suprême a fait savoir que le projet de loi du gouvernement canadien pour légaliser le mariage entre conjoints de même sexe était conforme à la Constitution.

Le 20 juillet 2005, le Canada est devenu le quatrième pays (après la Belgique, les Pays-Bas et l'Espagne) à officialiser le mariage entre personnes homosexuelles. En effet, le Sénat a approuvé la *Loi sur le mariage civil*, laquelle a reçu la sanction royale le même jour. En 2011, l'État de New York est devenu le 6e État américain à approuver le mariage gai.

Pour plus d'information sur la *Loi sur le mariage civil*, vous pouvez consulter le site du ministère de la Justice du Canada. Vous y aurez accès à une gamme de rubriques, y compris le texte de la *Loi sur le mariage civil*.

On peut se demander ce qu'il adviendra de l'union civile au Québec qui, finalement, voulait à l'origine avantager l'union entre personnes homosexuelles. Certains conjoints de fait voudront s'en prévaloir au lieu du contrat de vie commune.

17.13 La dissolution du mariage ou de l'union civile

Le mariage peut se terminer de plusieurs façons :

- Son annulation par un tribunal ;
- Au moment du décès de l'un des époux ;
- Par le divorce.

L'union civile peut se terminer de plusieurs façons :

- Son annulation par un tribunal ;
- Au moment du décès de l'un des conjoints ;
- Par une déclaration commune notariée.

Au moment de réviser ces lignes (janvier 2012), nous apprenons par les médias que le ministère canadien de la Justice a refusé le divorce d'un couple lesbien qui s'était marié à Toronto en 2005. Dans un premier temps, il semblerait que la juridiction en vigueur dans les pays où habitent ces deux femmes, soit les États-Unis (état de la Floride) et le Royaume-Uni, n'autorise pas le mariage gai. Dans un deuxième temps, pour avoir droit au divorce, il faut avoir habité au Canada au moins un an.

L'honorable Rob Nicholson, ministre de la Justice et procureur général du Canada, a mentionné que cette situation serait corrigée et que l'on permettrait aux personnes qui se sont mariées au Canada de divorcer également au Canada.

17.14 La séparation de fait et la séparation de corps

Il est important ici de distinguer la « séparation de fait » de la « séparation de corps ».

Les conjoints mariés ou unis civilement qui se sont entendus pour ne plus faire vie commune vivent en séparation de fait. Pour ces personnes :

- les liens du mariage ou de l'union civile ne sont pas rompus, car il n'y a aucun effet juridique à ce type de séparation ;
- le patrimoine familial est toujours effectif.

La séparation de corps, aussi appelée « séparation légale », n'implique que les personnes mariées et n'est donc pas valide pour les personnes unies civilement. Cette séparation légale provient d'un jugement prononcé par un tribunal et présente les caractéristiques suivantes :

- Elle donne droit au partage du patrimoine familial ;
- Les conjoints séparés légalement par un jugement du tribunal restent soumis aux devoirs conjugaux ; ils se doivent donc toujours respect, fidélité, secours et assistance. En d'autres mots, les liens du mariage ne sont pas rompus ;
- La reprise volontaire de la vie commune met fin à la séparation de corps. S'il devient nécessaire de prouver l'existence d'une « vie commune », les tribunaux retiennent essentiellement trois critères pour conclure à une intention réelle de vie commune de la part des conjoints :
  - La cohabitation ;
  - Le secours mutuel ;
  - Un comportement « public » de vie commune.

Dans le but de mieux comprendre ces diverses situations « maritales », il est fortement recommandé de consulter le site de Justice Québec, où l'on trouve une rubrique intitulée « Se séparer ».

17.15 Les droits qui découlent du mariage ou de l'union civile

Plusieurs droits découlent du mariage ou de l'union civile. Les trois droits suivants sont abordés de façon particulière :

- La prestation compensatoire ;
- L'obligation alimentaire ;
- La survie de l'obligation alimentaire.

17.15.1 La prestation compensatoire

En quoi consiste la prestation compensatoire ? Prenons l'exemple suivant pour mieux comprendre ce dont il s'agit.

> **EXEMPLE**
>
> Pierrette et André viennent de divorcer après 20 ans de mariage. Pierrette a travaillé très fort, gratuitement, pour l'entreprise de son conjoint de manière à en assurer le succès. C'est entre autres grâce à sa collaboration que l'entreprise est devenue florissante. De plus, Pierrette a investi une part importante de ses économies pour rénover la maison qu'André possédait avant le mariage. Survient le divorce. Est-il possible pour Pierrette de récupérer son « investissement » ou d'obtenir une juste compensation pour sa généreuse contribution ? La réponse est oui, si elle recourt à la prestation compensatoire.

Il est conseillé de consulter le site d'Éducaloi, où vous trouverez une présentation structurée en 12 questions. Prenez-en connaissance. La troisième question est particulièrement importante, car elle porte sur les six éléments que le tribunal prendra en considération pour allouer une telle compensation. La huitième question présente des causes dans lesquelles cette prestation a été accordée.

17.15.2 L'obligation alimentaire

Le sujet de la pension alimentaire à verser à l'ex-conjoint est bien connu de la majorité des couples qui divorcent, surtout des couples avec enfants. Il s'agit d'un montant versé périodiquement par l'un des ex-conjoints à l'autre dans le but de couvrir ses besoins ou ceux des enfants du couple. Cette pension alimentaire est payable en vertu d'un jugement ou d'une entente écrite. Depuis 1997, les pensions alimentaires pour enfants déterminées par jugement ne sont plus imposables pour les personnes qui les reçoivent ni déductibles d'impôt pour ceux qui les paient.

Pour en savoir plus sur ce sujet, vous pouvez consulter le site d'Éducaloi. Vous accéderez à une série de questions et réponses qui couvrent bien ce sujet tant du point de vue légal que fiscal.

17.15.3 La survie de l'obligation alimentaire

La survie de l'obligation alimentaire a été introduite en 1989 avec la réforme sur le patrimoine familial. En vertu du CcQ, tout créancier alimentaire du conjoint survivant (marié ou uni civilement), l'ex-conjoint et les parents en ligne directe du défunt (ascendants et descendants) peuvent réclamer une pension alimentaire de la succession (CcQ, art. 684 à 695). Avant l'entrée en vigueur de ces articles, l'obligation alimentaire s'éteignait au moment du décès du débiteur, ce qui n'est plus nécessairement le cas.

Le créancier alimentaire a un délai de six mois pour soumettre sa demande.

Pour les créanciers autres que le conjoint, cette contribution doit être établie par le tribunal. Avec l'adoption de la *Loi sur le patrimoine familial*, on a beaucoup moins recours au versement de la pension alimentaire à l'ex-conjoint.

La survie de l'obligation alimentaire a un caractère d'ordre public et impose une certaine limite au principe de la liberté de tester. Cette obligation fait suite au décès du débiteur, duquel tout créancier alimentaire peut réclamer une contribution financière à titre d'aliments. En effet, selon les règles usuelles du CcQ, les conjoints (mariés ou unis civilement) et les parents en ligne directe au premier degré se doivent des aliments. Cette survie de l'obligation alimentaire ne s'applique pas aux conjoints de fait.

Voici quelques exemples typiques qui illustrent bien la notion de survie de l'obligation alimentaire.

Le cas de l'ex-conjoint

La règle : la contribution équivaut au moindre de 12 mois d'aliments ou de 10 % de la valeur de la succession.

> **EXEMPLE**
>
> Maryse est l'ex-conjointe de Paul, qui vient de décéder. Elle recevait une pension alimentaire de 1 500 $ par mois. Qu'en est-il des montants de la survie de l'obligation alimentaire auxquels Maryse aurait droit si la succession était de 200 000 $? Maryse aurait droit à une contribution financière à titre d'aliments de 18 000 $ (1 500 $ × 12). Ce montant est moindre que 10 % de la succession, soit 20 000 $.
>
> Et si la succession était de 150 000 $? Maryse aurait droit à 15 000 $, soit 10 % de 150 000 $, ce qui est moindre que 18 000 $.

Le cas du conjoint ou d'un descendant

La règle : la contribution susceptible d'être accordée au conjoint ou à un descendant ne peut excéder la différence entre la moitié de la part qu'il aurait reçue dans le cas d'une succession *ab intestat* (en l'absence de testament), diminuée de la valeur des legs effectivement reçus.

> **EXEMPLE**
>
> Pierre était marié à Clarisse et avait deux enfants : Jean, 19 ans et Céline, 21 ans. Il décède et la valeur de sa succession est évaluée à 150 000 $. Pierre avait un testament notarié dans lequel il léguait 20 000 $ à chacun de ses enfants. Quel serait le montant maximal de la contribution financière à verser à chacun de ses enfants à titre d'aliments ?
>
> Clarifions d'abord ce point : si Pierre était décédé *ab intestat*, Clarisse recevrait le tiers et chaque enfant, un tiers également, donc 50 000 $ chacun. (La succession *ab intestat* est le propos de la section 17.20.)
>
> La moitié de la valeur du legs dans la succession *ab intestat* : 50 000 $ ÷ 2 = 25 000 $
>
> Moins : la valeur du legs effectivement reçu, soit 25 000 $ − 20 000 $ = 5 000 $
>
> La valeur maximale de la contribution financière à titre d'aliments se chiffre donc à 5 000 $ par enfant.

Le cas des ascendants

La règle : la contribution qui pourrait être accordée équivaut au moindre de 6 mois d'aliments ou de 10 % de la valeur de la succession. Le calcul de la contribution financière est donc semblable (outre pour les six mois) au calcul effectué dans le cas de l'ex-conjoint.

Dans le cas des ascendants, comme la survie de l'obligation alimentaire envers un parent, il s'agit d'une chose exceptionnelle, et aucun exemple pratique n'est présenté. En effet, il doit y avoir une preuve irréfutable que les moyens financiers du parent sont nettement insuffisants pour lui permettre de maintenir un coût de la vie acceptable.

Notons que toutes ces évaluations, la valeur des libéralités (par exemple : dons et cadeaux) effectuées par le défunt sera sérieusement prise en considération. En effet, le CcQ stipule que la valeur de ces libéralités faites par le défunt, notamment au moyen de transferts entre vifs durant les trois années qui précèdent le décès, sera prise en compte. On se réfère à la valeur de ces libéralités entre vifs comme à l'actif successoral fictif, car il s'agit simplement d'un actif comptable.

 Pour plus d'information à ce sujet, nous vous suggérons deux articles :

- « La survie de l'obligation alimentaire », de Me St-Onge, du cabinet Rancourt, Legault & St-Onge ;
- « La survie de l'obligation alimentaire : l'oubliée de la planification successorale », de Suzanne Daoust, publié sur le site Conseiller.ca.

Les sites d'Éducaloi et du Réseau juridique du Québec offrent aussi de l'information de qualité à ce sujet.

17.16 Les conjoints de fait

Il n'existe aucune définition des conjoints de fait. Le site du Réseau juridique du Québec mentionne la définition suivante : « [...] la vie commune de personnes non mariées mais unies par un lien affectif et économique particulier » (Lefrançois, 2011).

Comme nous l'avons souligné, le CcQ ne reconnaît pas les conjoints de fait. En termes concrets, cela signifie qu'il ne reconnaît pas, pour ces couples :

- le patrimoine familial ;
- le partage des biens lors de la dissolution de l'union ;
- la pension alimentaire ;
- la prestation compensatoire ;
- la protection de la résidence familiale.

Pour compenser ces inconvénients, il convient de conclure une entente contractuelle notariée, appelée « contrat de cohabitation » ou encore « contrat de vie commune ». En gros, cette entente permet de bien définir :

- la pension alimentaire (en cas de séparation) ;
- les charges du ménage ;
- la propriété de la résidence et des meubles ;
- l'administration des biens du couple et leur partage (en cas de séparation) ;
- les divers mandats (maladie et absence).

Le contrat de vie commune peut, s'il est bien rédigé, régir les aspects légaux de la relation.

Certaines personnes voudront s'unir plus « légalement » sans pour autant se marier. Elles auront alors recours à l'union civile. Dans le contexte légal actuel, les conjoints de fait ont avantage à consulter un notaire.

 On estime que seul le tiers des Québécois se marieront au cours de leur vie. À ce sujet, vous pouvez consulter le site du ministère de la Justice du Canada. Vous y trouverez un excellent article, intitulé « L'union de fait au Québec » (Roy, 2005). Pour plus d'information sur le sujet, vous pouvez aussi consulter le site de Justice Québec et celui de la Chambre des notaires du Québec, qui offre une panoplie de statistiques concernant les conjoints de fait.

Dans l'introduction au présent chapitre, nous avons présenté le cas de Lola et Éric.

Pour en savoir plus sur ce cas, vous pouvez consulter un article en deux parties de Me Claude Drapeau, « Je me marie… ou pas ! », publié sur le site conseiller.ca. Nous vous reportons aussi aux journaux québécois qui ont suivi et analysé cette affaire.

17.17 Le dilemme des secondes unions

Les personnes qui vivent une deuxième union (mariées ou unies civilement ou conjoints de fait) ne réalisent pas toujours les pièges qui guettent leur succession. Les éléments majeurs à prendre en compte sont les suivants :

- Le divorce du premier mariage est-il réglé ? Et si la réponse est non, qu'arrive-t-il ?
- Le second mariage : S'il s'agit d'un mariage sans contrat de mariage, le couple est automatiquement uni sous le régime de la société d'acquêts. Qu'arrive-t-il des actifs exclus du patrimoine familial ?
- Des enfants sont nés de la première union : Comment les avantager sans désavantager la seconde épouse ?

Les réponses à ces questions se trouvent dans un article de Claude Couillard intitulé « Mariage prise deux », publié sur le site Conseiller.ca.

EXEMPLE

Voici quatre situations de secondes unions (et non nécessairement de remariage) qui donnent matière à réflexion.

Situation 1

Monsieur Lapalme est divorcé et remarié.

Il a trois enfants de son premier mariage, mais son testament avantage surtout sa seconde épouse.

Monsieur Lapalme décède sans rien laisser en héritage à ses enfants.

Ces derniers, qui sont sans le sou, pourront sûrement (et possiblement avec succès) contester le testament.

Situation 2

Monsieur Paul Gervais est toujours marié à Hélène Brossard.

Ils vivent séparément sans avoir divorcé ou obtenu de séparation de corps.

Paul Gervais vit maintenant en union libre avec une autre femme. Il a deux enfants de son premier mariage ; deux autres enfants sont nés de cette union de fait.

Même si Paul fait un testament et ignore totalement sa première épouse, celle-ci peut toujours réclamer le partage du patrimoine familial (et du régime matrimonial, selon le cas).

Elle peut aussi revendiquer ses droits en vertu du contrat de mariage, si c'est le cas.

Situation 3

Pierre Labelle lègue l'usufruit (usage et jouissance) de son chalet (situé à Bromont, dont la valeur marchande est élevée) à sa seconde épouse, sa vie durant, et la nue-propriété à ses enfants issus d'un premier mariage, sa première épouse étant décédée.

Les enfants sont donc propriétaires du chalet, sans pouvoir en jouir, et n'en prendront possession qu'au décès de la conjointe de Pierre.

Il faut ici réaliser que les charges financières du chalet pendant toutes les années que vivra la conjointe de Pierre sont la responsabilité des enfants.

Nous reviendrons sur ce type de situation lorsque nous aborderons l'usufruit.

Situation 4

Roger Lemieux, homme d'affaires prospère, a fait un testament en 2003.

De 2000 à 2008, Roger vit en union libre avec Anne, puis, en 2008, la mésentente éclate et il y a séparation de fait.

En 2009, il refait sa vie avec Marielle, mais ne change rien à son testament de 2003 dans lequel il léguait tout à Anne.

Roger décède en 2009 au moment où il vit toujours en union libre avec Marielle.

Qui héritera des biens de Roger ?

À noter : Si Roger avait été marié à Anne, leur divorce aurait automatiquement mis fin aux avantages du testament envers elle. Cela n'est pas le cas pour les conjoints de fait.

Dans les cas où l'épouse (ou l'ex-épouse) ou les enfants sont laissés dans des conditions de vie difficiles, ils peuvent (dans de nombreux cas) se prévaloir de la survie de l'obligation alimentaire.

17.18 La planification testamentaire

La figure 17.1 (*voir la page 447*) illustre les diverses méthodes de transmission du patrimoine d'un individu. Il demeure que la transmission testamentaire est l'une des plus populaires et des plus importantes, car s'il n'existe aucun testament, le patrimoine du décédé sera partagé selon le CcQ. Cela peut, dans certains cas, avoir des répercussions néfastes, comme nous le verrons plus loin.

Les transferts entre vifs et les fiducies, tant entre vifs que testamentaires, seront abordés dans les prochains chapitres. Attardons-nous pour l'instant à la transmission par legs aux héritiers désignés selon l'aspect civil ; quant à l'aspect fiscal, il fera l'objet du chapitre suivant. La planification testamentaire concerne, entre autres, les règles liées aux successions, les diverses formes de testaments, la liquidation d'une succession, le mandat en cas d'inaptitude et le testament biologique.

17.19 Les successions

Le CcQ édicte certaines règles générales concernant les successions. Notre objectif n'est pas d'entrer dans les détails, mais d'en relever les notions les plus importantes.

17.19.1 Les types de successions

Il existe deux types de successions :

- La succession testamentaire, supposant l'existence d'un testament ;
- La succession non testamentaire, *ab intestat* ou légale, donc sans testament. La dévolution légale des biens s'effectue alors selon les modalités du CcQ. Rappelons que le conjoint de fait n'est pas reconnu comme héritier légal. Nous y reviendrons.

17.19.2 L'ouverture de la succession

Le lieu d'ouverture de la succession est l'endroit du dernier domicile du défunt. Tout décès donne lieu à l'ouverture d'une succession et, dès lors, il devient primordial d'établir la preuve du décès. Au Québec, cette preuve est établie par l'acte de décès (CcQ, art. 102), tiré de l'état civil. Vous pouvez consulter le site du Directeur de l'état civil du Québec à ce sujet.

17.19.3 Les biens meubles et les biens immeubles

Il faut différencier la succession portant sur les biens meubles de celle qui porte sur les immeubles. En effet, le CcQ prévoit les deux situations :

- La succession sur les biens meubles, régie par la loi du dernier domicile (et non du lieu du décès) ;
- La succession portant sur les immeubles, qui est régie par la loi de leur situation géographique (à savoir le lieu où se trouve l'immeuble, par exemple une copropriété à San Diego).

Pour les personnes qui possèdent une propriété aux États-Unis, il est essentiel de rédiger un testament officiel en anglais conforme aux règles de forme et de fond applicables dans l'État où se situe la propriété. Les éléments suivants doivent être pris en considération de façon sérieuse.

Si un citoyen canadien est marié et possède une propriété aux États-Unis, la fiducie américaine deviendra dès lors une occasion de planification successorale. En effet, un particulier marié qui réside au Canada (citoyen canadien) et qui possède des biens aux États-Unis court le risque d'être assujetti aux droits successoraux américains. Avec une fiducie du genre Qualified Domestic Trust, (QDOT) de généreuses déductions pourront être autorisées, mais seulement à l'égard des biens transmis à cette fiducie locale en faveur du conjoint survivant.

Pour les héritiers autres que le conjoint survivant, il est en général important de prévoir que les droits successoraux (si tel est le cas) seront supportés par chaque bénéficiaire, sinon le montant des droits pourrait être très élevé.

Il faut donc faire appel à un spécialiste du domaine.

17.19.4 La notion de saisine

L'héritier se voit saisi du patrimoine du défunt. C'est la notion de saisine qui lui accorde le droit d'entrer en possession du patrimoine du défunt et d'exercer les actions qui relevaient de celui-ci. Il faut cependant souligner que cette saisine de l'héritier est toujours subordonnée à celle du liquidateur, qui prendra possession des biens pour les distribuer ensuite aux héritiers.

17.19.5 L'obligation aux dettes du défunt

Les éléments à retenir sont les suivants :

- Les héritiers sont tenus aux dettes du défunt s'ils dispensent le liquidateur d'effectuer l'inventaire de la succession ;
- Les héritiers sont aussi tenus aux dettes du défunt s'ils négligent eux-mêmes d'y procéder alors que le liquidateur a négligé de l'effectuer ;
- Enfin, les héritiers sont aussi tenus aux dettes du défunt s'ils confondent leurs biens personnels avec ceux de la succession avant la tenue de l'inventaire. Dans ce cas, le principe de « séparation des patrimoines » est violé.

Vous comprendrez alors la grande importance de l'inventaire dans le processus de liquidation de la succession, et ce, en plus des obligations suivantes :

- Publier un avis de confection de l'inventaire dans un journal local. Ainsi, les créanciers de la succession seront tenus informés ;
- Enregistrer l'avis de confection de l'inventaire au RDPRM.

Deux notes importantes suivent : la première concerne l'acceptation d'un héritage provenant d'une succession endettée et la seconde porte sur l'importance de l'inventaire successoral.

Les héritiers ne sont plus tenus aux dettes du défunt au-delà de la valeur qu'ils recueillent.

« L'acceptation "sous bénéfice d'inventaire" a aujourd'hui disparu. Le système d'acceptation de la succession est maintenant basé sur la prémisse et les fondements selon lesquels les héritiers ne sont responsables des dettes du défunt que jusqu'à concurrence des biens qu'ils reçoivent. Cela constitue un changement majeur ! En effet, la loi prévoit maintenant une séparation automatique des patrimoines lors du décès, de telle sorte que les héritiers n'ont plus à accepter la succession "sous bénéfice d'inventaire" pour protéger leurs biens advenant le cas où l'inventaire devait démontrer un avoir net négatif. Ce nouveau principe protège donc les héritiers : ils n'ont qu'à accepter tout simplement et ils sont protégés ! Bien sûr, si les héritiers dispensent le liquidateur d'effectuer l'inventaire, ils seront tenus responsables des dettes du défunt. » (Vachon, 2000)

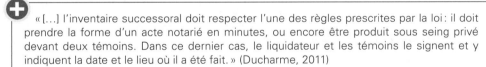

« [...] l'inventaire successoral doit respecter l'une des règles prescrites par la loi : il doit prendre la forme d'un acte notarié en minutes, ou encore être produit sous seing privé devant deux témoins. Dans ce dernier cas, le liquidateur et les témoins le signent et y indiquent la date et le lieu où il a été fait. » (Ducharme, 2011)

Cet inventaire doit de plus se conformer à un rituel comptable qui vise à refléter le plus exactement possible la teneur financière de la succession.

17.19.6 Les conditions essentielles pour être reconnu comme héritier

Avant d'aborder le droit d'option, c'est-à-dire l'acceptation d'une succession ou la renonciation à celle-ci, il est important de souligner les deux conditions essentielles à remplir pour pouvoir être considéré comme un héritier :

- Avoir survécu un certain temps à la personne décédée ;
- Avoir été désigné (par testament ou par la loi) comme la personne à qui les biens sont destinés.

Ces deux conditions peuvent être précisées en soulignant que la personne désignée comme héritière doit être présente, vivante et digne. En bref, « présente » sous-entend que si la personne est absente pendant sept ans ou plus, elle pourrait être déclarée décédée. « Vivante » signifie qu'elle est viable dans la société. Enfin, « digne » signifie qu'elle n'a pas été condamnée pour un acte illégal et répréhensible à l'endroit de la personne décédée.

17.19.7 Le droit d'option

Un successible est une personne ayant vocation de recueillir une succession qui n'est pas encore ouverte (il n'a pas encore exercé son droit d'option). C'est lorsqu'un successible accepte ou refuse la succession (donc qu'il exerce son droit d'option) qu'il devient un héritier.

Le successible accepte la succession

On reconnaît les acceptations suivantes :

- **L'acceptation expresse** – Le successible manifeste son intention d'accepter la succession d'une façon formelle, et ce, verbalement ou par écrit ;
- **L'acceptation tacite** – Le comportement du successible implique l'acceptation de la succession. Donc, ici, le successible accomplit un acte qui suppose nécessairement son acceptation ; par exemple, il peut s'agir de la prise de possession de l'un des biens du défunt, de sa démolition ou de sa vente. Par ailleurs, certains actes conservatoires ne présupposent pas, en soi, une acceptation tacite ou présumée ; par exemple, le fait de récolter un champ de tomates avant leur perte totale ;
- **L'acceptation forcée ou résultant de la loi** – Il peut aussi y avoir une acceptation forcée ou résultant de la loi. Par exemple, le successible connaît son statut et ne renonce pas à la succession dans les délais prescrits par la loi (en général six mois). L'acceptation est aussi forcée lorsque le successible dispense le liquidateur de faire l'inventaire ou confond ses biens personnels avec ceux de la succession. Il y a finalement acceptation forcée lorsque la succession est dévolue à un mineur, à un majeur protégé ou à une personne absente (sauf, bien sûr, si le tuteur y a renoncé avec l'approbation du conseil de tutelle).

Le successible refuse la succession

Les types de renonciations sont les suivants :

- **La renonciation expresse** – Cette renonciation est faite par acte notarié en minute ou au moyen d'une déclaration juridique ;
- **La renonciation tacite** – Il s'agit d'une renonciation présumée ou implicite. Le successible a simplement ignoré sa qualité d'héritier à la succession ;
- **La renonciation forcée** – Le successible est de mauvaise foi et a, par exemple, recelé un bien de la succession. Dans ce cas, il est réputé avoir renoncé à cette succession, et ce, malgré toute acceptation antérieure (CcQ, art. 651).

Que peut-il survenir après la renonciation à une succession ? Si la renonciation était tacite (présumée) ou encore forcée, elle est, en termes juridiques, « irréfragable », ce qui signifie que la décision originale de renoncer est définitive. Par ailleurs, s'il s'agit d'une renonciation expresse (même effectuée par acte notarié), cette décision est réfragable (donc non définitive), et ce, pour une période de 10 ans. Bien sûr, si dans cinq ans, par exemple, la succession n'est plus disponible, on oublie tout.

17.20 La dévolution légale des successions (les successions *ab intestat*)

Il s'agit ici de successions légales, ce qui signifie qu'une personne décède sans testament, ou *ab intestat*. En fait, la dévolution d'une succession est dite légale dans les trois cas suivants :

- Une personne décède sans testament ou sans contrat de mariage contenant une donation à cause de mort ;
- Le testament d'une personne décédée est invalide ;
- Il est absolument impossible d'exécuter les legs, car ceux-ci sont légalement nuls ou caducs. (La caducité, en droit, est l'état d'un acte ou d'une clause juridique qu'un événement ou fait postérieur rend inefficace, donc périmé.)

Dans chacun de ces cas, la succession est alors dévolue au conjoint survivant (le conjoint légal, et non le conjoint de fait) et aux parents du défunt selon les règles du CcQ. Cette notion de parents ou de famille se fonde sur les liens de sang ou de l'adoption (CcQ, art. 655).

La loi répertorie trois ordres de successibles (CcQ, art. 666 à 683) :

- Le conjoint et les descendants (les enfants du défunt) ;
- Le conjoint survivant, les ascendants privilégiés (parents du défunt) et les collatéraux privilégiés (frères et sœurs, neveux et nièces) ;
- Les ascendants ordinaires (grands-parents) et les collatéraux ordinaires (oncles, tantes et cousins).

Le Réseau juridique du Québec présente un tableau sommaire des quatre situations *ab intestat*. On y expose les trois ordres ci-haut mentionnés, plus une situation dans laquelle le décédé n'a aucun parent successible.

Il faut noter que chaque ordre est prioritaire par rapport à celui qui le suit.

EXEMPLE

Roger est avocat, marié à Suzanne et père de deux enfants, Richard et Lise, tous deux majeurs. Il décède *ab intestat*. Sa succession est évaluée à trois millions de dollars. Qui sont ses héritiers ?

Suzanne recevra le tiers et les enfants, les deux tiers, soit un tiers chacun.

EXEMPLE

Carmen est veuve et a trois enfants, Marie, Isabelle et Pierre. Ce dernier décède avant Carmen et laisse une fille, Marie-Claude. Carmen décède, sans testament, quelques années après Pierre. La succession de Carmen sera divisée en parts égales entre Marie, Isabelle et Marie-Claude.

17.21 La représentation successorale

Selon l'article 660 du CcQ, il s'agit d'une « faveur accordée par la Loi, en vertu de laquelle un parent est appelé à recueillir une succession qu'aurait recueillie son ascendant, parent moins éloigné du défunt qui, étant indigne, prédécédé (ou décédé au même moment que lui) ne peut la recueillir lui-même. »

Le concept de représentation est également abordé dans l'exemple de Carmen. La représentation fait en sorte que Marie-Claude, fille de Pierre, qui est décédé, héritera de la part de son père au même titre que ses deux tantes, Marie et Isabelle. La représentation est maintenant automatique et ne s'applique qu'aux descendants (et non aux ascendants), incluant les neveux, nièces, petits-neveux, etc. Bien sûr, si Carmen avait fait un testament, elle aurait pu contrevenir à la « représentation » en y ajoutant une clause d'accroissement. Enfin, soulignons que le principe de la représentation successorale ne s'applique pas à l'assurance vie ou aux legs testamentaires particuliers, ni aux legs testamentaires (ou *ab intestat*) destinés aux ascendants privilégiés (père et mère du défunt). Nous y reviendrons.

Dans ce cas, les deux enfants survivants de Carmen, soit Marie et Isabelle, se partageraient la succession, et Marie-Claude ne serait aucunement incluse parmi les héritiers.

17.22 La fente successorale

La fente successorale est plutôt rare, mais elle consiste à diviser en deux une succession pour attribuer une partie à la ligne maternelle du défunt et l'autre partie, à la ligne paternelle.

Deux éléments doivent alors être pris en compte :

- La fente successorale prend forme dans le contexte où une personne décédée vivait au sein d'une famille reconstituée ;
- Elle ne s'applique qu'entre collatéraux privilégiés ou entre ascendants et collatéraux ordinaires (mais jamais entre descendants et ascendants privilégiés).

17.23 Les successions non réclamées

Auparavant, le Curateur public du Québec avait la responsabilité de liquider les successions non réclamées. Ce rôle est maintenant dévolu à Revenu Québec, sur le site Internet duquel vous pourrez consulter la rubrique « Biens non réclamés ». Dans la liste des sujets présentés, deux sont particulièrement intéressants : « Successions non réclamées » et « Avis de qualité ». Lisez notamment la rubrique « Quel est le rôle de Revenu Québec ? ». Revenu Québec publie un « Avis de qualité » dans les grands journaux du Québec.

17.24 Le testament, document privilégié

La figure 17.1 (*voir la page 447*) propose trois principaux modes de transmission du patrimoine. Le testament demeure le document privilégié pour transmettre, selon ses dernières volontés et dans le respect des lois, son patrimoine lors du décès.

Cependant avant de procéder avec le testament, soulignons qu'il existe d'autres modes qui nous permettent de désigner un bénéficiaire de notre patrimoine:

- L'assurance vie peut permettre de désigner un bénéficiaire révocable ou irrévocable (*voir le chapitre 16*);
- Le contrat de rente viagère est un autre mode. Nous avons analysé ces rentes au chapitre 13;
- Le contrat de mariage est le dernier mode. Nous l'aborderons un peu plus loin.

Le testament est un document qui peut être révoqué ou modifié en tout temps.

Les deux conjoints devraient faire un testament si, bien sûr, ils sont légalement considérés comme aptes à le faire. En effet, si le deuxième conjoint décède immédiatement après avoir hérité du patrimoine du premier conjoint, le testament du deuxième conjoint devient exécutoire. Toutefois, si ce dernier n'a pas rédigé de testament, le partage des biens se fait dans le respect du CcQ. De plus, le testament permet d'inclure une clause de décès simultané ou rapproché dans le temps des deux conjoints (par exemple, s'ils décèdent en même temps dans un accident ou à l'intérieur d'une période de 10 jours). Le testament permet de prévoir des mesures destinées à assurer au mieux le bien-être des enfants, en particulier grâce à la nomination d'un tuteur si les enfants sont encore mineurs et d'un fiduciaire pour administrer leur part de la succession. Dans le questionnaire n° 1 (*voir l'annexe B*), nous constatons que ni Claude Lajoie, ni sa conjointe, Francine Simard, ne possèdent de testament. De plus, le couple Simard-Lajoie pose le problème des décès simultanés. Il importe donc, dans le rapport final, de leur expliquer ce qui précède.

Un testament, c'est quoi? L'article 704 du CcQ définit le testament comme suit: «Le testament est un acte juridique, unilatéral, révocable, établi dans l'une des formes prévues par la loi, par lequel le testateur dispose, par libéralité, de tout ou partie de ses biens, pour n'avoir effet qu'à son décès.»

Il convient de remarquer les six caractéristiques du testament:

- Un acte juridique de transmission de biens personnels;
- Un acte unilatéral. Il ne peut donc être fait par deux ou plusieurs personnes. Il représente la volonté du seul testateur;
- Un acte révocable. Il peut être modifié ou annulé en tout temps par le testateur;
- Un acte formaliste. En effet, le testament doit répondre à l'une des trois formes permises par l'article 712 du CcQ;
- Un acte de libéralité. Il montre l'intention du testateur de transmettre ses biens sans aucune contrainte;
- Un acte de disposition à cause de mort. Le testament ne prend effet qu'au moment du décès de son auteur.

Il demeure qu'au Québec, la liberté de tester d'une personne mariée ou unie civilement peut être limitée ou subir l'influence de certaines considérations légales, par exemple:

- le patrimoine familial;
- le régime matrimonial;
- la survie de l'obligation alimentaire;
- la prestation compensatoire.

17.24.1 Les formes de testaments

Il existe trois formes de testaments (CcQ, art. 712 à 730), toutes juridiquement valides. Chaque forme a ses avantages et ses inconvénients. Pour exprimer ses dernières volontés, il est donc possible d'utiliser :

- le testament notarié, ou authentique ;
- le testament devant témoins ;
- le testament olographe.

Le testament notarié

Le testament notarié, ou authentique (CcQ, art. 716 à 725), est fait devant notaire et signé par un témoin. Il est authentique dès qu'il est signé. Il ne fait donc pas l'objet d'une vérification juridique au décès du testateur, la liquidation de la succession s'en trouvant accélérée. Le testament notarié est automatiquement homologué (vérifié ou authentifié). Il est produit par un notaire, et non un avocat.

Le testament notarié est établi par un spécialiste et, dans le cas d'une succession le moindrement complexe, il est de loin préférable à toute autre forme de testament. Le notaire doit conserver l'original du testament, donc il n'y a aucun risque de le perdre ou de le falsifier. Le testament est inscrit par le notaire au Registre des testaments de la Chambre des notaires[6]. Ce système, informatisé et sûr, permet de repérer rapidement le dernier testament du testateur (ce qui n'est pas toujours le cas pour un testament olographe ou signé devant témoins).

Les arguments en faveur du testament notarié sont nombreux et convaincants. C'est le type de testament que nous recommandons. Il entraîne des frais, mais il assure aux héritiers de pouvoir retrouver le dernier testament du défunt.

Un témoin est tenu d'assister à la lecture du testament notarié. L'article 717 du CcQ décrit bien le rôle du témoin lors de la signature du testament notarié : « Le testament notarié est lu par le notaire au testateur seul ou, au choix du testateur, en présence d'un témoin. Une fois la lecture faite, le testateur doit déclarer en présence du témoin que l'acte lu contient l'expression de ses dernières volontés. Le testament est ensuite signé par le testateur et le ou les témoins, ainsi que par le notaire ; tous signent en présence les uns des autres. »

Le testament devant témoins

Le testament devant témoins (CcQ, art. 727 à 730) peut être écrit à la main ou dactylographié. De toute façon, il nécessite que deux témoins attestent qu'il s'agit bien du testament du testateur. Il faut noter que les témoins n'ont pas à connaître le contenu du testament. Tout comme le testament olographe (*voir la sous-section suivante*), ce testament doit être homologué, donc faire l'objet d'une vérification juridique au moment du décès du testateur, avant d'être exécutoire. Ce genre de testament est souvent préparé par un avocat qui est aussi l'un des deux témoins.

---

6. Il suffit de s'adresser à un notaire ou à un avocat ou de faire directement une demande de recherche aux Registre des dispositions testamentaires et des mandats du Québec (RDTMQ), www.rdtmq.org. Vous remarquerez que le registre de la Chambre des notaires du Québec et celui du Barreau du Québec ont fusionné en 2003 pour créer un guichet unique.

En bref :

- Les testaments devant témoins doivent être homologués au moment du décès du testateur. Le coût peut facilement atteindre les 1 000 $ et plus. Les délais sont d'environ six semaines et plus ;

- Le testateur ou toute autre personne peut écrire, à la main ou autrement, le testament devant témoins. Il n'y a aucune obligation de mentionner le lieu et la date du testament, quoique cela soit fortement recommandé ;

- Il est possible d'utiliser des formulaires et de remplir certaines parties à la main. Cette approche est très publicisée depuis un certain nombre d'années. Ces testaments sont parfaitement légaux, mais attention, si le formulaire testamentaire est peu dispendieux, il doit être homologué et ce processus est coûteux, comme nous le mentionnons ci-dessus. Ces formulaires peuvent comporter les mêmes lacunes que le testament olographe (*voir la sous-section suivante)*, car les gens ne savent pas toujours comment le remplir et peuvent faire des ajouts qui prêtent à confusion.

- Les deux témoins doivent être majeurs et être présents en même temps et non l'un après l'autre ;

- Le rôle des témoins se limite à témoigner de la signature du testateur ;

- Le testament devant témoins peut être rédigé par un avocat ;

- Le testament devant témoins (cela est aussi valable pour le testament olographe) peut être déposé chez un avocat afin d'y être conservé. L'avocat doit dresser une liste des actes testamentaires déposés chez lui et l'expédier au Registre des testaments du Barreau du Québec. Ce testament sera répertorié, donc enregistré (mais non vérifié ou homologué).

Le testament olographe

Le testament olographe (CcQ, art. 726) est entièrement écrit et signé par le testateur (autrement que par un moyen technique). Il est valide sans autre formalité et sans témoin. Au décès du testateur, il doit être homologué (vérifié juridiquement et authentifié) par un notaire ou par voie de requête au tribunal. Ce testament, entièrement composé et écrit de la main du testateur, peut comporter certaines lacunes quant à l'interprétation des dernières volontés ou à la lisibilité. Ce genre de confusion peut engendrer des débats d'ordre juridique onéreux pour les héritiers qui sont en désaccord. Il doit être rangé en lieu sûr et de façon que l'on puisse le trouver facilement. Par contre, il ne nécessite aucun frais.

En bref :

- Le testament olographe doit être vérifié juridiquement. En d'autres mots, il doit être homologué au moment du décès du testateur. Cette vérification peut coûter aux alentours de 1 000 $ et plus et les procédures peuvent prendre environ six semaines. Depuis le 13 mai 1999 (*Loi modifiant le Code de procédure civile en matière notariale et d'autres dispositions législatives*), les notaires peuvent homologuer le testament olographe. Cependant, bien que ce soit le cas, la vérification par le tribunal demeure encore populaire ;

- La loi n'exige plus que le testament olographe soit écrit « de la main du testateur », afin de tenir compte des personnes handicapées qui écrivent en se servant de leur bouche ou de leur pied ;

- Un testament informatique n'est pas valable selon le droit québécois.

Pour plus d'information sur ces trois formes de testaments, vous pouvez consulter le site du Réseau juridique du Québec ainsi que sa boutique. Le site Votre Testament propose divers documents juridiques. L'information qui y est présentée est de qualité. Vous pouvez aussi accéder à la page « Rédigez votre testament notarié ou devant témoins » si vous désirez vous informer davantage, puis consulter l'excellente FAQ.

17.24.2 Le contrat de mariage (ou d'union civile) en tant que « forme » de testament

On fait ici référence à la fameuse clause de « donation à cause de mort ». De quoi s'agit-il ? L'article 1839 du CcQ permet en effet de faire des donations « à cause de mort », et ce, par contrat de mariage. En pratique, on pourrait parler d'une quatrième « forme » de testament. Techniquement, il ne s'agit que d'une disposition testamentaire qui a été incorporée au contrat de mariage. Donc, il est toujours prudent, en l'absence de testament, de conclure que la personne est décédée *ab intestat*. Il est important de s'assurer qu'un contrat de mariage existe et d'en vérifier les clauses. En général, ces donations présentent les caractéristiques suivantes :

- Elles sont révocables ;
- Elles présentent de sérieux problèmes lors d'un décès simultané. Qu'arrive-t-il aux enfants si le couple meurt dans un accident d'automobile ? C'est un cas de décès *ab intestat* ;
- Elles peuvent s'avérer utiles si la personne décède sans testament.

17.24.3 Le contenu du testament

Le testament contient essentiellement des legs testamentaires, lesquels sont de trois espèces :

- Le legs universel (CcQ, art. 732) ;
- Le legs à titre universel (CcQ, art. 733) ;
- Le legs à titre particulier (CcQ, art. 734).

Le legs est une donation (disposition) à titre gratuit qui est faite par testament et qui prend effet au moment du décès du testateur.

Voici quelques remarques au sujet de chaque espèce de legs.

Le legs universel

Le legs universel porte sur la totalité de la succession (« Je lègue tous mes biens à… »). Il peut concerner plusieurs héritiers (« Je lègue tous mes biens à mes sœurs en parts égales »). C'est le fait de léguer tous ses biens qui rend le legs universel, et non le nombre d'héritiers.

Le legs à titre universel

Le legs à titre universel se rapporte à une quote-part de la succession (« Je lègue à mon épouse 50 % de mes biens, à mes enfants, 40 % de mes biens, et à mes frères, 10 % de mes biens »). Il peut aussi s'agir de certains legs en usufruit. Par exemple, une personne lègue en usufruit à une autre personne l'utilisation de sa maison et, au moment du décès de cette dernière, le droit de propriété à ses frères. Le CcQ désigne cette dernière situation sous l'expression «démembrement du droit de propriété».

Voici des exemples de legs à titre universel :

- «Je lègue à mon épouse 70 % de mes biens et 10 % à chacun de mes trois enfants » (legs d'une quote-part de la succession);
- «Je lègue à ma filleule Anne-Marie l'usufruit (droit d'usage d'une chose sans en avoir la propriété) de mon immeuble situé au 1234, boulevard Latendresse à Québec et la nue-propriété (droit de propriété d'une chose sans en avoir l'usage) de celui-ci à mes deux sœurs en parts égales » (legs d'un démembrement du droit de propriété);
- «Je lègue à mes deux frères tous les biens immeubles de ma succession » (legs portant sur la propriété ou démembrement de ce droit).

Le legs à titre particulier

Le legs à titre particulier (art. 734 du CcQ) ne peut être ni universel, ni à titre universel. Par exemple : «Je lègue ma montre Patek Philippe à mon copain et associé Me Robert Lemieux. »

Le legs à titre particulier confère au légataire (personne désignée) un droit limité au bien ou à l'ensemble des biens mentionnés dans le testament. Voici quelques exemples de legs à titre particulier : un certain montant d'argent, le mobilier d'une résidence, un immeuble de location, un bijou.

Il faut noter que le légataire à titre particulier n'est pas considéré comme un héritier et que, par conséquent, il n'est pas touché par les dettes du testateur. Ce fait est très important; une analyse en profondeur en est présentée dans des volumes spécialisés en planification successorale. Toutefois, l'exemple suivant réussit à notre avis à bien faire comprendre ce contexte.

EXEMPLE

Armand a deux frères, Nicolas et Bastien, et une sœur, Marie-Anne. Il possède, entre autres, un triplex évalué à 400 000 $, mais grevé d'une hypothèque de 200 000 $. Il lègue à titre particulier son triplex à Marie-Anne et tous ses autres biens à ses deux frères, Bastien et Nicolas.

Question : Au moment du décès d'Armand, qui devra assumer la dette hypothécaire de 200 000 $?

Réponse : Ce sont Bastien et Nicolas.

Rappelons-nous que le légataire particulier n'est pas considéré comme un héritier et, par conséquent, n'est pas tenu aux dettes du défunt.

Vous comprendrez ici que tout dépendra de l'intention réelle d'Armand. S'il avait prévu la situation précédente, il pourrait s'ensuivre une situation délicate entre Marie-Anne et ses deux frères, qui auront à assumer la dette de 200 000 $. Sinon, il serait important que le legs particulier (triplex) fait à Marie-Anne soit assorti d'une condition l'obligeant à assumer l'hypothèque de 200 000 $. Si Marie-Anne n'accepte pas cette condition, ledit triplex sera remis aux deux frères, car la condition d'assumer la dette deviendra caduque.

Note : Le legs en usufruit et le legs en substitution sont des legs soit à titre universel, soit à titre particulier qui sont complexes et spéciaux. Ils seront traités au chapitre 18, portant sur les fiducies, car ce sont deux options préférables aux fiducies plus formelles.

17.24.4 Les legs et certaines situations problématiques

Voici quatre situations de legs qui peuvent justement s'avérer problématiques.

Les clauses illicites

Lors de la rédaction d'un testament, certaines clauses peuvent être considérées comme illicites (par exemple, un legs associé à une condition contraire à l'ordre public, immorale ou impossible à respecter). À ce sujet, vous pouvez consulter le site du Réseau juridique du Québec. Prenez connaissance des diverses clauses illicites; les exemples présentés sont révélateurs. En voici un : «Je lègue toute ma fortune à mon épouse à condition qu'elle ne se remarie jamais.»

Les legs qui seront sans effet

Il faut aussi éviter les legs qui seront sans effet. À ce sujet, vous pouvez consulter le site de Justice Québec. Vous y trouverez ce qui suit :

> La loi considère comme nuls les legs que vous auriez faits au propriétaire, à l'administrateur ou au salarié d'un hôpital ou d'un centre d'accueil s'ils ont été faits à l'époque où vous y étiez soigné ou y receviez des services, à moins, bien sûr, que ces héritiers ne soient votre conjoint ou un proche parent.
>
> Les personnes qui agissent à titre de témoins lors de la signature de votre testament ou le notaire, son conjoint ou tout parent en ligne directe avec ce notaire (par exemple, ses enfants) ne peuvent hériter de vous.
>
> Soulignons que des personnes pourraient être indignes de recevoir leur part de votre succession. Il en est ainsi notamment d'une personne qui aurait attenté à votre vie ou de la personne qui, de mauvaise foi, aurait caché, altéré ou détruit votre testament. (Justice Québec, 2011)

Le legs d'un bien à un enfant mineur

Il est aussi très important de bien comprendre que le legs d'un bien dont la valeur est de plus de 25 000$ à un enfant mineur entraîne de nombreuses formalités juridiques, dans lesquelles le conseil de tutelle et le Curateur public jouent un rôle de liquidateur de succession. Ce dernier sujet sera repris plus loin.

Les legs lors d'un second mariage

Voici une dernière situation délicate : un veuf ayant deux enfants se remarie. Dans son testament, il laisse une grosse somme d'argent à chaque enfant et une police d'assurance vie à sa nouvelle conjointe. Dans un tel cas, les enfants pourraient devoir vendre la maison familiale pour toucher leur héritage; cette situation pourrait être pénible pour la nouvelle conjointe. La solution? Laisser l'assurance vie aux enfants, qui deviendraient prioritaires et recevraient l'assurance vie sans aucune imposition. La conjointe, devenant l'héritière et l'unique liquidatrice, contrôlerait ainsi toute la situation. Les secondes unions ont été abordées à la section 17.17. Vous voudrez y revenir pour bien situer le dilemme dans le contexte testamentaire.

17.24.5 Le décès simultané des deux conjoints

Un couple marié a deux enfants. Qu'arrive-t-il à ceux-ci si leurs parents décèdent de façon simultanée? Même si chaque conjoint possède un testament accompagné d'une clause universelle dans laquelle chaque conjoint lègue à l'autre tous ses biens, si aucune clause de décès simultané n'est incluse dans chaque testament, les conjoints décèdent *ab intestat*. Qui va s'occuper des enfants?

L'article 616 du CcQ traite de ce sujet: «Les personnes qui décèdent sans qu'il soit possible d'établir laquelle a survécu à l'autre sont réputées décédées au même instant, si au moins l'une d'entre elles est appelée à la succession de l'autre. La succession de chacune d'elles est alors dévolue aux personnes qui auraient été appelées à la recueillir à leur défaut.»

Il est primordial de préciser avec le notaire les circonstances qui caractérisent le décès simultané.

En voici un exemple.

EXEMPLE

Gilbert et Diane sont mariés en société d'acquêts depuis 10 ans. Ils ont une fille de 7 ans, Lison-Claire.

Gilbert a fait son testament sur son ordinateur personnel et l'a enregistré sur un CD avec l'inscription «Ceci est mon testament». En quelques mots, il lègue son commerce et tous les biens qu'il possède à sa maîtresse, Hélène, soit un avoir net d'environ 700 000 $. Diane, quant à elle, n'a pas fait de testament, et son avoir net se chiffre à environ 100 000 $. Gilbert et Diane décèdent durant un voyage de pêche avec des amis, dans un accident d'avion. Diane est décédée sur les lieux de l'accident. Gilbert, lui, a été transporté à l'hôpital local, où il est décédé quelques jours plus tard.

Qu'en est-il dans ce cas? Diane décède *ab intestat* et ses biens vont à Gilbert (1/3) et à Lison-Claire (2/3). On se demande qui va maintenant hériter des biens de Gilbert (biens qui se sont accrus depuis le décès de Diane)? Sa maîtresse? Sa fille mineure?

La jurisprudence est abondante à ce sujet. Le testament olographe de Gilbert est invalide, car il n'a pas été écrit et signé par lui, et ce, autrement qu'à l'aide d'un moyen technique. En conséquence, en vertu du CcQ, il ne fait aucun doute que Lison-Claire sera la seule héritière de tous les biens de ce dernier.

Et si Gilbert avait fait un testament valide? Hélène, sa maîtresse, aurait hérité d'un avoir net d'environ 700 000 $. Dans le cas qui nous occupe ici, si tout avait fonctionné comme dans le meilleur des mondes entre Diane et Gilbert, chacun des testaments respectifs aurait pu édicter ses propres règles, par exemple que tout légataire doit survivre au testateur un certain nombre de jours pour hériter, sinon il y aura décès simultané. Le testament de chacun aurait pu prévoir un tuteur pour Lison-Claire. Dans notre cas, le Curateur public aura son mot à dire dans l'administration des biens dont a hérité Lison-Claire (nous y reviendrons).

Vous pouvez constater la complexité de certaines situations et la très grande nécessité de posséder des documents juridiques bien rédigés par un notaire. On peut ainsi éviter des débats et des déboires qui peuvent durer des années, et on assure ainsi la protection d'une personne mineure comme Lison-Claire.

17.24.6 Les testaments qui n'en sont pas

Lorsqu'on parle de «testaments qui n'en sont pas», on fait référence à deux documents qui portent le nom de «testament» mais qui, dans les faits, n'en sont pas vraiment: le testament biologique et le testament visuel.

Le testament biologique

Le testament biologique concerne les volontés ou les directives de fin de vie d'une personne (en anglais, ce document se nomme *living will*, littéralement, « testament de vie »). Le testament biologique fait également de plus en plus partie de la planification testamentaire. Il est généralement intégré au testament ou au mandat en cas d'inaptitude et concerne l'acharnement thérapeutique. Son objectif est double :

- Permettre de ne pas maintenir en vie par des moyens artificiels une personne dont l'état de santé est très grave ;
- Léguer les organes vitaux de la personne décédée à certains organismes médicaux.

Dans certains contextes familiaux, il importe que les proches soient mis au courant du testament biologique, car il peut parfois se heurter à certaines croyances religieuses. En général, ce document peut être intégré au mandat en cas d'inaptitude (*voir la sous-section 17.27.1*) ou encore au testament lui-même.

Le testament visuel

Il s'agit tout simplement d'un document audiovisuel d'environ 30 minutes où des personnes (parents, grands-parents, etc.) se racontent dans le but de communiquer avec leur famille et amis après leur décès. Le geste est libérateur et thérapeutique en soi. Il permet à certaines personnes d'exprimer des propos, des émotions qui retracent le fil de leur vie, mais également de laisser des traces, des souvenirs et de transmettre leurs racines. Parfois, de son vivant, la personne n'a pu exprimer les sentiments qui l'animaient. Pour elle, le fait d'être seule devant la caméra dans un lieu familier facilite les confidences. C'est, dans un certain sens, laisser un « héritage d'amitié et d'amour » aux générations futures.

17.25 La liquidation d'une succession et le rôle du liquidateur

Depuis l'entrée en vigueur du nouveau CcQ en janvier 1994, le liquidateur s'est substitué à l'exécuteur testamentaire.

À ce sujet, consultez la sous-section 17.19.5 qui traitait de l'acceptation d'une succession.

On y relatait les trois principaux changements apportés dans le CcQ : obligation aux dettes du défunt, représentation et liquidation. Les deux premiers ont déjà été abordés. Voici ce que le site du Réseau juridique du Québec dit au sujet du dernier :

> Le Code met donc en scène un nouveau personnage multidisciplinaire qui joue tous les rôles : le « liquidateur de la succession ». L'expression « exécuteur testamentaire » est donc disparue au profit de cette nouvelle vedette grimpante qui cumule tantôt le rôle de l'exécuteur testamentaire et tantôt le rôle d'administrateur du bien d'autrui. On a également accru les pouvoirs et responsabilités de cette personne, de même qu'on a ajusté les modes de partage et de paiement des dettes de la succession. (Vachon, 2000)

Le liquidateur est par conséquent le principal lien entre le testateur et les héritiers ; c'est lui qui supervise tout le processus de liquidation de la succession.

Le processus de liquidation auquel nous nous intéressons relève du domaine juridique ; c'est dans cette optique que nous abordons le rôle du liquidateur. Il faut souligner que ce processus est très souvent entaché de litiges familiaux. En effet, peu importe la situation, les sources de conflits peuvent se révéler nombreuses. Nous vous recommandons de consulter à ce sujet l'article de Sophie Ducharme, « Liquidation de succession : chronique d'un litige annoncé », publié sur le site Conseiller.ca.

C'est une tâche qui peut s'avérer très lourde dans certains cas et, disons-le, dans certaines successions, assez complexe sur le plan administratif. Le recours à un professionnel rigoureux (comptable, notaire, planificateur financier, avocat, etc.) est très souvent indispensable.

Le rôle du liquidateur débute dès l'ouverture de la succession par la saisine des héritiers et des légataires particuliers. Rappelons que la saisine concerne tout simplement le droit des héritiers (et des légataires particuliers) à la prise de possession des biens du défunt, à l'instant même du décès, sans avoir à en demander l'autorisation en justice. Cependant, le liquidateur a préséance sur les héritiers et c'est lui qui voit au partage des biens, à l'aliénation possible de certains d'entre eux et à l'administration de la succession, de son ouverture à sa clôture.

Mentionnons de nouveau la grande importance d'effectuer un inventaire qui permette de déterminer tous les actifs du défunt, mais aussi ses dettes. Les héritiers ne sont pas responsables des dettes du défunt, à la condition que cet inventaire ait été fait par le liquidateur. En ce sens, la production d'un bilan successoral s'avère nécessaire. C'est à la réception de ce bilan successoral que les héritiers pourront décider d'accepter ou de refuser la succession. Les aspects financiers, tel le bilan successoral, seront abordés au chapitre suivant.

17.25.1 Les pouvoirs du liquidateur

Les trois grands pouvoirs du liquidateur sont les suivants :

- L'administration des biens (de la simple à la pleine administration) ;
- L'aliénation des biens (uniquement les biens meubles ou tous les biens) ;
- Le partage des biens (des pouvoirs restreints aux pouvoirs étendus).

Chaque pouvoir, par conséquent, peut être étendu par le testateur.

17.25.2 Les tâches du liquidateur

La liste qui suit résume les principales tâches et responsabilités du liquidateur :

- Rechercher et analyser le testament et en établir la dévolution ;
- En demander la vérification juridique, si nécessaire ;
- Préparer le bilan successoral et l'état des liquidités successorales ;
- Rechercher les successibles ;
- Produire toutes les déclarations de revenus ;
- Obtenir les certificats de décharge (TX19 au fédéral et MR-14.A au Québec) ;
- Acquitter les impôts et les dettes ;
- Remettre les legs particuliers ;
- Rendre compte de son administration aux héritiers.

Pour consulter une liste exhaustive, vous pouvez visiter le site de la Banque Nationale du Canada. Vous y trouverez la liste des 12 tâches du liquidateur.

Pour terminer, il faut noter que, dans le cas d'une succession légale, ou non testamentaire, tous les héritiers légaux sont obligatoirement liquidateurs. Cependant, l'un d'eux pourra être choisi, au vote majoritaire, pour devenir liquidateur de la succession. S'il n'y a qu'un seul héritier, celui-ci devient automatiquement liquidateur.

17.25.3 La rémunération du liquidateur

Il faut comprendre que lorsque le liquidateur (ou l'un des liquidateurs) est une grande entreprise (trust ou fiducie), la rémunération peut s'effectuer selon certains pourcentages qui varient en fonction de l'ampleur des capitaux qui font partie de la succession ainsi qu'en fonction de la lourdeur de la tâche.

Si le liquidateur est un professionnel engagé à cette fin, sa rémunération pourra être considérée comme des honoraires professionnels; sinon, il s'agira de l'équivalent d'un salaire.

Si le liquidateur est aussi héritier, il pourrait y avoir conflit d'intérêts. Il est préférable, dans un tel cas, de lui léguer une certaine somme d'argent plutôt que de le rémunérer.

Lors de la rédaction d'un testament, il faut donc toujours:

- penser à bien rémunérer le liquidateur;
- prévoir des substituts ou des remplaçants;
- obtenir l'approbation du liquidateur en lui en parlant avant la rédaction du testament.

> ➕ Lors de la liquidation d'une succession, les conflits peuvent se révéler nombreux. Le liquidateur peut en résoudre certains, mais le recours à la médiation successorale est parfois nécessaire. Le médiateur a alors un rôle de tout premier plan à jouer en informant les héritiers des solutions possibles aux conflits. Le notaire qui a préparé le testament est bien placé pour jouer ce rôle, mais l'on voudra parfois recourir aux services d'un arbitre plus neutre.

17.26 Le liquidateur et le tuteur légal de l'enfant

L'article 210 du CcQ précise ceci: « Les biens donnés ou légués à un mineur, à la condition qu'ils soient administrés par un tiers, sont soustraits à l'administration du tuteur. Si l'acte n'indique pas le régime d'administration de ces biens, la personne qui les administre a les droits et obligations d'un tuteur aux biens. »

Prenons un exemple pour bien illustrer l'importance de cet article.

EXEMPLE

Marie, âgée de 40 ans, est mariée à un joueur compulsif, Marc-André. De cette union est née une fille, Josée. Le couple s'est séparé l'année dernière, alors que Josée avait 10 ans. Au début de cette année, Marie a perdu la vie dans un accident d'automobile. Sa police d'assurance vie de 200 000 $ nommait sa succession bénéficiaire. Le testament notarié de Marie faisait état du legs de tous ses biens à sa fille Josée, incluant une mention de la police d'assurance vie dont le bénéficiaire est la succession. De plus, le testament nommait le frère jumeau de Marie, Pierre, liquidateur pour recevoir tous les biens au nom de Josée dans le cas où celle-ci n'aurait pas atteint l'âge de la maturité. En outre, le testament stipulait que Pierre devait remettre les capitaux à Josée de l'âge de 20 ans et à l'âge de 25 ans.

Le tuteur légal de Josée, son père Marc-André, voyait les choses différemment. Il réclamait l'administration des biens dont Josée était bénéficiaire.

Selon vous, qu'indique la jurisprudence dans un tel cas?

En fait, l'administration des capitaux serait soustraite à l'administration du tuteur légal, et ce, en conformité avec l'article 210 mentionné plus haut. Une abondante jurisprudence en la matière nous indique que la personne qui agit en tant que liquidateur, de tuteur ou de fiduciaire, n'est pas soumise aux obligations du tuteur légal aux biens et n'a à rendre de comptes à qui que ce soit. L'important est ici de bien faire le lien entre le bénéficiaire de la police d'assurance vie et le testament. Dans un cas de ce genre, le recours à un spécialiste est essentiel.

Reprenons l'exemple de Marie, qui décède maintenant sans avoir de testament. Le père naturel et tuteur de Josée, Marc-André, aurait la tâche d'administrer les capitaux de l'assurance vie. Qu'en pensez-vous ?

Et si Josée était la bénéficiaire de l'assurance vie ?

L'affaire Massouh est très révélatrice à ce sujet (Marquis, 2011). Pour en comprendre la teneur, nous vous recommandons de lire l'article d'Hélène Marquis (LL. L, D. Fisc. Pl. Fin.), « Bien planifier une fiducie testamentaire ». Précisons ici qu'avec l'article 210 du CcQ (*voir la définition de cet article au début de la présente section*), il ne s'agit pas de fiducies testamentaires formelles, même si le titre de l'article semble l'indiquer, mais bien de l'intention d'un testateur de nommer un tuteur autre que le tuteur légal survivant pour l'enfant mineur.

Reprenons les grandes lignes du cas de Marie présenté à la page précédente en désignant Josée comme la bénéficiaire de l'assurance vie et en liant le tout au cas Massouh ainsi qu'à l'article 210. Voyons les faits :

- Le droit sur les assurances est très explicite au sujet du produit d'assurance vie payable à un bénéficiaire désigné telle Josée. Le produit d'assurance ne fait pas partie de la succession, mais va directement au bénéficiaire. Par ailleurs, si celui-ci est le même que la succession (ayants droits), le produit d'assurance vie est soumis aux dispositions du testament, si bien sûr testament il y a. Si Josée avait été nommée bénéficiaire de l'assurance, le tuteur légal, Marc-André, en aurait assumé l'administration, sous la gouverne du conseil de tutelle.

- Dans le cas de l'affaire Massouh, le tribunal a stipulé que le bien doit être légué au bénéficiaire pour respecter l'article 210 du CcQ. Or, nous avons déjà mentionné que le capital de l'assurance vie ne fait pas partie de la succession et ne peut donc être légué à l'enfant mineur. Cela n'a rien de contradictoire avec le paragraphe précédent.

- Un point important soulevé par madame Marquis : le capital décès de l'assurance vie allant directement à la succession, il devient saisissable par les créanciers. C'est un choix à faire. Si la succession est en bonne santé financière, cela ne pose aucun problème et on évite ainsi que le tuteur légal, Marc-André, devienne l'administrateur du capital. Sinon, une solution infaillible réside dans la création d'une fiducie testamentaire formelle (*voir le chapitre 19*).

17.27 Les régimes de protection

Les régimes de protection représentent un très vaste sujet qui touche l'inaptitude, donc l'incapacité d'un majeur de subvenir à ses besoins. Dans ces situations, on fait face à l'administration du bien d'autrui.

Pour l'essentiel, les aspects de tutelle (ou curatelle) concernent toujours un mineur apte ou inapte, mais ils peuvent également toucher un majeur inapte. Cependant, il est important de distinguer les régimes «publics» (famille, amis et Curateur public), qui concernent les majeurs inaptes, des régimes «privés» dont un majeur qualifié et bien portant peut se prévaloir, tel par exemple le mandat en prévision de l'inaptitude et la procuration.

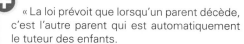

« La loi prévoit que lorsqu'un parent décède, c'est l'autre parent qui est automatiquement le tuteur des enfants.

Si les deux parents sont décédés, cette responsabilité revient à la personne qu'ils ont choisie dans leur testament ou dans leur déclaration produite au Curateur public. » (Éducaloi, 2011)

Le mineur apte ou inapte peut toujours être représenté par son tuteur légal (père ou mère), donc par une tutelle légale, ou par un tuteur nommé par les parents dans leurs testaments respectifs sous forme de tutelle dative. Celle-ci peut également être décidée par un tribunal.

Mais qu'en est-il du majeur inapte? Selon la sévérité de l'inaptitude, il peut y avoir une curatelle (inaptitude totale et permanente) ou une tutelle (inaptitude partielle et temporaire). Le régime de curatelle ou de tutelle pourra être demandé par le majeur inapte ou toute personne autorisée de son entourage familial ou encore par un CLSC. Le majeur qui n'a pas prévu une telle situation ou qui n'a aucune famille peut se retrouver avec le Curateur public comme administrateur de la tutelle. À ce sujet, vous pouvez consulter le site du Curateur public du Québec. Il est donc important de planifier un régime de protection privé.

Abordons maintenant les deux régimes essentiels à tout majeur sain d'esprit et pleinement capable d'émettre ses propres directives en cas d'inaptitude: le mandat en cas d'inaptitude et le mandat (ou procuration).

17.27.1 Le mandat en cas d'inaptitude

Dans la planification testamentaire, il importe de tenir compte du mandat en cas d'inaptitude (ci-après nommé «mandat d'inaptitude»). De la même manière que le testament protège les proches d'une personne lors de son décès, le mandat d'inaptitude la protège elle-même (et ses biens) lorsqu'elle est vivante. Il permet d'éviter qu'une personne qu'elle n'a pas choisie, ou encore le Curateur public, s'occupe de ses affaires lorsqu'elle n'aura plus l'autonomie nécessaire pour le faire elle-même à cause d'une maladie grave ou d'un accident. Ce mandat fait maintenant partie de la planification successorale, plus précisément de la planification testamentaire.

À la rédaction du mandat, le notaire vérifie si le mandant semble sain d'esprit et pleinement capable d'émettre ses directives en ce qui concerne sa protection éventuelle. Il est préférable que ce document soit notarié, mais tout autre document non notarié (fait en présence de deux témoins, donc sous seing privé) peut être soumis à un notaire pour examen.

Le mandant verra à nommer un mandataire qui s'occupera de la gestion de ses affaires s'il en est lui-même incapable et qui prendra les décisions appropriées pour assurer la protection de sa santé physique et morale. Dans cette éventualité, il est souvent préférable de prévoir une rémunération pour le mandataire.

L'homologation et la cessation du mandat d'inaptitude

Le mandat d'inaptitude ne prend pas effet au moment de sa signature, alors que le mandant est en pleine possession de ses moyens, mais quand survient l'inaptitude. Il doit alors être homologué, c'est-à-dire authentifié juridiquement et médicalement.

Un certificat médical attestant de l'inaptitude, souvent accompagné d'un rapport psychosocial fourni par un travailleur social, est alors fourni au notaire, qui procède à un interrogatoire du mandant et rend le mandat exécutoire. Depuis l'entrée en vigueur de la *Loi modifiant le Code de procédure en matière notariale et d'autres dispositions législatives* le 13 mai 1999, il n'est plus nécessaire de s'adresser au tribunal ou au greffier pour rendre le mandat exécutoire, le notaire étant autorisé à le faire. Dans certains cas, le mandat est aussi détaillé et complexe que le testament et contient de nombreuses clauses concernant l'administration des biens et leur aliénation.

Le mandat prend fin lorsque l'autonomie du mandant est rétablie ou à l'occasion de son décès.

17.27.2 Le mandat (ou procuration)

Le CcQ utilise le terme « mandat » pour désigner ce que l'on nomme le plus souvent « procuration », possiblement pour éviter toute confusion avec le mandat d'inaptitude.

La procuration constitue tout simplement un contrat de représentation. Elle devient exécutoire au moment de sa signature. Le mandant conserve tous ses droits ; il ne fait que déléguer certains pouvoirs au mandataire qui le représente. Quand l'auteur de la procuration n'est plus autonome, on consulte le mandat d'inaptitude pour la suite des actions à entreprendre.

 Il est intéressant de consulter l'article de Maryse Guénette, « Prudence avec les procurations », publié sur le site du magazine *Le Bel Âge*.

17.27.3 Le forfait recommandable

Nous avons constaté l'utilité du mandat d'inaptitude et de la procuration. Il est illégal d'utiliser une procuration lorsque son auteur (mandant) n'est plus apte. Dans ce genre de cas, il peut se produire un vide juridique, car le mandat d'inaptitude doit être homologué, ce qui demande du temps. Pour éviter ce genre de situation, il est de loin préférable de désigner la même personne comme son mandataire général et son mandataire en cas d'inaptitude.

La dernière décennie a vu naître, en pratique notariale, un forfait composé du mandat d'inaptitude, de la procuration et du testament biologique, le tout dans un même acte. Ce forfait permet d'éviter les régimes de protection publique et surtout de prévoir soi-même les modalités à respecter lors des moments plus difficiles de la vie. C'est durant la préparation du testament qu'il convient d'examiner ce forfait avec le notaire.

Le planificateur financier a donc avantage à recommander à ses clients de consulter un notaire pour le testament et pour le trio incontournable mentionné plus haut.

MÉDIAGRAPHIE

Page 445

Justice Québec, www.justice.gouv.qc.ca

Réseau juridique du Québec, www.avocat.qc.ca via Documentation > Particuliers > Une vue d'ensemble du nouveau *Code civil du Québec*

Page 447

Conseiller.ca, www.conseiller.ca via Archives du magazine *Conseiller* > Mai 2004 > Soulagez vos clients endettés

Page 448

Directeur de l'état civil du Québec, www.etatcivil.gouv.qc.ca

Chambre des notaires du Québec, www.cdnq.org

La Presse.ca, www.cyberpresse.ca via Chroniques > Yves Boivert > Le déclin de l'université québécoise

Page 449

Réseau juridique du Québec, www.avocat.qc.ca via Documentation > Particuliers > Le patrimoine familial > Les biens exclus du patrimoine familial

Page 453

Éducaloi, www.educaloi.qc.ca via La loi vos droits > Conjoints mariés ou unis civilement > Le patrimoine familial > Puis-je demander un partage inégal du patrimoine familial ?

Conseiller.ca, www.conseiller.ca via Archives du magazine *Conseiller* > 2009 > Juin > Partage du patrimoine lors d'une séparation : Le conseiller, encore trop peu consulté

La Presse, www.cyberpresse.ca via Actualités > Justice et faits divers > Patrimoine familial : la caisse de retraite doit être partagée

Page 454

Réseau juridique du Québec, www.avocat.qc.ca via Documentation > Particuliers > Famille, enfants, mariage, vie commune, paternité > Diverses comparaisons entre conjoints mariés et conjoints de fait > Lois sociales : Indemnités en cas de décès et partage de gains accumulés à la rupture *et* Déclaration de revenus

Page 457

Éducaloi, www.educaloi.qc.ca via La loi vos droits > Conjoints mariés ou unis civilement > Se marier à l'étranger

Page 458

Réseau juridique du Québec, www.avocat.qc.ca via Documentation > Particuliers > Famille, enfants, mariage, vie commune, paternité > Une nouvelle forme d'union entre deux personnes au Québec : l'union civile > Justice Québec : Pour un traitement égalitaire : l'Union civile

Ministère de la Justice Canada, www.justice.gc.ca via Salle des nouvelles > Communiqués > 2005 > *notamment* Loi sur le mariage civil (autres articles aussi disponibles)

Page 460

Justice Québec, www.justice.gouv.qc.ca via Dossiers thématiques > Se séparer

Page 462

Les Avocats Rancourt, Legault et St-Onge, www.rancourtlegault.com via Bulletins > La survie de l'obligation alimentaire

Conseiller.ca, www.conseiller.ca via Archives du magazine *Conseiller.ca* > 2009 > Juillet-Août 2009 > La survie de l'obligation alimentaire : L'oubliée de la planification successorale

Page 463

Justice Québec, www.justice.gouv.qc.ca

Chambre des notaires du Québec, www.cdnq.org

Conseiller.ca, www.conseiller.ca via Archives du magazine Conseiller.ca > 2009 > Avril et septembre > Je me marie… ou pas ! (2 parties)

Conseiller.ca, www.conseiller.ca via Archives du magazine Conseiller.ca > 2006 > Avril > Mariage prise deux

Page 465

Directeur de l'état civil du Québec, www.etatcivil.gouv.qc.ca

Page 468

Réseau juridique du Québec, www.avocat.qc.ca via Grand public > Successions/Testaments > Vous décédez sans avoir fait de testament ? Voici comment s'effectuera le partage de vos biens

Page 469

Revenu Québec, www.revenuquebec.ca via Biens non réclamés > Avis de qualité *et* Successions non réclamées > Quel est le rôle du Revenu Québec ?

Page 471

Chambre des notaires du Québec, www.cdnq.org

Page 473

Réseau juridique du Québec, www.avocat.qc.ca via Grand public > Successions/Testaments > Votre testament > Les testaments devant témoins > Les formulaires

Réseau juridique du Québec, www.avocat.qc.ca via Boutique juridique

Rédigez votre testament notarié ou devant témoins, www.votretestament.com

Page 478

Conseiller.ca, www.conseiller.ca via Archives du magazine *Conseiller* > 2010 > Octobre 2010 > Liquidation de succession – Chronique d'un litige annoncé

Banque nationale du Canada, www.bnc.ca via Particuliers > Planifier sa succession > Notre mission conseil

Page 481

Curateur public Québec, www.curateur.gouv.qc.ca

Page 482

Le Bel Âge.ca, www.lebelage.ca via Argent et droits > Vos droits > Prudence avec les procurations

Références

Ducharme, S. (2011). *L'inventaire successoral : nécessaire ou non ?* Récupéré de www.conseiller.ca/nouvelles/l%E2%80%99inventaire-successoral-necessaire-ou-non-2-28050

Éducaloi (2011). *Mourir sans testament Sans testament, qui s'occupera de mes enfants ?* Récupéré de www.educaloi.qc.ca/loi/liquidateurs_de_successions/414

Justice Québec (2011). *Le testament.* Récupéré de www.justice.gouv.qc.ca/francais/publications/generale/testamen.htm

Lefrançois, S. (2011). *L'union de fait : votre couple et la loi*. Récupéré de www.avocat. qc.ca/public/iiconjointsfait.htm

Marquis, H. (2011). *Bien planifier une fiducie testamentaire*. Récupéré de

www.conseiller.ca/files/2011/06/ OBJ06_36-37_plfin.pdf

Roy, N. (2005). *L'union de fait au Québec*. Récupéré de www.justice.gc.ca/fra/pi/ gci-icg/udf-dfu/index.html

Vachon, P. (2000). *Le Code civil du Québec – Livre 3 – Droits des successions*. Récupéré de www.avocat.qc.ca/public/ iiccqvachon3.htm

QUESTIONS DE RÉVISION

1. Définissez la planification successorale et expliquez-en les composantes.

2. Nommez au moins trois des grands objectifs de la planification successorale.

3. De quoi est composé l'environnement légal qui limite la liberté de rédiger un testament ?

4. Illustrez les méthodes de transmission du patrimoine et les différents environnements qui influent sur chacune (*voir la figure 17.1 à la page 447*).

5. Brossez un tableau des éléments qui composent le patrimoine familial.

6. Selon vous, pourquoi a-t-on instauré la *Loi sur le patrimoine familial* ?

7. Quels sont les deux régimes matrimoniaux en vigueur au Québec ?

8. Pourquoi un couple marié en vertu du régime de la société d'acquêts signerait-il un contrat de mariage notarié ?

9. Pourquoi le régime de la communauté de biens a-t-il été abandonné au Québec ? Quel régime l'a remplacé ?

10. Le *Code civil* du Québec ne reconnaît pas les conjoints de fait. Que peuvent faire ceux-ci pour se protéger sur le plan légal ?

11. La résidence familiale fait partie du patrimoine familial. Le *Code civil* du Québec protège en outre cette résidence d'une manière toute spéciale. Comment et pourquoi ?

12. Que veut-on dire par « lieu d'ouverture de la succession » ?

13. Qu'entend-on par succession légale, ou *ab intestat* ?

14. Pourquoi le testament est-il considéré comme un document privilégié ?

15. Quelles sont les trois formes de testaments ? Selon vous, en existe-t-il une autre forme ?

16. Expliquez les types de legs prévus par le *Code civil* du Québec.

17. Dans vos propres mots, décrivez les rôles importants du liquidateur.

18. Que signifie l'expression « faire homologuer un testament » ? Qui peut exécuter cette tâche ?

19. Quelle différence y a-t-il entre le mandat en cas d'inaptitude et la procuration (aussi appelée « mandat » dans le *Code civil* du Québec) ?

20. En quoi consiste l'état civil au Québec ?

21. Expliquez la différence entre le concept de patrimoine et celui de patrimoine familial.

22. Comment définiriez-vous le patrimoine familial ? Quels biens inclut-il ? Quels biens majeurs exclut-il ?

23. Depuis quand le régime de communauté de biens n'existe-t-il plus ?

24. Quel est le document légal essentiel lors du mariage « en séparation de biens » ?

25. Décrivez les grandes lignes du mariage en société d'acquêts.

26. En quoi consiste la prestation compensatoire ? Déterminez les éléments que vous devez faire valoir devant le tribunal.

QUESTIONS DE RÉVISION *(suite)*

27. Quelles étaient, selon vous, les motivations gouvernementales pour légiférer sur l'union civile en 2002 ?

28. Pourquoi un couple en union libre devrait-il recourir au contrat de cohabitation ?

29. Définissez les types de successions.

30. Énoncez de façon structurée les grandes lignes de la transmission d'une succession.

31. Quelle est la relation juridique entre les dettes du défunt et les responsabilités des héritiers ?

32. Énoncez les règles qui s'appliquent à l'acceptation d'une succession et à la renonciation à celle-ci.

33. Résumez les grandes lignes du concept de survie de l'obligation alimentaire.

34. Résumez les grandes lignes de la dévolution légale des successions (successions *ab intestat*).

35. Quelle est la différence entre un successible et un héritier ?

36. Quel testament est automatiquement vérifié ?

37. Que signifie l'authentification des testaments non notariés ?

38. Les héritiers pourraient être tenus de rembourser les dettes du défunt. Dans quelles circonstances cette affirmation est-elle vraie ?

39. Depuis le 1er janvier 1994, le nouveau *Code civil* du Québec reconnaît la représentation successorale (art. 660). Que signifie cette « représentation » par rapport au concept d'« accroissement », lequel peut toujours être prescrit par testament ?

40. Nous avons parlé du Curateur public. Quelle est sa mission ? Comment fonctionne-t-il ?

41. Que signifie l'expression « testament biologique » ?

42. Pourquoi est-il préférable de combiner le mandat, la procuration et le testament biologique ?

EXERCICES

Dites si chacun des énoncés suivants est vrai ou faux.

1. Les dispositions relatives au patrimoine familial s'appliquent obligatoirement depuis le 1er juillet 1989.

2. Les dispositions relatives au patrimoine familial ne s'appliquent qu'aux couples mariés.

3. Les dispositions relatives au patrimoine familial ont préséance sur tous les régimes matrimoniaux.

4. Les époux ne peuvent renoncer, au moyen du contrat de mariage ou autrement, au patrimoine familial.

5. Les conjoints de fait ne sont pas touchés par le patrimoine familial parce qu'ils ne sont pas reconnus par le *Code civil* du Québec.

6. Les personnes unies par un contrat d'union civile sont incluses dans le *Code civil* du Québec et participent donc au patrimoine familial.

7. La convention d'exclusion dûment signée au moyen d'acte notarié ou d'une déclaration juridique avant le 31 décembre 1990 permet de se soustraire complètement à l'application des mesures relatives au patrimoine familial.

EXERCICES *(suite)*

8. La convention d'exclusion décrite ci-dessus n'a plus cours.

9. Durant le mariage, la convention de renonciation notariée au patrimoine familial permet à chaque époux, quelle que soit la date du mariage, de renoncer en tout ou en partie au patrimoine familial.

10. La convention de renonciation ne peut être faite à l'avance et doit être attestée au moyen d'un acte notarié ou d'une déclaration juridique. En effet, elle ne peut être faite qu'à compter du moment du décès ou du jugement de divorce, de la séparation de corps ou de l'annulation du mariage. Elle doit aussi être inscrite au RDPRM.

SOLUTIONS AUX EXERCICES

Tous les énoncés sont vrais, sauf les n°s 2 et 9. L'énoncé n° 2 est faux, car les dispositions relatives au patrimoine familial s'appliquent également aux couples unis civilement. Quant à l'énoncé n° 9 (qui est faux), la bonne réponse se trouve à l'énoncé n° 10.

DOSSIER 17.1

Les sites Web d'intérêt en planification successorale

Plan

Des sites gouvernementaux
Des sites de base
Des sites spécialisés
Des sites d'entreprises

Des sites gouvernementaux

Curateur public Québec, www.curateur.gouv.qc.ca

Directeur de l'état civil Québec, www.etatcivil.gouv.qc.ca

Justice Québec, www.justice.gouv.qc.ca

Registre des droits personnels et réels mobiliers, www.rdprm.gouv.qc.ca

Services Québec, www.deces.info.gouv.qc.ca via Que faire lors d'un décès ?

Des sites de base

Centre québécois de formation en fiscalité, www.cqff.com

Éducaloi, www.educaloi.qc.ca

La Presse Affaires, lapresseaffaires.cyberpresse.ca

Réseau juridique du Québec, www.avocat.qc.ca

Société québécoise d'information juridique, www.soquij.qc.ca

Des sites spécialisés

Barreau du Québec, www.barreau.qc.ca

CA magazine, www.camagazine.com

Chambre des notaires du Québec, www.cdnq.org

Comptables agréées du Canada, www.icca.ca

Lavery, http://lavery.ca

Ordre des CGA, www.cga-online.org

Des sites d'entreprises

Banque CIBC, www.cibc.com

Banque HSBC, www.hsbc.ca

Banque Royale, www.banqueroyale.com

Banque TD Canada Trust, www.tdcanadatrust.com

BMO Banque privée Harris, www.bmo.com/banquepriveeharris

Deloitte, www.deloitte.com

Desjardins, www.desjardins.com

Groupe Investors, www.groupeinvestors.com

Invesco, www.invesco.ca

RBC Gestion du patrimoine, www.rbcgestiondepatrimoine.com

LES ASPECTS FINANCIERS ET FISCAUX DE LA TRANSMISSION DE BIENS

Au chapitre précédent, nous avons constaté la diversité et l'ampleur des notions qui composent la planification successorale tout au long d'une vie. Ces notions ont été abordées dans le cadre du *Code civil* du Québec (CcQ), dans un esprit de droit notarial. Néanmoins, elles se situent toujours dans le contexte de la planification financière personnelle.

Il convient de souligner que l'effet financier et fiscal de certaines pratiques est parfois énorme. Nous examinerons en premier lieu deux grands volets de la planification successorale:

- Les transferts entre vifs (transfert de biens entre particuliers; transfert d'une entreprise du propriétaire à ses enfants ou à d'autres personnes telles que le conjoint, les employés clés ou les deux);

- Les transferts au moment du décès (imposition au décès; bilan successoral; état des liquidités successorales; transmission d'un REER, etc.; biens non enregistrés).

Une fois que nous aurons examiné ces deux grands volets, nous nous attarderons sur deux sujets d'importance qui leur sont liés: l'assurance vie et l'impôt au moment du décès du deuxième conjoint ainsi que les dons planifiés.

Les questions fiscales relatives au décès constituent un domaine très vaste et souvent complexe. Notre principal objectif n'est pas d'explorer toutes les nuances de ce type de fiscalité, mais plutôt d'en cerner les aspects les plus importants pour le planificateur financier. Par ailleurs, le chapitre suivant sera entièrement consacré à ce sujet.

18.1 La transmission de biens entre vifs

Deux situations seront analysées dans cette section : le transfert de biens entre particuliers et le transfert d'une entreprise par le propriétaire à ses enfants ou à d'autres personnes.

18.1.1 Le transfert entre particuliers

Dans le module « La planification fiscale », nous avons abordé le sujet des transferts entre vifs et des règles d'attribution du revenu (*voir la sous-section 9.2.1*). Ces règles visent à empêcher le fractionnement du revenu lorsqu'un bien est transféré à une personne apparentée. Dans un tel cas, le propriétaire du bien, qui est l'auteur du transfert, est imposé sur tout revenu engendré par le bien ainsi transféré. Au chapitre 9, nous avons surtout traité de dons ou de prêts de sommes d'argent entre conjoints (et enfants mineurs et majeurs) et décrit plusieurs stratégies permettant de contourner légalement les règles d'attribution.

Intéressons-nous d'abord aux transferts de biens autres que les sommes d'argent. Il s'agit de dons ou de ventes de biens qui possèdent une juste valeur marchande (JVM), tels que des immeubles, des chalets et des actions boursières.

On sait qu'en planification successorale, le terme « transfert » s'applique à un prêt, à une donation (don ou cadeau) ou à la vente d'un bien. Nous verrons que dans le cas de certains de ces transferts, les règles d'attribution s'appliquent.

L'auteur du transfert d'un bien (par exemple, un immeuble, un chalet ou un portefeuille d'actions) poursuit généralement deux objectifs complémentaires :

- Avantager directement une autre personne pendant qu'il est en vie. Il est très louable de laisser une fortune à son décès en héritage à son enfant, mais les besoins de ce dernier peuvent être plus pressants au début de sa carrière, alors que le parent est vivant ;
- Limiter l'impôt à payer au moment du décès. Un parent qui, de son vivant, transfère légalement son chalet à son enfant majeur n'aura plus à s'inquiéter de la plus-value et de l'impôt qui pourraient en résulter au moment de son décès (impôt sur les gains en capital).

En plus des règles d'attribution du revenu, il est nécessaire de composer avec les gains en capital, lesquels sont imposables au nom du propriétaire du bien transféré. L'exception importante concerne le transfert d'un bien à un enfant. Pour certains clients, il peut donc être intéressant de transférer un bien ayant une plus-value potentielle à un enfant, car l'auteur du transfert n'a aucun impôt à payer sur les gains en capital que celui-ci réalisera. Cet impôt sera exigé de l'enfant à la disposition du bien.

Lorsqu'un bien est transféré (dans le cas d'une donation ou d'une vente) à une personne apparentée autre que le conjoint[1], le produit de disposition est présumé être la JVM du bien, que ce dernier soit un bien amortissable ou non amortissable, ce qui peut amener un gain en capital.

Lorsqu'un bien est transféré au conjoint, le produit de disposition est considéré comme le prix de base rajusté (PBR) s'il s'agit d'un bien non amortissable et comme le coût en capital non amorti (CCNA) s'il s'agit d'un bien amortissable.

---

1. Depuis 1993, le terme « conjoint » inclut le conjoint de fait aux termes des lois fiscales.

Ce transfert annule le gain en capital autrement admissible, ainsi que la récupération de l'amortissement (dans le cas d'un bien amortissable, bien sûr). La transaction peut aussi s'effectuer à la JVM si l'auteur du transfert signale son intention d'utiliser cette valeur dans sa déclaration de revenus l'année du transfert, et ce, que le bien soit amortissable ou non.

Soulignons qu'il existe des règles particulières dans les domaines de l'agriculture et de la pêche lorsque des biens sont transférés à un enfant, mais elles ne seront pas abordées ici. Le lecteur intéressé pourra consulter des ouvrages spécialisés dans ce domaine.

Voici trois exemples de transferts (vente ou donation) entre vifs.

EXEMPLE

Le cas de Raymonde et de Paul concerne un chalet (bien non amortissable).

Raymonde est une femme d'affaires qui doit prochainement déménager à Toronto. Son fils Paul, âgé de 23 ans, se marie dans quelques mois. Raymonde possède un chalet qui lui a coûté 10 000 $ en 1989. Aujourd'hui, sa JVM est de 50 000 $. Raymonde est financièrement à l'aise, et son taux d'imposition marginal s'élève à 50 %. Elle sait que Paul aime ce chalet. Elle vous consulte au sujet des répercussions fiscales et financières liées à la vente ou au don de ce chalet à Paul en cadeau de mariage. Voici votre résumé de la situation :

Approche fiscale et financière de la vente ou du don du chalet		
	Vente	**Don**
Approche fiscale		
Produit de disposition (valeur marchande)	50 000 $	50 000 $[1]
Coût à l'acquisition (PBR)	10 000	10 000
Gains en capital	40 000 $	40 000 $
Gains en capital imposables (50 %)	20 000 $	20 000 $
IMPÔT (50 %)	10 000 $	10 000 $
Approche financière		
Produit de disposition	50 000 $	–
Impôt net	10 000	10 000 $
RENTRÉE NETTE DE FONDS	40 000 $	
SORTIE DE FONDS		10 000 $

(1) S'il s'agit d'un don, le produit de disposition est présumé égal à la juste valeur marchande.

Du point de vue fiscal, que la mère vende le chalet, même au prix minimal (par exemple, 10 000 $) ou qu'elle le donne à Paul, l'impôt à payer s'élève à 10 000 $: le produit de disposition est considéré comme la juste valeur marchande du chalet, soit 50 000 $. En d'autres termes, Raymonde sera imposée exactement comme si elle avait encaissé un produit équivalent à 50 000 $.

Du point de vue financier, cependant, la situation est tout autre. Si le chalet est vendu 50 000 $, la rentrée nette de fonds s'élève à 40 000 $. Raymonde doit évaluer cette situation financière par rapport à son objectif initial. Elle peut vendre le chalet à Paul 10 000 $ (impôt à payer) contre des paiements échelonnés sur plusieurs années. Une fois la transaction conclue, le chalet appartiendra à Paul.

EXEMPLE

Le cas de Charles et de Pauline concerne un duplex (bien amortissable).

Lorsque le bien transféré génère des revenus, les règles d'attribution et celles qui sont relatives aux gains en capital peuvent s'appliquer.

Charles, financièrement à l'aise, possède plusieurs immeubles, dont un duplex loué et entièrement payé. Il songe à le transférer à sa fille Pauline. Ce duplex a des possibilités intéressantes quant à sa plus-value. Voici la situation de Charles et votre analyse à titre de planificateur :

L'approche fiscale lors de la vente

Produit de disposition (valeur marchande)	200 000 $
Coût à l'acquisition (PBR)	100 000 $
Amortissement utilisé	30 000 $
Gains en capital, portion locative[1]	60 000 $
Gains en capital imposables (50 %)	30 000 $
Impôt :	
Sur récupération de l'amortissement (30 000 $ × 50 %)[2]	15 000 $

Sur gains en capital imposables (30 000 $ × 50 %)[2]	15 000
IMPÔT TOTAL	**30 000 $**

L'impôt de 30 000 $ est payable par Charles.

Supposons que Charles vend la maison à Pauline en échange du montant d'impôt à payer, soit 30 000 $.

L'approche financière

Produit de disposition	30 000 $
Impôt net	30 000
RENTRÉE NETTE DE FONDS	**0 $**

Bien sûr, Pauline remet à son père un billet à ordre exigible en tout temps ; elle peut aussi hypothéquer le duplex. Cette stratégie permet à Charles de ne pas payer d'impôt sur les gains en capital découlant d'une vente future, ce qui sera désormais la responsabilité de Pauline. En conséquence, c'est Pauline qui sera imposée sur les revenus locatifs du duplex, et ce, à cause des règles d'attribution.

---

(1) Le duplex de Charles est un immeuble loué à 60 %, d'où 100 000 $ × 0,60 = 60 000 $.

(2) 50 % étant le taux marginal présumé de Charles.

EXEMPLE

Le cas de Gilbert et Marielle concerne des actions (deux conjoints – bien non amortissable).

Gilbert vend à son épouse Marielle 1 000 actions de l'entreprise XYZ pour un montant total de 1 $. Gilbert avait payé ces actions 10 000 $ (soit 10 $ l'action) en 2003. La transaction s'effectue en juin 2009, au moment où les actions ont une JVM de 15 $ l'unité.

Le produit de disposition s'évalue, au choix du vendeur, au PBR ou à la JVM.

	PBR	JVM
Produit de disposition	10 000 $	15 000 $
Moins : PBR	10 000	10 000
Gains en capital	0 $	5 000 $
Gains imposables (50 %)	0 $	2 500 $
Impôt pour Gilbert (50 %)	0 $	1 250 $
PBR pour Marielle	10 000 $	15 000 $

Gilbert (auteur de la vente) devra signaler son intention d'utiliser l'approche du PBR ou celle de la JVM. Dans le premier cas, ses gains ne seraient pas imposables et Marielle ferait l'acquisition des actions à un PBR de 10 000 $. Dans le second cas, ses gains imposables seraient de 2 500 $ (à 50 % d'imposition marginale, ce montant entraîne un impôt de 1 250 $) et Marielle ferait l'acquisition des actions à un PBR de 15 000 $. Si Gilbert pouvait reporter cette année les pertes en capital subies au cours d'années antérieures, il pourrait être intéressant pour lui de choisir la disposition à la JVM, et ce, afin de permettre à Marielle d'avoir un PBR de 15 000 $ au lieu de 10 000 $. Cela lui permettrait de minimiser son gain en capital futur.

18.1.2 Le transfert d'une entreprise par son propriétaire

Tous les véhicules et stratégies successorales présentés au chapitre précédent concernent également le propriétaire d'entreprise, à savoir l'entrepreneur qui exploite une entreprise familiale. La majorité des gestionnaires professionnels ne deviendront jamais des entrepreneurs, mais, soulignons-le, la majorité des entrepreneurs devront devenir de bons gestionnaires (ou s'entourer de bons gestionnaires) s'ils veulent que leur entreprise soit florissante et prospère. Souvent, il s'agit d'une entreprise familiale que l'entrepreneur voudra graduellement « transférer » à ses enfants. Dans ce cas, on parle d'un « transfert entre vifs ».

La présente section porte sur l'entrepreneur qui cherche à utiliser certaines stratégies successorales pour transférer son entreprise à ses enfants.

L'entreprise, dans le cas présenté ci-dessous, est incorporée (il s'agit donc d'une société par actions ou d'une compagnie), dont le propriétaire est l'unique actionnaire ou l'un des actionnaires principaux.

Le plan de relève

Pourquoi doit-on préparer la relève d'une telle entreprise ? Les études sont formelles : non seulement un dirigeant sur deux prendra-t-il sa retraite au cours des 10 prochaines années (75 % au cours des 15 prochaines années), mais environ 70 % des entreprises familiales ne survivent pas à un premier transfert (Plante et Grisé, 2005). Seule une entreprise sur trois possède un plan de relève. Ce sont des statistiques effarantes et malheureusement exactes (Société d'assurance-dépôts du Canada, 2010). Il faut aussi comprendre que 90 % des entreprises du Québec sont des PME et que, dans ces entreprises familiales, le capital qui y est investi par le propriétaire représente environ 70 % de son patrimoine total.

Transmettre l'entreprise familiale est donc un défi de taille qui nécessite une planification rigoureuse. Un bon plan de relève présente de nombreux avantages, entre autres :

- intéresser les enfants majeurs à la direction de l'entreprise ;
- permettre à l'entreprise de survivre et de prospérer ;
- réduire l'impôt à payer sur les biens transmis ;
- intégrer certains employés clés dans la haute direction de l'entreprise ;
- permettre aux parents de se retirer des affaires l'esprit en paix.

Roy Williams et Vic Preisser, deux consultants américains (2003), se sont intéressés au transfert de l'entreprise familiale aux enfants et ont publié un excellent ouvrage sur le sujet. En premier lieu, ils confirment que le taux d'insuccès de 70 % (mentionné plus haut) est universel. Il est le même partout dans le monde, incluant le Québec. L'un des éléments clés (il y en a plusieurs) qui expliquent l'insuccès est la différence entre les valeurs personnelles des parents et celles des enfants. Leurs objectifs de vie sont souvent opposés : économiser et réussir pour les uns et dépenser et jouir de la vie pour les autres. Ces différences résultent d'un manque de communication familiale. En second lieu, leurs recherches, menées auprès de 3 250 familles, leur ont permis de relever les facteurs qui sont à la base du 30 % des transferts réussis.

Voici quelques quelques facteurs pouvant contribuer au succès :

- Toute la famille (parents et enfants) comprenait la grande mission de l'entreprise ;
- Toute la famille (parents et enfants) participait souvent aux décisions importantes ;
- La communication entre parents et enfants était très bonne ;
- Les enfants participaient aux projets de philanthropie et comprenaient que les valeurs familiales étaient aussi importantes, sinon plus, que la création de la richesse ;
- Ils recouraient à des consultants professionnels ;
- Chaque enfant avait un plan de développement personnel.

Le gel successoral

Essentiellement, le gel successoral est un processus par lequel le propriétaire d'une entreprise cristallise la valeur de ses actions. Cela lui permet de « geler » l'accroissement futur du capital-actions. Avec un gel efficace, l'augmentation future de la valeur des actions se réalise entre les mains des enfants.

Le gel poursuit également un autre objectif de taille, soit préparer la relève de l'entreprise. En effet, c'est là une façon efficace d'intéresser les enfants (ou certains employés clés) à prendre la relève.

Les deux méthodes les plus reconnues pour effectuer un gel successoral sont les suivantes :

- La première méthode est celle du gel classique (transfert d'actions participantes aux bénéficiaires) ;

- La seconde méthode (qui a, en grande partie, remplacé la précédente) est l'utilisation d'une fiducie entre vifs, aussi appelée « fiducie discrétionnaire » ou « fiducie familiale ». Nous nous concentrerons sur cette dernière approche. Pour en savoir plus sur celle-ci, vous pouvez consulter les sites suivants :
  - Deux articles sont publiés sur le site de la CQFF : « La nouvelle façon de faire un gel successoral » et « Une fiducie : est-ce magique ? » ;
  - Le document « La transmission de l'entreprise familiale » est disponible sur le site du Réseau juridique du Québec ;
  - L'article « La fiducie familiale discrétionnaire : protégez votre patrimoine » peut être consulté sur le site de Deloitte ;
  - Un article de Claude Drapeau peut être lu sur le site Conseiller.ca : « La fiducie familiale : pour qui, pour quoi ? » ;
  - Un article de Me Daniel Courteau peut être lu sur le site de de Grandpré Chait : « Planifier la relève d'entreprise pour éviter l'impôt sur la succession ».

Un cas pratique de gel successoral L'exemple présenté à la page suivante porte sur un gel successoral selon la nouvelle approche, celle de la fiducie discrétionnaire. Non seulement cette approche touche-t-elle aux aspects légaux et financiers, mais elle est relativement complexe et relève de cours hautement spécialisés dans ce domaine. Nous vous suggérons donc de vous en tenir à la compréhension globale du concept de gel successoral.

EXEMPLE

Patrick Labelle est ingénieur. Il est l'unique propriétaire actionnaire de la société Les Bétons précontraints inc. Voici quelques faits concernant sa situation :

- Son capital-actions est évalué à 3,5 millions de dollars, avec une excellente possibilité d'une forte croissance dans les années qui viennent ;
- Ses objectifs sont les suivants : 1) Diminuer l'impôt à payer à son décès ; 2) Intéresser ses deux enfants, Pascale et Marc, à l'entreprise familiale ; 3) Assurer une qualité de vie à son épouse Marie-Anne ; 4) Garder le contrôle de l'entreprise.

Le comptable de Patrick lui recommande de cristalliser, donc de « geler », toute la croissance future (évaluée à 1,5 million de dollars d'ici 10 ans) de son capital-actions. Un gel successoral est donc effectué en faveur de la conjointe et des deux enfants de Patrick.

EXEMPLE

Une fiducie discrétionnaire est créée par une personne autre que le parent ou les bénéficiaires. Dans ce cas-ci, le constituant sera la mère de Patrick. L'épouse de ce dernier (Marie-Anne), ses deux enfants (Pascale et Marc) et lui-même (Patrick) en sont les bénéficiaires. Les fiduciaires sont Patrick, Marie-Anne et Yvon, un ami intime de longue date de Patrick.

La fiducie est de type discrétionnaire et, par conséquent, le capital et les revenus seront remis aux bénéficiaires selon la volonté majoritaire des fiduciaires.

Par la suite, Patrick procède à une réorganisation de son capital-actions, transformant ses actions participantes et ses actions avec droit de vote en actions privilégiées. Elles seront rachetables à leur JVM. Patrick pourra aussi (si ce n'est déjà fait) cristalliser ses gains en capital, sujets à l'exonération de 750 000 $. Les avantages de la fiducie discrétionnaire sont nombreux. En effet, celle-ci est relativement simple à administrer. Patrick peut s'assurer de garder le contrôle de son entreprise et, advenant la faillite d'un bénéficiaire discrétionnaire de la fiducie, il n'y aura aucun effet négatif sur les actifs de celle-ci.

Bien sûr, il s'agit d'une fiducie entre vifs. Il faut comprendre que tous les 21 ans, une telle fiducie est réputée avoir disposé de tous ses biens à leur JVM et avoir payé l'impôt exigé sur les gains en capital réalisés. L'acte de fiducie peut aussi prévoir de mettre fin à la fiducie immédiatement avant que les dispositions de l'impôt ne s'appliquent.

Par contre, il faut bien réaliser que les honoraires professionnels à payer pour mettre en place une telle fiducie discrétionnaire sont élevés. Les consultations se font auprès d'experts-comptables et d'avocats fiscalistes et nécessitent plusieurs documents légaux. Il est donc possible qu'ils s'élèvent à environ 10 000 $. Dans le cas des fiducies d'une certaine ampleur, ils peuvent aller de 15 000 $ à 20 000 $.

On peut toujours éviter de payer des honoraires élevés en vendant ses actions à ses enfants, et ce, à l'aide d'un billet à demande qui porte intérêt au taux prescrit. Cependant, vous aurez remarqué que l'un des objectifs de Patrick est de garder le contrôle de son entreprise. Si, par exemple, Patrick vendait ses actions à ses enfants, il devrait payer une somme d'impôt appréciable et perdrait le contrôle de son entreprise.

Le dégel successoral

Ces dernières années, un certain nombre de « dégels successoraux[2] » se sont produits. Les détails de cette stratégie complexe, qui demande d'ailleurs l'embauche d'un spécialiste, ne seront pas abordés dans le présent ouvrage. Sans trop entrer

---

2. À ce sujet, les personnes intéressées peuvent consulter l'article de Me Richard Chagnon et Yves Chartrand (2009). « Refaire un gel successoral à une nouvelle valeur marchande plus basse ». Récupéré de www.cqff. com/objectif_conseiller/oc_12_2008.pdf

dans les détails, nous tenterons quand même d'expliquer la raison de tant de dégels. D'abord, la chute des marchés financiers a eu un effet négatif sur le patrimoine de plusieurs personnes. On peut imaginer la situation d'une personne qui a effectué un gel successoral et qui arrive à la retraite en ayant un patrimoine très amoindri. Un dégel successoral en sa faveur pourrait lui permettre de résoudre partiellement ce problème. Ensuite, d'autres situations peuvent justifier que l'on effectue un dégel. C'est le cas lorsque la valeur des actions transférées aux enfants a augmenté de façon mirobolante.

18.2 La transmission de biens lors du décès

Jusqu'ici, nous avons examiné la fiscalité relative aux transferts entre vifs, surtout en matière de fractionnement du revenu et de gain en capital. Attardons-nous à présent à la situation financière et fiscale au moment du décès.

18.2.1 L'imposition au décès

Un particulier est présumé, immédiatement avant son décès, avoir disposé de l'ensemble de ses biens (amortissables ou non) qui ne sont pas légués à son conjoint (ou à une fiducie exclusive en sa faveur) à un prix correspondant à leur JVM. Cette disposition présumée peut avoir, dans le cas de certaines successions, des conséquences très fâcheuses :

- Des impôts très élevés à la suite de la production des déclarations de revenus du particulier décédé ;
- Une diminution appréciable du patrimoine légué aux héritiers.

Lorsque les biens du particulier sont légués à son conjoint ou à une fiducie exclusive en sa faveur, ils peuvent être transférés en franchise d'impôt, le produit de disposition étant égal à leur coût fiscal.

La détermination du coût fiscal au décès est semblable à celle qui concerne les transferts de biens entre vifs. S'il s'agit d'un bien non amortissable, le produit de disposition (coût fiscal) est égal au PBR. S'il s'agit de biens amortissables, le coût fiscal est égal au coût en CCNA (ou FNACC selon certains auteurs). En revanche, le conjoint survivant peut toujours accepter le transfert (des biens amortissables ou non) à la JVM, comme dans le cas des transferts entre vifs.

Le décès constitue en quelque sorte un « moment de vérité » sur le plan fiscal, alors que trois types d'impôts doivent être acquittés :

- Les impôts de l'année courante de la personne décédée ;
- Les impôts impayés (le cas échéant) ;
- Les impôts différés, par exemple :
  - les impôts sur les REER (ou autres fonds enregistrés) ;
  - les impôts sur les gains en capital (sur un duplex ou des actions, par exemple) ;
  - les impôts sur la récupération de l'amortissement.

Soulignons de nouveau que si des biens tels qu'un REER ou un duplex sont transférés au conjoint, ce transfert se fait en franchise d'impôt. Bien entendu, l'impôt ne peut être reporté au moment du décès du second conjoint ; il y aura donc présomption de disposition de tous les bien à la JVM, accompagnés des impôts qui en découlent.

18.2.2 Le bilan successoral

Une bonne planification financière devrait inclure un bilan successoral (inventaire des actifs et des dettes), établi du vivant de la personne et qui découle, en partie, de son bilan personnel. En effet, le bilan successoral devient un outil précieux lors de la rédaction du testament, en ce sens qu'il présente tous les renseignements financiers utilisés à cette fin. La planification *post-mortem* est, bien sûr, établie après le décès, relevant alors du liquidateur de la succession. Ce dernier tiendra compte des actifs du défunt, mais également de son passif (dettes), car l'une de ses tâches les plus importantes est justement de communiquer le bilan successoral aux successibles pour leur permettre d'exercer leur droit d'option, à savoir accepter ou refuser la succession selon qu'elle est solvable ou non.

Nous présenterons, en tout premier lieu, le tableau 18.1, soit le bilan familial de la famille Grandpré-Lauzon. Ce bilan présente l'actif et le passif de madame Grandpré et de monsieur Lauzon, son époux ; il est essentiel pour effectuer le bilan successoral. Le bilan familial sera suivi du bilan successoral au moment du

TABLEAU 18.1 Le bilan familial de Mme Grandpré et de M. Lauzon au 22 décembre 2010

	Mme Grandpré	M. Lauzon	Total
ACTIF			
Encaisse	10000$	0$	10000$
Placements			
Obligations d'épargne	0	10000	10000
Fonds d'actions	495000	–	495000
Total des placements	495000$	10000$	505000$
REER	605000	70000	675000
Automobile	–	30000	30000
Résidence familiale	190000	–	190000
TOTAL DE l'ACTIF	1300000$	110000$	1410000$
PASSIF			
Hypothèque	45000	0	45000
VALEUR NETTE	1255000$	110000$	1365000$

Remarques sur le bilan familial :

- Les impôts éventuels relatifs aux REER et aux actions n'ont pas été pris en considération dans le passif ;
- Madame Grandpré bénéficie d'une assurance vie collective de son employeur d'un montant de 50000$. La famille Grandpré-Lauzon ne souscrit aucune assurance vie privée ;
- L'hypothèque sur la résidence n'est pas assurée.

décès de madame Grandpré (*voir le tableau 18.2*). Par conséquent, le tableau 18.2 ne s'appuie que sur le bilan de madame Grandpré, d'où son titre, « Le bilan successoral de Mme Grandpré au 22 décembre 2010 ». Tous les biens seront légués au conjoint survivant.

TABLEAU 18.2 Le bilan successoral de Mme Grandpré au 22 décembre 2010

Valeur nette selon le bilan personnel	1 255 000 $
Plus : Assurance vie collective[1]	50 000
Prestation au moment du décès (RRQ)[2]	2 500
	1 307 500 $
Moins : Impôt au moment du décès[3]	1 000 $
Règlement de la succession[4]	10 000
AVOIRS SUCCESSORAUX	1 296 500 $

(1) Le produit d'assurance vie doit être payable à la succession ou au conjoint.

(2) La prestation RRQ au moment du décès est de 2 500 $ depuis le 1er janvier 1998.

(3) Avec un taux d'impôt de 40 %, l'impôt à payer est de 1 000 $ sur la prestation RRQ de 2 500 $. On suppose ici que les autres montants d'impôt sur le revenu généré l'année du décès ont été acquittés au moyen de retenues salariales ou de versements trimestriels.

(4) Il s'agit des derniers débours.

18.2.3 L'état des liquidités successorales

L'état des liquidités successorales (*voir le tableau 18.3*) est d'une grande importance, car il fait ressortir les montants disponibles pour payer l'impôt et les dettes

TABLEAU 18.3 L'état des liquidités successorales au moment du décès de Mme Grandpré le 22 décembre 2010

Actif liquide au bilan		
Encaisse	10 000 $	
Placements[1]	495 000	505 000 $
Plus : Assurance vie collective		50 000
Prestation au moment du décès (RRQ)		2 500
		557 500 $
Moins : Passif au bilan		
Hypothèque (non assurée)	45 000	
Impôt sur RRQ	1 000	
Règlement (succession)	10 000	56 000
LIQUIDITÉS SUCCESSORALES		501 500 $

(1) Seuls les biens liquides doivent être pris en compte. Dans cet exemple, nous avons inclus la totalité des placements non enregistrés (495 000 $) de Mme Grandpré, soit des obligations d'épargne et un fonds d'actions. Soulignons que ces placements seront légués au conjoint survivant afin d'éviter de payer de l'impôt. Il faut toujours déterminer la nature des placements et la possibilité de les liquider sans devoir payer de trop lourdes pénalités. Les REER n'ont pas été inclus, car ils seront transférés par roulement au conjoint. Il en va de même de la résidence familiale. Ce choix est parfois difficile à faire lorsqu'il y a beaucoup de dettes à payer. Dans un tel cas, le liquidateur peut inclure une partie ou le total des REER dans l'état des liquidités successorales.

(l'une des tâches principales du liquidateur). En outre, cet état financier permet de déterminer si les montants restants, à savoir les liquidités successorales, sont suffisants pour alimenter les recettes nécessaires à la famille survivante. Rappelons que cet état financier (de même que le bilan successoral) peut être produit régulièrement durant la vie du client (comme dans le cas de la famille Grandpré-Lauzon). Par conséquent, si les liquidités sont insuffisantes, le client pourra prendre les mesures appropriées.

18.2.4 Les régimes enregistrés au moment du décès

Dans la pyramide de la retraite, abordée au chapitre 10 (*voir la figure 10.1 à la page 190*), nous avons pu constater que les régimes enregistrés se retrouvent dans deux grands paliers : les régimes d'employeurs (RPA) et les régimes individuels, soit les REER, FERR, CRI, FRV et CELI.

Nous aborderons maintenant ces divers régimes au moment du décès.

Le REER et le FERR

La présomption qu'un particulier a disposé, immédiatement avant son décès, de ses biens s'applique également aux régimes enregistrés tels que le REER et le FERR.

Au moment du décès, les fonds accumulés dans de tels régimes enregistrés sont ajoutés aux revenus de la personne décédée. Il existe des exceptions concernant les legs au conjoint, aux enfants mineurs et aux enfants majeurs handicapés.

Le bénéficiaire est le conjoint Lorsque le conjoint est le bénéficiaire désigné du REER du conjoint décédé, il peut transférer les fonds reçus dans son propre REER (ou dans son FERR, si tel est le cas), et ce, en franchise d'impôt. Cette même règle s'applique également au RPA.

Le bénéficiaire est un enfant à charge Si le bénéficiaire est un enfant ou un petit-enfant à charge[3], les montants reçus seront imposables au nom de l'enfant ou du petit-enfant, mais pourront servir à l'achat d'une rente que celui-ci recevra jusqu'à son 18e anniversaire, cette rente annuelle étant imposable en son nom.

Le bénéficiaire est un enfant handicapé Si le bénéficiaire est un enfant ou un petit-enfant à charge atteint d'un handicap, il dispose des mêmes options que le conjoint.

Le bénéficiaire est une autre personne Si le bénéficiaire est une autre personne que celles qui ont été mentionnées ci-dessus, la valeur du REER ou du FERR s'ajoute aux revenus du défunt l'année de son décès, ce qui entraîne en général un fardeau fiscal élevé.

---

3. L'expression « enfant à charge » signifie que l'enfant génère un revenu annuel moindre que le montant utilisé dans le calcul du crédit de base.

EXEMPLE

Madame Fortuné, sans conjoint, laisse quatre enfants dans le deuil :

- Jean-Pierre, 8 ans, à charge ;
- Michèle, 10 ans, à charge ;
- Marie-Hélène, 21 ans, à charge ;
- André, 25 ans, marié et ingénieur professionnel.

Madame Fortuné leur lègue son REER de 800 000 $ en parts égales. Qu'arrive-t-il aux différents legs ? Chaque enfant reçoit une part de 200 000 $, comme suit :

- Jean-Pierre pourra acheter une rente annuelle imposable avec un étalement possible sur 10 ans (18 – 8) ;
- Michèle pourra acheter une rente qui sera étalée sur 8 ans (18 – 10) ;
- Marie-Hélène verra sa part de 200 000 $ entièrement imposée, sans possibilité d'étalement ;
- La part d'André n'est pas imposable, car c'est la mère décédée qui sera imposée.

On constate que les enfants recevront des montants après impôts très différents les uns des autres. Par exemple, les 200 000 $ de Marie-Hélène seront entièrement imposables, alors qu'André, ingénieur ayant un revenu assez élevé, recevra 200 000 $ nets d'impôt. Que faire pour éviter une telle situation, qui n'est pas très équitable pour tous les enfants ? Il s'agit tout simplement d'insérer dans le testament une clause d'équité qui permettra au liquidateur de faire les ajustements nécessaires et de remettre aux enfants des montants qui s'équivalent quant aux valeurs actuelles et aux montants à recevoir après impôts.

Le CRI et le FRV

Nous avons déjà abordé ce sujet au chapitre 13 (*voir la sous-section 13.4.6*). Deux situations se présentent au moment du décès du titulaire du CRI/FRV :

- Pour le Québec : Le conjoint survivant, en tant que bénéficiaire prioritaire, a la possibilité de transférer les fonds dans un régime non immobilisé comme un REER ou un FERR. Il n'y a donc aucune immobilisation post-mortem. C'est aussi le cas en Ontario ;
- Pour le Canada (autre que le Québec et l'Ontario) : Les fonds CRI/FRV demeurent immobilisés pour le conjoint survivant.

En résumé, si votre conjoint est le bénéficiaire prioritaire, y aura-t-il une immobilisation post-mortem au moment de votre décès ?

La réponse :

- Au Québec (CRI/FRV), non. Il y aura un transfert dans un REER/FERR ;
- Au fédéral (REER immobilisé/FRV du fédéral), oui. Il y aura un transfert dans un REER immobilisé/FRV.

Le CELI

Les gains qui s'accumulent dans un CELI après le décès du titulaire du compte sont imposables, alors que ceux qui ont été accumulés avant le décès sont exempts d'impôt. Au décès de l'un des conjoints, l'actif détenu dans un compte CELI peut être transféré au conjoint survivant en franchise d'impôt. Ce transfert se fait sans réduire les droits de cotisation existants du conjoint survivant.

Les RPA

Nous avons abordé ce sujet à la section 10.10. Les RPA représentent, au décès, un sujet d'envergure qui relève de la *Loi sur les normes de prestation de pension* et des règlements de la fiducie de retraite qui régit le régime de retraite. Dans tous les cas, il est important de souligner que le participant qui a un conjoint au moment de sa retraite doit légalement opter pour une rente qui, à son décès, prévoira que 60 % de la rente qui lui était payable le soit à son conjoint. Il est par ailleurs possible pour ce dernier de renoncer à ce droit. Bien sûr, dans cette éventualité, la rente augmente proportionnellement. À l'inverse, le participant peut toujours opter pour une rente réversible à 100 %, mais, dans ce cas, cette rente sera réduite.

Soulignons que le terme « conjoint » inclut la personne non mariée au participant, mais vivant « maritalement » avec lui depuis trois ans, ou un an si un enfant est né de cette union (ou est adopté). Ce droit à recevoir une prestation donnée s'éteint à la suite d'une séparation légale, d'un divorce ou de l'annulation du mariage ou de l'union civile. Pour les conjoints de fait, la séparation de corps met fin à ce droit.

18.2.5 Les biens non enregistrés au moment du décès

En vertu des lois fiscales, les biens en immobilisations (par exemple, les immeubles de location) et les valeurs mobilières sont présumés faire l'objet d'une disposition à leur JVM au moment du décès. S'ils sont légués au conjoint, ce dernier les acquiert à leur coût fiscal et en franchise d'impôt. Lors d'un transfert de bien à son conjoint, s'il s'agit d'un bien amortissable, tel un immeuble de location, le produit de disposition sera la JVM ou le CCNA (ou FNACC), au choix.

S'il s'agit de biens non amortissables (actions, obligations, etc.), ce choix s'effectue entre la JVM et le PBR.

Par conséquent, lorsque des biens sont légués au conjoint ou à une fiducie exclusive à son profit (au PBR pour les actions et au CCNA pour les biens amortissables), il n'y a ni gain en capital, ni récupération de l'amortissement pour le conjoint décédé. Par contre, les biens ainsi légués sont pleinement imposables au moment du décès du second conjoint. Les règles de fiscalité sont ici semblables à celles qui régissent les transferts entre vifs.

Voici quelques exemples permettant de les illustrer.

EXEMPLE

Biens non amortissables

Monsieur Paul Pinard lègue, à son décès, à son fils Pierre, des actions d'une grande entreprise. Il les avait payées 22 000 $, mais leur valeur marchande est à présent de 42 000 $. Monsieur Pinard lègue aussi à son épouse Pierrette un terrain lui ayant coûté 30 000 $ et dont la JVM au moment de son décès est de 45 000 $.

Quelles sont les incidences fiscales de ces legs ? Quel est le montant du gain en capital, dans chaque cas, et ce, avant le taux d'inclusion de 50 % ?

Legs des actions à Pierre :

Produit présumé des actions	42 000 $ (PBR)
PBR (coût fiscal)	22 000 $
Gain en capital (avant le taux d'inclusion de 50 %)	20 000 $

Legs du terrain à Pierrette :

Deux choix s'offrent à elle :

▶

1er choix – Le coût est choisi comme produit de disposition.

Produit présumé du terrain (coût fiscal)	30 000$ (PBR)
PBR	30 000$
Gain en capital (avant le taux d'inclusion de 50 %)	–

2e choix – La valeur marchande est choisie comme produit de disposition.

Produit présumé du terrain (JVM)	45 000$ (PBR)
PBR	30 000$
Gain en capital (avant le taux d'inclusion de 50 %)	15 000$

Note : Le seul avantage du 2e choix est que madame Pinard fera l'acquisition du terrain au coût de 45 000$ au lieu de 30 000$, ce qui réduira de 15 000$ son gain en capital lors de la disposition de cet actif. Il importe de s'assurer qu'il y a un solde de perte en capital reportable (ou s'il y a perte reportée) suffisant pour éteindre complètement le gain en capital de 35 000$ (20 000$ + 15 000$ = 35 000$) supposément réalisé par Paul Pinard à son décès.

EXEMPLE

Biens amortissables

Madame Suzanne Paradis possède un petit immeuble à revenus de six appartements. Elle lègue cet immeuble à son conjoint, Armand. Nous ne tenons compte ici que du bâtiment, car le terrain n'est pas un bien amortissable.

Voici les faits au moment du décès de Suzanne :

Coût en capital (bâtiment)	100 000$
CCNA	82 000$
Valeur marchande au moment du décès (bâtiment)	145 000$

Quelles sont les incidences fiscales de ce legs ?

Examinons uniquement l'approche qui utilise la règle de base, à savoir qu'un tel immeuble à revenus peut être transféré, sans impôt à payer, par Suzanne à Armand[1]. En effet, l'immeuble est présumé avoir été transféré au CCNA. Dans un tel cas, il n'y a ni récupération, ni gain en capital pour la personne qui décède.

L'immeuble est donc transféré au coût de 82 000$ sans que cela ait d'impact fiscal. Le coût en capital du conjoint héritier devient le coût en capital original payé par le conjoint décédé, et ce, à des fins d'évaluation du gain en capital et de la récupération lors d'une disposition future.

Dès le moment où Armand hérite de l'immeuble, deux choix s'offrent à lui : la vente ou la conservation de l'actif.

Si Armand décidait de vendre l'immeuble à la valeur marchande immédiatement après le décès de Suzanne, son gain en capital serait le suivant :

Produit de disposition (vente)	145 000$
Coût original de l'immeuble	100 000$
Gain en capital (avant le taux d'inclusion de 50 %)	45 000$

La récupération serait alors la suivante :

Coût original de l'immeuble	100 000$
Coût en capital non amorti	82 000$
Amortissement pris en trop	18 000$
Récupération (à 100 % imposable)	18 000$

On peut constater que le gain en capital et la récupération sont ici les mêmes que si le bien avait été vendu par Suzanne dans des circonstances similaires.

▷ Si Armand décidait de conserver l'immeuble, l'amortissement se ferait sur la fraction non amortie du coût en capital, soit 82 000 $.

---

(1) Il existe une autre approche que celle de la règle de base illustrée ci-dessus. La loi permet un traitement fiscal différent dans les mêmes circonstances. En effet, on peut considérer le produit présumé d'un tel bien comme égal au coût en capital non amorti plus la valeur marchande au décès, le tout divisé par deux.

Donc, produit présumé = (CCNA + JVM)/2

Ce cas ne sera pas analysé ici, mais, dans les faits, il le serait au moment du décès du contribuable.

18.3 L'assurance vie et l'impôt au moment du décès

La présente section porte sur l'assurance vie qui servira principalement à compenser un manque de capital au moment du décès dans le seul but d'acquitter l'impôt sur le REER ou le FERR, par exemple. Précisons qu'il n'est pas question ici de l'assurance vie dont l'objectif est de maintenir la qualité de vie de la famille survivante. Voyons ce qu'il en est.

Lorsque les REER (ou les FERR) sont légués au conjoint survivant, il y a un « roulement » des actifs à ce conjoint, donc aucune imposition. Toutefois, si le défunt est veuf et lègue ses REER à ses enfants majeurs, l'imposition peut s'avérer importante. De la même façon, si les REER sont légués au conjoint et qu'au moment du décès de ce dernier, ils le sont à ses enfants majeurs survivants, il y a également une imposition, dont l'importance est fonction de l'ampleur du capital enregistré.

Dans le premier cas, la personne pourrait contracter une assurance vie qui comblerait l'impôt à payer soit par la succession, soit par les enfants, selon le cas. Dans le deuxième cas, elle pourrait contracter une assurance vie « au décès du deuxième conjoint » dans un but semblable au précédent.

La question est toujours la même : Ce type d'assurance vie représente-t-il une stratégie efficace et rentable ? S'il ne reste aucun REER, par exemple, les primes auront été payées inutilement. En général, deux facteurs sont à prendre en considération :

- Le temps – Bien sûr, si le décès survient peu après la signature du contrat d'assurance, la succession en sort gagnante sur le plan financier. Si le décès survient de nombreuses années plus tard, la stratégie aura été peu efficace.

- Les valeurs personnelles – Qui paiera les primes d'assurance ? Le titulaire du contrat ? Les enfants ? Les deux ? Vous pouvez aisément imaginer divers scénarios. Dans certains cas, le titulaire du contrat pourrait devoir réduire sa qualité de vie si les primes étaient, pour lui, trop importantes financièrement. Dans d'autres cas, le fait de laisser un important héritage financier aux enfants devient un objectif de vie.

Il est toujours essentiel d'évaluer, avec votre client, cette stratégie d'un point de vue financier. Toutefois, vous devez aussi prendre en considération ses valeurs personnelles pour l'aider à atteindre le meilleur équilibre qui soit entre les aspects quantitatifs d'une telle stratégie et les aspects liés à la qualité de vie.

18.4 Les dons planifiés

Nous entrons ici dans un vaste domaine, qui demeure méconnu de la majorité des gens. Au sens le plus large, l'expression « don planifié » désigne tout don qui a fait l'objet d'une planification financière, fiscale ou successorale. Bien sûr, la très grande majorité des personnes est familiarisée avec les dons immédiats d'une certaine somme d'argent versée à de nombreux organismes humanitaires ou caritatifs tels que la Croix-Rouge, Centraide, Oxfam et CARE. Nous avons toutefois fait ici surtout référence aux donations par testament. Néanmoins, il faut noter que ces dons sont également effectués entre vifs.

Les bénéficiaires touchés peuvent être de tous genres : des organismes de bienfaisance, des fondations universitaires ou des organismes engagés dans des causes sociales (sida, cancer, etc.). Les dons planifiés permettent d'investir dans l'avenir d'un organisme de son choix. Il s'agit donc de promettre dès aujourd'hui un don que l'organisme recevra, habituellement au moment du décès du donateur.

Deux grandes dimensions sont au cœur des dons planifiés :

- La générosité, donc la philanthropie ;
- La fiscalité (par exemple, le taux d'inclusion des gains pour certains dons de bienfaisance est de 0 %) (St-Hilaire et Lessard, 2009).

La rédaction du testament est l'occasion, pour certaines personnes, de penser aux diverses fondations, institutions et organismes de bienfaisance qui leur tiennent à cœur. En effet, un don est avant tout un geste du cœur.

Faire un don planifié permet également de maximiser les avantages fiscaux et financiers d'une telle contribution. Pour bien mesurer l'ampleur du sujet, vous pouvez consulter les sites suivants :

- Association canadienne des professionnels en dons planifiés ;
- Un héritage à partager Québec.

Un article paru dans la revue *Stratège*, publiée par l'Association de planification fiscale et financière (APFF), aborde le sujet des dons planifiés. Il s'adresse évidemment aux conseillers financiers, et la question cruciale soulevée par l'auteure, Diane Hamel, est celle-ci : Si vous êtes engagé dans une planification financière, fiscale ou successorale avec l'un de vos clients ou si vous effectuez la révision d'une telle planification, aborderez-vous la question délicate du don planifié, par exemple à un ou à plusieurs organismes de bienfaisance ? Cette question fait réfléchir tout bon planificateur financier. L'auteure mentionne le fait que les dons au moment du décès peuvent être effectués sous forme de titres négociables, d'actions de sociétés privées, d'œuvres d'art, d'immobilisations, de régimes enregistrés, de participation au capital d'une fiducie, de legs, de polices d'assurance vie, de rentes, etc. (Hamel, 2004).

Dans les lignes qui suivent, nous traçons sommairement un portrait des dons planifiés les plus courants, mentionnés au début de la présente section. Notre objectif n'est pas d'examiner en profondeur ce domaine de la fiscalité qui relève de cours spécialisés, mais uniquement de présenter les différentes stratégies possibles. Ainsi, le planificateur financier pourra en discuter d'une façon plus avertie avec son client. La consultation d'un spécialiste est absolument nécessaire lorsque le don envisagé est complexe ou représente une somme importante.

18.4.1 **La nature et le contexte du don planifié**

Plusieurs intervenants jouent un rôle important lorsqu'un don planifié est envisagé :

- Le donateur (la personne qui fait le don) ;
- Le donataire (l'organisme récipiendaire) ;
- Le conseiller financier (la personne qui coordonne le dossier) ;
- Le gouvernement (les implications fiscales) ;
- L'évaluateur professionnel (pour les dons en nature, telle une œuvre d'art).

Un don planifié est un transfert volontaire de biens d'un donateur à un donataire, par exemple un organisme de bienfaisance enregistré. Le transfert est alors irrévocable et, de plus, il est sans contrepartie, autre que morale ou symbolique pour la personne qui donne le bien. Le transfert s'effectue sans perspective de rendement pour le donateur. Bien sûr, la planification d'un tel don tient compte de plusieurs aspects, entre autres :

- la situation financière et familiale du donateur ;
- l'équilibre émotionnel du donateur ;
- la mission de l'organisme récipiendaire quant à la nature du don ;
- les implications fiscales actuelles et à venir.

Tous ces éléments sont délicats et importants. Par exemple, si une personne voulait donner tout ce qu'elle possède et risquait de se retrouver dans une situation précaire, l'organisme récipiendaire devrait refuser un tel don et discuter longuement de la situation avec le donateur. Il pourrait par exemple l'inviter à réfléchir à ses intentions et à consulter un conseiller professionnel. Nous avons pu constater que les grands organismes de charité sont, en général, très sensibles à ce genre de situation.

Il est important de souligner que le montant d'un don en nature (immobilisations, actions de sociétés, œuvres d'art, etc.) est équivalent à sa JVM. Pour ce faire, les services d'un évaluateur professionnel sont souvent requis.

18.4.2 **Les types de dons planifiés les plus courants**

Les cinq situations les plus courantes se résument comme suit :

- Le don testamentaire ;
- Le don d'une police d'assurance vie ;
- Le don de titres admissibles ;
- La rente de bienfaisance ;
- La fiducie de bienfaisance.

Analysons brièvement ces cinq situations. Pour en savoir plus sur celles-ci, vous pouvez consulter la rubrique « Les différentes formes de dons planifiés » sur le site Un héritage à partager.

Le don testamentaire

En général, les gens croient qu'il faut disposer d'une grande fortune pour faire un don par testament. Cela est inexact. La plupart des personnes peuvent laisser un héritage à leur décès, même si leur avoir est modeste. Tout don, quelle qu'en soit la valeur, est utile et apprécié.

Le don testamentaire demeure l'une des façons les plus simples et les plus accessibles de planifier un don. Après s'être assuré du bien-être de sa famille, votre client peut choisir de léguer une partie plus ou moins grande de ses biens à une institution ou à un organisme de bienfaisance. De nombreux choix s'offrent au donateur, dont voici quelques exemples :

- Le legs particulier (un montant précis ou un bien déterminé) ;
- La désignation d'un bénéficiaire subsidiaire en cas de décès du premier bénéficiaire ;
- Une clause de décès simultané qui avantage une œuvre quelconque s'il n'existe pas d'autres bénéficiaires.

Toutes ces façons de procéder donnent droit à un reçu officiel qui peut être utilisé dans la déclaration de revenus du donateur après son décès.

Les avantages fiscaux découlant d'un don par testament peuvent réduire, d'une façon remarquable, les impôts à payer par la succession.

 Pour lire un texte intéressant sur ce sujet, consultez l'article « Dons de bienfaisance par testament », publié sur le site du CQFF.

Le don au moyen de l'assurance vie

Très peu de gens savent qu'il est possible de désigner un organisme de bienfaisance bénéficiaire du capital-décès d'une police d'assurance vie. C'est en effet un moyen simple et flexible de faire un don important à une cause qui nous tient à cœur, et ce, à un coût assez modeste.

Il existe plusieurs façons de prévoir un don au moyen de l'assurance vie. En fait, tout dépend des facteurs suivants :

- Les objectifs poursuivis ;
- L'âge du donateur ;
- La situation financière et familiale du donateur.

Examinons trois modalités :

- La cession d'une police existante ;
- L'achat d'une nouvelle police ;
- La désignation d'un organisme en tant que bénéficiaire du capital décès.

La cession d'une police existante   Après une ABF en assurance vie, il se peut que votre client n'ait plus besoin d'autant de protection. Dans ce cas, il peut convertir une police en particulier au bénéfice d'un organisme de bienfaisance tout en continuant à payer les primes, s'il y a lieu.

L'achat d'une nouvelle police   Lorsqu'une personne envisage d'effectuer un don important pour des raisons de reconnaissance, par exemple, mais qu'elle ne possède que des ressources financières modestes, une solution est l'achat d'une nouvelle police d'assurance vie au bénéfice de l'organisme visé.

La désignation d'un organisme en tant que bénéficiaire du capital-décès
Si un organisme enregistré tient à cœur à votre client pour de multiples raisons personnelles, il peut envisager différents choix :

- L'organisme peut être bénéficiaire, en tout ou en partie, d'une police d'assurance vie ;
- L'organisme peut devenir le deuxième bénéficiaire. C'est une façon de protéger le capital-décès dans le cas où le premier bénéficiaire de la police décède avant le titulaire de la police. Le capital pourra ainsi servir pour une cause qui tient à cœur à votre client.

En somme, le don au moyen de l'assurance vie permet au donateur de réaliser d'importantes économies d'impôt. Cependant, pour en profiter dès maintenant, il doit désigner l'organisme en tant que bénéficiaire et propriétaire de la police. Dans ce cas, il recevra un reçu d'impôt correspondant à la valeur de rachat de la police (police vie entière), s'il y a lieu, et un autre reçu chaque fois qu'il paiera sa prime. Comme le don est fait du vivant du donateur, il n'y aura pas d'avantage fiscal pour la succession.

Par contre, si vous prévoyez que la succession de votre client sera accompagnée d'un lourd fardeau fiscal, il pourrait être plus avantageux pour lui de reporter ses économies d'impôt en désignant l'organisme en tant que bénéficiaire de sa police (en tout ou en partie), mais en en demeurant propriétaire. De cette manière, le don se concrétise au moment du décès et produit des économies fiscales pour la succession. Bien sûr, dans ce cas, le donateur ne recevra pas de reçu d'impôt pour les primes payées de son vivant.

Le don de titres admissibles

Les titres qui nous intéressent sont les actions cotées en Bourse, mais également les obligations de tous genres, les fonds communs de placement, etc. C'est certainement l'une des façons les plus avantageuses, sur le plan fiscal, de faire un don important à un organisme enregistré. Comme pour tout autre don, le don d'actions ou d'autres titres donne droit à un crédit d'impôt. Le 2 mai 2006, le gouvernement conservateur a aboli l'impôt sur les gains en capital dans le cas des dons d'actions à valeur appréciée faits à des fondations publiques (et non à des fondations privées). Il peut donc s'avérer plus avantageux de transférer directement ses titres que de donner le produit de leur vente.

Ce type de don peut convenir à un client qui souhaite faire un don important sans nuire à son plan de gestion budgétaire, donc sans puiser dans ses liquidités. Il peut aussi être approprié dans le cas d'un client qui possède des actions dont la valeur a augmenté considérablement depuis leur acquisition.

 Pour un exemple de ce type de don planifié, nous vous conseillons la lecture de la rubrique « Don de titres », publiée sur le site Fondation de ma vie.

La rente de bienfaisance

Dans le cas de la rente de bienfaisance, l'approche est un peu plus complexe et sera donc résumée le plus simplement possible. Ce type de rente existe depuis le Moyen Âge et se présente sous deux formes :

- La rente commerciale ;
- La rente de charité.

Dans les deux cas, il s'agit de versements réguliers obtenus en contrepartie d'un capital cédé soit à une compagnie d'assurance (émettrice de la rente), soit à un organisme de charité, qui émettra lui-même la rente. L'organisme pourrait aussi acheter sur le marché une rente commerciale dont votre client deviendrait le premier bénéficiaire.

Il y a donc, d'un côté, un capital cédé par une personne, et de l'autre, un coût pour la prime unique de la rente. Selon les normes de l'ARC, il doit y avoir un écart minimal de 20 % entre ces deux montants. Par exemple, si votre client donne 100 000 $ et que la rente coûte 75 000 $, la différence de 25 000 $ constitue un don, et un reçu est délivré à cet effet. Souvent, les crédits d'impôt annulent l'impôt à payer. Cette approche, vous l'aurez compris, concerne surtout les personnes âgées de 70 ans et plus.

Un dernier élément doit être précisé concernant le type de rente achetée. S'il s'agit, par exemple, d'une rente garantie pour 10 ans, l'organisme devient bénéficiaire du résidu advenant le décès du client avant l'échéance de la garantie.

La fiducie de bienfaisance

Il s'agit d'une fiducie avec droit réversible établie au bénéfice d'un organisme de bienfaisance. Ce type de don peut être fort intéressant pour les gens plus fortunés qui souhaitent faire don d'un capital important tout en continuant à en tirer un revenu.

Bien sûr, dans ce type de don, le capital doit être placé en fiducie de façon irrévocable et ne peut être entamé pour la durée de la fiducie. Tout au long de cette période, le donateur (ou une autre personne) reçoit le rendement du capital investi. Une telle fiducie peut être établie du vivant de votre client ou par testament. Les honoraires professionnels sont toutefois élevés; par conséquent, on parle ici d'un capital de 200 000 $ et plus.

18.4.3 Les dons planifiés au Québec

Au chapitre précédent, nous avons soulevé la question de la filiation de la richesse et souligné le fait que, d'ici quelques années, des centaines de milliards de dollars seront légués chaque année d'une génération à une autre au Canada. Au Québec, «la proportion de gens qui ont fait un don planifié n'augmente que très faiblement, passant de 3 % en 2005 à 5 % en 2011» (Tremblay, 2011). Le fait est que «ce n'est pas dans la tradition des Québécois francophones de donner une partie de leur héritage à une cause ou à un établissement, comme c'est le cas chez les anglophones» (Letarte, 2010). La société québécoise s'adapte donc lentement à ce nouveau modèle. En effet, pendant des décennies, ce sont les communautés religieuses qui ont pris en charge le rôle de l'éducation et de la santé.

À ce sujet, nous vous conseillons de lire un article récent du journaliste juridique Yves Boisvert. Cet article, intitulé «La valeur de l'éducation» (2011), frappe fort. Voici quelques statistiques renversantes soulevées par l'auteur.

Dans l'ensemble du Canada, les dons des individus représentent 42 % du financement privé des universités (46 % en Ontario). Au Québec, c'est un maigre 6 %. Les francophones du Québec semblent croire que c'est à l'État de financer les universités. De plus, les anglophones représentent 25 % des étudiants et contribuent pour 50 % des dons. Les conclusions d'Yves Boisvert sont renversantes.

À l'heure actuelle, deux écoles d'administration québécoises portent le nom d'importants donateurs: la John Molson School of Business de l'Université Concordia et la Desautels School of Management de l'Université McGill.

Enfin, nous avons déjà mentionné l'article d'Yves Boisvert (*voir la section 17.7*), «Le déclin de l'université québécoise». Ce texte s'inscrit dans la ligne de pensée exprimée ici.

Le bulletin *Patrimoine* (automne 2005) relate le don de Denise Plamondon. Cette dernière a choisi de faire un legs substantiel de son vivant à l'Université de Montréal en mémoire de sa mère. Elle explique sa grande motivation : « C'est d'autant plus important de soutenir l'Université que les besoins sont de plus en plus grands. Il faut qu'on se solidarise, en tant que diplômés, pour soutenir l'éducation et les études supérieures. C'est ce qui nous a permis, à moi ainsi qu'aux gens de ma génération, d'avoir des carrières fructueuses. L'éducation est un droit, et on doit le préserver comme un bien très précieux. »

La question suivante se pose donc : Les conseillers financiers ont-ils un rôle à jouer pour inciter leurs clients et la population en général à prendre conscience de la réalité des projets philanthropiques ? De plus en plus de spécialistes de la planification financière le croient. D'ailleurs, de nombreux établissements financiers du Québec ont aujourd'hui leur « direction des services philanthropiques ». Le défi à relever est énorme. Le besoin est également très grand tant en ce qui concerne les organismes de charité, les institutions d'enseignement que les organismes de développement social. Les dons planifiés ne sont pas des stratégies pour s'enrichir ; ce sont avant tout des gestes de générosité, des gestes du cœur qui permettent d'allier cœur et raison.

L'univers de la planification successorale est complexe et sera sûrement témoin, dans un avenir rapproché, du plus grand engagement des conseillers financiers dans le vaste domaine des dons planifiés.

MÉDIAGRAPHIE

Page 493
Centre québécois de formation en fiscalité, www.cqff.com via Magazine *Conseiller* > 2000 > La nouvelle façon de faire un gel successoral *et* Une fiducie : est-ce magique ?

Réseau juridique du Québec, www.avocat. qc.ca via Affaires > La transmission de l'entreprise familiale

Conseiller.ca, www.conseiller.ca via Archives du magazine *Conseiller* > 2010 > Novembre 2010 > La fiducie familiale : pour qui, pour quoi ?

De Grandpré Chait, www.degrandpre.com via Avocats et notaires > Courteau, Daniel > Planifier la relève d'entreprise pour éviter l'impôt sur la succession

Page 503
Association canadienne des professionnels en dons planifiés, www.cagp-acpdp.org

Un héritage à partager Québec, www. unheritage.org

Page 504
Un héritage à partager Québec, www. unheritage.org via Demandez votre trousse

d'information gratuite ! > Les différentes formes de dons planifiés

Page 505
Centre québécois de formation en fiscalité, www.cqff.com via Magazine *Conseiller* > 2002 > Dons de bienfaisance par testament

Page 506
Fondation de ma vie, www.fondationdemavie. qc.ca via Les dons planifiés de la fondation de ma vie > Différents dons planifiés > Don de titres

Références
Boisvert, Y. (2011). *La valeur de l'éducation*. Récupéré de www.cyberpresse.ca/ chroniqueurs/yves-boisvert/201111/10/ 01-4466710-la-valeur-de-leducation.php

Hamel, D. (2004). Vous parlez de dons planifiés à vos clients ? *Stratège (APFF), 9*(2), p. 39-40.

Letarte, M. (2010). En héritage – Les Québécois francophones s'habituent lentement aux dons planifiés. *Le Devoir* (24 mars). Récupéré de www.ledevoir.com/economie/finances-personnelles/285567/en-heritage-les-quebecois-francophones-s-habituent-lentement-aux-dons-planifies

Patrimoine (2005) *Donner sans attendre*. Récupéré de www.bdrd.umontreal.ca/pdf/ Vol_13_1_2005.pdf

Plante, A., et Grisé, J. (2005). *L'intégration des successeurs dans les pme familiales québécoises*. Récupéré de www.fsa.ulaval. ca/sirul/2005-002.pdf

Société d'assurance-dépôts du Canada (2010). *Étude sur la planification du transfert d'entreprise*. Récupéré de www. sadc-suroitsud.org/documents/100304_ rapport_sondage_000.pdf

St-Hilaire, O., et Lessard, M. (2009). Taux d'inclusion à 0 % des gains pour dons de bienfaisance. *Magazine Conseiller*. Récupéré de www.conseiller.ca/files/2009/02/ vosaffaires_dons.pdf

Tremblay, F. (2011). *Dons planifiés : hausse de la notoriété*. Conseiller.ca. Récupéré de www.conseiller.ca/nouvelles/dons-planifies-hausse-de-la-notoriete-29386

Williams, R., et Preisser, V. (2003). *Preparing Heirs* [Préparer les héritiers], *Five Steps to a Successful Transition of Family Wealth and Values*. San Francisco : Robert D. Reed Publishers.

QUESTIONS DE RÉVISION

1. Comment les règles d'attribution interviennent-elles dans le transfert de biens entre vifs ?

2. Quels sont les trois modes de transfert de biens entre vifs ?

3. La notion de produit de disposition est omniprésente dans la vente d'un bien à son époux. Comment se traduit-elle lorsqu'il s'agit d'un bien amortissable ? D'un bien non amortissable ?

4. Que signifie l'expression « juste valeur marchande » ?

5. Pourquoi parle-t-on de coût fiscal des biens au moment du décès ? Comment le détermine-t-on ?

6. Quels impôts doivent être acquittés au moment du décès ?

7. Quelles sont les principales composantes d'un bilan successoral ?

8. En quoi consiste l'état des liquidités successorales ? À quoi sert-il ?

9. L'assurance vie peut être utile au moment du décès. Pourquoi et comment ?

10. En quoi consistent les dons de bienfaisance planifiés ? Pourquoi peuvent-ils être utiles tant au donateur qu'au bénéficiaire ?

11. Décrivez brièvement les intervenants qui peuvent être appelés à jouer un rôle dans le cas d'un don planifié.

12. Expliquez les grandes lignes des dons planifiés effectués sous forme testamentaire.

13. En quoi consiste le programme Un héritage à partager ?

EXERCICES

1. Claude Lajoie vous demande de préparer son bilan successoral et son état des liquidités successorales en date du 1er novembre 2010. Pour ce faire, vous devez consulter le bilan de la famille Simard-Lajoie (*voir le tableau 7.1 à la page 127*). Même s'il s'agit d'un bilan familial, supposez que les placements et les biens personnels qui y figurent sont les biens propres de Claude. Le REER, la résidence et les meubles ainsi que l'automobile seront transférés au conjoint survivant, Francine. D'ailleurs, Francine et Claude établissent actuellement un testament, se léguant l'un à l'autre tous leurs biens. Le questionnaire n° 1 de l'annexe B indique les montants d'assurance vie que possède la famille Simard-Lajoie.

2. Le docteur Bistouri Bonsoins vous demande de préparer son bilan successoral et son état des liquidités successorales en date du

1er avril 2010. Son bilan familial est présenté dans le dossier 7.1.

Le docteur Bonsoins possède un testament ; à son décès, tous ses placements et ses biens vont à son épouse, Iode. Par conséquent, il vous demande de rajuster la valeur nette au bilan de l'impôt éventuel sur les REER (montant de 10 000 $).

Il possède aussi une assurance vie temporaire (T-10) de 75 000 $ qui vient à échéance en 2013. Iode en est la bénéficiaire.

Les placements et les biens personnels qui figurent dans le bilan sont les biens propres du docteur Bonsoins. La famille Bonsoins estime les derniers débours à 25 000 $.

3. Jeanne Retraité décède le 1er juin 2010 et lègue ses REER à son conjoint, Marc-André. À sa fille Marie, elle lègue un modeste immeuble de

EXERCICES *(suite)*

location. Voici les détails concernant cet immeuble :

JVM[1]	270000$
Coût à l'acquisition (1984)	130000
Fraction non amortie du coût en capital (FNACC)[2]	70000

(1) La JVM de l'immeuble au moment du décès de Jeanne Retraité, soit le 1er juin 2010.

(2) Au 1er juin 2010.

a) Quels sont les impôts à payer pour Jeanne Retraité et Marc-André en ce qui concerne les REER ?

b) Quels sont les impôts à payer pour Jeanne Retraité et Marie en ce qui concerne l'immeuble de location ? Supposez un taux d'imposition marginal de 50 %.

4. Robert Tremblay est décédé dernièrement. Son testament stipule un legs universel en faveur de son fils Roger, âgé de 40 ans. Son épouse Renelle bénéficiera de son RPA à 50 %, sous forme de rentes fort généreuses.

Voici les biens et les dettes de monsieur Tremblay au moment de son décès :

Solde bancaire	1000$
Actions (dont le coût est de 4000$)	12000
REER	20000
Emprunt bancaire	15000

Les frais funéraires sont de 4000$, les frais de notaire s'élèvent à 1500$ et l'impôt sur le revenu de l'année courante, sans considération des biens légués, est de 4500$. Monsieur Tremblay n'a pas d'assurance vie.

a) Déterminez le montant d'impôt à payer au moment du décès de monsieur Tremblay relativement aux actifs légués, en supposant que le taux d'imposition est de 35 %.

b) Son fils devrait-il accepter ou refuser l'héritage ? Expliquez votre réponse.

SOLUTIONS AUX EXERCICES

1.

Claude Lajoie et Francine Simard **Décès de Claude** **Bilan successoral au 1er novembre 2010**	
Valeur nette selon le bilan familial[1]	235958$
Plus : Impôt éventuel sur REER[2]	2486
Valeur nette rajustée	238444$
Plus : Assurance vie privée[3]	100000
Assurance collective	25000
Prestation au décès (RRQ)	2500
	365944$
Moins : Impôt au moment du décès[4]	1000
Règlement de la succession[5]	10000
AVOIRS SUCCESSORAUX	354944$

(1) On suppose ici que cette valeur nette concerne Claude Lajoie.

(2) La valeur nette tient compte de l'impôt éventuel de 2486$ à payer sur les REER. Étant donné que ceux-ci seront transférés au conjoint, on pourrait ajouter ce montant à la valeur nette au moment de la rédaction du testament.

(3) Le produit de cette assurance vie est payable au conjoint survivant (questionnaire n° 1 de l'annexe B).

(4) Le montant brut alloué par la Régie est de 2500$, moins 40 % d'impôt. Il n'y a aucun autre impôt à payer, car il y a roulement des biens au conjoint.

(5) Il s'agit des derniers débours.

SOLUTIONS AUX EXERCICES *(suite)*

Claude Lajoie et Francine Simard
Décès de Claude
État des liquidités sucessorales
au 1er novembre 2010

Actif liquide au bilan		
Encaisse	1 800$	
Placements plus intérêt	16 072	
		17 872$
Plus : Assurance vie privée	100 000	
Assurance vie collective	25 000	
Prestation au décès (RRQ)		
après impôts	1 500	126 500
		144 372$
Moins : Passif au bilan		
Dettes à court terme	4 825	
Prêt automobile	20 217	
Hypothèque	57 602	82 644
Impôt au moment du décès		–
Règlement (succession)		10 000
LIQUIDITÉS SUCCESSORALES		51 728$

Décès du docteur Bistouri Bonsoins
État des liquidités successorales
au 1er avril 2010

Actif liquide au bilan		
Encaisse	23 800$	
Comptes débiteurs	9 000	
Placements	34 000	
Intérêts courus	3 100	
		69 900$
Plus : Assurance vie (au conjoint)	75 000	
Prestation au décès (RRQ)	2 500	77 500
		147 400$
Moins : Passif au bilan		
Dettes à court terme	5 925	
Dettes à long terme	93 377	
	99 302	
Impôt au moment du décès	1 000	
Règlement (succession)	25 000	
		125 302
LIQUIDITÉS SUCCESSORALES		22 098$

2.

Décès du docteur Bistouri Bonsoins
Bilan successoral au 1er avril 2010

Valeur nette selon le bilan	320 598$	
Plus : Impôt éventuel (REER) (ajustement)	10 000	
Valeur nette rajustée	330 598$	
Plus : Assurance vie	75 000	
Prestation au décès (RRQ)[1]	2 500	
	408 098$	
Moins : Impôt au moment du décès[1]	1 000	
Règlement de la succession	25 000	
AVOIRS SUCCESSORAUX	382 098$	

(1) La prestation de la Régie est de 2 500$ bruts, moins 40 % d'impôt.

3. a) Les REER seront transférés à Marc-André en franchise d'impôt ; par conséquent, il n'y aura aucun impôt à payer pour l'un ou pour l'autre (produit de disposition présumé égal au FNACC). Toutefois, Marc-André sera imposé sur tout retrait effectué aux REER et, à son décès, l'impôt sera exigible, car la valeur du REER devra être incluse dans le revenu de Marc-André. La possession d'une assurance vie au deuxième décès permettrait d'acquitter l'impôt.

b) Dans le cas de l'immeuble de location, Jeanne (la succession) aura à payer un impôt sur les gains en capital et sur la récupération de l'amortissement.

MODULE 6

SOLUTIONS AUX EXERCICES (suite)

Gains en capital

JVM (au 1er juin 2010)	270 000 $
Moins : Coût d'acquisition	130 000
Gains en capital	140 000 $
Gains en capital imposables (50 %)	70 000 $
Impôt à payer (50 %)	35 000 $

Récupération de l'amortissement

Coût d'acquisition	130 000 $
FNACC	70 000
Amortissement accumulé	60 000 $
Impôt à payer (50 %)	30 000 $
IMPÔT TOTAL À PAYER (35 000 $ + 30 000 $)	65 000 $

Note : Si Jeanne avait légué l'immeuble à Marc-André, il n'y aurait eu aucun impôt à payer, étant donné le roulement en franchise d'impôt.

4. a) Actions

Produit de disposition supposé	12 000 $
Prix de base rajusté	4 000
Gains en capital	8 000 $
Gains en capital imposables	4 000 $
Impôt (35 %)	1 400 $
REER	
Fonds accumulés	20 000 $
Impôt (35 %)	7 000 $
IMPÔT TOTAL À PAYER (1 400 $ + 7 000 $)	8 400 $

4. b) Roger devrait refuser[1], car la succession comporte plus de dettes que de biens (33 400 $ de dettes et 33 000 $ de biens).

Argent disponible pour le fils		
Solde bancaire	1 000 $	
Actions	12 000	
REER	20 000	33 000 $
Sommes dues		
Emprunt bancaire	15 000 $	
Impôt sur le revenu avant le décès	4 500	
Impôt sur legs	8 400	
Frais de notaire	1 500	
Frais funéraires	4 000	33 400 $

---

1. Même si Roger accepte la succession, il n'est pas tenu aux dettes de la succession au-delà de la somme dont il va hériter.

CHAPITRE

19

LES FIDUCIES ET LEURS SOLUTIONS DE RECHANGE

Les fiducies sont des institutions juridiques qui existent depuis longtemps. Le *Code civil* du Bas-Canada (CcB.-C.), qui date de 1866, les a d'ailleurs intégrées en 1888. Elles ont surtout été populaires dans les provinces anglophones, régies par la *Common Law*.

En tant qu'institution du droit civil, la fiducie a toujours fait partie des us et coutumes des grandes familles anglo-saxonnes fortunées, comme les dons de bienfaisance à divers organismes.

Les contextes juridique et fiscal des fiducies ne sont pas faciles à comprendre ni à résumer. Très peu d'ouvrages en français traitent de la planification successorale et du fonctionnement des diverses fiducies. Quant aux articles portant sur les fiducies, la plupart sont publiés dans des revues hautement spécialisées comme celles de l'Association de planification fiscale et financière (APFF).

Dans ce chapitre, nous examinerons surtout la création de la fiducie par le constituant et son administration par le fiduciaire.

La modification (et, dans une certaine mesure, l'extinction) de la fiducie relève le plus souvent de la décision des tribunaux; par conséquent, elle fait davantage partie du droit des fiducies que de la planification successorale proprement dite.

Soulignons qu'il existe des fiducies étrangères (non résidentes au Canada et souvent appelées *offshore*). Elles poursuivent différents objectifs, mais doivent respecter les règles fiscales et légales de nos gouvernements lesquelles ont d'ailleurs été resserrées ces dernières années. Ces fiducies *offshore* ne doivent pas viser à contourner la loi de l'impôt. Nous n'aborderons donc pas ce type de fiducies, puisqu'elles relèvent du droit international.

19.1 La nature de la fiducie

L'article 1260 du *Code civil* du Québec (CcQ) définit la fiducie comme suit : « La fiducie résulte d'un acte juridique par lequel une personne, le constituant, transfère de son patrimoine à un autre patrimoine qu'il constitue des biens qu'il affecte à une fin particulière et qu'un fiduciaire s'oblige, par le fait de son acceptation, à déterminer et à administrer. »

Remarquons que le bénéficiaire ne figure pas dans cette définition. En effet, nous verrons qu'il existe trois types de fiducies et que seules les fiducies personnelles sont constituées dans le but de procurer un avantage à une personne déterminée, soit le bénéficiaire (CcQ, art. 1266 et 1267).

Par ailleurs, cette définition fait ressortir trois éléments importants :

- La constitution d'un patrimoine distinct par le constituant ;
- L'administration des biens transférés par un fiduciaire ;
- L'affectation des biens à une fin particulière (une finalité légale).

➕ Le dossier 17.1 a présenté une liste de sites Internet, dont plusieurs traitent des fiducies, entre autres les sites d'Éducaloi, du Réseau juridique du Québec et de la Société québécoise d'information juridique.

De façon surprenante, le CcQ n'impose aucune formalité particulière (art. 1262) pour constituer une fiducie. Bien sûr, elle doit être créée par contrat ou par testament. Étant donné la complexité des fiducies en général, il est primordial de l'établir au moyen de documents légaux rédigés par un spécialiste.

Précisons que le seuil de rentabilité de la création d'une fiducie nécessite un patrimoine minimal établi aux alentours de 150 000 $.

19.2 Les objectifs de la fiducie

Nous aborderons dans cette section les objectifs généraux (*voir la sous-section 19.2.1*) et les objectifs particuliers (*voir la sous-section 19.2.2*) de la fiducie. Mais auparavant, afin de mieux saisir la portée de ces objectifs, examinons deux situations qui peuvent être résolues à l'aide de fiducies.

- Vous vous êtes récemment remariée et vous avez deux enfants issus d'un premier mariage. Que devez-vous stipuler dans votre testament ? Si vous léguez tous vos biens à votre nouveau conjoint, êtes-vous rassurée au sujet de vos enfants ? Dans un testament, vous ne pouvez dicter à une personne une ligne de conduite concernant les sommes d'argent que vous lui léguez. De plus, vous désirez laisser l'usufruit de votre maison à votre conjoint puis, à son décès, la léguer en parts égales à vos enfants et à votre frère.

- Vous avez un adolescent handicapé. Comment votre testament pourra-t-il le protéger durant toute sa vie ? Encore ici, vous ne pouvez obliger vos parents ou amis à s'en occuper. Vous lui laissez tous vos biens. Comment fera-t-il pour les administrer ?

La fiducie personnelle peut s'avérer une solution efficace. En effet, cet outil puissant peut être utilisé de multiples façons pour atteindre certains objectifs liés à la planification successorale.

19.2.1 **Les objectifs généraux**

Trois grands objectifs généraux justifient la création d'une fiducie :

- Le pouvoir sur le patrimoine de son vivant ou après son décès ;
- L'avantage que l'on désire procurer à un ou à plusieurs bénéficiaires ;
- L'avantage fiscal procuré, par exemple, par le fractionnement du revenu.

Notez que l'avantage fiscal est indiqué en dernier, ce qui n'est pas le fruit du hasard. Quelques mots sont nécessaires pour l'expliquer. La planification financière en général concerne l'atteinte du meilleur équilibre possible entre l'indépendance financière et la qualité de vie. Ce n'est jamais uniquement une question d'argent ; c'est, le plus souvent, une question de bon sens. La planification successorale rejoint ce concept. En général, les fiducies sont utilisées par des gens plus fortunés qui ont à cœur d'employer des stratégies qui leur permettront d'être le plus efficaces possible financièrement et fiscalement. Toutefois, ils cherchent, de leur vivant et après leur décès, à atteindre des objectifs de qualité de vie pour les personnes qui leur sont chères. Considérer les fiducies comme des instruments uniquement financiers serait donc une grave erreur.

19.2.2 **Les objectifs particuliers**

Voici quelques exemples d'objectifs particuliers :

- La protection des biens contre d'éventuels créanciers ;
- Le legs de biens à des enfants mineurs ;
- La protection à long terme d'un enfant handicapé ;
- Le legs à un bénéficiaire insouciant (protection du patrimoine et du bénéficiaire contre lui-même) ;
- Le transfert de biens entre vifs ;
- Le paiement d'une pension alimentaire à un ex-conjoint ;
- La succession d'une entreprise familiale ;
- Le legs d'une certaine somme d'argent (150 000 $ et plus) dont les revenus sont alloués à une personne donnée, le capital étant remis à d'autres personnes ou organismes au décès de celle-ci ;
- La protection d'une résidence ou d'un monument historique, ou même d'objets d'art (collection, piano, etc.) ;
- Le legs d'une certaine somme d'argent à une cause sociale (enfants malades, etc.) ;
- La remise d'une bourse d'études à certaines personnes, à certaines conditions.

Cette liste d'objectifs particuliers englobe diverses classifications de fiducies.

19.3 **La classification des fiducies**

Il existe plusieurs classifications des fiducies, la première consistant à les départager selon le pays d'origine. Au Canada (hors Québec) existent les fiducies de *Common Law*. Le CcQ, entré en vigueur en 1994, a ainsi remplacé le CcB.-C. Il a, dans une certaine mesure, codifié les fiducies de *Common Law*. Il existe aussi, comme nous l'avons déjà mentionné, des fiducies étrangères (*off shore*), constituées dans un territoire souvent appelé « paradis fiscal ».

La deuxième classification concerne leur finalité légale, donc leur affectation. En effet, les fiducies peuvent être constituées en fonction de trois affectations différentes (CcQ, art. 1266):

- À des fins personnelles (elles sont au cœur du présent chapitre);
- À des fins d'utilité privée;
- À des fins d'utilité sociale.

Finalement, la troisième classification concerne leur mode de constitution. Ainsi, les fiducies peuvent être:

- constituées librement:
  - par contrat à titre gratuit (donation),
  - par contrat à titre onéreux,
  - par testament;
- imposées:
  - par la loi, notamment la *Loi sur les régimes complémentaires de retraite* (RCR),
  - par un jugement de la cour, comme dans le cas de certaines pensions alimentaires.

Nous traitons surtout ici des fiducies québécoises personnelles (aussi appelées « familiales »), constituées librement par donation (contrat à titre gratuit) ou par testament. Nous abordons aussi, quoique brièvement, les autres types de fiducies. Voyons d'abord quelques notions plus générales au sujet des fiducies.

19.4 Le patrimoine d'affectation

Selon l'article 1261 du CcQ: « Le patrimoine fiduciaire, formé des biens transférés en fiducie, constitue un patrimoine d'affectation autonome et distinct de celui du constituant, du fiduciaire ou du bénéficiaire, sur lequel aucun d'entre eux n'a de droit réel. »

Il faut noter que la notion de patrimoine d'affectation, qui serait d'origine allemande, n'existe pas dans le droit anglo-saxon.

C'est l'affectation d'une masse de biens à une fin particulière, plutôt qu'à une personne, qui constitue le fondement même du patrimoine distinct. Il existe en effet une scission entre le patrimoine fiduciaire et la notion légale de personnalité ou de personne, de telle sorte que les biens transmis par le constituant ne font plus partie de son patrimoine ni de celui du fiduciaire, ni même de celui du bénéficiaire (dans le cas des fiducies personnelles).

Le patrimoine de la fiducie possède donc une entité (universalité) distincte et devient ainsi insaisissable, ce qui explique la popularité de certaines fiducies de protection d'actifs. Nous y reviendrons plus loin.

Suivant la notion de patrimoine d'affectation, selon le CcQ, la fiducie doit obligatoirement résulter de l'intention du constituant de créer une fiducie et de celle du fiduciaire, de l'accepter (art. 1260, 1264 et 1265). Cette acceptation par le fiduciaire dessaisit le constituant des biens. Le CcB.-C. est très différent à ce sujet, car il précise qu'une déclaration unilatérale (faite par le constituant) permet de créer un *trust*. C'est une comparaison simple, mais importante, qui permet de comprendre la nouvelle fiducie québécoise en fonction du CcQ et non plus en fonction du CcB.-C. basé sur le droit contemporain.

19.5 Les acteurs de la fiducie

Les fiducies font partie du livre quatrième, *Des biens*, du CcQ. Le livre cinquième traite des obligations. Cette distinction très importante révèle que, fondamentalement, la fiducie n'est pas un contrat « légal » au sens du CcQ. Plutôt que de parler de « parties », nous décrirons donc les acteurs de la fiducie : le constituant, le fiduciaire et le bénéficiaire.

19.5.1 Le constituant

Le constituant est la personne qui crée la fiducie, donc son auteur. Une fois la fiducie créée, celui-ci ne peut plus en changer les bénéficiaires ni, en général, remplacer le ou les fiduciaires. Dans le cas d'une fiducie familiale, le constituant ne peut s'instituer fiduciaire, à moins d'agir conjointement avec un fiduciaire qui n'est ni constituant, ni bénéficiaire (art. 1275).

19.5.2 Le fiduciaire

Le fiduciaire est sans aucun doute le personnage central de la fiducie (son administrateur), et ce, tout au long de l'existence de celle-ci. C'est à lui qu'échoit l'administration exclusive de la fiducie, et c'est lui qui en dépose les déclarations de revenus annuelles. En fait, l'administration d'une fiducie repose sur trois axes précis, soit la conservation, la fructification et l'accroissement du patrimoine. Le fiduciaire doit être majeur et avoir, entre autres, la capacité légale de vendre des biens.

19.5.3 Le bénéficiaire

Le bénéficiaire n'existe obligatoirement que dans la fiducie personnelle ; c'est lui qui profite de la création de la fiducie. Le CcQ en parle très peu. Tout comme le constituant, le bénéficiaire peut être fiduciaire, mais à condition d'agir conjointement avec un fiduciaire étranger (non apparenté). La fiducie peut avantager deux types de bénéficiaires :

- Le bénéficiaire usufruitier, aussi appelé « bénéficiaire en revenu », à savoir la personne qui ne reçoit d'un bien transféré que le revenu ou l'utilisation (une maison, par exemple). L'usufruitier n'a pas la propriété de ce bien ;
- Le bénéficiaire en capital, à savoir la personne qui hérite du capital (masse successorale) en fiducie ou du bien (une maison, par exemple) au décès de l'usufruitier.

19.6 Le choix d'un fiduciaire

Le fiduciaire, en tant qu'administrateur de la fiducie, joue un rôle très important. D'ailleurs, une fiducie ne peut jamais s'éteindre faute de fiduciaire. À la limite, la cour désignera un fiduciaire. Ce dernier aura pour tâche de gérer la fiducie pendant toute son existence. Il faut souligner que le fiduciaire peut être remplacé par un autre, notamment à son décès (art. 1355). Voici quelques éléments dont le constituant doit tenir compte:

- Choisir un fiduciaire compétent. Il est fortement recommandé d'avoir recours à des fiduciaires professionnels pour soutenir le ou les fiduciaires amis ou membres de la famille. Certains clients préfèrent les grandes entreprises, tels les *trusts* ou les fiducies (par exemple, Trust Royal, Trust Général et Fiducie Desjardins), alors que d'autres s'adressent à des études de notaires, par exemple;
- Prévoir des remplaçants dans l'acte constitutif (une fiducie peut durer 15 ans, 25 ans, voire davantage);
- Établir une rémunération équitable pour le fiduciaire. La répartition des bénéfices et des dépenses de la fiducie est en effet une lourde tâche qui demande temps et expertise (CcQ, art. 1345 à 1350);
- Déléguer au fiduciaire les pouvoirs appropriés pour qu'il puisse bien administrer la fiducie;
- Inclure, dans l'acte constitutif, des instructions claires et précises pour les fiduciaires.

19.7 La fiducie personnelle

Comme l'indique l'article 1267 du CcQ, la fiducie personnelle est constituée à titre gratuit dans le but de procurer un avantage à une personne déterminée ou qui peut l'être.

La figure 17.1 (*voir la page 447*) présente les deux types de fiducies personnelles qui permettent le transfert d'un patrimoine aux bénéficiaires:

- La fiducie entre vifs (ou *inter vivos*), créée par donation;
- La fiducie testamentaire, créée par testament (au moment du décès du testataire).

Dans les deux cas, il s'agit de fiducies selon le CcQ, donc constituées au Québec, à titre gratuit. Comme nous l'avons indiqué, les fiducies personnelles comprennent le constituant, le ou les fiduciaires et le ou les bénéficiaires.

Pour éviter certains problèmes fiscaux, en particulier les règles d'attribution, le bien transféré lors de la création de la fiducie, entre vifs par exemple, doit être un bien non productif. Il peut s'agir d'une pièce d'or ou encore d'un lingot d'argent. Il est important, pour les fiduciaires, de conserver ce bien (ainsi que la preuve d'achat) très précieusement de façon à prouver, s'il y a lieu, la création de ladite fiducie.

19.8 La fiducie entre vifs

La fiducie entre vifs est un transfert entre personnes vivantes dans le but d'avantager certains membres d'une même famille (enfants, petits-enfants, etc.). Il peut aussi s'agir d'une fiducie constituée par le propriétaire d'une entreprise familiale dans le but de céder graduellement celle-ci aux enfants (fiducies de gel ou discrétionnaires).

19.8.1 Les caractéristiques légales de la fiducie entre vifs

Voici les trois caractéristiques légales de la fiducie entre vifs :

- La fiducie entre vifs est créée du vivant du constituant et prend effet au moment où le fiduciaire accepte les biens qui sont cédés à la fiducie. Ainsi, ces biens sont enregistrés au nom de la fiducie (art. 1254) ;

- Elle ne peut dépasser deux ordres successifs de bénéficiaires du revenu et un ordre de bénéficiaire du capital (art. 1271). Précisons que les ordres ne concordent pas nécessairement avec les générations ; par exemple, il peut s'agir de deux ordres représentés, dans un premier temps, par un frère et, à son décès (ou après une période de 10 ans, par exemple), par sa sœur, qui recevrait alors les revenus. Au moment du décès de cette dernière, le capital pourrait être remis à un organisme de charité ;

- Pour éviter que la fiducie ne devienne perpétuelle, le droit du bénéficiaire du premier ordre doit s'exercer au plus tard au terme des 100 années qui suivent la constitution de la fiducie (art. 1272). Par conséquent, une fiducie personnelle pourrait, en théorie, avoir une durée de 300 ans (100 ans jusqu'à l'ouverture au premier bénéficiaire, puis 100 ans pour chacun des deux ordres de bénéficiaires). En pratique, la durée est beaucoup plus courte (200 ans au maximum), car l'ouverture se fait souvent assez rapidement. De plus, la longévité humaine fait en sorte que le capital est remis au bénéficiaire final bien avant la 200e année d'existence de la fiducie.

19.8.2 Les caractéristiques fiscales de la fiducie entre vifs

Le système d'imposition relatif à la fiducie entre vifs présente diverses caractéristiques, dont voici les principales :

- En vertu des lois fiscales, une fiducie personnelle est présumée avoir disposé de tous ses biens tous les 21 ans. Cette règle concorde, dans un certain sens, avec le but du CcQ (art. 1272 mentionné ci-dessus), à savoir empêcher des personnes fortunées de mettre à l'abri du fisc des sommes d'argent considérables, et ce, durant de longues périodes.

Cette règle relative à la disposition tous les 21 ans concerne surtout les gains en capital qui peuvent avoir été accumulés au fil des ans. En effet, après 21 ans, si la fiducie détient des biens, elle est réputée en avoir disposé à la valeur marchande et doit payer les impôts en conséquence. Par exemple, si la fiducie a un bien qui a coûté 1 000 $ à l'origine, mais à son 21e anniversaire, sa valeur est de 7 000 $. La fiducie sera réputée avoir réalisé un gain en capital de 6 000 $. Il faut noter que dans le cas d'une fiducie en faveur du conjoint, la disposition présumée aura lieu la première fois au décès du conjoint et tous les 21 ans par la suite.

- Le système d'imposition des fiducies est fondé sur le principe selon lequel la fiducie est une entité fiscale hybride distincte de ses bénéficiaires et qui agit donc de deux façons :
  - Parfois comme simple intermédiaire au profit des bénéficiaires. Dans ce cas, la fiducie agit à titre de « conduit », c'est-à-dire qu'elle retranche de son assiette d'imposition les revenus[1] qui sont devenus payables

---

1. Les revenus comprennent ici les intérêts, les dividendes et les gains en capital. En effet, l'approche générale du conduit vaut également pour l'imposition des gains en capital réalisés par la fiducie.

aux bénéficiaires dans l'année. La fiducie utilisera une déduction spéciale, appelée « déduction au titre du conduit ». Les revenus ainsi déduits par la fiducie sont alors inclus dans le revenu des bénéficiaires. La fiducie devient un simple intermédiaire qui permet aux bénéficiaires de fractionner légalement les revenus. Par exemple, un enfant qui reçoit 7 000 $ par année peut utiliser son exemption personnelle et ne payer aucun impôt (c'est évidemment le tuteur de l'enfant qui administre les fonds) ;

– Parfois comme le véritable titulaire du revenu gagné. Depuis 1988, le fiduciaire peut choisir d'imposer le revenu devenu payable[2] à un bénéficiaire dans l'année au nom de la fiducie lorsque celle-ci renonce à la déduction au titre du conduit. Les revenus gardés par la fiducie sont alors imposés au taux marginal le plus élevé des particuliers, en fonction de l'année civile. La conservation des revenus par la fiducie permet à celle-ci d'utiliser les pertes (autres que les pertes en capital) qu'elle aurait subies, puisque ces pertes ne peuvent être attribuées aux bénéficiaires. Il faut noter qu'une fiducie ne bénéficie pas de l'exemption personnelle de base allouée aux particuliers.

19.8.3 Les particularités de la fiducie entre vifs

Deux éléments importants caractérisent la fiducie entre vifs.

Le premier concerne le pouvoir sur le bien transféré. Ainsi, le donateur peut établir des paramètres et des objectifs à l'intention des fiduciaires afin de détenir un pouvoir indirect sur le don. Dans le cas d'une fiducie irrévocable, le constituant peut être lui-même le fiduciaire, ce qui permet un plus grand pouvoir. Dans ce cas (fiducie irrévocable), il ne peut jamais récupérer le bien.

Le deuxième élément touche les frais d'administration ou la rémunération du fiduciaire. Si celui-ci possède un lien de parenté avec le donateur, il peut parfois travailler bénévolement, mais il est toujours de mise de prévoir une rémunération. (Nous verrons plus loin que cela est crucial dans le cas des fiducies testamentaires.) Si une société de fiducie tient le rôle de fiduciaire, les honoraires peuvent être de divers ordres, car ils varient d'une société à l'autre.

19.8.4 Quelques utilisations pratiques des fiducies entre vifs

Les fiducies entre vifs, ou non testamentaires, font partie de la grande catégorie des fiducies familiales. Il existe une gamme de fiducies entre vifs. Voici les plus courantes et les plus utilisées :

- La fiducie exclusive en faveur du conjoint ;
- La fiducie en faveur d'enfants mineurs (fiducie d'éducation) ;
- La fiducie en faveur d'enfants majeurs (fiducie de capitalisation) ;

---

2. Lorsque le revenu de la fiducie n'est pas payable à un bénéficiaire dans l'année, il s'accumule dans la fiducie au profit des bénéficiaires. Par contre, pour éviter que l'imposition de ce revenu ne soit différée indéfiniment, la fiducie est imposée annuellement. Une exception concerne le bénéficiaire privilégié. Depuis le budget fédéral du 27 février 1995, seules les personnes handicapées (qui utilisent le crédit d'impôt pour déficience mentale ou physique) peuvent être considérées comme des bénéficiaires privilégiés. La fiducie peut donc leur attribuer des revenus, même si ceux-ci ne sont pas payables. Ainsi, elle obtient une déduction semblable à la déduction au titre du conduit.

- La fiducie en faveur d'un membre de la famille ayant un handicap physique ou mental;
- La fiducie discrétionnaire.

À noter qu'il existe deux autres types de fiducies entre vifs, plus nouvelles, soit la fiducie en faveur de soi-même et la fiducie mixte au profit du conjoint. Elles seront abordées un plus loin, à la section 19.10.

La fiducie exclusive en faveur du conjoint

La fiducie exclusive en faveur du conjoint permet le transfert libre d'impôt d'un bien entre le constituant de la fiducie et la fiducie elle-même. Si le bien ainsi transféré a accumulé une plus-value, non encore imposée, ce type de fiducie permettra le roulement de ce bien afin de reporter à plus tard le paiement de l'impôt, lequel aurait été autrement payable au moment du transfert.

L'acte constitutif de la fiducie doit prévoir le droit pour le conjoint (et seulement pour celui-ci) de recevoir la totalité des revenus de la fiducie sa vie durant. Les revenus (dividendes, intérêts et revenus nets de location) du bien ainsi transféré à la fiducie sont imposés au nom de l'auteur de la fiducie en vertu des règles d'attribution. Celles-ci cessent, bien sûr, au décès du constituant.

Au-delà de cet aspect fiscal, la volonté du donateur de partager, avant tout, la valeur de ses biens avec son conjoint peut faire en sorte que les règles d'attribution soient pour lui d'une importance secondaire.

Dans ce type de fiducie, le constituant est présumé avoir disposé de ses biens non amortissables à leur prix de base rajusté (PBR) et de ses biens amortissables au coût en capital non amorti (CCNA) en vigueur avant la date du transfert.

Il faut noter que le fractionnement du revenu est possible au moyen d'un prêt au taux prescrit. En effet, si l'intérêt sur le prêt est acquitté annuellement, les règles d'attribution ne s'appliquent pas aux revenus ainsi générés. Si le taux d'intérêt est inférieur au taux prescrit, ces règles s'appliquent et les revenus du prêteur sont imposés. Cette règle vaut aussi dans le cas d'un prêt consenti à une fiducie.

EXEMPLE

Paul Lalonde possède un duplex, entièrement loué, qu'il transfère à une fiducie pour le bénéfice de sa conjointe, Marie. Quelles seront les conséquences fiscales de ce transfert?

Voici les données financières relatives au duplex:

Juste valeur marchande (JVM)	140 000$
Coût	90 000$
CCNA[(1)]	60 000$

Solution

Coût (pour la fiducie)	90 000$
CCNA (pour la fiducie)	60 000$
Gains en capital – Paul Lalonde	–
Récupération de l'allocation du coût en capital (amortissement) – Paul Lalonde	–

Note: Pour toute personne autre que le conjoint, le gain en capital se chiffrerait à 50 000$, soit 140 000$ – 90 000$, et la récupération de l'amortissement serait de 30 000$, soit 90 000$ – 60 000$, et ce, pour l'auteur du transfert.

---

(1) L'acronyme FNACC (fraction non amortie du coût en capital) est souvent utilisé au lieu de l'acronyme CCNA.

EXEMPLE

Monique Labelle possède un grand terrain, qu'elle transfère à une fiducie pour le bénéfice de son conjoint. La JVM du terrain est de 120 000 $. Monique avait payé ce terrain 50 000 $ il y a 10 ans. Quelles seront les conséquences fiscales de ce transfert ?

Solution

Coût (pour la fiducie)	50 000 $
Gains en capital – Monique Labelle	–

Note : Pour toute personne autre que le conjoint, les gains en capital seraient de 70 000 $, soit 120 000 $ – 50 000 $.

La fiducie en faveur d'enfants mineurs (fiducie d'éducation)

La fiducie en faveur d'enfants mineurs est un exemple des objectifs généraux que nous avons abordés à la sous-section 19.2.1. La fiscalité y tient une grande place, et le ou les parents peuvent exercer un pouvoir sur le patrimoine s'ils sont également fiduciaires. L'avantage pour l'enfant constitue en fait la raison d'être de la fiducie.

Le grand-parent (prêteur) effectue un prêt à la fiducie[3], prêt dont il peut exiger le remboursement en tout temps. Il peut aussi, dans son testament, dispenser la fiducie de le faire. Les fiduciaires (résidents canadiens) peuvent être les deux parents (le constituant et sa conjointe) plus un autre fiduciaire (un professionnel ou une société de fiducie) ou une personne digne de confiance à qui il incombe d'administrer les affaires de la fiducie. Le bénéficiaire (résident canadien) est l'enfant mineur à qui les biens de la fiducie seront versés. Les gains en capital réalisés par la fiducie peuvent être attribués à l'enfant mineur, la probabilité que des impôts soient exigibles étant mince. Ainsi, ils peuvent s'accumuler en franchise d'impôt.

Auparavant, la plupart des fiducies en faveur d'enfants mineurs étaient destinées aux études des enfants (fiducie d'éducation). Cependant, la création du REEE et la subvention qui s'y rattache ont rendu ce type de fiducie d'études moins populaire. Par ailleurs, certaines familles fortunées établissent des fiducies en faveur d'enfants mineurs dans le but d'améliorer la qualité de vie de ceux d'entre eux qui feront des études supérieures à l'extérieur du pays, par exemple.

Note : Étant donné que ces fiducies sont graduellement remplacées (sauf pour certaines familles plus fortunées) par les REEE, aucune utilisation pratique n'est décrite ici.

La fiducie en faveur d'enfants majeurs (fiducie de capitalisation)

L'objectif de la fiducie en faveur d'enfants majeurs est semblable à celui de la fiducie en faveur d'enfants mineurs, c'est-à-dire subvenir aux besoins de ses enfants. Dans le cas d'un enfant majeur, le parent a avantage à transférer dans une fiducie des biens générateurs de revenus n'ayant accumulé aucune plus-value. On désigne souvent ce type de fiducie par l'expression « fiducie de capitalisation ». Les règles d'attribution ne s'appliquent pas à la fiducie en faveur d'un enfant majeur[4], celui-ci devant assumer les impôts qui s'y rattachent.

---

3. Si le constituant effectue un prêt sans intérêt à la fiducie ou le fait à un taux moindre que le taux prescrit au lieu de faire une donation, les revenus provenant du prêt seront assujettis aux règles d'attribution et considérés comme étant gagnés par le prêteur.

4. Les règles d'attribution peuvent s'appliquer si la raison principale du transfert (don ou prêt) est d'économiser de l'impôt.

EXEMPLE

Gilles, 28 ans, vient de téléphoner à ses parents, Roger et Suzanne Lamarche. Il divorce de sa conjointe et cherche un appartement pour lui et ses trois enfants. Les Lamarche, qui s'attendaient à cette nouvelle depuis un certain temps, proposent à leur fils Gilles de l'aider financièrement à louer un logement et à payer les frais de garderie des enfants, ses revenus étant faibles.

Solution

Roger a consulté son conseiller financier, qui lui propose d'établir une fiducie à laquelle il cédera des biens suffisants pour produire les revenus dont Gilles aura besoin. De cette façon, Roger n'aura pas à donner à Gilles de l'argent sur lequel il a déjà été imposé à près de 50 %. Gilles, en tant que bénéficiaire de la fiducie, paiera les impôts, mais à un taux marginal beaucoup moindre. L'acte de fiducie prévoit qu'il touchera les revenus de la fiducie tant qu'il vivra, le capital étant remis à ses enfants à son décès. Bien sûr, si le bien cédé par Roger a une certaine plus-value, celle-ci lui sera imposée en tant que gains en capital au transfert.

La fiducie en faveur d'un membre de la famille ayant un handicap physique ou mental

La fiducie entre vifs peut être un excellent moyen de pourvoir aux besoins d'un membre de la famille ayant un handicap physique ou mental ou autrement incapable de s'occuper de ses affaires. Cette situation se produit assez fréquemment en pratique. Le fiduciaire peut être la personne chez qui réside la personne handicapée. L'incapacité peut cependant persister durant plusieurs années et, dans ce cas, le fiduciaire a tout avantage à être une société de fiducie. Il faut préciser que la société de fiducie ne joue un rôle que dans la gestion de la fiducie entre vifs et non dans les soins personnels à prodiguer au bénéficiaire.

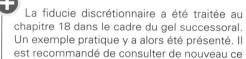 La fiducie discrétionnaire a été traitée au chapitre 18 dans le cadre du gel successoral. Un exemple pratique y a alors été présenté. Il est recommandé de consulter de nouveau ce chapitre, au besoin.

EXEMPLE

La famille Saucier était composée de Robert (40 ans), Hélène (37 ans) et Nathalie (15 ans) lorsque, l'année dernière, un grave accident d'automobile est survenu. Robert a perdu la vie et Nathalie a été grièvement blessée ; un traumatisme crânien l'a rendue handicapée de façon permanente. Hélène, qui s'en est tirée indemne, s'occupe maintenant de Nathalie. Elle s'inquiète et se demande ce qu'il adviendra de Nathalie à son décès.

Les sommes d'argent qu'elle a reçues proviennent des assurances de Robert et d'une indemnité assez importante que le tribunal a accordée à Nathalie. Ces sommes ont été investies, mais Hélène se sent peu qualifiée pour les gérer.

Solution

Hélène consulte un notaire qui est aussi planificateur financier. Ce dernier lui recommande de constituer une fiducie et d'en confier la gestion à des spécialistes. Le capital de Nathalie pourrait être cédé à une fiducie qui sera sagement administrée de façon à produire des revenus raisonnables. L'acte de fiducie peut préciser que les revenus doivent être versés à la personne ou à l'établissement qui s'occupe de Nathalie. Au décès d'Hélène, Nathalie pourra être soignée dans un établissement privé ou public offrant des soins aux handicapés.

19.9 La fiducie testamentaire

Une fiducie peut être créée par une donation entre vifs, mais elle peut également être établie par testament. Celui-ci a toujours été le véhicule type pour assurer la transmission de patrimoines considérables. Le testament fiduciaire permet au constituant d'assortir les divers biens qu'il laisse de modalités de gestion et de distribution afin de garder, même longtemps après son décès, un certain pouvoir sur son patrimoine.

La plupart du temps, une personne lègue ses biens (en partie ou en totalité) à une fiducie testamentaire afin de verser un revenu à son conjoint sa vie durant, le capital étant remis à ses enfants au décès de ce dernier.

Certaines personnes, avec l'entière approbation de leur conjoint, envisagent plutôt la création d'une fiducie testamentaire, tout simplement parce que le conjoint survivant, futur bénéficiaire de la fiducie, ne se sent pas en mesure d'affronter seul les problèmes fiscaux et financiers liés à la gestion de l'important patrimoine de la succession.

La fiducie testamentaire est aussi une solution idéale pour une veuve qui désire laisser son patrimoine à ses jeunes enfants, incapables d'administrer les biens advenant son décès. Enfin, la fiducie testamentaire peut constituer une solution élégante à un problème particulier. Par exemple, un veuf dont le fils unique a une dépendance aux drogues établira une fiducie qui laisse au fiduciaire le soin de décider de la somme d'argent dont le fils a vraiment besoin. Les revenus qui ne seront pas versés au fils seront réinvestis dans la fiducie.

Par ailleurs, plusieurs autres objectifs motivent la création d'une fiducie testamentaire : avantager des enfants mineurs, faire un don à une œuvre de bienfaisance, subvenir aux besoins d'une personne handicapée, etc.

Le principal avantage de la fiducie testamentaire est que les bénéficiaires peuvent profiter des conseils et de l'assistance de professionnels compétents pour gérer le patrimoine dont ils héritent.

19.9.1 Les caractéristiques légales et fiscales de la fiducie testamentaire

La fiducie testamentaire possède les mêmes avantages que la fiducie entre vifs. Par contre, elle constitue aussi une entité fiscale hybride, c'est-à-dire qu'elle peut être imposée ou agir à titre de conduit et remettre les revenus payables aux bénéficiaires, qui se verront imposés. Dans le cas de la fiducie exclusive en faveur du conjoint, la règle relative à la disposition tous les 21 ans s'applique là aussi, la disposition étant présumée la première fois au moment du décès du conjoint survivant, puis tous les 21 ans par la suite.

En revanche, il existe des différences marquées entre la fiducie testamentaire et la fiducie non testamentaire :

- La fiducie testamentaire est constituée par testament du vivant du constituant et entre en vigueur le jour de son décès (art. 1264) ;
- Les biens proviennent de la succession du défunt (donc, par testament) ;
- Les revenus conservés dans la fiducie sont imposés aux mêmes taux progressifs que ceux des particuliers. Cette particularité avantage grandement le fractionnement du revenu entre les bénéficiaires et la fiducie ;
- La fiducie peut établir elle-même son année fiscale (date de la fin de l'année d'imposition), car le début de l'année fiscale de la fiducie testamentaire correspond à la date du décès de l'auteur. Les fiducies entre vifs sont administrées selon l'année civile.

19.9.2 Quelques utilisations pratiques des fiducies testamentaires

Nous nous limiterons ici à des exemples concernant les fiducies testamentaires les plus utilisées :

- La fiducie testamentaire en faveur du conjoint ;
- La fiducie testamentaire en faveur de mineurs ;
- La fiducie testamentaire en faveur d'un héritier dissipateur ;
- La fiducie testamentaire pour pourvoir aux besoins d'un membre de la famille ayant un handicap physique ou mental.

La fiducie testamentaire en faveur du conjoint

La fiducie testamentaire en faveur du conjoint peut être très utile lorsque la succession est raisonnablement importante en valeur et que le conjoint survivant ne possède pas les compétences financières ou n'est tout simplement pas apte à gérer de telles sommes d'argent.

EXEMPLE

Jacqueline, veuve depuis quelques années, s'est récemment remariée à Robert. Elle a deux enfants, Pierre (15 ans) et Nicole (13 ans). Robert est aussi veuf mais sans enfant. Il avoue franchement qu'il ne comprend pas grand-chose aux actions et aux obligations ni aux immeubles à revenu.

Solution

Avec une partie de son important patrimoine, Jacqueline pourrait créer une fiducie testamentaire en faveur de son conjoint, Robert. Cette fiducie pourrait être structurée de telle façon que celui-ci toucherait les revenus jusqu'à son décès ; le capital serait ensuite dévolu aux enfants. Un fiduciaire institutionnel pourrait gérer la fiducie.

Jacqueline pourrait également créer une seconde fiducie testamentaire en faveur de ses deux enfants et s'assurer ainsi que leurs besoins financiers (études supérieures, etc.) seront comblés. L'acte de fiducie pourrait stipuler que les deux enfants bénéficiaires toucheront au capital graduellement à partir d'un certain âge, au moment où ils auront acquis la maturité nécessaire pour utiliser l'argent sagement.

Vous pouvez constater la grande flexibilité et l'énorme utilité de ce type de fiducie testamentaire. Celle-ci suppose un contrôle des sommes d'argent, même après la mort de Jacqueline, et c'est précisément ce que cette dernière recherche.

La fiducie testamentaire en faveur de mineurs

Nous avons déjà abordé la fiducie testamentaire en faveur de mineurs en traitant du cas des enfants de Jacqueline. Analysons un cas un peu différent.

EXEMPLE

Marcelle est avocate et Paul-André, son mari, est comptable. Le couple a un enfant de deux ans, Alexandre. Paul-André possède une assurance vie de 200 000 $, dont Marcelle est la bénéficiaire. Il décède dans un accident d'automobile et Marcelle hérite du capital de 200 000 $, qu'elle investit à 8 %. (Cet exemple ne tient pas compte des crédits d'impôt.)

La première année, Marcelle recevra 16 000 $ en intérêts, lesquels viendront s'ajouter à son revenu annuel brut de 80 000 $. Avec un impôt marginal de près de 50 %, Marcelle ne touchera que 8 000 $ de ce montant en intérêts. Il en sera ainsi les années suivantes.

> **Solution : Une fiducie testamentaire en faveur d'Alexandre**
>
> La fiducie testamentaire est bénéficiaire du capital de l'assurance vie, Marcelle devenant fiduciaire et parent tuteur d'Alexandre. La fiducie remet environ 8 000 $ par année à Alexandre, qui ne paie pas d'impôt. La fiducie peut être imposée sur les autres 8 000 $, ce qui entraînera un impôt minimal d'environ 28 % (rappelons que la fiducie ne profite pas de l'exemption de base personnelle, comme c'est le cas d'Alexandre, mais bénéficie de paliers d'impôt progressifs). De l'âge de 2 ans à l'âge de 18 ans, Alexandre économisera aux alentours de 5 800 $ par année. En 16 ans, l'économie totale sera de plus de 90 000 $. De quoi faire réfléchir tout parent.

La fiducie testamentaire en faveur d'un héritier dissipateur

Présentons directement un cas pratique qui parle de lui-même.

EXEMPLE

Lucie est retraitée depuis plusieurs années. Elle n'a qu'un fils, Jean, âgé de 32 ans, joueur invétéré qui est endetté malgré un revenu annuel brut de 60 000 $. Lucie lègue ses biens (maison, etc.) à son unique sœur, Hélène, qui s'est occupée d'elle ces dernières années alors qu'elle était malade. Par contre, Lucie a une assurance vie de 300 000 $, qu'elle désire léguer à son fils. En fait, le bénéficiaire de l'assurance vie est la succession. Lucie hésite, car son testament lègue l'assurance vie à son fils. Que faire ?

Solution : Une fiducie testamentaire en faveur de Jean

Une fiducie testamentaire désignant sa sœur Hélène comme premier fiduciaire et une grande entreprise (*trust*) comme second fiduciaire pourrait être créée. L'objectif principal est d'assurer les besoins financiers de Jean et de voir à ce qu'il ne manque de rien, tout en « gérant » les revenus et le capital de la fiducie.

On imagine rapidement ce qu'il arriverait si Jean recevait d'un seul coup les 300 000 $ d'assurance vie. Au mieux, il investirait ce montant au taux de 8 % et recevrait 24 000 $ en intérêts chaque année, en plus de son salaire de 60 000 $. À 40 % d'imposition marginale, par exemple, l'impôt qu'il devrait payer représenterait 9 600 $ de plus par année.

Une autre solution serait de prévoir une rente annuelle (de la compagnie d'assurance). Grâce à la fiducie testamentaire, les fiduciaires peuvent maîtriser la situation tant au point de vue financier qu'au point de vue du comportement de Jean, et ce, d'année en année. De plus, ils ont la possibilité de fractionner les revenus. La fiducie peut être imposée sur une partie des revenus et remettre l'autre partie à Jean. À long terme, l'économie d'impôt peut s'avérer fort appréciable.

La fiducie testamentaire dans le but de pourvoir aux besoins d'un membre de la famille ayant un handicap physique ou mental

Cette fiducie testamentaire poursuit les mêmes objectifs que la fiducie entre vifs du même genre. Par contre, elle a les caractéristiques légales et fiscales des fiducies testamentaires. Il s'agit de veiller à l'entretien d'un proche parent incapable de s'occuper de ses affaires et, le plus souvent, souffrant d'un handicap physique ou mental.

Le capital de la fiducie testamentaire destiné à produire les revenus nécessaires peut être prélevé sur la succession du défunt, ce dernier pouvant être la mère, le père, un frère ou une sœur du bénéficiaire.

Si le bénéficiaire est mineur, il peut s'avérer pertinent de considérer comme l'un des fiduciaires une institution financière reconnue.

Aucune application pratique n'est présentée ici, étant donné la similarité avec la fiducie entre vifs du même genre.

19.10 Les nouvelles fiducies personnelles

Comme nous l'avons souligné, le domaine des fiducies est en constante évolution. Ainsi, depuis quelques années, le fédéral a introduit deux nouveaux types de fiducies : la fiducie en faveur de soi-même et la fiducie mixte au profit du conjoint (Bélanger, Gouin et Chabot, 2000-2001). Ces deux fiducies constituées entre vifs ont été établies après 1999. La fiducie en faveur de soi-même est créée par une personne pour son bénéfice exclusif (la protection des actifs, par exemple). La fiducie mixte au profit du conjoint est en quelque sorte une combinaison de la fiducie en faveur de soi-même et de la fiducie en faveur du conjoint (précédemment décrite dans le cas des fiducies entre vifs).

Sans entrer dans les détails, mentionnons que ces fiducies sont sujettes à l'imposition maximale des particuliers et ne permettent pas le fractionnement de revenus entre un contribuable et son époux ou conjoint de fait, puisque les règles d'attribution s'appliquent aux revenus de la fiducie et aux gains en capital réalisés par celle-ci.

19.10.1 La fiducie en faveur de soi-même (fiducie de protection d'éléments d'actif)

La fiducie en faveur de soi-même fait partie de la nouvelle génération de fiducies. Les gens d'affaires et les professionnels sont les clients cibles de ce type de fiducie entre vifs. L'objectif principal est la protection des actifs du client. Donc, la fiducie en faveur de soi-même peut permettre de placer les biens transférés à l'abri des réclamations des créanciers. Autre élément important, elle peut aussi protéger des pressions indues des membres de l'entourage qui tentent de s'approprier le patrimoine de parents âgés ou malades. Le bénéficiaire est le constituant lui-même. La fiducie pour les constituants âgés de 65 ans et plus est abordée ci-dessous.

Voici les conditions à respecter :

- La fiducie est créée après 1999 ;
- Le constituant est âgé de 65 ans ou plus ;
- Le constituant a le droit de recevoir tous les revenus de la fiducie sa vie durant ;
- Nulle autre personne que le constituant de la fiducie ne peut recevoir ou autrement bénéficier du revenu ou du capital de celle-ci du vivant du constituant.

Soulignons qu'à la création de la fiducie, le constituant peut bénéficier d'un roulement fiscal[5] lors du transfert de biens. L'avantage principal de ce type de fiducie est d'extraire certains éléments d'actif du bilan d'un individu pour les transférer dans un patrimoine d'affectation, le tout sans impact fiscal. Rappelons que ce patrimoine d'affectation est insaisissable.

La fiducie en faveur de soi-même est une fiducie non testamentaire dont le revenu est imposé au taux marginal maximal des particuliers. Il n'est donc pas possible de profiter du fractionnement du revenu au moyen de ce type de fiducie.

---

5. Le terme « roulement » signifie un transfert sans imposition sur les gains en capital.

De même, la première disposition des biens à leur JVM survient le jour du décès du constituant. Par la suite, si la fiducie existe toujours, il y aura une disposition réputée tous les 21 ans.

Pour plus d'information sur la fiducie en faveur de soi-même et sur celle qui suit (la fiducie mixte au profit du conjoint), vous pouvez consulter le site d'Invesco. Vous y trouverez un document intitulé « Planification fiscale à l'aide des fiducies en faveur de soi-même et des fiducies mixtes en faveur du conjoint » ainsi que des présentations de qualité sur les fiducies formelles. Ces nouvelles fiducies y sont non seulement expliquées, mais aussi bien illustrées. Vous pouvez de plus bénéficier d'un éclairage professionnel sur ces deux nouvelles fiducies en consultant un article de Richard Batch, intitulé « Nouveaux types de fiducies », sur le site du magazine des comptables agréés (*CAmagazine*).

19.10.2 La fiducie mixte au profit du conjoint

En fait, la fiducie mixte au profit du conjoint est très semblable à la précédente. Toutefois, le constituant et son conjoint (époux ou conjoint de fait) y ont droit à la totalité des revenus leur vie durant. Nulle autre personne ne peut recevoir le revenu ou le capital de cette fiducie ou en bénéficier du vivant du constituant.

Dans cette fiducie, la règle de la disposition tous les 21 ans ne s'applique pas avant le décès du dernier des conjoints. Les autres caractéristiques et objectifs de cette fiducie sont semblables à la précédente.

Pour des exemples pratiques de ce type de fiducie, consultez les deux sites mentionnés à la section précédente, soit ceux d'Invesco et de *CAmagazine*.

19.11 Les solutions de rechange aux fiducies formelles et personnelles

Il existe certaines solutions de rechange aux fiducies formelles et personnelles. Les trois les plus utilisées sont présentées ci-dessous :

- La fiducie informelle, ou fiducie implicite, ou compte en fiducie ;
- Le legs testamentaire en usufruit ;
- Le legs testamentaire en substitution.

Disons quelques mots au sujet de ces trois approches. Notre objectif est ici de concrétiser ce type de fiducie non formelle à l'aide d'un exemple pratique.

Quant aux legs testamentaires, ils ont été abordés au chapitre 17. Cependant, les deux legs dont nous parlons ici (l'usufruit et la substitution) n'ont pas été analysés, compte tenu de leur nature plus complexe et du fait qu'ils représentent des solutions de rechange aux fiducies formelles. Nous examinerons ces deux legs qui peuvent s'insérer dans un testament sous les legs à titre universel ou encore les legs à titre particulier.

19.11.1 La fiducie implicite ou compte en fiducie

Pour des patrimoines de moindre envergure, les comptes en fiducie (fiducies implicites ou fiducies non formelles) peuvent s'avérer une solution de rechange intéressante aux fiducies personnelles en faveur d'enfants mineurs. Comme vous avez pu le constater, ces comptes portent divers noms. Parfois, ils sont nommés « comptes parents-enfants » ou encore « comptes en fidéicommis ».

Avant de présenter un exemple concret de ces fiducies non formelles, voici leurs principales caractéristiques :

- Le compte en fiducie est ouvert au nom de l'enfant, en général sans frais ;
- Les cotisations sont effectuées par les parents, grands-parents ou amis de la famille qui désirent offrir cet avantage à l'enfant ;
- Un fiduciaire désigné gère le compte (et les placements qui y sont effectués), et ce, au nom de l'enfant (bénéficiaire) jusqu'à ce que ce dernier atteigne l'âge de 18 ans (majorité). À ce moment, les fonds appartiennent à l'enfant et le cotisant ne peut les récupérer ;
- Il n'y a pas de limite imposée aux cotisations, et les fonds peuvent servir à d'autres fins que les études ;
- Les fonds n'étant pas enregistrés, les revenus gagnés grâce à eux ne sont pas à l'abri de l'impôt ;
- Le type de revenu de placement que génèrent les cotisations détermine le régime fiscal auquel le compte est soumis ;
- Les revenus d'intérêts et de dividendes tirés des placements initiaux sont attribués au cotisant jusqu'à ce que l'enfant atteigne l'âge de la majorité ;
- Les gains en capital imposables sont inclus annuellement dans le revenu imposable de l'enfant jusqu'à ce qu'il atteigne l'âge de 18 ans ;
- Si les cotisations proviennent d'allocations familiales ou de prestations universelles pour la garde d'enfants, tous les revenus de placement obtenus à l'égard de ces fonds s'ajoutent au revenu de l'enfant. De plus, il en est ainsi si les cotisations proviennent d'un legs testamentaire en faveur d'un mineur et si l'argent doit lui être remis à l'âge de 18 ans, par exemple. En général, l'enfant n'ayant que peu ou pas de revenus, l'impôt à payer sera nul ou très minime ;
- Le fiduciaire désigné (généralement un proche de la famille) doit être une personne autre que l'un des parents. Il doit fournir tous les documents appropriés à l'Agence du revenu du Canada.

EXEMPLE

Nicolas est un grand-papa de 58 ans. Il est divorcé et a deux enfants, Natalia (28 ans) et Alexis (22 ans). Natalia vit avec son conjoint de fait et le couple a deux enfants, Robert (5 ans) et Élise (3 ans). Alexis est un étudiant célibataire.

Nicolas a fait un testament notarié dans lequel il lègue ses biens à ses enfants, Natalia et Alexis. Un legs particulier avantage ses deux petits-enfants. En effet, Nicolas leur lègue 20 000 $ chacun à partir de son portefeuille REER. Ce legs particulier stipule que « ces sommes d'argent » doivent leur être remises à l'âge de 18 ans. Cette clause n'est pas très claire. La sœur de Nicolas, Yvette, est liquidatrice. Advenant le décès d'Yvette, Nicolas a nommé son fils Alexis remplaçant. Nicolas décède d'un cancer du poumon.

Solution

L'interprétation est rapidement faite du legs particulier ; ainsi, la somme de 20 000 $ doit être investie sagement et remise avec les intérêts courus à chaque petit-enfant à l'âge de 18 ans. De plus, il a fallu « désenregistrer » le REER, de telle sorte que le retrait brut se chiffre à près de 70 000 $ pour obtenir les 40 000 $ nets. La solution du REEE

▶

MODULE 6

> n'intéresse pas vraiment les parents des enfants, d'autant que Nicolas n'a pas abordé la question « de l'éducation » dans son testament, mentionnant simplement que les sommes d'argent devaient être remises aux petits-enfants à l'âge de 18 ans.
>
> Yvette a agi sagement. Son rôle était lié à la liquidation, mais, en ouvrant un « compte en fiducie », elle est devenue fiduciaire. Ce compte en fiducie a été meublé d'un CPG à 3,5 %, ce qui était raisonnable.

Les donateurs doivent ajouter les revenus gagnés par la fiducie implicite à leurs propres revenus. Il y a cependant des exceptions. En effet, si les fonds proviennent uniquement des prestations fiscales pour enfants ou d'un héritage (comme c'est le cas ici), les revenus de l'enfant sont imposés et non attribués au donateur.

Ce compte en fiducie est une solution de rechange très valable à la fiducie testamentaire plus formelle.

 Pour plus d'information sur les rouages du compte en fiducie, vous pouvez consulter une présentation intitulée « Les comptes en fiducie » sur le site d'Invesco.

19.11.2 Le legs testamentaire en usufruit

L'usufruit fait partie, de l'article « Démembrements du droit de propriété » du CcQ (art. 1120 à 1171). En quoi consiste-t-il ? L'article 1120 du CcQ en présente une bonne définition : « L'usufruit est le droit d'user et de jouir, pendant un certain temps, d'un bien dont un autre a la propriété, comme le propriétaire lui-même, mais à charge d'en conserver la substance. »

Le fait que 52 articles (art. 1120 à 1171) du CcQ concernent l'usufruit démontre tout de même son importance. Voici un exemple pratique le concernant.

EXEMPLE

Mireille est âgée de 52 ans. Elle est veuve depuis 15 ans et demeure, depuis 10 ans, avec son conjoint de fait, Pierre-Paul, âgé de 55 ans, dans une très belle maison dont elle a hérité de ses parents. La maison est entièrement payée. Mireille a deux grands enfants, Marc-André (23 ans) et Agnès (20 ans). Les relations entre Pierre-Paul et les deux enfants sont un peu tendues. Dans le tout dernier testament notarié de Mireille, une clause stipule ceci :

« Je lègue à mon conjoint Pierre-Paul l'usufruit de ma maison, située au 4321, boulevard Rosemarie à Brossard, et ce, pour une période de 10 années, et la nue-propriété de celle-ci à mes deux enfants en parts égales entre eux. »

Mireille décède à l'âge de 52 ans. Qu'arrive-t-il ?

Vous savez déjà que Pierre-Paul est l'usufruitier, donc qu'il possède le droit d'usage de la maison (pendant 10 ans) sans en avoir la propriété. Les deux enfants, Marc-André et Agnès, en sont les nus-propriétaires, donc ils possèdent le droit de propriété de la maison sans en avoir l'usage durant les 10 prochaines années.

Vous pouvez sûrement imaginer un certain nombre de scénarios qui ont suivi le décès de Mireille. Pourtant, dans les testaments notariés, ce type de legs n'est pas rare. Une telle clause est beaucoup moins dispendieuse qu'un testament fiduciaire, lequel pourrait, au moins, inclure des « arbitres » (fiduciaires) si nécessaire. Toutefois, disons-le, cet arrangement peut aussi très bien fonctionner.

Voyons sept caractéristiques de l'usufruit :

- La durée de l'usufruit ne peut excéder 100 ans ;
- L'usufruit sans terme est viager et d'une période de 30 ans pour une personne morale ;

- L'usufruit s'établit par contrat, par testament (*voir l'exemple à la page précédente*) ou par la loi ;

- L'usufruitier ne doit pas être « incommodé » par le nu-propriétaire. Dans ce sens, il peut exiger de celui-ci la cessation de tout acte qui l'empêche d'exercer pleinement son droit ;

- L'usufruitier reçoit et conserve les revenus du bien (par exemple, d'un immeuble à revenus) ;

- L'usufruitier peut céder son droit ou louer un bien compris dans l'usufruit ;

- L'usufruitier est désigné soit à titre universel, soit à titre particulier, avec les responsabilités légales propres à chaque titre.

Dans certains cas, plus complexes que celui de Mireille, il est préférable de recourir à une fiducie formelle. Celle-ci, beaucoup plus dispendieuse, offre un meilleur contrôle, mais possède également une structure plus rigide.

19.11.3 Le legs testamentaire en substitution

L'article 1218 du CcQ définit la substitution comme suit : « Il y a substitution lorsqu'une personne reçoit des biens par libéralité, avec l'obligation de les rendre après un certain temps à un tiers. »

La substitution est donc un mécanisme de transfert du droit de propriété au sens du CcQ, qui y consacre 38 articles (art. 1218 à 1255). La substitution relève des restrictions à la libre disposition de certains biens et s'établit aussi par testament (ou donation). Le planificateur financier moderne se doit de bien connaître le legs en substitution, car il s'agit d'un excellent outil de planification testamentaire. En effet, la substitution permet de fractionner le revenu, tout comme le fait la fiducie, mais d'une façon beaucoup moins contraignante.

Prenons un exemple de legs testamentaire en substitution.

EXEMPLE

Le dernier testament notarié de Bruno contient un legs particulier qui se lit comme suit : « Je lègue mon portefeuille de placements à ma conjointe, Marie-Hélène, à charge pour elle de le remettre à son décès à mon fils Louis. »

Il faut d'abord noter qu'il existe plusieurs types de substitutions, dont :

- la substitution conventionnelle, en vertu de l'article 1218 du CcQ. Le cas de Bruno en est un bon exemple ;

- la substitution graduelle, laquelle pourrait prendre, dans le cas de Bruno, la forme suivante : « Je lègue mon portefeuille de placements à ma conjointe, Marie-Hélène, à charge pour elle de le remettre, à son décès, à mon fils Louis qui, lui, à son décès, devra le rendre à ma petite-fille Nicole » ;

- la substitution *de residuo*. Elle est moins rigide que les précédentes et peut stipuler qu'« au décès de ma légataire, Marie-Hélène, tout le résidu de mes placements qu'elle n'aura pas liquidés et dépensés sera remis à [...] » (dans notre exemple, au tiers bénéficiaire, Louis) ;

- la substitution à charge. Il s'agirait ici d'imposer une charge précise à la conjointe, Marie-Hélène, autre, bien sûr, que la charge de remettre les biens à son décès. Par exemple, Marie-Hélène pourrait devoir remettre 20 % de tous les dividendes du portefeuille de placements à une personne ou à une œuvre de charité.

▶
> Par conséquent, la substitution conventionnelle permet d'identifier le «grevé» ou le légataire (Marie-Hélène) selon le CcQ, Louis devenant l'«appelé» ou le tiers bénéficiaire. Le grevé (Marie-Hélène) reçoit donc les placements légués par testament et doit obligatoirement les conserver et les remettre à l'appelé (Louis) à son décès. Comme on peut le constater, il peut donc y avoir, comme dans le cas de la substitution graduelle, des appelés subséquents.

Il faut souligner plusieurs éléments importants du legs en substitution:

- D'un point de vue fiscal, la substitution est traitée, depuis 1991, exactement comme la fiducie, c'est-à-dire comme un contribuable distinct, et ce, en vertu de la *Loi de l'impôt sur le revenu*. C'est la fiducie qui est imposée sur les revenus produits par le legs de substitution, au taux progressif des particuliers, mais à un taux moindre que si les revenus étaient ajoutés à ceux du grevé (Marie-Hélène);

- Aucun patrimoine distinct n'a été créé avec le legs en substitution. Le grevé (Marie-Hélène) devient propriétaire des biens légués. Bien sûr, le grevé (Marie-Hélène) doit respecter la loi face aux appelés (Louis et Nicole);

- Les biens ainsi légués sont saisissables;

- Si le testateur (Bruno) désire créer un patrimoine distinct et insaisissable, il doit plutôt se diriger vers une fiducie formelle. De nombreuses revues spécialisées comparent minutieusement la fiducie officielle et la substitution. En tout premier lieu, la différence majeure entre les deux concerne la nature de l'administration. L'élément clé demeure que dans la fiducie, le fiduciaire exerce un contrôle plus rigide. En effet, le CcQ exige que celui-ci ne soit ni bénéficiaire actuel, ni bénéficiaire éventuel. Une tierce personne agit à titre de fiduciaire, cela pouvant incommoder certains bénéficiaires. Par ailleurs, la création d'une fiducie est aussi très dispendieuse. Il est toutefois possible, dans la substitution *de residuo*, de permettre un roulement fiscal des actifs du testateur si la substitution est en fait créée en faveur du conjoint.

En somme, une telle clause testamentaire de «legs en substitution» doit être rédigée avec soin, et il est toujours recommandé de consulter un spécialiste.

19.12 La fiducie d'utilité privée

Après la fiducie créée à des fins personnelles, le deuxième grand type de fiducie, selon l'affectation, est la fiducie d'utilité privée.

Selon l'article 1268 du CcQ, celle-ci a pour objet l'érection, l'entretien ou la conservation d'un bien corporel, ou l'utilisation d'un bien affecté à un usage déterminé, soit à l'avantage indirect d'une personne ou à sa mémoire, soit dans un autre but de nature privée.

19.12.1 La fiducie d'utilité privée non commerciale

L'article 1268 du CcQ définit la fiducie d'utilité privée non commerciale, constituée tant par acte gratuit que par acte onéreux (art. 1268) pour être perpétuelle (art. 1273), sans nécessairement inclure un bénéficiaire (mais elle peut en désigner un). Sa finalité n'est pas tant d'avantager un bénéficiaire que d'affecter un bien à un usage déterminé.

La fiducie d'utilité privée non commerciale se situe donc en dehors du cadre de la fiducie personnelle. Voici quelques-uns des objectifs de cette fiducie, laquelle s'incorpore à la planification financière personnelle :

- Conserver intacte une maison faisant partie du patrimoine historique ou appartenant à une personne célèbre ;
- Remettre une bourse d'études selon certains critères déterminés ;
- Entretenir un monument funéraire ;
- Gérer et entretenir un centre de jeunesse ;
- Protéger ses actifs.

19.12.2 La fiducie d'utilité privée commerciale

La fiducie d'utilité privée commerciale (en anglais, *business trust*) est créée à titre onéreux dans le but notamment de permettre la réalisation d'un profit au moyen de placements ou d'investissements (CcQ, art. 1269). Elle inclut les sociétés de fonds d'investissement et les grands fonds de retraite (depuis l'entrée en vigueur de la *Loi sur les régimes complémentaires de retraite*, le 1er janvier 1990).

Un exemple récent de ce type de fiducie est la fiducie de santé et de bien-être, laquelle est essentiellement une convention de fiducie entre un employeur et au moins deux de ses employés. Ici, l'employeur s'engage à offrir certains avantages à ses employés (ou à leur famille). Par exemple, il peut s'agir d'avantages liés à une assurance vie temporaire collective ou encore à une assurance contre les maladies graves ou les accidents graves, etc.

Du point de vue du droit fiscal, par contre, ce type de fiducie est considéré comme une fiducie entre vifs. Les cotisations de l'employeur constituent un capital et non un revenu pour la fiducie.

Un regroupement d'employeurs peut mettre sur pied une telle fiducie et nommer un fiduciaire commun pour l'administrer.

19.13 La fiducie d'utilité sociale

La fiducie d'utilité sociale est le troisième et dernier type de fiducie selon l'affectation. Elle est constituée dans un but d'intérêt général, notamment à caractère culturel, éducatif, philanthropique, religieux ou scientifique. Cette fiducie ne vise pas la réalisation d'un bénéfice ni l'exploitation d'une entreprise (CcQ, art. 1270). Elle est constituée à titre gratuit ou onéreux et est perpétuelle.

Le but ultime que poursuit le constituant de ce type de fiducie est d'affecter un ensemble de biens à la réalisation d'un programme de bienfaisance ou d'intérêt général. Pensons, par exemple, à l'institution des prix Nobel et à tant d'autres fiducies de bienfaisance, qui sont parfois constituées par de simples citoyens ayant gagné à la loterie ou par des gens plus fortunés qui ont à cœur le bien-être de certains segments de la société.

Les diverses fondations qui nous sollicitent régulièrement pour un don ne sont pas à proprement parler des fiducies, mais la fiducie d'utilité sociale est l'instrument privilégié pour la création d'une fondation (art. 1256 à 1259). D'ailleurs, la définition classique de la fondation est basée sur la définition de la fiducie d'utilité sociale en vertu de l'article 1270 du CcQ.

Conclusion

Nous avons abordé, dans le présent chapitre, l'ensemble des sujets, tant légaux que fiscaux, qui caractérisent les diverses fiducies. Ce sont des notions fondamentales que le planificateur financier doit posséder et comprendre pour mieux apprécier la situation de ceux de ses clients dont le patrimoine est important.

Les fiducies personnelles sont utilisées en planification financière et successorale afin d'atteindre de multiples objectifs, comme l'éducation des petits-enfants, et non uniquement en vue de réduire l'impôt à payer. Le recours à la fiducie permet d'obtenir la souplesse dont un client a besoin pour pouvoir résoudre un large éventail de situations familiales, financières, fiscales et légales.

Il faut aussi souligner que les fiducies personnelles ne sont plus uniquement l'apanage des gens très riches. Bien sûr, un certain patrimoine est nécessaire, mais, aujourd'hui, les fiducies sont extrêmement efficaces dans de nombreuses situations de planification successorale et permettent d'atteindre plusieurs objectifs. Trois grands facteurs de contingence ont contribué, ces dernières années, à rendre les fiducies populaires :

- La formation continue des professionnels du milieu financier, et ce, depuis la mise en place du nouveau CcQ en 1994 ;
- Le fait que de plus en plus de contribuables québécois ayant des patrimoines relativement importants s'y soient intéressés ;
- La création de nouveaux types de fiducies offrant des possibilités intéressantes.

Les raisons de créer une fiducie vont bien au-delà des avantages fiscaux que celle-ci peut procurer. Dans le passé, il est vrai que beaucoup de grandes fiducies ont été créées pour des considérations fiscales. Les réformes fiscales ont éliminé la plupart de ces anciens avantages. Il y a de plus en plus de gens qui possèdent aujourd'hui des patrimoines d'importance et qui auraient avantage à considérer les fiducies comme un excellent véhicule de planification financière et successorale.

De plus, nous avons pu constater la dimension « familiale » de certaines fiducies, qui font véritablement ressortir le désir et la volonté de s'occuper de ceux qu'on aime et que, parfois, la vie n'a pas toujours favorisés.

Terminons en soulignant deux éléments intéressants :

- Il existe de nombreuses solutions de rechange aux fiducies formelles ;
- La rédaction de l'acte de fiducie relève de spécialistes, qui doivent connaître tant les aspects théoriques que la nature des utilisations pratiques des fiducies. Cela exige temps et attention en ce qui concerne les détails, car plus un acte de fiducie est explicite, moins il risque d'être contesté et d'entraîner des démarches judiciaires longues et onéreuses.

MÉDIAGRAPHIE

Page 528

Invesco, www.invesco.ca via Centre des ressources > Documents sur la fiscalité et les successions > Documents de référence > Documents additionnels > Planification fiscale à l'aide des fiducies en faveur de soi-même et des fiducies mixtes au profit du conjoint

CAmagazine, www.camagazine.com via Archives > 2002 > Mars 2002 > Rubriques > Fiscalité : Nouveaux types de fiducies par Richard Batch

Page 530

Invesco, www.invesco.com via Centre des ressources > Documents sur la fiscalité et les successions > Documents de référence > Documents additionnels > Les comptes en fiducie

Références

Bélanger, S., Gouin, I., et Chabot, R. (2000-2001). Chroniques : planification successorale. *Revue APFF : Planification fiscale et successorale*, *22*(2).

QUESTIONS DE RÉVISION

1. Quels sont les quatre grands sujets relatifs aux fiducies dont traite le CcQ ?

2. Nommez les trois éléments importants sur lesquels repose la définition de la fiducie en vertu du CcQ.

3. Énumérez au moins quatre objectifs de la fiducie.

4. Quels sont les trois types de classification des fiducies ? Quelle est la classification que privilégie le CcQ à l'article 1266 ?

5. Expliquez ce qu'est le patrimoine d'affectation en vertu du nouveau CcQ.

6. Pourquoi parle-t-on des acteurs de la fiducie et non des parties ?

7. Qui sont les acteurs de la fiducie personnelle ?

8. Comparez le rôle du liquidateur à celui du fiduciaire.

9. Le choix d'un bon fiduciaire n'est pas toujours facile à effectuer. Quelles sont vos suggestions à ce sujet ?

10. Quels sont les deux types de fiducies personnelles ?

11. Nommez les raisons majeures ou les objectifs généraux qui justifient la création d'une fiducie personnelle.

12. Résumez, dans un tableau, les caractéristiques légales et fiscales des fiducies entre vifs.

13. Résumez, dans un tableau, les caractéristiques légales et fiscales des fiducies testamentaires.

14. Pourquoi qualifie-t-on la fiducie d'entité fiscale hybride ?

15. Que signifie l'expression « déduction au titre du conduit » ?

16. Décrivez la fiducie entre vifs.

17. Quels sont les grands objectifs de la fiducie discrétionnaire ?

18. Indiquez au moins deux différences entre la fiducie entre vifs et la fiducie testamentaire.

19. À quoi sert la fiducie d'utilité privée non commerciale ? Pourquoi un client qui vous consulte pour une planification financière personnelle vous en parlerait-il ?

20. Peut-on envisager la fiducie d'utilité sociale dans une planification financière personnelle ? Comment ?

ANNEXE A

Renseignements généraux

Les renseignements qui suivent permettent, dans une certaine mesure, de mieux comprendre les tables financières et de mieux coordonner leur utilisation. En ce sens, elles complètent le chapitre 6 sur le sujet et tous les exercices pertinents des autres chapitres.

- Les tables I et II (basées sur 1 000 $) concernent les prêts personnels et les prêts hypothécaires. Elles contiennent des facteurs intitulés « Versement mensuel », qui représentent des paiements mensuels exprimés en dollars et en cents ; par conséquent, ces facteurs doivent être utilisés tels quels avec deux décimales. Par exemple, on affirmera que votre prêt personnel représente un déboursé de 253,23 $ par mois.

- Les tables III à VIII (basées sur 1 000 $) illustrent différents facteurs mathématiques qui contiennent également deux décimales. Est-il nécessaire de les conserver dans toutes les solutions aux exercices proposés ? Tout dépend de l'objectif poursuivi. Dans certaines situations, le planificateur financier cherche avant tout un ordre de grandeur significatif et pertinent, même si le résultat obtenu ne possède pas nécessairement une très grande précision mathématique. Par exemple, est-il vraiment important, pour le planificateur financier, d'indiquer à son client que ses investissements totaliseront 743 272,39 $ (résultat mathématique précis) dans 20 ans ? Lui indiquer la somme de 743 300 $ ne serait-il pas tout aussi acceptable ? Bien sûr, car ce résultat est significatif et pertinent.

  Par conséquent, pour plusieurs situations financières, il sera très acceptable d'arrondir la réponse finale à 100 $ près. L'approche à utiliser est expliquée au chapitre 6 et dans les divers exercices à la fin des chapitres.

- La table IX (basée sur 1 000 $) et les tables X, XI et XII (basées sur 10 000 $) ne contiennent aucune décimale ; les facteurs y sont donc exprimés uniquement en nombres entiers, et on les utilise tels quels. Encore ici, on pourra parfois exiger d'arrondir la réponse à 100 $ près.

- La notion de nombre de versements par année (P/Y sur la calculatrice Texas BA II Plus) est très importante. Les tables I et II contiennent 12 versements annuels. Toutes les autres tables ne contiennent qu'un seul versement annuel (ou revenu selon le cas). Par ailleurs, la notion du nombre de capitalisation annuelle (fonction C/Y) est également importante et concerne le calcul des intérêts. La table I offre 12 capitalisations annuelles (donc, des capitalisations mensuelles). La table II offre deux capitalisations annuelles, donc à tous les six mois. Les autres tables offrent des capitalisations annuelles.

TABLE █ **Les versements mensuels pour un prêt personnel de 1 000 $ (capitalisation mensuelle)**

					Durée du prêt de 1 000 $: 1 an				
Taux d'intérêt	8 %	9 %	10 %	11 %	12 %	13 %	14 %	15 %	16 %
Versement mensuel	86,99	87,45	87,92	88,38	88,85	89,32	89,79	90,26	90,73

					Durée du prêt de 1 000 $: 2 ans				
Taux d'intérêt	8 %	9 %	10 %	11 %	12 %	13 %	14 %	15 %	16 %
Versement mensuel	45,23	45,69	46,14	46,61	47,07	47,54	48,01	48,49	48,96

					Durée du prêt de 1 000 $: 3 ans				
Taux d'intérêt	8 %	9 %	10 %	11 %	12 %	13 %	14 %	15 %	16 %
Versement mensuel	31,34	31,80	32,27	32,74	33,22	33,70	34,18	34,67	35,16

					Durée du prêt de 1 000 $: 4 ans				
Taux d'intérêt	8 %	9 %	10 %	11 %	12 %	13 %	14 %	15 %	16 %
Versement mensuel	24,41	24,89	25,36	25,85	26,33	26,83	27,32	27,83	28,34

					Durée du prêt de 1 000 $: 5 ans				
Taux d'intérêt	8 %	9 %	10 %	11 %	12 %	13 %	14 %	15 %	16 %
Versement mensuel	20,28	20,76	21,25	21,74	22,25	22,75	23,20	23,79	24,32

TABLE ▌▌ Les versements mensuels pour un prêt hypothécaire de 1 000 $ (capitalisation semestrielle)

Hypothèque amortie sur	Versement mensuel selon le taux d'intérêt							
	3%	5%	7%	8%	9%	10%	11%	12%
1 an	84,68	85,56	86,48	86,93	87,38	87,83	88,27	88,72
2 ans	42,97	43,85	44,73	45,17	45,61	46,06	46,50	46,94
3 ans	29,07	29,95	30,83	31,28	31,73	32,18	32,63	33,08
4 ans	22,13	23,01	23,90	24,35	24,81	25,27	25,73	26,20
5 ans	17,96	18,85	19,75	20,21	20,68	21,15	21,63	22,10
6 ans	15,19	16,08	17,00	17,47	17,95	18,43	18,91	19,40
7 ans	13,20	14,11	15,04	15,52	16,01	16,50	17,00	17,50
8 ans	11,72	12,64	13,58	14,07	14,57	15,07	15,58	16,10
9 ans	10,57	11,49	12,46	12,95	13,46	13,97	14,50	15,03
10 ans	9,65	10,58	11,56	12,06	12,58	13,11	13,64	14,19
11 ans	8,90	9,84	10,83	11,35	11,88	12,41	12,96	13,51
12 ans	8,27	9,22	10,23	10,75	11,29	11,84	12,40	12,96
13 ans	7,74	8,70	9,73	10,28	10,81	11,36	11,93	12,51
14 ans	7,29	8,26	9,30	9,84	10,40	10,97	11,55	12,14
15 ans	6,90	7,88	8,93	9,48	10,05	10,63	11,22	11,82
16 ans	6,56	7,55	8,62	9,17	9,75	10,34	10,94	11,55
17 ans	6,25	7,26	8,34	8,91	9,49	10,09	10,70	11,32
18 ans	5,99	7,00	8,10	8,67	9,27	9,87	10,49	11,13
19 ans	5,75	6,77	7,88	8,47	9,07	9,69	10,32	10,96
20 ans	5,54	6,57	7,69	8,28	8,90	9,52	10,16	10,81
21 ans	5,34	6,34	7,52	8,12	8,74	9,38	10,03	10,69
22 ans	5,17	6,22	7,37	7,98	8,61	9,25	9,91	10,58
23 ans	5,01	6,07	7,24	7,85	8,49	9,17	9,80	10,48
24 ans	4,87	5,94	7,11	7,74	8,38	9,04	9,71	10,40
25 ans	4,73	5,82	7,00	7,63	8,28	8,95	9,63	10,32

TABLE ▐▐▐ La valeur finale d'un capital de 1 000 $ placé à intérêt composé annuellement

n	2 %	3 %	4 %	5 %	6 %	8 %	10 %
1	1 020,00	1 030,00	1 040,00	1 050,00	1 060,00	1 080,00	1 100,00
2	1 040,40	1 060,90	1 081,60	1 102,50	1 123,60	1 166,40	1 210,00
3	1 061,21	1 092,73	1 124,86	1 157,63	1 191,02	1 259,71	1 331,00
4	1 082,43	1 125,51	1 169,86	1 215,51	1 262,48	1 360,49	1 464,10
5	1 104,08	1 159,27	1 216,65	1 276,28	1 338,23	1 469,33	1 610,51
6	1 126,16	1 194,05	1 265,32	1 340,10	1 418,52	1 586,87	1 771,56
7	1 148,69	1 229,87	1 315,93	1 407,10	1 503,63	1 713,82	1 948,72
8	1 171,66	1 266,77	1 368,57	1 477,46	1 593,85	1 850,93	2 143,59
9	1 195,09	1 304,77	1 423,31	1 551,33	1 689,48	1 999,00	2 357,95
10	1 218,99	1 343,92	1 480,24	1 628,89	1 790,85	2 158,92	2 593,74
11	1 243,37	1 384,23	1 539,45	1 710,34	1 898,30	2 331,64	2 853,12
12	1 268,24	1 425,76	1 601,03	1 795,86	2 012,20	2 518,17	3 138,43
13	1 293,61	1 468,53	1 665,07	1 885,65	2 132,93	2 719,62	3 452,27
14	1 319,48	1 512,59	1 731,68	1 979,93	2 260,90	2 937,19	3 797,50
15	1 345,87	1 557,97	1 800,94	2 078,93	2 396,56	3 172,17	4 177,25
16	1 372,79	1 604,71	1 872,98	2 182,87	2 540,35	3 425,94	4 594,97
17	1 400,24	1 652,85	1 947,90	2 292,02	2 692,77	3 700,02	5 054,47
18	1 428,25	1 702,43	2 025,82	2 406,62	2 854,34	3 996,02	5 559,92
19	1 456,81	1 753,51	2 106,85	2 526,95	3 025,60	4 315,70	6 115,91
20	1 485,95	1 806,11	2 191,12	2 653,30	3 207,14	4 660,96	6 727,50
21	1 515,67	1 860,29	2 278,77	2 785,96	3 399,56	5 033,83	7 400,25
22	1 545,98	1 916,10	2 369,92	2 925,26	3 603,54	5 436,54	8 140,27
23	1 576,90	1 973,59	2 464,72	3 071,52	3 819,75	5 871,46	8 954,30
24	1 608,44	2 032,79	2 563,30	3 225,10	4 048,93	6 341,18	9 849,73
25	1 640,61	2 093,78	2 665,84	3 386,35	4 291,87	6 848,48	10 834,71
26	1 673,42	2 156,59	2 772,47	3 555,67	4 549,38	7 396,35	11 918,18
27	1 706,89	2 221,29	2 883,37	3 733,46	4 822,35	7 988,06	13 109,99
28	1 741,02	2 287,93	2 998,70	3 920,13	5 111,69	8 627,11	14 420,99
29	1 775,84	2 356,57	3 118,65	4 116,14	5 418,39	9 317,27	15 863,09
30	1 811,36	2 427,26	3 243,40	4 321,94	5 743,49	10 062,66	17 449,40
31	1 847,59	2 500,08	3 373,13	4 538,04	6 088,10	10 867,67	19 194,34
32	1 884,54	2 575,08	3 508,06	4 764,94	6 453,39	11 737,08	21 113,78
33	1 922,23	2 652,34	3 648,38	5 003,19	6 840,59	12 676,05	23 225,15
34	1 960,68	2 731,91	3 794,32	5 253,35	7 251,03	13 690,13	25 547,67
35	1 999,89	2 813,86	3 946,09	5 516,02	7 686,09	14 785,34	28 102,44
36	2 039,89	2 898,28	4 103,93	5 791,82	8 147,25	15 968,17	30 912,68
37	2 080,69	2 985,23	4 268,09	6 081,41	8 636,09	17 245,63	34 003,95
38	2 122,30	3 074,78	4 438,81	6 385,48	9 154,25	18 625,28	37 404,34
39	2 164,74	3 167,03	4 616,37	6 704,75	9 703,51	20 115,30	41 144,78
40	2 208,04	3 262,04	4 801,02	7 039,99	10 285,72	21 724,52	45 259,26
41	2 252,20	3 359,90	4 993,06	7 391,99	10 902,86	23 462,48	49 785,18
42	2 297,24	3 460,70	5 192,78	7 761,59	11 557,03	25 339,48	54 763,70
43	2 343,19	3 564,52	5 400,50	8 149,67	12 250,45	27 366,64	60 240,07
44	2 390,05	3 671,45	5 616,52	8 557,15	12 985,48	29 555,97	66 264,08
45	2 437,85	3 781,60	5 841,18	8 985,01	13 764,61	31 920,45	72 890,48

TABLE IV La valeur actualisée d'un capital de 1 000$ placé à intérêt composé annuellement

n	2%	3%	4%	5%	6%	8%	10%
1	980,39	970,87	961,54	952,38	943,40	925,93	909,09
2	961,17	942,60	924,56	907,03	890,00	857,34	826,45
3	942,32	915,14	889,00	863,84	839,62	793,83	751,31
4	923,85	888,49	854,80	822,70	792,09	735,03	683,01
5	905,73	862,61	821,93	783,53	747,26	680,58	620,92
6	887,97	837,48	790,31	746,22	704,96	630,17	564,47
7	870,56	813,09	759,92	710,68	665,06	583,49	513,16
8	853,49	789,41	730,69	676,84	627,41	540,27	466,51
9	836,76	766,42	702,59	644,61	591,90	500,25	424,10
10	820,35	744,09	675,56	613,91	558,39	463,19	385,54
11	804,26	722,42	649,58	584,68	526,79	428,88	350,49
12	788,49	701,38	624,60	556,84	496,97	397,11	318,63
13	773,03	680,95	600,57	530,32	468,84	367,70	289,66
14	757,88	661,12	577,48	505,07	442,30	340,46	263,33
15	743,01	641,86	555,26	481,02	417,27	315,24	239,39
16	728,45	623,17	533,91	458,11	393,65	291,89	217,63
17	714,16	605,02	513,37	436,30	371,36	270,27	197,84
18	700,16	587,39	493,63	415,52	350,34	250,25	179,86
19	686,43	570,29	474,64	395,73	330,51	231,71	163,51
20	672,97	553,68	456,39	376,89	311,80	214,55	148,64
21	659,78	537,55	438,83	358,94	294,16	198,66	135,13
22	646,84	521,89	421,96	341,85	277,51	183,94	122,85
23	634,16	506,69	405,73	325,57	261,80	170,32	111,68
24	621,72	491,93	390,12	310,07	246,98	157,70	101,53
25	609,53	477,61	375,12	295,30	233,00	146,02	92,30
26	597,58	463,69	360,69	281,24	219,81	135,20	83,91
27	585,86	450,19	346,82	267,85	207,37	125,19	76,28
28	574,37	437,08	333,48	255,09	195,63	115,91	69,34
29	563,11	424,35	320,65	242,95	184,56	107,33	63,04
30	552,07	411,99	308,32	231,38	174,11	99,38	57,31
31	541,25	399,99	296,46	220,36	164,25	92,02	52,10
32	530,63	388,34	285,06	209,87	154,96	85,20	47,36
33	520,23	377,03	274,09	199,87	146,19	78,89	43,06
34	510,03	366,04	263,55	190,35	137,91	73,05	39,14
35	500,03	355,38	253,42	181,29	130,11	67,63	35,58
36	490,22	345,03	243,67	172,66	122,74	62,62	32,35
37	480,61	334,98	234,30	164,44	115,79	57,99	29,41
38	471,19	325,23	225,29	156,61	109,24	53,69	26,73
39	461,95	315,75	216,62	149,15	103,06	49,71	24,30
40	452,89	306,56	208,29	142,05	97,22	46,03	22,09
41	444,01	297,63	200,28	135,28	91,72	42,62	20,09
42	435,30	288,96	192,57	128,84	86,53	39,46	18,26
43	426,77	280,54	185,17	122,70	81,63	36,54	16,60
44	418,40	272,37	178,05	116,86	77,01	33,83	15,09
45	410,20	264,44	171,20	111,30	72,65	31,33	13,72

TABLE V **La valeur finale d'une annuité annuelle de 1 000 $ (en fin de période)**

n	2 %	4 %	5 %	6 %	7 %	8 %	10 %
1	1 000,00	1 000,00	1 000,00	1 000,00	1 000,00	1 000,00	1 000,00
2	2 020,00	2 040,00	2 050,00	2 060,00	2 070,00	2 080,00	2 100,00
3	3 060,40	3 121,60	3 152,50	3 183,60	3 214,90	3 246,40	3 310,00
4	4 121,61	4 246,46	4 310,13	4 374,62	4 439,94	4 506,11	4 641,00
5	5 204,04	5 416,32	5 525,63	5 637,09	5 750,74	5 866,60	6 105,10
6	6 308,12	6 632,98	6 801,91	6 975,32	7 153,29	7 335,93	7 715,61
7	7 434,28	7 898,29	8 142,01	8 393,84	8 654,02	8 922,80	9 487,17
8	8 582,97	9 214,23	9 549,11	9 897,47	10 259,80	10 636,63	11 435,89
9	9 754,63	10 582,80	11 026,56	11 491,32	11 977,99	12 487,56	13 579,48
10	10 949,72	12 006,11	12 577,89	13 180,79	13 816,45	14 486,56	15 937,42
11	12 168,72	13 486,35	14 206,79	14 971,64	15 783,60	16 645,49	18 531,17
12	13 412,09	15 025,81	15 917,13	16 869,94	17 888,45	18 977,13	21 384,28
13	14 680,33	16 626,84	17 712,98	18 882,14	20 140,64	21 495,30	24 522,71
14	15 973,94	18 291,91	19 598,63	21 015,07	22 550,49	24 214,92	27 974,98
15	17 293,42	20 023,59	21 578,56	23 275,97	25 129,02	27 152,11	31 772,48
16	18 639,29	21 824,53	23 657,49	25 672,53	27 888,05	30 324,28	35 949,73
17	20 012,07	23 697,51	25 840,37	28 212,88	30 840,22	33 750,23	40 544,70
18	21 412,31	25 645,41	28 132,38	30 905,65	33 999,03	37 450,24	45 599,17
19	22 840,56	27 671,23	30 539,00	33 759,99	37 378,96	41 446,26	51 159,09
20	24 297,37	29 778,08	33 065,95	36 785,59	40 995,49	45 761,96	57 275,00
21	25 783,32	31 969,20	35 719,25	39 992,73	44 865,18	50 422,92	64 002,50
22	27 298,98	34 247,97	38 505,21	43 392,29	49 005,74	55 456,76	71 402,75
23	28 844,96	36 617,89	41 430,48	46 995,83	53 436,14	60 893,30	79 543,02
24	30 421,86	39 082,60	44 502,00	50 815,58	58 176,67	66 764,76	88 497,33
25	32 030,30	41 645,91	47 727,10	54 864,51	63 249,04	73 105,94	98 347,06
26	33 670,91	44 311,74	51 113,45	59 156,38	68 676,47	79 954,42	109 181,77
27	35 344,32	47 084,21	54 669,13	63 705,77	74 483,82	87 350,77	121 099,94
28	37 051,21	49 967,58	58 402,58	68 528,11	80 697,69	95 338,83	134 209,94
29	38 792,23	52 966,29	62 322,71	73 639,80	87 346,53	103 965,94	148 630,93
30	40 568,08	56 084,94	66 438,85	79 058,19	94 460,79	113 283,21	164 494,02
31	42 379,44	59 328,34	70 760,79	84 801,68	102 073,04	123 345,87	181 943,42
32	44 227,03	62 701,47	75 298,83	90 889,78	110 218,15	134 213,54	201 137,77
33	46 111,57	66 209,53	80 063,77	97 343,16	118 933,43	145 950,62	222 251,54
34	48 033,80	69 857,91	85 066,96	104 183,75	128 258,76	158 626,67	245 476,70
35	49 994,48	73 652,22	90 320,31	111 434,78	138 236,88	172 316,80	271 024,37
36	51 994,37	77 598,31	95 836,32	119 120,87	148 913,46	187 102,15	299 126,81
37	54 034,25	81 702,25	101 628,14	127 268,12	160 337,40	203 070,32	330 039,49
38	56 114,94	85 970,34	107 709,55	135 904,21	172 561,02	220 315,95	364 043,43
39	58 237,24	90 409,15	114 095,02	145 058,46	185 640,29	238 941,22	401 447,78
40	60 401,98	95 025,52	120 799,77	154 761,97	199 635,11	259 056,52	442 592,56
41	62 610,02	99 826,54	127 839,76	165 047,68	214 609,57	280 781,04	487 851,81
42	64 862,22	104 819,60	135 231,75	175 950,54	230 632,24	304 243,52	537 636,99
43	67 159,47	110 012,38	142 993,34	187 507,58	247 776,50	329 583,01	592 400,69
44	69 502,66	115 412,88	151 143,01	199 758,03	266 120,85	356 949,65	652 640,76
45	71 892,71	121 029,39	159 700,16	212 743,51	285 749,31	386 505,62	718 904,84

TABLE VI La valeur d'une annuité annuelle pour accumuler un capital de 1 000 $ (en fin de période)

n	2%	4%	5%	6%	7%	8%	10%
1	1 000,00	1 000,00	1 000,00	1 000,00	1 000,00	1 000,00	1 000,00
2	495,05	490,20	487,80	485,44	483,09	480,77	476,19
3	326,75	320,35	317,21	314,11	311,05	308,03	302,11
4	242,62	235,49	232,01	228,59	225,23	221,92	215,47
5	192,16	184,63	180,97	177,40	173,89	170,46	163,80
6	158,53	150,76	147,02	143,36	139,80	136,32	129,61
7	134,51	126,61	122,82	119,14	115,55	112,07	105,41
8	116,51	108,53	104,72	101,04	97,47	94,01	87,44
9	102,52	94,49	90,69	87,02	83,49	80,08	73,64
10	91,33	83,29	79,50	75,87	72,38	69,03	62,75
11	82,18	74,15	70,39	66,79	63,36	60,08	53,96
12	74,56	66,55	62,83	59,28	55,90	52,70	46,76
13	68,12	60,14	56,46	52,96	49,65	46,52	40,78
14	62,60	54,67	51,02	47,58	44,34	41,30	35,75
15	57,83	49,94	46,34	42,96	39,79	36,83	31,47
16	53,65	45,82	42,27	38,95	35,86	32,98	27,82
17	49,97	42,20	38,70	35,44	32,43	29,63	24,66
18	46,70	38,99	35,55	32,36	29,41	26,70	21,93
19	43,78	36,14	32,75	29,62	26,75	24,13	19,55
20	41,16	33,58	30,24	27,18	24,39	21,85	17,46
21	38,78	31,28	28,00	25,00	22,29	19,83	15,62
22	36,63	29,20	25,97	23,05	20,41	18,03	14,01
23	34,67	27,31	24,14	21,28	18,71	16,42	12,57
24	32,87	25,59	22,47	19,68	17,19	14,98	11,30
25	31,22	24,01	20,95	18,23	15,81	13,68	10,17
26	29,70	22,57	19,56	16,90	14,56	12,51	9,16
27	28,29	21,24	18,29	15,70	13,43	11,45	8,26
28	26,99	20,01	17,12	14,59	12,39	10,49	7,45
29	25,78	18,88	16,05	13,58	11,45	9,62	6,73
30	24,65	17,83	15,05	12,65	10,59	8,83	6,08
31	23,60	16,86	14,13	11,79	9,80	8,11	5,50
32	22,61	15,95	13,28	11,00	9,07	7,45	4,97
33	21,69	15,10	12,49	10,27	8,41	6,85	4,50
34	20,82	14,31	11,76	9,60	7,80	6,30	4,07
35	20,00	13,58	11,07	8,97	7,23	5,80	3,69
36	19,23	12,89	10,43	8,39	6,72	5,34	3,34
37	18,51	12,24	9,84	7,86	6,24	4,92	3,03
38	17,82	11,63	9,28	7,36	5,80	4,54	2,75
39	17,17	11,06	8,76	6,89	5,39	4,19	2,49
40	16,56	10,52	8,28	6,46	5,01	3,86	2,26
41	15,97	10,02	7,82	6,06	4,66	3,56	2,05
42	15,42	9,54	7,39	5,68	4,34	3,29	1,86
43	14,89	9,09	6,99	5,33	4,04	3,03	1,69
44	14,39	8,66	6,62	5,01	3,76	2,80	1,53
45	13,91	8,26	6,26	4,70	3,50	2,59	1,39

TABLE VII La valeur du capital produisant un revenu de 1 000$ à la fin de chaque année (capitalisation annuelle)

n	2%	4%	5%	6%	7%	8%	10%
1	980,39	961,54	952,38	943,40	934,58	925,93	909,09
2	1 941,56	1 886,09	1 859,41	1 833,39	1 808,02	1 783,26	1 735,54
3	2 883,88	2 775,09	2 723,25	2 673,01	2 624,32	2 577,10	2 486,85
4	3 807,73	3 629,90	3 545,95	3 465,11	3 387,21	3 312,13	3 169,87
5	4 713,46	4 451,82	4 329,48	4 212,36	4 100,20	3 992,71	3 790,79
6	5 601,43	5 242,14	5 075,69	4 917,32	4 766,54	4 622,88	4 355,26
7	6 471,99	6 002,05	5 786,37	5 582,38	5 389,29	5 206,37	4 868,42
8	7 325,48	6 732,74	6 463,21	6 209,79	5 971,30	5 746,64	5 334,93
9	8 162,24	7 435,33	7 107,82	6 801,69	6 515,23	6 246,89	5 759,02
10	8 982,59	8 110,90	7 721,73	7 360,09	7 023,58	6 710,08	6 144,57
11	9 786,85	8 760,48	8 306,41	7 886,87	7 498,67	7 138,96	6 495,06
12	10 575,34	9 385,07	8 863,25	8 383,84	7 942,69	7 536,08	6 813,69
13	11 348,37	9 985,65	9 393,57	8 852,68	8 357,65	7 903,78	7 103,36
14	12 106,25	10 563,12	9 898,64	9 294,98	8 745,47	8 244,24	7 366,69
15	12 849,26	11 118,39	10 379,66	9 712,25	9 107,91	8 559,48	7 606,08
16	13 577,71	11 652,30	10 837,77	10 105,90	9 446,65	8 851,37	7 823,71
17	14 291,87	12 165,67	11 274,07	10 477,26	9 763,22	9 121,64	8 021,55
18	14 992,03	12 659,30	11 689,59	10 827,60	10 059,09	9 371,89	8 201,41
19	15 678,46	13 133,94	12 085,32	11 158,12	10 335,60	9 603,60	8 364,92
20	16 351,43	13 590,33	12 462,21	11 469,92	10 594,01	9 818,15	8 513,56
21	17 011,21	14 029,16	12 821,15	11 764,08	10 835,53	10 016,80	8 648,69
22	17 658,05	14 451,12	13 163,00	12 041,58	11 061,24	10 200,74	8 771,54
23	18 292,20	14 856,84	13 488,57	12 303,38	11 272,19	10 371,06	8 883,22
24	18 913,93	15 246,96	13 798,64	12 550,36	11 469,33	10 528,76	8 984,74
25	19 523,46	15 622,08	14 093,94	12 783,36	11 653,58	10 674,78	9 077,04
26	20 121,04	15 982,77	14 375,19	13 003,17	11 825,78	10 809,98	9 160,95
27	20 706,90	16 329,59	14 643,03	13 210,53	11 986,71	10 935,16	9 237,22
28	21 281,27	16 663,06	14 898,13	13 406,16	12 137,11	11 051,08	9 306,57
29	21 844,38	16 983,71	15 141,07	13 590,72	12 277,67	11 158,41	9 369,61
30	22 396,46	17 292,03	15 372,45	13 764,83	12 409,04	11 257,78	9 426,91
31	22 937,70	17 588,49	15 592,81	13 929,09	12 531,81	11 349,80	9 479,01
32	23 468,33	17 873,55	15 802,68	14 084,04	12 646,56	11 435,00	9 526,38
33	23 988,56	18 147,65	16 002,55	14 230,23	12 753,79	11 513,89	9 569,43
34	24 498,59	18 411,20	16 192,90	14 368,14	12 854,01	11 586,93	9 608,57
35	24 998,62	18 664,61	16 374,19	14 498,25	12 947,67	11 654,57	9 644,16
36	25 488,84	18 908,28	16 546,85	14 620,99	13 035,21	11 717,19	9 676,51
37	25 969,45	19 142,58	16 711,29	14 736,78	13 117,02	11 775,18	9 705,92
38	26 440,64	19 367,86	16 867,89	14 846,02	13 193,47	11 828,87	9 732,65
39	26 902,59	19 584,48	17 017,04	14 949,07	13 264,93	11 878,58	9 756,96
40	27 355,48	19 792,77	17 159,09	15 046,30	13 331,71	11 924,61	9 779,05
41	27 799,49	19 993,05	17 294,37	15 138,02	13 394,12	11 967,23	9 799,14
42	28 234,79	20 185,63	17 423,21	15 224,54	13 452,45	12 006,70	9 817,40
43	28 661,56	20 370,79	17 545,91	15 306,17	13 506,96	12 043,24	9 834,00
44	29 079,96	20 548,84	17 662,77	15 383,18	13 557,91	12 077,07	9 849,09
45	29 490,16	20 720,04	17 774,07	15 455,83	13 605,52	12 108,40	9 862,81

TABLE **VIII** La valeur du revenu annuel pour amortir un capital de 1 000 $ (en fin de période)

n	2 %	4 %	5 %	6 %	7 %	8 %	10 %
1	1 020,00	1 040,00	1 050,00	1 060,00	1 070,00	1 080,00	1 100,00
2	515,05	530,20	537,80	545,44	553,09	560,77	576,19
3	346,75	360,35	367,21	374,11	381,05	388,03	402,11
4	262,62	275,49	282,01	288,59	295,23	301,92	315,47
5	212,16	224,63	230,97	237,40	243,89	250,46	263,80
6	178,53	190,76	197,02	203,36	209,80	216,32	229,61
7	154,51	166,61	172,82	179,14	185,55	192,07	205,41
8	136,51	148,53	154,72	161,04	167,47	174,01	187,44
9	122,52	134,49	140,69	147,02	153,49	160,08	173,64
10	111,33	123,29	129,50	135,87	142,38	149,03	162,75
11	102,18	114,15	120,39	126,79	133,36	140,08	153,96
12	94,56	106,55	112,83	119,28	125,90	132,70	146,76
13	88,12	100,14	106,46	112,96	119,65	126,52	140,78
14	82,60	94,67	101,02	107,58	114,34	121,30	135,75
15	77,83	89,94	96,34	102,96	109,79	116,83	131,47
16	73,65	85,82	92,27	98,95	105,86	112,98	127,82
17	69,97	82,20	88,70	95,44	102,43	109,63	124,66
18	66,70	78,99	85,55	92,36	99,41	106,70	121,93
19	63,78	76,14	82,75	89,62	96,75	104,13	119,55
20	61,16	73,58	80,24	87,18	94,39	101,85	117,46
21	58,78	71,28	78,00	85,00	92,29	99,83	115,62
22	56,63	69,20	75,97	83,05	90,41	98,03	114,01
23	54,67	67,31	74,14	81,28	88,71	96,42	112,57
24	52,87	65,59	72,47	79,68	87,19	94,98	111,30
25	51,22	64,01	70,95	78,23	85,81	93,68	110,17
26	49,70	62,57	69,56	76,90	84,56	92,51	109,16
27	48,29	61,24	68,29	75,70	83,43	91,45	108,26
28	46,99	60,01	67,12	74,59	82,39	90,49	107,45
29	45,78	58,88	66,05	73,58	81,45	89,62	106,73
30	44,65	57,83	65,05	72,65	80,59	88,83	106,08
31	43,60	56,86	64,13	71,79	79,80	88,11	105,50
32	42,61	55,95	63,28	71,00	79,07	87,45	104,97
33	41,69	55,10	62,49	70,27	78,41	86,85	104,50
34	40,82	54,31	61,76	69,60	77,80	86,30	104,07
35	40,00	53,58	61,07	68,97	77,23	85,80	103,69
36	39,23	52,89	60,43	68,39	76,72	85,34	103,34
37	38,51	52,24	59,84	67,86	76,24	84,92	103,03
38	37,82	51,63	59,28	67,36	75,80	84,54	102,75
39	37,17	51,06	58,76	66,89	75,39	84,19	102,49
40	36,56	50,52	58,28	66,46	75,01	83,86	102,26
41	35,97	50,02	57,82	66,06	74,66	83,56	102,05
42	35,42	49,54	57,39	65,68	74,34	83,29	101,86
43	34,89	49,09	56,99	65,33	74,04	83,03	101,69
44	34,39	48,66	56,62	65,01	73,76	82,80	101,53
45	33,91	48,26	56,26	64,70	73,50	82,59	101,39

TABLE IX.A La valeur finale d'une annuité de 1 000$ en versement initial, effectué en fin de période, majorée annuellement de l'inflation – Inflation de 3%

n	2%	4%	5%	6%	7%	8%	10%
1	1000	1000	1000	1000	1000	1000	1000
2	2050	2070	2080	2090	2100	2110	2130
3	3152	3214	3245	3276	3308	3340	3404
4	4308	4435	4500	4566	4632	4700	4837
5	5519	5738	5850	5965	6082	6201	6446
6	6789	7127	7302	7482	7667	7856	8250
7	8119	8606	8861	9125	9398	9679	10269
8	9511	10180	10534	10903	11285	11683	12526
9	10968	11854	12328	12824	13342	13885	15045
10	12492	13633	14249	14898	15581	16300	17855
11	14086	15522	16305	17135	18015	18948	20984
12	15752	17527	18505	19548	20661	21848	24467
13	17493	19654	20856	22146	23533	25022	28339
14	19311	21909	23367	24944	26649	28492	32642
15	21210	24298	26048	27953	30027	32284	37418
16	23192	26827	28908	31188	33686	36425	42718
17	25261	29505	31959	34664	37649	40943	48595
18	27419	32338	35209	38397	41937	45872	55107
19	29669	35334	38672	42403	46576	51244	62320
20	32016	38501	42359	46701	51589	57097	70306
21	34463	41847	46283	51309	57007	63471	79142
22	37012	45382	50458	56248	62857	70409	88917
23	39669	49113	54897	61539	69174	77958	99725
24	42436	53051	59615	67205	75989	86168	111671
25	45317	57206	64629	73270	83341	95094	124870
26	48317	61588	69954	79760	91269	104795	139451
27	51440	66208	75608	86702	99814	115335	155553
28	54690	71078	81610	94125	109023	126784	173330
29	58072	76209	87979	102061	118942	139214	192950
30	61590	81614	94734	110541	129625	152708	214602
31	65249	87305	101898	119601	141126	167352	238489
32	69054	93298	109493	129277	153505	183240	264838
33	73010	99605	117543	139608	166825	200474	293897
34	77123	106241	126072	150637	181155	219165	325939
35	81397	113223	135108	162407	196568	239430	361265
36	85839	120565	144677	174966	213142	261398	400206
37	90454	128286	154809	188362	230960	285208	443125
38	95248	136403	165535	202649	250112	311010	490422
39	100228	144934	176886	217883	270695	338965	542539
40	105400	153898	188898	234123	292811	369250	599960
41	110770	163316	201604	251432	316569	402052	663218
42	116345	173209	215045	269878	342089	437576	732900
43	122133	183598	229258	289531	369496	476042	809651
44	128140	194506	244285	310468	398925	517690	894180
45	134374	205958	260171	332767	430521	562777	987270

TABLE IX.B La valeur finale d'une annuité de 1 000$ en versement initial, effectué en fin de période, majorée annuellement de l'inflation – Inflation de 4%

n	2%	4%	5%	6%	7%	8%	10%
1	1 000	1 000	1 000	1 000	1 000	1 000	1 000
2	2 060	2 080	2 090	2 100	2 110	2 120	2 140
3	3 183	3 245	3 276	3 308	3 339	3 371	3 436
4	4 371	4 499	4 565	4 631	4 698	4 766	4 904
5	5 629	5 849	5 963	6 079	6 197	6 317	6 564
6	6 958	7 300	7 478	7 660	7 847	8 039	8 437
7	8 362	8 857	9 117	9 385	9 662	9 947	10 546
8	9 845	10 527	10 889	11 264	11 654	12 059	12 917
9	11 411	12 317	12 802	13 308	13 838	14 392	15 577
10	13 062	14 233	14 865	15 530	16 230	16 967	18 558
11	14 804	16 283	17 089	17 942	18 847	19 805	21 894
12	16 640	18 473	19 482	20 558	21 705	22 928	25 623
13	18 573	20 813	22 058	23 393	24 826	26 364	29 787
14	20 610	23 311	24 826	26 461	28 229	30 138	34 430
15	22 754	25 975	27 798	29 781	31 936	34 281	39 605
16	25 010	28 815	30 989	33 369	35 973	38 824	45 367
17	27 383	31 841	34 412	37 244	40 364	43 803	51 776
18	29 879	35 062	38 080	41 426	45 137	49 255	58 902
19	32 502	38 490	42 010	45 938	50 323	55 221	66 818
20	35 259	42 137	46 217	50 801	55 952	61 746	75 606
21	38 155	46 014	50 719	56 040	62 060	68 877	85 358
22	41 197	50 133	55 534	61 681	68 683	76 666	96 173
23	44 391	54 508	60 681	67 752	75 860	85 169	108 160
24	47 743	59 153	66 180	74 282	83 635	94 447	121 440
25	51 262	64 083	72 052	81 302	92 053	104 566	136 148
26	54 953	69 312	78 320	88 846	101 163	115 597	152 428
27	58 824	74 857	85 009	96 949	111 017	127 617	170 444
28	62 884	80 734	92 143	105 649	121 671	140 710	190 372
29	67 140	86 962	99 748	114 987	133 187	154 966	212 407
30	71 602	93 559	107 854	125 005	145 629	170 481	236 767
31	76 277	100 545	116 491	135 748	159 066	187 363	263 687
32	81 176	107 940	125 688	147 266	173 574	205 726	293 429
33	86 307	115 766	135 481	159 610	189 232	225 692	326 280
34	91 682	124 045	145 903	172 835	206 127	247 395	362 556
35	97 310	132 801	156 993	187 000	224 350	270 981	402 606
36	103 202	142 059	168 788	202 166	244 000	296 606	446 812
37	109 370	151 845	181 332	218 400	265 184	324 438	495 598
38	115 826	162 187	194 666	235 772	288 015	354 662	549 425
39	122 581	173 114	208 839	254 357	312 615	387 473	608 807
40	129 649	184 654	223 897	274 235	339 115	423 088	674 304
41	137 043	196 842	239 893	295 490	367 654	461 736	746 535
42	144 777	209 708	256 880	318 212	398 382	503 667	826 182
43	152 865	223 289	274 917	342 498	431 462	549 154	913 993
44	161 323	237 622	294 064	368 448	467 065	598 486	1 010 793
45	170 166	252 743	314 383	396 172	505 376	651 982	1 117 488

TABLE X.A La valeur du versement initial, effectué en fin de période, majorée annuellement de l'inflation permettant d'atteindre un capital de 10 000 $ – Inflation de 3 %

n	2%	4%	5%	6%	7%	8%	10%
1	10000	10000	10000	10000	10000	10000	10000
2	4878	4831	4808	4785	4762	4739	4695
3	3173	3112	3082	3052	3023	2994	2938
4	2321	2255	2222	2190	2159	2128	2067
5	1812	1743	1709	1676	1644	1613	1551
6	1473	1403	1369	1337	1304	1273	1212
7	1232	1162	1128	1096	1064	1033	974
8	1051	982	949	917	886	856	798
9	912	844	811	780	750	720	665
10	800	734	702	671	642	613	560
11	710	644	613	584	555	528	477
12	635	571	540	512	484	458	409
13	572	509	479	452	425	400	353
14	518	456	428	401	375	351	306
15	471	412	384	358	333	310	267
16	431	373	346	321	297	275	234
17	396	339	313	288	266	244	206
18	365	309	284	260	238	218	181
19	337	283	259	236	215	195	160
20	312	260	236	214	194	175	142
21	290	239	216	195	175	158	126
22	270	220	198	178	159	142	112
23	252	204	182	162	145	128	100
24	236	188	168	149	132	116	90
25	221	175	155	136	120	105	80
26	207	162	143	125	110	95	72
27	194	151	132	115	100	87	64
28	183	141	123	106	92	79	58
29	172	131	114	98	84	72	52
30	162	123	106	90	77	65	47
31	153	115	98	84	71	60	42
32	145	107	91	77	65	55	38
33	137	100	85	72	60	50	34
34	130	94	79	66	55	46	31
35	123	88	74	62	51	42	28
36	116	83	69	57	47	38	25
37	111	78	65	53	43	35	23
38	105	73	60	49	40	32	20
39	100	69	57	46	37	30	18
40	95	65	53	43	34	27	17
41	90	61	50	40	32	25	15
42	86	58	47	37	29	23	14
43	82	54	44	35	27	21	12
44	78	51	41	32	25	19	11
45	74	49	38	30	23	18	10

TABLE X.B La valeur du versement initial, effectué en fin de période, majorée annuellement de l'inflation permettant d'atteindre un capital de 10 000 $ – Inflation de 4 %

n	2 %	4 %	5 %	6 %	7 %	8 %	10 %
1	10 000	10 000	10 000	10 000	10 000	10 000	10 000
2	4 854	4 808	4 785	4 762	4 739	4 717	4 673
3	3 142	3 082	3 052	3 023	2 995	2 966	2 911
4	2 288	2 223	2 191	2 159	2 129	2 098	2 039
5	1 777	1 710	1 677	1 645	1 614	1 583	1 523
6	1 437	1 370	1 337	1 305	1 274	1 244	1 185
7	1 196	1 129	1 097	1 066	1 035	1 005	948
8	1 016	950	918	888	858	829	774
9	876	812	781	751	723	695	642
10	766	703	673	644	616	589	539
11	675	614	585	557	531	505	457
12	601	541	513	486	461	436	390
13	538	480	453	427	403	379	336
14	485	429	403	378	354	332	290
15	439	385	360	336	313	292	252
16	400	347	323	300	278	258	220
17	365	314	291	269	248	228	193
18	335	285	263	241	222	203	170
19	308	260	238	218	199	181	150
20	284	237	216	197	179	162	132
21	262	217	197	178	161	145	117
22	243	199	180	162	146	130	104
23	225	183	165	148	132	117	92
24	209	169	151	135	120	106	82
25	195	156	139	123	109	96	73
26	182	144	128	113	99	87	66
27	170	134	118	103	90	78	59
28	159	124	109	95	82	71	53
29	149	115	100	87	75	65	47
30	140	107	93	80	69	59	42
31	131	99	86	74	63	53	38
32	123	93	80	68	58	49	34
33	116	86	74	63	53	44	31
34	109	81	69	58	49	40	28
35	103	75	64	53	45	37	25
36	97	70	59	49	41	34	22
37	91	66	55	46	38	31	20
38	86	62	51	42	35	28	18
39	82	58	48	39	32	26	16
40	77	54	45	36	29	24	15
41	73	51	42	34	27	22	13
42	69	48	39	31	25	20	12
43	65	45	36	29	23	18	11
44	62	42	34	27	21	17	10
45	59	40	32	25	20	15	9

TABLE XI.A Le capital nécessaire pour produire un revenu de 10 000 $ par année, encaissé en fin de période, majoré annuellement de l'inflation – Inflation de 3 %

n	2 %	4 %	5 %	6 %	7 %	8 %	10 %
1	9 804	9 615	9 524	9 434	9 346	9 259	9 091
2	19 704	19 138	18 866	18 601	18 342	18 090	17 603
3	29 701	28 570	28 031	27 508	27 002	26 512	25 574
4	39 796	37 910	37 021	36 164	35 339	34 543	33 037
5	49 990	47 161	45 839	44 574	43 363	42 204	40 026
6	60 284	56 323	54 490	52 747	51 088	49 509	46 570
7	70 679	65 397	62 976	60 688	58 524	56 476	52 697
8	81 176	74 384	71 300	68 404	65 682	63 121	58 435
9	91 776	83 284	79 466	75 902	72 572	69 458	63 807
10	102 480	92 098	87 476	83 188	79 205	75 501	68 837
11	113 288	100 828	95 334	90 268	85 590	81 265	73 548
12	124 203	109 474	103 041	97 147	91 736	86 762	77 958
13	135 224	118 037	110 603	103 831	97 653	92 005	82 088
14	146 354	126 517	118 020	110 327	103 348	97 004	85 955
15	157 593	134 916	125 296	116 638	108 830	101 773	89 576
16	168 942	143 234	132 433	122 771	114 108	106 320	92 967
17	180 402	151 472	139 434	128 730	119 188	110 657	96 142
18	191 974	159 631	146 302	134 521	124 078	114 794	99 115
19	203 660	167 712	153 039	140 148	128 785	118 738	101 898
20	215 461	175 714	159 648	145 615	133 317	122 500	104 505
21	227 377	183 640	166 131	150 928	137 679	126 088	106 945
22	239 410	191 490	172 490	156 091	141 878	129 510	109 231
23	251 562	199 264	178 728	161 107	145 920	132 774	111 370
24	263 832	206 963	184 848	165 981	149 810	135 886	113 374
25	276 222	214 589	190 851	170 718	153 556	138 854	115 250
26	288 734	222 141	196 739	175 320	157 161	141 685	117 007
27	301 369	229 620	202 516	179 792	160 632	144 385	118 652
28	314 127	237 028	208 182	184 137	163 973	146 960	120 192
29	327 011	244 364	213 741	188 360	167 189	149 415	121 635
30	340 021	251 630	219 193	192 463	170 284	151 757	122 985
31	353 158	258 826	224 542	196 450	173 264	153 990	124 250
32	366 425	265 952	229 789	200 324	176 133	156 121	125 434
33	379 821	273 010	234 936	204 088	178 894	158 152	126 543
34	393 349	280 001	239 984	207 746	181 553	160 089	127 581
35	407 009	286 924	244 937	211 301	184 111	161 937	128 553
36	420 803	293 780	249 795	214 754	186 574	163 699	129 463
37	434 733	300 571	254 561	218 110	188 946	165 380	130 316
38	448 799	307 296	259 236	221 371	191 228	166 983	131 114
39	463 002	313 957	263 822	224 540	193 425	168 511	131 861
40	477 346	320 553	268 321	227 619	195 540	169 969	132 561
41	491 829	327 086	272 734	230 611	197 576	171 359	133 216
42	506 455	333 557	277 063	233 518	199 536	172 685	133 830
43	521 224	339 965	281 309	236 343	201 422	173 950	134 404
44	536 138	346 311	285 475	239 088	203 238	175 156	134 942
45	551 199	352 597	289 561	241 756	204 986	176 306	135 446

TABLE XI.B Le capital nécessaire pour produire un revenu de 10 000 $ par année, encaissé en fin de période, majoré annuellement de l'inflation – Inflation de 4 %

n	2 %	4 %	5 %	6 %	7 %	8 %	10 %
1	9804	9615	9524	9434	9346	9259	9091
2	19800	19231	18957	18690	18430	18176	17686
3	29992	28846	28300	27771	27259	26762	25812
4	40384	38462	37554	36681	35840	35030	33495
5	50980	48077	46721	45423	44181	42992	40759
6	61784	57692	55799	54000	52288	50659	47627
7	72799	67308	64792	62415	60168	58042	54120
8	84030	76923	73699	70671	67827	65151	60259
9	95482	86538	82521	78772	75271	71997	66063
10	107158	96154	91258	86720	82506	78590	71550
11	119063	105769	99913	94517	89539	84939	76738
12	131201	115385	108485	102168	96374	91052	81644
13	143578	125000	116976	109674	103018	96939	86281
14	156197	134615	125386	117039	109475	102608	90666
15	169064	144231	133715	124265	115752	108067	94811
16	182183	153846	141966	131354	121852	113324	98731
17	195559	163462	150137	138310	127782	118386	102436
18	209197	173077	158231	145134	133545	123260	105940
19	223103	182692	166248	151829	139146	127954	109252
20	237282	192308	174189	158399	144591	132475	112384
21	251738	201923	182054	164844	149883	136827	115345
22	266478	211538	189844	171168	155026	141019	118144
23	281507	221154	197559	177372	160025	145055	120791
24	296831	230769	205202	183459	164884	148942	123293
25	312455	240385	212771	189432	169607	152685	125659
26	328385	250000	220269	195292	174198	156289	127896
27	344628	259615	227695	201041	178659	159760	130011
28	361189	269231	235050	206682	182996	163102	132010
29	378076	278846	242335	212216	187211	166321	133900
30	395293	288462	249551	217646	191308	169420	135688
31	412847	298077	256698	222973	195290	172404	137377
32	430746	307692	263777	228200	199160	175278	138975
33	448996	317308	270789	233328	202922	178046	140485
34	467604	326923	277734	238360	206579	180711	141913
35	486577	336538	284612	243297	210133	183277	143264
36	505921	346154	291426	248140	213587	185748	144540
37	525645	355769	298174	252892	216944	188128	145747
38	545756	365385	304858	257555	220207	190419	146888
39	566261	375000	311478	262129	223379	192626	147967
40	587168	384615	318036	266617	226462	194751	148987
41	608485	394231	324531	271021	229458	196797	149951
42	630220	403846	330964	275341	232371	198768	150863
43	652381	413462	337335	279580	235202	200665	151725
44	674977	423077	343647	283739	237953	202493	152540
45	698016	432692	349898	287819	240627	204252	153311

TABLE XII.A La valeur du premier encaissement, effectué en fin de période, majorée annuellement de l'inflation, pour amortir un capital de 10 000 $ – Inflation de 3 %

n	2 %	4 %	5 %	6 %	7 %	8 %	10 %
1	10 200	10 400	10 500	10 600	10 700	10 800	11 000
2	5 075	5 225	5 300	5 376	5 452	5 528	5 681
3	3 367	3 500	3 568	3 635	3 703	3 772	3 910
4	2 513	2 638	2 701	2 765	2 830	2 895	3 027
5	2 000	2 120	2 182	2 243	2 306	2 369	2 498
6	1 659	1 775	1 835	1 896	1 957	2 020	2 147
7	1 415	1 529	1 588	1 648	1 709	1 771	1 898
8	1 232	1 344	1 403	1 462	1 522	1 584	1 711
9	1 090	1 201	1 258	1 317	1 378	1 440	1 567
10	976	1 086	1 143	1 202	1 263	1 324	1 453
11	883	992	1 049	1 108	1 168	1 231	1 360
12	805	913	970	1 029	1 090	1 153	1 283
13	740	847	904	963	1 024	1 087	1 218
14	683	790	847	906	968	1 031	1 163
15	635	741	798	857	919	983	1 116
16	592	698	755	815	876	941	1 076
17	554	660	717	777	839	904	1 040
18	521	626	684	743	806	871	1 009
19	491	596	653	714	776	842	981
20	464	569	626	687	750	816	957
21	440	545	602	663	726	793	935
22	418	522	580	641	705	772	915
23	398	502	560	621	685	753	898
24	379	483	541	602	668	736	882
25	362	466	524	586	651	720	868
26	346	450	508	570	636	706	855
27	332	436	494	556	623	693	843
28	318	422	480	543	610	680	832
29	306	409	468	531	598	669	822
30	294	397	456	520	587	659	813
31	283	386	445	509	577	649	805
32	273	376	435	499	568	641	797
33	263	366	426	490	559	632	790
34	254	357	417	481	551	625	784
35	246	349	408	473	543	618	778
36	238	340	400	466	536	611	772
37	230	333	393	458	529	605	767
38	223	325	386	452	523	599	763
39	216	319	379	445	517	593	758
40	209	312	373	439	511	588	754
41	203	306	367	434	506	584	751
42	197	300	361	428	501	579	747
43	192	294	355	423	496	575	744
44	187	289	350	418	492	571	741
45	181	284	345	414	488	567	738

TABLE **XII.B** La valeur du premier encaissement, effectué en fin de période, majorée annuellement de l'inflation, pour amortir un capital de 10 000$ – Inflation de 4%

n	2%	4%	5%	6%	7%	8%	10%
1	10 200	10 400	10 500	10 600	10 700	10 800	11 000
2	5 050	5 200	5 275	5 350	5 426	5 502	5 654
3	3 334	3 467	3 534	3 601	3 669	3 737	3 874
4	2 476	2 600	2 663	2 726	2 790	2 855	2 986
5	1 962	2 080	2 140	2 202	2 263	2 326	2 453
6	1 619	1 733	1 792	1 852	1 912	1 974	2 100
7	1 374	1 486	1 543	1 602	1 662	1 723	1 848
8	1 190	1 300	1 357	1 415	1 474	1 535	1 660
9	1 047	1 156	1 212	1 269	1 329	1 389	1 514
10	933	1 040	1 096	1 153	1 212	1 272	1 398
11	840	945	1 001	1 058	1 117	1 177	1 303
12	762	867	922	979	1 038	1 098	1 225
13	696	800	855	912	971	1 032	1 159
14	640	743	798	854	913	975	1 103
15	591	693	748	805	864	925	1 055
16	549	650	704	761	821	882	1 013
17	511	612	666	723	783	845	976
18	478	578	632	689	749	811	944
19	448	547	602	659	719	782	915
20	421	520	574	631	692	755	890
21	397	495	549	607	667	731	867
22	375	473	527	584	645	709	846
23	355	452	506	564	625	689	828
24	337	433	487	545	606	671	811
25	320	416	470	528	590	655	796
26	305	400	454	512	574	640	782
27	290	385	439	497	560	626	769
28	277	371	425	484	546	613	758
29	264	359	413	471	534	601	747
30	253	347	401	459	523	590	737
31	242	335	390	448	512	580	728
32	232	325	379	438	502	571	720
33	223	315	369	429	493	562	712
34	214	306	360	420	484	553	705
35	206	297	351	411	476	546	698
36	198	289	343	403	468	538	692
37	190	281	335	395	461	532	686
38	183	274	328	388	454	525	681
39	177	267	321	381	448	519	676
40	170	260	314	375	442	513	671
41	164	254	308	369	436	508	667
42	159	248	302	363	430	503	663
43	153	242	296	358	425	498	659
44	148	236	291	352	420	494	656
45	143	231	286	347	416	490	652

ANNEXE B

Note 1: Vous trouverez des versions vierges de ces questionnaires dans le dossier 3.2.

Note 2: Ce questionnaire contient des éléments financiers qui permettront d'établir le bilan personnel.

Les Modules Intégrés inc.[1]

Montréal, le 25 août 2010

Madame Francine Simard et Monsieur Claude Lajoie
100, rue Principale
Montréal (Québec)
H3H 1H1

Madame, Monsieur,

Obtenir un profil précis de votre situation personnelle est la première étape d'une bonne planification financière. Pour ce faire, vous trouverez ci-joint un premier questionnaire, que vous devez remplir avec le plus de précision possible. Les questions qu'il contient vous aideront à réfléchir sur votre situation actuelle et future et favoriseront un meilleur dialogue avec nos conseillers. Cependant, les questions exigeant plus de détails pourront être finalisées avec nos spécialistes au cours de la prochaine rencontre, au moment où nous discuterons plus en profondeur de vos objectifs personnels.

Pour la prochaine rencontre, prévue le 12 octobre 2010, il ne sera donc pas indispensable d'avoir fourni toutes les réponses, mais il serait utile que vous apportiez ce questionnaire et vos documents financiers ou légaux. À cet effet, nous avons inclus une liste des documents nécessaires à la fin du questionnaire.

Nous réviserons ensemble ce premier questionnaire et commencerons également à remplir un second questionnaire, que nous finaliserons le 2 novembre 2010 (date à confirmer selon les disponibilités). Ce questionnaire concerne les éléments financiers de votre situation familiale. Le 12 octobre, nous vous soumettrons également un contrat de services professionnels en bonne et due forme requérant votre signature.

Nous prévoyons vous remettre notre rapport final le 15 novembre 2010.

Le bilan financier sera daté du 1er novembre 2010 et toutes les données financières (coût de la vie et autres) doivent se rapporter à l'année qui vient, donc du 1er novembre 2010 au 31 octobre 2011.

La prochaine rencontre nous procurera les renseignements de base qui nous permettront d'établir un premier plan d'ensemble dans le but d'atteindre le meilleur équilibre entre votre qualité de vie et votre indépendance financière.

Veuillez agréer, Madame, Monsieur, l'expression de mes sentiments distingués.

Pierre G. Rolland
Pierre G. Rolland, Pl. Fin.

---

1. Nom fictif.

**Planification financière
personnalisée pour :**

Francine Simard et Claude Lajoie

Questionnaire n° 1

**Profil de la situation financière
personnelle et familiale**

Date : *Le 12 octobre 2010* **Lieu :** *Montréal*

Questionnaire n° 1
Profil de la situation personnelle et familiale

1. Renseignements généraux

Nom(s) et prénom(s)	État civil	Date de naissance (âge)	Profession
Lajoie, Claude	*Marié*	*14 février 1978*	*Conseiller technique*
Simard, Francine	*Mariée*	*15 janvier 1981*	*Coordonnatrice de mode*

Adresse de correspondance :   Résidence ☑   Bureau ☐

	Résidence	Bureau
Nom du client	*Claude Lajoie*	
Entreprise	*ABC inc.*	
Rue	*1050, rue Belle-Rue*	*100, rue Principale*
Ville	*Montréal (Québec)*	*Montréal (Québec)*
Code postal	*H1H 3H3*	*H3H 1H1*
Téléphone	*514-123-4321*	*514-101-1010*

Professionnels consultés : comptable, avocat, notaire, courtier en valeurs mobilières, courtier d'assurance, conseiller personnel, etc. (La liste des professionnels consultés n'est pas obligatoire, mais pourrait s'avérer très utile.)

Profession	Bureau	Nom	Téléphone

(Joindre la liste, s'il y a lieu.)

2. Renseignements familiaux

Cette planification financière concerne :   le couple ☑   une personne ☐

Enfants à charge		Autre(s) personne(s) à charge (expliquez)
Prénom	Âge	
Nathalie	*6 ans*	
Jean-Michel	*1 an*	

Prévoyez-vous avoir d'autres enfants ?   Oui ☐   Non ☑   Si oui, combien ? _____

Vos enfants possèdent-ils un compte bancaire individuel ?   Oui ☐   Non ☑

Enfant	Montant

QUESTIONNAIRE NO 1-*SUITE*

Recevez-vous du fédéral la PUGE, ou Prestation universelle pour garde d'enfants ?   Oui ☑   Non ☐

Si oui, combien recevez-vous par mois ?   _____100 $_____

Nom des enfants bénéficiaires	Âge
Jean-Michel	*1 an*

Avez-vous un REEE pour vos enfants ?   Oui ☐   Non ☑

Sinon, prévoyez-vous en établir un ?   Oui ☑   Non ☐

Si vous possédez un REEE, précisez le nom des enfants, leur âge et le type de REEE.

Enfant	Âge	Type de REEE

3. Coût de la vie mensuel pour l'année qui vient, soit à partir du _____*1er novembre*_____

A) Maison

Loyer	
Hypothèque	534
Téléphone	60
Câble	40
Chauffage	75
Électricité	75
Taxes (total)	200
Entretien	36
Assurances (feu, vol, etc.)	60
Ameublement	30
Autres frais	–
TOTAL MENSUEL (A)	1 110

B) Transport

Essence et huile (auto)	140
Entretien (auto)	50
Assurance auto	60
Automobile	–
Immatriculation et permis	50
Stationnement	40
Location d'un garage	40
Taxis	40
Métro ou autobus	–
Autres frais	–
TOTAL MENSUEL (B)	420

C) Famille

Alimentation	650
Habillement	80
Frais de scolarité	–
Sports et loisirs	75

D) Divers

Vacances et voyages	275
Assurance vie	25
Autres assurances	–
Dons ou cadeaux	30

QUESTIONNAIRE NO 1-*SUITE*

Sorties au restaurant	140	Aide ménagère	–
Pharmacie et cosmétiques	65	Pension alimentaire	–
Journaux et magazines	25	**TOTAL MENSUEL (D)**	330
Tabac et alcool	60		
Frais de garderie	75		
Dentiste et optométriste	50		
Allocation aux enfants	–		
Loterie	10		
Argent de poche	125		
Autres frais	–		
TOTAL MENSUEL (C)	1 355		
TOTAL GÉNÉRAL MENSUEL (A) + (B) + (C) + (D)	3 215		
TOTAL ANNUEL	35 580 $		
Ajouter 5 % pour les imprévus	1 929		
Coût de la vie annuel	40 509 $		
COÛT DE LA VIE ANNUEL	40 500 $	(total arrondi à 100 $ près)	

Quel est le montant des dépenses totales annuelles relatives aux enfants? Le montant total est approximatif, mais est représentatif des frais engagés. Ce montant est inclus dans le total du coût de la vie annuel.

	Année	Montant
Dépenses totales annuelles relatives aux enfants :	2010-2011	5 000 $

4. Projets spéciaux

Il faut évaluer ici les dépenses que vous désirez effectuer d'ici environ cinq ans et qui n'ont pas déjà été incluses dans votre coût de la vie.

	Année	Coût	Commentaires
Voyage			
Scolarité (extraordinaire)			
Maison (rénovations)	2010-2011	5 500 $	*urgent – ajout d'un garage*
Maison (achat)			
Piscine	2011-2012	9 500 $	*si possible*
Chalet			
Copropriété			
Automobile			
Ordinateur			
Ameublement			
Autres (divers)			

5. Retraite

	Conjoint	Conjointe
Âge actuel	*32 ans*	*29 ans*
Âge de la retraite (1er choix)	*60 ans*	*57 ans*
(2e choix)	*65 ans*	*62 ans*

Ajustement au coût de la vie à la retraite : augmentation pour imprévus à la retraite *6 000* $*

Prévoyez-vous un changement majeur dans votre vie familiale ou professionnelle ?

D'ici cinq ans *Non* À plus long terme *Non*

* Cet ajustement sera pris en considération lors du calcul des mises de fonds nécessaires en vue de la retraite.

6. Revenu de travail

Profil des salaires annuels	Année	*2006-2007*
	Conjoint	Conjointe
Salaire brut	*55 600 $*	*16 000 $*
Retenues à la source :		
Admissibles pour impôt (déduction ou CNR)	*3 000 $*	*800 $*
Non admissibles	*18 000 $*	*2 500 $*
Salaire net	*34 600 $*	*12 700 $*
Total des acomptes provisionnels effectués depuis le début de l'année		*Aucun*

Montant _____ Date(s) _____

Brève description de la profession dont vous tirez votre revenu salarial :

Claude : Conseiller technique en réfrigération

Francine : Coordonnatrice de mode (manufacturier de vêtements pour dames)

Quelle augmentation annuelle prévoyez-vous pour les deux prochaines années ?

Année	*2011*	Augmentation en pourcentage	*2 % (Claude et Francine)*
Année	*2012*	Augmentation en pourcentage	*2 % (Claude et Francine)*

7. Revenu de location

Immeuble habité ☐ ou non ☐ par le propriétaire ☐ sans objet ☐

		Commentaires
Type d'immeuble	_____	_____
Date d'achat	_____	_____
Coût de l'immeuble	_____	_____
Coût du terrain	_____	_____
Valeur marchande actuelle – immeuble	_____	_____
Valeur marchande actuelle – terrain	_____	_____
Solde hypothécaire actuel	_____	_____

QUESTIONNAIRE NO 1-*SUITE*

Assurance hypothèque

Taux d'intérêt

Échéance de l'hypothèque

Amortissement restant

Taux d'intérêt

Échéance de l'hypothèque

Amortissement restant

Taux d'intérêt

Revenu mensuel (actuel)

Revenu mensuel (au renouvellement des baux)

Mensualités de l'hypothèque (capital et intérêt)

Intérêt (base annuelle)

Pour les quatre prochaines années
(valeur arrondie)

Débours directs moyens mensuels (actuels)

Débours directs moyens mensuels (au
renouvellement des baux)

Superficie occupée par vous en pourcentage

Total de l'amortissement fiscal réclamé

Si vous n'habitez pas l'immeuble de location, celui-ci sera-t-il conservé par le conjoint survivant dans l'éventualité d'un décès? Conservé ☐ Vendu ☐

8. Objectifs personnels et familiaux

Que signifie pour vous l'indépendance financière?

Possibilité d'une retraite à 60 ans. Nos dettes payées le plus rapidement possible.

Prévoir les études de nos deux enfants. Hypothèque remboursée à la retraite.

Jusqu'à quel âge prévoyez-vous être le soutien financier de vos enfants? (Cette question peut avoir une incidence sur le montant de l'assurance vie.)

Enfant	Âge actuel	Âge limite
Nathalie	*6 ans*	*Incertain*
Jean-Michel	*1 an*	*Incertain*

Prévoyez-vous inclure dans vos besoins financiers en assurance vie, d'ici quelques années, un certain montant d'argent pour un fonds spécial d'études universitaires pour vos enfants ?

Oui ☐ Non ☑ Si oui, indiquez l'année _____

_____

Enfant (prénom)	Âge actuel	Montant ($)

9. Placements

Selon vous, quel est votre profil d'investisseur ?

Prudent ☑   Équilibré (modéré) ☐   Audacieux (spéculatif) ☐

En fonction de votre tolérance au risque, quelle répartition (en pourcentage) de vos placements préférez-vous ? (Le total doit représenter 100 %.)

Placements totalement sécuritaires (sans risque) _____ *20 %*

Placements partiellement sécuritaires (risque faible à moyen) _____ *40 %*

Placements spéculatifs (risque élevé) _____ *40 %*

Outre la rentabilité, quelle caractéristique majeure recherchez-vous pour vos placements ?

Rendement d'environ 8 % pour un portefeuille à long terme bien diversifié

Profil d'investisseur :

Veuillez consulter l'annexe 1 à la fin de ce premier questionnaire et remplir le test « Profil d'investisseur » suggéré. Les résultats de votre test seront analysés au module « Les placements » de votre rapport final.

10. Succession

Date du mariage _____ *10 octobre 2002*

Régime matrimonial _____ *Société d'acquêts*

Contrat de mariage   Oui ☐   Non ☑

Avez-vous un testament ? ____*Non*____   Votre conjoint ? ____*Non*____

Testament avec clause de décès simultané   Oui ☐   Non ☑

Quels sont vos objectifs majeurs concernant votre succession ?

Assurer la qualité de vie de la famille survivante

Y a-t-il des aspects précis qui vous préoccupent au sujet d'un testament ?

Le décès simultané. Qu'arriverait-il aux enfants ?

QUESTIONNAIRE NO 1-*SUITE*

Est-il probable que vous ou votre conjoint héritiez ?   Oui ☐   Non ☑

    Si oui, de combien ? _____   Quand ? _____

Avez-vous pensé à créer une fiducie testamentaire ?   Oui ☐   Non ☑

11. Assurances

Polices d'assurance vie: Dressez la liste des polices d'assurance vie de chaque membre de la famille.

Titulaire	Bénéficiaire	Compagnie	Genre de police	Prime annuelle	Valeur de rachat	Montant de la protection
Claude	*Francine*	*Movie inc.*	*T-10 depuis 2002*	*300 $*	*–*	*100 000 $*
Claude	*Francine*	*Employeur*	*Collective*	*–*	*–*	*25 000 $*

Fumez-vous ?   Conjoint   Oui ☐   Non ☑   Conjointe   Oui ☐   Non ☑

Si oui, combien de cigarettes par jour ?   Conjoint _____   Conjointe _____

Commentaire(s)

_____

L'employeur de Claude (ABC inc.) lui fournit une police temporaire collective d'une valeur de 25 000 $.

_____

Quel montant minimal d'assurance vie désirez-vous maintenir ?   *Ne sais pas*

Croyez-vous avoir besoin d'une assurance vie au-delà de 65 ans ?   *Ne sais pas*

Assurance hypothécaire   Résidence principale   Oui ☐   Non ☑
                                    Autre immeuble (précisez)   Oui ☐   Non ☐   Sans objet ☑

_____

Vos polices d'assurance vie présentent-elles (dans l'incertitude, fournir les polices d'assurance) :

1) une clause d'assurance salaire ? _____

2) une clause de protection pour conjoint et enfants ? _____

3) autres ? _____

Donnez les détails.

_____

_____

Police d'assurance salaire (invalidité)   Oui ☐   Non ☑

Provisions annuelles pour projets spéciaux pour le conjoint survivant :   *4 900 $*

12. Commentaires

Commentaires additionnels pouvant nous aider à mieux connaître vos objectifs personnels et familiaux :

_____

QUESTIONNAIRE NO 1- *SUITE*

Notre objectif est de maintenir notre qualité de vie en remboursant nos dettes et en préparant notre

retraite.

_____

_____

_____

_____

_____

_____

_____

Date _____*Le 12 octobre 2010*_____   Lieu _____*Montréal*_____

Documents requis (s'ils sont disponibles):

- ☐ Déclarations de revenus (trois ans)
- ☐ *Idem* pour le conjoint
- ☐ Bilans personnels (trois ans)
- ☐ *Idem* pour le conjoint
- ☐ États financiers d'entreprise
- ☐ Polices d'assurance
- ☐ Testaments
- ☐ Dernier relevé de paie

- ☐ Contrat de mariage
- ☐ Conventions entre associés
- ☐ Fiducies
- ☐ Acte de divorce
- ☐ Documents financiers (relevés de placements, comptes bancaires, créances ou comptes débiteurs, liste des dettes, avoir net, etc.)
- ☐ Autres _____

Annexe 1
«Votre profil d'investisseur»

1. Selon vous, votre profil d'investisseur est le suivant

Prudent ☑ Équilibré (modéré) ☐ Spéculatif (audacieux) ☐

2. Votre répartition des titres

- Risque nul à faible: *20 %*
- Risque moyen: *40 %*
- Risque élevé: *40 %*
-   Total: 100 %

QUESTIONNAIRE NO 1-*SUITE*

3. Le test

Note aux étudiants :

En général, le test « Profil d'investisseur » est inclus dans le questionnaire n° 1 pour que le client le remplisse. Cependant, dans l'optique pédagogique de ce manuel, nous vous recommandons de consulter.

Test n° 1 – Un total de 15 questions qui conduisent à un graphique illustrant le profil du client.

 www.desjardins.com (REER/épargne-retraite)

Test n° 2 – Un total de six questions qui conduisent à un graphique illustrant le profil du client.

 www.bcn.ca (Placements)

Test n° 3 – Un total de six questions qui cernent votre profil d'investisseur selon un système de pointage.

 www.lautorite.qc.ca (Publications/Investissement/Maîtrisez vos placements)

4. Les résultats du test

Ces résultats seront révélés et interprétés au chapitre 15, au module « Les placements ».

Planification financière
personnalisée pour :

Francine Simard et Claude Lajoie

Questionnaire n° 2

Profil de la situation
financière

Date : _Le 2 novembre 2010_   **Lieu :** _Montréal_

Questionnaire n° 2
Profil de la situation financière

1. Encaisse : solde de vos comptes bancaires   *1 800 $*

2. Comptes clients : total des sommes à recevoir (RRQ, clients, etc.)   – $

3. Assurances vie : valeur de rachat   – $

4. Obligations d'épargne :   – $

Nom	Date d'achat	Échéance	Taux d'intérêt	Montant
___	___	___	___	$
___	___	___	___	$
___	___	___	___	$

Commentaires : _____ $

5. Dépôts à terme ou certificats de placement garanti

Établissement financier	Type	Date d'achat	Échéance	Taux d'intérêt	Montant
Banque DICI	*CPG*	*Depuis mai 2008*	*2011-07-31*	*3 %*	
___	___	___	___	___	___
___	___	___	___	___	___

Commentaires : *Il s'agit de trois CPG de 5 000 $ et un de 1 000 $.*   *16 000 $*

6. Autres produits financiers : obligations, actions, etc.

Fournir la liste détaillée. $

7. REER traditionnel et autogéré

Nom de l'établissement financier	Type de REER	Date d'achat	Valeur à l'achat	Valeur totale actuelle
Caisse populaire	*Fonds d'action*	*Mise annuelle Depuis 2002*	*4 500 $*	*6 216 $*
___	___	___	___	*6 216 $*

8. REEE individuel ou familial

Nom de l'établissement	Type de REEE	Cotisations	Valeur totale actuelle
_____	_____	_____	_____
_____	_____	_____	_____
			– $

9. Régime de pension agréé (RPA) – employeur

C'est le cas si vous êtes salarié et que vous participez au régime de pension agréé de votre employeur.

Nom du régime	*RCR de ABC inc.*
Type de régime	*RAPD (prestations déterminées)*
Cotisations annuelles	*2010* Employé : *1 300 $*
	Employeur : *1 300 $*

Les cotisations augmentent de ___*2 %*___ par année.

Détails du régime

Prestations à la retraite : 1,3 % du salaire final × le nombre d'années créditées.

Claude a commencé à travailler pour ABC inc. en 2008 (à l'âge de 30 ans). Les années à créditer débutent avec son âge actuel, soit 32 ans. Son salaire actuel est de 55 600 $ par année. Il sera extrapolé à 3 % d'inflation pendant 32 années à créditer pour la retraite à 65 ans et pendant 27 années pour la retraite à 60 ans.

* Le salaire final est basé sur la dernière année de travail.

Valeur actuelle du régime (valeur de transfert si elle est connue)   *Inconnue*

10. Solde des prêts que vous avez consentis à d'autres personnes   – $

11. Autres éléments d'actif

Collections (précisez) _____

Œuvres d'art (peintures, sculptures, etc.) _____

Meubles de collection _____

Chaîne stéréo spéciale

Bijoux

Investissements (or, argent, diamants, etc.)

Fourrures

Autres

Valeur actuelle totale : $

12. Immobilisations

	Coût	Valeur actuelle
Résidence principale	190 000 $	260 000 $
Ameublement général	24 000 $	18 000 $
Automobile(s)	25 000 $	19 000 $
Chalet		
Autres (bateau, avion, terrain, etc.)		
Valeur actuelle totale :		297 000 $

13. Hypothèque sur votre résidence principale et votre résidence secondaire

	Résidence principale	Résidence secondaire
Date d'achat	Septembre 2003	
Prêteur	Banque DICI	
Date du prêt	1er novembre 2008	
Terme	5 ans	
Période d'amortissement en années à la date du prêt	20 ans	
Montant du prêt	60 000 $	
Solde du prêt* (Date : 2010-11-01)	57 602 $	
Taux d'intérêt	9 %	
Remboursement mensuel (capital et intérêt)	534 $	
Autre mode de remboursement		
Commentaires :		

*Ce solde est-il assuré ?   Oui ☐   Non ☑

14. Autres dettes

Ne pas inclure ici la marge de crédit, mais mentionner toutes les dettes telles que les emprunts bancaires, les emprunts personnels, les billets à ordre, etc.

	Emprunt n° 1	Emprunt n° 2	Emprunt n° 3	Autre
Nom du prêteur	*Banque DICI*			
Raison du prêt	*Automobile*			
Date du prêt	*1er mai 2010*			
Montant du prêt	*22 000 $*			
Échéance	*1er mai 2015*			
Solde actuel	*20 217 $*			
Ce solde est-il assuré ?	*Non*			
Taux d'intérêt	*9 %*			
Montant mensuel (capital et intérêt)	*457 $*			
ou				
Intérêt				
Autre mode de remboursement				
Commentaires				

Nous aimerions rembourser ce prêt plus rapidement qu'en cinq ans.

15. Solde des cartes de crédit

3 900 $

16. Marge de crédit

Solde	–	$
Montant autorisé		$
Versement mensuel minimal exigé		$
Taux		%

17. Impôt à payer

Si vous n'avez pas effectué votre dernier versement au fédéral ou au provincial, indiquez le montant en cause. Si l'impôt a été réglé, n'indiquez rien.

Année   *2009*

Montant   *925 $*

18. Dette éventuelle

Si vous prévoyez une dette future, indiquez-en le montant et la date.

Date	Montant
	– $

INDEX